第十八改正
日本薬局方
第一追補

一般財団法人
医薬品医療機器レギュラトリーサイエンス財団　編集

じほう

第十八改正日本薬局方第一追補　目次

第十八改正日本薬局方第一追補
　厚生労働省告示
　　目　次……………………………………………………………………………………………… (1)
　　まえがき…………………………………………………………………………………………… *1*
　　第十八改正日本薬局方第一追補………………………………………………………………… *1*
　　参照紫外可視吸収スペクトル／参照赤外吸収スペクトル…………………………………… *99*
　　参考情報…………………………………………………………………………………………… *109*
　　索　引……………………………………………………………………………………………… *129*

資　料
　　1　関連告示、通知、事務連絡等……………………………………………………………… **3**
　　2　第十九改正日本薬局方原案作成要領……………………………………………………… **44**
　　3　オリジナル索引……………………………………………………………………………… **101**

第十八改正日本薬局方

第一追補

○厚生労働省告示第355号

　医薬品、医療機器等の品質、有効性及び安全性の確保等に関する法律（昭和35年法律第145号）第41条第1項の規定に基づき、日本薬局方（令和3年厚生労働省告示第220号）の一部を次のように改正する。

　　令和4年12月12日

　　　　　　　　　　　　　　　　　　　　　　　　厚生労働大臣　　加藤　勝信

　（「次のよう」は省略し、この告示による改正後の日本薬局方の全文を厚生労働省医薬・生活衛生局医薬品審査管理課及び地方厚生局並びに都道府県庁に備え置いて縦覧に供するとともに、厚生労働省のホームページに掲載する方法により公表する。）
　　　　附　　則
（適用期日）
1　この告示は、告示の日（次項及び第3項において「告示日」という。）から適用する。
（経過措置）
2　この告示による改正前の日本薬局方（以下「旧薬局方」という。）に収められていた医薬品（この告示による改正後の日本薬局方（以下「新薬局方」という。）に収められているものに限る。）であって告示日において現に医薬品、医療機器等の品質、有効性及び安全性の確保等に関する法律第14条第1項の規定による承認を受けているもの（告示日の前日において、医薬品、医療機器等の品質、有効性及び安全性の確保等に関する法律第14条第1項の規定に基づき製造販売の承認を要しないものとして厚生労働大臣の指定する医薬品等（平成6年厚生省告示第104号）により製造販売の承認を要しない医薬品として指定されている医薬品を含む。）については、令和6年6月30日までの間は、旧薬局方で定める基準（当該医薬品に関する部分に限る。）は新薬局方で定める基準とみなすことができるものとする。
3　新薬局方に収められている医薬品（旧薬局方に収められていたものを除く。）であって告示日において現に医薬品、医療機器等の品質、有効性及び安全性の確保等に関する法律第14条第1項の規定による承認を受けている医薬品については、令和6年6月30日までの間は、新薬局方に収められていない医薬品とみなすことができるものとする。

（なお、「次のよう」とは、「一般試験法」から始まり、「参照赤外吸収スペクトル」（107頁）までをいう。）

目　　　次

まえがき

第十八改正日本薬局方第一追補

一般試験法 …………………………………………………………………………………… 3
- 2.00　クロマトグラフィー総論 ……………………………………………………… 3
- 2.01　液体クロマトグラフィー ……………………………………………………… 10
- 2.02　ガスクロマトグラフィー ……………………………………………………… 12
- 2.22　蛍光光度法 ……………………………………………………………………… 13
- 2.27　近赤外吸収スペクトル測定法 ………………………………………………… 14
- 2.28　円偏光二色性測定法 …………………………………………………………… 16
- 2.58　粉末X線回折測定法 …………………………………………………………… 17
- 3.04　粒度測定法 ……………………………………………………………………… 21
- 9.01　標準品 …………………………………………………………………………… 23
- 9.41　試薬・試液 ……………………………………………………………………… 23
- 9.42　クロマトグラフィー用担体／充填剤 ………………………………………… 32

医薬品各条 ………………………………………………………………………………… 33
　　生薬等 ……………………………………………………………………………… 83

参照紫外可視吸収スペクトル …………………………………………………………… 99

参照赤外吸収スペクトル ………………………………………………………………… 103

参考情報
- G0.　医薬品品質に関する基本的事項
  - 化学合成される医薬品原薬及びその製剤の不純物に関する考え方〈G0-3-181〉 ……… 112
- G1.　理化学試験関連
  - システム適合性〈G1-2-181〉 ………………………………………………………… 113
  - 近赤外吸収スペクトル測定法〈G1-3-161〉 ………………………………………… 114
  - 液の色に関する機器測定法〈G1-4-181〉 …………………………………………… 115
  - クロマトグラフィーのライフサイクル各ステージにおける管理戦略と変更管理の考え方
    　　（クロマトグラフィーのライフサイクルにおける変更管理）〈G1-5-181〉 ……… 116
- G2.　物性関連
  - せん断セル法による粉体の流動性測定法〈G2-5-181〉 …………………………… 118
- G4.　微生物関連
  - 微生物試験における微生物の取扱いのバイオリスク管理〈G4-11-181〉 ………… 120
- G5.　生薬関連
  - 日本薬局方収載生薬の学名表記について〈G5-1-181〉 …………………………… 124
- G6.　製剤関連
  - 錠剤の摩損度試験法〈G6-5-181〉 …………………………………………………… 125
- G9.　医薬品添加剤関連
  - 製剤に関連する添加剤の機能性関連特性について〈G9-1-181〉 ………………… 125
- GZ.　その他
  - 製薬用水の品質管理〈GZ-2-181〉 …………………………………………………… 126

索　引
　　日本名索引 ………………………………………………………………………… 131

第十八改正日本薬局方第一追補
医薬品各条目次

各条横断的改正（純度試験中の一部項目の削除） ……… 33

ア

アナストロゾール ……………………………… 51
アナストロゾール錠 …………………………… 52
アムホテリシンB錠 …………………………… 53
注射用アムホテリシンB ……………………… 53
注射用アンピシリンナトリウム・
　スルバクタムナトリウム ………………… 53

イ

注射用イミペネム・シラスタチンナトリウム ……… 54
インスリン　ヒト(遺伝子組換え) ……………… 54
インスリン　ヒト(遺伝子組換え)注射液 ……… 55
イソフェンインスリン
　ヒト(遺伝子組換え)水性懸濁注射液 ……… 55
二相性イソフェンインスリン
　ヒト(遺伝子組換え)水性懸濁注射液 ……… 55

エ

エタノール ……………………………………… 55
無水エタノール ………………………………… 56
エポエチン　ベータ(遺伝子組換え) ………… 56
塩化ナトリウム ………………………………… 56
エンビオマイシン硫酸塩 ……………………… 56

オ

オキシブチニン塩酸塩 ………………………… 57

カ

クロスカルメロースナトリウム ……………… 58

サ

サルポグレラート塩酸塩細粒 ………………… 58

ス

ステアリン酸 …………………………………… 59
ステアリン酸マグネシウム …………………… 59
注射用スペクチノマイシン塩酸塩 …………… 60

セ

注射用セフォペラゾンナトリウム・
　スルバクタムナトリウム ………………… 61
粉末セルロース ………………………………… 61

テ

テモゾロミド …………………………………… 61
テモゾロミドカプセル ………………………… 62
注射用テモゾロミド …………………………… 64
コムギデンプン ………………………………… 65

ナ

ナルトグラスチム(遺伝子組換え) …………… 65
注射用ナルトグラスチム(遺伝子組換え) …… 65

ハ

パラオキシ安息香酸エチル …………………… 65
パラオキシ安息香酸ブチル …………………… 66
パラオキシ安息香酸プロピル ………………… 68
パラオキシ安息香酸メチル …………………… 69

ヒ

ビカルタミド錠 ………………………………… 70
ヒプロメロースフタル酸エステル …………… 71

フ

ブデソニド ……………………………………… 72
ブトロピウム臭化物 …………………………… 73
ブロムヘキシン塩酸塩 ………………………… 73

ヘ

ベンジルアルコール …………………………… 74

ホ

ボグリボース錠 ………………………………… 74
ボグリボース口腔内崩壊錠 …………………… 74
ポリソルベート80 ……………………………… 75
ホルモテロールフマル酸塩水和物 …………… 77

マ

D－マンニトール …………………………………… 79

メ

dl－メントール …………………………………… 81
l－メントール …………………………………… 81

モ

モノステアリン酸グリセリン …………………………… 81

ワ

黄色ワセリン ……………………………………… 81
白色ワセリン ……………………………………… 82

第十八改正日本薬局方第一追補
医薬品各条　生薬等目次

イ

インチンコウ ……………………………… 83

ウ

ウコン ……………………………………… 83
ウワウルシ ………………………………… 83

エ

エンゴサク ………………………………… 83
エンゴサク末 ……………………………… 84

カ

ガイヨウ …………………………………… 84
カンキョウ ………………………………… 85

キ

キョウニン ………………………………… 85

ケ

桂枝茯苓丸エキス ………………………… 85

コ

コウボク …………………………………… 86
ゴシツ ……………………………………… 86
牛車腎気丸エキス ………………………… 86
呉茱萸湯エキス …………………………… 86
ゴボウシ …………………………………… 87

サ

柴胡桂枝乾姜湯エキス …………………… 87
サンシシ …………………………………… 89
サンシュユ ………………………………… 89

シ

シャカンゾウ ……………………………… 90
ジャショウシ ……………………………… 90
シャゼンソウ ……………………………… 90
ショウキョウ ……………………………… 90
ショウキョウ末 …………………………… 90
ショウズク ………………………………… 91

ショウマ …………………………………… 91
真武湯エキス ……………………………… 91

セ

センナ ……………………………………… 91
センナ末 …………………………………… 92

タ

無コウイ大建中湯エキス ………………… 92

チ

チョウジ …………………………………… 92
チョウジ油 ………………………………… 92
チョウトウコウ …………………………… 92

ト

桃核承気湯エキス ………………………… 93
トウニン …………………………………… 93
トウニン末 ………………………………… 94

ニ

ニガキ ……………………………………… 94
ニガキ末 …………………………………… 94
ニクズク …………………………………… 94

ハ

八味地黄丸エキス ………………………… 94
ハマボウフウ ……………………………… 95
半夏厚朴湯エキス ………………………… 95

ホ

ボウイ ……………………………………… 95

マ

麻黄湯エキス ……………………………… 95

モ

モクツウ …………………………………… 96

ヤ

ヤクチ……………………………………………… 96
ヤクモソウ………………………………………… 96

ヨ

抑肝散加陳皮半夏エキス………………………… 96

ま え が き

　第十八改正日本薬局方は令和3年6月7日厚生労働省告示第220号をもって公布された．
　その後，令和3年7月に日本薬局方部会を開催し，審議の結果，日本薬局方の役割と性格，作成方針，作成方針に沿った第十九改正に向けての具体的な方策，施行時期に関する事項を決定した．
　日本薬局方は，公衆衛生の確保に資するため，学問・技術の進歩と医療需要に応じて，我が国の医薬品の品質を適正に確保するために必要な規格・基準及び標準的試験法等を示す公的な規範書であり，医薬品全般の品質を総合的に保証するための規格及び試験法の標準を示すとともに医療上重要とされた医薬品の品質等に係る判断基準を明確にする役割を有するとされた．また，その作成に当たって，多くの医薬品関係者の知識と経験が結集されており，関係者に広く活用されるべき公共の規格書としての性格を有するとともに，国民に医薬品の品質に関する情報を公開し，説明責任を果たす役割をもち，加えて，国際社会の中で，医薬品の品質規範書として，国レベルを越えた医薬品の品質確保に向け，先進技術の活用及び国際的整合の推進に応分の役割を果たし，貢献することとされた．
　作成方針として，保健医療上重要な医薬品を優先して収載することによる収載品目の充実，最新の学問・技術の積極的導入による質的向上，医薬品のグローバル化に対応した国際化の一層の推進，必要に応じた速やかな部分改正及び行政によるその円滑な運用，日本薬局方改正過程における透明性の確保及び日本薬局方の国内外への普及の「5本の柱」が打ち立てられた．この基本的考えに立って，関係部局等の理解と協力を得つつ，各般の施策を講じ，広く保健医療の場において，日本薬局方が有効に活用されうるものとなるよう努めることとされた．
　収載品目の選定については，医療上の必要性，繁用度又は使用経験等を指標に，保健医療上重要な医薬品は可能な限り速やかな収載を目指すこととされた．
　また，第十九改正の時期は令和8年4月を目標とすることとされた．
　日本薬局方の原案は，独立行政法人医薬品医療機器総合機構に設置された総合委員会，製法問題検討小委員会，化学薬品委員会，抗生物質委員会，生物薬品委員会，生薬等委員会，医薬品添加物委員会，理化学試験法委員会，製剤委員会，物性試験法委員会，生物試験法委員会，医薬品名称委員会，国際調和検討委員会及び標準品委員会で検討されている．その他，総合委員会，生物薬品委員会，医薬品添加物委員会及び製剤委員会の下に，それぞれワーキンググループが設置されている．
　各委員会は各種改正の検討を開始した．検討事項のうち，一般試験法，医薬品各条，参照紫外可視吸収スペクトル及び参照赤外吸収スペクトルについては，令和2年9月から令和4年6月までの期間に検討を終了した分を，第十八改正日本薬局方の一部改正としてとりまとめることとした．
　この期間に改正原案作成のために開催した委員会の回数は，総合委員会17回（ワーキンググループを含む），製法問題検討小委員会1回，化学薬品委員会23回，抗生物質委員会4回，生物薬品委員会7回，生薬等委員会16回，医薬品添加物委員会13回（ワーキンググループを含む），理化学試験法委員会8回，製剤委員会17回（ワーキンググループを含む），物性試験法委員会6回，生物試験法委員会6回，医薬品名称委員会4回，国際調和検討委員会7回，標準品委員会3回（ワーキンググループを含む）である．
　なお，この改正の原案作成に当たっては，関西医薬品協会技術研究委員会，東京医薬品工業協会局方委員会，東京生薬協会，日本医薬品添加剤協会，日本家庭薬協会，日本漢方生薬製剤協会，日本香料工業会，日本生薬連合会，日本製薬工業協会，日本製薬団体連合会，日本PDA製薬学会，日本試薬協会，日本植物油協会，日本分析機器工業会，創包工学研究会等の協力を得た．
　この一部改正原案は令和4年7月に日本薬局方部会で審議のうえ，同年9月に薬事・食品衛生審議会に上程され，報告された後，厚生労働大臣に答申された．日本薬局方部会長については，平成23年1月から令和2年12月まで橋田充が，令和3年1月から令和4年12月まで太田茂がその任に当たった．
　この改正の結果，第十八改正日本薬局方第一追補の収載は2042品目となった．このうち改正により新たに収載したものが11品，削除した品目は2品である．

　本改正の記載法の原則と改正の要旨は次のとおりである．
　1．日本薬局方の記載は口語体で横書きとし，常用漢字及び現代かなづかい，文部科学省学術用語集などに従うことを原則としたが，著しく誤解を招きやすいものについては常用漢字以外の漢字も用いた．
　2．薬品名，試薬名は原則として常用漢字及びかたかな書きとした．
　3．収載の順序は，告示，目次，まえがきに続いて，一般試験法，医薬品各条の順とし，更に医薬品各条の参照紫外可視吸収スペクトル，参照赤外吸収スペクトルを付し，終わりに参考情報，附録として第十八改正日本薬局方，第十八改正日本薬局方第一追補を合わせた索引を付した．
　4．医薬品各条，参照紫外可視吸収スペクトル及び参照赤外吸収スペクトルの配列順序は，原則として五十音順に従った．

5．医薬品各条中の記載順序は，次によったが，必要のない項目は除いてある．
(1) 日本名
(2) 英名
(3) ラテン名(生薬関係品目についてのみ記載する．)
(4) 日本名別名
(5) 構造式
(6) 分子式及び分子量(組成式及び式量)
(7) 化学名
(8) ケミカル・アブストラクツ・サービス(CAS)登録番号
(9) 基原
(10) 成分の含量規定
(11) 表示規定
(12) 製法
(13) 製造要件
(14) 性状
(15) 確認試験
(16) 示性値
(17) 純度試験
(18) 意図的混入有害物質
(19) 乾燥減量，強熱減量又は水分
(20) 強熱残分，灰分又は酸不溶性灰分
(21) 製剤試験
(22) その他の特殊試験
(23) 定量法
(24) 貯法
(25) 有効期間
(26) その他

6．医薬品の性状及び品質に関係のある示性値の記載の順序は，次によったが，必要のない項目は除いてある．
(1) アルコール数
(2) 吸光度
(3) 凝固点
(4) 屈折率
(5) 浸透圧比
(6) 旋光度
(7) 構成アミノ酸
(8) 粘度
(9) pH
(10) 成分含量比
(11) 比重
(12) 沸点
(13) 融点
(14) 酸価
(15) けん化価
(16) エステル価
(17) 水酸基価
(18) ヨウ素価

7．確認試験の記載の順序は，原則として次によった．
(1) 呈色反応
(2) 沈殿反応
(3) 分解反応
(4) 誘導体
(5) 可視，紫外，赤外吸収スペクトル
(6) 核磁気共鳴スペクトル
(7) クロマトグラフィー
(8) 特殊反応
(9) 陽イオン
(10) 陰イオン

8．純度試験の記載の順序は，原則として次によったが，必要のない項目は除いてある．
(1) 色
(2) におい
(3) 溶状
(4) 液性
(5) 酸
(6) アルカリ
(7) 塩化物
(8) 硫酸塩
(9) 亜硫酸塩
(10) 硝酸塩
(11) 亜硝酸塩
(12) 炭酸塩
(13) 臭化物
(14) ヨウ化物
(15) 可溶性ハロゲン化物
(16) チオシアン化物
(17) セレン
(18) 陽イオンの塩
(19) アンモニウム
(20) 重金属
(21) 鉄
(22) マンガン
(23) クロム
(24) ビスマス
(25) スズ
(26) アルミニウム
(27) 亜鉛
(28) カドミウム
(29) 水銀
(30) 銅
(31) 鉛
(32) 銀
(33) アルカリ土類金属
(34) ヒ素
(35) 遊離リン酸
(36) 異物
(37) 類縁物質
(38) 異性体
(39) 鏡像異性体
(40) ジアステレオマー
(41) 多量体
(42) 残留溶媒
(43) その他の混在物
(44) 蒸発残留物
(45) 硫酸呈色物

9．一般試験法中，新たに追加した試験法は次のとおりである．
(1) 2.00　クロマトグラフィー総論
(2) 2.27　近赤外吸収スペクトル測定法
(3) 2.28　円偏光二色性測定法

10．一般試験法中，改正した試験法は次のとおりである．
(1) 2.01　液体クロマトグラフィー
(2) 2.02　ガスクロマトグラフィー
(3) 2.22　蛍光光度法
(4) 2.58　粉末X線回折測定法
(5) 3.04　粒度測定法
(6) 9.01　標準品
(7) 9.41　試薬・試液
(8) 9.42　クロマトグラフィー用担体／充塡剤

11．一般試験法中，新たに追加した標準品は次のとおりである．
(1) アナストロゾール標準品
(2) テモゾロミド標準品
(3) ブデソニド標準品

12．一般試験法中，削除した標準品は次のとおりである．
(1) ナルトグラスチム標準品

13. 一般試験法中,「9.01 (2) 国立感染症研究所が製造する標準品」から削り,「9.01 (1) 別に厚生労働大臣が定めるところにより厚生労働大臣の登録を受けた者が製造する標準品」へ加えた標準品は次のとおりである.

(1) アミカシン硫酸塩標準品
(2) クリンダマイシンリン酸エステル標準品
(3) セファクロル標準品
(4) セファレキシン標準品
(5) ドキソルビシン塩酸塩標準品

14. 医薬品各条中,新たに収載した品目は次のとおりである.

(1) アナストロゾール
(2) アナストロゾール錠
(3) オキシブチニン塩酸塩
(4) テモゾロミド
(5) テモゾロミドカプセル
(6) 注射用テモゾロミド
(7) ビカルタミド錠
(8) ブデソニド
(9) ボグリボース口腔内崩壊錠
(10) 柴胡桂枝乾姜湯エキス
(11) 抑肝散加陳皮半夏エキス

15. 医薬品各条中,改正した品目は次のとおりである.

(1) アムホテリシンB錠
(2) 注射用アムホテリシンB
(3) 注射用アンピシリンナトリウム・スルバクタムナトリウム
(4) 注射用イミペネム・シラスタチンナトリウム
(5) インスリン ヒト(遺伝子組換え)
(6) インスリン ヒト(遺伝子組換え)注射液
(7) イソフェンインスリン ヒト(遺伝子組換え)水性懸濁注射液
(8) 二相性イソフェンインスリン ヒト(遺伝子組換え)水性懸濁注射液
(9) エタノール
(10) 無水エタノール
(11) エポエチン ベータ(遺伝子組換え)
(12) 塩化ナトリウム
(13) エンビオマイシン硫酸塩
(14) クロスカルメロースナトリウム
(15) サルポグレラート塩酸塩細粒
(16) ステアリン酸
(17) ステアリン酸マグネシウム
(18) 注射用スペクチノマイシン塩酸塩
(19) 注射用セフォペラゾンナトリウム・スルバクタムナトリウム
(20) 粉末セルロース
(21) コムギデンプン
(22) パラオキシ安息香酸エチル
(23) パラオキシ安息香酸ブチル
(24) パラオキシ安息香酸プロピル
(25) パラオキシ安息香酸メチル
(26) ヒプロメロースフタル酸エステル
(27) ブトロピウム臭化物
(28) ブロムヘキシン塩酸塩
(29) ベンジルアルコール
(30) ボグリボース錠
(31) ポリソルベート80
(32) ホルモテロールフマル酸塩水和物
(33) D－マンニトール
(34) dl－メントール
(35) l－メントール
(36) モノステアリン酸グリセリン
(37) 黄色ワセリン
(38) 白色ワセリン
(39) インチンコウ
(40) ウコン
(41) ウワウルシ
(42) エンゴサク
(43) エンゴサク末
(44) ガイヨウ
(45) カンキョウ
(46) キョウニン
(47) 桂枝茯苓丸エキス
(48) コウボク
(49) ゴシツ
(50) 牛車腎気丸エキス
(51) 呉茱萸湯エキス
(52) ゴボウシ
(53) サンシシ
(54) サンシュユ
(55) シャカンゾウ
(56) ジャショウシ
(57) シャゼンソウ
(58) ショウキョウ
(59) ショウキョウ末
(60) ショウズク
(61) ショウマ
(62) 真武湯エキス
(63) センナ
(64) センナ末
(65) 無コウイ大建中湯エキス
(66) チョウジ
(67) チョウジ油
(68) チョウトウコウ
(69) 桃核承気湯エキス
(70) トウニン
(71) トウニン末
(72) ニガキ
(73) ニガキ末
(74) ニクズク
(75) 八味地黄丸エキス
(76) ハマボウフウ
(77) 半夏厚朴湯エキス
(78) ボウイ
(79) 麻黄湯エキス
(80) モクツウ
(81) ヤクチ
(82) ヤクモソウ

16. 医薬品各条中,純度試験の項中の一部の目を削除した品目は次のとおりである.

(1) アクラルビシン塩酸塩
(2) アクリノール水和物
(3) アザチオプリン
(4) アシクロビル
(5) アジスロマイシン水和物
(6) アスコルビン酸
(7) アズトレオナム
(8) L－アスパラギン酸
(9) アスピリン
(10) アスポキシシリン水和物
(11) アセタゾラミド
(12) 注射用アセチルコリン塩化物
(13) アセチルシステイン
(14) アセトアミノフェン
(15) アセトヘキサミド
(16) アセブトロール塩酸塩
(17) アセメタシン
(18) アゼラスチン塩酸塩
(19) アゼルニジピン
(20) アゾセミド
(21) アテノロール
(22) アトルバスタチンカルシウム水和物
(23) アドレナリン
(24) アプリンジン塩酸塩
(25) アフロクアロン
(26) アマンタジン塩酸塩
(27) アミオダロン塩酸塩
(28) アミカシン硫酸塩
(29) アミドトリゾ酸
(30) アミトリプチリン塩酸塩
(31) アミノ安息香酸エチル
(32) アミノフィリン水和物
(33) アムロジピンベシル酸塩
(34) アモキサピン
(35) アモキシシリン水和物
(36) アモスラロール塩酸塩

(37) アモバルビタール	(91) イリノテカン塩酸塩水和物	(144) エンビオマイシン硫酸塩
(38) アラセプリル	(92) イルソグラジンマレイン酸塩	(145) オキサゾラム
(39) L－アラニン	(93) イルベサルタン	(146) オキサピウムヨウ化物
(40) アリメマジン酒石酸塩	(94) インジゴカルミン	(147) オキサプロジン
(41) 亜硫酸水素ナトリウム	(95) インダパミド	(148) オキシテトラサイクリン塩酸塩
(42) 乾燥亜硫酸ナトリウム	(96) インデノロール塩酸塩	(149) オキシドール
(43) アルガトロバン水和物	(97) インドメタシン	(150) オキシブプロカイン塩酸塩
(44) L－アルギニン	(98) ウベニメクス	(151) オキセサゼイン
(45) L－アルギニン塩酸塩	(99) ウラピジル	(152) オクスプレノロール塩酸塩
(46) アルジオキサ	(100) ウリナスタチン	(153) オザグレルナトリウム
(47) アルプラゾラム	(101) ウルソデオキシコール酸	(154) オフロキサシン
(48) アルプレノロール塩酸塩	(102) ウロキナーゼ	(155) オメプラゾール
(49) アルプロスタジル注射液	(103) エカベトナトリウム水和物	(156) オーラノフィン
(50) アルベカシン硫酸塩	(104) エコチオパートヨウ化物	(157) オルシプレナリン硫酸塩
(51) アレンドロン酸ナトリウム水和物	(105) エスタゾラム	(158) オルメサルタン　メドキソミル
(52) アロチノロール塩酸塩	(106) エストリオール	(159) オロパタジン塩酸塩
(53) アロプリノール	(107) エタクリン酸	(160) カイニン酸水和物
(54) 安息香酸	(108) エダラボン	(161) ガチフロキサシン水和物
(55) 安息香酸ナトリウム	(109) エタンブトール塩酸塩	(162) 果糖
(56) 安息香酸ナトリウムカフェイン	(110) エチオナミド	(163) 果糖注射液
(57) アンチピリン	(111) エチゾラム	(164) カドララジン
(58) 無水アンピシリン	(112) エチドロン酸二ナトリウム	(165) カナマイシン一硫酸塩
(59) アンピシリン水和物	(113) L－エチルシステイン塩酸塩	(166) カナマイシン硫酸塩
(60) アンピシリンナトリウム	(114) エチルセルロース	(167) 無水カフェイン
(61) アンピロキシカム	(115) エチレフリン塩酸塩	(168) カフェイン水和物
(62) アンベノニウム塩化物	(116) エチレンジアミン	(169) カプトプリル
(63) アンモニア水	(117) エデト酸カルシウムナトリウム水和物	(170) ガベキサートメシル酸塩
(64) アンレキサノクス	(118) エデト酸ナトリウム水和物	(171) カベルゴリン
(65) イオウ	(119) エテンザミド	(172) 過マンガン酸カリウム
(66) イオタラム酸	(120) エトスクシミド	(173) カモスタットメシル酸塩
(67) イオトロクス酸	(121) エトドラク	(174) β－ガラクトシダーゼ(アスペルギルス)
(68) イオパミドール	(122) エトポシド	(175) β－ガラクトシダーゼ(ペニシリウム)
(69) イオヘキソール	(123) エドロホニウム塩化物	(176) カルテオロール塩酸塩
(70) イコサペント酸エチル	(124) エナラプリルマレイン酸塩	(177) カルバゾクロムスルホン酸ナトリウム水和物
(71) イセパマイシン硫酸塩	(125) エノキサシン水和物	(178) カルバマゼピン
(72) イソクスプリン塩酸塩	(126) エバスチン	(179) カルビドパ水和物
(73) イソソルビド	(127) エパルレスタット	(180) カルベジロール
(74) イソニアジド	(128) エピリゾール	(181) L－カルボシステイン
(75) l－イソプレナリン塩酸塩	(129) エピルビシン塩酸塩	(182) カルメロース
(76) イソプロピルアンチピリン	(130) エフェドリン塩酸塩	(183) カルメロースカルシウム
(77) イソマル水和物	(131) エプレレノン	(184) カルメロースナトリウム
(78) L－イソロイシン	(132) エペリゾン塩酸塩	(185) クロスカルメロースナトリウム
(79) イダルビシン塩酸塩	(133) エメダスチンフマル酸塩	(186) カルモナムナトリウム
(80) 70％－硝酸イソソルビド乳糖末	(134) エモルファゾン	(187) カルモフール
(81) イドクスウリジン	(135) エリスロマイシン	(188) カンデサルタン　シレキセチル
(82) イトラコナゾール	(136) エリブリンメシル酸塩	(189) カンレノ酸カリウム
(83) イフェンプロジル酒石酸塩	(137) 塩化亜鉛	(190) キシリトール
(84) イブジラスト	(138) 塩化カリウム	(191) キタサマイシン酒石酸塩
(85) イブプロフェン	(139) 塩化カルシウム水和物	(192) キナプリル塩酸塩
(86) イブプロフェンピコノール	(140) 塩化ナトリウム	(193) キニーネエチル炭酸エステル
(87) イプラトロピウム臭化物水和物	(141) 塩酸	(194) キニーネ硫酸塩水和物
(88) イプリフラボン	(142) 希塩酸	
(89) イミダプリル塩酸塩	(143) エンタカポン	
(90) イミペネム水和物		

(195) 金チオリンゴ酸ナトリウム
(196) グアイフェネシン
(197) グアナベンズ酢酸塩
(198) グアネチジン硫酸塩
(199) クエチアピンフマル酸塩
(200) 無水クエン酸
(201) クエン酸水和物
(202) クエン酸ナトリウム水和物
(203) クラブラン酸カリウム
(204) クラリスロマイシン
(205) グリクラジド
(206) グリシン
(207) グリセリン
(208) 濃グリセリン
(209) クリノフィブラート
(210) グリベンクラミド
(211) グリメピリド
(212) クリンダマイシン塩酸塩
(213) クリンダマイシンリン酸エステル
(214) グルコン酸カルシウム水和物
(215) グルタチオン
(216) L－グルタミン
(217) L－グルタミン酸
(218) クレボプリドリンゴ酸塩
(219) クレマスチンフマル酸塩
(220) クロカプラミン塩酸塩水和物
(221) クロキサシリンナトリウム水和物
(222) クロキサゾラム
(223) クロコナゾール塩酸塩
(224) クロスポビドン
(225) クロチアゼパム
(226) クロトリマゾール
(227) クロナゼパム
(228) クロニジン塩酸塩
(229) クロピドグレル硫酸塩
(230) クロフィブラート
(231) クロフェダノール塩酸塩
(232) クロベタゾールプロピオン酸エステル
(233) クロペラスチン塩酸塩
(234) クロペラスチンフェンジゾ酸塩
(235) クロミフェンクエン酸塩
(236) クロミプラミン塩酸塩
(237) クロモグリク酸ナトリウム
(238) クロラゼプ酸二カリウム
(239) クロラムフェニコール
(240) クロラムフェニコールコハク酸エステルナトリウム
(241) クロラムフェニコールパルミチン酸エステル
(242) クロルジアゼポキシド
(243) クロルフェニラミンマレイン酸塩
(244) d－クロルフェニラミンマレイン酸塩

(245) クロルフェネシンカルバミン酸エステル
(246) クロルプロパミド
(247) クロルプロマジン塩酸塩
(248) クロルヘキシジン塩酸塩
(249) クロルマジノン酢酸エステル
(250) 軽質無水ケイ酸
(251) 合成ケイ酸アルミニウム
(252) 天然ケイ酸アルミニウム
(253) ケイ酸アルミン酸マグネシウム
(254) メタケイ酸アルミン酸マグネシウム
(255) ケタミン塩酸塩
(256) ケトコナゾール
(257) ケトチフェンフマル酸塩
(258) ケトプロフェン
(259) ケノデオキシコール酸
(260) ゲファルナート
(261) ゲフィチニブ
(262) ゲンタマイシン硫酸塩
(263) 硬化油
(264) コポビドン
(265) コリスチンメタンスルホン酸ナトリウム
(266) コレスチミド
(267) サイクロセリン
(268) 酢酸
(269) 氷酢酸
(270) 酢酸ナトリウム水和物
(271) サッカリン
(272) サッカリンナトリウム水和物
(273) サラゾスルファピリジン
(274) サリチル酸
(275) サリチル酸ナトリウム
(276) サリチル酸メチル
(277) ザルトプロフェン
(278) サルブタモール硫酸塩
(279) サルポグレラート塩酸塩
(280) 酸化亜鉛
(281) 酸化マグネシウム
(282) ジアゼパム
(283) シアナミド
(284) ジエチルカルバマジンクエン酸塩
(285) シクラシリン
(286) シクロスポリン
(287) ジクロフェナクナトリウム
(288) シクロペントラート塩酸塩
(289) シクロホスファミド水和物
(290) ジスチグミン臭化物
(291) L－シスチン
(292) L－システイン
(293) L－システイン塩酸塩水和物
(294) ジスルフィラム
(295) ジソピラミド

(296) シタグリプチンリン酸塩水和物
(297) シタラビン
(298) シチコリン
(299) ジドブジン
(300) ジドロゲステロン
(301) シノキサシン
(302) ジヒドロエルゴトキシンメシル酸塩
(303) ジピリダモール
(304) ジフェニドール塩酸塩
(305) ジフェンヒドラミン
(306) ジフェンヒドラミン塩酸塩
(307) ジブカイン塩酸塩
(308) ジフルコルトロン吉草酸エステル
(309) シプロフロキサシン
(310) シプロフロキサシン塩酸塩水和物
(311) シプロヘプタジン塩酸塩水和物
(312) ジフロラゾン酢酸エステル
(313) ジベカシン硫酸塩
(314) シベレスタットナトリウム水和物
(315) シベンゾリンコハク酸塩
(316) シメチジン
(317) ジメモルファンリン酸塩
(318) ジメルカプロール
(319) 次没食子酸ビスマス
(320) ジモルホラミン
(321) 臭化カリウム
(322) 臭化ナトリウム
(323) 酒石酸
(324) 硝酸銀
(325) 硝酸イソソルビド
(326) ジョサマイシン
(327) ジョサマイシンプロピオン酸エステル
(328) シラザプリル水和物
(329) シラスタチンナトリウム
(330) ジラゼプ塩酸塩水和物
(331) ジルチアゼム塩酸塩
(332) シルニジピン
(333) シロスタゾール
(334) シロドシン
(335) シンバスタチン
(336) 乾燥水酸化アルミニウムゲル
(337) 水酸化カリウム
(338) 水酸化カルシウム
(339) 水酸化ナトリウム
(340) スクラルファート水和物
(341) ステアリン酸
(342) ステアリン酸カルシウム
(343) ステアリン酸ポリオキシル 40
(344) ステアリン酸マグネシウム
(345) ストレプトマイシン硫酸塩
(346) スピラマイシン酢酸エステル
(347) スリンダク

(348) スルタミシリントシル酸塩水和物	(398) 精製ゼラチン	(451) デキサメタゾン
(349) スルチアム	(399) 精製セラック	(452) デキストラン 40
(350) スルバクタムナトリウム	(400) 白色セラック	(453) デキストラン 70
(351) スルピリド	(401) L-セリン	(454) デキストラン硫酸エステルナトリウム　イオウ5
(352) スルピリン水和物	(402) 結晶セルロース	
(353) スルファメチゾール	(403) 粉末セルロース	(455) デキストラン硫酸エステルナトリウム　イオウ18
(354) スルファメトキサゾール	(404) セレコキシブ	
(355) スルファモノメトキシン水和物	(405) ゾニサミド	(456) デキストリン
(356) スルフイソキサゾール	(406) ゾピクロン	(457) デキストロメトルファン臭化水素酸塩水和物
(357) スルベニシリンナトリウム	(407) ソルビタンセスキオレイン酸エステル	
(358) スルホブロモフタレインナトリウム		(458) テトラカイン塩酸塩
	(408) ゾルピデム酒石酸塩	(459) テトラサイクリン塩酸塩
(359) 生理食塩液	(409) D-ソルビトール	(460) デヒドロコール酸
(360) セチリジン塩酸塩	(410) D-ソルビトール液	(461) 精製デヒドロコール酸
(361) セトチアミン塩酸塩水和物	(411) ダウノルビシン塩酸塩	(462) デヒドロコール酸注射液
(362) セトラキサート塩酸塩	(412) タウリン	(463) デフェロキサミンメシル酸塩
(363) セファクロル	(413) タクロリムス水和物	(464) テプレノン
(364) セファゾリンナトリウム	(414) タゾバクタム	(465) デメチルクロルテトラサイクリン塩酸塩
(365) セファゾリンナトリウム水和物	(415) ダナゾール	
(366) セファトリジンプロピレングリコール	(416) タムスロシン塩酸塩	(466) テモカプリル塩酸塩
	(417) タモキシフェンクエン酸塩	(467) テルビナフィン塩酸塩
(367) セファドロキシル	(418) タランピシリン塩酸塩	(468) テルブタリン硫酸塩
(368) セファレキシン	(419) タルチレリン水和物	(469) テルミサルタン
(369) セファロチンナトリウム	(420) 炭酸カリウム	(470) デンプングリコール酸ナトリウム
(370) セフェピム塩酸塩水和物	(421) 沈降炭酸カルシウム	(471) ドキサゾシンメシル酸塩
(371) セフォジジムナトリウム	(422) 炭酸水素ナトリウム	(472) ドキサプラム塩酸塩水和物
(372) セフォゾプラン塩酸塩	(423) 乾燥炭酸ナトリウム	(473) ドキシサイクリン塩酸塩水和物
(373) セフォタキシムナトリウム	(424) 炭酸ナトリウム水和物	(474) ドキシフルリジン
(374) セフォチアム塩酸塩	(425) 炭酸マグネシウム	(475) トコフェロール
(375) セフォチアム　ヘキセチル塩酸塩	(426) 炭酸リチウム	(476) トコフェロール酢酸エステル
(376) セフォテタン	(427) ダントロレンナトリウム水和物	(477) トコフェロールニコチン酸エステル
(377) セフォペラゾンナトリウム	(428) タンニン酸ジフェンヒドラミン	
(378) セフカペン　ピボキシル塩酸塩水和物	(429) チアプリド塩酸塩	(478) トスフロキサシントシル酸塩水和物
	(430) チアマゾール	
(379) セフジトレン　ピボキシル	(431) チアミラールナトリウム	(479) ドセタキセル水和物
(380) セフジニル	(432) チアミン塩化物塩酸塩	(480) トドララジン塩酸塩水和物
(381) セフスロジンナトリウム	(433) チアミン硝化物	(481) ドネペジル塩酸塩
(382) セフタジジム水和物	(434) チアラミド塩酸塩	(482) ドパミン塩酸塩
(383) セフチゾキシムナトリウム	(435) チオペンタールナトリウム	(483) トフィソパム
(384) セフチブテン水和物	(436) 注射用チオペンタールナトリウム	(484) ドブタミン塩酸塩
(385) セフテラム　ピボキシル	(437) チオリダジン塩酸塩	(485) トブラマイシン
(386) セフトリアキソンナトリウム水和物	(438) チオ硫酸ナトリウム水和物	(486) トラニラスト
	(439) チクロピジン塩酸塩	(487) トラネキサム酸
(387) セフピラミドナトリウム	(440) チザニジン塩酸塩	(488) トラピジル
(388) セフピロム硫酸塩	(441) チニダゾール	(489) トラマドール塩酸塩
(389) セフブペラゾンナトリウム	(442) チペピジンヒベンズ酸塩	(490) トリアゾラム
(390) セフポドキシム　プロキセチル	(443) チメピジウム臭化物水和物	(491) トリアムシノロン
(391) セフミノクスナトリウム水和物	(444) チモロールマレイン酸塩	(492) トリアムシノロンアセトニド
(392) セフメタゾールナトリウム	(445) L-チロシン	(493) トリアムテレン
(393) セフメノキシム塩酸塩	(446) ツロブテロール	(494) トリエンチン塩酸塩
(394) セフロキサジン水和物	(447) ツロブテロール塩酸塩	(495) トリクロホスナトリウム
(395) セフロキシム　アキセチル	(448) テイコプラニン	(496) トリクロルメチアジド
(396) セラセフェート	(449) テオフィリン	(497) L-トリプトファン
(397) ゼラチン	(450) テガフール	(498) トリヘキシフェニジル塩酸塩

(499) ドリペネム水和物
(500) トリメタジオン
(501) トリメタジジン塩酸塩
(502) トリメトキノール塩酸塩水和物
(503) トリメブチンマレイン酸塩
(504) ドルゾラミド塩酸塩
(505) トルナフタート
(506) トルブタミド
(507) トルペリゾン塩酸塩
(508) L-トレオニン
(509) トレハロース水和物
(510) トレピブトン
(511) ドロキシドパ
(512) トロキシピド
(513) トロピカミド
(514) ドロペリドール
(515) ドンペリドン
(516) ナイスタチン
(517) ナテグリニド
(518) ナドロール
(519) ナファゾリン硝酸塩
(520) ナファモスタットメシル酸塩
(521) ナフトピジル
(522) ナブメトン
(523) ナプロキセン
(524) ナリジクス酸
(525) ニカルジピン塩酸塩
(526) ニコチン酸
(527) ニコチン酸アミド
(528) ニコモール
(529) ニコランジル
(530) ニザチジン
(531) ニセリトロール
(532) ニセルゴリン
(533) ニトラゼパム
(534) ニトレンジピン
(535) ニフェジピン
(536) 乳酸
(537) L-乳酸
(538) 乳酸カルシウム水和物
(539) L-乳酸ナトリウム液
(540) L-乳酸ナトリウムリンゲル液
(541) 無水乳糖
(542) 乳糖水和物
(543) 尿素
(544) ニルバジピン
(545) ノスカピン
(546) ノルゲストレル
(547) ノルトリプチリン塩酸塩
(548) ノルフロキサシン
(549) バカンピシリン塩酸塩
(550) 白糖
(551) バクロフェン
(552) バシトラシン
(553) パズフロキサシンメシル酸塩
(554) パニペネム
(555) バメタン硫酸塩
(556) パラアミノサリチル酸カルシウム水和物
(557) パラオキシ安息香酸エチル
(558) パラオキシ安息香酸ブチル
(559) パラオキシ安息香酸プロピル
(560) パラオキシ安息香酸メチル
(561) バラシクロビル塩酸塩
(562) パラフィン
(563) 流動パラフィン
(564) 軽質流動パラフィン
(565) L-バリン
(566) バルサルタン
(567) パルナパリンナトリウム
(568) バルビタール
(569) バルプロ酸ナトリウム
(570) ハロキサゾラム
(571) パロキセチン塩酸塩水和物
(572) ハロペリドール
(573) バンコマイシン塩酸塩
(574) パンテチン
(575) パントテン酸カルシウム
(576) 精製ヒアルロン酸ナトリウム
(577) ピオグリタゾン塩酸塩
(578) ビオチン
(579) ビカルタミド
(580) ピコスルファートナトリウム水和物
(581) ビサコジル
(582) L-ヒスチジン
(583) L-ヒスチジン塩酸塩水和物
(584) ビソプロロールフマル酸塩
(585) ピタバスタチンカルシウム水和物
(586) ヒドララジン塩酸塩
(587) ヒドロキシエチルセルロース
(588) ヒドロキシジン塩酸塩
(589) ヒドロキシジンパモ酸塩
(590) ヒドロキシプロピルセルロース
(591) 低置換度ヒドロキシプロピルセルロース
(592) ヒドロクロロチアジド
(593) ヒドロコタルニン塩酸塩水和物
(594) ヒドロコルチゾン酪酸エステル
(595) ヒドロコルチゾンリン酸エステルナトリウム
(596) ピブメシリナム塩酸塩
(597) ヒプロメロース
(598) ヒプロメロース酢酸エステルコハク酸エステル
(599) ヒプロメロースフタル酸エステル
(600) ピペミド酸水和物
(601) ピペラシリン水和物
(602) ピペラシリンナトリウム
(603) ピペラジンアジピン酸塩
(604) ピペラジンリン酸塩水和物
(605) ビペリデン塩酸塩
(606) ビホナゾール
(607) ピマリシン
(608) ヒメクロモン
(609) ピモジド
(610) ピラジナミド
(611) ピラルビシン
(612) ピランテルパモ酸塩
(613) ピリドキサールリン酸エステル水和物
(614) ピリドキシン塩酸塩
(615) ピリドスチグミン臭化物
(616) ピルシカイニド塩酸塩水和物
(617) ピレノキシン
(618) ピレンゼピン塩酸塩水和物
(619) ピロ亜硫酸ナトリウム
(620) ピロキシカム
(621) ピンドロール
(622) ファモチジン
(623) ファロペネムナトリウム水和物
(624) フィトナジオン
(625) フェキソフェナジン塩酸塩
(626) フェニトイン
(627) 注射用フェニトインナトリウム
(628) L-フェニルアラニン
(629) フェニルブタゾン
(630) フェネチシリンカリウム
(631) フェノバルビタール
(632) フェノフィブラート
(633) フェルビナク
(634) フェロジピン
(635) フェンタニルクエン酸塩
(636) フェンブフェン
(637) ブクモロール塩酸塩
(638) フシジン酸ナトリウム
(639) ブシラミン
(640) ブスルファン
(641) ブチルスコポラミン臭化物
(642) ブテナフィン塩酸塩
(643) ブドウ酒
(644) ブドウ糖
(645) 精製ブドウ糖
(646) ブドウ糖水和物
(647) フドステイン
(648) ブトロピウム臭化物
(649) ブナゾシン塩酸塩
(650) ブピバカイン塩酸塩水和物
(651) ブフェトロール塩酸塩
(652) ブプラノロール塩酸塩
(653) ブプレノルフィン塩酸塩
(654) ブホルミン塩酸塩

(655) ブメタニド	(705) ブロムフェナクナトリウム水和物	(754) ポリミキシンB硫酸塩
(656) フラジオマイシン硫酸塩	(706) ブロムヘキシン塩酸塩	(755) ホルモテロールフマル酸塩水和物
(657) プラステロン硫酸エステルナトリウム水和物	(707) プロメタジン塩酸塩	(756) マニジピン塩酸塩
(658) プラゼパム	(708) フロモキセフナトリウム	(757) マプロチリン塩酸塩
(659) プラゾシン塩酸塩	(709) ブロモクリプチンメシル酸塩	(758) マルトース水和物
(660) プラノプロフェン	(710) ブロモバレリル尿素	(759) D—マンニトール
(661) プラバスタチンナトリウム	(711) L—プロリン	(760) ミグリトール
(662) フラビンアデニンジヌクレオチドナトリウム	(712) ベカナマイシン硫酸塩	(761) ミグレニン
	(713) ベクロメタゾンプロピオン酸エステル	(762) ミクロノマイシン硫酸塩
(663) フラボキサート塩酸塩	(714) ベザフィブラート	(763) ミコナゾール
(664) プランルカスト水和物	(715) ベタキソロール塩酸塩	(764) ミコナゾール硝酸塩
(665) プリミドン	(716) ベタネコール塩化物	(765) ミゾリビン
(666) フルオロウラシル	(717) ベタヒスチンメシル酸塩	(766) ミチグリニドカルシウム水和物
(667) フルオロメトロン	(718) ベタミプロン	(767) ミデカマイシン
(668) フルコナゾール	(719) ベタメタゾン	(768) ミデカマイシン酢酸エステル
(669) フルジアゼパム	(720) ベタメタゾンジプロピオン酸エステル	(769) ミノサイクリン塩酸塩
(670) フルシトシン		(770) ムピロシンカルシウム水和物
(671) フルスルチアミン塩酸塩	(721) ベニジピン塩酸塩	(771) メキシレチン塩酸塩
(672) フルタミド	(722) ヘパリンカルシウム	(772) メキタジン
(673) フルトプラゼパム	(723) ヘパリンナトリウム	(773) メグルミン
(674) フルドロコルチゾン酢酸エステル	(724) ヘパリンナトリウム注射液	(774) メクロフェノキサート塩酸塩
(675) フルニトラゼパム	(725) ペプロマイシン硫酸塩	(775) メサラジン
(676) フルフェナジンエナント酸エステル	(726) ベポタスチンベシル酸塩	(776) メストラノール
	(727) ペミロラストカリウム	(777) メダゼパム
(677) フルボキサミンマレイン酸塩	(728) ベラパミル塩酸塩	(778) L—メチオニン
(678) フルラゼパム塩酸塩	(729) ペルフェナジン	(779) メチクラン
(679) プルラン	(730) ペルフェナジンマレイン酸塩	(780) メチラポン
(680) フルルビプロフェン	(731) ベルベリン塩化物水和物	(781) dl—メチルエフェドリン塩酸塩
(681) ブレオマイシン塩酸塩	(732) ベンジルペニシリンカリウム	(782) メチルジゴキシン
(682) ブレオマイシン硫酸塩	(733) ベンジルペニシリンベンザチン水和物	(783) メチルセルロース
(683) フレカイニド酢酸塩		(784) メチルドパ水和物
(684) プレドニゾロン	(734) ベンズブロマロン	(785) メチルプレドニゾロンコハク酸エステル
(685) プレドニゾロンリン酸エステルナトリウム	(735) ベンセラジド塩酸塩	
	(736) ペンタゾシン	(786) メテノロンエナント酸エステル
(686) プロカイン塩酸塩	(737) ペントキシベリンクエン酸塩	(787) メテノロン酢酸エステル
(687) プロカインアミド塩酸塩	(738) ペントバルビタールカルシウム	(788) メトキサレン
(688) プロカテロール塩酸塩水和物	(739) ペンブトロール硫酸塩	(789) メトクロプラミド
(689) プロカルバジン塩酸塩	(740) ホウ酸	(790) メトプロロール酒石酸塩
(690) プログルミド	(741) ホウ砂	(791) メトホルミン塩酸塩
(691) プロクロルペラジンマレイン酸塩	(742) ボグリボース	(792) メドロキシプロゲステロン酢酸エステル
(692) フロセミド	(743) ホスホマイシンカルシウム水和物	
(693) プロチオナミド	(744) ホスホマイシンナトリウム	(793) メトロニダゾール
(694) ブロチゾラム	(745) ポビドン	(794) メナテトレノン
(695) プロチレリン	(746) ポビドンヨード	(795) メピチオスタン
(696) プロチレリン酒石酸塩水和物	(747) ホモクロルシクリジン塩酸塩	(796) メピバカイン塩酸塩
(697) プロパフェノン塩酸塩	(748) ポラプレジンク	(797) メフェナム酸
(698) プロピベリン塩酸塩	(749) ボリコナゾール	(798) メフルシド
(699) プロピレングリコール	(750) ポリスチレンスルホン酸カルシウム	(799) メフロキン塩酸塩
(700) プロブコール	(751) ポリスチレンスルホン酸ナトリウム	(800) メペンゾラート臭化物
(701) プロプラノロール塩酸塩		(801) メルカプトプリン水和物
(702) フロプロピオン	(752) ポリソルベート80	(802) メルファラン
(703) プロベネシド	(753) ホリナートカルシウム水和物	(803) メロペネム水和物
(704) ブロマゼパム		(804) モサプリドクエン酸塩水和物
		(805) モノステアリン酸アルミニウム

(806) モンテルカストナトリウム	(826) リドカイン	(846) レバミピド
(807) 薬用石ケン	(827) リトドリン塩酸塩	(847) レバロルファン酒石酸塩
(808) 薬用炭	(828) リバビリン	(848) レボドパ
(809) ユビデカレノン	(829) リファンピシン	(849) レボフロキサシン水和物
(810) ヨウ化カリウム	(830) リボスタマイシン硫酸塩	(850) レボホリナートカルシウム水和物
(811) ヨウ化ナトリウム	(831) リボフラビン酪酸エステル	(851) レボメプロマジンマレイン酸塩
(812) ラクツロース	(832) 硫酸亜鉛水和物	(852) L-ロイシン
(813) ラタモキセフナトリウム	(833) 硫酸アルミニウムカリウム水和物	(853) ロキサチジン酢酸エステル塩酸塩
(814) ラニチジン塩酸塩	(834) 硫酸カリウム	(854) ロキシスロマイシン
(815) ラノコナゾール	(835) 硫酸鉄水和物	(855) ロキソプロフェンナトリウム水和物
(816) ラフチジン	(836) 硫酸バリウム	
(817) ラベタロール塩酸塩	(837) 硫酸マグネシウム水和物	(856) ロサルタンカリウム
(818) ラベプラゾールナトリウム	(838) リルマザホン塩酸塩水和物	(857) ロスバスタチンカルシウム
(819) ランソプラゾール	(839) リンゲル液	(858) ロフラゼプ酸エチル
(820) リシノプリル水和物	(840) リンコマイシン塩酸塩水和物	(859) ロベンザリットナトリウム
(821) L-リシン塩酸塩	(841) 無水リン酸水素カルシウム	(860) ロラゼパム
(822) L-リシン酢酸塩	(842) リン酸水素カルシウム水和物	(861) 黄色ワセリン
(823) リスペリドン	(843) リン酸水素ナトリウム水和物	(862) 白色ワセリン
(824) リセドロン酸ナトリウム水和物	(844) リン酸二水素カルシウム水和物	(863) ワルファリンカリウム
(825) リゾチーム塩酸塩	(845) レナンピシリン塩酸塩	

17. 医薬品各条中，削除した品目は次のとおりである．
(1) ナルトグラスチム(遺伝子組換え)
(2) 注射用ナルトグラスチム(遺伝子組換え)

18. 参照紫外可視吸収スペクトル中，新たに収載した品目は次のとおりである．
(1) アナストロゾール
(2) オキシブチニン塩酸塩
(3) テモゾロミド
(4) ブデソニド

19. 参照赤外吸収スペクトル中，新たに収載した品目は次のとおりである．
(1) アナストロゾール
(2) オキシブチニン塩酸塩
(3) クロスカルメロースナトリウム
(4) テモゾロミド
(5) ブデソニド
(6) 黄色ワセリン
(7) 白色ワセリン

第十八改正日本薬局方第一追補の作成に従事した者は，次のとおりである．

浅井 由美	足利 太可雄	芦澤 一英	安部 美里
阿部 康弘	天倉 吉章	荒戸 照世	有賀 直樹
五十嵐 良明	池田 浩二	池戸 真吾	池松 靖人
石井 明子	石田 誠一	石田 正登	泉谷 悠介
市川 浩之	市瀬 浩志	伊豆津 健一	伊藤 美千穂
伊藤 亮一	井上 貴之	後田 修	内田 恵理子
内山 奈穂子	江村 誠	大神 泰孝	大久保 恒夫
◎太田 茂	大村 浩一	大屋 賢司	小川 潔
小川 徹	奥田 章博	奥田 晴宏	小椋 康光
小栗 一輝	落合 雅樹	小野田 洋	尾原 栄
改田 直樹	柿沼 清香	片山 博仁	加藤 くみ子
加藤 洋	香取 典子	川合 保	川口 正美
河野 徳昭	川原 信夫	川原崎 芳彦	神本 敏弘
木内 文之	菊池 裕	北島 昭人	橘髙 敦史
木下 英治	木下 充弘	木村 宣貴	楠 英樹
楠瀬 直人	工藤 由起子	久保田 清	熊坂 謙一
栗原 正明	黒岩 祐貴	黒川 洵子	小出 達夫
合田 幸広	光地 理香	五島 隆志	後藤 玉美
小浜 亜以	小比田 英機	小松 かつ子	近藤 誠三
近藤 涼	齋藤 秀之	齋藤 嘉朗	酒井 英二
坂本 知昭	佐々木 裕子	佐藤 恭子	佐藤 浩二
三田 智文	志田 静夏	篠崎 陽子	柴﨑 恵子
柴田 寛子	嶋澤 るみ子	下川 さゆり	正見 さおり
正田 卓司	白鳥 誠	代田 修	杉本 聡
杉本 智潮	杉本 直樹	鈴木 茂生	鈴木 紀行
鈴木 幹雄	鈴木 良二	須藤 浩孝	田岡 裕佳子
髙井 良彰	高尾 正樹	髙谷 和広	髙野 昭人
田上 貴臣	高柳 庸一郎	竹内 尚	竹内 洋文
竹田 智子	竹林 憲司	多田 稔	只木 晋一
田中 智之	田中 正一	田中 理恵	谷本 剛
張 紅燕	辻 厳一郎	津田 重城	津田 翼
土屋 絢	常弘 昌弥	出水 庸介	徳岡 庄吾
徳本 廣子	豊田 太一	中岡 恭平	中川 晋作
仲川 勉	中川 秀彦	中川 ゆかり	中子 真由美
中野 達也	南雲 誠心	並河 信寛	成相 亮介
野口 修治	河 賢成	配島 由二	袴田 秀樹

袴塚　高志	橋井　則貴	長谷川　淳博	花尻　瑠理
早川　昌子	林　　あい	林　　　晃	林　　克彦
林　　美則	原園　　景	原矢　佑樹	日向野太郎
樋口　賢治	樋口　泰彦	日向　昌司	平田　真央
深澤　秀輔	深澤　征義	深水　啓朗	福原　　潔
藤井　晋也	藤井　紀和	藤井　啓達	藤井まき子
渕野　裕之	古川　祐光	○本間　正充	前川　京子
前川　直也	牧浦　利信	政田さやか	増本　直子
松浦　　匡	松本　和弘	松本　　誠	丸山　卓郎
三澤　隆史	水野　　毅	水野　諒一	三橋　隆夫
宮﨑　　隆	宮崎　玉樹	村田　幸久	村林　美香
室井　正志	餅田貴美子	森　　充生	森﨑　崇人
森部久仁一	森本　隆司	守安　貴子	安原　眞人
山口　茂治	山口　哲司	山下　親正	山田　裕子
山根ゑみ子	山本　栄一	山本　浩充	山本　　豊
吉田　寛幸	吉松　嘉代	米田　幸世	米持　悦生
渡邊　英二	渡邊　　匠		

◎日本薬局方部会長　　○日本薬局方部会長代理

第十八改正
日本薬局方
第一追補

一般試験法　改正事項

一般試験法の部　2.01　液体クロマトグラフィーの前に次の一条を加える．

2.00　クロマトグラフィー総論

　本試験法は，三薬局方での調和合意に基づき規定した試験法である．
　なお，三薬局方で調和されていない部分のうち，調和合意において，調和の対象とされた項中非調和となっている項の該当箇所は「◆　◆」で，調和の対象とされた項以外に日本薬局方が独自に規定することとした項は「◇　◇」で囲むことにより示す．
　三薬局方の調和合意に関する情報については，独立行政法人医薬品医療機器総合機構のウェブサイトに掲載している．

1.　はじめに

　クロマトグラフィーの分離技術は多段階の分離法であり，試料の組成成分は固定相と移動相の2相間に分配される．固定相は，固体，又は固体やゲルに支持された液体である．固定相はカラムに充填されたり，層状に塗布されたり，又は膜などとして配置される．移動相は，ガス，液体，又は超臨界流体である．分離は吸着，質量分布(分配)，イオン交換などに基づき，また，大きさ，質量，体積などの分子の物理化学的特性の違いによって行われる．本法では，共通のパラメーターの定義と計算方法，及び一般に適用できるシステム適合性の必要条件を記載する．
◇液体クロマトグラフィーのシステム適合性は，本法の規定のほか，液体クロマトグラフィー〈2.01〉に記載の規定を適用することができる．◇分離の原理，装置，測定方法は，対応する一般試験法に記載する．

2.　定義

　医薬品各条におけるシステム適合性と適否の判定基準は，以下に定義されるパラメーターを使用して設定される．装置によっては，SN比と分離度のようなパラメーターは，装置メーカーの提供するソフトウェアを使って計算する．使用者には，そのソフトウェアで使われている計算方法が日本薬局方の規定と同等のものであることを確認し，もしそうでなければ，必要な補正を行う責任がある．

クロマトグラム
　時間，又は容量に対して検出器の応答，溶出液中の濃度，又は溶出液中の濃度の測定に使われる他の量を，グラフ又は他の図で表したものである．理想的なクロマトグラムは，ベースライン上にガウス型ピークの連続として示される(図2.00－1)．

分配係数(K_0)
　サイズ排除クロマトグラフィーでは，特定のカラムにおけるある成分の溶出特性は，次式で求められる分配係数によって与えられる．

$$K_0 = \frac{t_R - t_0}{t_t - t_0}$$

t_R：保持時間
t_0：カラムに保持されない成分の保持時間
t_t：完全浸透する成分の保持時間

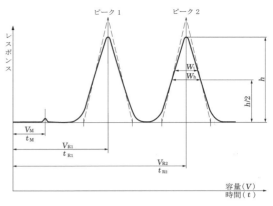

V_M：ホールドアップボリューム
t_M：ホールドアップタイム
V_{R1}：ピーク1の保持容量
t_{R1}：ピーク1の保持時間
V_{R2}：ピーク2の保持容量
t_{R2}：ピーク2の保持時間
W_h：ピーク高さの中点におけるピーク幅
W_i：変曲点におけるピーク幅
h：ピーク高さ
$h/2$：ピーク高さの中点

図2.00－1

グラジエント遅延容量(dwell volume)(D)(V_Dとも呼ばれる)
　グラジエント遅延容量は，移動相の混合箇所からカラムの入口までの間の容量である．次の手順によって決定できる．
カラム：クロマトグラフィーのカラムを適切なキャピラリーチューブ(例えば1 m × 0.12 mm)に交換する．
移動相：
移動相A：水
移動相B：0.1 vol%のアセトンを含む水

時間 (分)	移動相A (vol%)	移動相B (vol%)
0 ～ 20	100 → 0	0 → 100
20 ～ 30	0	100

流量：十分な背圧が得られるように設定する(例えば2 mL/分)．
検出：紫外可視吸光光度計 265 nm
吸光度が50%増加するときの時間$t_{0.5}$(分)を決定する(図2.00－2)．

$$D = t_D \times F$$

t_D：$t_{0.5} - 0.5 t_G$(分)
t_G：あらかじめ決めたグラジエント時間(20分)
F：流量(mL/分)

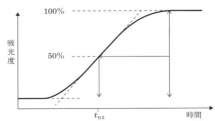

図2.00－2

注：適用可能なところでは，この測定の試料注入部にはオートサンプラーが用いられ，そのときグラジエント遅延容量にはインジェクションループの容量も含まれる．

ホールドアップタイム（t_M）

カラムに保持されない成分の溶出に必要な時間（図2.00-1でベースラインの目盛りは分又は秒）．

サイズ排除クロマトグラフィーでは，カラムに保持されない成分の保持時間（t_0）という．

ホールドアップボリューム（V_M）

カラムに保持されない成分の溶出に必要な移動相の液量．

V_Mは次式により，ホールドアップタイムとmL/分で表された流量（F）から計算する．

$$V_M = t_M \times F$$

サイズ排除クロマトグラフィーでは，カラムに保持されない成分の保持容量（V_0）という．

ピーク

単一成分（又は，二つ若しくはそれ以上の分離されない成分）がカラムから溶出されたときに，検出器の応答を記録したクロマトグラムの一部分．

ピークレスポンスは，ピーク面積又はピーク高さ（h）によって表される．

ピークバレー比（p/v）

ピークバレー比は，二つのピークのベースライン分離が達成されないとき，システム適合性の適合要件の一つとして利用される（図2.00-3）．

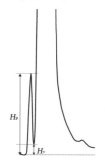

図2.00-3

$$p/v = \frac{H_p}{H_v}$$

H_p：マイナーピークの基線からの高さ
H_v：マイナーピークとメジャーピークの分離曲線の最下点（ピークの谷）の基線からの高さ

理論段高さ（H）（同義語：理論段相当高さ（HETP））

カラムの長さ（L）（μm）と理論段数（N）の比．

$$H = \frac{L}{N}$$

理論段数（N）

カラム性能（カラム効率）を示す数値．用いる技術によるものの，恒温，イソクラティック，又は等密度の条件下で得られたデータによってのみ，次式により理論段数として求めることができる．ここで，t_Rとw_hは同じ単位で表される．

$$N = 5.54 \left(\frac{t_R}{w_h}\right)^2$$

t_R：被検成分のピークの保持時間
w_h：ピーク高さの中点におけるピーク幅（$h/2$）

理論段数は，被検成分はもちろん，カラム，カラム温度，移動相，保持時間によっても変化する．

換算理論段高さ（h）

理論段高さ（H）（μm）と粒子径（d_p）（μm）の比．

$$h = \frac{H}{d_p}$$

相対保持比（R_{rel}）

相対保持比は，薄層クロマトグラフィーで用いられており，標準成分の移動距離に対する被検成分の移動距離の比として求められる（図2.00-4）．

$$R_{rel} = b/c$$

a：移動相の移動距離
b：被検成分の移動距離
c：標準成分の移動距離

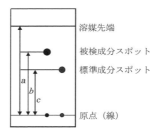

図2.00-4

保持比（r）

保持比は，次式により概算する．

$$r = \frac{t_{Ri} - t_M}{t_{Rst} - t_M}$$

t_{Ri}：被検成分ピークの保持時間
t_{Rst}：標準成分のピークの保持時間（通常試験される成分に対応するピーク）
t_M：ホールドアップタイム

ホールドアップタイムでの補正なしの保持比（r_G），又は相対保持時間（RRT）

次式により計算する．

$$r_G = \frac{t_{Ri}}{t_{Rst}}$$

別に規定するもののほか，医薬品各条に示す保持比の値は，ホールドアップタイムでの補正なしの保持比である．

相対保持時間（RRT）

ホールドアップタイムでの補正なしの保持比を参照．

分離度（R_S）

二つの成分のピーク間の分離度（図2.00－1）は，次式により計算する．

$$R_S = \frac{1.18(t_{R2} - t_{R1})}{w_{h1} + w_{h2}}$$

t_{R1}, t_{R2}：それぞれのピークの保持時間．ただし$t_{R2}>t_{R1}$
w_{h1}, w_{h2}：それぞれのピークの高さの中点におけるピーク幅

◇なお，ピークが完全に分離するとは，分離度1.5以上を意味する．ベースライン分離ともいう．◇

デンシトメトリーを用いた定量的な薄層クロマトグラフィーでは，保持時間の代わりに，移動距離を用いて次式により，二つの成分のピーク間の分離度を計算する．

$$R_S = \frac{1.18a(R_{F2} - R_{F1})}{w_{h1} + w_{h2}}$$

R_{F1}, R_{F2}：それぞれのピークのR_F値．ただし$R_{F2}>R_{F1}$
w_{h1}, w_{h2}：それぞれのピークの高さの中点におけるピーク幅
a：原線から溶媒先端までの移動距離

R_f値（R_F）

R_f値は，薄層クロマトグラフィーで用いられており，試料を載せた点からスポットの中心までの距離と，同じプレート上で試料を載せた点から溶媒先端までの移動距離の比である（図2.00－4）．

$$R_F = \frac{b}{a}$$

b：被検成分の移動距離
a：溶媒先端の移動距離

保持係数（k）

保持係数（質量分布比（D_m）又はキャパシティーファクター（k'）としても知られる）は以下のように定義されている．

$$k = \frac{\text{固定相に存在する成分量}}{\text{移動相に存在する成分量}} = K_C\frac{V_S}{V_M}$$

K_C：分配係数（又は平衡分配係数equilibrium distribution coefficientとしても知られる）
V_S：固定相の容量
V_M：移動相の容量

被検成分の保持係数は，次式によりクロマトグラムから求められる．

$$k = \frac{t_R - t_M}{t_M}$$

t_R：保持時間
t_M：ホールドアップタイム

保持時間（t_R）

試料の注入から溶出した試料の最大ピークまでの経過時間（図2.00－1，基線のスケールは，分又は秒）．

保持容量（V_R）

ある成分が，溶出するために必要な移動相の容量．保持容量は，保持時間と流量（F：mL/分）を用いて次式により計算する．

$$V_R = t_R \times F$$

カラムに保持されない成分の保持時間（t_0）

サイズ排除クロマトグラフィーにおいて，ゲルの最大孔より分子サイズが大きな成分の保持時間（図2.00－5）．

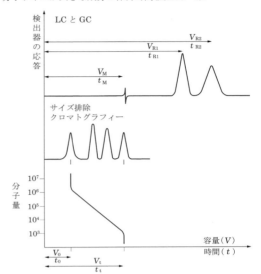

図2.00－5

カラムに保持されない成分の保持容量（V_0）

サイズ排除クロマトグラフィーにおいて，最大ゲル孔より分子サイズが大きな成分の保持容量．カラムに保持されない成分の保持時間と流量（F：mL/分）を用いて次式により計算する．

$$V_0 = t_0 \times F$$

分離係数（α）

隣り合う二つのピークから計算された保持比（通常は，分離係数は，常に1より大きい）．

$$\alpha = k_2/k_1$$

k_1：最初のピークの保持係数
k_2：2番目のピークの保持係数

SN比（S/N）

短い時間間隔で生じるノイズは，定量の精度及び真度に影響する．SN比は次式により計算する．

$$S/N = \frac{2H}{h}$$

H：標準溶液から得られたクロマトグラム中の被検成分のピーク高さ（図2.00－6）．ピークの頂点から，ピーク高さの中点におけるピーク幅の20倍に相当する範囲で測定し外挿された基線までの高さ
h：ブランクを注入後に得られたノイズ幅（図2.00－7）．標準溶液から得られたクロマトグラム中，ピーク高さの中点におけるピーク幅の20倍に相当する範囲で測定する．可能ならば，標準溶液でピークが観察されるのと同じ位置で測定する．

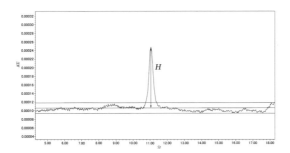

図2.00-6 標準溶液のクロマトグラム

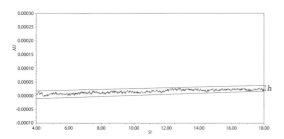

図2.00-7 ブランクのクロマトグラム

溶媒や試薬，移動相，試料マトリックス，ガスクロマトグラフィーの温度プログラムに由来するピークの影響で，ピークの高さの中点におけるピーク幅の20倍に相当する範囲での基線が得られない場合は，ピークの高さの中点におけるピーク幅の少なくとも5倍に相当する範囲で基線を求めてもよい．

シンメトリー係数（A_S）

あるピークのシンメトリー係数（アシンメトリー係数又はテーリング係数としても知られる）(図2.00-8)は，次式により計算する．

$$A_S = \frac{w_{0.05}}{2d}$$

$w_{0.05}$：ピーク高さの1/20の高さにおけるピーク幅

d：ピーク頂点から下ろした垂線と，ピーク高さの1/20の高さにおけるピーク立ち上がり側の端までの距離

$A_S = 1$はシンメトリーであることを意味する．$A_S > 1.0$のときは，ピークはテーリングしている．$A_S < 1.0$のときは，ピークがリーディングしている．

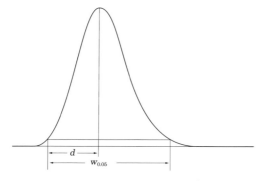

図2.00-8

システムの再現性

レスポンスの再現性は，標準溶液を連続して3回以上注入し，次式により計算して得られた相対標準偏差(%RSD)により表される．

$$\%\mathrm{RSD} = \frac{100}{\overline{y}}\sqrt{\frac{\Sigma(y_i - \overline{y})^2}{n-1}}$$

y_i：ピーク面積，ピーク高さ，又は内標準法によるピーク面積比の測定値

$\overline{y}$：測定値の平均値

n：測定回数

完全浸透する成分の保持時間（t_t）（Total mobile phase time (t_t)）

サイズ排除クロマトグラフィーにおいて，ゲルの最小孔径よりも分子サイズが小さな成分の保持時間(図2.00-5)．

完全浸透する成分の保持容量（V_t）（Total mobile phase volume (V_t)）

サイズ排除クロマトグラフィーにおいて，ゲルの最小孔径よりも分子サイズが小さな成分の保持容量．完全浸透する成分の保持時間と流量（F）(mL/分)を用いて次式により計算する．

$$V_t = t_t \times F$$

3. システム適合性

本項の規定は，液体クロマトグラフィー及びガスクロマトグラフィーのみに適用する．

使用する装置の構成要素が，純度試験等や定量を行うのに必要な性能を有していることの適格性を示されなければならない．

システム適合性試験は，クロマトグラフィーのシステムが適切な性能を維持していることを確認するために不可欠である．理論段数，保持係数(質量分布比)，システムの再現性，SN比，シンメトリー係数，分離度／ピークバレー比が，クロマトグラフィーシステムの性能評価に用いられることがある．医薬品各条に記載の複雑なクロマトグラフィープロファイルの場合(例えば，生物薬品)には，視覚的なプロファイルの比較が，システム適合性試験として用いられる．

クロマトグラフィーに影響を与える因子として以下のようなものがある．

・移動相の組成及び温度
・移動相の水溶性成分のイオン強度及びpH
・流量，カラムの大きさ，カラム温度，圧力
・支持体のタイプ（粒子型，モノリス型など），粒子径又は孔サイズ，空隙率，比表面積などの固定相の特性
・逆相，及び固定相の他の表面修飾，（エンドキャッピングや炭素含有率などの）化学的な修飾の程度

保持時間及び保持比に関する情報が医薬品各条に記載されることがある．保持比に適用される基準は定められていない．

クロマトグラフィーを用いた当該試験全体を通してシステム適合性の要件に適合していることが必要である．システム適合性が示されなければ，サンプルの分析は認められない．

◇システム適合性に次の項目を設けるとき，別に規定するもののほか，各項目は以下に示す要件が満たされていなければならない．◇

システムの再現性―有効成分又は添加剤の定量

有効成分又は添加剤の定量において，それらの純物質の目標含量が100％で，システムの再現性の要件が規定されていない場合には，標準溶液の繰り返し注入（$n = 3 \sim 6$）により算出される最大許容相対標準偏差（$\%\text{RSD}_\text{max}$）の限度値が定められている．

ピークレスポンスの最大許容相対標準偏差は，表2.00-1に示す適切な値を超えてはならない．

$$\%\text{RSD}_\text{max} = \frac{KB\sqrt{n}}{t_{90\%,\,n-1}}$$

K：$K = \frac{0.6}{\sqrt{2}} \times \frac{t_{90\%,\,5}}{\sqrt{6}}$より得られる定数(0.349)，ここで$\frac{0.6}{\sqrt{2}}$は$B = 1.0$のとき，注入回数6回で必要となる相対標準偏差（パーセント）

B：（医薬品各条で規定されている上限 − 100）％

n：標準溶液の繰り返し注入回数（$3 \leq n \leq 6$）

$t_{90\%,\,n-1}$：90パーセント確率水準におけるステューデントのt値(両側検定，自由度$n-1$)

表2.00-1 最大許容相対標準偏差（定量）

B (%)	注入回数 n			
	3	4	5	6
	最大許容相対標準偏差RSD(%)			
2.0	0.41	0.59	0.73	0.85
2.5	0.52	0.74	0.92	1.06
3.0	0.62	0.89	1.10	1.27

B =（医薬品各条中の含量規格の上限 − 100)％

システムの感度

システムの感度を表すためにシグナルノイズ比(SN比)が用いられる．定量限界(SN比10に相当)は報告の閾値以下である．

ピークの対称性

別に規定するもののほか，純度試験等や定量に用いるピークのシンメトリー係数（テーリング係数）は0.8 〜 1.8である．

4. クロマトグラフィー条件の調整

記載されているクロマトグラフィー条件は，医薬品各条作成時に既にバリデートされている．

クロマトグラフィーによる試験において，根本的に医薬品各条に規定する試験方法を変更することなく，種々のパラメーターを調整することができる範囲を以下に示す．示されている範囲外への変更には，分析法の再バリデーションが必要である．

複数パラメーターの調整は分析システムに対して累積的な影響を及ぼしうるため，使用者はその影響を適切に評価し，十分なリスクアセスメントを行わなければならない．分離パターンがプロファイルとして示されている場合は，特に重要である．

いかなる調整も医薬品各条に規定する試験方法に基づいて行わなければならない．

医薬品各条に規定する試験を行う際に，いかなる調整においても追加の検証試験が必要となるだろう．調整後の医薬品各条に規定する試験方法の適合性を検証するために，変更によって影響を受ける可能性のある関連する分析性能特性を評価する必要がある．

以下に示す要件に従って医薬品各条に規定する試験方法を調整したとき，適切な再バリデーションを行うことなく更なる調整を行うことは許容されない．

システム適合性基準への適合は，試験条件が，純度試験等や定量を実施するために十分な性能を示すように設定されているかどうかを確認するために必要とされる．

グラジエント溶離（液体クロマトグラフィー）及び温度プログラム（ガスクロマトグラフィー）における試験条件の調整は，イソクラティック溶離（液体クロマトグラフィー）及び恒温条件（ガスクロマトグラフィー）における試験条件の調整より難しい．なぜならば，それらの調整によりあるピークの位置が，異なるグラジエントステップ，あるいは異なる溶出温度に移行することにより，近接したピークが部分的若しくは完全に重なる，あるいは溶出順が逆転するといった可能性があり，ピークの同定の間違いやピークの見落とし，ピーク位置が規定された溶出時間を越えることが起こるようになる．

◇生物薬品の試験では，ペプチドマップ法，糖鎖試験法，及び分子不均一性に関する試験のように，液体クロマトグラフィーで得られた分離パターンをプロファイルとして適否の判定基準に設定することがある．このような試験法においては，本項に示す方法を適用できない場合がある．◇

◇生薬等は本項の対象外とする．◇

4.1. 液体クロマトグラフィー：イソクラティック溶離

カラムパラメーターと流量

- 固定相：置換基の変更は認められない（例えば，C18がC8に変更されるなど）．固定相のその他の物理化学的特性，つまりクロマトグラフィー用担体，表面修飾，化学修飾の程度は類似していなければならない．全多孔性粒子カラムから表面多孔性粒子カラムへの変更は，上記要件が満たされている場合には許容される．

- カラムの大きさ（粒子径及び長さ）：カラムの粒子径や長さは，カラムの長さ（L）と粒子径（d_p）の比が一定のまま，又は，規定されたL/d_pの比率の−25％から＋50％の間の範囲に変更することができる．

- 全多孔性粒子から表面多孔性粒子の粒子径を調整する場合：全多孔性粒子から表面多孔性粒子の粒子径を調整する場合は，理論段数（N）が規定されたカラムの−25％から＋50％の範囲にあれば，他のLとd_pの組み合わせも使用することができる．システム適合性の要件に適合し，管理すべき不純物の選択性と溶出順が同等であることが示されれば，これらの変更は認められる．

- 内径：粒子径やカラム長の変更がない場合に，カラム内径を調整する場合があるかもしれない．

より小さな粒子径，又は，より小さなカラム内径への試験条件の変更により，ピークボリュームがより小さくなる場合には，装置配管，検出器のセル容量，サンプリング速度及び注入量のような要因によりカラム外拡散を最小にすることが必要なことがあり注意が必要である．

粒子径を変更するときには，流量の調整が◇必要となることがあるかもしれない◇．粒子径のより小さいカラムでは，同じ性能（換算理論段高さにより評価された）を得るために，より高い線速度が必要となるからである．流量は，カラムの内径と粒子径の両方の変更により，次式に従って◇変更可能である◇．

$$F_2 = F_1 \times [(d_{c2}^2 \times d_{p1})/(d_{c1}^2 \times d_{p2})]$$

F_1：医薬品各条の流量(mL/分)

F_2：調整された流量(mL/分)
d_{c1}：医薬品各条のカラムの内径(mm)
d_{c2}：使用するカラムの内径(mm)
d_{p1}：医薬品各条の粒子径(μm)
d_{p2}：使用するカラムの粒子径(μm)

　イソクラティック分離において，粒子径を3 μm以上から3 μm未満へ変更するとき，20％を上回ってカラム性能が低下しないならば，線速度(流量の調整により)を更に増加させることが認められる．同様に，粒子径を3 μm未満から3 μm以上へ変更するとき，20％を上回ってのカラム性能の低下を避けるために，線速度(流量)を更に減少させることが認められる．
　カラムの大きさの変更による調整後，更に流量の±50％の変更が許容される．
・カラムの温度：別に規定するもののほか，規定される操作温度の±10℃．
　本試験法のシステム適合性と，クロマトグラフィー条件の調整で記載されている許容範囲内で，更なる試験条件(移動相，温度，pHなど)の変更が必要となることがあるかもしれない．

移動相
・組成：マイナーな溶媒成分の量は，相対的に±30％まで調整できる．例えば，移動相の10％の微量組成について，相対的な30％の調整は7 〜 13％の範囲となる．移動相の5％の微量組成について，相対的な30％の調整は3.5 〜 6.5％の範囲となる．絶対的な10％以上の成分組成の変更は行われない．微量成分は(100/n)％以下のものからなり，nは移動相の構成要素の総数である．
・移動相の水系組成のpH：別に規定するもののほか，±0.2 pH単位
・移動相の緩衝液組成の塩濃度：±10％
・流量：カラムの大きさに変更がない場合，±50％までの流量の調整が認められる．

検出波長：変更することはできない．
注入量：カラムの大きさを変更する場合，注入量の調整は次式が利用できる．

$$V_{inj2} = V_{inj1}(L_2\, d_{c2}^2)/(L_1\, d_{c1}^2)$$

V_{inj1}：医薬品各条の注入量(μL)
V_{inj2}：調整した注入量(μL)
L_1：医薬品各条のカラムの長さ(cm)
L_2：新たなカラムの長さ(cm)
d_{c1}：医薬品各条のカラムの内径(mm)
d_{c2}：新たなカラムの内径(mm)

　上記の式は，全多孔性粒子カラムから表面多孔性粒子カラムへの変更に適用できない場合があるかもしれない．
　カラムの大きさを変更しない場合でも，システム適合性の判定基準が確立された許容限度値内であれば注入量は変更することができる．注入量を減少させる場合は，ピークレスポンスの検出(限界)及び再現性に特に注意が必要である．注入量の増加は，特に，変更後も測定すべきピークの直線性と分離度が十分に満たされている場合に限り許容される．

4.2. 液体クロマトグラフィー：グラジエント溶離
　グラジエントシステムにおける試験条件の変更はイソクラティックシステムの場合より慎重さが求められる．

カラムパラメーターと流量
・固定相：置換基の変更は認められない(例えば，C18がC8に変更されるなど)．固定相のその他の物理化学的特性，つまりクロマトグラフィー用担体，表面修飾，化学修飾の程度は類似していなければならない．全多孔性粒子カラムから表面多孔性粒子カラムへの変更は，上記要件が満たされている場合には許容される．
・カラムの大きさ(粒子径及び長さ)：カラムの粒子径や長さは，カラムの長さ(L)と粒子径(d_p)の比が一定のまま，又は，規定されたL/d_pの比率の−25％から＋50％の間の範囲に変更することができる．
　全多孔性粒子から表面多孔性粒子の粒子径を調整する場合：本試験法及び医薬品各条に示されるシステム適合性に使用される個々のピークで(t_R/w_h)^{2}が規定されたカラムの−25％から＋50％の範囲にあれば，他のLとd_pの組み合わせも使用することができる．
　システム適合性の要件に適合し，管理すべき不純物の選択性と溶出順が同等であることが示されれば，これらの変更は認められる．
・内径：粒子径やカラム長の変更がない場合に，カラム内径を調整する場合があるかもしれない．
　より小さな粒子径，又は，より小さなカラム内径への試験条件の変更により，ピークボリュームがより小さくなる場合には，装置配管，検出器のセル容量，サンプリング速度及び注入量のような要因により，カラム外拡散を最小にすることが必要なことがあり注意が必要である．
　粒子径を変更するときには，流量の調整が◇必要となることがあるかもしれない◇．粒子径のより小さいカラムでは，同じ性能(換算理論段高さにより評価された)を得るために，より高い線速度が必要となるからである．流量は，カラムの内径と粒子径の両方の変更により，次式に従って◇変更可能である◇．

$$F_2 = F_1 \times [(d_{c2}^2 \times d_{p1})/(d_{c1}^2 \times d_{p2})]$$

F_1：医薬品各条の流量(mL/分)
F_2：変更後の流量(mL/分)
d_{c1}：医薬品各条のカラムの内径(mm)
d_{c2}：使用するカラムの内径(mm)
d_{p1}：医薬品各条のカラム粒子径(μm)
d_{p2}：使用するカラム粒子径(μm)

　カラムの大きさを変えること，すなわちカラム容量の変更は，選択性をコントロールするグラジエント容量に影響する．カラム容量に比例してグラジエント容量を変え，グラジエント条件をカラム容量に合わせて調整する．これは全ての各グラジエント容量に適用する．グラジエント容量は，グラジエント時間t_Gと流量Fの積であるため，グラジエント条件のそれぞれの時間を，カラム容量に対するグラジエント容量の比($L \times d_c^2$)が一定になるように変更する．ここで，変更したグラジエント時間t_{G2}は元のグラジエント時間t_{G1}，流量及びカラムの大きさから次式で計算できる．

$$t_{G2} = t_{G1} \times (F_1/F_2)\,[(L_2 \times d_{c2}^2)/(L_1 \times d_{c1}^2)]$$

　ここで，グラジエント溶離の条件の変更には次の3段階の変更が必要である．

(1) L/d_p で示されるカラムの長さ及び粒子径の変更，
(2) 粒子径とカラムの内径の変更による流量の変更，そして，
(3) カラムの長さ，内径及び流量の変更による各グラジエントの時間の変更である．この条件の例を次に示す．

変数	元の条件	変更した条件	備考
カラムの長さ(L)(mm)	150	100	ユーザーの選択
カラムの内径(d_c)(mm)	4.6	2.1	ユーザーの選択
粒子径(d_p)(μm)	5	3	ユーザーの選択
L/d_p	30.0	33.3	(1)
流量(mL/分)	2.0	0.7	(2)
グラジエント調整因子(t_{G2}/t_{G1})		0.4	(3)
グラジエント条件 B(%)	時間(分)	時間(分)	
30	0	0	
30	3	(3×0.4)=1.2	
70	13	[1.2+(10×0.4)]=5.2	
30	16	[5.2+(3×0.4)]=6.4	

(1) L/d_p が−25〜＋50%の範囲内の11%増加
(2) $F_2 = F_1 [(d_{c2}^2 \times d_{p1})/(d_{c1}^2 \times d_{p2})]$ を用いて計算
(3) $t_{G2} = t_{G1} \times (F_1/F_2) [(L_2 \times d_{c2})/(L_1 \times d_{c1})]$ を用いて計算

・カラムの温度：別に規定するもののほか，規定した試験条件の±5℃

本試験法のシステム適合性とクロマトグラフィー条件の調整で記載されている許容範囲内で，更なる試験条件(移動相，温度，pHなど)の変更が，必要となることがあるかもしれない．

移動相
・組成／グラジエント：移動相の組成及びグラジエントは次の場合に変更できる．
 （ⅰ）システム適合性の要件に適合していること．
 （ⅱ）主なピークが元の条件で得られた保持時間の±15%の範囲内で溶離している．ただし，これはカラムの大きさを変更した場合は適用できない．
 （ⅲ）移動相の組成及びグラジエントが，最初のピークが十分に保持され，最後のピークが溶出されるものであること．
・移動相の水系組成のpH：別に規定するもののほか，±0.2 pH単位
・移動相の緩衝液組成の塩濃度：±10%

システム適合性の要件に適合しない場合は，グラジエント遅延容量を検討するかカラムを変えることが望ましい場合がある．

グラジエント遅延容量
使用する装置構成によっては，規定した分離能，保持時間及び保持比が著しく変わることがある．このようなことが起こるのは，グラジエント遅延容量が変化しているためかもしれない．医薬品各条においては，分析法を開発した際の装置と実際に使用する装置のグラジエント遅延容量の違いを考慮して，グラジエントを開始する前にイソクラティックのステップを加えることで，グラジエント勾配の調整を行うのが望ましい．その使用する装置のイソクラティックのステップ長さを決めるのは試験者の責任において行う．医薬品各条の作成段階で用いたグラジエント遅延容量が医薬品各条に記載されている場合は，グラジエントの勾配表に記載された時間(t分)は次式で計算した時間(t_c分)に置き換えても構わない．

$$t_c = t - (D - D_0)/F$$

D：グラジエント遅延容量(mL)
D_0：分析法開発時のグラジエント遅延容量(mL)
F：流量(mL/分)

イソクラティックのステップを用いないで分析法バリデーションを行った場合は，グラジエント勾配の調整を行う目的で導入されたイソクラティックのステップを省略できる．

検出波長：変更できない．
注入量：カラムの大きさを変更する場合，注入量の調整には次式が利用できる．

$$V_{inj2} = V_{inj1} (L_2 d_{c2}^2)/(L_1 d_{c1}^2)$$

V_{inj1}：医薬品各条の注入量(μL)
V_{inj2}：調整した注入量(μL)
L_1：医薬品各条のカラムの長さ(cm)
L_2：新たなカラムの長さ(cm)
d_{c1}：医薬品各条のカラムの内径(mm)
d_{c2}：新たなカラムの内径(mm)

上記の式は全多孔性粒子カラムから表面多孔性粒子カラムへの変更には適用できない場合があるかもしれない．

カラムの大きさを変更しない場合でも，システム適合性の要件が確立された許容限度値内であれば注入量は変更することができる．注入量を減少させる場合は，ピークレスポンスの検出(限界)及び再現性に特に注意が必要である．注入量の増加は，特に，変更後も測定すべきピークの直線性と分離度が十分に満たされている場合に限り許容される．

4.3. ガスクロマトグラフィー

カラムパラメーター
・固定相：
 粒子径：最大50%まで減らすことができ，増やすことはできない(充填カラム)．
 膜厚：−50〜＋100%(キャピラリーカラム)
・カラムの大きさ
 長さ：−70〜＋100%
 内径：±50%
・カラムの温度：±10%
・温度プログラム：温度の調整は上述の通り許容される．昇温速度と各温度の保持時間の調整は±20%まで許容される．

流量：±50%

上記の調整は，システム適合性の要件に適合し，管理すべき不純物の選択性と溶出順が同等であることが示されれば，許容される．

注入量及びスプリット比：システム適合性の要件が確立された許容限度値内であれば注入量及びスプリット比は変更することができる．注入量を減少させる場合又はスプリット比を増加させる場合は，ピークレスポンスの検出(検出限界)及び再現性に特に注意が必要である．注入量の増加又はスプリット比の減少は，特に，変更後も測定すべきピークの直線性と分離度が十分に満たされている場合に限り許容される．

注入口温度及び静的ヘッドスペースにおけるトランスファーライン温度の条件：分解や濃縮が起こらない場合は±10℃

5. 定量

以下のような定量試験法が，一般試験法や医薬品各条に適用される．

5.1. 外部標準法

検量線法

被検成分の標準物質を用いて，直線性が示される範囲内で複数濃度の標準溶液を調製し，一定量を注入する．

得られたクロマトグラムから，標準物質の濃度を横軸に，ピーク面積又はピーク高さを縦軸にプロットして検量線を得る．検量線は通例直線回帰で得られる．次に，試料溶液を医薬品各条に規定された方法で調製する．検量線を得た方法と同じ操作条件下で，クロマトグラフィーを行い，被検成分のピーク面積又はピーク高さを測定し，被検成分量を検量線から読み取るか，計算する．

一点検量法

医薬品各条では，通例，検量線の直線範囲で，ある濃度の標準溶液と，標準溶液の濃度に近い濃度の試料溶液を調製し，同じ操作条件でクロマトグラフィーを行い，得られたレスポンスを比較して，被検成分量を求める．

この方法では，注入操作などの全ての試験操作は，同じ条件で実施されなければならない．

5.2. 内標準法

検量線法

内標準法では，被検成分に近い保持時間を有し，クロマトグラム上の他の全てのピークと完全に分離する安定な物質を内標準物質として選ぶ．

一定量の内標準物質と標準被検試料を段階的に加えて，数種の標準溶液を調製する．それぞれの標準溶液の一定量を注入して得られたクロマトグラムから，内標準物質に対する標準被検成分のピーク面積又はピーク高さの比を求める．これらの比を縦軸に，標準被検成分量又は内標準物質量に対する標準被検成分量の比を横軸にとり，検量線を作成する．この検量線は，通例，直線回帰で得られる．

次に医薬品各条に規定する方法に従って，検量線の作成に用いる，同量の内標準物質を含む試料溶液を調製する．検量線を作成したときと同じ条件でクロマトグラフィーを行い，内標準物質に対する，被検成分ピーク面積又はピーク高さの比を求め，検量線から被検成分量を求める．

一点検量法

医薬品各条では，通例，検量線が直線となる濃度範囲の一つの標準溶液及びこれに近い濃度の試料溶液を調製し，いずれにも一定量の内標準物質を加え，同一の条件でクロマトグラフィーを行い，得られた比を比較して，被検成分量を求める．

5.3. 面積百分率法

ピークの直線性が示されれば，医薬品各条では被検成分のパーセント含量は，溶媒，試薬，移動相又は試料マトリックスから生じるピークや，判別限界又は報告の閾値以下のピークを除いた，全てのピークの面積の総和に対する，それぞれのピーク面積の百分率で求められる．

6. その他の留意事項

6.1. 検出器の応答

検出器の感度は，検出器に入る移動相中の物質の単位濃度又は単位質量あたりのシグナル出力である．相対的な検出器の応答係数(通例，レスポンス係数と呼ぶ)は，ある物質の標準物質に対する検出感度を表す．感度係数は，応答係数の逆数である．類縁物質試験では，医薬品各条に示された感度係数は常に適用される(すなわち，応答係数が0.8 ～ 1.2の範囲外の場合)．

6.2. 妨害ピーク

溶媒，試薬，移動相，試料マトリックスに由来するピークは除外する．

6.3. ピークの測定

主ピークから完全には分離しない不純物のピークの積分は，通例，タンジェントスキムによる(図2.00－9)．

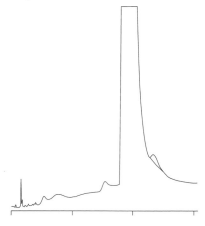

図2.00－9

6.4. 報告の閾値

類縁物質試験において不純物の総量が規定されている場合や，ある不純物に対して定量的な評価が規定されている場合は，適切な報告の閾値及びピーク面積を積分するための適切な条件を設定することが重要になる．そのような試験では，報告の閾値，つまり，不純物量がその値を超えると報告が必要とされる限度値は，一般に0.05％である．

一般試験法の部 2.01 液体クロマトグラフィーの条を次のように改める．

2.01 液体クロマトグラフィー

液体クロマトグラフィーは，適当な固定相を用いて作られたカラムに試料混合物を注入し，移動相として液体を用い，固定相に対する保持力の差を利用してそれぞれの成分に分離し，分析する方法であり，液体試料又は溶液にできる試料に適用でき，物質の確認，純度の試験又は定量などに用いる．

1. 装置

通例，移動相送液用ポンプ，試料導入装置，カラム，検出器及び記録装置からなり，必要に応じて移動相組成制御装置，カラム恒温槽，反応試薬送液用ポンプ及び化学反応槽などを用いる．ポンプは，カラム及び連結チューブなどの中に移動相及び反応試薬を一定流量で送ることができるものである．試料導入装置は，一定量の試料を再現性よく装置に導入するものである．カラムは，一定の大きさにそろえた液体クロマトグラフィー用充塡剤を内面が平滑で不活性な金属などの管に均一に充塡した

ものである．なお，充塡剤の代わりに固定相を管壁に保持させたものを用いることができる．検出器は，試料の移動相とは異なる性質を検出するもので，紫外又は可視吸光光度計，蛍光光度計，示差屈折計，電気化学検出器，化学発光検出器，電気伝導度検出器（導電率検出器）及び質量分析計などがあり，通例，数μg以下の試料に対して濃度に比例した信号を出すものである．記録装置は，検出器により得られる信号の強さを記録するものである．必要に応じて記録装置としてデータ処理装置を用いてクロマトグラム，保持時間，又は成分定量値などを記録あるいは出力させることができる．移動相組成制御装置は，段階的制御（ステップワイズ方式）と濃度勾配制御（グラジエント方式）があり，移動相組成を制御できるものである．

2. 操作法

装置をあらかじめ調整した後，医薬品各条に規定する試験条件の検出器，カラム，移動相を用い，移動相を規定の流量で流し，カラムを規定の温度で平衡にした後，医薬品各条に規定する量の試料溶液又は標準溶液を試料導入装置を用いて試料導入部より注入する．分離された成分を検出器により検出し，記録装置を用いてクロマトグラムとして記録させる．分析される成分が検出器で検出されるのに適した吸収，蛍光などの物性を持たない場合には，適当な誘導体化を行い検出する．誘導体化は，通例，プレカラム法又はポストカラム法による．

3. 確認及び純度の試験

本法を確認試験に用いる場合，試料の被検成分と標準被検成分の保持時間が一致すること，又は試料に標準被検試料を添加しても試料の被検成分のピークの形状が崩れないことを確認する．なお，被検成分の化学構造に関する知見が同時に得られる検出器が用いられる場合，保持時間の一致に加えて，化学構造に関する情報が一致することにより，より特異性の高い確認を行うことができる．

本法を純度試験に用いる場合，通例，試料中の混在物の限度に対応する濃度の標準溶液を用いる方法，又は面積百分率法により試験を行う．別に規定するもののほか，試料の異性体比は面積百分率法により求める．

面積百分率法は，クロマトグラム上に得られた各成分のピーク面積の総和を100とし，それに対するそれぞれの成分のピーク面積の比から組成比を求める．ただし，正確な組成比を得るためには混在物の主成分に対する感度係数によるピーク面積の補正を行う．

4. 定量

4.1. 内標準法

内標準法においては，一般に，被検成分になるべく近い保持時間を持ち，いずれのピークとも完全に分離する安定な物質を内標準物質として選ぶ．医薬品各条に規定する内標準物質の一定量に対して標準被検試料を段階的に加えて数種の標準溶液を調製する．この一定量ずつを注入して得られたクロマトグラムから，内標準物質のピーク面積又はピーク高さに対する標準被検成分のピーク面積又はピーク高さの比を求める．この比を縦軸に，標準被検成分量，又は内標準物質量に対する標準被検成分量の比を横軸にとり，検量線を作成する．この検量線は，通例，原点を通る直線となる．次に医薬品各条に規定する方法で同量の内標準物質を加えた試料溶液を調製し，検量線を作成したときと同一条件でクロマトグラムを記録させ，その内標準物質のピーク面積又はピーク高さに対する被検成分のピーク面積又はピーク高さの比を求め，検量線を用いて被検成分量を求める．

医薬品各条では，通例，上記の検量線が直線となる濃度範囲に入る一つの標準溶液及びこれに近い濃度の試料溶液を調製し，医薬品各条で規定するそれぞれの量につき，同一条件で液体クロマトグラフィーを行い被検成分量を求める．

4.2. 絶対検量線法

標準被検試料を段階的にとり，標準溶液を調製し，この一定量ずつを正確に，再現性よく注入する．得られたクロマトグラムから縦軸に標準被検成分のピーク面積又はピーク高さ，横軸に標準被検成分量をとり，検量線を作成する．この検量線は，通例，原点を通る直線となる．次に医薬品各条に規定する方法で試料溶液を調製する．次に検量線を作成したときと同一条件でクロマトグラムを記録させ，被検成分のピーク面積又はピーク高さを測定し，検量線を用いて被検成分量を求める．

医薬品各条では，通例，上記の検量線が直線となる濃度範囲に入る一つの標準溶液及びこれに近い濃度の試料溶液を調製し，医薬品各条で規定するそれぞれの量につき，同一条件で液体クロマトグラフィーを行い被検成分量を求める．この方法は，注入操作など測定操作の全てを厳密に一定の条件に保って行う．

5. ピーク測定法

通例，次の方法を用いる．

5.1. ピーク高さ測定法

（ⅰ）ピーク高さ法：ピークの頂点から記録紙の横軸へ下ろした垂線とピークの両裾を結ぶ接線（基線）との交点から頂点までの長さを測定する．

（ⅱ）自動ピーク高さ法：検出器からの信号をデータ処理装置を用いてピーク高さとして測定する．

5.2. ピーク面積測定法

（ⅰ）半値幅法：ピーク高さの中点におけるピーク幅にピーク高さを乗じる．

（ⅱ）自動積分法：検出器からの信号をデータ処理装置を用いてピーク面積として測定する．

6. システム適合性

システム適合性は，クロマトグラフィーを用いた試験法には不可欠の項目であり，医薬品の試験に使用するシステムが，当該の試験を行うのに適切な性能で稼働していることを一連の品質試験ごとに確かめることを目的としている．システム適合性の試験方法と適合要件は，医薬品の品質規格に設定した試験法の中に規定されている必要がある．規定された適合要件を満たさない場合には，そのシステムを用いて行った品質試験の結果を採用してはならない．

システム適合性は，基本的に「システムの性能」及び「システムの再現性」で評価されるが，純度試験においてはこれらに加えて「検出の確認」が求められる場合がある．適切な場合には，クロマトグラフィー総論〈2.00〉に規定のシステム適合性の項目により評価することもできる．ただし，本法とクロマトグラフィー総論〈2.00〉を組み合わせることはできない．

6.1. 検出の確認

純度試験において，対象とする不純物等のピークがその規格限度値レベルの濃度で確実に検出されることを確認することによって，使用するシステムが試験の目的を達成するために必要な性能を備えていることを検証する．

定量的試験では，通例，「検出の確認」の項を設け，規格限

度値レベルの溶液を注入したときのレスポンスの幅を規定して，限度値付近でレスポンスが直線性を持つことを示す．なお，限度試験のように，規格限度値と同じ濃度の標準溶液を用いて，それとの比較で試験を行う場合や，限度値レベルでの検出が「システムの再現性」などで確認できる場合には「検出の確認」の項は設けなくてもよい．

6.2. システムの性能

被検成分に対する特異性が担保されていることを確認することによって，使用するシステムが試験の目的を達成するために必要な性能を備えていることを検証する．

定量法では，原則として，被検成分と分離確認用物質(基本的には，隣接するピークが望ましい)との分離度，及び必要な場合には，溶出順で規定する．純度試験では，原則として，被検成分と分離確認用物質(基本的には，隣接するピークが望ましい)との分離度及び溶出順で規定する．また，必要な場合には，シンメトリー係数を併せて規定する．ただし，適当な分離確認用物質がない場合には，被検成分の理論段数やシンメトリー係数で規定しても差し支えない．

6.3. システムの再現性

標準溶液あるいはシステム適合性試験用溶液を繰返し注入したときの被検成分のレスポンスのばらつきの程度(精度)が試験の目的にかなうレベルにあることを確認することによって，使用するシステムが試験の目的を達成するために必要な性能を備えていることを検証する．

システムの再現性の許容限度値は，通例，繰返し注入における被検成分のレスポンスの相対標準偏差(RSD)として規定する．試料溶液の注入を始める前に標準溶液の注入を繰り返す形だけでなく，標準溶液の注入を試料溶液の注入の前後に分けて行う形や試料溶液の注入の間に組み込んだ形でシステムの再現性を確認してもよい．

繰返し注入の回数は6回を原則とするが，グラジエント法を用いる場合や試料中に溶出が遅い成分が混在する場合など，1回の分析に時間がかかる場合には，6回注入時とほぼ同等のシステムの再現性が担保されるように，達成すべきばらつきの許容限度値を厳しく規定することにより，繰返し注入の回数を減らしてもよい．

システムの再現性の許容限度値は，当該試験法の適用を検討した際のデータと試験に必要とされる精度を考慮して，適切なレベルに設定する．

7. 試験条件の変更に関する留意事項

医薬品各条の試験条件のうち，カラムの内径及び長さ，充塡剤の粒径(モノリス型カラムの場合は孔径)，カラム温度，移動相の組成比，移動相の緩衝液組成，移動相のpH，移動相のイオン対形成剤濃度，移動相の塩濃度，切替え回数，切替え時間，グラジエントプログラム及びその流量，誘導体化試薬の組成及び流量，移動相の流量並びに反応時間及び化学反応槽温度は，適切に分析性能の検証を行った上で一部変更することができる．ただし，生薬等については，システム適合性の規定に適合することをもって分析性能の検証に代えることができる．

8. 用語

クロマトグラフィー総論〈2.00〉の定義に従う．

9. 注意

標準被検試料，内標物質，試験に用いる試薬及び試液は測定の妨げとなる物質を含まないものを用いる．

一般試験法の部 2.02 ガスクロマトグラフィーの条を次のように改める．

2.02 ガスクロマトグラフィー

ガスクロマトグラフィーは，適当な固定相を用いて作られたカラムに，試料混合物を注入し，移動相として気体(キャリヤーガス)を用い，固定相に対する保持力の差を利用してそれぞれの成分に分離し，分析する方法であり，気体試料又は気化できる試料に適用でき，物質の確認，純度の試験又は定量などに用いる．

1. 装置

通例，キャリヤーガス導入部及び流量制御装置，試料導入装置，カラム，カラム恒温槽，検出器及び記録装置からなり，必要ならば燃焼ガス，助燃ガス及び付加ガスなどの導入装置並びに流量制御装置，ヘッドスペース用試料導入装置などを用いる．キャリヤーガス導入部及び流量制御装置は，キャリヤーガスを一定流量でカラムに送るもので，通例，調圧弁，流量調節弁及び圧力計などで構成される．試料導入装置は，一定量の試料を正確に再現性よくキャリヤーガス流路中に導入するための装置で，充塡カラム用とキャピラリーカラム用がある．なお，キャピラリーカラム用試料導入装置には，分割導入方式と非分割導入方式の装置がある．通例，カラムは，充塡カラム及びキャピラリーカラムの2種類に分けられる．充塡カラムは，一定の大きさにそろえたガスクロマトグラフィー用充塡剤を不活性な金属，ガラス又は合成樹脂などの管に均一に充塡したものである．なお，充塡カラムのうち，内径が1 mm以下のものは，充塡キャピラリーカラム(マイクロパックドカラム)ともいう．キャピラリーカラムは，不活性な金属，ガラス，石英又は合成樹脂などの管の内面にガスクロマトグラフィー用の固定相を保持させた中空構造のものである．カラム恒温槽は，必要な長さのカラムを収容できる容積があり，カラム温度を一定の温度に保つための温度制御機構を持つものである．検出器は，カラムで分離された成分を検出するもので，アルカリ熱イオン化検出器，炎光光度検出器，質量分析計，水素炎イオン化検出器，電子捕獲検出器，熱伝導度検出器などがある．記録装置は検出器により得られる信号の強さを記録するものである．

2. 操作法

別に規定するもののほか，次の方法による．装置をあらかじめ調整した後，医薬品各条に規定する試験条件の検出器，カラム及びキャリヤーガスを用い，キャリヤーガスを一定流量で流し，カラムを規定の温度で平衡にした後，医薬品各条に規定する量の試料溶液又は標準溶液を試料導入装置を用いて系内に注入する．分離された成分を検出器により検出し，記録装置を用いてクロマトグラムとして記録させる．

3. 確認及び純度の試験

本法を確認試験に用いる場合，試料の被検成分と標準被検成分の保持時間が一致すること又は試料に標準被検試料を添加しても，試料の被検成分のピークの形状が崩れないことを確認する．

本法を純度試験に用いる場合，通例，試料中の混在物の限度に対応する濃度の標準溶液を用いる方法，又は面積百分率法により試験を行う．別に規定するもののほか，試料の異性体比は面積百分率法により求める．

面積百分率法は，クロマトグラム上に得られた各成分のピーク面積の総和を100とし，それに対するそれぞれの成分のピーク面積の比から組成比を求める．ただし，正確な組成比を得るためには，混在物の主成分に対する感度係数によるピーク面積の補正を行う．

4. 定量

通例，内標準法によるが，適当な内標準物質が得られない場合は絶対検量線法による．定量結果に対して被検成分以外の成分の影響が無視できない場合は標準添加法による．

4.1. 内標準法

内標準法においては，一般に，被検成分になるべく近い保持時間を持ち，いずれのピークとも完全に分離する安定な物質を内標準物質として選ぶ．医薬品各条に規定する内標準物質の一定量に対して標準被検試料を段階的に加えて数種の標準溶液を調製する．この一定量ずつを注入して得られたクロマトグラムから，内標準物質のピーク面積又はピーク高さに対する標準被検成分のピーク面積又はピーク高さの比を求める．この比を縦軸に，標準被検成分量，又は内標準物質量に対する標準被検成分量の比を横軸にとり，検量線を作成する．この検量線は，通例，原点を通る直線となる．次に医薬品各条に規定する方法で同量の内標準物質を加えた試料溶液を調製し，検量線を作成したときと同一条件でクロマトグラムを記録させ，その内標準物質のピーク面積又はピーク高さに対する被検成分のピーク面積又はピーク高さの比を求め，検量線を用いて被検成分量を求める．

医薬品各条では，通例，上記の検量線が直線となる濃度範囲に入る一つの標準溶液及びこれに近い濃度の試料溶液を調製し，医薬品各条で規定するそれぞれの量につき，同一条件でガスクロマトグラフィーを行い被検成分量を求める．

4.2. 絶対検量線法

標準被検試料を段階的にとり，標準溶液を調製し，この一定量ずつを正確に再現性よく注入する．得られたクロマトグラムから縦軸に標準被検成分のピーク面積又はピーク高さ，横軸に標準被検成分量をとり，検量線を作成する．この検量線は，通例，原点を通る直線となる．次に医薬品各条に規定する方法で試料溶液を調製する．次に検量線を作成したときと同一条件でクロマトグラムを記録させ，被検成分のピーク面積又はピーク高さを測定し，検量線を用いて被検成分量を求める．

医薬品各条では，通例，上記の検量線が直線となる濃度範囲に入る一つの標準溶液及びこれに近い濃度の試料溶液を調製し，医薬品各条で規定するそれぞれの量につき，同一条件でガスクロマトグラフィーを行い被検成分量を求める．この方法は全測定操作を厳密に一定の条件に保って行う．

4.3. 標準添加法

試料の溶液から4個以上の一定量の液を正確にとる．このうちの1個を除き，採取した液に被検成分の標準溶液を被検成分の濃度が段階的に異なるように正確に加える．これらの液及び先に除いた1個の液をそれぞれ正確に一定量に希釈し，それぞれ試料溶液とする．この液の一定量ずつを正確に再現性よく注入して得られたクロマトグラムから，それぞれのピーク面積又はピーク高さを求める．それぞれの試料溶液に加えられた被検成分の濃度を算出し，横軸に標準溶液の添加による被検成分の増加量，縦軸にピーク面積又はピーク高さをとり，グラフにそれぞれの値をプロットし，関係線を作成する．関係線の横軸との交点と原点との距離から被検成分量を求める．なお，本法は，絶対検量線法で被検成分の検量線を作成するとき，検量線が，原点を通る直線であるときに適用できる．また，全測定操作を厳密に一定の条件に保って行う．

5. ピーク測定法

通例，次の方法を用いる．

5.1. ピーク高さ測定法

（ⅰ）ピーク高さ法：ピークの頂点から記録紙の横軸へ下ろした垂線とピークの両裾を結ぶ接線（基線）との交点から頂点までの長さを測定する．

（ⅱ）自動ピーク高さ法：検出器からの信号をデータ処理装置を用いてピーク高さとして測定する．

5.2. ピーク面積測定法

（ⅰ）半値幅法：ピーク高さの中点におけるピーク幅にピーク高さを乗じる．

（ⅱ）自動積分法：検出器からの信号をデータ処理装置を用いてピーク面積として測定する．

6. システム適合性

液体クロマトグラフィー〈2.01〉のシステム適合性の規定を準用する．

7. 試験条件の変更に関する留意事項

医薬品各条の試験条件のうち，カラムの内径及び長さ，充填剤の粒径，固定相の濃度又は厚さ，カラム温度，昇温速度，キャリヤーガスの種類及び流量，スプリット比は，適切に分析性能の検証を行った上で一部変更することができる．ただし，生薬等については，システム適合性の規定に適合することをもって分析性能の検証に代えることができる．また，ヘッドスペース用試料導入装置及びその操作条件は，規定の方法以上の真度及び精度が得られる範囲内で変更できる．

8. 用語

クロマトグラフィー総論〈2.00〉の定義に従う．

9. 注意

標準被検試料，内標準物質，試験に用いる試薬及び試液は測定の妨げとなる物質を含まないものを用いる．

一般試験法の部　2.22　蛍光光度法の条を次のように改める．

2.22　蛍光光度法

蛍光光度法は，蛍光物質の溶液に特定波長域の励起光を照射するとき，放射される蛍光の強度を測定する方法である．この方法はリン光物質にも適用される．

蛍光強度 F は，希薄溶液では，溶液中の蛍光物質の濃度 c 及び層長 l に比例する．

$$F = kI_0 \phi \varepsilon c l$$

k：比例定数
I_0：励起光の強さ
ϕ：蛍光量子収率又はリン光量子収率

蛍光量子収率又はリン光量子収率

$$= \frac{\text{蛍光量子又はリン光量子の数}}{\text{吸収した光量子の数}}$$

ε：励起光の波長におけるモル吸光係数

1. 装置
通例，分光蛍光光度計を用いる．

光源としてはキセノンランプ，レーザー，アルカリハライドランプなど励起光を安定に放射するものを用いる．蛍光測定には，通例，層長1 cm×1 cmの四面透明で無蛍光の石英製セルを用いる．

2. 操作法
励起スペクトルは，分光蛍光光度計の蛍光波長を適切な波長に固定しておき，励起波長を変化させて試料溶液の蛍光強度を測定し，励起波長と蛍光強度との関係を示す曲線を描くことによって得られる．また，蛍光スペクトルは，適切な波長に固定した励起光を蛍光物質の希薄溶液に照射して得られる蛍光を，少しずつ異なった波長で測定し，波長と蛍光強度との関係を示す曲線を描くことによって得られる．必要ならば，装置の分光特性を加味したスペクトルの補正を行う．

蛍光強度は，通例，蛍光物質の励起及び蛍光スペクトルの極大波長付近において測定するが，蛍光強度は僅かな条件の変化に影響されるので比較となる標準の溶液を用いる．

別に規定するもののほか，医薬品各条に規定する方法で調製した標準溶液及び試料溶液並びに対照溶液につき，次の操作を行う．励起波長及び蛍光波長を規定する測定波長に固定し，次にゼロ点を合わせた後，標準溶液を入れた石英セルを試料室の光路に置き，蛍光強度が60 ～ 80％目盛りを示すように調整する．次に，試料溶液及び対照溶液の蛍光強度(％目盛り)を同じ条件で測定する．波長幅は，特に規定するもののほか適当に定める．

3. 注意
蛍光強度は溶液の濃度，温度，pH，溶媒又は試薬の種類及びそれらの純度などによって影響されることが多い．

一般試験法の部　2.26 ラマンスペクトル測定法の次に次の二条を加える．

2.27 近赤外吸収スペクトル測定法

近赤外吸収スペクトル測定法は，試料による近赤外領域における光の吸収スペクトルを測定し，その解析を行うことにより，物質の定性又は定量的評価を行うための分光学的方法の一つである．

近赤外線は，可視光線と赤外線の間にあって，通例，750 ～ 2500 nm（13333 ～ 4000 cm^{-1}）の波長(又は波数)範囲の光を指す．近赤外線の吸収は，主として赤外領域2500 ～ 25000 nm（4000 ～ 400 cm^{-1}）における基準振動の倍音又は結合音による振動によって生じ，特に水素原子が関与するO－H，N－H，C－H，S－Hによる吸収が主である．

近赤外域における吸収は，赤外域における基準振動による吸収よりもはるかに弱い．また，近赤外線は，可視光線と比較して長波長であることから，光は粉体を含む固体試料中，数mmの深さまで侵入することができる．この過程で吸収される光のスペクトル変化(透過光又は反射光)より，試料に関わる物理的及び化学的知見が得られることから，本法は，非破壊分析法としても広く活用されている．

近赤外吸収スペクトル測定法は，既存の確立された分析法に代えて，迅速かつ非破壊的な分析法として用いられるものであり，この分析法を品質評価試験法として管理に用いる場合，既存の分析法を基準として比較試験を行うことにより，その同等性を確認しておく必要がある．

本法を応用し，原薬及び製剤中の有効成分，添加剤又は水分について，定性的又は定量的評価を行うことができる．また，結晶形，結晶化度，粒子径などの物理的状態の評価に用いることもできる．さらに光ファイバーを用いることにより，装置本体から離れた場所にある試料について，サンプリングを行うことなくスペクトル測定が可能であることから，医薬品の製造工程管理をオンライン（又はインライン）で行うための有力な手段としても活用することができる．

1. 装置
近赤外分光光度計には，主として分散型近赤外分光光度計及びフーリエ変換近赤外分光光度計がある．

1.1. 分散型近赤外分光光度計
装置は，光源部，試料部，分光部，測光部，信号処理部，データ処理部及び表示・記録・出力部より構成されている．光源には，ハロゲンランプ，タングステンランプ，発光ダイオードなど，近赤外線を高輝度かつ安定に放射するものが用いられる．試料部は，試料セル及び試料ホルダーより構成される．光ファイバー及びコリメーターなどより構成される光ファイバー部を有する装置においては，分光光度計本体から離れた場所に設置された試料部に光を伝送する機能が付与されている．光ファイバーの材質としては，通例，石英が用いられる．

分光部は，分散素子を用いて必要とする波長の光を取り出すためのものであり，スリット，ミラー，分散素子から構成されている．測光部は，検出器及び増幅器で構成されている．検出器としては，半導体検出器のほか，光電子増倍管も用いられる．半導体検出器による検出方法としては，通例，単一素子による検出が行われるが，複数の素子を用いたアレイ型検出器が用いられることもあり，これにより複数波長(又は波数)の光の同時検出が可能となる．信号処理部では，増幅器の出力信号から測定に必要な信号を分離し，出力する．信号処理方式にはアナログ処理及びデジタル処理がある．

1.2. フーリエ変換近赤外分光光度計
装置の構成は，分光測光部及び信号処理部を除き，基本的に1.1.の分散型装置の構成と同様である．

分光測光部は，干渉計，サンプリング信号発生器，検出器，増幅器，A／D変換器などで構成される．信号処理部については，分散型装置で要求される機能に加え，得られた干渉波形(インターフェログラム)をフーリエ変換により吸収スペクトルへ読み替える機能が付与されている．

2. 測定法
近赤外吸収スペクトル測定法には透過法，拡散反射法及び透過反射法の3種の測定法がある．測定法の選択は，試料の形状及び用途に依存し，例えば，粉体を含む固体試料には透過法又は拡散反射法が，液体試料には透過法又は透過反射法が用いられる．装置の測定モードなどを選択し，設定する．

2.1. 透過法
透過法では，光源からの光が試料を通過する際の入射光強度の減衰の度合いを透過率T(％)又は吸光度Aとして表す．

本法は，液体又は溶液試料に適用される方法であり，石英ガラスセル，フローセルなどに注入し，層長1〜5 mm程度で測定する．また，粉体を含む固体試料に対しても適用可能であり，拡散透過法ともよばれる．この場合，試料の粒度，表面状態などにより透過光強度は変化することから，適切な層長の選択が重要となる．

2.2. 拡散反射法

拡散反射法では，試料から広い立体角範囲に放射する反射光強度Iと対照となる物質表面からの反射光強度I_rとの比を反射率R (%)として表す．近赤外線は，粉体を含む固体試料中，数mmの深さまで侵入し，その過程で透過，屈折，反射，散乱を繰り返し，拡散するが，この拡散光の一部は再び試料表面から放射され，検出器に捕捉される．通例，反射率の逆数の対数を波長(又は波数)に対してプロットすることにより，拡散反射吸光度(A_r)のスペクトルが得られる．

本法は，粉体を含む固体試料に適用される方法であり，測定に際して，プローブなどの拡散反射装置が必要となる．

2.3. 透過反射法

透過反射法は，透過法と反射法を組み合わせたものである．透過反射率T^*(%)を測定する場合，ミラーを用いて試料を透過した光を再反射させる．光路長は試料厚さの2倍にする．一方，対照光は，鏡面で反射して検出器に入る反射光を用いる．ただし，本法を懸濁試料に適用する場合，ミラーの代わりに拡散反射する粗面を持つ金属板又はセラミック反射板などが用いられる．

本法は，粉体を含む固体試料，液体試料及び懸濁試料に適用される方法である．固体試料に適用する場合，試料厚さを調節する必要があるが，通例，検出器の直線性とSN比が最良となる吸光度で0.1〜2 (透過率で79〜1%)となるように調節する．なお，粉体試料に適用する場合，粉体の粒度に応じて適切な層長を持つセルを選択する必要がある．

3. スペクトルに影響を与える要因

近赤外吸収スペクトル測定法を適用しようとするとき，特に定量的な分析においては，スペクトルに影響を与える要因として，以下の事項に留意する必要がある．

（ⅰ）測定条件：試料温度が数℃違うとスペクトルに有意な変化(例えば，波長シフト)を生ずることがある．特に試料が水分を含む場合，注意する必要がある．また，試料中の水分又は残留溶媒及び測定環境中の水分(湿度)も近赤外領域の吸収帯に有意な影響を与える可能性がある．

試料の厚さは，スペクトル変化の要因であり，一定の厚さに管理する必要がある．さらに，固体又は粉体試料の測定においては，試料の充填状態がスペクトルに影響を与える可能性があるため，試料のセルへの充填にあたっては，一定量を一定手順により充填するよう注意する必要がある．

試料は，サンプリング後の時間経過又は保存に伴って化学的，物理的又は光学的性質に変化が生じる可能性があるため，検量線作成の際には，試験室でのオフライン測定とするか，又は製造工程でのオンライン(又はインライン)測定とするかなど，測定までの時間経過を十分に考慮して検量線用試料を調製するなどの注意が必要である．

（ⅱ）試料特性：物理的，化学的又は光学的に不均一な試料の場合，比較的大きな光束(beam size)を用いるか，複数試料又は同一試料の複数点を測定するか，又は粉砕するなどして，試料の平均化を図る必要がある．また，粉末試料では，粒径，充填の度合い，表面の粗さなどもスペクトルに影響を与える．結晶構造の変化(結晶多形)もスペクトルに影響を与えるため，複数の結晶形が存在する場合，検量線用の標準的な試料についても分析対象となる試料と同様な多形分布を持つように注意する必要がある．

4. 装置性能の管理

4.1. 波長(又は波数)の正確さ

装置の波長(又は波数)の正確さは，吸収ピークの波長(又は波数)が確定された適切な物質，例えば，ポリスチレン，希土類酸化物の混合物(ジスプロシウム／ホルミウム／エルビウム (1：1：1))又は水蒸気などの吸収ピークと装置の指示値との偏りから求める．通例，次の3ピーク位置付近での許容差は下記のとおりとする．ただし，適用する用途に応じて，適切な許容差を設定することができる．

1200±1 nm (8300±8 cm^{-1})
1600±1 nm (6250±6 cm^{-1})
2000±1.5 nm (5000±4 cm^{-1})

ただし，基準として用いる物質により吸収ピークの位置が異なるので，上記3ピークに最も近い波長(又は波数)位置の吸収ピークを選んで適合性を評価する．例えば，希土類酸化物の混合物は1261 nm (7930 cm^{-1})，1681 nm (5949 cm^{-1})，1971 nm (5074 cm^{-1})に特徴的な吸収ピークを示す．

波数分解能の高いフーリエ変換分光光度計では1368.6 nm (7306.7 cm^{-1})の水蒸気の吸収ピークを用いることができる．

なお，妥当性が確認できれば，ほかの物質を基準として用いることもできる．

4.2. 分光学的直線性

異なる濃度で炭素を含浸させた板状のポリマー(Carbon-doped polymer standards)など適当な標準板を用いて分光学的直線性の評価を行うことができる．ただし，直線性の確認のためには，反射率10〜90％の範囲内の少なくとも4濃度レベルの標準板を用いる必要がある．また，吸光度1.0以上での測定が想定される場合，反射率2％又は5％の標準板のいずれか又は両標準板を追加する必要がある．

これらの標準板につき，波長1200 nm (8300 cm^{-1})，1600 nm (6250 cm^{-1})及び2000 nm (5000 cm^{-1})付近の位置における吸光度を測定し，この値をそれぞれの標準板に付与されている各波長(又は波数)での吸光度に対してプロットするとき，得られる直線の勾配は，通例，1.00±0.05，縦軸切片は0.00±0.05の範囲内にあることを確認する．ただし，適用する用途に応じて，適切な許容差を設定することができる．

5. 定性又は定量分析への応用

近赤外吸収スペクトルの解析法としては，通常，ケモメトリックスの手法を用いて解析を行うが，検量線法などの一般的な分光学的手法が適用可能であればこれを用いてもよい．ケモメトリックスは，通例，化学データを数量化し，情報化するための数学的手法及び統計学的手法を指すが，近赤外吸収スペクトル測定法におけるケモメトリックスとしては，種々の多変量解析法が用いられ，目的に合わせて選択する．また，ケモメトリックスの手法を用いて分析法を確立しようとする場合，近赤外吸収スペクトルの特徴を強調すること及びスペクトルの複雑さや吸収バンドの重なりの影響を減ずるために，スペクトルの一

次若しくは二次微分処理又は正規化(Normalization)などの数学的前処理を行うことは，重要な手順の一つとなる．

近赤外吸収スペクトル測定法では，確立された後の分析法の性能を維持管理することが重要であり，継続的かつ計画的な保守点検作業が必要とされる．また，製造工程又は原料などの変更及び装置の主要部品の交換などに伴う変更管理又は再バリデーションの実施などに関する適切な評価手順が用意されているか留意が必要である．

5.1. 定性分析

分析対象となる各物質について，許容される範囲のロット間変動を含んだリファレンスライブラリーを作成し，ケモメトリックスの手法を用いて分析法を確立した後，定性的評価を行う．標準スペクトルとの比較やバリデートされたケモメトリックスソフトウェアなどを用いた方法により，同一性を確認することができる．また，吸収バンドによる同定を行うこともできる．

なお，多変量解析法としては波長相関法，残差平方和法，距離平方和法などの波長(又は波数)又は吸光度などを変数とする直接的な解析法のほか，主成分分析などの前処理をした後に適用される因子分析法，クラスター分析法，判別分析法及びSIMCA (Soft independent modeling of class analogy)などの多変量解析法もある．

また，近赤外吸収スペクトル全体を一つのパターンとみなし，多変量解析法の適用により得られるパラメーター又は分析対象成分に特徴的な波長(又は波数)でのピーク高さをモニタリングの指標とすることにより，原薬又は製剤の製造工程管理に利用することもできる．

5.2. 定量分析

定量分析は，通例，試料群のスペクトルと既存の確立された分析法によって求められた分析値との関係から，ケモメトリックスの手法を用いて，定量モデルを求め，換算方程式によって，測定試料中の各成分濃度や物性値を算出する．定量モデルを求めるためのケモメトリックスの手法には，重回帰分析法及びPLS (Partial least squares)回帰分析法などがある．

試料の組成が単純な場合，濃度既知の検量線作成用試料を用いて，ある特定波長(又は波数)における吸光度又はこれに比例するパラメーターと濃度との関係をプロットして検量線とし，これを用いて試料中の分析対象成分の濃度を算出できることもある(検量線法)．

2.28 円偏光二色性測定法

円偏光二色性測定法は，光学活性な化合物の光の吸収波長領域において，左右円偏光の吸収度合いが異なる現象(円偏光二色性)を利用して，光学活性物質の構造解析，構造確認，鏡像異性体やジアステレオマーとの識別などに用いられる方法である．

本法では，円偏光二色性は，以下のように左右円偏光の吸収度の差として実測される．

$$\Delta A = A_L - A_R$$

ΔA：左右円偏光の吸収度の差
A_L：左円偏光に対する吸光度
A_R：右円偏光に対する吸光度

また，左右円偏光に対するモル吸光係数の差をモル円二色性として以下のように表すことができる．

$$\Delta \varepsilon = \varepsilon_L - \varepsilon_R = \frac{\Delta A}{c \times l}$$

$\Delta \varepsilon$：モル円二色性[$(mol/L)^{-1} \cdot cm^{-1}$]
ε_L：左円偏光に対するモル吸光係数[$(mol/L)^{-1} \cdot cm^{-1}$]
ε_R：右円偏光に対するモル吸光係数[$(mol/L)^{-1} \cdot cm^{-1}$]
c：溶液中の光学活性物質の濃度(mol/L)
l：層長(cm)

さらに，以下の単位も円偏光二色性を示す単位として使用することができる．

異方性因子(g factor)：

$$g = \frac{\Delta \varepsilon}{\varepsilon}$$

ε：モル吸光係数

モル楕円率 molar ellipticity：

装置によっては楕円率(°)を単位として円偏光二色性を表す．そのような場合は，モル楕円率[θ]は以下の式を用いて計算される．

$$[\theta] = \frac{\theta}{10 \times c \times l}$$

[θ]：モル楕円率(° ・cm^2/dmol)
θ：装置により算出される楕円率の値(m°)
c：溶液中の光学活性物質の濃度(mol/L)
l：層長(cm)

モル楕円率は以下の式によりモル円二色性と関連付けられる．

$$[\theta] = 2.303 \Delta \varepsilon \frac{4500}{\pi} \approx 3300 \Delta \varepsilon$$

モル円二色性やモル楕円率は，しばしばペプチドやタンパク質，核酸の分析に用いられる．この場合，モル濃度(c)の算出には分子量を単量体当たりの残基数で除した平均残基分子量が用いられる．

$$平均残基分子量 = \frac{分子量}{アミノ酸残基数又はヌクレオチド残基数}$$

平均残基分子量は，ペプチドやタンパク質の場合は100～120 (一般的には115)，核酸の場合はナトリウム塩として約330である．

1. 装置

円二色性分光光度計を用いる．光源には，キセノンランプが用いられる．光源からの光は，水晶プリズムを装備したダブルモノクロメーターにより分光と同時に偏光され，単色直線偏光となる．モノクロメーター出口のスリットで，異常光を排除する．単色直線偏光は，光弾性変調器を通過することにより，一定の周波数で左右円偏光に交互に変調され試料に照射される．

検体試料を通過した光は，光電子増倍管に達したのち，二つの電気信号に分けられ増幅される．一つは，直流信号V_{DC}で，これは試料の光吸収を反映する．もう一つは，試料に円偏光二

色性がある場合に生じる光弾性変調器の変調周波数と同じ周波数の交流信号V_{AC}である．交流信号の位相が円偏光二色性の符号（＋あるいは−）を示し，振幅の大きさが円偏光二色性の強度を示す．ここで，V_{AC}/V_{DC}は，左右円偏光の吸光度の差ΔAに比例する．通常，円二色性分光光度計で測定される波長範囲は，170〜800 nm程度であるが，より広い波長範囲を測定可能な装置もある．

2. 測定法

温度，波長，層長，試料濃度を設定し，測定する．試料を適切な溶媒に溶解し，セルに入れ測定する．試料調製では，不純物のスペクトルへの影響，濃度による試料の構造変化，溶媒自身の吸収，試料構造への溶媒の影響の有無を確認しておく．試料セルの光路長，特に光路長が短い際には注意が必要である．さらに，試料による光の吸収は検出器へ届くシグナルの低下を招く可能性があるため，留意が必要である．

2.1. 確認試験

モル円二色性又はモル楕円率が最大となる波長と共に，モル円二色性又はモル楕円率を規定する．確認しようとする物質の規定した最大波長におけるモル円二色性又はモル楕円率が，この規定に合致するとき，同一性を確認することができる．又は，試料のスペクトルと確認しようとする物質の参照スペクトル又は標準品のスペクトルを比較し，両者のスペクトルが同一波長のところに同様の強度のモル円二色性又はモル楕円率を与えるとき，互いの同一性を確認することができる．

2.2. 二次構造の解析

ペプチドやタンパク質においては，特異的なスペクトルが遠紫外部に現れる．約250 nm以下のスペクトルを測定することにより，ペプチドやタンパク質の二次構造を推定することができる．さらに，近紫外部のスペクトルにより三次元構造について推定することもできる．ただし，円偏光二色性測定では分子全体の平均的な性質を観察していることに留意が必要である．αヘリックス構造では，一般に208 nm，222 nmに負の極大，191〜193 nmに正の極大が，βシート構造では216〜218 nmに負の極大，195〜200 nmに正の極大が，不規則構造では195〜200 nmに負の極大が現れる．円偏光二色性スペクトルから，二次構造の割合を解析する手法には，計算式を用いる手法，データベースより求める手法がある．多変量解析により算出することもできる．いずれの手法を用いた場合も，算出に用いた方法を試験法に明記する．

3. 装置性能の確認

波長校正された装置により，$\Delta\varepsilon$が既知である円偏光二色性の測定に適した品質を有する試料を用いて確認する．

3.1. 円偏光二色性の正確さ

$\Delta\varepsilon$が既知である物質，例えばイソアンドロステロン，d−カンファスルホン酸アンモニウムなどを用いて校正する（機器メーカーの推奨品を用いてもよい）．イソアンドロステロンを用いる場合は，イソアンドロステロン10.0 mgを正確に量り，エタノール(99.5)に溶かし，正確に10 mLとする．層長10 mmのセルを用いて，調製した溶液の円偏光二色性スペクトルを280 nmから360 nmまで測定するとき，304 nmにおける$\Delta\varepsilon$は＋3.3である．

3.2. 変調の直線性

$\Delta\varepsilon$が既知である物質，例えばd−カンファスルホン酸アンモニウムなどを用いて校正する（機器メーカーの推奨品を用いて

もよい）．d−カンファスルホン酸アンモニウムを用いる場合は，d−カンファスルホン酸アンモニウム6.0 mgを正確に量り，水に溶かし，正確に10 mLとする．層長1 mmのセルを用いて，調製した溶液の円偏光二色性スペクトルを185 nmから340 nmまで測定するとき，290.5 nmにおける$\Delta\varepsilon$は＋2.2〜＋2.5である．192.5 nmにおける$\Delta\varepsilon$は−4.3〜−5である．

一般試験法の部　2.58　粉末X線回折測定法の条を次のように改める．

2.58　粉末X線回折測定法

本試験法は，三薬局方での調和合意に基づき規定した試験法である．
なお，三薬局方で調和されていない部分のうち，調和合意において，調和の対象とされた項中非調和となっている項の該当箇所は「◆　◆」で，調和の対象とされた項以外に日本薬局方が独自に規定することとした項は「◇　◇」で囲むことにより示す．
三薬局方の調和合意に関する情報については，独立行政法人医薬品医療機器総合機構のウェブサイトに掲載している．

◇粉末X線回折測定法は，粉末試料にX線を照射し，その物質中の電子を強制振動させることにより生じる干渉性散乱X線による回折強度を，各回折角について測定する方法である．◇

化合物の全ての結晶相は特徴的なX線回折パターンを示す．X線回折パターンは，微結晶（粒子内の結晶性領域）又はある程度の大きさの結晶片からなる無配向化した結晶性粉末から得られる．単位格子の種類と大きさに依存した回折線の角度，主として原子の種類と配列並びに試料中の選択配向に依存した回折線の強度，及び測定装置の解像力と微結晶の大きさ，歪み及び試料の厚さに依存した回折線の形状の3種類の情報が，通例，X線回折パターンから得られる．

回折線の角度及び強度の測定は，結晶物質の結晶相の同定などの定性的及び定量的な相分析に用いられる．また，非晶質と結晶の割合の評価も可能である[1]．粉末X線回折測定法は，他の分析試験方法と比べ，非破壊的な測定法である（試料調製は，試料の無配向を保証するための粉砕に限られる）．粉末X線回折測定は，低温・低湿又は高温・高湿のような特別な条件においても可能である．

1. 原理

X線回折はX線と原子の電子雲との間の相互作用の結果生じる．原子配列に依存して，弾性散乱X線に干渉が生じる．干渉は回折した二つのX線波の行路差が波長の整数倍異なる場合に強められる．この選択的条件はブラッグの法則と呼ばれ，ブラッグの式（次式）により表される（図2.58−1）．

$$2d_{hkl}\sin\theta_{hkl}=n\lambda$$

X線の波長λは，通例，連続する結晶格子面間の距離又は面間隔d_{hkl}と同程度の大きさである．θ_{hkl}は入射X線と格子面群との間の角度であり，$\sin\theta_{hkl}$は連続する結晶格子面間の距離又は面間隔d_{hkl}と反比例の関係となる．

単位格子軸に関連して，格子面の方向と間隔はミラー指数（hkl）により規定される．これらの指数は，結晶面が単位格子軸と作る切片の逆数の最も小さい整数である．単位格子の大きさは，軸長a，b，cとそれぞれの軸間の角度α，β，γにより与

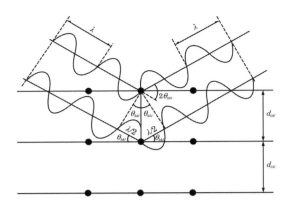

図2.58-1 ブラッグの法則に基づいた結晶によるX線回折

えられる．特定の平行な hkl 面の組の格子面間隔は d_{hkl} により表される．それぞれの格子面の同系列の面は $1/n$ (n は整数)の面間隔を持ち，nh, nk, nl 面による高次の回折を示す．結晶のあらゆる組の格子面は，特定の λ に対応するブラッグ回折角 θ_{hkl} を有する．

粉末試料が多結晶の場合，いずれの角度 θ_{hkl} においてもブラッグの法則で示される回折が可能となる方向を向いている微結晶が存在する[2]．一定の波長のX線に対して，回折ピーク(回折線，反射又はブラッグ反射とも呼ばれる)の位置は結晶格子($d-$間隔)の特性を示し，それらの理論的強度は結晶学的な単位格子の内容(原子の種類と位置)に依存し，回折線形状は結晶格子の完全性や結晶の大きさに依存する．これらの条件の下で，回折ピーク強度は，原子配列，原子の種類，熱運動及び構造の不完全性や測定装置特性などにより決められる．回折強度は構造因子，温度因子，偏光因子，多重度因子，ローレンツ因子，及び微小吸収因子などの多くの因子にも依存する．回折パターンの主要な特徴は，2θ の位置，ピーク高さ，ピーク面積及びピーク形状(例えば，ピークの幅や非対称性，あるいは解析関数や経験的な表現法などにより示される)である．ある物質の異なる五つの固体相で認められた粉末X線パターンの例を図2.58-2に示す．

粉末X線回折測定では回折ピークに加えてある程度のバックグラウンドが発生し，ピークに重なって観察される．試料調製方法に加え，試料ホルダー，空気，試料及び装置による散漫散乱や，検出器のノイズ，X線管から発生する連続X線など，装置側の要因もバックグラウンドの原因となる．バックグラウンドを最小限にし，照射時間を延長することによってピーク対バックグラウンド比を増加させることができる．

2. 装置

2.1. 装置の構成

粉末X線回折測定は，通例，粉末回折計か粉末カメラを用いる．粉末回折計は，一般的に五つの主要な部分から構成されている．それらはX線源，入射光の単色化，平行化や集束のための光学系，ゴニオメーター，回折光の単色化，平行化や集束のための光学系及び検出器から構成される．別にX線回折測定装置には，通例，データの収集及びデータ処理システムが必要であり，これらは装備されている．

相の同定，定量分析，格子パラメーターの測定など，分析目的に応じて，装置の異なる配置や性能レベルが必要となる．粉

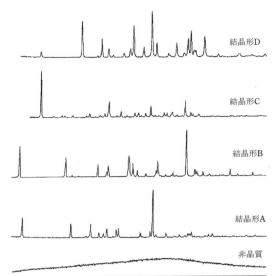

図2.58-2 ある物質の異なる五つの固体相で認められた粉末X線パターン(結晶形A-Dの強度は規格化してある)

末回折パターンを測定するための最も簡単な装置は粉末カメラである．通例，写真フィルムにより検出するが，光子検出器が組み込まれたブラッグ-ブレンターノ集中法光学系が開発されている．ブラッグ-ブレンターノ集中法光学系は現在広く使用されているので，以下に簡潔に記載する．

装置の配置は，水平又は垂直な $\theta/2\theta$ の配置，若しくは垂直な θ/θ の配置とすることができる．いずれの配置においても，入射X線ビームは試料面と θ の角度をなし，回折X線ビームは試料面とは θ の角度をなすが，入射X線ビームの方向とは 2θ の角度をなす．基本配置の一例を図2.58-3に示す．X線管から放射された発散ビーム(一次ビーム)はソーラースリットと発散スリットを通過し，平らな試料面に入射する．試料中の適切に配向している微結晶により，2θ の角度に回折された全てのX線は，受光スリットの一本の線に集束する．二組目のソーラースリットと散乱スリットは，受光スリットの前か後のいずれかに設置される．受光スリットは，通例，0次元検出器が用いられるときにのみ利用される．X線管の線焦点軸と受光スリット軸はゴニオメーター軸から等距離に設定される．X線は，通例，シンチレーション計数管や密閉ガス比例計数管のような検出器により求められるが，現在では位置敏感型半導体検出器やハイブリッド型光子計数検出器がより広く利用されている．受光スリットと検出器は組み合わされており，焦点円の接線方向に動く．$\theta/2\theta$ 走査では，ゴニオメーターは試料と検出器を同軸方向に回転させるが，試料は検出器の半分の回転速度で回転する．試料面は焦点円の接線方向と同一となる．ソーラースリットはビームの軸方向発散を制限し，回折線の形状に部分的に影響を与える．

回折計は透過配置でも使用できる．この方法の利点は選択配向の影響を抑えられることである．約0.5～2 mm径のキャピラリーが微量試料の測定に使用される．

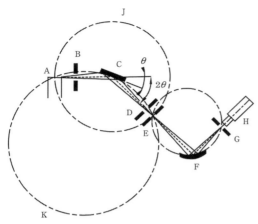

A：X線管
B：発散スリット
C：試料
D：反拡散スリット
E：受光スリット
F：モノクロメーター
G：検出器側受光スリット
H：検出器
J：回折計円
K：焦点円

図2.58-3　ブラッグ-ブレンターノ集中法光学系の配置図

2.2. X線放射

実験室では，X線は熱電子効果により放出された電子を高電圧による強い電場で加速し金属陽極に衝突させることによって得られる．電子の多くの運動エネルギーは熱に変換されるため，X線管の機能を保持させるためには，陽極の十分な冷却が必要となる．回転対陰極や最適化されたX線光学系を用いると，20～30倍の輝度が得られる．もう一つの方法として，X線フォトンはシンクロトロンのような大規模施設においても発生される．

高電圧で作動しているX線管から発生するX線のスペクトルは，多色放射（制動放射X線又は白色X線）の連続的なスペクトル（バックグラウンド）と陽極の種類によって決まる特性X線からなり，X線回折測定には，通例，特性X線のみが用いられる．X線回折に用いられる主な放射線源には，銅，モリブデン，鉄，コバルト，銀，クロムを陽極とする真空管が用いられる．有機物のX線回折測定においては，通例，銅やモリブデンのX線が用いられる．使用するX線の選定は，試料の吸収特性と試料中に存在する原子由来の蛍光発光の可能性も考慮して行う．粉末X線回折に使用するX線は，通例，陰極から発生するKα線である．したがって，発生したX線からKα線以外の全ての成分を除去し，X線ビームを単色化しなければならない．単色化は，通例，X線管より放出されるKα線及びKβ線の波長の間に吸収端を有する金属フィルターをKβフィルターとして用いて行われる．フィルターは，通例，単色X線管と試料の間に置かれる．単色X線ビームを得るより一般的な方法としては，大きなモノクロメーター用結晶（通例，モノクロメーターと呼ばれる）を用いることである．この結晶は試料の前又は後に設置され，Kα線及びKβ線による特性X線ピークを異なる角度に回折させることにより，一つの回折ピークのみを検出器に入射させる．特殊なモノクロメーターの使用により，Kα_1線とKα_2線を分離することも可能である．ただし，フィルターやモノクロメーターを用いて単色ビームを得る際，その強度及び効率は低下する．Kα線及びKβ線を分離するもう一つの方法は，湾曲X線ミラーを使用することであり，これによって単色化，焦点合わせ，平行化を同時に行うことができる．

2.3. 放射線防護

人体のいかなる部分へのX線の暴露も健康に有害である．したがって，X線を使用する際には，当該作業者及びその周辺にいる人を保護するための適切な予防措置を講じることが必要である．放射線防護についての必要な訓練やX線暴露水準の許容限度は，労働安全衛生法で定められている．

3. 試料の調製と取付け

粉末試料の調製と試料ホルダーへの適切な充填は，得られるデータの質に重大な影響を与えるので，特に粉末X線回折測定法では重要な操作となる[3]．ブラッグ-ブレンターノ集中法光学系の装置を用いた場合における試料調製及び充填に起因する主なエラーの要因を以下に示す．

3.1. 試料の調製

一般的には，多くの結晶粒子の形態は試料ホルダー中で試料に選択配向性を与える傾向がある．粉砕により微細な針状晶又は板状晶が生成する場合には，この傾向は特に顕著となる．試料中の選択配向は種々の反射強度に影響を与え，その結果，完全な無配向な試料で予測される反射に比べ，ある場合には強く，ある場合には弱く観察される．幾つかの手法が微結晶の配向のランダム化（結果として選択配向が最小になる）のために用いられるが，最良で最も簡便な方法は，粒子径を小さくすることである．微結晶の最適数は，回折装置の配置，必要な解像度及び試料によるX線ビームの減衰の程度に依存する．相の同定であれば，通例，50 μm程度の粒子径によって十分な結果が得られる．しかしながら，過度の粉砕（粒子径が約0.5 μm以下となる場合）は，線幅の広がりや下記のような，試料の性質の重大な変化の原因となることがある．

（ⅰ）乳鉢，乳棒，ボールなどの粉砕装置から発生する粒子による試料の汚染
（ⅱ）結晶化度の低下
（ⅲ）他の多形への固相転移
（ⅳ）化学的分解
（ⅴ）内部応力の発現
（ⅵ）固体反応

したがって，未粉砕試料の回折パターンと粉砕した粒子径の小さい試料の回折パターンを比較することが望ましい．得られた粉末X線回折パターンが利用目的に十分に適合するならば，粉砕操作は不要である．試料中に複数の相が存在し，特定の大きさの粒子を得るためふるいを用いた場合には，組成が初期状態から変化している可能性があることに注意すべきである．

4. 装置性能の管理

ゴニオメーターと入射及び回折X線ビーム光学装置には，調整を必要とする多くの部分がある．調整の程度や誤調整は，粉末X線回折の測定結果の質に直接影響する．したがって，系統誤差を最小限にするために，検出器で最適なX線強度が得られるように光学系及び機械システムなど，回折装置の種々の部分を注意深く調整しなければならない．回折装置の調整に際して，最大強度かつ最大解像度を探すことは容易ではない．したがって，手順どおりに調整を行い最適条件を求める必要がある．回

折装置には多くの配置方法があり，個々の装置は特別な調整方法を必要とする．

回折装置全体の性能は，標準物質，例えばシリコンやα-アルミナの粉末を用いて定期的に試験及び検査をしなければならない．この場合，認証された標準物質の使用が望ましいが，分析の種類によっては他の特定の標準物質を使用することもできる．

5. 定性分析（相の同定）

粉末X線回折による未知試料中の各相の同定は，通例，基準となる物質について実験的に又は計算により求められる回折パターンと，試料による回折パターンとの視覚的あるいはコンピューターによる比較に基づいて行われる．標準パターンは，理想的には特性が明確な単一相であることが確認された試料について測定されたものでなければならない．多くの場合，この方法によって回折角2θ又は面間隔d及び相対強度から結晶性化合物を同定することができる．コンピューターを用いた未知試料回折パターンと標準データとを比較する場合，ある程度の2θ範囲の回折パターン全体か，あるいは回折パターンの主要部分を用いるか，いずれかの方法により行われる．例えば，それぞれの回折パターンから得られた面間隔d及び標準化した強度I_{norm}の表，いわゆる(d, I_{norm})表は，その結晶性物質の指紋に相当するものであり，データベースに収載されている単一相試料の(d, I_{norm})表と比較対照することができる．

Cu$K\alpha$線を用いた多くの有機結晶の測定では，できるだけ0°付近から少なくとも30°までの2θの範囲で回折パターンを記録するのが，通例，適切である．同一結晶形の試料と基準となる物質との間の2θ回折角は，0.2°以内で一致すると期待される．しかしながら，試料と基準となる物質間の相対的強度は選択配向効果のためかなり変動することがある．転移しやすい水和物や溶媒和物は，単位格子の大きさが変化することが知られており，その場合回折パターン上，ピーク位置のシフトが生じる．これらの物質では，0.2°を超える2θ位置のシフトが予期されることから，0.2°以内というピーク位置の許容幅は適用しない．その他の無機塩類等の試料については，2θ測定範囲を30°以上に拡大する必要がある．一般的には，単一相試料の粉末X線回折データベースに収載されている，10本以上の強度の大きな反射を測定すれば十分である．

以下のように，相を同定することがしばしば困難であるか，あるいは不可能な場合がある．

（ⅰ）結晶化していない物質，あるいは非晶質物質
（ⅱ）同定すべき成分が質量分率で少量（通例，10％未満）
（ⅲ）著しい選択配向性を示す
（ⅳ）当該相がデータベースに収載されていない
（ⅴ）固溶体の生成
（ⅵ）単位格子を変化させる不規則構造の存在
（ⅶ）多数の相からなる
（ⅷ）単位格子の変形
（ⅸ）異なる相での構造類似性の存在

6. 定量分析

対象とする試料が最大一つの非晶質を含む複数の相からなっている場合，各結晶相の割合又は非晶相の割合（容積比又は質量比）を求めることは多くの場合可能である．定量分析は積分強度，複数の個々の回折線のピーク高さ又は全体のパターンに基づいて行われる[4]．これらの積分強度，ピーク高さ，全体のパターンは対応する基準となる物質の値と比較される．ここで基準となる物質は，単一の相又は混合物である．試料調製（試料中では全ての相が均一に分散していることと各相の粒子径が適切であることが測定結果の真度と精度に必須である）とマトリックス効果が定量分析における問題点である．通常，固体試料中の10％程度の結晶相を定量することが可能であり，最適の条件が整えば，10％より少量の結晶相を定量することも可能である．

6.1. 多形試料

二つの多形相aとbからなる試料で，相aの割合F_aは定量的に次式で示される．

$$F_a = \frac{1}{1 + K(I_b/I_a)}$$

この値は2相の強度比の測定と定数Kの値を得ることにより求められる．Kは二つの純粋な多形相の絶対強度比I_{oa}/I_{ob}であり，標準試料の測定から求められる．

6.2. 標準試料を用いる方法

定量分析に用いられる方法には，外部標準法，内部標準法，スパイキング法（標準添加法）がある．

外部標準法は最も一般的な方法であり，測定しようとする混合物のX線回折パターンや各ピーク強度を，標準試料の混合物を用いて測定した場合と比較する．構造が明らかであれば，構造モデルの理論強度と比較して求めることもできる．

内部標準法では，測定しようとする試料と回折パターンが重ならず粒子径やX線吸収係数が同等な内部標準となる物質が，マトリックス効果による誤差を少なくするために使用される．既知量の内部標準となる物質を試料及び各標準試料の混合物に添加する．これらの条件の下では，ピーク強度と濃度との間に直線関係が成り立つ．内部標準法では回折強度を正確に測定する必要がある．

スパイキング法（標準添加法）では，未知濃度の相aを含む混合物に純粋な相aを一定量加える．添加量の異なる幾つかの試料を調製し，強度対濃度プロットを作成するとき，x軸のマイナスの切片が元の試料中の相aの濃度となる．

7. 非晶質と結晶の割合の評価

結晶と非晶質の混合物では，結晶相と非晶相の割合を幾つかの方法で求めることができる．試料の性質によって使用する方法を選択する．

（ⅰ）試料が異なる複数の結晶成分と一つの非晶質成分からなる場合は，各結晶相の量は適切な標準試料を用いることにより求められ，非晶質の量はその差により間接的に推定される．

（ⅱ）試料が同じ元素組成の一つの結晶成分と一つの非晶質成分からなる場合，1相性あるいは2相性の混合物であっても，結晶相の量（結晶化度）は回折パターンの三つの面積を測定することで評価できる．

A：試料中の結晶成分からの回折による全ピーク面積
B：領域Aを除く，回折パターン下部の全面積
C：バックグラウンドノイズの面積（空気による散乱，蛍光，装置などによる）

これらの面積を測定することにより，およその結晶化度は次式により求められる．

結晶化度(%)＝100$A/(A+B-C)$

本法は結晶化度を得る絶対的な方法ではなく，一般的には，比較の目的にのみ利用可能である点に注意すべきである．ルーランド法のような，より精巧な方法を用いることもある．

8. 単結晶構造解析

一般的に結晶構造は単結晶を用いて得られたX線回折データから決定される．しかしながら，有機結晶では格子パラメーターが比較的大きく，対称性が低く，通常は散乱特性が極めて低いため，その構造解析を行うことは容易ではない．ある物質の結晶構造が既知である場合は，対応する粉末X線回折パターンの計算が可能であり，相の同定に利用可能な選択配向性のない標準粉末X線回折パターンが得られる．

1) 結晶構造の決定・精密化，結晶相の結晶学的純度の測定，結晶組織の評価など，結晶性医薬品に適用可能な粉末X線回折法の応用例はほかにも多く存在するが，ここでは詳述しない．
2) X線回折測定のための「理想的な」粉末は，無配向化した多数の小球状粒子(干渉回折する結晶性領域)である．微結晶数が十分多数であれば，いかなる回折方位でも再現性のある回折パターンが得られる．
3) 同様に，温度，湿度などの影響で，測定中に試料の性質変化が認められることがある．
4) もし，全ての成分の結晶構造が既知の場合，リートベルト(Rietveld)法により高精度の定量分析が可能である．成分構造が既知ではない場合，ポーリー(Pawley)法又は最小二乗法を用いることができる．

一般試験法の部　3.04　粒度測定法の条 2.1.　操作以降を次のように改める．

3.04　粒度測定法

2.1.　操作

2.1.1.　試験用ふるい

本試験に用いるふるいは，各条中で別に規定するもののほか，表3.04－1に示すものを用いる．

ふるいは，試料中の全粒子径範囲をカバーできるように選択する．ふるい目開き面積の$\sqrt{2}$級数を持つ一群のふるいを用いるのがよい．これらのふるいは，最も粗いふるいを最上段に，最も細かいふるいを最下段にして組み立てる．試験用ふるいの目開きの表示には，μm又はmmを用いる[注：ふるい番号は表中で換算する場合のみに用いる]．試験用ふるいはステンレス網製であるが，真鍮製又は他の適切な不活性の網であってもよい．

表3.04－1 関係する範囲における標準ふるいの目開き寸法

ISO 公称ふるい番号			USPふるい番号	推奨されるUSPふるい番号(microns)	EPふるい番号	日本薬局方ふるい番号
主要寸法 R20/3	補助寸法 R20	R40/3				
11.20mm	11.20mm	11.20mm			11200	
	10.00mm					
		9.50 mm				
	9.00 mm					

8.00 mm	8.00 mm	8.00 mm				
	7.10 mm					
		6.70 mm				
	6.30 mm					
5.60 mm	5.60 mm	5.60 mm			5600	3.5
	5.00 mm					
		4.75 mm				4
	4.50 mm					
4.00 mm	4.00 mm	4.00 mm	5	4000	4000	4.7
	3.55 mm					
		3.35 mm	6			5.5
	3.15 mm					
2.80 mm	2.80 mm	2.80 mm	7	2800	2800	6.5
	2.50 mm					
		2.36 mm	8			7.5
	2.24 mm					
2.00 mm	2.00 mm	2.00 mm	10	2000	2000	8.6
	1.80 mm					
		1.70 mm	12			10
	1.60 mm					
1.40 mm	1.40 mm	1.40 mm	14	1400	1400	12
	1.25 mm					
		1.18 mm	16			14
	1.12 mm					
1.00 mm	1.00 mm	1.00 mm	18	1000	1000	16
	900 µm					
		850 µm	20			18
	800 µm					
710 µm	710 µm	710 µm	25	710	710	22
	630 µm					
		600 µm	30			26
	560 µm					
500 µm	500 µm	500 µm	35	500	500	30
	450 µm					
		425 µm	40			36
	400 µm					
355 µm	355 µm	355 µm	45	355	355	42
	315 µm					
		300 µm	50			50
	280 µm					
250 µm	250 µm	250 µm	60	250	250	60
	224 µm					
		212 µm	70			70
	200 µm					
180 µm	180 µm	180 µm	80	180	180	83
	160 µm					
		150 µm	100			100
	140 µm					
125 µm	125 µm	125 µm	120	125	125	119
	112 µm					
		106 µm	140			140
	100 µm					
90 µm	90 µm	90 µm	170	90	90	166
	80 µm					
		75 µm	200			200
	71 µm					
63 µm	63 µm	63 µm	230	63	63	235
	56 µm					
		53 µm	270			282
	50 µm					
45 µm	45 µm	45 µm	325	45	45	330
	40 µm					
		38 µm			38	391

2.1.1.1.　試験用ふるいの校正

ISO 3310－1[2]に準じて行う．ふるいは使用前に著しい歪みや破断がないか，また，特に網面と枠の接合部についても注意深く検査しておく．網目の平均目開きや目開きの変動を評価す

る場合には，目視で検査してもよい．また，212 ～ 850 μmの範囲内にある試験用ふるいの有効目開きを評価する際には，標準ガラス球を代用してもよい．各条中で別に規定するもののほか，ふるいの校正は調整された室温と環境相対湿度下で行う．

2.1.1.2. ふるいの洗浄

理想的には，試験用ふるいはエアー・ジェット又は液流中でのみ洗浄すべきである．もし，試料が網目に詰まったら，最終手段として注意深く緩和なブラッシングを行ってもよい．

2.1.2. 測定用試料

特定の物質について各条中に試料の質量が規定されていない場合には，試料のかさ密度に応じて25 ～ 100 gの試料を用い，直径200 mm又は203 mm (8インチ) のふるいを用いる．直径75 mm又は76 mm (3インチ) のふるいを用いる場合は，試料量は200 mm又は203 mmふるいの場合の約1／7とする．正確に量った種々の質量の試料 (例えば，25，50，100 g) を同一時間ふるい振とう機にかけ，試験的にふるい分けることによって，この試料に対する最適質量を決定する [注：25 gの試料と50 gの試料において同じような試験結果が得られ，100 gの試料が最も細かいふるいを通過したときの質量百分率が25 g及び50 gの場合に比べて低ければ，100 gは多すぎる]．10 ～ 25 gの試料しか用いることができない場合には，同じふるいリスト (表3.04－1) に適合した直径のより小さい試験用ふるいを代用してもよいが，この場合には終点を決定し直さねばならない．場合によっては，更に小さい質量 (例えば，5 g未満) について測定する必要があるかも知れない．かさ密度が小さい試料，又は主として直径が極めて近似している粒子からなる試料については，ふるいの過剰な目詰まりを避けるために，200 mm又は203 mmふるいでは試料の質量は5 g未満でなければならないこともある．特殊なふるい分け法の妥当性を確認する際には，ふるいの目詰まりの問題に注意しておく．

試料が湿度変化によって著しい吸湿又は脱湿を起こしやすい場合には，試験は適度に湿度調整された環境下で行わねばならない．同様に，帯電することが知られている試料の場合には，このような帯電が分析に影響しないことを保証するために，注意深く観察しておかねばならない．この影響を最小限にするために，軽質無水ケイ酸又は酸化アルミニウムのような帯電防止剤を0.5％レベルで添加してもよい．上に述べたいずれの影響も除去できなければ，これに代わる粒子径測定法を選択しなければならない．

2.1.3. 振とう法

幾つかの異なった機構に基づくふるい振とう装置が市販されており，これらの全てがふるい分けに利用できる．しかしながら，試験中の個々の粒子に作用する力の種類や大きさが機種間で異なるため，振とう法が異なると，ふるい分けや終点の決定において異なった結果を生じる．機械的振とう法又は電磁振とう法，及び垂直方向の振動あるいは水平方向の円運動を行わせることができる方法，又は，タッピング又はタッピングと水平方向の円運動を並行させる方法などが利用できる．気流中での粒子の飛散を利用してもよい．測定結果には，用いた振とう法と振とうに関係するパラメーター (これらを変化させることができる場合には) を記載しておかねばならない．

2.1.4. 終点の決定

ふるい分けは，いずれのふるいについても，ふるい上質量変化が直前の質量に対して5％(75 mm又は76 mmふるいの場合には10％) 又は0.1 g以下となったとき，終了する．所定のふるいの上の残留量が全試料質量の5％未満となった場合には，終点は，そのふるい上の質量変化を直前の質量に対して20％以下まで引き上げる．各条中に別に規定するもののほか，いずれかのふるい上に残留した試料量が全試料質量の50％を超えた場合には，ふるい分けを繰り返す．このふるいと，元の組ふるいの中でこれより粗い目開きを持つふるいとの中間にあるふるい，すなわち，一群の組ふるいから削除されたISOシリーズのふるいを追加する．

2.2. ふるい分け法

2.2.1. 機械的振とう法 (乾式ふるい分け法)

各ふるいの風袋質量を0.1 gまで量る．質量を正確に量った試料を最上段のふるいの上に置き，蓋をする．組ふるいを5分間振とうする．試料の損失がないように組ふるいから各段のふるいを注意深く外す．各ふるいの質量を再度量り，ふるい上の試料質量を測定する．同様にして，受け皿内の試料質量も測定する．ふるいを再度組み合わせ，更に5分間振とうする．先に述べたように各ふるいを外し，質量を量る．これらの操作を終点規格に適合するまで繰り返す (終点の決定の項を参照)．ふるい分けを終了した後，全損失量を計算する．全損失量は元の試料質量の5％以下である．

新たな試料を用いてふるい分けを繰り返すが，このときは先に用いた繰り返し回数に対応する合計時間を1回のふるい分け時間とする．このふるい分け時間が終点決定のための必要条件に適合していることを確認する．一つの試料についてこの終点の妥当性が確認されている場合は，粒子径分布が正常な変動範囲内にあれば，以後のふるい分けには一つの固定したふるい分け時間を用いてもよい．

いずれかのふるいの上に残留している粒子が単一粒子ではなく凝集体であり，機械的乾式ふるい分け法を用いても良好な再現性が期待できない場合には，他の粒子径測定法を用いる．

2.2.2. 気流中飛散法 (エアー・ジェット法及びソニック・シフター法)

気流を用いた種々の市販装置がふるい分けに利用されている．1回の時間で1個のふるいを用いるシステムをエアー・ジェット法という．本法は乾式ふるい分け法において述べたのと同じ一般的なふるい分け法を用いているが，典型的な振とう機構の代わりに標準化されたエアー・ジェットを用いている．本法で粒子径分布を得るためには，最初に最も細かいふるいから始め，個々のふるいごとに一連の分析をする必要がある．エアー・ジェット法では，しばしば通常の乾式ふるい分け法で用いられているものより細かい試験用ふるいを用いる．本法は，ふるい上残分又はふるい下残分のみを必要とする場合には，より適している．

ソニック・シフター法では組ふるいを用いる．この場合，試料は所定のパルス数(回/分)で試料を持ち上げ，その後再びふるいの網目まで戻すように垂直方向に振動する空気カラム内に運ばれる．ソニック・シフター法を用いる場合は，試料量を5 gまで低減する必要がある．

エアー・ジェット法とソニック・シフター法は，機械的ふるい分け法では意味のある分析結果が得られない粉体や顆粒について有用である．これらの方法は，気流中に粉体を適切に分散できるかどうかということに大きく依存している．粒子の付着傾向がより強い場合や，特に帯電傾向を持つ試料の場合には，

ふるい分け範囲の下限付近(<75 μm)で本法を用いると，良好な分散性を達成するのは困難である．上記の理由により，終点の決定は特に重大である．また，ふるい上の試料が単一粒子であり，凝集体を形成していないことを確認しておくことは極めて重要である．

2.3. 結果の解析

個々のふるい上及び受け皿中に残留している試料の質量に加えて，試験記録には全試料質量，全ふるい分け時間，正確なふるい分け法及び変数パラメーターに関する値を記載しておかねばならない．試験結果は積算質量基準分布に変換すると便利である．また，分布を積算ふるい下質量基準で表示するのが望ましい場合には，用いたふるい範囲に全試料が通過するふるいを含めておく．いずれかの試験ふるいについて，ふるい分け中にふるい上に残留している試料の凝集体の生成が確認された場合は，ふるい分け法は意味がない．

1) 粒子径測定，試料量及びデータ解析に関するその他の情報は，例えば，ISO 9276において利用できる．
2) ISO 3310-1, Test sieves-Technical requirements and testing-Part 1: Test sieves of metal wire cloth.

一般試験法の部　9.01　標準品の条(1)の項に次のように加える．

9.01 標準品

アナストロゾール標準品
テモゾロミド標準品
ブデソニド標準品

同条(1)の項の次を削る．

ナルトグラスチム標準品

同条(2)の項の次を削り，(1)に加える．

アミカシン硫酸塩標準品
クリンダマイシンリン酸エステル標準品
セファクロル標準品
セファレキシン標準品
ドキソルビシン塩酸塩標準品

一般試験法の部　9.41　試薬・試液の条次の項を次のように改める．

9.41 試薬・試液

アミグダリン，定量用　$C_{20}H_{27}NO_{11}$　アミグダリン，薄層クロマトグラフィー用．ただし，以下の定量用1又は定量用2(qNMR純度規定)の試験に適合するもの．なお，定量用1はデシケーター(シリカゲル)で24時間乾燥して用いる．定量用2は定量法で求めた含量で補正して用いる．

1) 定量用1
吸光度〈2.24〉　$E_{1cm}^{1\%}$(263 nm)：5.2～5.8(脱水物に換算したもの20 mg，メタノール，20 mL)．ただし，別途水分〈2.48〉を測定しておく(5 mg，電量滴定法)．

純度試験　類縁物質　本品5 mgを移動相10 mLに溶かし，試料溶液とする．この液1 mLを正確に量り，移動相を加えて正確に100 mLとし，標準溶液とする．試料溶液及び標準溶液10 μLずつを正確にとり，次の条件で液体クロマトグラフィー〈2.01〉により試験を行う．それぞれの液の各々のピーク面積を自動積分法により測定するとき，試料溶液のアミグダリン以外のピークの合計面積は，標準溶液のアミグダリンのピーク面積より大きくない．

試験条件
検出器，カラム，カラム温度，移動相及び流量は「桂枝茯苓丸エキス」の定量法(3)の試験条件を準用する．
面積測定範囲：アミグダリンの保持時間の約3倍の範囲
システム適合性
検出の確認：標準溶液1 mLを正確に量り，移動相を加えて正確に20 mLとする．この液10 μLから得たアミグダリンのピーク面積が，標準溶液のアミグダリンのピーク面積の3.5～6.5%になることを確認する．
システムの性能：標準溶液10 μLにつき，上記の条件で操作するとき，アミグダリンのピークの理論段数及びシンメトリー係数は，それぞれ5000段以上，1.5以下である．
システムの再現性：標準溶液10 μLにつき，上記の条件で試験を6回繰り返すとき，アミグダリンのピーク面積の相対標準偏差は1.5%以下である．

2) 定量用2 (qNMR純度規定)
ピークの単一性　本品1 mgを薄めたメタノール(1→2) 5 mLに溶かし，試料溶液とする．試料溶液10 μLにつき，次の条件で液体クロマトグラフィー〈2.01〉により試験を行い，アミグダリンのピークの頂点及び頂点の前後でピーク高さの中点付近の2時点を含む少なくとも3時点以上でのピークの吸収スペクトルを比較するとき，スペクトルの形状に差がない．

試験条件
カラム，カラム温度，移動相及び流量は「桂枝茯苓丸エキス」の定量法(3)の試験条件を準用する．
検出器：フォトダイオードアレイ検出器(測定波長：210 nm，スペクトル測定範囲：200～400 nm)
システム適合性
システムの性能：試料溶液10 μLにつき，上記の条件で操作するとき，アミグダリンのピークの理論段数及びシンメトリー係数は，それぞれ5000段以上，1.5以下である．

定量法　ウルトラミクロ化学はかりを用い，本品5 mg及び核磁気共鳴スペクトル測定用DSS-d_6 1 mgをそれぞれ精密に量り，核磁気共鳴スペクトル測定用重水素化ジメチルスルホキシド1 mLに溶かし，試料溶液とする．この液を外径5 mmのNMR試料管に入れ，核磁気共鳴スペクトル測定用DSS-d_6をqNMR用基準物質として，次の試験条件で核磁気共鳴スペクトル測定法(〈2.21〉及び〈5.01〉)により，^{1}H NMRを測定する．qNMR用基準物質のシグナルをδ 0 ppmとし，δ 6.03 ppm付近のシグナルの面積強度A (水素数1に相当)を算出する．

アミグダリン($C_{20}H_{27}NO_{11}$)の量(%)
　　$= M_S \times I \times P/(M \times N) \times 2.0388$

M：本品の秤取量(mg)
M_S：核磁気共鳴スペクトル測定用DSS－d_6の秤取量(mg)
I：核磁気共鳴スペクトル測定用DSS－d_6のシグナルの面積強度を9.000としたときの面積強度A
N：Aに由来するシグナルの水素数
P：核磁気共鳴スペクトル測定用DSS－d_6の純度(%)

試験条件
　装置：^{1}H共鳴周波数400 MHz以上の核磁気共鳴スペクトル測定装置
　測定対象とする核：^{1}H
　デジタル分解能：0.25 Hz以下
　観測スペクトル幅：－5～15 ppmを含む20 ppm以上
　スピニング：オフ
　パルス角：90°
　^{13}C核デカップリング：あり
　遅延時間：繰り返しパルス待ち時間60秒以上
　積算回数：8回以上
　ダミースキャン：2回以上
　測定温度：20～30℃の一定温度
システム適合性
　検出の確認：試料溶液につき，上記の条件で測定するとき，δ 6.03 ppm付近のシグナルのSN比は100以上である．
　システムの性能：試料溶液につき，上記の条件で測定するとき，δ 6.03 ppm付近のシグナルについて，明らかな混在物のシグナルが重なっていないことを確認する．
　システムの再現性：試料溶液につき，上記の条件で測定を6回繰り返すとき，面積強度AのqNMR用基準物質の面積強度に対する比の相対標準偏差は1.0%以下である．

アルブチン，定量用　$C_{12}H_{16}O_7$　アルブチン，薄層クロマトグラフィー用．ただし，以下の定量用1又は定量用2 (qNMR純度規定)の試験に適合するもの．なお，定量用1は乾燥(減圧，シリカゲル，12時間)して用い，定量用2はあらかじめ臭化ナトリウム飽和溶液で20～25℃，相対湿度57～60%に調湿したデシケーター内で24時間放置した後，20～25℃，相対湿度45～60%の条件下で量り，定量法で求めた含量で補正して用いる．

1) 定量用1
吸光度〈2.24〉　$E^{1\%}_{1cm}$(280 nm)：70～76 (4 mg，水，100 mL)．ただし，デシケーター(減圧，シリカゲル)で12時間乾燥したもの．
純度試験　類縁物質　本品1 mgを水2.5 mLに溶かし，試料溶液とする．この液1 mLを正確に量り，水を加えて正確に100 mLとし，標準溶液とする．試料溶液及び標準溶液10 μLずつを正確にとり，次の条件で液体クロマトグラフィー〈2.01〉により試験を行う．それぞれの液の各々のピーク面積を自動積分法により測定するとき，試料溶液のアルブチン以外のピークの合計面積は，標準溶液のアルブチンのピーク面積より大きくない．

試験条件
　検出器：紫外吸光光度計(測定波長：280 nm)
　カラム：内径4.6 mm，長さ15 cmのステンレス管に5 μmの液体クロマトグラフィー用オクタデシルシリル化シリカゲルを充填する．
　カラム温度：20℃付近の一定温度
　移動相：水／メタノール／0.1 mol/L塩酸試液混液(94：5：1)
　流量：アルブチンの保持時間が約6分になるように調整する．
　面積測定範囲：溶媒のピークの後からアルブチンの保持時間の約3倍の範囲
システム適合性
　検出の確認：標準溶液1 mLを正確に量り，水を加えて正確に20 mLとする．この液10 μLから得たアルブチンのピーク面積が，標準溶液のアルブチンのピーク面積の3.5～6.5%になることを確認する．
　システムの性能：本品，ヒドロキノン及び没食子酸一水和物1 mgずつを水2 mLに溶かす．この液10 μLにつき，上記の条件で操作するとき，アルブチン，ヒドロキノン，没食子酸の順に溶出し，それぞれの分離度は1.5以上である．
　システムの再現性：標準溶液10 μLにつき，上記の条件で試験を6回繰り返すとき，アルブチンのピーク面積の相対標準偏差は1.5%以下である．

2) 定量用2 (qNMR純度規定)
ピークの単一性　本品1 mgを水2.5 mLに溶かし，試料溶液とする．試料溶液10 μLにつき，次の条件で液体クロマトグラフィー〈2.01〉により試験を行い，アルブチンのピークの頂点及び頂点の前後でピーク高さの中点付近の2時点を含む少なくとも3時点以上でのピークの吸収スペクトルを比較するとき，スペクトルの形状に差がない．

試験条件
　検出器：フォトダイオードアレイ検出器(測定波長：280 nm，スペクトル測定範囲：220～400 nm)
　カラム：内径4.6 mm，長さ15 cmのステンレス管に5 μmの液体クロマトグラフィー用オクタデシルシリル化シリカゲルを充填する．
　カラム温度：20℃付近の一定温度
　移動相：水／メタノール／0.1 mol/L塩酸試液混液(94：5：1)
　流量：アルブチンの保持時間が約6分になるように調整する．
システム適合性
　システムの性能：本品，ヒドロキノン及び没食子酸一水和物1 mgずつを水2 mLに溶かす．この液10 μLにつき，上記の条件で操作するとき，アルブチン，ヒドロキノン，没食子酸の順に溶出し，それぞれの分離度は1.5以上である．

定量法　ウルトラミクロ化学はかりを用い，核磁気共鳴スペクトル測定用1,4－BTMSB－d_4 1 mg及びあらかじめ臭化ナトリウム飽和溶液で20～25℃，相対湿度57～60%に調湿したデシケーター内で24時間放置した本品5 mgを20～25℃，相対湿度45～60%の条件下でそれぞれ精密に量り，核磁気

共鳴スペクトル測定用重水素化メタノール1 mLに溶かし，試料溶液とする．この液を外径5 mmのNMR試料管に入れ，核磁気共鳴スペクトル測定用1,4－BTMSB－d_4をqNMR用基準物質として，次の試験条件で核磁気共鳴スペクトル測定法〈2.21〉及び〈5.01〉により，^{1}H NMRを測定する．qNMR用基準物質のシグナルをδ 0 ppmとし，δ 6.44ppm及びδ 6.71 ppm付近のそれぞれのシグナルの面積強度A_1（水素数2に相当）及び面積強度A_2（水素数2に相当）を算出する．

アルブチン($C_{12}H_{16}O_7$)の量(%)
 ＝$M_S × I × P/(M × N) × 1.2020$

M：本品の秤取量(mg)
M_S：核磁気共鳴スペクトル測定用1,4－BTMSB－d_4の秤取量(mg)
I：核磁気共鳴スペクトル測定用1,4－BTMSB－d_4のシグナルの面積強度を18.000としたときの各シグナルの面積強度A_1及びA_2の和
N：A_1及びA_2に由来する各シグナルの水素数の和
P：核磁気共鳴スペクトル測定用1,4－BTMSB－d_4の純度(%)

試験条件
　装置：^{1}H共鳴周波数400 MHz以上の核磁気共鳴スペクトル測定装置
　測定対象とする核：^{1}H
　デジタル分解能：0.25 Hz以下
　観測スペクトル幅：－5～15 ppmを含む20 ppm以上
　スピニング：オフ
　パルス角：90°
　^{13}C核デカップリング：あり
　遅延時間：繰り返しパルス待ち時間60秒以上
　積算回数：8回以上
　ダミースキャン：2回以上
　測定温度：20～30℃の一定温度
システム適合性
　検出の確認：試料溶液につき，上記の条件で測定するとき，δ 6.44 ppm及びδ 6.71 ppm付近の各シグナルのSN比は100以上である．
　システムの性能：試料溶液につき，上記の条件で測定するとき，δ 6.44 ppm及びδ 6.71 ppm付近のシグナルについて，明らかな混在物のシグナルが重なっていないことを確認する．また，試料溶液につき，上記の条件で測定するとき，各シグナル間の面積強度比A_1/A_2は，0.99～1.01である．
　システムの再現性：試料溶液につき，上記の条件で測定を6回繰り返すとき，面積強度A_1又はA_2のqNMR用基準物質の面積強度に対する比の相対標準偏差は1.0%以下である．

[6]－ギンゲロール，定量用　$C_{17}H_{26}O_4$　[6]－ギンゲロール，薄層クロマトグラフィー用．ただし，以下の試験に適合するもの．なお，本品は定量法で求めた含量で補正して用いる．
　ピークの単一性　本品5 mgをメタノール5 mLに溶かし，試料溶液とする．試料溶液10 μLにつき，次の条件で液体クロマトグラフィー〈2.01〉により試験を行い，[6]－ギンゲロールのピークの頂点及び頂点の前後でピーク高さの中点付近の2時点を含む少なくとも3時点以上でのピークの吸収スペクトルを比較するとき，スペクトルの形状に差がない．

試験条件
　カラム，カラム温度，移動相及び流量は「半夏厚朴湯エキス」の定量法(3)の試験条件を準用する．
　検出器：フォトダイオードアレイ検出器（測定波長：282 nm，スペクトル測定範囲：220～400 nm）
システム適合性
　システムの性能：試料溶液10 μLにつき，上記の条件で操作するとき，[6]－ギンゲロールのピークの理論段数及びシンメトリー係数は，それぞれ5000段以上，1.5以下である．

定量法　ウルトラミクロ化学はかりを用い，本品5 mg及び核磁気共鳴スペクトル測定用1,4－BTMSB－d_4 1 mgをそれぞれ精密に量り，核磁気共鳴スペクトル測定用重水素化メタノール1 mLに溶かし，試料溶液とする．この液を外径5 mmのNMR試料管に入れ，核磁気共鳴スペクトル測定用1,4－BTMSB－d_4をqNMR用基準物質として，次の試験条件で核磁気共鳴スペクトル測定法〈2.21〉及び〈5.01〉により，^{1}H NMRを測定する．qNMR用基準物質のシグナルをδ 0 ppmとし，δ 3.56 ppm及びδ 6.52 ppm付近のそれぞれのシグナルの面積強度A_1（水素数3に相当）及びA_2（水素数1に相当）を算出する．

[6]－ギンゲロール($C_{17}H_{26}O_4$)の量(%)
 ＝$M_S × I × P/(M × N) × 1.2997$

M：本品の秤取量(mg)
M_S：核磁気共鳴スペクトル測定用1,4－BTMSB－d_4の秤取量(mg)
I：核磁気共鳴スペクトル測定用1,4－BTMSB－d_4のシグナルの面積強度を18.000としたときの各シグナルの面積強度A_1及びA_2の和
N：A_1及びA_2に由来する各シグナルの水素数の和
P：核磁気共鳴スペクトル測定用1,4－BTMSB－d_4の純度(%)

試験条件
　装置：^{1}H共鳴周波数400 MHz以上の核磁気共鳴スペクトル測定装置
　測定対象とする核：^{1}H
　デジタル分解能：0.25 Hz以下
　観測スペクトル幅：－5～15 ppmを含む20 ppm以上
　スピニング：オフ
　パルス角：90°
　^{13}C核デカップリング：あり
　遅延時間：繰り返しパルス待ち時間60秒以上
　積算回数：8回以上
　ダミースキャン：2回以上
　測定温度：20～30℃の一定温度
システム適合性
　検出の確認：試料溶液につき，上記の条件で測定するとき，δ 3.56 ppm及びδ 6.52 ppm付近の各シグナルのSN比は100以上である．

システムの性能：試料溶液につき，上記の条件で測定するとき，δ 3.56 ppm及びδ 6.52 ppm付近のシグナルについて，明らかな混在物のシグナルが重なっていないことを確認する．また，試料溶液につき，上記の条件で測定するとき，各シグナル間の面積強度比$(A_1/3)/A_2$は，それぞれ0.99～1.01である．

システムの再現性：試料溶液につき，上記の条件で測定を6回繰り返すとき，面積強度A_1又はA_2のqNMR用基準物質の面積強度に対する比の相対標準偏差は1.0％以下である．

抗ウロキナーゼ血清 「ウロキナーゼ」でウサギを免疫して得た抗血清で，以下の性能試験に適合するもの．-20℃以下に保存する．

性能試験 カンテン1.0 gをpH 8.4のホウ酸・水酸化ナトリウム緩衝液100 mLに加温して溶かし，シャーレに液の深さが約2 mmになるように入れる．冷後，直径2.5 mmの2個の穴をそれぞれ6 mmの間隔で3組作る．各組の一方の穴に本品10 μLを入れ，他方の穴に，「ウロキナーゼ」に生理食塩液を加えて1 mL中に30000単位を含むように調製した液10 μL，ヒト血清10 μL及びヒト尿10 μLを別々に入れ，一夜静置するとき，本品とウロキナーゼの間に明瞭な1本又は2本の沈降線を生じ，本品とヒト血清との間及び本品とヒト尿との間に沈降線を生じない．

ジフェニルスルホン，定量用 $C_{12}H_{10}O_2S$ 白色の結晶又は結晶性の粉末で，ジメチルスルホキシドに溶ける．
本品は定量法で求めた含量で補正して用いる．

確認試験 本品につき，定量法を準用するとき，δ 7.65 ppm付近に三重線様の4水素分のシグナル，δ 7.73 ppm付近に三重線様の2水素分のシグナル，δ 7.99 ppm付近に二重線様の4水素分のシグナルを示す．

ピークの単一性 本品10 mgをメタノール100 mLに溶かす．この液10 mLにメタノールを加えて100 mLとし，試料溶液とする．試料溶液10 μLにつき，次の条件で液体クロマトグラフィー〈2.01〉により試験を行い，ジフェニルスルホンのピークの頂点及び頂点の前後でピーク高さの中点付近の2時点を含む少なくとも3時点以上でのピークの吸収スペクトルを比較するとき，スペクトルの形状に差がない．

試験条件
　カラム，カラム温度，移動相及び流量は「ショウ」の定量法の試験条件を準用する．
　検出器：フォトダイオードアレイ検出器(測定波長：234 nm，スペクトル測定範囲：220～400 nm)

システム適合性
　システムの性能：(E)-アサロン1 mg及び薄層クロマトグラフィー用ペリルアルデヒド1 mgを試料溶液に溶かし，50 mLとする．この液10 μLにつき，上記の条件で操作するとき，ジフェニルスルホン，ペリルアルデヒド，(E)-アサロンの順に溶出し，それぞれの分離度は1.5以上である．

ただし，ジフェニルスルホン($C_{12}H_{10}O_2S$)の量(％)が99.5～100.5％に入るものは，ピークの単一性は不要とする．

定量法 ウルトラミクロ化学はかりを用い，本品5 mg及び核磁気共鳴スペクトル測定用DSS-d_6 1 mgをそれぞれ精密に量り，核磁気共鳴スペクトル測定用重水素化ジメチルスルホキシド2 mLに溶かし，試料溶液とする．この液を外径5 mmのNMR試料管に入れ，核磁気共鳴スペクトル測定用DSS-d_6をqNMR用基準物質として，次の試験条件で核磁気共鳴スペクトル測定法〈2.21〉及び〈5.01〉により，^{1}H NMRを測定する．qNMR用基準物質のシグナルをδ 0 ppmとし，δ 7.64～7.74 ppm及びδ 7.98～8.01 ppm付近のシグナルの面積強度A_1(水素数6に相当)及びA_2(水素数4に相当)を算出する．

ジフェニルスルホン($C_{12}H_{10}O_2S$)の量(％)
　　$= M_S \times I \times P/(M \times N) \times 0.9729$

M：本品の秤取量(mg)
M_S：核磁気共鳴スペクトル測定用DSS-d_6の秤取量(mg)
I：核磁気共鳴スペクトル測定用DSS-d_6のシグナルの面積強度を9.000としたときの各シグナルの面積強度A_1及びA_2の和
N：A_1及びA_2に由来する各シグナルの水素数の和
P：核磁気共鳴スペクトル測定用DSS-d_6の純度(％)

試験条件
　装置：^{1}H共鳴周波数400 MHz以上の核磁気共鳴スペクトル測定装置
　測定対象とする核：^{1}H
　デジタル分解能：0.25 Hz以下
　観測スペクトル幅：-5～15 ppmを含む20 ppm以上
　スピニング：オフ
　パルス角：90°
　^{13}C核デカップリング：あり
　遅延時間：繰り返しパルス待ち時間60秒以上
　積算回数：8回以上
　ダミースキャン：2回以上
　測定温度：20～30℃の一定温度

システム適合性
　検出の確認：試料溶液につき，上記の条件で測定するとき，δ 7.64～7.74 ppm及びδ 7.98～8.01 ppm付近のシグナルのSN比は100以上である．

　システムの性能：試料溶液につき，上記の条件で測定するとき，δ 7.64～7.74 ppm及びδ 7.98～8.01 ppm付近のシグナルについて，明らかな混在物のシグナルが重なっていないことを確認する．また，試料溶液につき，上記の条件で測定するとき，各シグナル間の面積強度比$(A_1/6)/(A_2/4)$は，0.99～1.01である．

　システムの再現性：試料溶液につき，上記の条件で測定を6回繰り返すとき，面積強度A_1又はA_2のqNMR用基準物質の面積強度に対する比の相対標準偏差は1.0％以下である．

シャゼンシ，薄層クロマトグラフィー用 [医薬品各条，「シャゼンシ」ただし，次の試験に適合するもの]

確認試験
（1）本品の細末1 gをとり，メタノール3 mLを加え，水浴上で3分間加温する．冷後，遠心分離し，上澄液を試料溶液とする．この液につき，薄層クロマトグラフィー〈2.03〉により試験を行う．試料溶液10 μLを薄層クロマトグラフィー用シリカゲルを用いて調製した薄層板にスポットする．次に

アセトン／酢酸エチル／水／酢酸(100)混液(10：10：3：1)を展開溶媒として約10 cm展開した後，薄層板を風乾する．これに4－メトキシベンズアルデヒド・硫酸試液を均等に噴霧し，105℃で10分間加熱するとき，以下と同等のスポットを認める．

R値	スポットの色及び形状
0付近	ごく暗い青の強いスポット
0.08付近	ごく暗い青のスポット
0.1～0.2付近	ごく暗い青のリーディングしたスポット
0.25付近	濃い青の強いスポット（プランタゴグアニジン酸に相当）
0.35付近	暗い灰みの青の強いスポット（ゲニポシド酸に相当）
0.45付近	灰みの黄を帯びた緑の弱いスポット
0.50付近	濃い黄緑の強いスポット（ベルバスコシドに相当）
0.6付近	薄い青の弱いスポット
0.85付近	濃い青のスポット
0.9～0.95付近	灰みの青のテーリングしたスポット

（2）（1）で得た試料溶液につき，（1）の方法を準用する．ただし，展開溶媒に酢酸エチル／水／ギ酸混液(6：1：1)を用いて試験を行うとき，以下と同等のスポットを認める．

R値	スポットの色及び形状
0付近	黄緑みの暗い灰色のスポット
0.05付近	暗い灰みの黄緑の弱いスポット
0.2付近	暗い緑の弱いスポット
0.25付近	暗い赤みの紫の強いスポット（ゲニポシド酸に相当）
0.35付近	あざやかな青の弱いスポット
0.4～0.45付近	くすんだ緑みの青の弱いテーリングしたスポット
0.45付近	濃い黄緑の強いスポット（ベルバスコシドに相当）
0.5付近	濃い青の強いスポット（プランタゴグアニジン酸に相当）
0.95付近	暗い灰みの青の強いスポット
0.97付近	暗い灰みの青緑のスポット

[6]－ショーガオール，定量用 $C_{17}H_{24}O_3$ [6]－ショーガオール，薄層クロマトグラフィー用．ただし，以下の試験に適合するもの．なお，本品は定量法で求めた含量で補正して用いる．

ピークの単一性 本品5 mgをアセトニトリル／水混液(2：1) 10 mLに溶かし，試料溶液とする．試料溶液10 μLにつき，次の条件で液体クロマトグラフィー〈2.01〉により試験を行い，[6]－ショーガオールのピークの頂点及び頂点の前後でピーク高さの中点付近の2時点を含む少なくとも3時点以上でのピークの吸収スペクトルを比較するとき，スペクトルの形状に差がない．

試験条件
　カラム，カラム温度，移動相及び流量は「無コウイ大建中湯エキス」の定量法(2)の試験条件を準用する．
　検出器：フォトダイオードアレイ検出器（測定波長：225 nm，スペクトル測定範囲：220～400 nm）
システム適合性
　システムの性能：試料溶液10 μLにつき，上記の条件で操作するとき，[6]－ショーガオールのピークの理論段数及びシンメトリー係数は，それぞれ5000段以上，1.5以下である．

定量法 ウルトラミクロ化学はかりを用い，本品5 mg及び核磁気共鳴スペクトル測定用1,4－BTMSB－d_4 1 mgをそれぞれ精密に量り，核磁気共鳴スペクトル測定用重水化メタノール1 mLに溶かし，試料溶液とする．この液を外径5 mmのNMR試料管に入れ，核磁気共鳴スペクトル測定用1,4－BTMSB－d_4をqNMR用基準物質として，次の試験条件で核磁気共鳴スペクトル測定法（〈2.21〉及び〈5.01〉）により，^{1}H NMRを測定する．qNMR用基準物質のシグナルをδ 0 ppmとし，δ 3.57 ppm付近のシグナルの面積強度A（水素数3に相当）を算出する．

[6]－ショーガオール($C_{17}H_{24}O_3$)の量(%)
　$= M_S \times I \times P / (M \times N) \times 1.2202$

　M：本品の秤取量(mg)
　M_S：核磁気共鳴スペクトル測定用1,4－BTMSB－d_4の秤取量(mg)
　I：核磁気共鳴スペクトル測定用1,4－BTMSB－d_4のシグナルの面積強度を18.000としたときの面積強度A
　N：Aに由来するシグナルの水素数
　P：核磁気共鳴スペクトル測定用1,4－BTMSB－d_4の純度(%)

試験条件
　装置：^{1}H共鳴周波数400 MHz以上の核磁気共鳴スペクトル測定装置
　測定対象とする核：^{1}H
　デジタル分解能：0.25 Hz以下
　観測スペクトル幅：－5～15 ppmを含む20 ppm以上
　スピニング：オフ
　パルス角：90°
　^{13}C核デカップリング：あり
　遅延時間：繰り返しパルス待ち時間60秒以上
　積算回数：8回以上
　ダミースキャン：2回以上
　測定温度：20～30℃の一定温度
システム適合性
　検出の確認：試料溶液につき，上記の条件で測定するとき，δ 3.57 ppm及びδ 6.37～6.43 ppm付近の各シグナルのSN比は100以上である．
　システムの性能：試料溶液につき，上記の条件で測定するとき，δ 3.57 ppm及びδ 6.37～6.43 ppm付近のシグナルについて，明らかな混在物のシグナルが重なっていないことを確認する．また，試料溶液につき，上記の条件でδ 3.57 ppm及びδ 6.37～6.43 ppm付近のそれぞれのシグナルの面積強度A（水素数3に相当）及び面積強度A_1（水素数2に相当）を測定するとき，各シグナル間の面積強度比$(A/3)/(A_1/2)$は，0.99～1.01である．
　システムの再現性：試料溶液につき，上記の条件で測定を6回繰り返すとき，面積強度AのqNMR用基準物質の面積強度に対する比の相対標準偏差は1.0%以下である．

シンドビスウイルス トガウイルス科のRNAウイルスで，ニ

ワトリ胚細胞初代培養又はニワトリ胚線維芽細胞由来の株化細胞(ATCC CRL-12203など)培養で増殖させる．同細胞培養上でプラーク数を測定し，$1×10^8$ PFU/mL以上のものを用いる．

デヒドロコリダリン硝化物，定量用 $C_{22}H_{24}N_2O_7$ デヒドロコリダリン硝化物，薄層クロマトグラフィー用．ただし，以下の定量用1又は定量用2 (qNMR純度規定)の試験に適合するもの．なお，定量用1はデシケーター(シリカゲル)で1時間以上乾燥して用いる．定量用2は定量法で求めた含量で補正して用いる．

1) 定量用1

吸光度〈2.24〉 $E_{1\,cm}^{1\%}$ (333 nm)：577 ～ 642 (3 mg, 水, 500 mL)．ただし，デシケーター(シリカゲル)で1時間以上乾燥したもの．

純度試験 類縁物質 本品5.0 mgを移動相10 mLに溶かし，試料溶液とする．この液1 mLを正確に量り，移動相を加えて正確に100 mLとし，標準溶液とする．試料溶液及び標準溶液5 μLずつを正確にとり，次の条件で液体クロマトグラフィー〈2.01〉により試験を行う．それぞれの液の各々のピーク面積を自動積分法により測定するとき，試料溶液のデヒドロコリダリン以外のピークの合計面積は，標準溶液のデヒドロコリダリンのピーク面積より大きくない．

試験条件
カラム，カラム温度，移動相及び流量は「エンゴサク」の定量法の試験条件を準用する．
検出器：紫外吸光光度計(測定波長：230 nm)
面積測定範囲：硝酸のピークの後からデヒドロコリダリンの保持時間の約3倍の範囲

システム適合性
検出の確認：標準溶液1 mLを正確に量り，移動相を加えて正確に20 mLとする．この液5 μLから得たデヒドロコリダリンのピーク面積が，標準溶液のデヒドロコリダリンのピーク面積の3.5 ～ 6.5%になることを確認する．
システムの性能：本品1 mg及びベルベリン塩化物水和物1 mgを水／アセトニトリル混液(20：9) 20 mLに溶かす．この液5 μLにつき，上記の条件で操作するとき，ベルベリン，デヒドロコリダリンの順に溶出し，その分離度は1.5以上である．
システムの再現性：標準溶液5 μLにつき，上記の条件で試験を6回繰り返すとき，デヒドロコリダリンのピーク面積の相対標準偏差は1.5%以下である．

2) 定量用2 (qNMR純度規定)

ピークの単一性 本品1 mgをメタノール／希塩酸混液(3：1) 2 mLに溶かし，試料溶液とする．試料溶液5 μLにつき，次の条件で液体クロマトグラフィー〈2.01〉により試験を行い，デヒドロコリダリンのピークの頂点及び頂点の前後でピーク高さの中点付近の2時点を含む少なくとも3時点以上でのピークの吸収スペクトルを比較するとき，スペクトルの形状に差がない．

試験条件
カラム，カラム温度，移動相及び流量は「エンゴサク」の定量法の試験条件を準用する．
検出器：フォトダイオードアレイ検出器(測定波長：230 nm，スペクトル測定範囲：220 ～ 400 nm)

システム適合性
システムの性能：本品1 mg及びベルベリン塩化物水和物1 mgを水／アセトニトリル混液(20：9) 20 mLに溶かす．この液5 μLにつき，上記の条件で操作するとき，ベルベリン，デヒドロコリダリンの順に溶出し，その分離度は1.5以上である．

定量法 ウルトラミクロ化学はかりを用い，本品5 mg及び核磁気共鳴スペクトル測定用DSS－d_6 1 mgをそれぞれ精密に量り，核磁気共鳴スペクトル測定用重水素化ジメチルスルホキシド1 mLに溶かし，試料溶液とする．この液を外径5 mmのNMR試料管に入れ，核磁気共鳴スペクトル測定用DSS－d_6をqNMR用基準物質として，次の試験条件で核磁気共鳴スペクトル測定法〈2.21〉及び〈5.01〉により，^{1}H NMRを測定する．qNMR用基準物質のシグナルをδ 0 ppmとし，δ 7.42 ppm付近のシグナルの面積強度A(水素数1に相当)を算出する．

デヒドロコリダリン硝化物($C_{22}H_{24}N_2O_7$)の量(%)
$= M_S × I × P/(M × N) × 1.9096$

M：本品の秤取量(mg)
M_S：核磁気共鳴スペクトル測定用DSS－d_6の秤取量(mg)
I：核磁気共鳴スペクトル測定用DSS－d_6のシグナルの面積強度を9.000としたときの面積強度A
N：Aに由来するシグナルの水素数
P：核磁気共鳴スペクトル測定用DSS－d_6の純度(%)

試験条件
装置：^{1}H共鳴周波数400 MHz以上の核磁気共鳴スペクトル測定装置
測定対象とする核：^{1}H
デジタル分解能：0.25 Hz以下
観測スペクトル幅：-5 ～ 15 ppmを含む20 ppm以上
スピニング：オフ
パルス角：90°
^{13}C核デカップリング：あり
遅延時間：繰り返しパルス待ち時間60秒以上
積算回数：8回以上
ダミースキャン：2回以上
測定温度：20 ～ 30°Cの一定温度

システム適合性
検出の確認：試料溶液につき，上記の条件で測定するとき，δ 7.42 ppm付近のシグナルのSN比は100以上である．
システムの性能：試料溶液につき，上記の条件で測定するとき，δ 7.42 ppm付近のシグナルについて，明らかな混在物のシグナルが重なっていないことを確認する．
システムの再現性：試料溶液につき，上記の条件で測定を6回繰り返すとき，面積強度AのqNMR用基準物質の面積強度に対する比の相対標準偏差は1.0%以下である．

デヒドロコリダリン硝化物，薄層クロマトグラフィー用 $C_{22}H_{24}N_2O_7$ 黄色の結晶又は結晶性の粉末である．メタノールにやや溶けにくく，水又はエタノール(99.5)に溶けに

くい．融点：約240℃(分解)．

純度試験　類縁物質　本品5.0 mgを水／メタノール混液(1：1) 1 mLに溶かし，試料溶液とする．この液0.5 mLを正確に量り，水／メタノール混液(1：1)を加えて正確に50 mLとし，標準溶液とする．これらの液につき，薄層クロマトグラフィー〈2.03〉により試験を行う．試料溶液及び標準溶液5 μLずつを薄層クロマトグラフィー用シリカゲルを用いて調製した薄層板にスポットし，速やかにメタノール／酢酸アンモニウム溶液(3→10)／酢酸(100)混液(20：1：1)を展開溶媒として約10 cm展開した後，薄層板を風乾する．これに噴霧用ドラーゲンドルフ試液を均等に噴霧し，風乾後，亜硝酸ナトリウム試液を均等に噴霧するとき，試料溶液から得た主スポット以外のスポットは，標準溶液から得たスポットより濃くない．

パラオキシ安息香酸ベンジル　$C_{14}H_{12}O_3$　白色の微細な結晶又は結晶性の粉末である．本品はエタノール(95)に溶けやすく，水に極めて溶けにくい．

融点〈2.60〉　109〜114℃

含量　99.0％以上．**定量法**　本品約1 gを精密に量り，1 mol/L水酸化ナトリウム液20 mLを正確に加え，約70℃で1時間加熱した後，速やかに氷冷する．この液につき，過量の水酸化ナトリウムを第二変曲点まで0.5 mol/L硫酸で滴定〈2.50〉する(電位差滴定法)．同様の方法で空試験を行う．

1 mol/L水酸化ナトリウム液1 mL＝228.2 mg $C_{14}H_{12}O_3$

ヒルスチン，定量用　$C_{22}H_{28}N_2O_3$　ヒルスチン，薄層クロマトグラフィー用．ただし，以下の定量用1又は定量用2 (qNMR純度規定)の試験に適合するもの．なお，定量用2は定量法で求めた含量で補正して用いる．

1) 定量用1

吸光度〈2.24〉　$E_{1cm}^{1\%}$ (245 nm)：354〜389 [脱水物に換算したもの5 mg，メタノール／希酢酸混液(7：3)，500 mL]．

純度試験　類縁物質　本品5 mgをメタノール／希酢酸混液(7：3) 100 mLに溶かし，試料溶液とする．この液1 mLを正確に量り，メタノール／希酢酸混液(7：3)を加えて正確に50 mLとし，標準溶液とする．試料溶液及び標準溶液20 μLずつを正確にとり，次の条件で液体クロマトグラフィー〈2.01〉により試験を行う．それぞれの液の各々のピーク面積を自動積分法により測定するとき，試料溶液のヒルスチン以外のピークの合計面積は，標準溶液のヒルスチンのピーク面積より大きくない．

　試験条件

　　検出器，カラム，カラム温度，移動相及び流量は「チョウトウコウ」の定量法の試験条件を準用する．

　　面積測定範囲：溶媒のピークの後からヒルスチンの保持時間の約1.5倍の範囲

　システム適合性

　　検出の確認：標準溶液1 mLを正確に量り，メタノール／希酢酸混液(7：3)を加えて20 mLとする．この液20 μLから得たヒルスチンのピーク面積が，標準溶液のヒルスチンのピーク面積の3.5〜6.5％になることを確認する．

　　システムの性能：定量用リンコフィリン1 mgをメタノール／希酢酸混液(7：3) 20 mLに溶かす．この液5 mLにアンモニア水(28) 1 mLを加え，50℃で2時間加熱，又は還流冷却器を付けて10分間加熱する．冷後，反応液1 mLを量り，メタノール／希酢酸混液(7：3)を加えて5 mLとする．この液20 μLにつき，上記の条件で操作するとき，リンコフィリン以外にイソリンコフィリンのピークを認め，リンコフィリンとイソリンコフィリンの分離度は1.5以上である．

　　システムの再現性：標準溶液20 μLにつき，上記の条件で試験を6回繰り返すとき，ヒルスチンのピーク面積の相対標準偏差は1.5％以下である．

2) 定量用2 (qNMR純度規定)

ピークの単一性　本品1 mgをメタノール／希酢酸混液(7：3) 20 mLに溶かし，試料溶液とする．試料溶液20 μLにつき，次の条件で液体クロマトグラフィー〈2.01〉により試験を行い，ヒルスチンのピークの頂点及び頂点の前後でピーク高さの中点付近の2時点を含む少なくとも3時点以上でのピークの吸収スペクトルを比較するとき，スペクトルの形状に差がない．

　試験条件

　　カラム，カラム温度，移動相及び流量は「チョウトウコウ」の定量法の試験条件を準用する．

　　検出器：フォトダイオードアレイ検出器(測定波長：245 nm，スペクトル測定範囲：220〜400 nm)

　システム適合性

　　システムの性能：定量用リンコフィリン1 mgをメタノール／希酢酸混液(7：3) 20 mLに溶かす．この液5 mLにアンモニア水(28) 1 mLを加え，50℃で2時間加熱，又は還流冷却器を付けて10分間加熱する．冷後，反応液1 mLを量り，メタノール／希酢酸混液(7：3)を加えて5 mLとする．この液20 μLにつき，上記の条件で操作するとき，リンコフィリン以外にイソリンコフィリンのピークを認め，リンコフィリンとイソリンコフィリンの分離度は1.5以上である．

定量法　ウルトラミクロ化学はかりを用い，本品5 mg及び核磁気共鳴スペクトル測定用1,4－BTMSB－d_4 1 mgをそれぞれ精密に量り，核磁気共鳴スペクトル測定用重水素化アセトン1 mLに溶かし，試料溶液とする．この液を外径5 mmのNMR試料管に入れ，核磁気共鳴スペクトル測定用1,4－BTMSB－d_4をqNMR用基準物質として，次の試験条件で核磁気共鳴スペクトル測定法(〈2.21〉及び〈5.01〉)により，^{1}H NMRを測定する．qNMR用基準物質のシグナルをδ 0 ppmとし，δ 6.70〜6.79 ppm付近のシグナルの面積強度A (水素数2に相当)を算出する．

ヒルスチン($C_{22}H_{28}N_2O_3$)の量(％)
$= M_S \times I \times P / (M \times N) \times 1.6268$

M：本品の秤取量(mg)

M_S：核磁気共鳴スペクトル測定用1,4－BTMSB－d_4の秤取量(mg)

I：核磁気共鳴スペクトル測定用1,4－BTMSB－d_4のシグナルの面積強度を18.000としたときのシグナルの面積強度A

N：Aに由来するシグナルの水素数

P：核磁気共鳴スペクトル測定用1,4－BTMSB－d_4の純度（％）

試験条件
　装置：^{1}H共鳴周波数400 MHz以上の核磁気共鳴スペクトル測定装置
　測定対象とする核：^{1}H
　デジタル分解能：0.25 Hz以下
　観測スペクトル幅：－5 〜 15 ppmを含む20 ppm以上
　スピニング：オフ
　パルス角：90°
　^{13}C核デカップリング：あり
　遅延時間：繰り返しパルス待ち時間60秒以上
　積算回数：8回以上
　ダミースキャン：2回以上
　測定温度：20 〜 30℃の一定温度

システム適合性
　検出の確認：試料溶液につき，上記の条件で測定するとき，δ 6.70 〜 6.79 ppm付近のシグナルのSN比は100以上である．
　システムの性能：試料溶液につき，上記の条件で測定するとき，δ 6.70 〜 6.79 ppm付近のシグナルについて，明らかな混在物のシグナルが重なっていないことを確認する．
　システムの再現性：試料溶液につき，上記の条件で測定を6回繰り返すとき，面積強度AのqNMR用基準物質の面積強度に対する比の相対標準偏差は1.0％以下である．

リンコフィリン，定量用　$C_{22}H_{28}N_2O_4$　リンコフィリン，薄層クロマトグラフィー用．ただし，以下の定量用1又は定量用2（qNMR純度規定）の試験に適合するもの．なお，定量用2は定量法で求めた含量で補正して用いる．

1）定量用1
吸光度〈2.24〉　$E_{1\,cm}^{1\%}$（245 nm）：473 〜 502 ［5 mg，メタノール／希酢酸混液（7：3），500 mL］．

純度試験　類縁物質　本品5 mgをメタノール／希酢酸混液（7：3）100 mLに溶かし，試料溶液とする．この液1 mLを正確に量り，メタノール／希酢酸混液（7：3）を加えて正確に100 mLとし，標準溶液とする．試料溶液及び標準溶液20 μLずつを正確にとり，次の条件で液体クロマトグラフィー〈2.01〉により試験を行う．それぞれの液の各々のピーク面積を自動積分法により測定するとき，試料溶液のリンコフィリン以外のピークの合計面積は，標準溶液のリンコフィリンのピーク面積より大きくない．

試験条件
　検出器，カラム，カラム温度，移動相及び流量は「チョウトウコウ」の定量法の試験条件を準用する．
　面積測定範囲：溶媒のピークの後からリンコフィリンの保持時間の約4倍の範囲

システム適合性
　検出の確認：標準溶液1 mLを正確に量り，メタノール／希酢酸混液（7：3）を加えて正確に20 mLとする．この液20 μLから得たリンコフィリンのピーク面積が，標準溶液のリンコフィリンのピーク面積の3.5 〜 6.5％になることを確認する．
　システムの性能：試料溶液5 mLにアンモニア水（28）1 mLを加え，50℃で2時間加熱，又は還流冷却器を付けて10分間加熱する．冷後，反応液1 mLを量り，メタノール／希酢酸混液（7：3）を加えて5 mLとする．この液20 μLにつき，上記の条件で操作するとき，リンコフィリン以外にイソリンコフィリンのピークを認め，リンコフィリンとイソリンコフィリンの分離度は1.5以上である．
　システムの再現性：標準溶液20 μLにつき，上記の条件で試験を6回繰り返すとき，リンコフィリンのピーク面積の相対標準偏差は1.5％以下である．

2）定量用2（qNMR純度規定）
ピークの単一性　本品1 mgをメタノール／希酢酸混液（7：3）100 mLに溶かし，試料溶液とする．試料溶液20 μLにつき，次の条件で液体クロマトグラフィー〈2.01〉により試験を行い，リンコフィリンのピークの頂点及び頂点の前後でピーク高さの中点付近の2時点を含む少なくとも3時点以上でのピークの吸収スペクトルを比較するとき，スペクトルの形状に差がない．

試験条件
　カラム，カラム温度，移動相及び流量は「チョウトウコウ」の定量法の試験条件を準用する．
　検出器：フォトダイオードアレイ検出器（測定波長：245 nm，スペクトル測定範囲：220 〜 400 nm）

システム適合性
　システムの性能：本品1 mgをメタノール／希酢酸混液（7：3）20 mLに溶かす．この液5 mLにアンモニア水（28）1 mLを加え，50℃で2時間加熱，又は還流冷却器を付けて10分間加熱する．冷後，反応液1 mLを量り，メタノール／希酢酸混液（7：3）を加えて5 mLとする．この液20 μLにつき，上記の条件で操作するとき，リンコフィリン以外にイソリンコフィリンのピークを認め，リンコフィリンとイソリンコフィリンの分離度は1.5以上である．

定量法　ウルトラミクロ化学はかりを用い，本品5 mg及び核磁気共鳴スペクトル測定用1,4－BTMSB－d_4 1 mgをそれぞれ精密に量り，核磁気共鳴スペクトル測定用重水素化アセトン1 mLに溶かし，試料溶液とする．この液を外径5 mmのNMR試料管に入れ，核磁気共鳴スペクトル測定用1,4－BTMSB－d_4をqNMR用基準物質として，次の試験条件で核磁気共鳴スペクトル測定法（〈2.21〉及び〈5.01〉）により，^{1}H NMRを測定する．qNMR用基準物質のシグナルをδ 0 ppmとし，δ 6.60 ppm及びδ 6.73 ppm付近のそれぞれのシグナルの面積強度A_1（水素数1に相当）及びA_2（水素数1に相当）を算出する．

リンコフィリン（$C_{22}H_{28}N_2O_4$）の量（％）
　$= M_S \times I \times P / (M \times N) \times 1.6974$

M：本品の秤取量（mg）
M_S：核磁気共鳴スペクトル測定用1,4－BTMSB－d_4の秤取量（mg）
I：核磁気共鳴スペクトル測定用1,4－BTMSB－d_4のシグナルの面積強度を18.000としたときの各シグナルの面

積強度A_1及びA_2の和

N：A_1及びA_2に由来する各シグナルの水素数の和

P：核磁気共鳴スペクトル測定用1,4－BTMSB－d_4の純度（%）

試験条件

装置：^{1}H共鳴周波数400 MHz以上の核磁気共鳴スペクトル測定装置

測定対象とする核：^{1}H

デジタル分解能：0.25 Hz以下

観測スペクトル幅：－5 ～ 15 ppmを含む20 ppm以上

スピニング：オフ

パルス角：90°

^{13}C核デカップリング：あり

遅延時間：繰り返しパルス待ち時間60秒以上

積算回数：8回以上

ダミースキャン：2回以上

測定温度：20 ～ 30℃の一定温度

システム適合性

検出の確認：試料溶液につき，上記の条件で測定するとき，δ 6.60 ppm及びδ 6.73 ppm付近の各シグナルのSN比は100以上である．

システムの性能：試料溶液につき，上記の条件で測定するとき，δ 6.60 ppm及びδ 6.73 ppm付近のシグナルについて，明らかな混在物のシグナルが重なっていないことを確認する．また，試料溶液につき，上記の条件で測定するとき，各シグナル間の面積強度比A_1/A_2は0.99 ～ 1.01である．

システムの再現性：試料溶液につき，上記の条件で測定を6回繰り返すとき，面積強度A_1又はA_2のqNMR用基準物質の面積強度に対する比の相対標準偏差は1.0%以下である．

ロガニン，定量用 $C_{17}H_{26}O_{10}$ ロガニン，薄層クロマトグラフィー用．ただし，以下の試験に適合するもの．なお，本品は定量法で求めた含量で補正して用いる．

ピークの単一性　本品2 mgを移動相5 mLに溶かし，試料溶液とする．試料溶液10 μLにつき，次の条件で液体クロマトグラフィー〈2.01〉により試験を行い，ロガニンのピークの頂点及び頂点の前後でピーク高さの中点付近の2時点を含む少なくとも3時点以上でのピークの吸収スペクトルを比較するとき，スペクトルの形状に差がない．

試験条件

カラム，カラム温度，移動相及び流量は「牛車腎気丸エキス」の定量法(1)の試験条件を準用する．

検出器：フォトダイオードアレイ検出器（測定波長：238 nm，スペクトル測定範囲：220 ～ 400 nm）

システム適合性

システムの性能：試料溶液10 μLにつき，上記の条件で操作するとき，ロガニンのピークの理論段数及びシンメトリー係数は，それぞれ5000段以上，1.5以下である．

定量法　ウルトラミクロ化学はかりを用い，本品5 mg及び核磁気共鳴スペクトル測定用1,4－BTMSB－d_4 1 mgをそれぞれ精密に量り，核磁気共鳴スペクトル測定用重水素化メタノール1 mLに溶かし，試料溶液とする．この液を外径5 mmのNMR試料管に入れ，核磁気共鳴スペクトル測定用1,4－BTMSB－d_4をqNMR用基準物質として，次の試験条件で核磁気共鳴スペクトル測定法（〈2.21〉及び〈5.01〉）により，^{1}H NMRを測定する．qNMR用基準物質のシグナルをδ 0 ppmとし，δ 7.14 ppm付近のシグナルの面積強度A（水素数1に相当）を算出する．

ロガニン（$C_{17}H_{26}O_{10}$）の量(%)
$= M_S \times I \times P/(M \times N) \times 1.7235$

M：本品の秤取量(mg)

M_S：核磁気共鳴スペクトル測定用1,4－BTMSB－d_4の秤取量(mg)

I：核磁気共鳴スペクトル測定用1,4－BTMSB－d_4のシグナルの面積強度を18.000としたときの面積強度A

N：Aに由来するシグナルの水素数

P：核磁気共鳴スペクトル測定用1,4－BTMSB－d_4の純度（%）

試験条件

装置：^{1}H共鳴周波数400 MHz以上の核磁気共鳴スペクトル測定装置

測定対象とする核：^{1}H

デジタル分解能：0.25 Hz以下

観測スペクトル幅：－5 ～ 15 ppmを含む20 ppm以上

スピニング：オフ

パルス角：90°

^{13}C核デカップリング：あり

遅延時間：繰り返しパルス待ち時間60秒以上

積算回数：8回以上

ダミースキャン：2回以上

測定温度：20 ～ 30℃の一定温度

システム適合性

検出の確認：試料溶液につき，上記の条件で測定するとき，δ 5.02 ppm及びδ 7.14 ppm付近の各シグナルのSN比は100以上である．

システムの性能：試料溶液につき，上記の条件で測定するとき，δ 5.02 ppm及びδ 7.14 ppm付近のシグナルについて，明らかな混在物のシグナルが重なっていないことを確認する．また，試料溶液につき，上記の条件でδ 5.02 ppm及びδ 7.14 ppm付近のそれぞれのシグナルの面積強度A_1（水素数1に相当）及び面積強度A（水素数1に相当）を測定するとき，各シグナル間の面積強度比A_1/Aは，0.99 ～ 1.01である．

システムの再現性：試料溶液につき，上記の条件で測定を6回繰り返すとき，面積強度AのqNMR用基準物質の面積強度に対する比の相対標準偏差は1.0%以下である．

一般試験法の部　9.41　試薬・試液の条に次の項を加える．

9.41　試薬・試液

1,4－ジアミノブタン　$C_4H_{12}N_2$　白色〜僅かに薄い黄色の粉末又は塊，又は無色〜薄い黄色の澄明な液である．

テモゾロミド　$C_6H_6N_6O_2$　[医薬品各条]

ノオトカトン，薄層クロマトグラフィー用　$C_{15}H_{22}O$　白色〜薄い黄色の結晶又は結晶性の粉末である．メタノール，エタノール(99.5)又はヘキサンに極めて溶けやすく，水にほとんど溶けない．
　確認試験　本品につき，赤外吸収スペクトル測定法〈2.25〉の臭化カリウム錠剤法により測定するとき，波数2950 cm^{-1}，1670 cm^{-1}及び898 cm^{-1}付近に吸収を認める．
　純度試験　類縁物質　本品2 mgをヘキサン2 mLに溶かし，試料溶液とする．この液1 mLを正確に量り，ヘキサンを加えて正確に20 mLとし，標準溶液とする．これらの液につき，薄層クロマトグラフィー〈2.03〉により試験を行う．試料溶液及び標準溶液10 μLずつにつき，「ヤクチ」の確認試験を準用し，試験を行うとき，試料溶液から得たR_f値0.35付近の主スポット以外のスポットは，標準溶液から得たスポットより濃くない．

薄層クロマトグラフィー用ノオトカトン　ノオトカトン，薄層クロマトグラフィー用　を参照．

四酢酸鉛　$Pb(CH_3COO)_4$　白色〜微褐色の粉末である．融点：約176℃(分解)．

四酢酸鉛・フルオレセインナトリウム試液　四酢酸鉛の酢酸(100)溶液(3→100) 5 mL及びフルオレセインナトリウムのエタノール(99.5)溶液(1→100) 2.5 mLに，ジクロロメタンを加えて100 mLとする．用時調製する．

リン酸塩緩衝液，pH 3.2　リン酸二水素ナトリウム二水和物溶液(1→250) 900 mLにリン酸溶液(1→400) 100 mLを加え，リン酸又は水酸化ナトリウム試液を加えてpH 3.2に調整する．

リン酸カリウム三水和物　$K_3PO_4 \cdot 3H_2O$　白色の結晶性の粉末又は粉末で，水に溶けやすい．本品の水溶液(1→100)のpHは11.5〜12.5である．
　確認試験
　(1)　本品の水溶液(1→20)は，カリウム塩の定性反応(3)〈1.09〉を呈する．
　(2)　本品の水溶液(1→20)は，リン酸塩の定性反応(1)〈1.09〉を呈する．

一般試験法の部　9.41　試薬・試液の条の次の項を削る．

9.41　試薬・試液

ウサギ抗ナルトグラスチム抗体

ウサギ抗ナルトグラスチム抗体試液

ウシ血清アルブミン試液，ナルトグラスチム試験用

還元緩衝液，ナルトグラスチム試料用

緩衝液，ナルトグラスチム試料用

継代培地，ナルトグラスチム試験用

洗浄液，ナルトグラスチム試験用

ナルトグラスチム試験用ウシ血清アルブミン試液

ナルトグラスチム試験用継代培地

ナルトグラスチム試験用洗浄液

ナルトグラスチム試験用ブロッキング試液

ナルトグラスチム試験用分子量マーカー

ナルトグラスチム試験用力価測定培地

ナルトグラスチム試料用還元緩衝液

ナルトグラスチム試料用緩衝液

ナルトグラスチム用ポリアクリルアミドゲル

フロイント完全アジュバント

ブロッキング試液，ナルトグラスチム試験用

分子量マーカー，ナルトグラスチム試験用

ポリアクリルアミドゲル，ナルトグラスチム用

力価測定培地，ナルトグラスチム試験用

一般試験法の部　9.42　クロマトグラフィー用担体／充塡剤の条に次の項を加える．

9.42　クロマトグラフィー用担体／充塡剤

液体クロマトグラフィー用オクタデシルシリル基及びオクチルシリル基を結合した多孔質シリカゲル　オクタデシルシリル基及びオクチルシリル基を結合した多孔質シリカゲル，液体クロマトグラフィー用　を参照．

液体クロマトグラフィー用ポリアミンシリカゲル　ポリアミンシリカゲル，液体クロマトグラフィー用　を参照．

オクタデシルシリル基及びオクチルシリル基を結合した多孔質シリカゲル，液体クロマトグラフィー用　オクタデシルシリル基及びオクチルシリル基を結合した多孔質シリカゲルで，液体クロマトグラフィー用に製造したもの．

ポリアミンシリカゲル，液体クロマトグラフィー用　液体クロマトグラフィー用に製造したもの．

医薬品各条　改正事項

医薬品各条の部において，次のとおり純度試験の項中の一部の目を削り，以降を繰り上げる．

医薬品各条名	純度試験において削除する項目
アクラルビシン塩酸塩	重金属
アクリノール水和物	重金属
アザチオプリン	重金属，ヒ素
アシクロビル	重金属
アジスロマイシン水和物	重金属
アスコルビン酸	重金属
アズトレオナム	重金属
L－アスパラギン酸	重金属
アスピリン	重金属
アスポキシシリン水和物	重金属，ヒ素
アセタゾラミド	重金属
注射用アセチルコリン塩化物	重金属
アセチルシステイン	重金属
アセトアミノフェン	重金属，ヒ素
アセトヘキサミド	重金属
アセブトロール塩酸塩	重金属，ヒ素
アセメタシン	重金属
アゼラスチン塩酸塩	重金属，ヒ素
アゼルニジピン	重金属
アゾセミド	重金属
アテノロール	重金属
アトルバスタチンカルシウム水和物	重金属
アドレナリン	重金属
アプリンジン塩酸塩	重金属
アフロクアロン	重金属
アマンタジン塩酸塩	重金属，ヒ素
アミオダロン塩酸塩	重金属
アミカシン硫酸塩	重金属
アミドトリゾ酸	重金属，ヒ素
アミトリプチリン塩酸塩	重金属
アミノ安息香酸エチル	重金属
アミノフィリン水和物	重金属
アムロジピンベシル酸塩	重金属
アモキサピン	重金属
アモキシシリン水和物	重金属，ヒ素
アモスラロール塩酸塩	重金属
アモバルビタール	重金属
アラセプリル	重金属
L－アラニン	重金属
アリメマジン酒石酸塩	重金属，ヒ素
亜硫酸水素ナトリウム	重金属
乾燥亜硫酸ナトリウム	重金属

日本薬局方の医薬品の適否は，その医薬品各条の規定，通則，生薬総則，製剤総則及び一般試験法の規定によって判定する．（通則5参照）

医薬品各条名	純度試験において削除する項目
アルガトロバン水和物	重金属，ヒ素
L-アルギニン	重金属
L-アルギニン塩酸塩	重金属，ヒ素
アルジオキサ	重金属
アルプラゾラム	重金属
アルプレノロール塩酸塩	重金属，ヒ素
アルプロスタジル注射液	重金属
アルベカシン硫酸塩	重金属
アレンドロン酸ナトリウム水和物	重金属
アロチノロール塩酸塩	重金属
アロプリノール	重金属，ヒ素
安息香酸	重金属
安息香酸ナトリウム	重金属，ヒ素
安息香酸ナトリウムカフェイン	重金属，ヒ素
アンチピリン	重金属
無水アンピシリン	重金属，ヒ素
アンピシリン水和物	重金属，ヒ素
アンピシリンナトリウム	重金属，ヒ素
アンピロキシカム	重金属
アンベノニウム塩化物	重金属
アンモニア水	重金属
アンレキサノクス	重金属
イオウ	ヒ素
イオタラム酸	重金属，ヒ素
イオトロクス酸	重金属
イオパミドール	重金属
イオヘキソール	重金属
イコサペント酸エチル	重金属，ヒ素
イセパマイシン硫酸塩	重金属
イソクスプリン塩酸塩	重金属
イソソルビド	重金属，ヒ素
イソニアジド	重金属，ヒ素
l-イソプレナリン塩酸塩	重金属
イソプロピルアンチピリン	重金属，ヒ素
イソマル水和物	重金属
L-イソロイシン	重金属，ヒ素
イダルビシン塩酸塩	銀
70％一硝酸イソソルビド乳糖末	重金属
イドクスウリジン	重金属
イトラコナゾール	重金属
イフェンプロジル酒石酸塩	重金属
イブジラスト	重金属
イブプロフェン	重金属，ヒ素
イブプロフェンピコノール	重金属
イプラトロピウム臭化物水和物	重金属，ヒ素
イプリフラボン	重金属，ヒ素
イミダプリル塩酸塩	重金属
イミペネム水和物	重金属，ヒ素

医薬品各条名	純度試験において削除する項目
イリノテカン塩酸塩水和物	重金属
イルソグラジンマレイン酸塩	重金属
イルベサルタン	重金属
インジゴカルミン	ヒ素
インダパミド	重金属
インデノロール塩酸塩	重金属，ヒ素
インドメタシン	重金属，ヒ素
ウベニメクス	重金属
ウラピジル	重金属
ウリナスタチン	重金属
ウルソデオキシコール酸	重金属，バリウム
ウロキナーゼ	重金属
エカベトナトリウム水和物	重金属
エコチオパートヨウ化物	重金属
エスタゾラム	重金属，ヒ素
エストリオール	重金属
エタクリン酸	重金属，ヒ素
エダラボン	重金属
エタンブトール塩酸塩	重金属，ヒ素
エチオナミド	重金属，ヒ素
エチゾラム	重金属
エチドロン酸二ナトリウム	重金属，ヒ素
L－エチルシステイン塩酸塩	重金属
エチルセルロース	重金属
エチレフリン塩酸塩	重金属
エチレンジアミン	重金属
エデト酸カルシウムナトリウム水和物	重金属
エデト酸ナトリウム水和物	重金属，ヒ素
エテンザミド	重金属，ヒ素
エトスクシミド	重金属，ヒ素
エトドラク	重金属
エトポシド	重金属
エドロホニウム塩化物	重金属，ヒ素
エナラプリルマレイン酸塩	重金属
エノキサシン水和物	重金属，ヒ素
エバスチン	重金属
エパルレスタット	重金属
エピリゾール	重金属，ヒ素
エピルビシン塩酸塩	重金属
エフェドリン塩酸塩	重金属
エプレレノン	重金属
エペリゾン塩酸塩	重金属
エメダスチンフマル酸塩	重金属
エモルファゾン	重金属，ヒ素
エリスロマイシン	重金属
エリブリンメシル酸塩	重金属
塩化亜鉛	重金属，ヒ素
塩化カリウム	重金属，ヒ素

日本薬局方の医薬品の適否は，その医薬品各条の規定，通則，生薬総則，製剤総則及び一般試験法の規定によって判定する．（通則5参照）

医薬品各条名	純度試験において削除する項目
塩化カルシウム水和物	重金属，ヒ素，バリウム
塩化ナトリウム	重金属
塩酸	重金属，ヒ素，水銀
希塩酸	重金属，ヒ素，水銀
エンタカポン	重金属
エンビオマイシン硫酸塩	重金属，ヒ素
オキサゾラム	重金属，ヒ素
オキサピウムヨウ化物	重金属
オキサプロジン	重金属，ヒ素
オキシテトラサイクリン塩酸塩	重金属
オキシドール	重金属，ヒ素
オキシブプロカイン塩酸塩	重金属
オキセサゼイン	重金属
オクスプレノロール塩酸塩	重金属，ヒ素
オザグレルナトリウム	重金属
オフロキサシン	重金属
オメプラゾール	重金属
オーラノフィン	重金属，ヒ素
オルシプレナリン硫酸塩	重金属
オルメサルタン メドキソミル	重金属
オロパタジン塩酸塩	重金属
カイニン酸水和物	重金属，ヒ素
ガチフロキサシン水和物	重金属
果糖	重金属，ヒ素
果糖注射液	重金属，ヒ素
カドララジン	重金属
カナマイシン一硫酸塩	重金属，ヒ素
カナマイシン硫酸塩	重金属，ヒ素
無水カフェイン	重金属
カフェイン水和物	重金属
カプトプリル	重金属，ヒ素
ガベキサートメシル酸塩	重金属，ヒ素
カベルゴリン	重金属
過マンガン酸カリウム	ヒ素
カモスタットメシル酸塩	重金属，ヒ素
β－ガラクトシダーゼ(アスペルギルス)	重金属，ヒ素
β－ガラクトシダーゼ(ペニシリウム)	重金属，ヒ素
カルテオロール塩酸塩	重金属，ヒ素
カルバゾクロムスルホン酸ナトリウム水和物	重金属
カルバマゼピン	重金属
カルビドパ水和物	重金属
カルベジロール	重金属
L－カルボシステイン	重金属，ヒ素
カルメロース	重金属
カルメロースカルシウム	重金属
カルメロースナトリウム	重金属，ヒ素
クロスカルメロースナトリウム	重金属
カルモナムナトリウム	重金属，ヒ素

日本薬局方の医薬品の適否は，その医薬品各条の規定，通則，生薬総則，製剤総則及び一般試験法の規定によって判定する．（通則5参照）

医薬品各条名	純度試験において削除する項目
カルモフール	重金属
カンデサルタン シレキセチル	重金属
カンレノ酸カリウム	重金属, ヒ素
キシリトール	重金属, ヒ素, ニッケル
キタサマイシン酒石酸塩	重金属
キナプリル塩酸塩	重金属
キニーネエチル炭酸エステル	重金属
キニーネ硫酸塩水和物	重金属
金チオリンゴ酸ナトリウム	重金属, ヒ素
グアイフェネシン	重金属, ヒ素
グアナベンズ酢酸塩	重金属
グアネチジン硫酸塩	重金属
クエチアピンフマル酸塩	重金属
無水クエン酸	重金属
クエン酸水和物	重金属
クエン酸ナトリウム水和物	重金属, ヒ素
クラブラン酸カリウム	重金属, ヒ素
クラリスロマイシン	重金属
グリクラジド	重金属
グリシン	重金属, ヒ素
グリセリン	重金属
濃グリセリン	重金属
クリノフィブラート	重金属, ヒ素
グリベンクラミド	重金属
グリメピリド	重金属
クリンダマイシン塩酸塩	重金属
クリンダマイシンリン酸エステル	重金属, ヒ素
グルコン酸カルシウム水和物	重金属, ヒ素
グルタチオン	重金属, ヒ素
L－グルタミン	重金属
L－グルタミン酸	重金属
クレボプリドリンゴ酸塩	重金属
クレマスチンフマル酸塩	重金属, ヒ素
クロカプラミン塩酸塩水和物	重金属
クロキサシリンナトリウム水和物	重金属, ヒ素
クロキサゾラム	重金属, ヒ素
クロコナゾール塩酸塩	重金属
クロスポビドン	重金属
クロチアゼパム	重金属, ヒ素
クロトリマゾール	重金属, ヒ素
クロナゼパム	重金属
クロニジン塩酸塩	重金属, ヒ素
クロピドグレル硫酸塩	重金属
クロフィブラート	重金属, ヒ素
クロフェダノール塩酸塩	重金属
クロベタゾールプロピオン酸エステル	重金属
クロペラスチン塩酸塩	重金属
クロペラスチンフェンジゾ酸塩	重金属

日本薬局方の医薬品の適否は，その医薬品各条の規定，通則，生薬総則，製剤総則及び一般試験法の規定によって判定する．（通則5参照）

医薬品各条名	純度試験において削除する項目
クロミフェンクエン酸塩	重金属
クロミプラミン塩酸塩	重金属，ヒ素
クロモグリク酸ナトリウム	重金属
クロラゼプ酸二カリウム	重金属，ヒ素
クロラムフェニコール	重金属
クロラムフェニコールコハク酸エステルナトリウム	重金属
クロラムフェニコールパルミチン酸エステル	重金属，ヒ素
クロルジアゼポキシド	重金属
クロルフェニラミンマレイン酸塩	重金属
d-クロルフェニラミンマレイン酸塩	重金属
クロルフェネシンカルバミン酸エステル	重金属，ヒ素
クロルプロパミド	重金属
クロルプロマジン塩酸塩	重金属
クロルヘキシジン塩酸塩	重金属，ヒ素
クロルマジノン酢酸エステル	重金属，ヒ素
軽質無水ケイ酸	重金属
合成ケイ酸アルミニウム	重金属，ヒ素
天然ケイ酸アルミニウム	重金属，ヒ素
ケイ酸アルミン酸マグネシウム	重金属
メタケイ酸アルミン酸マグネシウム	重金属
ケタミン塩酸塩	重金属，ヒ素
ケトコナゾール	重金属
ケトチフェンフマル酸塩	重金属
ケトプロフェン	重金属
ケノデオキシコール酸	重金属，バリウム
ゲファルナート	重金属
ゲフィチニブ	重金属
ゲンタマイシン硫酸塩	重金属
硬化油	重金属
コポビドン	重金属
コリスチンメタンスルホン酸ナトリウム	重金属，ヒ素
コレスチミド	重金属
サイクロセリン	重金属
酢酸	重金属
氷酢酸	重金属
酢酸ナトリウム水和物	重金属，ヒ素
サッカリン	重金属
サッカリンナトリウム水和物	重金属
サラゾスルファピリジン	重金属，ヒ素
サリチル酸	重金属
サリチル酸ナトリウム	重金属，ヒ素
サリチル酸メチル	重金属
ザルトプロフェン	重金属，ヒ素
サルブタモール硫酸塩	重金属
サルポグレラート塩酸塩	重金属，ヒ素
酸化亜鉛	鉛，ヒ素
酸化マグネシウム	重金属
ジアゼパム	重金属

日本薬局方の医薬品の適否は，その医薬品各条の規定，通則，生薬総則，製剤総則及び一般試験法の規定によって判定する．（通則5参照）

医薬品各条名	純度試験において削除する項目
シアナミド	重金属
ジエチルカルバマジンクエン酸塩	重金属
シクラシリン	重金属，ヒ素
シクロスポリン	重金属
ジクロフェナクナトリウム	重金属，ヒ素
シクロペントラート塩酸塩	重金属
シクロホスファミド水和物	重金属
ジスチグミン臭化物	重金属
L-シスチン	重金属
L-システイン	重金属
L-システイン塩酸塩水和物	重金属
ジスルフィラム	重金属，ヒ素
ジソピラミド	重金属，ヒ素
シタグリプチンリン酸塩水和物	重金属
シタラビン	重金属
シチコリン	重金属，ヒ素
ジドブジン	重金属
ジドロゲステロン	重金属
シノキサシン	重金属
ジヒドロエルゴトキシンメシル酸塩	重金属
ジピリダモール	重金属，ヒ素
ジフェニドール塩酸塩	重金属，ヒ素
ジフェンヒドラミン	重金属
ジフェンヒドラミン塩酸塩	重金属
ジブカイン塩酸塩	重金属
ジフルコルトロン吉草酸エステル	重金属
シプロフロキサシン	重金属
シプロフロキサシン塩酸塩水和物	重金属
シプロヘプタジン塩酸塩水和物	重金属
ジフロラゾン酢酸エステル	重金属
ジベカシン硫酸塩	重金属
シベレスタットナトリウム水和物	重金属
シベンゾリンコハク酸塩	重金属，ヒ素
シメチジン	重金属，ヒ素
ジメモルファンリン酸塩	重金属，ヒ素
ジメルカプロール	重金属
次没食子酸ビスマス	ヒ素，銅，鉛，銀
ジモルホラミン	重金属
臭化カリウム	重金属，ヒ素，バリウム
臭化ナトリウム	重金属，ヒ素，バリウム
酒石酸	重金属，ヒ素
硝酸銀	ビスマス，銅及び鉛のうち銅，鉛（本試験法の名称をビスマスとする．）
硝酸イソソルビド	重金属
ジョサマイシン	重金属
ジョサマイシンプロピオン酸エステル	重金属
シラザプリル水和物	重金属
シラスタチンナトリウム	重金属，ヒ素
ジラゼプ塩酸塩水和物	重金属，ヒ素

日本薬局方の医薬品の適否は，その医薬品各条の規定，通則，生薬総則，製剤総則及び一般試験法の規定によって判定する．（通則5参照）

医薬品各条名	純度試験において削除する項目
ジルチアゼム塩酸塩	重金属,ヒ素
シルニジピン	重金属
シロスタゾール	重金属
シロドシン	重金属
シンバスタチン	重金属
乾燥水酸化アルミニウムゲル	重金属,ヒ素
水酸化カリウム	重金属
水酸化カルシウム	重金属,ヒ素
水酸化ナトリウム	重金属,水銀
スクラルファート水和物	重金属,ヒ素
ステアリン酸	重金属
ステアリン酸カルシウム	重金属
ステアリン酸ポリオキシル40	重金属
ステアリン酸マグネシウム	重金属
ストレプトマイシン硫酸塩	重金属,ヒ素
スピラマイシン酢酸エステル	重金属
スリンダク	重金属,ヒ素
スルタミシリントシル酸塩水和物	重金属
スルチアム	重金属,ヒ素
スルバクタムナトリウム	重金属
スルピリド	重金属
スルピリン水和物	重金属
スルファメチゾール	重金属,ヒ素
スルファメトキサゾール	重金属,ヒ素
スルファモノメトキシン水和物	重金属,ヒ素
スルフイソキサゾール	重金属
スルベニシリンナトリウム	重金属,ヒ素
スルホブロモフタレインナトリウム	重金属,ヒ素
生理食塩液	重金属,ヒ素
セチリジン塩酸塩	重金属
セトチアミン塩酸塩水和物	重金属
セトラキサート塩酸塩	重金属,ヒ素
セファクロル	重金属,ヒ素
セファゾリンナトリウム	重金属,ヒ素
セファゾリンナトリウム水和物	重金属
セファトリジンプロピレングリコール	重金属,ヒ素
セファドロキシル	重金属
セファレキシン	重金属,ヒ素
セファロチンナトリウム	重金属,ヒ素
セフェピム塩酸塩水和物	重金属
セフォジジムナトリウム	重金属,ヒ素
セフォゾプラン塩酸塩	重金属,ヒ素
セフォタキシムナトリウム	重金属,ヒ素
セフォチアム塩酸塩	重金属,ヒ素
セフォチアム ヘキセチル塩酸塩	重金属,ヒ素
セフォテタン	重金属
セフォペラゾンナトリウム	重金属,ヒ素
セフカペン ピボキシル塩酸塩水和物	重金属

日本薬局方の医薬品の適否は,その医薬品各条の規定,通則,生薬総則,製剤総則及び一般試験法の規定によって判定する.(通則5参照)

医薬品各条名	純度試験において削除する項目
セフジトレン　ピボキシル	重金属
セフジニル	重金属
セフスロジンナトリウム	重金属，ヒ素
セフタジジム水和物	重金属
セフチゾキシムナトリウム	重金属，ヒ素
セフチブテン水和物	重金属
セフテラム　ピボキシル	重金属
セフトリアキソンナトリウム水和物	重金属，ヒ素
セフピラミドナトリウム	重金属
セフピロム硫酸塩	重金属，ヒ素
セフブペラゾンナトリウム	重金属，ヒ素
セフポドキシム　プロキセチル	重金属
セフミノクスナトリウム水和物	重金属，ヒ素
セフメタゾールナトリウム	重金属，ヒ素
セフメノキシム塩酸塩	重金属，ヒ素
セフロキサジン水和物	重金属
セフロキシム　アキセチル	重金属
セラセフェート	重金属
ゼラチン	重金属，ヒ素
精製ゼラチン	重金属，ヒ素
精製セラック	重金属
白色セラック	重金属
L－セリン	重金属
結晶セルロース	重金属
粉末セルロース	重金属
セレコキシブ	重金属
ゾニサミド	重金属
ゾピクロン	重金属
ソルビタンセスキオレイン酸エステル	重金属
ゾルピデム酒石酸塩	重金属
D－ソルビトール	重金属，ヒ素，ニッケル
D－ソルビトール液	重金属，ヒ素，ニッケル
ダウノルビシン塩酸塩	重金属
タウリン	重金属
タクロリムス水和物	重金属
タゾバクタム	重金属
ダナゾール	重金属
タムスロシン塩酸塩	重金属
タモキシフェンクエン酸塩	重金属
タランピシリン塩酸塩	重金属，ヒ素
タルチレリン水和物	重金属
炭酸カリウム	重金属，ヒ素
沈降炭酸カルシウム	重金属，ヒ素，バリウム
炭酸水素ナトリウム	重金属，ヒ素
乾燥炭酸ナトリウム	重金属
炭酸ナトリウム水和物	重金属
炭酸マグネシウム	重金属，ヒ素
炭酸リチウム	重金属，ヒ素，バリウム

日本薬局方の医薬品の適否は，その医薬品各条の規定，通則，生薬総則，製剤総則及び一般試験法の規定によって判定する．（通則5参照）

医薬品各条名	純度試験において削除する項目
ダントロレンナトリウム水和物	重金属
タンニン酸ジフェンヒドラミン	重金属
チアプリド塩酸塩	重金属
チアマゾール	重金属，ヒ素，セレン
チアミラールナトリウム	重金属
チアミン塩化物塩酸塩	重金属
チアミン硝化物	重金属
チアラミド塩酸塩	重金属，ヒ素
チオペンタールナトリウム	重金属
注射用チオペンタールナトリウム	重金属
チオリダジン塩酸塩	重金属，ヒ素
チオ硫酸ナトリウム水和物	重金属，ヒ素
チクロピジン塩酸塩	重金属，ヒ素
チザニジン塩酸塩	重金属
チニダゾール	重金属，ヒ素
チペピジンヒベンズ酸塩	重金属，ヒ素
チメピジウム臭化物水和物	重金属
チモロールマレイン酸塩	重金属
L-チロシン	重金属
ツロブテロール	重金属
ツロブテロール塩酸塩	重金属
テイコプラニン	重金属，ヒ素
テオフィリン	重金属，ヒ素
テガフール	重金属，ヒ素
デキサメタゾン	重金属
デキストラン40	重金属，ヒ素
デキストラン70	重金属，ヒ素
デキストラン硫酸エステルナトリウム　イオウ5	重金属，ヒ素
デキストラン硫酸エステルナトリウム　イオウ18	重金属，ヒ素
デキストリン	重金属
デキストロメトルファン臭化水素酸塩水和物	重金属
テトラカイン塩酸塩	重金属
テトラサイクリン塩酸塩	重金属
デヒドロコール酸	重金属，バリウム
精製デヒドロコール酸	重金属，バリウム
デヒドロコール酸注射液	重金属
デフェロキサミンメシル酸塩	重金属，ヒ素
テプレノン	重金属
デメチルクロルテトラサイクリン塩酸塩	重金属
テモカプリル塩酸塩	重金属
テルビナフィン塩酸塩	重金属
テルブタリン硫酸塩	重金属，ヒ素
テルミサルタン	重金属
デンプングリコール酸ナトリウム	重金属
ドキサゾシンメシル酸塩	重金属
ドキサプラム塩酸塩水和物	重金属，ヒ素
ドキシサイクリン塩酸塩水和物	重金属
ドキシフルリジン	重金属

日本薬局方の医薬品の適否は，その医薬品各条の規定，通則，生薬総則，製剤総則及び一般試験法の規定によって判定する．（通則5参照）

医薬品各条名	純度試験において削除する項目
トコフェロール	重金属
トコフェロール酢酸エステル	重金属
トコフェロールニコチン酸エステル	重金属，ヒ素
トスフロキサシントシル酸塩水和物	重金属，ヒ素
ドセタキセル水和物	重金属
トドララジン塩酸塩水和物	重金属，ヒ素
ドネペジル塩酸塩	重金属
ドパミン塩酸塩	重金属，ヒ素
トフィソパム	重金属，ヒ素
ドブタミン塩酸塩	重金属
トブラマイシン	重金属
トラニラスト	重金属
トラネキサム酸	重金属，ヒ素
トラピジル	重金属，ヒ素
トラマドール塩酸塩	重金属
トリアゾラム	重金属
トリアムシノロン	重金属
トリアムシノロンアセトニド	重金属
トリアムテレン	重金属，ヒ素
トリエンチン塩酸塩	重金属
トリクロホスナトリウム	重金属，ヒ素
トリクロルメチアジド	重金属，ヒ素
L－トリプトファン	重金属，ヒ素
トリヘキシフェニジル塩酸塩	重金属
ドリペネム水和物	重金属
トリメタジオン	重金属
トリメタジジン塩酸塩	重金属
トリメトキノール塩酸塩水和物	重金属
トリメブチンマレイン酸塩	重金属，ヒ素
ドルゾラミド塩酸塩	重金属
トルナフタート	重金属
トルブタミド	重金属
トルペリゾン塩酸塩	重金属
L－トレオニン	重金属，ヒ素
トレハロース水和物	重金属
トレピブトン	重金属
ドロキシドパ	重金属，ヒ素
トロキシピド	重金属
トロピカミド	重金属
ドロペリドール	重金属
ドンペリドン	重金属
ナイスタチン	重金属
ナテグリニド	重金属
ナドロール	重金属
ナファゾリン硝酸塩	重金属
ナファモスタットメシル酸塩	重金属
ナフトピジル	重金属
ナブメトン	重金属

日本薬局方の医薬品の適否は，その医薬品各条の規定，通則，生薬総則，製剤総則及び一般試験法の規定によって判定する．（通則5参照）

医薬品各条名	純度試験において削除する項目
ナプロキセン	重金属, ヒ素
ナリジクス酸	重金属
ニカルジピン塩酸塩	重金属
ニコチン酸	重金属
ニコチン酸アミド	重金属
ニコモール	重金属, ヒ素
ニコランジル	重金属
ニザチジン	重金属
ニセリトロール	重金属, ヒ素
ニセルゴリン	重金属
ニトラゼパム	重金属, ヒ素
ニトレンジピン	重金属
ニフェジピン	重金属, ヒ素
乳酸	重金属
L-乳酸	重金属
乳酸カルシウム水和物	重金属, ヒ素
L-乳酸ナトリウム液	重金属, ヒ素
L-乳酸ナトリウムリンゲル液	重金属
無水乳糖	重金属
乳糖水和物	重金属
尿素	重金属
ニルバジピン	重金属
ノスカピン	重金属
ノルゲストレル	重金属
ノルトリプチリン塩酸塩	重金属, ヒ素
ノルフロキサシン	重金属, ヒ素
バカンピシリン塩酸塩	重金属, ヒ素
白糖	重金属
バクロフェン	重金属, ヒ素
バシトラシン	重金属
パズフロキサシンメシル酸塩	重金属
パニペネム	重金属
バメタン硫酸塩	重金属, ヒ素
パラアミノサリチル酸カルシウム水和物	重金属, ヒ素
パラオキシ安息香酸エチル	重金属
パラオキシ安息香酸ブチル	重金属
パラオキシ安息香酸プロピル	重金属
パラオキシ安息香酸メチル	重金属
バラシクロビル塩酸塩	重金属, パラジウム
パラフィン	重金属
流動パラフィン	重金属
軽質流動パラフィン	重金属
L-バリン	重金属, ヒ素
バルサルタン	重金属
パルナパリンナトリウム	重金属
バルビタール	重金属
バルプロ酸ナトリウム	重金属
ハロキサゾラム	重金属, ヒ素

日本薬局方の医薬品の適否は，その医薬品各条の規定，通則，生薬総則，製剤総則及び一般試験法の規定によって判定する．（通則5参照）

医薬品各条名	純度試験において削除する項目
パロキセチン塩酸塩水和物	重金属
ハロペリドール	重金属
バンコマイシン塩酸塩	重金属
パンテチン	重金属，ヒ素
パントテン酸カルシウム	重金属
精製ヒアルロン酸ナトリウム	重金属
ピオグリタゾン塩酸塩	重金属
ビオチン	重金属，ヒ素
ビカルタミド	重金属
ピコスルファートナトリウム水和物	重金属，ヒ素
ビサコジル	重金属
L－ヒスチジン	重金属
L－ヒスチジン塩酸塩水和物	重金属
ビソプロロールフマル酸塩	重金属
ピタバスタチンカルシウム水和物	重金属
ヒドララジン塩酸塩	重金属
ヒドロキシエチルセルロース	重金属
ヒドロキシジン塩酸塩	重金属
ヒドロキシジンパモ酸塩	重金属，ヒ素
ヒドロキシプロピルセルロース	重金属
低置換度ヒドロキシプロピルセルロース	重金属
ヒドロクロロチアジド	重金属
ヒドロコタルニン塩酸塩水和物	重金属
ヒドロコルチゾン酪酸エステル	重金属
ヒドロコルチゾンリン酸エステルナトリウム	重金属，ヒ素
ピブメシリナム塩酸塩	重金属，ヒ素
ヒプロメロース	重金属
ヒプロメロース酢酸エステルコハク酸エステル	重金属
ヒプロメロースフタル酸エステル	重金属
ピペミド酸水和物	重金属，ヒ素
ピペラシリン水和物	重金属
ピペラシリンナトリウム	重金属，ヒ素
ピペラジンアジピン酸塩	重金属
ピペラジンリン酸塩水和物	重金属，ヒ素
ビペリデン塩酸塩	重金属，ヒ素
ビホナゾール	重金属
ピマリシン	重金属
ヒメクロモン	重金属，ヒ素
ピモジド	重金属，ヒ素
ピラジナミド	重金属
ピラルビシン	重金属
ピランテルパモ酸塩	重金属，ヒ素
ピリドキサールリン酸エステル水和物	重金属，ヒ素
ピリドキシン塩酸塩	重金属
ピリドスチグミン臭化物	重金属，ヒ素
ピルシカイニド塩酸塩水和物	重金属
ピレノキシン	重金属
ピレンゼピン塩酸塩水和物	重金属

日本薬局方の医薬品の適否は，その医薬品各条の規定，通則，生薬総則，製剤総則及び一般試験法の規定によって判定する．（通則5参照）

医薬品各条名	純度試験において削除する項目
ピロ亜硫酸ナトリウム	重金属
ピロキシカム	重金属
ピンドロール	重金属，ヒ素
ファモチジン	重金属
ファロペネムナトリウム水和物	重金属
フィトナジオン	重金属
フェキソフェナジン塩酸塩	重金属
フェニトイン	重金属
注射用フェニトインナトリウム	重金属
L－フェニルアラニン	重金属，ヒ素
フェニルブタゾン	重金属，ヒ素
フェネチシリンカリウム	重金属，ヒ素
フェノバルビタール	重金属
フェノフィブラート	重金属
フェルビナク	重金属
フェロジピン	重金属
フェンタニルクエン酸塩	重金属
フェンブフェン	重金属，ヒ素
ブクモロール塩酸塩	重金属，ヒ素
フシジン酸ナトリウム	重金属
ブシラミン	重金属，ヒ素
ブスルファン	重金属
ブチルスコポラミン臭化物	重金属
ブテナフィン塩酸塩	重金属
ブドウ酒	ヒ素
ブドウ糖	重金属
精製ブドウ糖	重金属
ブドウ糖水和物	重金属
フドステイン	重金属，ヒ素
ブトロピウム臭化物	重金属
ブナゾシン塩酸塩	重金属
ブピバカイン塩酸塩水和物	重金属
ブフェトロール塩酸塩	重金属
ブプラノロール塩酸塩	重金属，ヒ素
ブプレノルフィン塩酸塩	重金属
ブホルミン塩酸塩	重金属，ヒ素
ブメタニド	重金属，ヒ素
フラジオマイシン硫酸塩	重金属，ヒ素
プラステロン硫酸エステルナトリウム水和物	重金属
プラゼパム	重金属，ヒ素
プラゾシン塩酸塩	重金属
プラノプロフェン	重金属
プラバスタチンナトリウム	重金属
フラビンアデニンジヌクレオチドナトリウム	重金属，ヒ素
フラボキサート塩酸塩	重金属，ヒ素
プランルカスト水和物	重金属，ヒ素
プリミドン	重金属
フルオロウラシル	重金属，ヒ素

日本薬局方の医薬品の適否は，その医薬品各条の規定，通則，生薬総則，製剤総則及び一般試験法の規定によって判定する．（通則5参照）

医薬品各条名	純度試験において削除する項目
フルオロメトロン	重金属
フルコナゾール	重金属
フルジアゼパム	重金属
フルシトシン	重金属，ヒ素
フルスルチアミン塩酸塩	重金属
フルタミド	重金属
フルトプラゼパム	重金属
フルドロコルチゾン酢酸エステル	重金属
フルニトラゼパム	重金属
フルフェナジンエナント酸エステル	重金属
フルボキサミンマレイン酸塩	重金属
フルラゼパム塩酸塩	重金属
プルラン	重金属
フルルビプロフェン	重金属
ブレオマイシン塩酸塩	銅
ブレオマイシン硫酸塩	銅
フレカイニド酢酸塩	重金属
プレドニゾロン	セレン
プレドニゾロンリン酸エステルナトリウム	重金属
プロカイン塩酸塩	重金属
プロカインアミド塩酸塩	重金属，ヒ素
プロカテロール塩酸塩水和物	重金属
プロカルバジン塩酸塩	重金属
プログルミド	重金属，ヒ素
プロクロルペラジンマレイン酸塩	重金属
フロセミド	重金属
プロチオナミド	重金属，ヒ素
ブロチゾラム	重金属
プロチレリン	重金属
プロチレリン酒石酸塩水和物	重金属，ヒ素
プロパフェノン塩酸塩	重金属
プロピベリン塩酸塩	重金属
プロピレングリコール	重金属
プロブコール	重金属
プロプラノロール塩酸塩	重金属
フロプロピオン	重金属
プロベネシド	重金属，ヒ素
ブロマゼパム	重金属
ブロムフェナクナトリウム水和物	重金属
ブロムヘキシン塩酸塩	重金属
プロメタジン塩酸塩	重金属
フロモキセフナトリウム	重金属，ヒ素
ブロモクリプチンメシル酸塩	重金属
ブロモバレリル尿素	重金属，ヒ素
L－プロリン	重金属
ベカナマイシン硫酸塩	重金属，ヒ素
ベクロメタゾンプロピオン酸エステル	重金属
ベザフィブラート	重金属

日本薬局方の医薬品の適否は，その医薬品各条の規定，通則，生薬総則，製剤総則及び一般試験法の規定によって判定する．（通則5参照）

医薬品各条名	純度試験において削除する項目
ベタキソロール塩酸塩	重金属，ヒ素
ベタネコール塩化物	重金属
ベタヒスチンメシル酸塩	重金属
ベタミプロン	重金属
ベタメタゾン	重金属
ベタメタゾンジプロピオン酸エステル	重金属
ベニジピン塩酸塩	重金属
ヘパリンカルシウム	重金属，バリウム
ヘパリンナトリウム	バリウム
ヘパリンナトリウム注射液	バリウム
ペプロマイシン硫酸塩	銅
ベポタスチンベシル酸塩	重金属
ペミロラストカリウム	重金属
ベラパミル塩酸塩	重金属，ヒ素
ペルフェナジン	重金属
ペルフェナジンマレイン酸塩	重金属，ヒ素
ベルベリン塩化物水和物	重金属
ベンジルペニシリンカリウム	重金属，ヒ素
ベンジルペニシリンベンザチン水和物	重金属，ヒ素
ベンズブロマロン	重金属
ベンセラジド塩酸塩	重金属
ペンタゾシン	重金属，ヒ素
ペントキシベリンクエン酸塩	重金属，ヒ素
ペントバルビタールカルシウム	重金属
ペンブトロール硫酸塩	重金属，ヒ素
ホウ酸	重金属，ヒ素
ホウ砂	重金属，ヒ素
ボグリボース	重金属
ホスホマイシンカルシウム水和物	重金属，ヒ素
ホスホマイシンナトリウム	重金属，ヒ素
ポビドン	重金属
ポビドンヨード	重金属，ヒ素
ホモクロルシクリジン塩酸塩	重金属
ポラプレジンク	鉛
ボリコナゾール	重金属
ポリスチレンスルホン酸カルシウム	重金属，ヒ素
ポリスチレンスルホン酸ナトリウム	重金属，ヒ素
ポリソルベート80	重金属
ホリナートカルシウム水和物	重金属
ポリミキシンB硫酸塩	重金属
ホルモテロールフマル酸塩水和物	重金属
マニジピン塩酸塩	重金属，ヒ素
マプロチリン塩酸塩	重金属
マルトース水和物	重金属，ヒ素
D－マンニトール	重金属
ミグリトール	重金属
ミグレニン	重金属
ミクロノマイシン硫酸塩	重金属

日本薬局方の医薬品の適否は，その医薬品各条の規定，通則，生薬総則，製剤総則及び一般試験法の規定によって判定する．（通則5参照）

医薬品各条名	純度試験において削除する項目
ミコナゾール	重金属，ヒ素
ミコナゾール硝酸塩	重金属，ヒ素
ミゾリビン	重金属
ミチグリニドカルシウム水和物	重金属
ミデカマイシン	重金属
ミデカマイシン酢酸エステル	重金属
ミノサイクリン塩酸塩	重金属
ムピロシンカルシウム水和物	工程由来の無機塩類
メキシレチン塩酸塩	重金属
メキタジン	重金属
メグルミン	重金属
メクロフェノキサート塩酸塩	重金属，ヒ素
メサラジン	重金属
メストラノール	重金属，ヒ素
メダゼパム	重金属，ヒ素
L－メチオニン	重金属，ヒ素
メチクラン	重金属，ヒ素
メチラポン	重金属，ヒ素
dl－メチルエフェドリン塩酸塩	重金属
メチルジゴキシン	ヒ素
メチルセルロース	重金属
メチルドパ水和物	重金属，ヒ素
メチルプレドニゾロンコハク酸エステル	重金属，ヒ素
メテノロンエナント酸エステル	重金属
メテノロン酢酸エステル	重金属
メトキサレン	重金属，ヒ素
メトクロプラミド	重金属，ヒ素
メトプロロール酒石酸塩	重金属
メトホルミン塩酸塩	重金属
メドロキシプロゲステロン酢酸エステル	重金属
メトロニダゾール	重金属
メナテトレノン	重金属
メピチオスタン	重金属
メピバカイン塩酸塩	重金属
メフェナム酸	重金属，ヒ素
メフルシド	重金属，ヒ素
メフロキン塩酸塩	重金属，ヒ素
メペンゾラート臭化物	重金属，ヒ素
メルカプトプリン水和物	重金属
メルファラン	重金属，ヒ素
メロペネム水和物	重金属
モサプリドクエン酸塩水和物	重金属
モノステアリン酸アルミニウム	重金属
モンテルカストナトリウム	重金属
薬用石ケン	重金属
薬用炭	重金属，ヒ素
ユビデカレノン	重金属
ヨウ化カリウム	重金属，ヒ素，バリウム

日本薬局方の医薬品の適否は，その医薬品各条の規定，通則，生薬総則，製剤総則及び一般試験法の規定によって判定する．（通則5参照）

医薬品各条名	純度試験において削除する項目
ヨウ化ナトリウム	重金属
ラクツロース	重金属，ヒ素
ラタモキセフナトリウム	重金属，ヒ素
ラニチジン塩酸塩	重金属，ヒ素
ラノコナゾール	重金属
ラフチジン	重金属
ラベタロール塩酸塩	重金属
ラベプラゾールナトリウム	重金属
ランソプラゾール	重金属，ヒ素
リシノプリル水和物	重金属
L－リシン塩酸塩	重金属，ヒ素
L－リシン酢酸塩	重金属
リスペリドン	重金属
リセドロン酸ナトリウム水和物	重金属，ヒ素
リゾチーム塩酸塩	重金属
リドカイン	重金属
リトドリン塩酸塩	重金属
リバビリン	重金属，ヒ素
リファンピシン	重金属，ヒ素
リボスタマイシン硫酸塩	重金属，ヒ素
リボフラビン酪酸エステル	重金属
硫酸亜鉛水和物	重金属，ヒ素
硫酸アルミニウムカリウム水和物	重金属，ヒ素
硫酸カリウム	重金属，ヒ素
硫酸鉄水和物	重金属，ヒ素
硫酸バリウム	重金属，ヒ素
硫酸マグネシウム水和物	重金属，ヒ素
リルマザホン塩酸塩水和物	重金属
リンゲル液	重金属，ヒ素
リンコマイシン塩酸塩水和物	重金属
無水リン酸水素カルシウム	重金属
リン酸水素カルシウム水和物	重金属
リン酸水素ナトリウム水和物	重金属
リン酸二水素カルシウム水和物	重金属
レナンピシリン塩酸塩	重金属，ヒ素
レバミピド	重金属
レバロルファン酒石酸塩	重金属
レボドパ	重金属，ヒ素
レボフロキサシン水和物	重金属
レボホリナートカルシウム水和物	重金属，白金
レボメプロマジンマレイン酸塩	重金属
L－ロイシン	重金属，ヒ素
ロキサチジン酢酸エステル塩酸塩	重金属
ロキシスロマイシン	重金属
ロキソプロフェンナトリウム水和物	重金属
ロサルタンカリウム	重金属
ロスバスタチンカルシウム	重金属
ロフラゼプ酸エチル	重金属，ヒ素

日本薬局方の医薬品の適否は，その医薬品各条の規定，通則，生薬総則，製剤総則及び一般試験法の規定によって判定する．（通則5参照）

医薬品各条名	純度試験において削除する項目
ロベンザリットナトリウム	重金属，ヒ素
ロラゼパム	重金属，ヒ素
黄色ワセリン	重金属，ヒ素
白色ワセリン	重金属，ヒ素
ワルファリンカリウム	重金属

医薬品各条の部　アトロピン硫酸塩注射液の条の次に次の二条を加える．

アナストロゾール
Anastrozole

$C_{17}H_{19}N_5$: 293.37
2,2'-[5-(1H-1,2,4-Triazol-1-ylmethyl)benzene-1,3-diyl]bis(2-methylpropanenitrile)
[120511-73-1]

本品は定量するとき，アナストロゾール($C_{17}H_{19}N_5$) 98.0～102.0%を含む．

性状　本品は白色の結晶性の粉末又は粉末である．

本品はアセトニトリルに極めて溶けやすく，メタノール又はエタノール(99.5)に溶けやすく，水に極めて溶けにくい．

本品は結晶多形が認められる．

確認試験
（1）本品のメタノール溶液(1→50000)につき，紫外可視吸光度測定法〈2.24〉により吸収スペクトルを測定し，本品のスペクトルと本品の参照スペクトル又はアナストロゾール標準品について同様に操作して得られたスペクトルを比較するとき，両者のスペクトルは同一波長のところに同様の強度の吸収を認める．

（2）本品につき，赤外吸収スペクトル測定法〈2.25〉の臭化カリウム錠剤法により試験を行い，本品のスペクトルと本品の参照スペクトル又はアナストロゾール標準品のスペクトルを比較するとき，両者のスペクトルは同一波数のところに同様の強度の吸収を認める．

純度試験　類縁物質　本品約50 mgを精密に量り，液体クロマトグラフィー用アセトニトリル10 mLを加え，超音波処理して溶かした後，移動相Aを加えて正確に25 mLとし，試料溶液とする．別にアナストロゾール標準品約50 mgを精密に量り，液体クロマトグラフィー用アセトニトリル10 mLを加え，超音波処理して溶かした後，移動相Aを加えて正確に25 mLとする．この液1 mLを正確に量り，移動相Aを加えて正確に100 mLとし，標準溶液とする．試料溶液及び標準溶液10 μLずつを正確にとり，次の条件で液体クロマトグラフィー〈2.01〉により試験を行う．試料溶液の類縁物質のピーク面積A_T及び標準溶液のアナストロゾールのピークの面積A_Sを自動積分法により測定し，次式により計算するとき，試料溶液のアナストロゾールに対する相対保持時間約0.63の類縁物質A及び相対保持時間約2.2の類縁物質Bはそれぞれ0.2%以下，その他の個々の類縁物質は0.1%以下であり，その他の類縁物質の合計量は0.2%以下，類縁物質の合計量は0.5%以下である．

類縁物質の量(%)＝$M_S / M_T \times A_T / A_S$．

M_S：アナストロゾール標準品の秤取量(mg)
M_T：本品の秤取量(mg)

試験条件
　検出器，カラム，カラム温度，移動相A，移動相B，移動相の送液及び流量は定量法の試験条件を準用する．
　面積測定範囲：試料溶液注入後40分間

システム適合性
　検出の確認：標準溶液1 mLを正確に量り，移動相Aを加えて正確に20 mLとする．この液10 μLから得たアナストロゾールのピーク面積が，標準溶液のアナストロゾールのピーク面積の3～7%になることを確認する．
　システムの性能：標準溶液10 μLにつき，上記の条件で操作するとき，アナストロゾールのピークの理論段数及びシンメトリー係数は，それぞれ1500段以上，1.4以下である．
　システムの再現性：標準溶液10 μLにつき，上記の条件で試験を6回繰り返すとき，アナストロゾールのピーク面積の相対標準偏差は2.0%以下である．

水分　〈2.48〉　0.3%以下(50 mg，電量滴定法)．

強熱残分　〈2.44〉　0.1%以下(1 g)．

定量法　本品及びアナストロゾール標準品約25 mgずつを精密に量り，それぞれに液体クロマトグラフィー用アセトニトリル20 mLを加えて超音波処理して溶かし，移動相Aを加えて正確に50 mLとし，試料溶液及び標準溶液とする．試料溶液及び標準溶液10 μLずつを正確にとり，次の条件で液体クロマトグラフィー〈2.01〉により試験を行い，それぞれの液のアナストロゾールのピーク面積A_T及びA_Sを測定する．

アナストロゾール($C_{17}H_{19}N_5$)の量(mg)＝$M_S \times A_T / A_S$

M_S：アナストロゾール標準品の秤取量(mg)

試験条件
　検出器：紫外吸光光度計(測定波長：215 nm)
　カラム：内径3.2 mm，長さ10 cmのステンレス管に5

μmの液体クロマトグラフィー用オクタデシルシリル基及びオクチルシリル基を結合した多孔質シリカゲルを充塡する．
カラム温度：25℃付近の一定温度
移動相A：水／液体クロマトグラフィー用メタノール／液体クロマトグラフィー用アセトニトリル／トリフルオロ酢酸混液(1200：600：200：1)
移動相B：液体クロマトグラフィー用メタノール／水／液体クロマトグラフィー用アセトニトリル／トリフルオロ酢酸混液(900：800：300：1)
移動相の送液：移動相A及び移動相Bの混合比を次のように変えて濃度勾配制御する．

注入後の時間(分)	移動相A(vol%)	移動相B(vol%)
0～10	100	0
10～40	100→0	0→100

流量：毎分0.75 mL (アナストロゾールの保持時間約6分)

システム適合性
システムの性能：標準溶液10 μLにつき，上記の条件で操作するとき，アナストロゾールのピークの理論段数及びシンメトリー係数は，それぞれ1200段以上，1.4以下である．
システムの再現性：標準溶液10 μLにつき，上記の条件で試験を6回繰り返すとき，アナストロゾールのピーク面積の相対標準偏差は1.0%以下である．

貯法 容器 密閉容器．

その他
類縁物質A：
2-[3-(1-Cyanoethyl)-5-(1H-1,2,4-triazol-1-ylmethyl)phenyl]-2-methylpropanenitrile

類縁物質B：
2,3-Bis[3-(2-cyanopropan-2-yl)-5-(1H-1,2,4-triazol-1-ylmethyl)phenyl]-2-methylpropanenitrile

アナストロゾール錠
Anastrozole Tablets

本品は定量するとき，表示量の95.0～105.0%に対応するアナストロゾール($C_{17}H_{19}N_5$：293.37)を含む．

製法 本品は「アナストロゾール」をとり，錠剤の製法により製する．

確認試験 本品を粉末とし，「アナストロゾール」8 mgに対応する量をとり，ジエチルエーテル10 mLを加え，超音波処理した後，孔径0.45 μm以下のメンブランフィルターでろ過する．ろ液に赤外吸収スペクトル用臭化カリウム0.40 gを加えた後，ジエチルエーテルを蒸発させる．残留物につき，赤外吸収スペクトル測定法〈2.25〉の臭化カリウム錠剤法により測定するとき，波数3100 cm^{-1}，2980 cm^{-1}，2240 cm^{-1}，1606 cm^{-1}，1502 cm^{-1}，1359 cm^{-1}，1206 cm^{-1}，1139 cm^{-1}，876 cm^{-1}，763 cm^{-1}，713 cm^{-1}及び680 cm^{-1}付近に吸収を認める．

製剤均一性〈6.02〉 次の方法により含量均一性試験を行うとき，適合する．

本品1個をとり，水／液体クロマトグラフィー用アセトニトリル／トリフルオロ酢酸混液(1000：1000：1) 8 mLを加え，超音波処理して錠剤が完全に崩壊するまでよく振り混ぜる．1 mL中にアナストロゾール($C_{17}H_{19}N_5$)約0.1 mgを含む液となるように水／液体クロマトグラフィー用アセトニトリル／トリフルオロ酢酸混液(1000：1000：1)を加えて正確にV mLとする．この液を孔径0.45 μm以下のメンブランフィルターでろ過し，初めのろ液3 mLを除き，次のろ液を試料溶液とする．以下定量法を準用する．

アナストロゾール($C_{17}H_{19}N_5$)の量(mg)
　　$= M_S \times A_T/A_S \times V/500$

M_S：アナストロゾール標準品の秤取量(mg)

溶出性〈6.10〉 試験液に水1000 mLを用い，パドル法により，毎分50回転で試験を行うとき，本品の15分間の溶出率は80%以上である．

本品1個をとり，試験を開始し，規定された時間に溶出液10 mL以上をとり，孔径0.45 μm以下のメンブランフィルターでろ過する．初めのろ液3 mL以上を除き，次のろ液V mLを正確に量り，1 mL中にアナストロゾール($C_{17}H_{19}N_5$)約1.0 μgを含む液となるように水を加えて正確にV' mLとし，試料溶液とする．別にアナストロゾール標準品約50 mgを精密に量り，液体クロマトグラフィー用アセトニトリル20 mLを加え，超音波処理して溶かし，水を加えて正確に250 mLとする．この液5 mLを正確に量り，水を加えて正確に100 mLとする．この液10 mLを正確に量り，水を加えて正確に100 mLとし，標準溶液とする．試料溶液及び標準溶液100 μLずつを正確にとり，次の条件で液体クロマトグラフィー〈2.01〉により試験を行い，それぞれの液のアナストロゾールのピーク面積A_T及びA_Sを測定する．

アナストロゾール($C_{17}H_{19}N_5$)の表示量に対する溶出率(%)
　　$= M_S \times A_T/A_S \times V'/V \times 1/C \times 2$

M_S：アナストロゾール標準品の秤取量(mg)
C：1錠中のアナストロゾール($C_{17}H_{19}N_5$)の表示量(mg)

試験条件
　　検出器，カラム，カラム温度は「アナストロゾール」の定量法の試験条件を準用する．
　　移動相：水／液体クロマトグラフィー用アセトニトリル／トリフルオロ酢酸混液(700：300：1)
　　流量：アナストロゾールの保持時間が約7分になるように調整する．
システム適合性
　　システムの性能：パラオキシ安息香酸メチル15 mg及びアナストロゾール標準品50 mgを量り，液体クロマトグラフィー用アセトニトリル20 mLを加え，超音波処理して溶かし，水を加えて250 mLとする．この液5 mLを量り，水を加えて100 mLとする．この液10 mLを量り，水を加えて100 mLとし，システム適合性試験用溶液とする．システム適合性試験用溶液100 µLにつき，上記の条件で操作するとき，パラオキシ安息香酸メチル，アナストロゾールの順に溶出し，その分離度は4以上である．
　　システムの再現性：システム適合性試験用溶液100 µLにつき，上記の条件で試験を6回繰り返すとき，アナストロゾールのピーク面積の相対標準偏差は1.5％以下である．

定量法　本品20個以上をとり，その質量を精密に量り，粉末とする．アナストロゾール($C_{17}H_{19}N_5$)約10 mgに対応する量を精密に量り，水／液体クロマトグラフィー用アセトニトリル／トリフルオロ酢酸混液(1000：1000：1) 80 mLを加え，超音波処理して溶かし，水／液体クロマトグラフィー用アセトニトリル／トリフルオロ酢酸混液(1000：1000：1)を加えて正確に100 mLとする．この液を孔径0.45 µm以下のメンブランフィルターでろ過し，初めのろ液3 mLを除き，次のろ液を試料溶液とする．別にアナストロゾール標準品約50 mgを精密に量り，水／液体クロマトグラフィー用アセトニトリル／トリフルオロ酢酸混液(1000：1000：1) 50 mLを加え，超音波処理して溶かし，水／液体クロマトグラフィー用アセトニトリル／トリフルオロ酢酸混液(1000：1000：1)を加えて正確に100 mLとする．この液10 mLを正確に量り，水／液体クロマトグラフィー用アセトニトリル／トリフルオロ酢酸混液(1000：1000：1)を加えて正確に50 mLとし，標準溶液とする．試料溶液及び標準溶液10 µLずつを正確にとり，次の条件で液体クロマトグラフィー〈2.01〉により試験を行い，それぞれの液のアナストロゾールのピーク面積A_T及びA_Sを測定する．

アナストロゾール($C_{17}H_{19}N_5$)の量(mg)
$= M_S \times A_T / A_S \times 1/5$

M_S：アナストロゾール標準品の秤取量(mg)

試験条件
　　検出器，カラム，カラム温度は「アナストロゾール」の定量法の試験条件を準用する．
　　移動相：水／液体クロマトグラフィー用メタノール／液体クロマトグラフィー用アセトニトリル／トリフルオロ酢酸混液(7000：2000：1000：7)
　　流量：アナストロゾールの保持時間が約15分になるように調整する．
システム適合性
　　システムの性能：パラオキシ安息香酸エチル30 mg及びアナストロゾール標準品50 mgを量り，水／液体クロマトグラフィー用アセトニトリル／トリフルオロ酢酸混液(1000：1000：1) 50 mLを加え，超音波処理して溶かし，水／液体クロマトグラフィー用アセトニトリル／トリフルオロ酢酸混液(1000：1000：1)を加えて100 mLとする．この液10 mLを量り，水／液体クロマトグラフィー用アセトニトリル／トリフルオロ酢酸混液(1000：1000：1)を加えて50 mLとし，システム適合性試験用溶液とする．システム適合性試験用溶液10 µLにつき，上記の条件で操作するとき，パラオキシ安息香酸エチル，アナストロゾールの順に溶出し，その分離度は4以上である．
　　システムの再現性：システム適合性試験用溶液10 µLにつき，上記の条件で試験を6回繰り返すとき，アナストロゾールのピーク面積の相対標準偏差は1.5％以下である．

貯法　容器　気密容器．

医薬品各条の部　アムホテリシンB錠の条製剤均一性の項を次のように改める．

アムホテリシンB錠

製剤均一性〈6.02〉　質量偏差試験を行うとき，適合する(T：別に規定する)．

医薬品各条の部　注射用アムホテリシンBの条製剤均一性の項を次のように改める．

注射用アムホテリシンB

製剤均一性〈6.02〉　質量偏差試験を行うとき，適合する(T：別に規定する)．

医薬品各条の部　注射用アンピシリンナトリウム・スルバクタムナトリウムの条製剤均一性の項を次のように改める．

注射用アンピシリンナトリウム・スルバクタムナトリウム

製剤均一性〈6.02〉　次の方法により含量均一性試験を行うとき，適合する(T：別に規定する)．
本品1個をとり，1 mL中にアンピシリン($C_{16}H_{19}N_3O_4S$) 5 mg(力価)を含む液となるように移動相に溶かし，正確にV mLとする．この液5 mLを正確に量り，内標準溶液5 mLを正確に加えた後，移動相を加えて50 mLとし，試料溶液とする．以下定量法を準用する．

アンピシリン($C_{16}H_{19}N_3O_4S$)の量[mg(力価)]
$= M_{S1} \times Q_{Ta} / Q_{Sa} \times V/10$

スルバクタム($C_8H_{11}NO_5S$)の量[mg(力価)]
　＝$M_{S2} × Q_{Tb} ／ Q_{Sb} × V ／ 10$

M_{S1}：アンピシリン標準品の秤取量[mg(力価)]
M_{S2}：スルバクタム標準品の秤取量[mg(力価)]

内標準溶液　パラオキシ安息香酸の移動相溶液(1→1000)

医薬品各条の部　注射用イミペネム・シラスタチンナトリウムの条製剤均一性の項を次のように改める．

注射用イミペネム・シラスタチンナトリウム

製剤均一性〈6.02〉　次の方法により含量均一性試験を行うとき，適合する(T：別に規定する)．

本品1個をとり，その内容物の全量を生理食塩液に溶かし，正確に100 mLとする．「イミペネム水和物」約25 mg(力価)に対応する容量V mLを正確に量り，pH 7.0の0.1 mol/L 3-(N-モルホリノ)プロパンスルホン酸緩衝液を加えて正確に50 mLとし，試料溶液とする．以下定量法を準用する．

イミペネム($C_{12}H_{17}N_3O_4S$)の量[mg(力価)]
　＝$M_{SI} × A_{TI} ／ A_{SI} × 100 ／ V$
シラスタチン($C_{16}H_{26}N_2O_5S$)の量(mg)
　＝$M_{SC} × A_{TC} ／ A_{SC} × 100 ／ V × 0.955$

M_{SI}：イミペネム標準品の秤取量[mg(力価)]
M_{SC}：脱水及び脱エタノール物に換算した定量用シラスタチンアンモニウムの秤取量(mg)

医薬品各条の部　インスリン　ヒト(遺伝子組換え)の条確認試験の項及び定量法の項を次のように改める．

インスリン　ヒト(遺伝子組換え)

確認試験　本品適量を1 mL中に2.0 mgを含む液となるように0.01 mol/L塩酸試液に溶かし，試料原液とする．別にインスリンヒト標準品を1 mL中に2.0 mgを含む液となるように0.01 mol/L塩酸試液に溶かし，標準原液とする．これらの液500 μLをそれぞれ清浄な試験管にとり，それらにpH 7.5のヘペス緩衝液2.0 mL及びV8プロテアーゼ酵素試液400 μLを加え，25℃で6時間反応した後，硫酸アンモニウム緩衝液2.9 mLを加えて反応を停止し，試料溶液及び標準溶液とする．試料溶液及び標準溶液50 μLにつき，次の条件で液体クロマトグラフィー〈2.01〉により試験を行い，両者のクロマトグラムを比較するとき，同一の保持時間のところに同様のピークを認める．

試験条件
　検出器：紫外吸光光度計(測定波長：214 nm)
　カラム：内径4.6 mm，長さ10 cmのステンレス管に3 μmの液体クロマトグラフィー用オクタデシルシリル化シリカゲルを充填する．
　カラム温度：40℃付近の一定温度
　移動相：A液-水／硫酸アンモニウム緩衝液／アセトニトリル混液(7：2：1)
　　　　　B液-水／アセトニトリル／硫酸アンモニウム緩衝液混液(2：2：1)
　試料注入後60分間にA液／B液混液(9：1)からA液／B液混液(3：7)となるように直線的勾配で移動相B液の割合を増加させながら送液し，次の5分間でB液100％となるように直線的勾配でB液の割合を増加させ，更にその後5分間はB液を送液する．
　流量：毎分1.0 mL

システム適合性
　システムの性能：標準溶液50 μLにつき，上記の条件で操作するとき，溶媒ピーク直後に溶出するピークの後に溶出する，これより大きな最初の二つのピークのシンメトリー係数はそれぞれ1.5以下であり，その分離度は3.4以上である．

定量法　本操作は速やかに行う．本品約7.5 mgを精密に量り，0.01 mol/L塩酸試液に溶かし，正確に5 mLとし，試料溶液とする．別にインスリンヒト標準品を表示単位に従い1 mL中にヒトインスリン約40インスリン単位を含む液となるように0.01 mol/L塩酸試液に正確に溶かし，標準溶液とする．試料溶液及び標準溶液20 μLずつを正確にとり，次の条件で液体クロマトグラフィー〈2.01〉により試験を行う．試料溶液のヒトインスリンのピーク面積A_{TI}及びヒトインスリンのピークに対する相対保持時間約1.3のデスアミド体のピーク面積A_{TD}，並びに標準溶液のヒトインスリンのピーク面積A_{SI}及びデスアミド体のピーク面積A_{SD}を測定する．

ヒトインスリン($C_{257}H_{383}N_{65}O_{77}S_6$)の量(インスリン単位/mg)
　＝$M_S ／ M_T × (A_{TI} + A_{TD}) ／ (A_{SI} + A_{SD}) × 5$

M_T：乾燥物に換算した本品の秤取量(mg)
M_S：標準溶液1 mL中のヒトインスリンの量(インスリン単位)

試験条件
　検出器：紫外吸光光度計(測定波長：214 nm)
　カラム：内径4.6 mm，長さ15 cmのステンレス管に5 μmの液体クロマトグラフィー用オクタデシルシリル化シリカゲルを充填する．
　カラム温度：40℃付近の一定温度
　移動相：pH 2.3のリン酸・硫酸ナトリウム緩衝液／液体クロマトグラフィー用アセトニトリル混液(3：1)．
　なお，ヒトインスリンの保持時間が10 ～ 17分になるように移動相組成の混合比を調整する．
　流量：毎分1.0 mL

システム適合性
　システムの性能：ヒトインスリンデスアミド体含有試液20 μLにつき，上記の条件で操作するとき，ヒトインスリン，デスアミド体の順に溶出し，その分離度は2.0以上で，ヒトインスリンのピークのシンメトリー係数は1.8以下である．
　システムの再現性：標準溶液20 μLにつき，上記の条件で試験を6回繰り返すとき，ヒトインスリンのピーク面積の相対標準偏差は1.6％以下である．

医薬品各条の部　インスリン　ヒト(遺伝子組換え)注射液の条定量法の項を次のように改める．

インスリン　ヒト(遺伝子組換え)注射液

定量法　本品10 mLを正確に量り，6 mol/L塩酸試液40 μLを正確に加える．この液2 mLを正確に量り，0.01 mol/L塩酸試液を加えて正確に5 mLとし，試料溶液とする．以下「インスリンヒト(遺伝子組換え)」を準用する．

本品1 mL中のヒトインスリン($C_{257}H_{383}N_{65}O_{77}S_6$)の量(インスリン単位)
$= M_S \times (A_{TI} + A_{TD})/(A_{SI} + A_{SD}) \times 1.004 \times 5/2$

M_S：標準溶液1 mL中のヒトインスリンの量(インスリン単位)

医薬品各条の部　イソフェンインスリン　ヒト(遺伝子組換え)水性懸濁注射液の条純度試験の項(2)の目及び定量法の項(1)の目を次のように改める．

イソフェンインスリン　ヒト(遺伝子組換え)水性懸濁注射液

純度試験
(2)　溶存インスリンヒト　本品を遠心分離し，上澄液を試料溶液とする．別にインスリンヒト標準品を1 mL中に約1.0インスリン単位を含む液となるように0.01 mol/L塩酸試液に正確に溶かし，標準溶液とする．試料溶液及び標準溶液20 μLずつを正確にとり，次の条件で液体クロマトグラフィー〈2.01〉により試験を行う．それぞれの液のインスリンヒトのピーク面積A_T及びA_Sを自動積分法により測定し，次式により溶存するインスリンヒトの量を求めるとき，1 mL当たり0.5インスリン単位以下である．

溶存するインスリンヒトの量(インスリン単位/mL)
$= M_S \times A_T/A_S$

M_S：標準溶液1 mL中のインスリンヒトの量(インスリン単位)

試験条件
定量法(1)の試験条件を準用する．

システム適合性
システムの性能：インスリンヒトデスアミド体含有試液20 μLにつき，上記の条件で操作するとき，インスリンヒト，デスアミド体の順に溶出し，その分離度は2.0以上であり，インスリンヒトのピークのシンメトリー係数は1.6以下である．
システムの再現性：標準溶液20 μLにつき，上記の条件で試験を4回繰り返すとき，インスリンヒトのピーク面積の相対標準偏差は6.0％以下である．

定量法
(1)　インスリンヒト　本品を穏やかに振り混ぜ，10 mLを正確に量り，6 mol/L塩酸試液40 μLを正確に加える．この液2 mLを正確に量り，0.01 mol/L塩酸試液を加えて正確に5 mLとし，試料溶液とする．以下「インスリンヒト(遺伝子組換え)」の定量法を準用する．

本品1 mL中のインスリンヒト($C_{257}H_{383}N_{65}O_{77}S_6$)の量(インスリン単位)
$= M_S \times (A_{TI} + A_{TD})/(A_{SI} + A_{SD}) \times 1.004 \times 5/2$

M_S：標準溶液1 mL中のインスリンヒトの量(インスリン単位)

医薬品各条の部　二相性イソフェンインスリン　ヒト(遺伝子組換え)水性懸濁注射液の条定量法の項(1)の目を次のように改める．

二相性イソフェンインスリン　ヒト(遺伝子組換え)水性懸濁注射液

定量法
(1)　インスリンヒト　本品を穏やかに振り混ぜ，10 mLを正確に量り，6 mol/L塩酸試液40 μLを正確に加える．この液2 mLを正確に量り，0.01 mol/L塩酸試液を加えて正確に5 mLとし，試料溶液とする．以下「インスリンヒト(遺伝子組換え)」の定量法を準用する．

本品1 mL中のインスリンヒト($C_{257}H_{383}N_{65}O_{77}S_6$)の量(インスリン単位)
$= M_S \times (A_{TI} + A_{TD})/(A_{SI} + A_{SD}) \times 1.004 \times 5/2$

M_S：標準溶液1 mL中のインスリンヒトの量(インスリン単位)

医薬品各条の部　エタノールの条冒頭の国際調和に関する記載，貯法の項及び有効期間の項を次のように改める．

エタノール

本医薬品各条は，三薬局方での調和合意に基づき規定した医薬品各条である．
なお，三薬局方で調和されていない部分のうち，調和合意において，調和の対象とされた項中非調和となっている項の該当箇所は「◆　◆」で，調和の対象とされた項以外に日本薬局方が独自に規定することとした項は「◇　◇」で囲むことにより示す．
三薬局方の調和合意に関する情報については，独立行政法人医薬品医療機器総合機構のウェブサイトに掲載している．

貯法
保存条件　遮光して保存する．
◇容器　気密容器．◇
◇**有効期間**　ガラス製の容器以外を用いる場合，別に規定するもののほか，製造後24箇月．◇

医薬品各条の部　無水エタノールの条冒頭の国際調和に関する記載，貯法の項及び有効期間の項を次のように改める．

無水エタノール

　本医薬品各条は，三薬局方での調和合意に基づき規定した医薬品各条である．
　なお，三薬局方で調和されていない部分のうち，調和合意において，調和の対象とされた項中非調和となっている項の該当箇所は「◆　◆」で，調和の対象とされた項以外に日本薬局方が独自に規定することとした項は「◇　◇」で囲むことにより示す．
　三薬局方の調和合意に関する情報については，独立行政法人医薬品医療機器総合機構のウェブサイトに掲載している．

貯法
　保存条件　遮光して保存する．
　◇容器　気密容器．◇
◇**有効期間**　ガラス製の容器以外を用いる場合，別に規定するもののほか，製造後24箇月．◇

医薬品各条の部　エポエチン　ベータ（遺伝子組換え）の条確認試験の項（1）の目を次のように改める．

エポエチン　ベータ（遺伝子組換え）

確認試験
（1）　本品及びエポエチンベータ標準品の適量をとり，それぞれ適切な方法で脱塩を行い，必要ならば水を加えてタンパク質の濃度が約1 mg/mLになるように調製し，試料溶液及び標準溶液とする．試料溶液及び標準溶液につき，次の条件でキャピラリー電気泳動を行うとき，試料溶液及び標準溶液から得た各々のピークの電気浸透流のピークに対する相対移動時間は等しく，同様の泳動パターンを示す．
　試験条件
　　検出器：紫外吸光光度計（測定波長：214 nm）
　　カラム：内径50 µm，長さ約110 cmのシリカキャピラリー（有効長約100 cm，適切なアルカリ溶液で洗浄後，泳動液で前処理する）
　　泳動液：塩化ナトリウム0.58 g，トリシン1.79 g及び無水酢酸ナトリウム0.82 gを水に溶かし，100 mLとし，これを泳動原液とする．別に尿素42 gを水50 mLに溶かし，泳動原液10 mL及び1 mol/L 1,4－ジアミノブタン溶液250 µLを加え，更に水を加えて100 mLとし，薄めた無水酢酸（1→20）を加えてpH 5.6に調整し，0.45 µmメンブランフィルターでろ過する．
　　泳動温度：35℃付近の一定温度
　　泳動条件：泳動電圧（約17 kVの印加電圧），泳動時間（100分）
　　試料溶液及び標準溶液の注入：15秒間（加圧法：10.3 kPa）
　　ピーク検出範囲：試料注入後100分間
　システム適合性
　　システムの性能：標準溶液につき，上記の条件で操作するとき，エポエチンベータの主要なピークを4本以上検出する．最初に検出する主要なピークと次に検出する主要なピークの分離度は0.8以上である．
　　システムの再現性：標準溶液につき，上記の条件で試験を3回繰り返すとき，エポエチンベータ由来のピークの前に検出される電気浸透流のピークに対して，最初に検出する主要なピークの相対移動時間の相対標準偏差は2％以下である．

医薬品各条の部　塩化ナトリウムの条確認試験の項を次のように改める．

塩化ナトリウム

確認試験
（1）　本品の水溶液（1→20）はナトリウム塩の定性反応（2）〈1.09〉を呈する．
（2）　本品の水溶液（1→20）は塩化物の定性反応（2）〈1.09〉を呈する．

医薬品各条の部　エンビオマイシン硫酸塩の条成分含量比の項を次のように改める．

エンビオマイシン硫酸塩

成分含量比　本品約50 mgを水に溶かし，100 mLとし，試料溶液とする．試料溶液5 µLにつき，次の条件で液体クロマトグラフィー〈2.01〉により試験を行い，自動積分法によりツベラクチノマイシンN及びツベラクチノマイシンO（ツベラクチノマイシンNに対する相対保持時間約1.2）のピーク面積A_{T1}及びA_{T2}を測定するとき，$A_{T2}/(A_{T1}+A_{T2})$は0.090〜0.150である．
　試験条件
　　検出器：紫外吸光光度計（測定波長：254 nm）
　　カラム：内径4.6 mm，長さ25 cmのステンレス管に3 µmの液体クロマトグラフィー用オクタデシルシリル化シリカゲルを充塡する．
　　カラム温度：40℃付近の一定温度
　　移動相：水／トリフルオロ酢酸混液（1000：1）
　　流量：ツベラクチノマイシンNの保持時間が約15分になるように調整する．
　システム適合性
　　システムの性能：試料溶液5 µLにつき，上記の条件で操作するとき，ツベラクチノマイシンN，ツベラクチノマイシンOの順に溶出し，その分離度は3以上である．
　　システムの再現性：試料溶液5 µLにつき，上記の条件で試験を6回繰り返すとき，ツベラクチノマイシンNのピーク面積の相対標準偏差は2.0％以下である．

医薬品各条の部　オキシドールの条の次に次の一条を加える．

オキシブチニン塩酸塩
Oxybutynin Hydrochloride

及び鏡像異性体

$C_{22}H_{31}NO_3 \cdot HCl : 393.95$
4-(Diethylamino)but-2-yn-1-yl (2RS)-2-cyclohexyl-2-hydroxy-2-phenylacetate monohydrochloride
[1508-65-2]

本品を乾燥したものは定量するとき，オキシブチニン塩酸塩($C_{22}H_{31}NO_3 \cdot HCl$) 98.0 ～ 101.0%を含む．

性状　本品は白色の結晶性の粉末である．
　本品は水又はエタノール(99.5)に溶けやすい．
　本品の水溶液(1→50)は旋光性を示さない．

確認試験
（1）本品の水溶液(3→100000)につき，紫外可視吸光度測定法〈2.24〉により吸収スペクトルを測定し，本品のスペクトルと本品の参照スペクトルを比較するとき，両者のスペクトルは同一波長のところに同様の強度の吸収を認める．
（2）本品を乾燥し，赤外吸収スペクトル測定法〈2.25〉の塩化カリウム錠剤法により試験を行い，本品のスペクトルと本品の参照スペクトルを比較するとき，両者のスペクトルは同一波数のところに同様の強度の吸収を認める．
（3）本品の水溶液(1→50)は塩化物の定性反応〈1.09〉を呈する．

融点〈2.60〉　124 ～ 129℃

純度試験　類縁物質　本品50 mgを移動相10 mLに溶かし，試料溶液とする．この液1 mLを正確に量り，移動相を加えて正確に200 mLとし，標準溶液とする．試料溶液及び標準溶液10 μLずつを正確にとり，次の条件で液体クロマトグラフィー〈2.01〉により試験を行う．それぞれの液の各々のピーク面積を自動積分法により測定するとき，試料溶液のオキシブチニンに対する相対保持時間約1.6の類縁物質Aのピーク面積は，標準溶液のオキシブチニンのピーク面積の3倍より大きくなく，試料溶液のオキシブチニン及び上記以外のピークの面積は，標準溶液のオキシブチニンのピーク面積の1／5より大きくない．また，試料溶液のオキシブチニン及び類縁物質A以外のピークの合計面積は，標準溶液のオキシブチニンのピーク面積より大きくない．ただし，類縁物質Aのピーク面積は自動積分法で求めた面積に感度係数2.3を乗じた値とする．
　試験条件
　　検出器：紫外吸光光度計(測定波長：210 nm)
　　カラム：内径3.9 mm，長さ15 cmのステンレス管に5 μmの液体クロマトグラフィー用オクチルシリル化シリカゲルを充塡する．
　　カラム温度：25℃付近の一定温度
　　移動相：リン酸二水素カリウム3.4 g及びリン酸水素二カリウム4.36 gを水に溶かし，1000 mLとする．この液490 mLに液体クロマトグラフィー用アセトニトリル510 mLを加える．
　　流量：オキシブチニンの保持時間が約15分になるように調整する．
　　面積測定範囲：オキシブチニンの保持時間の約2倍の範囲
　システム適合性
　　検出の確認：標準溶液2 mLを正確に量り，移動相を加えて正確に20 mLとする．この液10 μLから得たオキシブチニンのピーク面積が，標準溶液のオキシブチニンのピーク面積の7 ～ 13%になることを確認する．
　　システムの性能：標準溶液10 μLにつき，上記の条件で操作するとき，オキシブチニンのピークの理論段数及びシンメトリー係数は，それぞれ5000段以上，1.5以下である．
　　システムの再現性：標準溶液10 μLにつき，上記の条件で試験を6回繰り返すとき，オキシブチニンのピーク面積の相対標準偏差は2.0%以下である．

乾燥減量〈2.41〉　3.0%以下(0.5 g，105℃，4時間)．

強熱残分〈2.44〉　0.1%以下(1 g)．

定量法　本品を乾燥し，その約0.5 gを精密に量り，無水酢酸／酢酸(100)混液(7：3) 70 mLに溶かし，0.1 mol/L過塩素酸で滴定〈2.50〉する(電位差滴定法)．同様の方法で空試験を行い，補正する．

0.1 mol/L過塩素酸1 mL＝39.40 mg $C_{22}H_{31}NO_3 \cdot HCl$

貯法
　保存条件　遮光して保存する．
　容器　気密容器．

その他
　類縁物質A：
　4-(Diethylamino)but-2-yn-1-yl (2R)-2-(cyclohex-3-en-1-yl)-2-cyclohexyl-2-hydroxyacetate

　4-(Diethylamino)but-2-yn-1-yl (2S)-2-(cyclohex-3-en-1-yl)-2-cyclohexyl-2-hydroxyacetate

医薬品各条の部　クロスカルメロースナトリウムの条確認試験の項を次のように改める．

クロスカルメロースナトリウム

確認試験
（1）本品につき，赤外吸収スペクトル測定法〈2.25〉の臭化カリウム錠剤法により試験を行い，本品のスペクトルと本品の参照スペクトルを比較するとき，両者のスペクトルは同一波数のところに同様の強度の吸収を認める．ただし，本品のスペクトルにおいて，波数1750 cm^{-1}付近の吸収は本品の参照スペクトルとの比較に用いない．
（2）本品1 gにメチレンブルー溶液(1→250000) 100 mLを加え，よくかき混ぜて放置するとき，青色綿状の沈殿を生じる．
（3）強熱残分の残留物0.1 gを水2 mLに溶かし，炭酸カリウム溶液(3→20) 2 mLを加え，沸騰するまで加熱するとき，沈殿は生じない．この液にヘキサヒドロキソアンチモン(V)酸カリウム試液4 mLを加え，沸騰するまで加熱する．次に必要ならばガラス棒で試験管の内壁をこすりながら，氷水中で冷却するとき，白色の結晶性の沈殿を生じる．

同条純度試験の項(1)の目を削り，(2)の目を(1)，(3)の目を(2)とし，次のように改める．

純度試験
◆(1) 塩化ナトリウム及びグリコール酸ナトリウム　本品中の塩化ナトリウム及びグリコール酸ナトリウムの量の和は換算した乾燥物に対し0.5%以下である．
(i) 塩化ナトリウム　本品約5 gを精密に量り，水50 mL及び過酸化水素(30) 5 mLを加え，時々かき混ぜながら水浴上で20分間加熱する．冷後，水100 mL及び硝酸10 mLを加え，0.1 mol/L硝酸銀液で滴定〈2.50〉する(電位差滴定法)．同様の方法で空試験を行い，補正する．

0.1 mol/L硝酸銀液1 mL = 5.844 mg NaCl

(ii) グリコール酸ナトリウム　本品約0.5 gを精密に量り，酢酸(100) 2 mL及び水5 mLを加え，15分間かき混ぜる．アセトン50 mLをかき混ぜながら徐々に加えた後，塩化ナトリウム1 gを加えて3分間かき混ぜ，あらかじめ少量のアセトンで湿らせたろ紙を用いてろ過する．残留物をアセトン30 mLでよく洗い，洗液はろ液に合わせ，更にアセトンを加えて正確に100 mLとし，試料原液とする．別にグリコール酸0.100 gを正確に量り，水に溶かし，正確に200 mLとする．この液0.5 mL，1 mL，2 mL，3 mL及び4 mLずつを正確に量り，水を加えてそれぞれ正確に5 mLとし，更に酢酸(100) 5 mL及びアセトンを加えて正確に100 mLとし，標準原液(1)，標準原液(2)，標準原液(3)，標準原液(4)及び標準原液(5)とする．試料原液，標準原液(1)，標準原液(2)，標準原液(3)，標準原液(4)及び標準原液(5) 2 mLずつを正確に量り，それぞれ水浴中で20分間加熱し，アセトンを蒸発する．冷後，2,7-ジヒドロキシナフタレン試液5 mLを正確に量って加えて混和した後，更に2,7-ジヒドロキシナフタレン試液15 mLを加えて混和し，容器の口をアルミホイルで覆い，水浴中で20分間加熱する．冷後，硫酸を加えて正確に25 mLとし，混和し，試料溶液，標準溶液(1)，標準溶液(2)，標準溶液(3)，標準溶液(4)及び標準溶液(5)とする．別に水／酢酸(100)混液(1：1) 10 mLにアセトンを加えて正確に100 mLとする．この液2 mLを正確に量り，以下試料原液と同様に操作し，空試験液とする．試料溶液，標準溶液(1)，標準溶液(2)，標準溶液(3)，標準溶液(4)及び標準溶液(5)につき，空試験液を対照として，紫外可視吸光度測定法〈2.24〉により試験を行い，波長540 nmにおける吸光度A_T，A_{S1}，A_{S2}，A_{S3}，A_{S4}及びA_{S5}を測定する．標準溶液から得た検量線を用いて試料原液100 mL中のグリコール酸の量X(g)を求め，次式によりグリコール酸ナトリウムの量を求める．

グリコール酸ナトリウムの量(%) = $X/M \times 100 \times 1.289$

　M：乾燥物に換算した本品の秤取量(g)◆

◆(2) 水可溶物　本品約10 gを精密に量り，水800 mLに分散させ，最初の30分間は10分ごとに1分間かき混ぜる．沈降が遅ければ，更に1時間放置する．この液を吸引ろ過又は遠心分離する．ろ液又は上澄液約150 mLの質量を精密に量る．この液を乾固しない程度に加熱濃縮し，更に105℃で4時間乾燥し，残留物の質量を精密に量る．次式により水可溶物の量を求めるとき，1.0～10.0%である．

水可溶物の量(%) = $100 M_3 (800 + M_1) / M_1 M_2$

　M_1：乾燥物に換算した本品の秤取量(g)
　M_2：ろ液又は上澄液約150 mLの量(g)
　M_3：残留物の量(g)◆

同条強熱残分の項及び貯法の項を次のように改める．

強熱残分〈2.44〉　14.0～28.0%(1 g, 乾燥物換算)．
◆**貯法**　容器　気密容器．◆

医薬品各条の部　サルポグレラート塩酸塩細粒の条製剤均一性の項及び定量法の項を次のように改める．

サルポグレラート塩酸塩細粒

製剤均一性〈6.02〉　分包品は，次の方法により含量均一性試験を行うとき，適合する．
　本品1包をとり，内容物の全量を取り出し，移動相$4V/5$ mLを加え，超音波処理により粒子を小さく分散させた後，1 mL中にサルポグレラート塩酸塩($C_{24}H_{31}NO_6・HCl$)約1 mgを含む液となるように移動相を加えて正確にV mLとし，遠心分離する．上澄液5 mLを正確に量り，移動相を加えて正確に50 mLとし，試料溶液とする．以下定量法を準用する．

サルポグレラート塩酸塩($C_{24}H_{31}NO_6・HCl$)の量(mg)
　= $M_S \times A_T/A_S \times V/50$

　M_S：脱水物に換算したサルポグレラート塩酸塩標準品の秤取量(mg)

定量法　本品を粉末とし，サルポグレラート塩酸塩

($C_{24}H_{31}NO_6・HCl$)約0.25 gに対応する量を精密に量り，移動相200 mLを加え，超音波処理により粒子を小さく分散させる．この液に移動相を加えて正確に250 mLとし，遠心分離する．上澄液5 mLを正確に量り，移動相を加えて正確に50 mLとし，試料溶液とする．別にサルポグレラート塩酸塩標準品(別途「サルポグレラート塩酸塩」と同様の方法で水分〈2.48〉を測定しておく)約50 mgを精密に量り，移動相を加えて正確に50 mLとする．この液5 mLを正確に量り，移動相を加えて正確に50 mLとし，標準溶液とする．試料溶液及び標準溶液10 μLずつを正確にとり，次の条件で液体クロマトグラフィー〈2.01〉により試験を行い，それぞれの液のサルポグレラートのピーク面積A_T及びA_Sを測定する．

サルポグレラート塩酸塩($C_{24}H_{31}NO_6・HCl$)の量(mg)
$= M_S × A_T / A_S × 5$

M_S：脱水物に換算したサルポグレラート塩酸塩標準品の秤取量(mg)

試験条件
「サルポグレラート塩酸塩」の定量法の試験条件を準用する．

システム適合性
システムの性能：標準溶液10 μLにつき，上記の条件で操作するとき，サルポグレラートのピークの理論段数及びシンメトリー係数は，それぞれ5000段以上，1.8以下である．

システムの再現性：標準溶液10 μLにつき，上記の条件で試験を6回繰り返すとき，サルポグレラートのピーク面積の相対標準偏差は1.0％以下である．

医薬品各条の部　ステアリン酸の条凝固点の項を次のように改める．

ステアリン酸

凝固点　装置は内径約25 mm，長さ約150 mmの試験管を，内径約40 mm，長さ約160 mmの試験管の内側に取り付けた構造を持つものからなる．内側試験管は栓をし，その栓には最小目盛りが0.2℃，全長約175 mmの温度計を水銀球の上端◆が試験管の底から約15 mmの位置にくるように固定する．内側試験管の栓は，更に下端に外径約18 mmの輪が直角に取り付けられたガラス製又は他の適切な材料からなるかき混ぜ棒を通す穴を開けたものとする．1 Lのビーカーの中央に上記のようにジャケットを取り付けた構造を持つ内側試験管を取り付け，そのビーカーには，適切な冷却液を上部から20 mm以内まで満たす．試料をあらかじめ加温して溶かし，内側試験管に温度計の水銀球が十分にかくれるまで入れ，急速に冷却し，おおよその凝固点を求める．内側試験管をおおよその凝固点よりも約5℃高い温度の浴に入れ，最後の少量の結晶のほかは全て溶けるまで放置する．ビーカーに予想した凝固点よりも5℃低い温度の水又は飽和食塩水を満たし，内側試験管を外側試験管に取り付ける．幾らかの種結晶が存在することを確認し，結晶が析出し始めるまで十分にかき混ぜる．結晶が析出する際の最高温度を読み取り，凝固点とする．

また，凝固点測定法〈2.42〉に規定する装置も使用できる．試料をあらかじめ加温して溶かし，試料容器Bの標線Cまで入れ，浸漬付温度計Fの浸線Hを試料のメニスカスに合わせた後，急速に冷却し，おおよその凝固点を求める．試料容器Bをおおよその凝固点よりも約5℃高い温度の浴に入れ，最後の少量の結晶のほかは全て溶けるまで放置する．Dに予想した凝固点よりも5℃低い温度の水又は飽和食塩水を満たし，BをAに取り付ける．幾らかの種結晶が存在することを確認し，結晶が析出し始めるまで十分にかき混ぜる．結晶が析出する際の最高温度を読み取り，凝固点とする．

凝固点は，ステアリン酸50は53 〜 59℃，ステアリン酸70は57 〜 64℃及びステアリン酸95は64 〜 69℃である．

医薬品各条の部　ステアリン酸マグネシウムの条を次のように改める．

ステアリン酸マグネシウム
Magnesium Stearate

本医薬品各条は，三薬局方での調和合意に基づき規定した医薬品各条である．

なお，三薬局方で調和されていない部分のうち，調和合意において，調和の対象とされた項中非調和となっている項の該当箇所は「◆　◆」で，調和の対象とされた項以外に日本薬局方が独自に規定することとした項は「○　○」で囲むことにより示す．

三薬局方の調和合意に関する情報については，独立行政法人医薬品医療機器総合機構のウェブサイトに掲載している．

本品は植物又は動物由来の固体混合脂肪酸のマグネシウム塩で，主としてステアリン酸マグネシウム及びパルミチン酸マグネシウムからなる．

本品を定量するとき，換算した乾燥物に対し，マグネシウム(Mg: 24.31) 4.0 〜 5.0％を含む．

◆性状　本品は白色の軽くてかさ高い粉末で，なめらかな感触があり，皮膚につきやすく，においはないか，又は僅かに特異なにおいがある．

本品は水又はエタノール(99.5)にほとんど溶けない．◆

確認試験　本品5.0 gを丸底フラスコにとり，過酸化物を含まないジエチルエーテル50 mL，希硝酸20 mL及び水20 mLを加え，振り混ぜた後，還流冷却器を付けて完全に溶けるまで加熱する．冷後，フラスコの内容物を分液漏斗に移し，振り混ぜた後，放置して水層を分取する．ジエチルエーテル層は水4 mLずつで2回抽出し，抽出液を先の水層に合わせる．この抽出液を過酸化物を含まないジエチルエーテル15 mLで洗った後，50 mLのメスフラスコに移し，水を加えて50 mLとし，試料溶液とする．試料溶液1 mLにアンモニア試液1 mLを加えるとき，白色の沈殿を生じ，塩化アンモニウム試液1 mLを追加するとき，沈殿は溶ける．さらにリン酸水素二ナトリウム十二水和物溶液(3→25) 1 mLを追加するとき，白色の結晶性の沈殿を生じる．

純度試験
（1）酸又はアルカリ　本品1.0 gに新たに煮沸して冷却した水20 mLを加え，振り混ぜながら水浴上で1分間加熱し，冷後，ろ過する．このろ液10 mLにブロモチモールブルー試液0.05 mLを加える．この液に液の色が変わるまで0.1 mol/L塩酸又は0.1 mol/L水酸化ナトリウム液を滴加するとき，その量は0.05 mL以下である．

（2）塩化物 〈1.03〉　確認試験で得た試料溶液10.0 mLに希硝酸1 mL及び水を加えて50 mLとする．これを検液とし，試験を行う．比較液には0.02 mol/L塩酸1.4 mLを加える（0.1％以下）．

（3）硫酸塩 〈1.14〉　確認試験で得た試料溶液6.0 mLにつき試験を行う．比較液には0.02 mol/L硫酸3.0 mLを加える．ただし，検液及び比較液には塩化バリウム試液3 mLずつを加える（1.0％以下）．

乾燥減量 〈2.41〉　6.0％以下（2 g，105℃，恒量）．

◆**微生物限度** 〈4.05〉　本品1 g当たり，総好気性微生物数の許容基準は10^3 CFU，総真菌数の許容基準は$5×10^2$ CFUである．また，サルモネラ及び大腸菌を認めない．◆

ステアリン酸・パルミチン酸含量比　本品0.10 gを還流冷却器を付けた小さなコニカルフラスコにとる．三フッ化ホウ素・メタノール試液5.0 mLを加えて振り混ぜ，溶けるまで約10分間加熱する．冷却器からヘプタン4 mLを加え，10分間加熱する．冷後，塩化ナトリウム飽和溶液20 mLを加えて振り混ぜ，放置して液を二層に分離させる．分離したヘプタン層を，あらかじめヘプタンで洗った約0.1 gの無水硫酸ナトリウムを通して別のフラスコにとる．この液1.0 mLを10 mLのメスフラスコにとり，ヘプタンを加えて10 mLとし，試料溶液とする．試料溶液1 μLにつき，次の条件でガスクロマトグラフィー〈2.02〉により試験を行う．試料溶液のステアリン酸メチルのピーク面積A及び全ての脂肪酸エステルのピークの合計面積Bを測定し，本品の脂肪酸分画中のステアリン酸の比率（％）を次式により計算する．

ステアリン酸の比率（％）＝$A/B×100$

同様に，本品中に含まれるパルミチン酸の比率（％）を計算する．ステアリン酸メチルのピーク面積及びステアリン酸メチルとパルミチン酸メチルのピークの合計面積は，全ての脂肪酸エステルのピークの合計面積の，それぞれ40％以上及び90％以上である．

試験条件
検出器：水素炎イオン化検出器
カラム：内径0.32 mm，長さ30 mのフューズドシリカ管の内面に厚さ0.5 μmでガスクロマトグラフィー用ポリエチレングリコール15000－ジエポキシドを被覆したもの．
カラム温度：注入後2分間70℃に保ち，その後，毎分5℃で240℃まで昇温し，240℃を5分間保持する．
注入口温度：220℃付近の一定温度
検出器温度：260℃付近の一定温度
キャリヤーガス：ヘリウム
流量：毎分2.4 mL
スプリットレス
◇面積測定範囲：溶媒のピークの後から41分まで．◇

システム適合性
◇検出の確認：ガスクロマトグラフィー用ステアリン酸及びガスクロマトグラフィー用パルミチン酸それぞれ約50 mgを，還流冷却器を付けた小さなコニカルフラスコにとる．三フッ化ホウ素・メタノール試液5.0 mLを加えて振り混ぜ，以下試料溶液と同様に操作し，システム適合性試験用溶液とする．◇システム適合性試験用溶液1 mLを正確に量り，ヘプタンを加えて正確に10 mLとする．この液1 mLを正確に量り，ヘプタンを加えて正確に10 mLとする．さらに，この液1 mLを正確に量り，ヘプタンを加えて正確に10 mLとする．この液1 μLから得たステアリン酸メチルのピーク面積が，システム適合性試験用溶液のステアリン酸メチルのピーク面積の0.05 〜 0.15％になることを確認する．◇

システムの性能：システム適合性試験用溶液1 μLにつき，上記の条件で操作するとき，ステアリン酸メチルに対するパルミチン酸メチルの相対保持時間は約0.9であり，その分離度は5.0以上である．

システムの再現性：システム適合性試験用溶液につき，上記の条件で試験を6回繰り返すとき，パルミチン酸メチル及びステアリン酸メチルのピーク面積の相対標準偏差は3.0％以下である．また，ステアリン酸メチルのピーク面積に対するパルミチン酸メチルのピーク面積の比の相対標準偏差は1.0％以下である．

定量法　本品約0.5 gを精密に量り，250 mLのフラスコにとり，これにエタノール（99.5）／1－ブタノール混液（1：1）50 mL，アンモニア水（28）5 mL，pH 10の塩化アンモニウム緩衝液3 mL，0.1 mol/Lエチレンジアミン四酢酸二水素二ナトリウム液30.0 mL及びエリオクロムブラックT試液1 〜 2滴を加え，振り混ぜる．この液が澄明になるまで45 〜 50℃で加熱し，冷後，過量のエチレンジアミン四酢酸二水素二ナトリウムを0.1 mol/L硫酸亜鉛液で液の青色が紫色に変わるまで滴定〈2.50〉する．同様の方法で空試験を行う．

0.1 mol/Lエチレンジアミン四酢酸二水素二ナトリウム液1 mL
　＝2.431 mg Mg

◆**貯法**　容器　気密容器．◆

医薬品各条の部　注射用スペクチノマイシン塩酸塩の条製剤均一性の項を次のように改める．

注射用スペクチノマイシン塩酸塩

製剤均一性〈6.02〉　質量偏差試験を行うとき，適合する（T：別に規定する）．

医薬品各条の部　注射用セフォペラゾンナトリウム・スルバクタムナトリウムの条製剤均一性の項を次のように改める．

注射用セフォペラゾンナトリウム・スルバクタムナトリウム

製剤均一性〈6.02〉　質量偏差試験を行うとき，適合する（T：別に規定する）．

医薬品各条の部　粉末セルロースの条を次のように改める．

粉末セルロース
Powdered Cellulose

[9004-34-6，セルロース]

　本医薬品各条は，三薬局方での調和合意に基づき規定した医薬品各条である．
　なお，三薬局方で調和されていない部分のうち，調和合意において，調和の対象とされた項中非調和となっている項の該当箇所は「◆　◆」で，調和の対象とされた項以外に日本薬局方が独自に規定することとした項は「◇　◇」で囲むことにより示す．
　三薬局方の調和合意に関する情報については，独立行政法人医薬品医療機器総合機構のウェブサイトに掲載している．

　本品は繊維性植物からパルプとして得たα-セルロースを，◇必要に応じて，部分的加水分解などの◇処理を行った後，精製し，機械的に粉砕したものである．
◆本品には平均重合度を範囲で表示する．◆
◆**性状**　本品は白色の粉末である．
　本品は水，エタノール（95）又はジエチルエーテルにほとんど溶けない．◆

確認試験
（1）　塩化亜鉛20 g及びヨウ化カリウム6.5 gを水10.5 mLに溶かし，ヨウ素0.5 gを加えて15分間振り混ぜる．この液2 mL中に本品約10 mgを時計皿上で分散するとき，分散物は青紫色を呈する．
◇（2）　本品30 gに水270 mLを加え，かき混ぜ機を用いて高速度（毎分18000回転以上）で5分間かき混ぜた後，その100 mLを100 mLのメスシリンダーに入れ，1時間放置するとき，液は分離し，上澄液と沈殿を生じる．◇
（3）　本品約0.25 gを精密に量り，125 mLの三角フラスコに入れ，水25 mL及び1 mol/L銅エチレンジアミン試液25 mLをそれぞれ正確に加える．以下「結晶セルロース」の確認試験(3)を準用して試験を行うとき，平均重合度Pは440より大きく，◆かつ表示範囲内である．◆

pH〈2.54〉　本品10 gに水90 mLを加え，時々振り混ぜながら，1時間放置するとき，上澄液のpHは5.0～7.5である．

純度試験
（1）　水可溶物　本品6.0 gに新たに煮沸して冷却した水90 mLを加え，10分間時々振り混ぜた後，ろ紙を用いて吸引ろ過し，初めのろ液10 mLを除き，次のろ液を必要ならば再び同じろ紙を用いて吸引ろ過し，澄明なろ液15.0 mLを質量既知の蒸発皿にとる．内容物を焦がさないように蒸発乾固し，残留物を105℃で1時間乾燥し，デシケーター中で放冷した後，質量を量るとき，その量は15.0 mg以下である（1.5％）．同様の方法で空試験を行い，補正する．
（2）　ジエチルエーテル可溶物　本品10.0 gを内径約20 mmのクロマトグラフィー管に入れ，過酸化物を含まないジエチルエーテル50 mLをこのカラムに流す．溶出液をあらかじめ乾燥した質量既知の蒸発皿中で蒸発乾固する．残留物を105℃で30分間乾燥し，デシケーター中で放冷した後，質量を量るとき，残留物は15.0 mg以下である（0.15％）．同様の方法で空試験を行い，補正する．

乾燥減量〈2.41〉　6.5％以下（1 g，105℃，3時間）．
強熱残分〈2.44〉　0.3％以下（1 g，乾燥物換算）．
◆**微生物限度**〈4.05〉　本品1 g当たり，総好気性微生物数の許容基準は10^3 CFU，総真菌数の許容基準は10^2 CFUである．また，大腸菌，サルモネラ，緑膿菌及び黄色ブドウ球菌を認めない．◆
◆**貯法**　容器　気密容器．◆

医薬品各条の部　テモカプリル塩酸塩錠の条の次に次の三条を加える．

テモゾロミド
Temozolomide

$C_6H_6N_6O_2$：194.15
3-Methyl-4-oxo-3,4-dihydroimidazo[5,1-*d*][1,2,3,5]tetrazine-8-carboxamide
[85622-93-1]

　本品は定量するとき，テモゾロミド（$C_6H_6N_6O_2$）98.0～102.0％を含む．

性状　本品は白色～微紅色又は淡黄褐色の結晶性の粉末又は粉末である．
　ジメチルスルホキシドにやや溶けにくく，水又はアセトニトリルに溶けにくく，エタノール（99.5）に極めて溶けにくい．
　融点：180℃（分解）．
　本品は結晶多形が認められる．

確認試験
（1）　本品の水溶液（1→100000）につき，紫外可視吸光度測定法〈2.24〉により吸収スペクトルを測定し，本品のスペクトルと本品の参照スペクトル又はテモゾロミド標準品について同様に操作して得られたスペクトルを比較するとき，両者のスペクトルは同一波長のところに同様の強度の吸収を認める．
（2）　本品につき，赤外吸収スペクトル測定法〈2.25〉の臭化カリウム錠剤法により試験を行い，本品のスペクトルと本

品の参照スペクトル又はテモゾロミド標準品のスペクトルを比較するとき，両者のスペクトルは同一波数のところに同様の強度の吸収を認める．もし，これらのスペクトルに差を認めるときは，本品をアセトニトリルに溶かした後，アセトニトリルを蒸発し，残留物を乾燥したものにつき，同様の試験を行う．

純度試験
(1) 類縁物質　定量法の試料溶液を試料溶液とする．この液1 mLを正確に量り，ジメチルスルホキシドを加えて正確に100 mLとし，標準溶液とする．試料溶液及び標準溶液10 μLずつを正確にとり，次の条件で液体クロマトグラフィー〈2.01〉により試験を行う．それぞれの液の各々のピーク面積を自動積分法により測定するとき，試料溶液のテモゾロミドに対する相対保持時間約0.4の類縁物質Eのピーク面積は，標準溶液のテモゾロミドのピーク面積の1／5より大きくなく，試料溶液の相対保持時間約0.5の類縁物質Dのピーク面積は，標準溶液のテモゾロミドのピーク面積の1／2より大きくなく，試料溶液のテモゾロミド及び上記以外のピークの面積は，標準溶液のテモゾロミドのピーク面積の1／10より大きくない．また，試料溶液のテモゾロミド以外のピークの合計面積は，標準溶液のテモゾロミドのピーク面積の4／5より大きくない．ただし，類縁物質Eのピーク面積は自動積分法で求めた面積に感度係数0.63を乗じた値とする．

試験条件
検出器，カラム，カラム温度，移動相及び流量は定量法の試験条件を準用する．
面積測定範囲：溶媒ピークの後からテモゾロミドの保持時間の約3倍の範囲

システム適合性
システムの性能は定量法のシステム適合性を準用する．
検出の確認：標準溶液1 mLを正確に量り，ジメチルスルホキシドを加えて正確に20 mLとする．この液10 μLから得たテモゾロミドのピーク面積が，標準溶液のテモゾロミドのピーク面積の3.5 ～ 6.5%になることを確認する．
システムの再現性：標準溶液10 μLにつき，上記の条件で試験を6回繰り返すとき，テモゾロミドのピーク面積の相対標準偏差は2.0%以下である．

(2) 残留溶媒　別に規定する．

水分〈2.48〉　0.4%以下(0.5 g，電量滴定法)．

強熱残分〈2.44〉　0.1%以下(1 g)．

定量法　本品及びテモゾロミド標準品約25 mgずつを精密に量り，それぞれにジメチルスルホキシド20 mLを加え，振り混ぜて溶かし，更にジメチルスルホキシドを加えて正確に25 mLとし，試料溶液及び標準溶液とする．試料溶液及び標準溶液10 μLずつを正確にとり，次の条件で液体クロマトグラフィー〈2.01〉により試験を行い，それぞれの液のテモゾロミドのピーク面積A_T及びA_Sを測定する．

テモゾロミド($C_6H_6N_6O_2$)の量(mg)＝M_S × $A_T／A_S$

M_S：テモゾロミド標準品の秤取量(mg)

試験条件
検出器：紫外吸光光度計(測定波長：270 nm)
カラム：内径4.6 mm，長さ15 cmのステンレス管に5 μmの液体クロマトグラフィー用オクタデシルシリル化シリカゲルを充塡する．
カラム温度：25℃付近の一定温度
移動相：酢酸(100) 5 mLに水1000 mLを加えた液24容量にメタノール1容量を加えた液1000 mLに1－ヘキサンスルホン酸ナトリウム0.94 gを溶かす．
流量：テモゾロミドの保持時間が約9.5分になるように調整する．

システム適合性
システムの性能：試料溶液5 mLをとり，0.1 mol/L塩酸試液5 mLを加え，水浴上で1時間加熱した後，4℃に冷却する．この液10 μLにつき，上記の条件で操作するとき，テモゾロミドとテモゾロミドに対する相対保持時間約1.4のピークの分離度は2.5以上であり，テモゾロミドのピークのシンメトリー係数は1.9以下である．
システムの再現性：標準溶液10 μLにつき，上記の条件で試験を6回繰り返すとき，テモゾロミドのピーク面積の相対標準偏差は1.0%以下である．

貯法　容器　密閉容器(防湿包装)．

その他
類縁物質E：
3,7-Dihydro-4H-imidazo[4,5-d][1,2,3]triazin-4-one

類縁物質D：
4-Diazo-4H-imidazole-5-carboxamide

テモゾロミドカプセル
Temozolomide Capsules

本品は定量するとき，表示量の95.0 ～ 105.0%に対応するテモゾロミド($C_6H_6N_6O_2$：194.15)を含む．

製法　本品は「テモゾロミド」をとり，カプセル剤の製法により製する．

確認試験　定量法で得た試料溶液及び標準溶液20 μLにつき，次の条件で液体クロマトグラフィー〈2.01〉により試験を行うとき，試料溶液及び標準溶液から得た主ピークの保持時間は等しい．また，それらのピークの吸収スペクトルは同一波長のところに同様の強度の吸収を認める．

試験条件
カラム，カラム温度，移動相及び流量は定量法の試験条件を準用する．
検出器：フォトダイオードアレイ検出器(測定波長：270 nm，スペクトル測定範囲：210 ～ 400 nm)

システム適合性
　　システムの性能は定量法のシステム適合性を準用する．
純度試験　類縁物質　定量法の試料溶液を試料溶液とする．この液1 mLを正確に量り，ジメチルスルホキシドを加えて正確に100 mLとし，標準溶液とする．試料溶液及び標準溶液20 μLずつを正確にとり，次の条件で液体クロマトグラフィー〈2.01〉により試験を行い，それぞれの液の各々のピーク面積を自動積分法により測定するとき，試料溶液のテモゾロミドに対する相対保持時間約0.4の類縁物質Eのピーク面積は，標準溶液のテモゾロミドのピーク面積の3／5より大きくなく，試料溶液の相対保持時間約1.4の類縁物質CAのピーク面積は，標準溶液のテモゾロミドのピーク面積より大きくなく，試料溶液のテモゾロミド及び上記以外のピークの面積は，標準溶液のテモゾロミドのピーク面積の1／5より大きくない．また，試料溶液のテモゾロミド以外のピークの合計面積は，標準溶液のテモゾロミドのピーク面積の1.2倍より大きくない．ただし，類縁物質E及び類縁物質CAのピーク面積は自動積分法で求めた面積にそれぞれ感度係数0.63及び0.30を乗じた値とする．

試験条件
　検出器，カラム，カラム温度，移動相及び流量は「テモゾロミド」の定量法の試験条件を準用する．
　面積測定範囲：溶媒ピークの後からテモゾロミドの保持時間の約3倍の範囲

システム適合性
　システムの性能は定量法のシステム適合性を準用する．
　検出の確認：標準溶液2 mLを正確に量り，移動相を加えて正確に20 mLとする．この液20 μLから得たテモゾロミドのピーク面積が，標準溶液のテモゾロミドのピーク面積の7～13％になることを確認する．
　システムの再現性：標準溶液20 μLにつき，上記の条件で試験を6回繰り返すとき，テモゾロミドのピーク面積の相対標準偏差は2.0％以下である．

製剤均一性〈6.02〉　質量偏差試験又は次の方法による含量均一性試験のいずれかを行うとき，これに適合する．
本品1個をとり，1 mL中にテモゾロミド($C_6H_6N_6O_2$)約1 mgを含む液となるように移動相 V mLを正確に加え，カプセルが完全に崩壊するまで振り混ぜる．さらに内容物が分散するまで振り混ぜた後，10分間遠心分離し，上澄液を孔径0.45 μmのメンブランフィルターでろ過する．初めのろ液3 mLを除き，次のろ液10 mLを正確に量り，移動相を加えて正確に100 mLとし，試料溶液とする．以下定量法を準用する．

テモゾロミド($C_6H_6N_6O_2$)の量(mg)
　$= M_S \times A_T / A_S \times V / 25$

M_S：テモゾロミド標準品の秤取量(mg)

溶出性〈6.10〉　試験液に水900 mLを用い，回転バスケット法により，毎分100回転で試験を行うとき，本品の30分間の Q 値は80％である．
　本品1個をとり，試験を開始し，規定された時間に，溶出液10 mL以上をとり，孔径0.8 μm以下のメンブランフィルターでろ過する．初めのろ液3 mL以上を除き，次のろ液 V mLを正確に量り，1 mL中にテモゾロミド($C_6H_6N_6O_2$)約22 μgを含む液となるように水を加えて V' mLとし，試料溶液とする．別にテモゾロミド標準品約22 mgを精密に量り，水に溶かし，正確に100 mLとする．この液10 mLを正確に量り，水を加えて正確に100 mLとし，標準溶液とする．試料溶液及び標準溶液につき，紫外可視吸光度測定法〈2.24〉により試験を行い，波長328 nmにおける吸光度 A_T 及び A_S を測定する．

テモゾロミド($C_6H_6N_6O_2$)の表示量に対する溶出率(％)
　$= M_S \times A_T / A_S \times V' / V \times 1 / C \times 90$

M_S：テモゾロミド標準品の秤取量(mg)
C：1カプセル中のテモゾロミド($C_6H_6N_6O_2$)の表示量(mg)

定量法　本品10個をとり，移動相を加え，カプセルが完全に崩壊するまで振り混ぜる．さらに内容物が分散するまで振り混ぜた後，1 mL中にテモゾロミド($C_6H_6N_6O_2$)約1 mgを含む液となるように移動相を加えて正確に V mLとする．この液を10分間遠心分離し，上澄液を孔径0.45 μmのメンブランフィルターでろ過する．初めのろ液3 mLを除き，次のろ液10 mLを正確に量り，移動相を加えて正確に100 mLとし，試料溶液とする．別にテモゾロミド標準品約25 mgを精密に量り，移動相200 mLを加え，超音波処理して溶かした後，移動相を加えて正確に250 mLとし，標準溶液とする．試料溶液及び標準溶液20 μLずつを正確にとり，次の条件で液体クロマトグラフィー〈2.01〉により試験を行い，それぞれの液のテモゾロミドのピーク面積 A_T 及び A_S を測定する．

本品1個中のテモゾロミド($C_6H_6N_6O_2$)の量(mg)
　$= M_S \times A_T / A_S \times V / 250$

M_S：テモゾロミド標準品の秤取量(mg)

試験条件
　「テモゾロミド」の定量法の試験条件を準用する．

システム適合性
　システムの性能：テモゾロミド10 mgを移動相25 mLに溶かす．この液に0.1 mol/L塩酸試液25 mLを加え，80℃で4時間放置した後，4℃で冷却後保存する．この液20 μLにつき，上記の条件で操作するとき，テモゾロミドと類縁物質CAの分離度は2.5以上であり，テモゾロミドのピークのシンメトリー係数は1.9以下である．
　システムの再現性：標準溶液20 μLにつき，上記の条件で試験を6回繰り返すとき，テモゾロミドのピーク面積の相対標準偏差は1.0％以下である．

貯法　容器　気密容器．
その他
　類縁物質Eは「テモゾロミド」のその他を準用する．
　類縁物質CA：
　5-Amino-1H-imidazole-4-carboxamide

注射用テモゾロミド
Temozolomide for Injection

本品は用時溶解して用いる注射剤である．

本品は定量するとき，表示量の95.0～105.0％に対応するテモゾロミド($C_6H_6N_6O_2$：194.15)を含む．

製法 本品は「テモゾロミド」をとり，注射剤の製法により製する．

性状 本品は白色～微紅色又は淡黄褐色の粉末である．

確認試験 定量法の試料溶液及び標準溶液75 μLにつき，次の条件で液体クロマトグラフィー〈2.01〉により試験を行うとき，試料溶液及び標準溶液から得た主ピークの保持時間は等しい．また，それらのピークの吸収スペクトルは同一波長のところに同様の強度の吸収を認める．

試験条件
カラム，カラム温度，移動相及び流量は「テモゾロミド」の定量法の試験条件を準用する．
検出器：フォトダイオードアレイ検出器(測定波長：270 nm，スペクトル測定範囲：210～400 nm)

システム適合性
システムの性能は定量法のシステム適合性を準用する．

pH 別に規定する．

純度試験 類縁物質 定量法の試料溶液を試料溶液とする．この液1 mLを正確に量り，移動相を加えて正確に100 mLとし，標準溶液とする．試料溶液及び標準溶液75 μLずつを正確にとり，次の条件で液体クロマトグラフィー〈2.01〉により試験を行う．それぞれの液の各々のピーク面積を自動積分法により測定するとき，試料溶液のテモゾロミドに対する相対保持時間約0.4の類縁物質Eのピーク面積は，標準溶液のテモゾロミドのピーク面積の2／5より大きくなく，試料溶液の相対保持時間約1.4の類縁物質IAのピーク面積は，標準溶液のテモゾロミドのピーク面積より大きくなく，試料溶液のテモゾロミド及び上記以外のピークの面積は，標準溶液のテモゾロミドのピーク面積の1／5より大きくない．また，試料溶液のテモゾロミド以外のピークの合計面積は，標準溶液のテモゾロミドのピーク面積より大きくない．ただし，類縁物質E及び類縁物質IAのピークの面積は自動積分法で求めた面積にそれぞれ感度係数0.63及び0.29を乗じた値とする．

試験条件
検出器，カラム，カラム温度，移動相及び流量は「テモゾロミド」の定量法の試験条件を準用する．
面積測定範囲：溶媒ピークの後からテモゾロミドの保持時間の約3倍の範囲

システム適合性
システムの性能：定量法のシステム適合性を準用する．
検出の確認：定量法で得た標準溶液5 mLを正確に量り，移動相を加えて正確に200 mLとする．この液2 mLを正確に量り，移動相を加えて正確に100 mLとする．この液75 μLにつき，上記の条件で操作するとき，テモゾロミドのピークのSN比は10以上である．
システムの再現性：標準溶液75 μLにつき，上記の条件で試験を6回繰り返すとき，テモゾロミドのピーク面積の相対標準偏差は2.0％以下である．

水分〈2.48〉 本品の「テモゾロミド」100 mgに対応する量をとり，メタノール40 mLを正確に加え，内容物を溶かした後，その2 mLを正確に量り，電量滴定法により試験を行うとき，1.0％以下である．同様の方法で空試験を行い，補正する．

エンドトキシン〈4.01〉 0.75 EU/mg未満．

製剤均一性〈6.02〉 質量偏差試験を行うとき，適合する．(T値：別に規定する)

不溶性異物〈6.06〉 第2法により試験を行うとき，適合する．

不溶性微粒子〈6.07〉 試験を行うとき，適合する．

無菌〈4.06〉 メンブランフィルター法により試験を行うとき，適合する．

定量法 本品につき，テモゾロミド($C_6H_6N_6O_2$) 500 mgに対応する個数をとり，それぞれの内容物を水に溶かし，各々の容器は水で洗い，洗液は先の液に合わせた後，水を加えて正確に200 mLとする．この液5 mLを正確に量り，移動相を加えて正確に100 mLとし，試料溶液とする．別にテモゾロミド標準品約31 mgを精密に量り，移動相を加えて正確に50 mLとする．この液10 mLを正確に量り，移動相を加えて正確に50 mLとし，標準溶液とする．試料溶液及び標準溶液75 μLずつを正確にとり，次の条件で液体クロマトグラフィー〈2.01〉により試験を行い，それぞれの液のテモゾロミドのピーク面積A_T及びA_Sを測定する．

テモゾロミド($C_6H_6N_6O_2$)の量(mg)
$= M_S \times A_T / A_S \times 16$

M_S：テモゾロミド標準品の秤取量(mg)

試験条件
「テモゾロミド」の定量法の試験条件を準用する．

システム適合性
システムの性能：テモゾロミド1 mgに移動相／0.1 mol/L塩酸試液混液(1：1)を加えて10 mLとし，80℃で約4時間加熱した後，約4℃に冷却する．この液に移動相を加えて25 mLとする．この液75 μLにつき，上記の条件で操作するとき，テモゾロミドと類縁物質IAの分離度は2.5以上であり，テモゾロミドのピークのシンメトリー係数は1.9以下である．
システムの再現性：標準溶液75 μLにつき，上記の条件で試験を6回繰り返すとき，テモゾロミドのピーク面積の相対標準偏差は1.0％以下である．

貯法
保存条件 2～8℃で保存する．
容器 密封容器．

その他
類縁物質Eは「テモゾロミド」のその他を準用する．
類縁物質IA：
5-Amino-1H-imidazole-4-carboxamide

医薬品各条の部　コムギデンプンの条純度試験の項(5)の目を次のように改める．

コムギデンプン

純度試験

(5)　総タンパク質　本品約3 gを精密に量り，ケルダールフラスコに入れ，分解促進剤(硫酸カリウム100 g，硫酸銅(II)五水和物3 g及び酸化チタン(IV) 3 gの混合物を粉末としたもの) 4 gを加え，フラスコの首に付着した試料を少量の水で洗い込み，更にフラスコの内壁に沿って硫酸25 mLを加え，振り混ぜる．フラスコを初め徐々に加熱し，次にフラスコの首で硫酸が液化する程度にフラスコの上部が過熱しないよう注意しながら昇温する．このとき硫酸の過剰な消失を防ぐため，例えば，フラスコの口を1本の短い枝が付いたガラス球などを用いて緩く蓋をする．液が澄明となり，フラスコの内壁に炭化物を認めなくなったとき，加熱をやめる．冷後，水25 mLを注意しながら加えて固形物を溶かし，再び冷却する．フラスコを，あらかじめ水蒸気を通じて洗った蒸留装置に連結する．受器には0.01 mol/L塩酸25 mLを正確に量り，適量の水を加え，冷却器の下端をこの液に浸す．漏斗から空試験と同量の水酸化ナトリウム溶液(21→50)を加え，直ちにピンチコック付きゴム管のピンチコックを閉じ，水蒸気を通じて留液約40 mLを得るまで蒸留する．冷却器の下端を液面から離し，更にしばらく蒸留を続けた後，少量の水でその部分を洗い込み，過量の塩酸を0.025 mol/L水酸化ナトリウム液で滴定〈2.50〉する(指示薬：メチルレッド・メチレンブルー試液3滴)．このとき，滴定の終点は液の赤紫色が灰青色を経て，緑色に変わるときとする．同様の方法で空試験を行う．ただし，漏斗から加える水酸化ナトリウム溶液(21→50)は，フラスコ内の液が帯青緑色から暗褐色又は黒色に変わるのに十分な量とする．

窒素の量(%)＝$(a - b) \times 0.035 / M$

M：本品の秤取量(g)
a：空試験における0.025 mol/L水酸化ナトリウム液の消費量(mL)
b：本品の試験における0.025 mol/L水酸化ナトリウム液の消費量(mL)

総タンパク質は0.3%［窒素(N：14.01)として0.048%(窒素からタンパク質への換算係数は6.25を用いる)］以下である．

医薬品各条の部　ナルトグラスチム(遺伝子組換え)の条を削る．

医薬品各条の部　注射用ナルトグラスチム(遺伝子組換え)の条を削る．

医薬品各条の部　パラオキシ安息香酸エチルの条を次のように改める．

パラオキシ安息香酸エチル
Ethyl Parahydroxybenzoate

$C_9H_{10}O_3$：166.17
Ethyl 4-hydroxybenzoate
[120-47-8]

本医薬品各条は，三薬局方での調和合意に基づき規定した医薬品各条である．

なお，三薬局方で調和されていない部分のうち，調和合意において，調和の対象とされた項中非調和となっている項の該当箇所は「◆　◆」で，調和の対象とされた項以外に日本薬局方が独自に規定することとした項は「◦　◦」で囲むことにより示す．

三薬局方の調和合意に関する情報については，独立行政法人医薬品医療機器総合機構のウェブサイトに掲載している．

本品は定量するとき，パラオキシ安息香酸エチル($C_9H_{10}O_3$) 98.0～102.0%を含む．

◆性状　本品は無色の結晶又は白色の結晶性の粉末である．
　本品はメタノール，エタノール(95)又はアセトンに溶けやすく，水に極めて溶けにくい．◆

確認試験　本品につき，赤外吸収スペクトル測定法〈2.25〉の臭化カリウム錠剤法により試験を行い，本品のスペクトルと本品の参照スペクトル又はパラオキシ安息香酸エチル標準品のスペクトルを比較するとき，両者のスペクトルは同一波数のところに同様の強度の吸収を認める．

融点〈2.60〉　115～118℃

純度試験
(1)　溶状　本品1.0 gをエタノール(95)に溶かして10 mLとするとき，液は澄明で，液の色はエタノール(95)又は次の比較液より濃くない．
　比較液：塩化コバルト(II)の色の比較原液5.0 mL，塩化鉄(III)の色の比較原液12.0 mL及び硫酸銅(II)の色の比較原液2.0 mLをとり，薄めた希塩酸(1→10)を加えて1000 mLとする．

(2)　酸　(1)の液2 mLにエタノール(95) 3 mLを加えた後，新たに煮沸して冷却した水5 mL及びブロモクレゾールグリーン・水酸化ナトリウム・エタノール試液0.1 mLを加える．この液に液の色が青色に変化するまで0.1 mol/L水酸化ナトリウム液を加えるとき，その量は0.1 mL以下である．

(3)　類縁物質　本品50.0 mgをメタノール2.5 mLに溶かした後，移動相を加えて正確に50 mLとする．この液10 mLを正確に量り，移動相を加えて正確に100 mLとし，試料溶液とする．この液1 mLを正確に量り，移動相を加えて正確に20 mLとする．この液1 mLを正確に量り，移動相を加えて正確に10 mLとし，標準溶液とする．試料溶液及び標準溶液10 μLずつを正確にとり，次の条件で液体クロマトグラフィー

〈2.01〉により試験を行う．それぞれの液の各々のピーク面積を自動積分法により測定するとき，試料溶液のパラオキシ安息香酸エチルに対する相対保持時間約0.5のパラオキシ安息香酸のピーク面積は，標準溶液のパラオキシ安息香酸エチルのピーク面積より大きくない(0.5%)．ただし，パラオキシ安息香酸のピーク面積は自動積分法により求めた面積に感度係数1.4を乗じた値とする．また，試料溶液のパラオキシ安息香酸エチル及びパラオキシ安息香酸以外のピークの面積は，標準溶液のパラオキシ安息香酸エチルのピーク面積より大きくない(0.5%)．また，試料溶液のパラオキシ安息香酸エチル以外のピークの合計面積は，標準溶液のパラオキシ安息香酸エチルのピーク面積の2倍より大きくない(1.0%)．ただし，標準溶液のパラオキシ安息香酸エチルのピーク面積の1/5以下のピークは計算しない(0.1%)．

試験条件

検出器，カラム，カラム温度，移動相及び流量は定量法の試験条件を準用する．

面積測定範囲：パラオキシ安息香酸エチルの保持時間の4倍の範囲

システム適合性

システムの性能は定量法のシステム適合性を準用する．

◇検出の確認：標準溶液2 mLを正確に量り，移動相を加えて正確に10 mLとする．この液10 μLから得たパラオキシ安息香酸エチルのピーク面積が，標準溶液のパラオキシ安息香酸エチルのピーク面積の14 〜 26%になることを確認する．◇

◇システムの再現性：標準溶液10 μLにつき，上記の条件で試験を6回繰り返すとき，パラオキシ安息香酸エチルのピーク面積の相対標準偏差は2.0%以下である．◇

強熱残分〈2.44〉　0.1%以下(1 g)．

定量法　本品及びパラオキシ安息香酸エチル標準品約50 mgずつを精密に量り，それぞれメタノール2.5 mLに溶かし，移動相を加えて正確に50 mLとする．それぞれの液10 mLを正確に量り，それぞれに移動相を加えて正確に100 mLとし，試料溶液及び標準溶液とする．試料溶液及び標準溶液10 μLずつを正確にとり，次の条件で液体クロマトグラフィー〈2.01〉により試験を行い，それぞれの液のパラオキシ安息香酸エチルのピーク面積A_T及びA_Sを測定する．

パラオキシ安息香酸エチル($C_9H_{10}O_3$)の量(mg)
$= M_S \times A_T / A_S$

M_S：パラオキシ安息香酸エチル標準品の秤取量(mg)

試験条件

検出器：紫外吸光光度計(測定波長：272 nm)

カラム：内径4.6 mm，長さ15 cmのステンレス管に5 μmの液体クロマトグラフィー用オクタデシルシリル化シリカゲルを充填する．

◇カラム温度：35℃付近の一定温度◇

移動相：メタノール／リン酸二水素カリウム溶液(17→2500)混液(13：7)

流量：毎分1.3 mL

システム適合性

システムの性能：本品，パラオキシ安息香酸メチル及びパラオキシ安息香酸それぞれ5 mgを移動相に溶かし，正確に100 mLとする．この液1 mLを正確に量り，移動相を加えて正確に10 mLとした液10 μLにつき，上記の条件で操作するとき，パラオキシ安息香酸，パラオキシ安息香酸メチル，パラオキシ安息香酸エチルの順に溶出し，パラオキシ安息香酸エチルに対するパラオキシ安息香酸及びパラオキシ安息香酸メチルの相対保持時間は約0.5及び約0.8であり，パラオキシ安息香酸メチルとパラオキシ安息香酸エチルの分離度は2.0以上である．

システムの再現性：標準溶液10 μLにつき，上記の条件で試験を6回繰り返すとき，パラオキシ安息香酸エチルのピーク面積の相対標準偏差は0.85%以下である．

◆**貯法**　容器　密閉容器．◆

医薬品各条の部　パラオキシ安息香酸ブチルの条を次のように改める．

パラオキシ安息香酸ブチル
Butyl Parahydroxybenzoate

$C_{11}H_{14}O_3$: 194.23
Butyl 4-hydroxybenzoate
[94-26-8]

本医薬品各条は，三薬局方での調和合意に基づき規定した医薬品各条である．

なお，三薬局方で調和されていない部分のうち，調和合意において，調和の対象とされた項中非調和となっている項の該当箇所は「◆　◆」で，調和の対象とされた項以外に日本薬局方が独自に規定することとした項は「◇　◇」で囲むことにより示す．

三薬局方の調和合意に関する情報については，独立行政法人医薬品医療機器総合機構のウェブサイトに掲載している．

本品は定量するとき，パラオキシ安息香酸ブチル($C_{11}H_{14}O_3$) 98.0 〜 102.0%を含む．

◆**性状**　本品は無色の結晶又は白色の結晶性の粉末である．

本品はメタノールに極めて溶けやすく，エタノール(95)又はアセトンに溶けやすく，水にほとんど溶けない．◆

確認試験　本品につき，赤外吸収スペクトル測定法〈2.25〉の臭化カリウム錠剤法により試験を行い，本品のスペクトルと本品の参照スペクトル又はパラオキシ安息香酸ブチル標準品のスペクトルを比較するとき，両者のスペクトルは同一波数のところに同様の強度の吸収を認める．

融点〈2.60〉　68 〜 71℃

純度試験

(1)　溶状　本品1.0 gをエタノール(95)に溶かして10 mLとするとき，液は澄明で，液の色はエタノール(95)又は次の比較液より濃くない．

比較液：塩化コバルト(Ⅱ)の色の比較原液5.0 mL，塩化鉄(Ⅲ)の色の比較原液12.0 mL及び硫酸銅(Ⅱ)の色の比較原液2.0 mLをとり，薄めた希塩酸(1→10)を加えて1000 mLとする．

(2) 酸 (1)の液2 mLにエタノール(95) 3 mLを加えた後，新たに煮沸して冷却した水5 mL及びブロモクレゾールグリーン・水酸化ナトリウム・エタノール試液0.1 mLを加える．この液に液の色が青色に変化するまで0.1 mol/L水酸化ナトリウム液を加えるとき，その量は0.1 mL以下である．

(3) 類縁物質 本品50.0 mgをメタノール2.5 mLに溶かした後，移動相を加えて正確に50 mLとする．この液10 mLを正確に量り，移動相を加えて正確に100 mLとし，試料溶液とする．この液1 mLを正確に量り，移動相を加えて正確に20 mLとする．この液1 mLを正確に量り，移動相を加えて正確に10 mLとし，標準溶液とする．試料溶液及び標準溶液10 μLずつを正確にとり，次の条件で液体クロマトグラフィー〈2.01〉により試験を行う．それぞれの液の各々のピーク面積を自動積分法により測定するとき，試料溶液のパラオキシ安息香酸ブチルに対する相対保持時間約0.1のパラオキシ安息香酸のピーク面積は，標準溶液のパラオキシ安息香酸ブチルのピーク面積より大きくない(0.5%)．ただし，パラオキシ安息香酸のピーク面積は自動積分法により求めた面積に感度係数1.4を乗じた値とする．また，試料溶液のパラオキシ安息香酸ブチル及びパラオキシ安息香酸以外のピークの面積は，標準溶液のパラオキシ安息香酸ブチルのピーク面積より大きくない(0.5%)．また，試料溶液のパラオキシ安息香酸ブチル以外のピークの合計面積は，標準溶液のパラオキシ安息香酸ブチルのピーク面積の2倍より大きくない(1.0%)．ただし，標準溶液のパラオキシ安息香酸ブチルのピーク面積の1／5以下のピークは計算しない(0.1%)．

試験条件
　検出器，カラム，カラム温度，移動相及び流量は定量法の試験条件を準用する．
　面積測定範囲：パラオキシ安息香酸ブチルの保持時間の1.5倍の範囲

システム適合性
　システムの性能は定量法のシステム適合性を準用する．
　◇検出の確認：標準溶液2 mLを正確に量り，移動相を加えて正確に10 mLとする．この液10 μLから得たパラオキシ安息香酸ブチルのピーク面積が，標準溶液のパラオキシ安息香酸ブチルのピーク面積の14 ～ 26%になることを確認する．◇
　◇システムの再現性：標準溶液10 μLにつき，上記の条件で試験を6回繰り返すとき，パラオキシ安息香酸ブチルのピーク面積の相対標準偏差は2.0%以下である．◇

強熱残分〈2.44〉 0.1%以下(1 g)．

定量法 本品及びパラオキシ安息香酸ブチル標準品約50 mgずつを精密に量り，それぞれメタノール2.5 mLに溶かし，移動相を加えて正確に50 mLとする．それぞれの液10 mLを正確に量り，それぞれに移動相を加えて正確に100 mLとし，試料溶液及び標準溶液とする．試料溶液及び標準溶液10 μLずつを正確にとり，次の条件で液体クロマトグラフィー〈2.01〉により試験を行い，それぞれの液のパラオキシ安息香酸ブチルのピーク面積A_T及びA_Sを測定する．

パラオキシ安息香酸ブチル($C_{11}H_{14}O_3$)の量(mg)
　$= M_S \times A_T / A_S$

M_S：パラオキシ安息香酸ブチル標準品の秤取量(mg)

試験条件
　検出器：紫外吸光光度計(測定波長：272 nm)
　カラム：内径4.6 mm，長さ15 cmのステンレス管に5 μmの液体クロマトグラフィー用オクタデシルシリル化シリカゲルを充塡する．
　カラム温度：35℃付近の一定温度
　移動相：リン酸二水素カリウム溶液(17→2500)／メタノール混液(1：1)
　流量：毎分1.3 mL

システム適合性
　システムの性能：本品，パラオキシ安息香酸プロピル及びパラオキシ安息香酸それぞれ5 mgを移動相に溶かし，正確に100 mLとする．この液1 mLを正確に量り，移動相を加えて正確に10 mLとし，システム適合性試験用溶液(1)とする．別にパラオキシ安息香酸イソブチル5 mgを移動相に溶かし，正確に100 mLとする．この液0.5 mLを正確に量り，標準溶液を加えて正確に50 mLとし，システム適合性試験用溶液(2)とする．システム適合性試験用溶液(1)及びシステム適合性試験用溶液(2)それぞれ10 μLにつき，上記の条件で操作するとき，パラオキシ安息香酸，パラオキシ安息香酸プロピル，パラオキシ安息香酸イソブチル，パラオキシ安息香酸ブチルの順に溶出し，パラオキシ安息香酸ブチルに対するパラオキシ安息香酸，パラオキシ安息香酸プロピル及びパラオキシ安息香酸イソブチルの保持時間の比は約0.1，約0.5及び約0.9であり，パラオキシ安息香酸プロピルとパラオキシ安息香酸ブチルの分離度は5.0以上であり，パラオキシ安息香酸イソブチルとパラオキシ安息香酸ブチルの分離度は1.5以上である．
　システムの再現性：標準溶液10 μLにつき，上記の条件で試験を6回繰り返すとき，パラオキシ安息香酸ブチルのピーク面積の相対標準偏差は0.85%以下である．

◆**貯法** 容器 密閉容器．◆

医薬品各条の部　パラオキシ安息香酸プロピルの条を次のように改める．

パラオキシ安息香酸プロピル
Propyl Parahydroxybenzoate

$C_{10}H_{12}O_3 : 180.20$
Propyl 4-hydroxybenzoate
[94-13-3]

本医薬品各条は，三薬局方での調和合意に基づき規定した医薬品各条である．

なお，三薬局方で調和されていない部分のうち，調和合意において，調和の対象とされた項中非調和となっている項の該当箇所は「◆　◆」で，調和の対象とされた項以外に日本薬局方が独自に規定することとした項は「◇　◇」で囲むことにより示す．

三薬局方の調和合意に関する情報については，独立行政法人医薬品医療機器総合機構のウェブサイトに掲載している．

本品は定量するとき，パラオキシ安息香酸プロピル（$C_{10}H_{12}O_3$）98.0〜102.0%を含む．

◆**性状**　本品は無色の結晶又は白色の結晶性の粉末である．

本品はメタノール，エタノール(95)又はアセトンに溶けやすく，水に極めて溶けにくい．◆

確認試験　本品につき，赤外吸収スペクトル測定法〈2.25〉の臭化カリウム錠剤法により試験を行い，本品のスペクトルと本品の参照スペクトル又はパラオキシ安息香酸プロピル標準品のスペクトルを比較するとき，両者のスペクトルは同一波数のところに同様の強度の吸収を認める．

融点〈2.60〉　96〜99℃

純度試験

（1）溶状　本品1.0 gをエタノール(95)に溶かして10 mLとするとき，液は澄明で，液の色はエタノール(95)又は次の比較液より濃くない．

比較液：塩化コバルト(Ⅱ)の色の比較原液5.0 mL，塩化鉄(Ⅲ)の色の比較原液12.0 mL及び硫酸銅(Ⅱ)の色の比較原液2.0 mLをとり，薄めた希塩酸(1→10)を加えて1000 mLとする．

（2）酸　(1)の液2 mLにエタノール(95) 3 mLを加えた後，新たに煮沸して冷却した水5 mL及びブロモクレゾールグリーン・水酸化ナトリウム・エタノール試液0.1 mLを加える．この液に液の色が青色に変化するまで0.1 mol/L水酸化ナトリウム液を加えるとき，その量は0.1 mL以下である．

（3）類縁物質　本品50.0 mgをメタノール2.5 mLに溶かした後，移動相を加えて正確に50 mLとする．この液10 mLを正確に量り，移動相を加えて正確に100 mLとし，試料溶液とする．この液1 mLを正確に量り，移動相を加えて正確に20 mLとする．この液1 mLを正確に量り，移動相を加えて正確に10 mLとし，標準溶液とする．試料溶液及び標準溶液10 μLずつを正確にとり，次の条件で液体クロマトグラフィー〈2.01〉により試験を行う．それぞれの液の各々のピーク面積を自動積分法により測定するとき，試料溶液のパラオキシ安息香酸プロピルに対する相対保持時間約0.3のパラオキシ安息香酸のピーク面積は，標準溶液のパラオキシ安息香酸プロピルのピーク面積より大きくない(0.5%)．ただし，パラオキシ安息香酸のピーク面積は自動積分法により求めた面積に感度係数1.4を乗じた値とする．また，試料溶液のパラオキシ安息香酸プロピル及びパラオキシ安息香酸以外のピークの面積は，標準溶液のパラオキシ安息香酸プロピルのピーク面積より大きくない(0.5%)．また，試料溶液のパラオキシ安息香酸プロピル以外のピークの合計面積は，標準溶液のパラオキシ安息香酸プロピルのピーク面積の2倍より大きくない(1.0%)．ただし，標準溶液のパラオキシ安息香酸プロピルのピーク面積の1/5以下のピークは計算しない(0.1%)．

試験条件

検出器，カラム，カラム温度，移動相及び流量は定量法の試験条件を準用する．

面積測定範囲：パラオキシ安息香酸プロピルの保持時間の2.5倍の範囲

システム適合性

システムの性能は定量法のシステム適合性を準用する．

◇検出の確認：標準溶液2 mLを正確に量り，移動相を加えて正確に10 mLとする．この液10 μLから得たパラオキシ安息香酸プロピルのピーク面積が，標準溶液のパラオキシ安息香酸プロピルのピーク面積の14〜26%になることを確認する．◇

◇システムの再現性：標準溶液10 μLにつき，上記の条件で試験を6回繰り返すとき，パラオキシ安息香酸プロピルのピーク面積の相対標準偏差は2.0%以下である．◇

強熱残分〈2.44〉　0.1%以下(1 g)．

定量法　本品及びパラオキシ安息香酸プロピル標準品約50 mgずつを精密に量り，それぞれメタノール2.5 mLに溶かし，移動相を加えて正確に50 mLとする．それぞれの液10 mLを正確に量り，それぞれに移動相を加えて正確に100 mLとし，試料溶液及び標準溶液とする．試料溶液及び標準溶液10 μLずつを正確にとり，次の条件で液体クロマトグラフィー〈2.01〉により試験を行い，それぞれの液のパラオキシ安息香酸プロピルのピーク面積A_T及びA_Sを測定する．

パラオキシ安息香酸プロピル（$C_{10}H_{12}O_3$）の量(mg)
$= M_S \times A_T / A_S$

M_S：パラオキシ安息香酸プロピル標準品の秤取量(mg)

試験条件

検出器：紫外吸光光度計(測定波長：272 nm)

カラム：内径4.6 mm，長さ15 cmのステンレス管に5 μmの液体クロマトグラフィー用オクタデシルシリル化シリカゲルを充塡する．

◇カラム温度：35℃付近の一定温度◇

移動相：メタノール／リン酸二水素カリウム溶液(17→2500)混液(13：7)

流量：毎分1.3 mL

システム適合性
　システムの性能：本品，パラオキシ安息香酸エチル及びパラオキシ安息香酸それぞれ5 mgを移動相に溶かし，正確に100 mLとする．この液1 mLを正確に量り，移動相を加えて正確に10 mLとした液10 μLにつき，上記の条件で操作するとき，パラオキシ安息香酸，パラオキシ安息香酸エチル，パラオキシ安息香酸プロピルの順に溶出し，パラオキシ安息香酸プロピルに対するパラオキシ安息香酸及びパラオキシ安息香酸エチルの相対保持時間は約0.3及び約0.7であり，パラオキシ安息香酸エチルとパラオキシ安息香酸プロピルの分離度は3.0以上である．
　システムの再現性：標準溶液10 μLにつき，上記の条件で試験を6回繰り返すとき，パラオキシ安息香酸プロピルのピーク面積の相対標準偏差は0.85％以下である．

◆貯法　容器　密閉容器．◆

医薬品各条の部　パラオキシ安息香酸メチルの条を次のように改める．

パラオキシ安息香酸メチル
Methyl Parahydroxybenzoate

$C_8H_8O_3$: 152.15
Methyl 4-hydroxybenzoate
[99-76-3]

　本医薬品各条は，三薬局方での調和合意に基づき規定した医薬品各条である．
　なお，三薬局方で調和されていない部分のうち，調和合意において，調和の対象とされた項中非調和となっている項の該当箇所は「◆　◆」で，調和の対象とされた項以外に日本薬局方が独自に規定することとした項は「○　○」で囲むことにより示す．
　三薬局方の調和合意に関する情報については，独立行政法人医薬品医療機器総合機構のウェブサイトに掲載している．

　本品を定量するとき，パラオキシ安息香酸メチル（$C_8H_8O_3$）98.0～102.0％を含む．

◆性状　本品は無色の結晶又は白色の結晶性の粉末である．
　本品はメタノール，エタノール(95)又はアセトンに溶けやすく，水に溶けにくい．◆

確認試験　本品につき，赤外吸収スペクトル測定法〈2.25〉の臭化カリウム錠剤法により試験を行い，本品のスペクトルと本品の参照スペクトル又はパラオキシ安息香酸メチル標準品のスペクトルを比較するとき，両者のスペクトルは同一波数のところに同様の強度の吸収を認める．

融点〈2.60〉　125～128℃

純度試験
　（1）溶状　本品1.0 gをエタノール(95)に溶かして10 mLとするとき，液は澄明で，液の色はエタノール(95)又は次の比較液より濃くない．
　　比較液：塩化コバルト(II)の色の比較原液5.0 mL，塩化鉄(III)の色の比較原液12.0 mL及び硫酸銅(II)の色の比較原液2.0 mLをとり，薄めた希塩酸(1→10)を加えて1000 mLとする．
　（2）酸　（1）の液2 mLにエタノール(95) 3 mLを加えた後，新たに煮沸して冷却した水5 mL及びブロモクレゾールグリーン・水酸化ナトリウム・エタノール試液0.1 mLを加える．この液に液の色が青色に変化するまで0.1 mol/L水酸化ナトリウム液を加えるとき，その量は0.1 mL以下である．
　（3）類縁物質　本品50.0 mgをメタノール2.5 mLに溶かした後，移動相を加えて正確に50 mLとする．この液10 mLを正確に量り，移動相を加えて正確に100 mLとし，試料溶液とする．この液1 mLを正確に量り，移動相を加えて正確に20 mLとする．この液1 mLを正確に量り，移動相を加えて正確に10 mLとし，標準溶液とする．試料溶液及び標準溶液10 μLずつを正確にとり，次の条件で液体クロマトグラフィー〈2.01〉により試験を行う．それぞれの液の各々のピーク面積を自動積分法により測定するとき，試料溶液のパラオキシ安息香酸メチルに対する相対保持時間約0.6のパラオキシ安息香酸のピーク面積は，標準溶液のパラオキシ安息香酸メチルのピーク面積より大きくない(0.5％)．ただし，パラオキシ安息香酸のピーク面積は自動積分法により求めた面積に感度係数1.4を乗じた値とする．また，試料溶液のパラオキシ安息香酸メチル及びパラオキシ安息香酸以外のピークの面積は，標準溶液のパラオキシ安息香酸メチルのピーク面積より大きくない(0.5％)．また，試料溶液のパラオキシ安息香酸メチル以外のピークの合計面積は，標準溶液のパラオキシ安息香酸メチルのピーク面積の2倍より大きくない(1.0％)．ただし，標準溶液のパラオキシ安息香酸メチルのピーク面積の1／5以下のピークは計算しない(0.1％)．
　　試験条件
　　　検出器，カラム，カラム温度，移動相及び流量は定量法の試験条件を準用する．
　　　面積測定範囲：パラオキシ安息香酸メチルの保持時間の5倍の範囲
　　システム適合性
　　　システムの性能は定量法のシステム適合性を準用する．
　　　○検出の確認：標準溶液2 mLを正確に量り，移動相を加えて正確に10 mLとする．この液10 μLから得たパラオキシ安息香酸メチルのピーク面積が，標準溶液のパラオキシ安息香酸メチルのピーク面積の14～26％になることを確認する．○
　　　○システムの再現性：標準溶液10 μLにつき，上記の条件で試験を6回繰り返すとき，パラオキシ安息香酸メチルのピーク面積の相対標準偏差は2.0％以下である．○

強熱残分〈2.44〉　0.1％以下(1 g).

定量法　本品及びパラオキシ安息香酸メチル標準品約50 mgずつを精密に量り，それぞれメタノール2.5 mLに溶かし，移動相を加えて正確に50 mLとする．それぞれの液10 mLを正確に量り，それぞれに移動相を加えて正確に100 mLとし，試料溶液及び標準溶液とする．試料溶液及び標準溶液10 μLずつを正確にとり，次の条件で液体クロマトグラフィー

〈2.01〉により試験を行い，それぞれの液のパラオキシ安息香酸メチルのピーク面積A_T及びA_Sを測定する．

パラオキシ安息香酸メチル($C_8H_8O_3$)の量(mg)
$= M_S \times A_T/A_S$

M_S：パラオキシ安息香酸メチル標準品の秤取量(mg)

試験条件
　検出器：紫外吸光光度計(測定波長：272 nm)
　カラム：内径4.6 mm，長さ15 cmのステンレス管に5 μmの液体クロマトグラフィー用オクタデシルシリル化シリカゲルを充塡する．
　◇カラム温度：35℃付近の一定温度◇
　移動相：メタノール／リン酸二水素カリウム溶液(17→2500)混液(13：7)
　流量：毎分1.3 mL
　システム適合性
　　システムの性能：本品及びパラオキシ安息香酸それぞれ5 mgを移動相に溶かし，正確に100 mLとする．この液1 mLを正確に量り，移動相を加えて正確に10 mLとした液10 μLにつき，上記の条件で操作するとき，パラオキシ安息香酸，パラオキシ安息香酸メチルの順に溶出し，パラオキシ安息香酸メチルに対するパラオキシ安息香酸の相対保持時間は約0.6であり，その分離度は2.0以上である．
　　システムの再現性：標準溶液10 μLにつき，上記の条件で試験を6回繰り返すとき，パラオキシ安息香酸メチルのピーク面積の相対標準偏差は0.85%以下である．

◆貯法　容器　密閉容器．◆

医薬品各条の部　ビカルタミドの条の次に次の一条を加える．

ビカルタミド錠
Bicalutamide Tablets

　本品は定量するとき，表示量の95.0～105.0%に対応するビカルタミド($C_{18}H_{14}F_4N_2O_4S$：430.37)を含む．

製法　本品は「ビカルタミド」をとり，錠剤の製法により製する．

確認試験　本品を粉末とし，「ビカルタミド」5 mgに対応する量をとり，メタノール250 mLを加え，よく振り混ぜた後，孔径0.45 μm以下のメンブランフィルターでろ過する．ろ液10 mLにメタノールを加えて20 mLとした液につき，紫外可視吸光度測定法〈2.24〉により吸収スペクトルを測定するとき，波長269～273 nmに吸収の極大を示す．

製剤均一性〈6.02〉　質量偏差試験又は次の方法による含量均一性試験のいずれかを行うとき，適合する．

　本品1個をとり，水10 mLを加えて錠剤が崩壊するまで振り混ぜる．次に，テトラヒドロフラン80 mLを加えて超音波処理した後，テトラヒドロフランを加えて正確に100 mLとし，孔径0.45 μmのメンブランフィルターでろ過する．初めのろ液1 mLを除き，次のろ液V mLを正確に量り，1 mL中にビカルタミド($C_{18}H_{14}F_4N_2O_4S$)約8 μgを含む液となるようにラウリル硫酸ナトリウム溶液(3→200)を加えて正確にV' mLとし，試料溶液とする．別にビカルタミド標準品(別途「ビカルタミド」と同様の条件で乾燥減量〈2.41〉を測定しておく)約16 mgを精密に量り，テトラヒドロフラン2 mLに溶かし，ラウリル硫酸ナトリウム溶液(3→200)を加えて正確に200 mLとする．この液5 mLを正確に量り，ラウリル硫酸ナトリウム溶液(3→200)を加えて正確に50 mLとし，標準溶液とする．試料溶液及び標準溶液につき，紫外可視吸光度測定法〈2.24〉により試験を行い，測定波長270 nmにおける吸光度A_T及びA_Sを測定する．

ビカルタミド($C_{18}H_{14}F_4N_2O_4S$)の量(mg)
$= M_S \times A_T/A_S \times V'/V \times 1/20$

M_S：乾燥物に換算したビカルタミド標準品の採取量(mg)

溶出性〈6.10〉　試験液にラウリル硫酸ナトリウム溶液(3→200) 1000 mLを用い，パドル法により，毎分50回転で試験を行うとき，本品の45分間の溶出率は80%以上である．

　本品1個をとり，試験を開始し，規定された時間に溶出液10 mL以上をとり，孔径0.45 μm以下のメンブランフィルターでろ過する．初めのろ液1 mL以上を除き，次のろ液V mLを正確に量り，1 mL中にビカルタミド($C_{18}H_{14}F_4N_2O_4S$)約8 μgを含む液となるように試験液を加えて正確にV' mLとし，試料溶液とする．別にビカルタミド標準品(別途「ビカルタミド」と同様の条件で乾燥減量〈2.41〉を測定しておく)約16 mgを精密に量り，テトラヒドロフラン2 mLに溶かし，試験液を加えて正確に200 mLとする．この液5 mLを正確に量り，試験液を加えて正確に50 mLとし，標準溶液とする．試料溶液及び標準溶液につき，紫外可視吸光度測定法〈2.24〉により試験を行い，測定波長270 nmにおける吸光度A_T及びA_Sを測定する．

ビカルタミド($C_{18}H_{14}F_4N_2O_4S$)の表示量に対する溶出率(%)
$= M_S \times A_T/A_S \times V'/V \times 1/C \times 50$

M_S：乾燥物に換算したビカルタミド標準品の秤取量(mg)
C：1錠中のビカルタミド($C_{18}H_{14}F_4N_2O_4S$)の表示量(mg)

定量法　本品20個以上をとり，その質量を精密に量り，粉末とする．ビカルタミド($C_{18}H_{14}F_4N_2O_4S$)約50 mgに対応する量を精密に量り，テトラヒドロフラン50 mLを加え，超音波処理した後，テトラヒドロフランを加えて正確に100 mLとする．この液を孔径0.45 μm以下のメンブランフィルターでろ過し，初めのろ液1 mLを除き，次のろ液4 mLを正確に量り，内標準溶液5 mLを正確に加え，更に移動相を加えて50 mLとし，試料溶液とする．別にビカルタミド標準品(別途「ビカルタミド」と同様の条件で乾燥減量〈2.41〉を測定しておく)約25 mgを精密に量り，テトラヒドロフランに溶かし，正確に50 mLとする．この液4 mLを正確に量り，内標準溶液5 mLを正確に加え，更に移動相を加えて50 mLとし，標準溶液とする．試料溶液及び標準溶液10 μLにつき，次の条件で液体クロマトグラフィー〈2.01〉により試験を行い，内標準物質のピーク面積に対するビカルタミドのピーク面積の比Q_T及びQ_Sを求める．

ビカルタミド($C_{18}H_{14}F_4N_2O_4S$)の量(mg)
　＝$M_S \times Q_T / Q_S \times 2$

M_S：乾燥物に換算したビカルタミド標準品の秤取量(mg)

内標準溶液　パラオキシ安息香酸プロピルの移動相溶液(1→3500)

試験条件
　検出器：紫外吸光光度計(測定波長：270 nm)
　カラム：内径4.6 mm，長さ12.5 cmのステンレス管に3 μmの液体クロマトグラフィー用オクタデシルシリル化シリカゲルを充塡する．
　カラム温度：50℃付近の一定温度
　移動相：水／テトラヒドロフラン／アセトニトリル混液(13：4：3)
　流量：ビカルタミドの保持時間が約7分になるように調整する．
　システム適合性
　　システムの性能：標準溶液10 μLにつき，上記の条件で操作するとき，内標準物質，ビカルタミドの順に溶出し，その分離度は7以上である．
　　システムの再現性：標準溶液10 μLにつき，上記の条件で試験を6回繰り返すとき，内標準物質のピーク面積に対するビカルタミドのピーク面積の比の相対標準偏差は1.0％以下である．

貯法　容器　密閉容器．

医薬品各条の部　ヒプロメロースフタル酸エステルの条冒頭の国際調和に関する記載，性状の項及び粘度の項を次のように改める．

ヒプロメロースフタル酸エステル

　本医薬品各条は，三薬局方での調和合意に基づき規定した医薬品各条である．
　なお，三薬局方で調和されていない部分のうち，調和合意において，調和の対象とされた項中非調和となっている項の該当箇所は「◆　◆」で，調和の対象とされた項以外に日本薬局方が独自に規定することとした項は「◇　◇」で囲むことにより示す．
　三薬局方の調和合意に関する情報については，独立行政法人医薬品医療機器総合機構のウェブサイトに掲載している．

◆性状　本品は白色の粉末又は粒である．
　本品は水，アセトニトリル又はエタノール(99.5)にほとんど溶けない．
　本品はメタノールとジクロロメタンの質量比で1：1の混液又はエタノール(99.5)／アセトン混液(1：1)を加えるとき，粘稠性のある液となる．
　本品は水酸化ナトリウム試液に溶ける．◆

粘度〈2.53〉　本品を105℃で1時間乾燥し，その10 gをとり，メタノールとジクロロメタンの質量比で1：1の混液90 gを加え，かき混ぜた後，更に振り混ぜて溶かし，20±0.1℃で第1法により試験を行うとき，表示粘度の80 〜 120％である．

同条純度試験(2)の目を削り，(3)の目を(2)とし，次のように改める．

純度試験
(2)　フタル酸　本品約0.2 gを精密に量り，アセトニトリル約50 mLを加え，超音波処理を行って部分的に溶かした後，水10 mLを加え，再び超音波処理を行って溶かし，冷後，アセトニトリルを加えて正確に100 mLとし，試料溶液とする．別にフタル酸約12.5 mgを精密に量り，アセトニトリル約125 mLを加え，かき混ぜて溶かした後，水25 mLを加え，次にアセトニトリルを加えて正確に250 mLとし，標準溶液とする．試料溶液及び標準溶液10 μLずつを正確にとり，次の条件で液体クロマトグラフィー〈2.01〉により試験を行う．それぞれの液のフタル酸のピーク面積A_T及びA_Sを測定するとき，フタル酸($C_8H_6O_4$：166.13)の量は1.0％以下である．

フタル酸の量(％)＝$M_S / M_T \times A_T / A_S \times 40$

M_S：フタル酸の秤取量(mg)
M_T：脱水物に換算した本品の秤取量(mg)

試験条件
　検出器：紫外吸光光度計(測定波長：235 nm)
　カラム：内径4.6 mm，長さ25 cmのステンレス管に3 〜 10 μmの液体クロマトグラフィー用オクタデシルシリル化シリカゲルを充塡する．
　カラム温度：20℃付近の一定温度
　移動相：0.1％トリフルオロ酢酸／アセトニトリル混液(9：1)
　流量：毎分約2.0 mL
　システム適合性
　　◇システムの性能：標準溶液10 μLにつき，上記の条件で操作するとき，フタル酸のピークの理論段数及びシンメトリー係数は，それぞれ2500段以上，1.5以下である．◇
　　システムの再現性：標準溶液10 μLにつき，上記の条件で試験を5回繰り返すとき，フタル酸のピーク面積の相対標準偏差は1.0％以下である．

医薬品各条の部　ブチルスコポラミン臭化物の条の次に次の一条を加える．

ブデソニド
Budesonide

及びC*位エピマー

$C_{25}H_{34}O_6$: 430.53

16α,17-[(1RS)-Butylidenebis(oxy)]-11β,21-dihydroxypregna-1,4-diene-3,20-dione

[51333-22-3]

本品は定量するとき，換算した乾燥物に対し，ブデソニド($C_{25}H_{34}O_6$) 98.0 ～ 102.0％を含む．

性状　本品は白色～微黄白色の結晶又は結晶性の粉末である．

本品はメタノールにやや溶けやすく，アセトニトリル又はエタノール(99.5)にやや溶けにくく，水にほとんど溶けない．

旋光度〔α〕$_D^{25}$：+102 ～ +109°(0.25 g，メタノール，25 mL，100 mm)．

融点：約240℃(分解)．

確認試験
(1)　本品のメタノール溶液(1→40000)につき，紫外可視吸光度測定法〈2.24〉により吸収スペクトルを測定し，本品のスペクトルと本品の参照スペクトル又はブデソニド標準品について同様に操作して得られたスペクトルを比較するとき，両者のスペクトルは同一波長のところに同様の強度の吸収を認める．

(2)　本品につき，赤外吸収スペクトル測定法〈2.25〉の臭化カリウム錠剤法により試験を行い，本品のスペクトルと本品の参照スペクトル又はブデソニド標準品のスペクトルを比較するとき，両者のスペクトルは同一波数のところに同様の強度の吸収を認める．

純度試験　類縁物質　本操作は光を避け，遮光した容器を用いて行う．本品50 mgをアセトニトリル15 mLに溶かし，pH 3.2のリン酸塩緩衝液を加えて50 mLとし，試料溶液とする．試料溶液20 μLにつき，次の条件で液体クロマトグラフィー〈2.01〉により試験を行う．試料溶液の各々のピーク面積を自動積分法により測定し，面積百分率法によりそれらの量を求めるとき，ブデソニドの二つのピークのうち，先に溶出するピーク(エピマーB)に対する相対保持時間約0.1及び約0.95の類縁物質A及び類縁物質Lのピークの量はそれぞれ0.2％以下，相対保持時間約0.63及び約0.67の類縁物質Dのピークの量の和，並びに相対保持時間約2.9及び約3.0の類縁物質Kのピークの量の和は，それぞれ0.2％以下であり，ブデソニド及び上記以外のピークの量は0.1％以下である．また，ブデソニド以外のピークの合計量は0.5％以下である．ただし，類縁物質D及び類縁物質Kのピーク面積は自動積分法で求めた面積にそれぞれ感度係数1.8及び1.3を乗じた値とする．

試験条件
　検出器，カラム，カラム温度及び流量は定量法の試験条件を準用する．
　移動相A：pH 3.2のリン酸塩緩衝液／液体クロマトグラフィー用アセトニトリル／エタノール(99.5)混液(34：16：1)
　移動相B：pH 3.2のリン酸塩緩衝液／液体クロマトグラフィー用アセトニトリル混液(1：1)
　移動相の送液：移動相A及び移動相Bの混合比を次のように変えて濃度勾配制御する．

注入後の時間(分)	移動相A(vol％)	移動相B(vol％)
0 ～ 38	100	0
38 ～ 50	100 → 0	0 → 100
50 ～ 60	0	100

　面積測定範囲：溶媒のピークの後から注入後60分まで
システム適合性
　検出の確認：試料溶液1 mLを正確に量り，pH 3.2のリン酸塩緩衝液／アセトニトリル混液(17：8)を加えて正確に10 mLとする．この液1 mLを正確に量り，pH 3.2のリン酸塩緩衝液／アセトニトリル混液(17：8)を加えて正確に100 mLとし，システム適合性試験用溶液とする．システム適合性試験用溶液20 μLにつき，上記の条件で操作するとき，ブデソニドの二つのピークのうち後に溶出するピーク(エピマーA)のSN比は10以上である．
　システムの性能：システム適合性試験用溶液20 μLにつき，上記の条件で操作するとき，ブデソニドの二つのピークの分離度は1.5以上である．

乾燥減量〈2.41〉　0.5％以下(1 g，105℃，3時間)．

異性体比　本操作は光を避け，遮光した容器を用いて行う．定量法の試料溶液20 μLにつき，次の条件で液体クロマトグラフィー〈2.01〉により試験を行う．ブデソニドの二つのピークのうち，先に溶出するピーク面積A_b及び後に溶出するピーク面積A_aを測定するとき，$A_a/(A_a + A_b)$は0.40 ～ 0.51である．

試験条件
　定量法の試験条件を準用する．
システム適合性
　システムの性能は定量法のシステムの性能を準用する．

定量法　本操作は光を避け，遮光した容器を用いて行う．本品及びブデソニド標準品(別途本品と同様の条件で乾燥減量〈2.41〉を測定しておく)約25 mgずつを精密に量り，それぞれをアセトニトリル15 mLに溶かし，pH 3.2のリン酸塩緩衝液を加えて正確に50 mLとし，試料溶液及び標準溶液とする．試料溶液及び標準溶液20 μLずつを正確にとり，次の条件で液体クロマトグラフィー〈2.01〉により試験を行い，それぞれの液のブデソニドの二つのピーク面積の和A_T及びA_Sを測定する．

ブデソニド($C_{25}H_{34}O_6$)の量(mg)＝$M_S \times A_T/A_S$

M_S：乾燥物に換算したブデソニド標準品の秤取量(mg)

試験条件
　　検出器：紫外吸光光度計(測定波長：240 nm)
　　カラム：内径4.6 mm，長さ15 cmのステンレス管に3 μmの液体クロマトグラフィー用オクタデシルシリル化シリカゲルを充塡する．
　　カラム温度：50℃付近の一定温度
　　移動相：pH 3.2のリン酸塩緩衝液／液体クロマトグラフィー用アセトニトリル／エタノール(99.5)混液(34：16：1)
　　流量：毎分1.0 mL (ブデソニドの二つのピークの保持時間約17分及び約19分)
　システム適合性
　　システムの性能：標準溶液20 μLにつき，上記の条件で操作するとき，ブデソニドの二つのピークの分離度は1.5以上である．
　　システムの再現性：標準溶液20 μLにつき，上記の条件で試験を6回繰り返すとき，ブデソニドの二つのピーク面積の和の相対標準偏差は1.0％以下である．

貯法
　保存条件　遮光して保存する．
　容器　気密容器．

その他
　類縁物質A：
　11β,16α,17,21-Tetrahydroxypregna-1,4-diene-3,20-dione

　類縁物質D：
　16α,17-[(1*RS*)-Butylidenebis(oxy)]-11β-hydroxy-3,20-dioxopregna-1,4-dien-21-al
　及びC*位エピマー

　類縁物質K：
　16α,17-[(1*RS*)-Butylidenebis(oxy)]-11β,21-dihydroxypregna-1,4-diene-3,20-dione 21-acetate
　及びC*位エピマー

　類縁物質L：
　16α,17-[(1*RS*)-Butylidenebis(oxy)]-21-hydroxypregna-1,4-diene-3,11,20-trione
　及びC*位エピマー

医薬品各条の部　ブトロピウム臭化物の条定量法の項を次のように改める．

ブトロピウム臭化物

定量法　本品を乾燥し，その約0.8 gを精密に量り，ギ酸5 mLに溶かし，無水酢酸100 mLを加え，0.1 mol/L過塩素酸で滴定〈2.50〉する(電位差滴定法)．同様の方法で空試験を行い，補正する．

0.1 mol/L過塩素酸1 mL ＝ 53.25 mg $C_{28}H_{38}BrNO_4$

医薬品各条の部　ブロムヘキシン塩酸塩の条純度試験の項を次のように改める．

ブロムヘキシン塩酸塩

純度試験　類縁物質　本操作は光を避け，遮光した容器を用いて行う．本品50 mgをメタノール10 mLに溶かし，試料溶液とする．この液1 mLを正確に量り，移動相を加えて正確に20 mLとする．この液1 mLを正確に量り，移動相を加えて正確に25 mLとし，標準溶液とする．試料溶液及び標準溶液5 μLずつを正確にとり，次の条件で液体クロマトグラフィー〈2.01〉により試験を行う．それぞれの液の各々のピーク面積を自動積分法により測定するとき，試料溶液のブロムヘキシン以外のピークの面積は，それぞれ標準溶液のブロムヘキシンのピーク面積より大きくない．

試験条件
　　検出器：紫外吸光光度計(測定波長：245 nm)
　　カラム：内径4.6 mm，長さ15 cmのステンレス管に5 μmの液体クロマトグラフィー用オクタデシルシリル化シリカゲルを充塡する．
　　カラム温度：40℃付近の一定温度
　　移動相：リン酸二水素カリウム1.0 gを900 mLの水に溶かし，0.5 mol/L水酸化ナトリウム試液を加えてpH 7.0に調整し，水を加えて1000 mLとする．この液200 mLにアセトニトリル800 mLを加える．
　　流量：ブロムヘキシンの保持時間が約6分になるように調整する．
　　面積測定範囲：溶媒のピークの後からブロムヘキシンの保持時間の約2倍の範囲

システム適合性
　検出の確認：標準溶液5 mLを正確に量り，移動相を加えて正確に20 mLとする．この液5 μLから得たブロムヘキシンのピーク面積が，標準溶液のブロムヘキシンのピーク面積の17.5 ～ 32.5％になることを確認する．
　システムの性能：標準溶液5 μLにつき，上記の条件で操作するとき，ブロムヘキシンのピークの理論段数及びシンメトリー係数は，それぞれ2800段以上，1.5以下である．
　システム再現性：標準溶液5 μLにつき，上記の条件で試験を6回繰り返すとき，ブロムヘキシンのピーク面積の相対標準偏差は2.0％以下である．

医薬品各条の部　ベンジルアルコールの条確認試験の項を次のように改める．

ベンジルアルコール

確認試験　本品につき，赤外吸収スペクトル測定法〈2.25〉の液膜法により試験を行い，本品のスペクトルと本品の参照スペクトルを比較するとき，両者のスペクトルは同一波数のところに同様の強度の吸収を認める．

医薬品各条の部　ボグリボース錠の条確認試験の項を次のように改める．

ボグリボース錠

確認試験　本品を粉末とし，「ボグリボース」5 mgに対応する量をとり，水40 mLを加えて激しく振り混ぜた後，遠心分離する．上澄液をカラム（70 ～ 200 μmのカラムクロマトグラフィー用強酸性イオン交換樹脂（H型）1.0 mLを内径8 mm，高さ130 mmのクロマトグラフィー管に注入して調製したもの）に入れ，1分間約5 mLの速度で流出する．次に水200 mLを用いてカラムを洗った後，薄めたアンモニア試液（1→4）10 mLを用いて1分間約5 mLの速度で流出する．この流出液を孔径0.22 μm以下のメンブランフィルターで2回ろ過する．ろ液を減圧下，50℃で蒸発乾固し，残留物を水／メタノール混液（1：1）0.5 mLに溶かし，試料溶液とする．別に定量用ボグリボース20 mgを水／メタノール混液（1：1）2 mLに溶かし，標準溶液とする．これらの液につき，薄層クロマトグラフィー〈2.03〉により試験を行う．試料溶液及び標準溶液20 μLずつを薄層クロマトグラフィー用シリカゲルを用いて調製した薄層板にスポットする．次にアセトン／アンモニア水(28)／水混液（5：3：1）を展開溶媒として約12 cm展開した後，薄層板を風乾する．これをヨウ素蒸気中に放置するとき，試料溶液から得た主スポット及び標準溶液から得たスポットは黄褐色を呈し，それらのR_f値は等しい．

医薬品各条の部　ボグリボース錠の条の次に次の一条を加える．

ボグリボース口腔内崩壊錠
Voglibose Orally Disintegrating Tablets

本品は定量するとき，表示量の95.0 ～ 105.0％に対応するボグリボース（$C_{10}H_{21}NO_7$：267.28）を含む．

製法　本品は「ボグリボース」をとり，錠剤の製法により製する．

確認試験　本品10個をとり，必要ならば粉砕し，1 mL中にボグリボース（$C_{10}H_{21}NO_7$）約0.2 mgを含む液となるようにメタノールを加え，振り混ぜながら超音波処理により崩壊させる．この液を孔径0.45 μm以下のメンブランフィルターでろ過し，初めのろ液3 mLを除き，次のろ液を試料溶液とする．別に定量用ボグリボース10 mgを水2 mLに溶かし，更にメタノールを加えて50 mLとし，標準溶液とする．これらの液につき，薄層クロマトグラフィー〈2.03〉により試験を行う．試料溶液及び標準溶液10 μLずつを薄層クロマトグラフィー用シリカゲルを用いて調製した薄層板にスポットする．次にメタノール／アセトン／水／アンモニア水(28)混液（10：10：4：1）を展開溶媒として約12 cm展開した後，薄層板を風乾する．これを四酢酸鉛・フルオレセインナトリウム試液に浸した後，静かに引き上げて余分の液を流下させる．これを風乾後，紫外線（主波長：366 nm）を照射するとき，試料溶液及び標準溶液から得たスポットは，黄色の蛍光を発し，それらのR_f値は等しい．

製剤均一性〈6.02〉　次の方法により含量均一性試験を行うとき，適合する．

本品1個をとり，1 mL中にボグリボース（$C_{10}H_{21}NO_7$）約20 μgを含む液となるように移動相 V mLを正確に加え，超音波処理により崩壊させる．この液を遠心分離し，上澄液を孔径0.45 μm以下のメンブランフィルターでろ過する．初めのろ液5 mLを除き，次のろ液を試料溶液とする．以下定量法を準用する．

ボグリボース（$C_{10}H_{21}NO_7$）の量（mg）
$= M_S \times A_T / A_S \times V / 2500$

M_S：脱水物に換算した定量用ボグリボースの秤取量（mg）

崩壊性　別に規定する．

溶出性〈6.10〉　試験液に水900 mLを用い，パドル法により，毎分50回転で試験を行うとき，本品の15分間の溶出率は85％以上である．

本品1個をとり，試験を開始し，規定された時間に溶出液10 mL以上をとり，孔径0.45 μm以下のメンブランフィルターでろ過する．初めのろ液5 mL以上を除き，次のろ液 V mLを正確に量り，1 mL中にボグリボース（$C_{10}H_{21}NO_7$）約0.11 μgを含む液となるように移動相を加えて正確に V' mLとし，試料溶液とする．別に定量用ボグリボース（別途「ボグリボース」と同様の方法で水分〈2.48〉を測定しておく）約50 mgを精密に量り，水に溶かし，正確に50 mLとする．この液1 mLを正確に量り，水を加えて正確に100 mLとする．この液2 mLを正確に量り，水を加えて正確に100 mL

とする．この液10 mLを正確に量り，移動相を加えて正確に20 mLとし，標準溶液とする．試料溶液及び標準溶液100 μLずつを正確にとり，次の条件で液体クロマトグラフィー〈2.01〉により試験を行い，試料溶液及び標準溶液のボグリボースのピーク面積A_T及びA_Sを測定する．

ボグリボース($C_{10}H_{21}NO_7$)の表示量に対する溶出率(%)
$= M_S \times A_T/A_S \times V'/V \times 1/C \times 9/50$

M_S：脱水物に換算した定量用ボグリボースの秤取量(mg)
C：1錠中のボグリボース($C_{10}H_{21}NO_7$)の表示量(mg)

試験条件
　装置，検出器，カラム温度，反応コイル，冷却コイル，移動相，反応液，反応温度，冷却温度及び反応液流量は定量法の試験条件を準用する．
　カラム：内径4.6 mm，長さ7.5 cmのステンレス管に5 μmの液体クロマトグラフィー用ポリアミンシリカゲルを充塡する．
　移動相流量：ボグリボースの保持時間が約5分になるように調整する．

システム適合性
　システムの性能：標準溶液100 μLにつき，上記の条件で操作するとき，ボグリボースのピークの理論段数及びシンメトリー係数は，それぞれ900段以上，1.5以下である．
　システムの再現性：標準溶液100 μLにつき，上記の条件で試験を6回繰り返すとき，ボグリボースのピーク面積の相対標準偏差は3.0%以下である．

定量法　本品20個をとり，移動相$4V/5$ mLを加え，超音波処理により崩壊させる．さらに1 mL中にボグリボース($C_{10}H_{21}NO_7$)約20 μgを含む液となるように移動相を加えて正確にV mLとする．この液を遠心分離し，上澄液を孔径0.45 μm以下のメンブランフィルターでろ過する．初めのろ液5 mLを除き，次のろ液を試料溶液とする．別に定量用ボグリボース(別途「ボグリボース」と同様の方法で水分〈2.48〉を測定しておく)約50 mgを精密に量り，移動相に溶かし正確に100 mLとする．この液2 mLを正確に量り，移動相を加えて正確に50 mLとし，標準溶液とする．試料溶液及び標準溶液50 μLずつを正確にとり，次の条件で液体クロマトグラフィー〈2.01〉により試験を行い，それぞれの液のボグリボースのピーク面積A_T及びA_Sを測定する．

本品1個中のボグリボース($C_{10}H_{21}NO_7$)の量(mg)
$= M_S \times A_T/A_S \times V/50000$

M_S：脱水物に換算した定量用ボグリボースの秤取量(mg)

試験条件
　装置：移動相及び反応試薬送液用の二つのポンプ，試料導入部，カラム，反応コイル，冷却コイル，検出器並びに記録装置よりなり，反応コイル及び冷却コイルは恒温に保たれるものを用いる．
　検出器：蛍光光度計(励起波長：350 nm，蛍光波長：430 nm)
　カラム：内径4.6 mm，長さ25 cmのステンレス管に5 μmの液体クロマトグラフィー用ポリアミンシリカゲルを充塡する．
　カラム温度：25℃付近の一定温度
　反応コイル：内径0.5 mm，長さ20 mのポリテトラフルオロエチレンチューブ
　冷却コイル：内径0.3 mm，長さ2 mのポリテトラフルオロエチレンチューブ
　移動相：リン酸二水素ナトリウム二水和物1.56 gを水500 mLに溶かした液に，リン酸水素二ナトリウム十二水和物3.58 gを水500 mLに溶かした液を加えてpH 6.5に調整する．この液500 mLにアセトニトリル500 mLを加える．
　反応液：タウリン6.25 g及び過ヨウ素酸ナトリウム2.56 gを水に溶かし，1000 mLとする．
　反応温度：100℃付近の一定温度
　冷却温度：25℃付近の一定温度
　移動相流量：ボグリボースの保持時間が約15分になるように調整する．
　反応液流量：移動相の流量に同じ

システム適合性
　システムの性能：標準溶液50 μLにつき，上記の条件で操作するとき，ボグリボースのピークの理論段数及びシンメトリー係数は，それぞれ3000段以上，1.5以下である．
　システムの再現性：標準溶液50 μLにつき，上記の条件で試験を6回繰り返すとき，ボグリボースのピーク面積の相対標準偏差は1.0%以下である．

貯法　容器　気密容器．

医薬品各条の部　ポリソルベート 80 の条を次のように改める．

ポリソルベート80

Polysorbate 80

　　本医薬品各条は，三薬局方での調和合意に基づき規定した医薬品各条である．
　　なお，三薬局方で調和されていない部分のうち，調和合意において，調和の対象とされた項中非調和となっている項の該当箇所は「◆　◆」で，調和の対象とされた項以外に日本薬局方が独自に規定することとした項は「◇　◇」で囲むことにより示す．
　　三薬局方の調和合意に関する情報については，独立行政法人医薬品医療機器総合機構のウェブサイトに掲載している．

　　本品は，主としてオレイン酸からなる脂肪酸でソルビトール及び無水ソルビトールを部分エステル化した混合物にエチレンオキシドを付加重合したものである．ソルビトール及び無水ソルビトールそれぞれ1モル当たりのエチレンオキシドの平均付加モル数は約20である．

◆性状　本品は無色～帯褐黄色の澄明又は僅かに乳濁した油状の液である．
　　本品は水，メタノール，エタノール(99.5)又は酢酸エチルと混和する．
　　本品は脂肪油又は流動パラフィンにほとんど溶けない．

粘度：約400 mPa・s (25℃)
比重　d^{20}_{20}：約1.10．

確認試験　脂肪酸含量比に適合する．

脂肪酸含量比　本品0.10 gを25 mLのフラスコに入れ，水酸化ナトリウムのメタノール溶液(1→50) 2 mLに溶かし，還流冷却器を付け，30分間加熱する．冷却器から三フッ化ホウ素・メタノール試液2.0 mLを加え，30分間加熱する．冷却器からヘプタン4 mLを加え，5分間加熱する．冷後，塩化ナトリウム飽和溶液10.0 mLを加えて約15秒間振り混ぜ，更に上層がフラスコの首部にくるまで塩化ナトリウム飽和溶液を加える．上層2 mLをとり，水2 mLずつで3回洗い，無水硫酸ナトリウムで乾燥し，試料溶液とする．試料溶液及び脂肪酸メチルエステル混合試液1 μLにつき，次の条件でガスクロマトグラフィー〈2.02〉により試験を行う．脂肪酸メチルエステル混合試液のクロマトグラムを用いて試料溶液のクロマトグラムの各々のピークを同定する．さらに試料溶液の各々のピーク面積を自動積分法により測定し，面積百分率法により脂肪酸含量比を求めるとき，ミリスチン酸は5.0%以下，パルミチン酸は16.0%以下，パルミトレイン酸は8.0%以下，ステアリン酸は6.0%以下，オレイン酸は58.0%以上，リノール酸は18.0%以下及びリノレン酸は4.0%以下である．

試験条件
　検出器：水素炎イオン化検出器
　カラム：内径0.32 mm，長さ30 mのフューズドシリカ管の内面にガスクロマトグラフィー用ポリエチレングリコール20 Mを厚さ0.5 μmで被覆する．
　カラム温度：80℃付近の一定温度で注入し，毎分10℃で220℃まで昇温し，220℃を40分間保持する．
　注入口温度：250℃付近の一定温度
　検出器温度：250℃付近の一定温度
　キャリヤーガス：ヘリウム
　流量：50 cm/秒
　スプリット比：1：50
システム適合性
　検出の確認：下記の表の組成の脂肪酸メチルエステル混合物0.50 gをヘプタンに溶かし正確に50 mLとし，システム適合性試験用溶液とする．この液1 mLを正確に量り，ヘプタンを加えて正確に10 mLとする．この液1 μLにつき，上記の条件で操作するとき，ミリスチン酸メチルのSN比は5以上である．

脂肪酸メチルエステル混合物	含量比(%)
ガスクロマトグラフィー用ミリスチン酸メチル	5
ガスクロマトグラフィー用パルミチン酸メチル	10
ガスクロマトグラフィー用ステアリン酸メチル	15
ガスクロマトグラフィー用アラキジン酸メチル	20
ガスクロマトグラフィー用オレイン酸メチル	20
ガスクロマトグラフィー用エイコセン酸メチル	10
ベヘン酸メチル	10
ガスクロマトグラフィー用リグノセリン酸メチル	10

　システムの性能：システム適合性試験用溶液1 μLにつき，上記の条件で操作するとき，◇ステアリン酸メチル，オレイン酸メチルの順に流出し，◇その分離度は1.8以上であり，ステアリン酸メチルのピークの理論段数は30000段以上である．

酸価〈1.13〉　2.0以下．ただし，溶媒として◆エタノール(95)◆を用いる．

けん化価　本品約4 gを精密に量り，250 mLのホウケイ酸ガラス製フラスコに入れ，0.5 mol/L水酸化カリウム・エタノール液30 mLを正確に加え，更に2～3個のガラスビーズを入れる．これに還流冷却器を付け，60分間加熱する．フェノールフタレイン試液1 mL及びエタノール(99.5) 50 mLを加え，直ちに0.5 mol/L塩酸で滴定〈2.50〉する．同様の方法で空試験を行う．次式によりけん化価を求めるとき，その値は45～55である．

けん化価 $= (a - b) \times 28.05 / M$

　M：本品の秤取量(g)
　a：空試験における0.5 mol/L塩酸の消費量(mL)
　b：本品の試験における0.5 mol/L塩酸の消費量(mL)

水酸基価　本品約2 gを精密に量り，150 mLの丸底フラスコに入れ，無水酢酸・ピリジン試液5 mLを正確に加え，これに空気冷却器を付け，水浴中の水面が絶えずフラスコ中の液面より約2.5 cm上にくるように浸して1時間加熱する．フラスコを水浴から取り出し，冷後，冷却器から水5 mLを加える．液に曇りが現れた場合には，その曇りが消えるまでピリジンを加え，その量を記録する．フラスコを振り動かし，水浴中で再び10分間加熱する．フラスコを水浴から取り出し，冷後，冷却器及びフラスコの壁面を中和エタノール5 mLで洗い込み，0.5 mol/L水酸化カリウム・エタノール液で滴定〈2.50〉する(指示薬：フェノールフタレイン試液0.2 mL)．同様の方法で空試験を行う．次式により水酸基価を求めるとき，その値は65～80である．

水酸基価 $= (a - b) \times 28.05 / M +$ 酸価

　M：本品の秤取量(g)
　a：空試験における0.5 mol/L水酸化カリウム・エタノール液の消費量(mL)
　b：本品の試験における0.5 mol/L水酸化カリウム・エタノール液の消費量(mL)

純度試験

（1）エチレンオキシド及び1,4－ジオキサン　本品1.00 gを正確に量り，10 mLのヘッドスペース用バイアルに入れ，水2 mLを正確に加え，直ちにフッ素樹脂で被覆したシリコーンゴム製セプタムをアルミニウム製のキャップを用いてバイアルに固定して密栓する．バイアルを注意して振り混ぜた後，内容物を試料溶液とする．別にエチレンオキシドをジクロロメタンに溶かし，1 mL中に50 mgを含むように調製した液0.5 mLを正確にとり，水を加えて正確に50 mLとする．この液を室温になるまで放置した後，その1 mLを正確にとり，水を加えて正確に250 mLとし，エチレンオキシド原液とする．また，1,4－ジオキサン1 mLを正確に量り，水を加えて正確に200 mLとする．この液1 mLを正確に量り，水を加えて正確に100 mLとし，1,4－ジオキサン原液とする．エチレンオキシド原液6 mL及び1,4－ジオキサン原液2.5 mLをそれぞれ正確に量り，水を加えて正確に25 mLとし，エチレンオキシド・1,4－ジオキサン標準原液とする．本品1.00 g

を正確に量り，10 mLのヘッドスペース用バイアルに入れ，エチレンオキシド・1,4－ジオキサン標準原液2 mLを正確に加え，直ちにフッ素樹脂で被覆したシリコーンゴム製セプタムをアルミニウム製のキャップを用いてバイアルに固定して密栓する．バイアルを注意して振り混ぜた後，内容物を標準溶液とする．試料溶液及び標準溶液のそれぞれにつき，次の条件でガスクロマトグラフィー〈2.02〉のヘッドスペース法により試験を行う．次式によりエチレンオキシド及び1,4－ジオキサンの量を求めるとき，それぞれ1 ppm以下及び10 ppm以下である．

エチレンオキシドの量$(ppm) = 2 \times C_{EO} \times A_a/(A_b - A_a)$

C_{EO}：標準溶液に添加されたエチレンオキシド濃度（μg/mL）
A_a：試料溶液のエチレンオキシドのピーク面積
A_b：標準溶液のエチレンオキシドのピーク面積

1,4－ジオキサンの量(ppm)
$= 2 \times 1.03 \times C_D \times A_a' \times 1000/(A_b' - A_a')$

C_D：標準溶液に添加された1,4－ジオキサン濃度（μL/mL）
1.03：1,4－ジオキサンの密度（g/mL）
A_a'：試料溶液の1,4－ジオキサンのピーク面積
A_b'：標準溶液の1,4－ジオキサンのピーク面積

ヘッドスペース装置の操作条件
　バイアル内平衡温度：80℃付近の一定温度
　バイアル内平衡時間：30分間
　キャリヤーガス：ヘリウム
　試料注入量：1.0 mL
試験条件
　検出器：水素炎イオン化検出器
　カラム：内径0.53 mm，長さ50 mのフューズドシリカ管の内面にガスクロマトグラフィー用5％ジフェニル・95％ジメチルポリシロキサンを厚さ5 μmで被覆する．
　カラム温度：70℃付近の一定温度で注入し，その後，毎分10℃で250℃まで昇温し，250℃を5分間保持する．
　注入口温度：85℃付近の一定温度
　検出器温度：250℃付近の一定温度
　キャリヤーガス：ヘリウム
　流量：毎分4.0 mL
　スプリット比：1：3.5
システム適合性
　システムの性能：アセトアルデヒド0.100 gを量り，100 mLのメスフラスコに入れ，水を加えて100 mLとする．この液1 mLを正確に量り，水を加えて正確に100 mLとする．この液2 mL及びエチレンオキシド原液2 mLをそれぞれ正確に量り，10 mLのヘッドスペース用バイアルに入れ，直ちにフッ素樹脂で被覆したシリコーンゴム製セプタムをアルミニウム製のキャップを用いてバイアルに固定して密栓する．バイアルを注意して振り混ぜた後，内容物をシステム適合性試験用溶液とする．標準溶液及びシステム適合性試験用溶液につき，

上記の条件で操作するとき，アセトアルデヒド，エチレンオキシド，1,4－ジオキサンの順に流出し，アセトアルデヒドとエチレンオキシドの分離度は2.0以上である．

（2）過酸化物価　本品約10 gを精密に量り，100 mLのビーカーに入れ，酢酸(100) 20 mLに溶かす．この液に飽和ヨウ化カリウム溶液1 mLを加え，1分間放置する．新たに煮沸して冷却した水50 mLを加え，マグネチックスターラーでかき混ぜながら，0.01 mol/Lチオ硫酸ナトリウム液で滴定〈2.50〉する（電位差滴定法）．同様の方法で空試験を行い，補正する．次式により過酸化物価を求めるとき，その値は10.0以下である．

過酸化物価 $= (a - b) \times 10/M$

M：本品の秤取量(g)
a：本品の試験における0.01 mol/Lチオ硫酸ナトリウム液の消費量(mL)
b：空試験における0.01 mol/Lチオ硫酸ナトリウム液の消費量(mL)

水分〈2.48〉　3.0％以下（1 g，容量滴定法，直接滴定）．
強熱残分　あらかじめ石英製又は白金製のるつぼを30分間赤熱し，デシケーター（シリカゲル又は他の適切な乾燥剤）中で放冷後，その質量を精密に量る．本品2.00 gをるつぼに入れ，表面が平らになるように広げた後，100 ～ 105℃で1時間乾燥し，◇更になるべく低温で徐々に加熱して，試料を完全に炭化させる．◇次いで電気炉に入れ，恒量になるまで600±25℃で強熱した後，るつぼをデシケーター中で放冷し，その質量を精密に量る．操作中は，炎をあげて燃焼しないように注意する．強熱の後でも残留物中に黒色粒子が認められる場合には，残留物に熱湯を加え，定量分析用ろ紙を用いてろ過し，残留物をろ紙と共に強熱する．これにろ液を加えた後，注意深く蒸発乾固し，恒量になるまで強熱する．残分の量は0.25％以下である．

貯法
　保存条件　遮光して保存する．
　容器　気密容器．

医薬品各条の部　ホルモテロールフマル酸塩水和物の条化学名の項及び純度試験の項を次のように改める．

ホルモテロールフマル酸塩水和物

$(C_{19}H_{24}N_2O_4)_2 \cdot C_4H_4O_4 \cdot 2H_2O : 840.91$
N-(2-Hydroxy-5-{(1RS)-1-hydroxy-2-[(2RS)-1-(4-methoxyphenyl)propan-2-ylamino]ethyl}phenyl)formamide hemifumarate monohydrate

純度試験

（1）類縁物質　本品20 mgを希釈液に溶かし，100 mLとし，試料溶液とする．試料溶液20 μLにつき，次の条件で液体クロマトグラフィー〈2.01〉により試験を行う．試料溶液の各々のピーク面積を自動積分法により測定し，面積百分率法によりそれらの量を求めるとき，ホルモテロールに対する

相対保持時間約0.5の類縁物質Aのピークの量は0.3％以下，相対保持時間約0.7，約1.2，約1.3及び約2.0の類縁物質B，類縁物質C，類縁物質D及び類縁物質Fのピークの量はそれぞれ0.2％以下，相対保持時間約1.8の類縁物質Eのピークの量は0.1％以下であり，ホルモテロール及び上記以外のピークの量は0.1％以下である．また，ホルモテロール以外のピークの合計量は0.5％以下である．ただし，類縁物質Aのピーク面積は自動積分法で求めた面積に感度係数1.75を乗じた値とする．

希釈液：リン酸二水素ナトリウム二水和物6.9 g及び無水リン酸水素二ナトリウム0.8 gを水に溶かし，1000 mLとする．0.5 mol/Lリン酸水素二ナトリウム試液又は薄めたリン酸(27→400)を加えてpH 6.0に調整する．この液21容量にアセトニトリル4容量を加える．

試験条件
　検出器：紫外吸光光度計(測定波長：214 nm)
　カラム：内径4.6 mm，長さ15 cmのステンレス管に5 μmの液体クロマトグラフィー用オクチルシリル化シリカゲルを充塡する．
　カラム温度：22℃付近の一定温度
　移動相A：リン酸二水素ナトリウム二水和物4.2 g及びリン酸0.35 gを水に溶かし，1000 mLとする．リン酸二水素ナトリウム二水和物156 gを水に溶かして1000 mLとした液又は薄めたリン酸(27→400)を加えてpH 3.1に調整する．
　移動相B：液体クロマトグラフィー用アセトニトリル
　移動相の送液：移動相A及び移動相Bの混合比を次のように変えて濃度勾配制御する．

注入後の時間 (分)	移動相A (vol%)	移動相B (vol%)
0 ～ 10	84	16
10 ～ 37	84 → 30	16 → 70

　流量：毎分1.0 mL(ホルモテロールの保持時間約10分)
　面積測定範囲：フマル酸のピークの後から注入後37分まで
　システム適合性
　　検出の確認：試料溶液1 mLを正確に量り，希釈液を加えて正確に100 mLとする．この液1 mLを正確に量り，希釈液を加えて正確に20 mLとする．この液20 μLにつき，上記の条件で操作するとき，ホルモテロールのピークのSN比は10以上である．
　　システムの性能：試料溶液20 μLにつき，上記の条件で操作するとき，ホルモテロールのピークの理論段数及びシンメトリー係数は，それぞれ2000段以上，3.0以下である．

（2）ジアステレオマー　本品5 mgを水に溶かし，50 mLとし，試料溶液とする．試料溶液20 μLにつき，次の条件で液体クロマトグラフィー〈2.01〉により試験を行う．試料溶液のホルモテロールのピーク面積A_f及びホルモテロールに対する相対保持時間約1.2の類縁物質I（ジアステレオマー）のピーク面積A_dを自動積分法により測定し，次式によりジアステレオマーの量を求めるとき，0.3％以下である．

ジアステレオマーの量(%) = $A_d/(A_d + A_f) \times 100$

試験条件
　検出器：紫外吸光光度計(測定波長：225 nm)
　カラム：内径4.6 mm，長さ15 cmのステンレス管に5 μmの液体クロマトグラフィー用オクタデシルシリル化ポリビニルアルコールゲルポリマーを充塡する．
　カラム温度：22℃付近の一定温度
　移動相：リン酸カリウム三水和物5.3 gを水に溶かし，1000 mLとする．水酸化カリウム溶液(281→1000)又はリン酸を加えてpH 12.0に調整する．この液22容量に液体クロマトグラフィー用アセトニトリル3容量を加える．
　流量：毎分0.5 mL(ホルモテロールの保持時間約22分)
　システム適合性
　　検出の確認：試料溶液1 mLを正確に量り，水を加えて正確に20 mLとする．この液1 mLを正確に量り，水を加えて正確に25 mLとする．この液20 μLにつき，上記の条件で操作するとき，ホルモテロールのピークのSN比は10以上である．
　　システムの性能：試料溶液20 μLにつき，上記の条件で操作するとき，ホルモテロールのピークの理論段数及びシンメトリー係数は，それぞれ4300段以上，1.7以下である．

同条貯法の項の次に次を加える．

その他
　類縁物質A：
　2-Amino-4-{1-hydroxy-2-[1-(4-methoxyphenyl)propan-2-ylamino]ethyl}phenol

　類縁物質B：
　N-(2-Hydroxy-5-{1-hydroxy-2-[2-(4-methoxyphenyl)ethylamino]ethyl}phenyl)formamide

　類縁物質C：
　N-(2-Hydroxy-5-{1-hydroxy-2-[1-(4-methoxyphenyl)propan-2-ylamino]ethyl}phenyl)acetamide

類縁物質D：
N-(2-Hydroxy-5-{1-hydroxy-2-[1-(4-methoxyphenyl)propan-2-ylmethylamino]ethyl}phenyl)formamide

類縁物質E：
N-(2-Hydroxy-5-{1-hydroxy-2-[1-(4-methoxy-3-methylphenyl)propan-2-ylamino]ethyl}phenyl)formamide

類縁物質F：
N-(2-Hydroxy-5-{1-(2-hydroxy-5-{1-hydroxy-2-[1-(4-methoxyphenyl)propan-2-ylamino]ethyl}phenyl)amino-2-[1-(4-methoxyphenyl)propan-2-ylamino]ethyl}phenyl)formamide

類縁物質I（ジアステレオマー）：
N-(2-Hydroxy-5-{(1RS)-1-hydroxy-2-[(2SR)-1-(4-methoxyphenyl)propan-2-ylamino]ethyl}phenyl)formamide

及び鏡像異性体

医薬品各条の部　D－マンニトールの条を次のように改める．

D－マンニトール
D-Mannitol

$C_6H_{14}O_6$: 182.17
D-Mannitol
[69-65-8]

　本医薬品各条は，三薬局方での調和合意に基づき規定した医薬品各条である．
　なお，三薬局方で調和されていない部分のうち，調和合意において，調和の対象とされた項中非調和となっている項の該当箇所は「◆　◆」で，調和の対象とされた項以外に日本薬局方が独自に規定することとした項は「°　°」で囲むことにより示す．
　三薬局方の調和合意に関する情報については，独立行政法人医薬品医療機器総合機構のウェブサイトに掲載している．

　本品は定量するとき，換算した乾燥物に対し，D－マンニトール（$C_6H_{14}O_6$）97.0〜102.0％を含む．

◆**性状**　本品は白色の結晶，粉末又は粒で，味は甘く，冷感がある．
　本品は水に溶けやすく，エタノール（99.5）にほとんど溶けない．
　本品は水酸化ナトリウム試液に溶ける．
　本品は結晶多形が認められる．◆

確認試験　本品につき，赤外吸収スペクトル測定法〈2.25〉の臭化カリウム錠剤法により試験を行い，本品のスペクトルと本品の参照スペクトル又はD－マンニトール標準品のスペクトルを比較するとき，両者のスペクトルは同一波数のところに同様の強度の吸収を認める．もし，これらのスペクトルに差を認めるときは，本品及びD－マンニトール標準品25 mgずつをそれぞれガラス容器にとり，水0.25 mLを加え，加熱せずに溶かした後，得られた澄明な溶液を出力600〜700 Wの電子レンジを用い，20分間乾燥するか，又は乾燥器に入れ，100℃で1時間加熱した後，引き続いて徐々に減圧して乾燥する．得られた粘着性のない，白色〜微黄色の粉末につき，同様の試験を行うとき，両者のスペクトルは同一波数のところに同様の強度の吸収を認める．

融点〈2.60〉　165〜170℃
純度試験
　（1）溶状　本品5.0 gを水に溶かし，50 mLとする．これを検液として濁度試験法〈2.61〉により試験を行うとき，澄明であり，色の比較試験法〈2.65〉の第2法により試験を行うとき，その色は無色である．
　（2）ニッケル　本品10.0 gに2 mol/L酢酸試液30 mLを加えて振り混ぜた後，水を加えて溶かし，正確に100 mLとする．ピロリジンジチオカルバミン酸アンモニウム飽和溶液（約10 g/L）2.0 mL及び水飽和4－メチル－2－ペンタノン10.0 mLを加え，光を避け，30秒間振り混ぜる．これを静置して4－メチル－2－ペンタノン層を分取し，試料溶液とする．別に

本品10.0 gずつを3個の容器に入れ，それぞれに2 mol/L酢酸試液30 mLを加えて振り混ぜた後，水を加えて溶かし，原子吸光光度用ニッケル標準液0.5 mL，1.0 mL及び1.5 mLをそれぞれ正確に加え，水を加えてそれぞれ正確に100 mLとする．以下試料溶液と同様に操作し，標準溶液とする．別に本品を用いず，試料溶液と同様に操作して得た4－メチル－2－ペンタノン層を空試験液とする．試料溶液及び標準溶液につき，次の条件で原子吸光光度法〈2.23〉の標準添加法により試験を行う．空試験液は装置のゼロ合わせに用い，また測定試料の切替え時，試料導入系を水で洗浄した後，吸光度の指示が0に戻っていることの確認に用いる．ニッケルの量は1 ppm以下である．

使用ガス：
可燃性ガス　アセチレン
支燃性ガス　空気
ランプ：ニッケル中空陰極ランプ
波長：232.0 nm

（3）類縁物質　本品0.50 gを水に溶かし，10 mLとし，試料溶液とする．この液2 mLを正確に量り，水を加えて正確に100 mLとし，標準溶液（1）とする．この液0.5 mLを正確に量り，水を加えて正確に20 mLとし，標準溶液（2）とする．試料溶液，標準溶液（1）及び標準溶液（2）20 μLずつを正確にとり，次の条件で液体クロマトグラフィー〈2.01〉により試験を行う．それぞれの液の各々のピーク面積を自動積分法により測定するとき，試料溶液のD－マンニトールに対する相対保持時間約1.2のD－ソルビトールのピーク面積は，標準溶液（1）のD－マンニトールのピーク面積より大きくなく（2.0％以下），試料溶液の相対保持時間約0.69のマルチトール及び相対保持時間約0.6及び約0.73のイソマルトのピークの合計面積は，標準溶液（1）のD－マンニトールのピーク面積より大きくなく（2.0％以下），試料溶液のD－マンニトール及び上記以外のピークの面積は，標準溶液（2）のD－マンニトールのピーク面積の2倍より大きくない（0.1％以下）．また，試料溶液のD－マンニトール以外のピークの合計面積は，標準溶液（1）のD－マンニトールのピーク面積より大きくない（2.0％以下）．ただし，標準溶液（2）のD－マンニトールのピーク面積以下のピークは計算しない（0.05％以下）．

試験条件
検出器，カラム，カラム温度，移動相及び流量は定量法の試験条件を準用する．
面積測定範囲：D－マンニトールの保持時間の約1.5倍の範囲

システム適合性
システムの性能は定量法のシステム適合性を準用する．
◇検出の確認：標準溶液（2）20 μLから得たD－マンニトールのピーク面積が，標準溶液（1）のD－マンニトールのピーク面積の1.75 ～ 3.25％になることを確認する．
システムの再現性：標準溶液（1）20 μLにつき，上記の条件で試験を6回繰り返すとき，D－マンニトールのピーク面積の相対標準偏差は1.0％以下である．◇

（4）ブドウ糖　本品7.0 gに水13 mLを加えた後，フェーリング試液40 mLを加え，3分間穏やかに煮沸する．2分間放置して酸化銅（Ⅰ）を沈殿させ，上澄液をろ材面上にケイソウ土の薄い層を形成させた酸化銅ろ過用ガラスろ過器又はガラスろ過器（G4）を用いてろ過し，更にフラスコ内の沈殿を50 ～ 60℃の温湯で洗液がアルカリ性を呈しなくなるまで洗い，洗液は先のガラスろ過器でろ過し，これまで得られたろ液は全て捨てる．直ちにフラスコ内の沈殿を硫酸鉄（Ⅲ）試液20 mLに溶かし，これを先のガラスろ過器を用いてろ過した後，水15 ～ 20 mLで洗い，ろ液及び洗液を合わせ，80℃で加熱し，0.02 mol/L過マンガン酸カリウム液で滴定〈2.50〉するとき，その消費量は3.2 mL以下である．ただし，滴定の終点は，緑色から淡赤色への色の変化が少なくとも10秒間持続するときとする（ブドウ糖として0.1％以下）．

導電率〈2.51〉　本品20.0 gに新たに煮沸して冷却した蒸留水を加え，40 ～ 50℃に加温して溶かし，水を加えて100 mLとし，試料溶液とする．冷後，試料溶液をマグネチックスターラーで緩やかにかき混ぜながら25±0.1℃で試験を行い，導電率を求めるとき，20 μS・cm^{-1}以下である．

乾燥減量〈2.41〉　0.5％以下（1 g，105℃，4 時間）．

定量法　本品及びD－マンニトール標準品（別途本品と同様の条件で乾燥減量〈2.41〉を測定しておく）約0.5 gずつを精密に量り，それぞれを水に溶かし，正確に10 mLとし，試料溶液及び標準溶液とする．試料溶液及び標準溶液20 μLずつを正確にとり，次の条件で液体クロマトグラフィー〈2.01〉により試験を行い，それぞれの液のD－マンニトールのピーク面積A_T及びA_Sを測定する．

D－マンニトール（$C_6H_{14}O_6$）の量(g)＝$M_S × A_T / A_S$

M_S：乾燥物に換算したD－マンニトール標準品の秤取量(g)

試験条件
検出器：一定温度に維持した示差屈折計（例えば40℃）
カラム：内径7.8 mm，長さ30 cmのステンレス管にジビニルベンゼンで架橋させたポリスチレンにスルホン酸基を結合した9 μmの液体クロマトグラフィー用強酸性イオン交換樹脂（架橋度：8％）（Ca型）を充塡する．
カラム温度：85±2℃
移動相：水
流量：毎分0.5 mL（D－マンニトールの保持時間約20分）

システム適合性
システムの性能：本品0.25 g及びD－ソルビトール0.25 gを水に溶かし，10 mLとし，システム適合性試験用溶液（1）とする．マルチトール0.5 g及びイソマルト0.5 gを水に溶かし，100 mLとする．この液2 mLに水を加えて10 mLとし，システム適合性試験用溶液（2）とする．システム適合性試験用溶液（1）及びシステム適合性試験用溶液（2）それぞれ20 μLにつき，上記の条件で操作するとき，イソマルト（1番目のピーク），マルチトール，イソマルト（2番目のピーク），D－マンニトール，D－ソルビトールの順に溶出し，D－マンニトールに対するイソマルト（1番目のピーク），マルチトール，イソマルト（2番目のピーク）及びD－ソルビトールの相対保持時間は，約0.6，約0.69，約0.73及び約1.2であり，また，D－マンニトールとD－ソルビトールの分離度は2.0以上である．マルチトールとイソマルトの2番目のピークは重なることがある．

◇システムの再現性：標準溶液20 μLにつき，上記の条件で試験を6回繰り返すとき，D－マンニトールのピーク面積の相対標準偏差は1.0%以下である．◇

◆貯法　容器　密閉容器．◆

医薬品各条の部　dl－メントールの条貯法の項を次のように改める．

dl－メントール

貯法　容器　気密容器．

医薬品各条の部　l－メントールの条貯法の項を次のように改める．

l－メントール

貯法　容器　気密容器．

医薬品各条の部　モノステアリン酸グリセリンの条確認試験の項(1)の目を削り，(2)の目を確認試験とする．

医薬品各条の部　黄色ワセリンの条を次のように改める．

黄色ワセリン
Yellow Petrolatum

本医薬品各条は，三薬局方での調和合意に基づき規定した医薬品各条である．

なお，三薬局方で調和されていない部分のうち，調和合意において，調和の対象とされた項中非調和となっている項の該当箇所は「◆　◆」で，調和の対象とされた項以外に日本薬局方が独自に規定することとした項は「◇　◇」で囲むことにより示す．

三薬局方の調和合意に関する情報については，独立行政法人医薬品医療機器総合機構のウェブサイトに掲載している．

本品は，石油から得られる炭化水素類の半固形混合物を精製したものである．

本品には抗酸化剤◆としてジブチルヒドロキシトルエン又は適切な型のトコフェロール◇を加えることができる．◆抗酸化剤を加えた場合は，その名称と配合量を表示する．◆

◆性状　本品は黄色の全質均等の軟膏様物質で，におい及び味はない．

本品はエタノール(95)に溶けにくく，水にほとんど溶けない．

本品は加温するとき，黄色の澄明な液となり，この液は僅かに蛍光を発する．◆

確認試験　本品約2 mgを窓板上にとり，別の窓板で挟んで試料を広げたものにつき，赤外吸収スペクトル測定法〈2.25〉の液膜法により試験を行い，本品のスペクトルと本品の参照スペクトルを比較するとき，両者のスペクトルは同一波数のところに同様の強度の吸収を認める．

◇融点〈2.60〉　38～60℃(第3法).◇

純度試験

(1) 色　本品約10 gを水浴上で融解させ，その5 mLを15×150 mmの透明なガラス試験管に移し，融解状態を保つとき，液の色は次の比較液(1)より濃くなく，比較液(2)と同じか又はこれより濃い．比色に際しては白色の背景を用い，反射光で側方から比色する．

比較液(1)：塩化鉄(III)の色の比較原液3.8 mLに塩化コバルト(II)の色の比較原液1.2 mLをそれぞれ正確に量り，15×150 mmの透明なガラス試験管で混和する．

比較液(2)：塩化鉄(III)の色の比較原液0.5 mL及び薄めた希塩酸(1→10) 4.5 mLをそれぞれ正確に量り，15×150 mmの透明なガラス試験管で混和する．

(2) 酸又はアルカリ　本品10 gに熱湯20 mLを加え，1分間激しく振り混ぜた後，放冷する．液相10 mLをとり，フェノールフタレイン試液0.1 mLを加えるとき，液は無色である．淡赤色又は赤色を呈するまで0.01 mol/L水酸化ナトリウム液を加えるとき，その量は0.5 mL以下である

(3) 多環芳香族炭化水素　本品1.0 gを，あらかじめ吸収スペクトル用ジメチルスルホキシド10 mLずつで2回振り混ぜた吸収スペクトル用ヘキサン50 mLに溶かす．この液を潤滑仕上げされていないすりガラスパーツ(留め具，栓)が付いた分液漏斗に移す．この分液漏斗に吸収スペクトル用ジメチルスルホキシド20 mLを加え，1分間激しく振り混ぜた後，透明な二層が形成されるまで放置する．下層を別の分液漏斗に移し，更に吸収スペクトル用ジメチルスルホキシド20 mLを加えて抽出を繰り返す．各抽出操作で得られた下層を合わせ，吸収スペクトル用ヘキサン20 mLと1分間激しく振り混ぜる．透明な二層が形成されるまで放置した後，下層を分離し，吸収スペクトル用ジメチルスルホキシドを加えて正確に50 mLとし，試料溶液とする．この液につき，層長1 cmで波長265～420 nmの吸光度を測定する．対照液には，吸収スペクトル用ヘキサン25 mL及び吸収スペクトル用ジメチルスルホキシド10 mLを1分間激しく振り混ぜた後，透明な二層が形成されるまで放置して得られた下層を用いる．別にナフタレン約6 mgを精密に量り，吸収スペクトル用ジメチルスルホキシドに溶かし，正確に100 mLとする．この液10 mLを正確に量り，吸収スペクトル用ジメチルスルホキシドを加え，正確に100 mLとし，標準溶液とする．紫外可視吸光度測定法〈2.24〉により標準溶液につき，層長1 cmで波長278 nmにおける吸光度を測定し，試料溶液につき波長265～420 nmにおける吸収スペクトルを測定するとき，試料溶液の最大吸光度は，標準溶液の波長278 nmにおける吸光度の1／4を超えない．

強熱残分〈2.44〉　0.05%以下(2 g)．

◆貯法　容器　気密容器．◆

医薬品各条の部　白色ワセリンの条を次のように改める.

白色ワセリン
White Petrolatum

　本医薬品各条は，三薬局方での調和合意に基づき規定した医薬品各条である．
　なお，三薬局方で調和されていない部分のうち，調和合意において，調和の対象とされた項中非調和となっている項の該当箇所は「◆　◆」で，調和の対象とされた項以外に日本薬局方が独自に規定することとした項は「◇　◇」で囲むことにより示す．
　三薬局方の調和合意に関する情報については，独立行政法人医薬品医療機器総合機構のウェブサイトに掲載している．

　本品は，石油から得られる炭化水素類の半固形混合物を精製し，完全に，又は大部分を脱色したものである．
　本品には抗酸化剤◇としてジブチルヒドロキシトルエン又は適切な型のトコフェロール◇を加えることができる．◆抗酸化剤を加えた場合は，その名称と配合量を表示する．◆

◆**性状**　本品は白色〜微黄色の全質均等の軟膏様物質で，におい及び味はない．
　本品は水又はエタノール(95)にほとんど溶けない．
　本品は加温するとき，澄明な液となる．◆

確認試験　本品約2 mgを窓板上にとり，別の窓板で挟んで試料を広げたものにつき，赤外吸収スペクトル測定法〈2.25〉の液膜法により試験を行い，本品のスペクトルと本品の参照スペクトルを比較するとき，両者のスペクトルは同一波数のところに同様の強度の吸収を認める．

◇**融点**〈2.60〉　38 〜 60℃(第3法)．◇

純度試験
（1）色　本品約10 gを水浴上で融解させ，その5 mLを15×150 mmの透明なガラス試験管に移し，融解状態を保つとき，液の色は次の比較液より濃くない．比色に際しては白色の背景を用い，反射光で側方から比色する．
　　比較液：塩化鉄(III)の色の比較原液0.5 mL及び薄めた希塩酸(1→10) 4.5 mLをそれぞれ正確に量り，15×150 mmの透明なガラス試験管で混和する．
（2）酸又はアルカリ　本品10 gに熱湯20 mLを加え，1分間激しく振り混ぜた後，放冷する．液相10 mLをとり，フェノールフタレイン試液0.1 mLを加えるとき，液は無色である．淡赤色又は赤色を呈するまで0.01 mol/L水酸化ナトリウム液を加えるとき，その量は0.5 mL以下である．
（3）多環芳香族炭化水素　本品1.0 gを，あらかじめ吸収スペクトル用ジメチルスルホキシド10 mLずつで2回振り混ぜた吸収スペクトル用ヘキサン50 mLに溶かす．この液を潤滑仕上げされていないすりガラスパーツ(留め具，栓)が付いた分液漏斗に移す．この分液漏斗に吸収スペクトル用ジメチルスルホキシド20 mLを加え，1分間激しく振り混ぜた後，透明な二層が形成されるまで放置する．下層を別の分液漏斗に移し，更に吸収スペクトル用ジメチルスルホキシド20 mLを加えて抽出を繰り返す．各抽出操作で得られた下層を合わせ，吸収スペクトル用ヘキサン20 mLと1分間激しく振り混ぜる．透明な二層が形成されるまで放置した後，下層を分離し，吸収スペクトル用ジメチルスルホキシドを加えて正確に50 mLとし，試料溶液とする．この液につき，層長1 cmで波長265 〜 420 nmの吸光度を測定する．対照液には，吸収スペクトル用ヘキサン25 mL及び吸収スペクトル用ジメチルスルホキシド10 mLを1分間激しく振り混ぜた後，透明な二層が形成されるまで放置して得られた下層を用いる．別にナフタレン約6 mgを精密に量り，吸収スペクトル用ジメチルスルホキシドに溶かし，正確に100 mLとする．この液10 mLを正確に量り，吸収スペクトル用ジメチルスルホキシドを加え，正確に100 mLとし，標準溶液とする．紫外可視吸光度測定法〈2.24〉により標準溶液につき，層長1 cmで波長278 nmにおける吸光度を測定し，試料溶液につき波長265 〜 420 nmにおける吸収スペクトルを測定するとき，試料溶液の最大吸光度は，標準溶液の波長278 nmにおける吸光度の1／4を超えない．

強熱残分〈2.44〉　0.05%以下(2 g)．

◆**貯法**　容器　気密容器．◆

医薬品各条（生薬等）　改正事項

医薬品各条の部　インチンコウの条生薬の性状の項を次のように改める．

インチンコウ

生薬の性状　本品は卵形～球形の長さ1.5～2 mm，径約2 mmの頭花を主とし，糸状の葉と小花柄からなる．頭花の外面は淡緑色～淡黄褐色，葉の外面は緑色～緑褐色，小花柄の外面は緑褐色～暗褐色を呈する．頭花をルーペ視するとき，総苞片は3～4列に覆瓦状に並び，外片は卵形で，先端は鈍形，内片は楕円形で外片より長く，長さ1.5 mm，内片の中央部は竜骨状となり，周辺部は広く薄膜質となる．小花は筒状花で，頭花の周辺部のものは雌性花，中央部は両性花である．そう果は倒卵形で，長さ0.8 mmである．質は軽い．

本品は特異な弱いにおいがあり，味はやや辛く，僅かに麻痺性である．

医薬品各条の部　ウコンの条生薬の性状の項を次のように改める．

ウコン

生薬の性状　本品は主根茎又は側根茎からなり，主根茎はほぼ卵形体で，径約3 cm，長さ約4 cm，側根茎は両端が鈍形の円柱形でやや湾曲し，径約1 cm，長さ2～6 cmでいずれも輪節がある．コルク層を付けたものは黄褐色で艶があり，コルク層を除いたものは暗黄赤色で，表面に黄赤色の粉を付けている．質は堅く折りにくい．横切面は黄褐色～赤褐色を呈し，ろう様の艶がある．

本品は特異なにおいがあり，味は僅かに苦く刺激性で，唾液を黄色に染める．

本品の横切片を鏡検〈5.01〉するとき，最外層には通例4～10細胞層のコルク層があるか又は部分的に残存する．皮層と中心柱は内皮で区分される．皮層及び中心柱は柔組織からなり，維管束が散在する．柔組織中には油細胞が散在し，柔細胞中には黄色物質，シュウ酸カルシウムの砂晶及び単晶，糊化したでんぷんを含む．

医薬品各条の部　ウワウルシの条生薬の性状の項及び定量法の項を次のように改める．

ウワウルシ

生薬の性状　本品は倒卵形～へら形を呈し，長さ1～3 cm，幅0.5～1.5 cm，上面は黄緑色～暗緑色，下面は淡黄緑色である．全縁で先端は鈍形又は円形でときにはくぼみ，基部はくさび形で，葉柄は極めて短い．葉身は厚く，上面に特異な網状脈がある．折りやすい．

本品は弱いにおいがあり，味は僅かに苦く，収れん性である．

本品の横切片を鏡検〈5.01〉するとき，クチクラは厚く，柵状組織と海綿状組織の柔細胞の形は類似する．維管束中には一細胞列からなる放射組織が扇骨状に2～7条走り，維管束の上下面の細胞中には，まばらにシュウ酸カルシウムの多角形の単晶及び集晶を含む．他の葉肉組織中には結晶を認めない．

定量法　本品の粉末約0.5 gを精密に量り，共栓遠心沈殿管にとり，水40 mLを加えて30分間振り混ぜた後，遠心分離し，上澄液を分取する．残留物に水40 mLを加えて同様に操作する．全抽出液を合わせ，水を加えて正確に100 mLとし，試料溶液とする．別に定量用アルブチン約40 mgを精密に量り，水に溶かして正確に100 mLとし，標準溶液とする．試料溶液及び標準溶液10 μLずつを正確にとり，次の条件で液体クロマトグラフィー〈2.01〉により試験を行い，それぞれの液のアルブチンのピーク面積A_T及びA_Sを測定する．

アルブチンの量(mg) ＝ M_S × A_T / A_S

M_S：定量用アルブチンの秤取量(mg)

試験条件
　検出器：紫外吸光光度計(測定波長：280 nm)
　カラム：内径4～6 mm，長さ15～25 cmのステンレス管に5～10 μmの液体クロマトグラフィー用オクタデシルシリル化シリカゲルを充塡する．
　カラム温度：20℃付近の一定温度
　移動相：水／メタノール／0.1 mol/L塩酸試液混液(94：5：1)
　流量：アルブチンの保持時間が約6分になるように調整する．

システム適合性
　システムの性能：定量用アルブチン，ヒドロキノン及び没食子酸0.05 gずつを水に溶かして100 mLとする．この液10 μLにつき，上記の条件で操作するとき，アルブチン，ヒドロキノン，没食子酸の順に溶出し，それぞれの分離度は1.5以上である．
　システムの再現性：標準溶液10 μLにつき，上記の条件で試験を5回繰り返すとき，アルブチンのピーク面積の相対標準偏差は1.5％以下である．

医薬品各条の部　エンゴサクの条定量法の項を次のように改める．

エンゴサク

定量法　本品の粉末約1 gを精密に量り，メタノール／希塩酸混液(3：1) 30 mLを加え，還流冷却器を付けて30分間加熱し，冷後，ろ過する．残留物にメタノール／希塩酸混液(3：1) 15 mLを加え，同様に操作する．全ろ液を合わせ，メタノール／希塩酸混液(3：1)を加えて正確に50 mLとし，試料溶液とする．別に定量用デヒドロコリダリン硝化物約10 mgを精

密に量り，メタノール／希塩酸混液(3：1)に溶かして正確に200 mLとし，標準溶液とする．試料溶液及び標準溶液5 μLずつを正確にとり，次の条件で液体クロマトグラフィー〈2.01〉により試験を行い，それぞれの液のデヒドロコリダリンのピーク面積A_T及びA_Sを測定する．

デヒドロコリダリン[デヒドロコリダリン硝化物($C_{22}H_{24}N_2O_7$)として]の量(mg)
$= M_S \times A_T / A_S \times 1/4$

M_S：定量用デヒドロコリダリン硝化物の秤取量(mg)

試験条件
　検出器：紫外吸光光度計(測定波長：340 nm)
　カラム：内径4.6 mm，長さ15 cmのステンレス管に5 μmの液体クロマトグラフィー用オクタデシルシリル化シリカゲルを充塡する．
　カラム温度：40℃付近の一定温度
　移動相：リン酸水素二ナトリウム十二水和物17.91 gを水970 mLに溶かし，リン酸を加えてpH 2.2に調整する．この液に過塩素酸ナトリウム14.05 gを加えて溶かし，水を加えて正確に1000 mLとする．この液にアセトニトリル450 mL及びラウリル硫酸ナトリウム0.20 gを加えて溶かす．
　流量：デヒドロコリダリンの保持時間が約24分になるように調整する．

システム適合性
　システムの性能：定量用デヒドロコリダリン硝化物1 mg及びベルベリン塩化物水和物1 mgを水／アセトニトリル混液(20：9) 20 mLに溶かす．この液5 μLにつき，上記の条件で操作するとき，ベルベリン，デヒドロコリダリンの順に溶出し，その分離度は1.5以上である．
　システムの再現性：標準溶液5 μLにつき，上記の条件で試験を6回繰り返すとき，デヒドロコリダリンのピーク面積の相対標準偏差は1.5％以下である．

医薬品各条の部　エンゴサク末の条定量法の項を次のように改める．

エンゴサク末

定量法　本品約1 gを精密に量り，メタノール／希塩酸混液(3：1) 30 mLを加え，還流冷却器を付けて30分間加熱し，冷後，ろ過する．残留物にメタノール／希塩酸混液(3：1) 15 mLを加え，同様に操作する．全ろ液を合わせ，メタノール／希塩酸混液(3：1)を加えて正確に50 mLとし，試料溶液とする．別に定量用デヒドロコリダリン硝化物約10 mgを精密に量り，メタノール／希塩酸混液(3：1)に溶かして正確に200 mLとし，標準溶液とする．試料溶液及び標準溶液5 μLずつを正確にとり，次の条件で液体クロマトグラフィー〈2.01〉により試験を行い，それぞれの液のデヒドロコリダリンのピーク面積A_T及びA_Sを測定する．

デヒドロコリダリン[デヒドロコリダリン硝化物($C_{22}H_{24}N_2O_7$)として]の量(mg)
$= M_S \times A_T / A_S \times 1/4$

M_S：定量用デヒドロコリダリン硝化物の秤取量(mg)

試験条件
　検出器：紫外吸光光度計(測定波長：340 nm)
　カラム：内径4.6 mm，長さ15 cmのステンレス管に5 μmの液体クロマトグラフィー用オクタデシルシリル化シリカゲルを充塡する．
　カラム温度：40℃付近の一定温度
　移動相：リン酸水素二ナトリウム十二水和物17.91 gを水970 mLに溶かし，リン酸を加えてpH 2.2に調整する．この液に過塩素酸ナトリウム14.05 gを加えて溶かし，水を加えて正確に1000 mLとする．この液にアセトニトリル450 mL及びラウリル硫酸ナトリウム0.20 gを加えて溶かす．
　流量：デヒドロコリダリンの保持時間が約24分になるように調整する．

システム適合性
　システムの性能：定量用デヒドロコリダリン硝化物1 mg及びベルベリン塩化物水和物1 mgを水／アセトニトリル混液(20：9) 20 mLに溶かす．この液5 μLにつき，上記の条件で操作するとき，ベルベリン，デヒドロコリダリンの順に溶出し，その分離度は1.5以上である．
　システムの再現性：標準溶液5 μLにつき，上記の条件で試験を6回繰り返すとき，デヒドロコリダリンのピーク面積の相対標準偏差は1.5％以下である．

医薬品各条の部　ガイヨウの条生薬の性状の項を次のように改める．

ガイヨウ

生薬の性状　本品は縮んだ葉及びその破片からなり，しばしば細い茎を含む．葉の上面は暗緑色を呈し，下面は灰白色の綿毛を密生する．水に浸して広げると，形の整った葉身は長さ4〜15 cm，幅4〜12 cm，1〜2回羽状中裂又は羽状深裂する．裂片は2〜4対で，長楕円状ひ針形又は長楕円形で，先端は鋭尖形，ときに鈍形，辺縁は不揃いに切れ込むか全縁である．小型の葉は3中裂又は全縁で，ひ針形を呈する．
　本品は特異なにおいがあり，味はやや苦い．
　本品の横切片を鏡検〈5.01〉するとき，主脈部の表皮の内側には数細胞層の厚角組織がある．主脈部の中央には維管束があり，師部と木部に接して繊維束が認められることがある．葉肉部は上面表皮，柵状組織，海綿状組織，下面表皮からなり，葉肉部の表皮には長柔毛，T字状毛，腺毛が認められる．表皮細胞はタンニン様物質を含み，柔細胞は油状物質，タンニン様物質などを含む．

医薬品各条の部　カンキョウの条定量法の項を次のように改める．

カンキョウ

定量法　本品の粉末約1 gを精密に量り，共栓遠心沈殿管にとり，移動相30 mLを加えて20分間振り混ぜた後，遠心分離し，上澄液を分取する．残留物に移動相30 mLを加えて更にこの操作を2回繰り返す．全抽出液を合わせ，移動相を加えて正確に100 mLとし，試料溶液とする．別に定量用[6]－ショーガオール5 mgを精密に量り，移動相に溶かして正確に100 mLとし，標準溶液とする．試料溶液及び標準溶液10 μLずつを正確にとり，次の条件で液体クロマトグラフィー〈2.01〉により試験を行い，それぞれの液の[6]－ショーガオールのピーク面積A_T及びA_Sを測定する．

[6]－ショーガオールの量(mg)＝$M_S \times A_T / A_S$

　M_S：qNMRで含量換算した定量用[6]－ショーガオールの秤取量(mg)

　試験条件
　　検出器：紫外吸光光度計(測定波長：225 nm)
　　カラム：内径6 mm，長さ15 cmのステンレス管に5 μmの液体クロマトグラフィー用オクタデシルシリル化シリカゲルを充塡する．
　　カラム温度：40℃付近の一定温度
　　移動相：アセトニトリル／水(3：2)
　　流量：[6]－ショーガオールの保持時間が約14分になるように調整する．
　システム適合性
　　システムの性能：標準溶液10 μLにつき，上記の条件で操作するとき，[6]－ショーガオールのピークの理論段数及びシンメトリー係数は，それぞれ5000段以上，1.5以下である．
　　システムの再現性：標準溶液10 μLにつき，上記の条件で試験を6回繰り返すとき，[6]－ショーガオールのピーク面積の相対標準偏差は1.5％以下である．

医薬品各条の部　キョウニンの条定量法の項を次のように改める．

キョウニン

定量法　本品をすりつぶし，その約0.5 gを精密に量り，薄めたメタノール(9→10) 40 mLを加え，直ちに還流冷却器を付けて30分間加熱し，冷後，ろ過し，薄めたメタノール(9→10)を加えて正確に50 mLとする．この液5 mLを正確に量り，水を加えて正確に10 mLとした後，試料溶液とする．別に定量用アミグダリン約10 mgを精密に量り，薄めたメタノール(1→2)に溶かして正確に50 mLとし，標準溶液とする．試料溶液及び標準溶液10 μLずつを正確にとり，次の条件で液体クロマトグラフィー〈2.01〉により試験を行い，それぞれの液のアミグダリンのピーク面積A_T及びA_Sを測定する．

アミグダリンの量(mg)＝$M_S \times A_T / A_S \times 2$

　M_S：定量用アミグダリンの秤取量(mg)

　試験条件
　　検出器：紫外吸光光度計(測定波長：210 nm)
　　カラム：内径4.6 mm，長さ15 cmのステンレス管に5 μmの液体クロマトグラフィー用オクタデシルシリル化シリカゲルを充塡する．
　　カラム温度：45℃付近の一定温度
　　移動相：0.05 mol/Lリン酸二水素ナトリウム試液／メタノール混液(5：1)
　　流量：毎分0.8 mL(アミグダリンの保持時間約12分)
　システム適合性
　　システムの性能：標準溶液10 μLにつき，上記の条件で操作するとき，アミグダリンのピークの理論段数及びシンメトリー係数は，それぞれ5000段以上，1.5以下である．
　　システムの再現性：標準溶液10 μLにつき，上記の条件で試験を6回繰り返すとき，アミグダリンのピーク面積の相対標準偏差は1.5％以下である．

医薬品各条の部　桂枝茯苓丸エキスの条定量法の項(3)の目を次のように改める．

桂枝茯苓丸エキス

定量法

(3)　アミグダリン　乾燥エキス約0.5 g (軟エキスは乾燥物として約0.5 gに対応する量)を精密に量り，薄めたメタノール(1→2) 50 mLを正確に加えて15分間振り混ぜた後，ろ過し，ろ液を試料溶液とする．別に定量用アミグダリン約10 mgを精密に量り，薄めたメタノール(1→2)に溶かして正確に50 mLとし，標準溶液とする．試料溶液及び標準溶液10 μLずつを正確にとり，次の条件で液体クロマトグラフィー〈2.01〉により試験を行い，それぞれの液のアミグダリンのピーク面積A_T及びA_Sを測定する．

アミグダリンの量(mg)＝$M_S \times A_T / A_S$

　M_S：定量用アミグダリンの秤取量(mg)

　試験条件
　　検出器：紫外吸光光度計(測定波長：210 nm)
　　カラム：内径4.6 mm，長さ15 cmのステンレス管に5 μmの液体クロマトグラフィー用オクタデシルシリル化シリカゲルを充塡する．
　　カラム温度：45℃付近の一定温度
　　移動相：0.05 mol/Lリン酸二水素ナトリウム試液／メタノール混液(5：1)
　　流量：毎分0.8 mL(アミグダリンの保持時間約12分)
　システム適合性
　　システムの性能：標準溶液10 μLにつき，上記の条件で操作するとき，アミグダリンのピークの理論段数及びシンメトリー係数は，それぞれ5000段以上，1.5以下

である．
システムの再現性：標準溶液10 μLにつき，上記の条件で試験を6回繰り返すとき，アミグダリンのピーク面積の相対標準偏差は1.5％以下である．

医薬品各条の部　コウボクの条基原の項を次のように改める．

コウボク

本品はホオノキ*Magnolia obovata* Thunberg（*Magnolia hypoleuca* Siebold et Zuccarini），*Magnolia officinalis* Rehder et E. H. Wilson 又は*Magnolia officinalis* Rehder et E. H. Wilson var. *biloba* Rehder et E. H. Wilson （*Magnoliaceae*）の樹皮である．
本品は定量するとき，マグノロール0.8％以上を含む．

医薬品各条の部　ゴシツの条確認試験の項を次のように改める．

ゴシツ

確認試験
（1）本品の粉末0.5 gに水10 mLを加えて激しく振り混ぜるとき，持続性の微細な泡を生じる．
（2）本品の粉末1.0 gにメタノール10 mLを加えて10分間振り混ぜた後，遠心分離し，上澄液を試料溶液とする．この液につき，薄層クロマトグラフィー〈2.03〉により試験を行う．試料溶液10 μLを薄層クロマトグラフィー用シリカゲルを用いて調製した薄層板にスポットする．次に酢酸エチル／メタノール／水／酢酸(100)混液(14：4：1：1)を展開溶媒として約7 cm展開した後，薄層板を風乾する．これに噴霧用4－ジメチルアミノベンズアルデヒド試液を均等に噴霧し，105℃で5分間加熱した後，放冷し，水を噴霧するとき，R_f値0.5付近に淡赤色～赤橙色のスポットを認める．

医薬品各条の部　牛車腎気丸エキスの条定量法の項（1）の目を次のように改める．

牛車腎気丸エキス

定量法
（1）ロガニン　乾燥エキス約0.5 g（軟エキスは乾燥物として約0.5 gに対応する量）を精密に量り，薄めたメタノール(1→2) 50 mLを正確に加えて15分間振り混ぜた後，ろ過し，ろ液を試料溶液とする．別に定量用ロガニン約10 mgを精密に量り，薄めたメタノール(1→2)に溶かして正確に100 mLとし，標準溶液とする．試料溶液及び標準溶液10 μLずつを正確にとり，次の条件で液体クロマトグラフィー〈2.01〉により試験を行い，それぞれの液のロガニンのピーク面積A_T及びA_Sを測定する．

ロガニンの量(mg)＝$M_S × A_T/A_S × 1/2$

M_S：qNMRで含量換算した定量用ロガニンの秤取量(mg)

試験条件
検出器：紫外吸光光度計(測定波長：238 nm)
カラム：内径4.6 mm，長さ15 cmのステンレス管に5 μmの液体クロマトグラフィー用オクタデシルシリル化シリカゲルを充塡する．
カラム温度：50℃付近の一定温度
移動相：水／アセトニトリル／メタノール混液(55：4：1)
流量：毎分1.2 mL（ロガニンの保持時間約25分）
システム適合性
システムの性能：標準溶液10 μLにつき，上記の条件で操作するとき，ロガニンのピークの理論段数及びシンメトリー係数は，それぞれ5000段以上，1.5以下である．
システムの再現性：標準溶液10 μLにつき，上記の条件で試験を6回繰り返すとき，ロガニンのピーク面積の相対標準偏差は1.5％以下である．

医薬品各条の部　呉茱萸湯エキスの条定量法の項（2）の目を次のように改める．

呉茱萸湯エキス

定量法
（2）［6］－ギンゲロール　乾燥エキス約0.5 g（軟エキスは乾燥物として約0.5 gに対応する量）を精密に量り，薄めたメタノール(7→10) 50 mLを正確に加えて30分間振り混ぜた後，ろ過し，ろ液を試料溶液とする．別に定量用［6］－ギンゲロール約10 mgを精密に量り，メタノールに溶かして正確に100 mLとする．この液5 mLを正確に量り，メタノールを加えて正確に50 mLとし，標準溶液とする．試料溶液及び標準溶液10 μLずつを正確にとり，次の条件で液体クロマトグラフィー〈2.01〉により試験を行い，それぞれの液の［6］－ギンゲロールのピーク面積A_T及びA_Sを測定する．

［6］－ギンゲロールの量(mg)＝$M_S × A_T/A_S × 1/20$

M_S：qNMRで含量換算した定量用［6］－ギンゲロールの秤取量(mg)

試験条件
検出器，カラム，カラム温度及び移動相は(1)の試験条件を準用する．
流量：毎分1.0 mL（［6］－ギンゲロールの保持時間約14分）
システム適合性
システムの性能：標準溶液10 μLにつき，上記の条件で操作するとき，［6］－ギンゲロールのピークの理論段数及びシンメトリー係数は，それぞれ5000段以上，1.5以下である．
システムの再現性：標準溶液10 μLにつき，上記の条件で試験を6回繰り返すとき，［6］－ギンゲロールのピーク面積の相対標準偏差は1.5％以下である．

医薬品各条の部　ゴボウシの条生薬の性状の項を次のように改める.

ゴボウシ

生薬の性状　本品はやや湾曲した倒長卵形のそう果で，長さ5〜7 mm，幅2.0〜3.2 mm，厚さ0.8〜1.5 mm，外面は灰褐色〜褐色で，黒色の点がある．幅広い一端は径約1 mmのくぼみがあり，他端は細まり平たんで，不明瞭な縦の隆起線がある．本品100粒の質量は1.0〜1.5 gである．

本品はほとんどにおいがなく，味は苦く油様である．

本品の横切片を鏡検〈5.01〉するとき，外果皮は表皮からなり，中果皮はやや厚壁化した柔組織からなり，内果皮は1細胞層の石細胞層からなる．種皮は放射方向に長く厚壁化した表皮と数細胞層の柔組織からなる．種皮の内側には内乳，子葉が見られる．中果皮柔細胞中には褐色物質を，内果皮石細胞中にはシュウ酸カルシウムの単晶を，子葉には油滴，アリューロン粒及びシュウ酸カルシウムの微小な集晶を含む．

医薬品各条の部　柴胡桂枝湯エキスの条の次に次の一条を加える.

柴胡桂枝乾姜湯エキス
Saikokeishikankyoto Extract

本品は定量するとき，製法の項に規定した分量で製したエキス当たり，サイコサポニンb_2 1.4〜5.6 mg，バイカリン（$C_{21}H_{18}O_{11}$：446.36）78〜234 mg及びグリチルリチン酸（$C_{42}H_{62}O_{16}$：822.93）15〜45 mgを含む.

製法

	1)	2)
サイコ	6 g	6 g
ケイヒ	3 g	3 g
オウゴン	3 g	3 g
ボレイ	3 g	3 g
カンキョウ	2 g	3 g
カンゾウ	2 g	2 g
カロコン	3 g	4 g

1)又は2)の処方に従い生薬をとり，エキス剤の製法により乾燥エキス又は軟エキスとする.

性状　乾燥エキス　本品は淡黄褐色〜褐色の粉末で，特異なにおいがあり，味は辛く，苦く，僅かに甘い．

軟エキス　本品は黒褐色の粘性のある液体で，特異なにおいがあり，味は苦く，辛く，僅かに甘く，後に渋い．

確認試験

（1）乾燥エキス1.0 g（軟エキスは3.0 g）に水10 mLを加えて振り混ぜた後，1－ブタノール10 mLを加えて振り混ぜ，遠心分離し，1－ブタノール層を試料溶液とする．別に薄層クロマトグラフィー用サイコサポニンb_2 1 mgをメタノール1 mLに溶かし，標準溶液とする．これらの液につき，薄層クロマトグラフィー〈2.03〉により試験を行う．試料溶液5 μL及び標準溶液2 μLを薄層クロマトグラフィー用シリカゲルを用いて調製した薄層板にスポットする．次に酢酸エチル／エタノール(99.5)／水混液(8：2：1)を展開溶媒として約7 cm展開した後，薄層板を風乾する．これに噴霧用4－ジメチルアミノベンズアルデヒド試液を均等に噴霧し，105℃で5分間加熱した後，紫外線(主波長365 nm)を照射するとき，試料溶液から得た数個のスポットのうち1個のスポットは，標準溶液から得た黄色の蛍光を発するスポットと色調及びR_f値が等しい(サイコ).

（2）次のⅰ)又はⅱ)により試験を行う(ケイヒ).

ⅰ）乾燥エキス10 g（軟エキスは30 g）を300 mLの硬質ガラスフラスコにとり，水100 mL及びシリコーン樹脂1 mLを加えた後，精油定量器を装着し，定量器の上端に還流冷却器を付け，加熱し，沸騰させる．定量器の目盛り管には，あらかじめ水を基準線まで入れ，更にヘキサン2 mLを加える．1時間加熱還流した後，ヘキサン層をとり，試料溶液とする．別に薄層クロマトグラフィー用(E)－シンナムアルデヒド1 mgをメタノール1 mLに溶かし，標準溶液とする．これらの液につき，薄層クロマトグラフィー〈2.03〉により試験を行う．試料溶液20 μL及び標準溶液2 μLを薄層クロマトグラフィー用シリカゲルを用いて調製した薄層板にスポットする．次にヘキサン／ジエチルエーテル／メタノール混液(15：5：1)を展開溶媒として，約7 cm展開した後，薄層板を風乾する．これに2,4－ジニトロフェニルヒドラジン試液を均等に噴霧するとき，試料溶液から得た数個のスポットのうち1個のスポットは，標準溶液から得た黄橙色〜橙色のスポットと色調及びR_f値が等しい．

ⅱ）乾燥エキス2.0 g（軟エキスは6.0 g）に水10 mLを加えて振り混ぜた後，ヘキサン5 mLを加えて振り混ぜ，遠心分離し，ヘキサン層を試料溶液とする．別に薄層クロマトグラフィー用(E)－2－メトキシシンナムアルデヒド1 mgをメタノール1 mLに溶かし，標準溶液とする．これらの液につき，薄層クロマトグラフィー〈2.03〉により試験を行う．試料溶液20 μL及び標準溶液2 μLを薄層クロマトグラフィー用シリカゲルを用いて調製した薄層板にスポットする．次にヘキサン／酢酸エチル混液(2：1)を展開溶媒として約7 cm展開した後，薄層板を風乾する．これに紫外線(主波長365 nm)を照射するとき，試料溶液から得た数個のスポットのうち1個のスポットは，標準溶液から得た青白色の蛍光を発するスポットと色調及びR_f値が等しい．

（3）乾燥エキス1.0 g（軟エキスは3.0 g）に水10 mLを加えて振り混ぜた後，ジエチルエーテル25 mLを加えて振り混ぜる．ジエチルエーテル層を分取し，低圧(真空)で溶媒を留去した後，残留物にジエチルエーテル2 mLを加えて試料溶液とする．別に薄層クロマトグラフィー用オウゴニン1 mgをメタノール1 mLに溶かし，標準溶液とする．これらの液につき，薄層クロマトグラフィー〈2.03〉により試験を行う．試料溶液10 μL及び標準溶液2 μLを薄層クロマトグラフィー用シリカゲルを用いて調製した薄層板にスポットする．次にヘキサン／アセトン混液(7：5)を展開溶媒として約7 cm展開した後，薄層板を風乾する．これに塩化鉄(Ⅲ)・メタノール試液を均等に噴霧するとき，試料溶液から得た数個のスポットのうち1個のスポットは，標準溶液から得た黄褐色〜灰褐色のスポットと色調及びR_f値が等しい(オウゴン).

（4）乾燥エキス1.0 g（軟エキスは3.0 g）に水10 mLを加えて振り混ぜた後，ジエチルエーテル25 mLを加えて振り混ぜ

る．ジエチルエーテル層を分取し，低圧(真空)で溶媒を留去した後，残留物にジエチルエーテル2 mLを加えて試料溶液とする．別に薄層クロマトグラフィー用[6]-ショーガオール1 mgをメタノール1 mLに溶かし，標準溶液とする．これらの液につき，薄層クロマトグラフィー〈2.03〉により試験を行う．試料溶液20 μL及び標準溶液5 μLを薄層クロマトグラフィー用シリカゲルを用いて調製した薄層板にスポットする．次に酢酸エチル／ヘキサン混液(1：1)を展開溶媒として約7 cm展開した後，薄層板を風乾する．これに噴霧用4－ジメチルアミノベンズアルデヒド試液を均等に噴霧し，105℃で5分間加熱した後，放冷し，水を噴霧するとき，試料溶液から得た数個のスポットのうち1個のスポットは，標準溶液から得た青緑色～灰緑色のスポットと色調及びR_f値が等しい(カンキョウ)．

（5）乾燥エキス1.0 g (軟エキスは3.0 g)に水10 mLを加えて振り混ぜた後，1－ブタノール10 mLを加えて振り混ぜ，遠心分離し，1－ブタノール層を試料溶液とする．別に薄層クロマトグラフィー用リクイリチン1 mgをメタノール1 mLに溶かし，標準溶液とする．これらの液につき，薄層クロマトグラフィー〈2.03〉により試験を行う．試料溶液及び標準溶液1 μLずつを薄層クロマトグラフィー用シリカゲルを用いて調製した薄層板にスポットする．次に酢酸エチル／メタノール／水混液(20：3：2)を展開溶媒として約7 cm展開した後，薄層板を風乾する．これに希硫酸を均等に噴霧し，105℃で5分間加熱した後，紫外線(主波長365 nm)を照射するとき，試料溶液から得た数個のスポットのうち1個のスポットは，標準溶液から得た黄色～黄緑色の蛍光を発するスポットと色調及びR_f値が等しい(カンゾウ)．

純度試験
（1）重金属〈1.07〉 乾燥エキス1.0 g (軟エキスは乾燥物として1.0 gに対応する量)をとり，エキス剤(4)に従い検液を調製し，試験を行う(30 ppm以下)．
（2）ヒ素〈1.11〉 乾燥エキス0.67 g (軟エキスは乾燥物として0.67 gに対応する量)をとり，第3法により検液を調製し，試験を行う(3 ppm以下)．

乾燥減量〈2.41〉 乾燥エキス 9.5％以下(1 g，105℃，5時間)．
  軟エキス 66.7％以下(1 g，105℃，5時間)．

灰分〈5.01〉 換算した乾燥物に対し13.0％以下．

定量法
（1）サイコサポニンb_2 乾燥エキス約0.5 g (軟エキスは乾燥物として約0.5 gに対応する量)を精密に量り，ジエチルエーテル20 mL及び水10 mLを加えて10分間振り混ぜる．これを遠心分離し，ジエチルエーテル層を除いた後，ジエチルエーテル20 mLを加えて同様に操作し，ジエチルエーテル層を除く．水層にメタノール10 mLを加えて30分間振り混ぜた後，遠心分離し，上澄液を分取する．残留物に薄めたメタノール(1→2) 20 mLを加えて5分間振り混ぜた後，遠心分離し，上澄液を分取し，先の上澄液と合わせ，薄めたメタノール(1→2)を加えて正確に50 mLとし，試料溶液とする．別に定量用サイコサポニンb_2標準試液を標準溶液とする．試料溶液及び標準溶液10 μLずつを正確にとり，次の条件で液体クロマトグラフィー〈2.01〉により試験を行い，それぞれの液のサイコサポニンb_2のピーク面積A_T及びA_Sを測定する．

サイコサポニンb_2の量(mg)＝$C_S × A_T / A_S × 50$

C_S：定量用サイコサポニンb_2標準試液中のサイコサポニンb_2の濃度(mg/mL)

試験条件
  検出器：紫外吸光光度計(測定波長：254 nm)
  カラム：内径4.6 mm，長さ15 cmのステンレス管に5 μmの液体クロマトグラフィー用オクタデシルシリル化シリカゲルを充塡する．
  カラム温度：40℃付近の一定温度
  移動相：0.05 mol/Lリン酸二水素ナトリウム試液／アセトニトリル混液(5：3)
  流量：毎分1.0 mL

システム適合性
  システムの性能：標準溶液10 μLにつき，上記の条件で操作するとき，サイコサポニンb_2のピークの理論段数及びシンメトリー係数は，それぞれ5000段以上，1.5以下である．
  システムの再現性：標準溶液10 μLにつき，上記の条件で試験を6回繰り返すとき，サイコサポニンb_2のピーク面積の相対標準偏差は1.5％以下である．

（2）バイカリン 乾燥エキス約0.1 g (軟エキスは乾燥物として約0.1 gに対応する量)を精密に量り，薄めたメタノール(7→10) 50 mLを正確に加えて15分間振り混ぜた後，ろ過し，ろ液を試料溶液とする．別にバイカリン標準品(別途10 mgにつき，電量滴定法により水分〈2.48〉を測定しておく)約10 mgを精密に量り，メタノールに溶かし，正確に100 mLとする．この液5 mLを正確に量り，薄めたメタノール(7→10)を加えて正確に10 mLとし，標準溶液とする．試料溶液及び標準溶液10 μLずつを正確にとり，次の条件で液体クロマトグラフィー〈2.01〉により試験を行い，それぞれの液のバイカリンのピーク面積A_T及びA_Sを測定する．

バイカリン($C_{21}H_{18}O_{11}$)の量(mg)＝$M_S × A_T / A_S × 1/4$

M_S：脱水物に換算したバイカリン標準品の秤取量(mg)

試験条件
  検出器：紫外吸光光度計(測定波長：277 nm)
  カラム：内径4.6 mm，長さ15 cmのステンレス管に5 μmの液体クロマトグラフィー用オクタデシルシリル化シリカゲルを充塡する．
  カラム温度：40℃付近の一定温度
  移動相：薄めたリン酸(1→200)／アセトニトリル混液(19：6)
  流量：毎分1.0 mL

システム適合性
  システムの性能：標準溶液10 μLにつき，上記の条件で操作するとき，バイカリンのピークの理論段数及びシンメトリー係数は，それぞれ5000段以上，1.5以下である．
  システムの再現性：標準溶液10 μLにつき，上記の条件で試験を6回繰り返すとき，バイカリンのピーク面積の相対標準偏差は1.5％以下である．

（3）グリチルリチン酸 次のⅰ)又はⅱ)により試験を行う．

ⅰ）乾燥エキス約0.5 g（軟エキスは乾燥物として約0.5 gに対応する量）を精密に量り，薄めたメタノール（1→2）50 mLを正確に加えて15分間振り混ぜた後，ろ過し，ろ液を試料溶液とする．別にグリチルリチン酸標準品（別途10 mgにつき，電量滴定法により水分〈2.48〉を測定しておく）約10 mgを精密に量り，薄めたメタノール（1→2）に溶かして正確に100 mLとし，標準溶液とする．試料溶液及び標準溶液10 μLずつを正確にとり，次の条件で液体クロマトグラフィー〈2.01〉により試験を行い，それぞれの液のグリチルリチン酸のピーク面積A_T及びA_Sを測定する．

グリチルリチン酸（$C_{42}H_{62}O_{16}$）の量（mg）
$= M_S \times A_T / A_S \times 1/2$

M_S：脱水物に換算したグリチルリチン酸標準品の秤取量（mg）

試験条件
　検出器：紫外吸光光度計（測定波長：254 nm）
　カラム：内径4.6 mm，長さ15 cmのステンレス管に5 μmの液体クロマトグラフィー用オクタデシルシリル化シリカゲルを充塡する．
　カラム温度：40℃付近の一定温度
　移動相：酢酸アンモニウム3.85 gを水720 mLに溶かし，酢酸（100）5 mL及びアセトニトリル280 mLを加える．
　流量：毎分1.0 mL
　システム適合性
　　システムの性能：分離確認用グリチルリチン酸一アンモニウム5 mgを希エタノール20 mLに溶かす．この液10 μLにつき，上記の条件で操作するとき，グリチルリチン酸に対する相対保持時間約0.9のピークとグリチルリチン酸の分離度は1.5以上である．また，薄層クロマトグラフィー用（E）-シンナムアルデヒド1 mg及び分離確認用バイカレイン1 mgをメタノール50 mLに溶かす．この液2 mLに標準溶液2 mLを加える．この液10 μLにつき，上記の条件で操作するとき，グリチルリチン酸のピーク以外に二つのピークを認め，グリチルリチン酸とそれぞれのピークの分離度は1.5以上である．
　　システムの再現性：標準溶液10 μLにつき，上記の条件で試験を6回繰り返すとき，グリチルリチン酸のピーク面積の相対標準偏差は1.5％以下である．

ⅱ）乾燥エキス約0.5 g（軟エキスは乾燥物として約0.5 gに対応する量）を精密に量り，ジエチルエーテル20 mL及び水10 mLを加えて10分間振り混ぜる．これを遠心分離し，ジエチルエーテル層を除いた後，ジエチルエーテル20 mLを加えて同様に操作し，ジエチルエーテル層を除く．水層にメタノール10 mLを加えて30分間振り混ぜた後，遠心分離し，上澄液を分取する．残留物に薄めたメタノール（1→2）20 mLを加えて5分間振り混ぜた後，遠心分離し，上澄液を分取し，先の上澄液と合わせ，薄めたメタノール（1→2）を加えて正確に50 mLとし，試料溶液とする．別にグリチルリチン酸標準品（別途10 mgにつき，電量滴定法により水分〈2.48〉を測定しておく）約10 mgを精密に量り，薄めたメタノール（1→2）に溶かして正確に100 mLとし，標準溶液とする．試料溶液及び標準溶液10 μLずつを正確にとり，次の条件で液体クロマトグラフィー〈2.01〉により試験を行い，それぞれの液のグリチルリチン酸のピーク面積A_T及びA_Sを測定する．

グリチルリチン酸（$C_{42}H_{62}O_{16}$）の量（mg）
$= M_S \times A_T / A_S \times 1/2$

M_S：脱水物に換算したグリチルリチン酸標準品の秤取量（mg）

試験条件
　ⅰ）の試験条件を準用する．
　システム適合性
　　システムの再現性はⅰ）のシステム適合性を準用する．
　　システムの性能：分離確認用グリチルリチン酸一アンモニウム5 mgを希エタノール20 mLに溶かす．この液10 μLにつき，上記の条件で操作するとき，グリチルリチン酸に対する相対保持時間約0.9のピークとグリチルリチン酸の分離度は1.5以上である．

貯法　容器　気密容器．

医薬品各条の部　サンシシの条基原の項を次のように改める．

サンシシ

本品はクチナシ *Gardenia jasminoides* J. Ellis（*Rubiaceae*）の果実で，ときには湯通し又は蒸したものである．

本品は定量するとき，換算した生薬の乾燥物に対し，ゲニポシド2.7％以上を含む．

医薬品各条の部　サンシュユの条定量法の項を次のように改める．

サンシュユ

定量法　本品（別途乾燥減量〈5.01〉を測定しておく）を細切以下にし，その約1 gを精密に量り，共栓遠心沈殿管にとり，薄めたメタノール（1→2）30 mLを加えて20分間振り混ぜた後，遠心分離し，上澄液を分取する．残留物に薄めたメタノール（1→2）30 mLを加えて同様に操作し，これを2回繰り返す．全抽出液を合わせ，薄めたメタノール（1→2）を加えて正確に100 mLとし，試料溶液とする．別に定量用ロガニン約10 mgを精密に量り，薄めたメタノール（1→2）に溶かして正確に100 mLとし，標準溶液とする．試料溶液及び標準溶液10 μLずつを正確にとり，次の条件で液体クロマトグラフィー〈2.01〉により試験を行い，それぞれの液のロガニンのピーク面積A_T及びA_Sを測定する．

ロガニンの量（mg）$= M_S \times A_T / A_S$

M_S：qNMRで含量換算した定量用ロガニンの秤取量（mg）

試験条件
　検出器：紫外吸光光度計（測定波長：238 nm）
　カラム：内径4.6 mm，長さ15 cmのステンレス管に5

μmの液体クロマトグラフィー用オクタデシルシリル化シリカゲルを充塡する．
カラム温度：50℃付近の一定温度
移動相：水／アセトニトリル／メタノール混液(55：4：1)
流量：ロガニンの保持時間が約25分になるように調整する．
システム適合性
　システムの性能：標準溶液10 μLにつき，上記の条件で操作するとき，ロガニンのピークの理論段数及びシンメトリー係数は，それぞれ5000段以上，1.5以下である．
　システムの再現性：標準溶液10 μLにつき，上記の条件で試験を6回繰り返すとき，ロガニンのピーク面積の相対標準偏差は1.5％以下である．

医薬品各条の部　シャカンゾウの条生薬の性状の項を次のように改める．

シャカンゾウ

生薬の性状　本品は通例，切断したもので，外面は，周皮が残存するものでは暗褐色～暗赤褐色で縦じわがあり，周皮が脱落したものでは淡黄褐色～褐色で繊維状である．横切面は淡黄褐色～褐色で，皮部と木部の境界がほぼ明らかで，放射状の構造を呈し，しばしば放射状に裂け目がある．
　本品は香ばしいにおいがあり，味は甘く，後にやや苦い．

医薬品各条の部　ジャショウシの条ラテン名の項を次のように改める．

ジャショウシ

CNIDII MONNIERI FRUCTUS

医薬品各条の部　シャゼンソウの条生薬の性状の項を次のように改める．

シャゼンソウ

生薬の性状　本品は，通例，縮んでしわのよった葉及び花茎からなり，灰緑色～暗黄緑色を呈する．水に浸してしわを伸ばすと，葉身は卵形～広卵形で，長さ4～15 cm，幅3～8 cm，先端は鋭形，基部は急に細まり，辺縁はやや波状を呈し，明らかな平行脈があり，無毛又はほとんど無毛である．葉柄は葉身よりやや長く，基部はやや膨らんで薄膜性の葉鞘を付ける．花茎は長さ10～50 cmで，上部の1/3～1/2は穂状花序となり，小形の花を密に付け，しばしば花序の下部は結実してがい果を付ける．根は，通例，切除されているが，付けているものでは細いものが密生する．
　本品は僅かににおいがあり，味はほとんどない．

医薬品各条の部　ショウキョウの条定量法の項を次のように改める．

ショウキョウ

定量法　本品(別途105℃，5時間で乾燥減量〈5.01〉を測定しておく)の粉末約1 gを精密に量り，共栓遠心沈殿管にとり，メタノール／水混液(3：1) 30 mLを加えて20分間振り混ぜた後，遠心分離し，上澄液を分取する．残留物にメタノール／水混液(3：1) 30 mLを加えて，更にこの操作を2回繰り返す．全抽出液を合わせ，メタノール／水混液(3：1)を加えて正確に100 mLとし，試料溶液とする．別に定量用[6]－ギンゲロール5 mgを精密に量り，メタノール／水混液(3：1)に溶かして正確に100 mLとし，標準溶液とする．試料溶液及び標準溶液10 μLずつを正確にとり，次の条件で液体クロマトグラフィー〈2.01〉により試験を行い，それぞれの液の[6]－ギンゲロールのピーク面積A_T及びA_Sを測定する．

[6]－ギンゲロールの量(mg)＝$M_S \times A_T / A_S$

　M_S：qNMRで含量換算した定量用[6]－ギンゲロールの秤取量(mg)

試験条件
　検出器：紫外吸光光度計(測定波長：205 nm)
　カラム：内径4.6 mm，長さ15 cmのステンレス管に5 μmの液体クロマトグラフィー用オクタデシルシリル化シリカゲルを充塡する．
　カラム温度：40℃付近の一定温度
　移動相：水／アセトニトリル／リン酸混液(3800：2200：1)
　流量：[6]－ギンゲロールの保持時間が約19分になるように調整する．
　システム適合性
　　システムの性能：標準溶液10 μLにつき，上記の条件で操作するとき，[6]－ギンゲロールのピークの理論段数及びシンメトリー係数は，それぞれ5000段以上，1.5以下である．
　　システムの再現性：標準溶液10 μLにつき，上記の条件で試験を6回繰り返すとき，[6]－ギンゲロールのピーク面積の相対標準偏差は1.5％以下である．

医薬品各条の部　ショウキョウ末の条定量法の項を次のように改める．

ショウキョウ末

定量法　本品(別途105℃，5時間で乾燥減量〈5.01〉を測定しておく)約1 gを精密に量り，共栓遠心沈殿管にとり，メタノール／水混液(3：1) 30 mLを加えて20分間振り混ぜた後，遠心分離し，上澄液を分取する．残留物にメタノール／水混液(3：1) 30 mLを加えて，更にこの操作を2回繰り返す．全抽出液を合わせ，メタノール／水混液(3：1)を加えて正確に100 mLとし，試料溶液とする．別に定量用[6]－ギンゲロール5 mgを精密に量り，メタノール／水混液(3：1)に溶かして

正確に100 mLとし，標準溶液とする．試料溶液及び標準溶液10 μLずつを正確にとり，次の条件で液体クロマトグラフィー〈2.01〉により試験を行い，それぞれの液の[6]-ギンゲロールのピーク面積A_T及びA_Sを測定する．

[6]-ギンゲロールの量(mg)＝$M_S × A_T/A_S$

M_S：qNMRで含量換算した定量用[6]-ギンゲロールの秤取量(mg)

試験条件
　検出器：紫外吸光光度計(測定波長：205 nm)
　カラム：内径4.6 mm，長さ15 cmのステンレス管に5 μmの液体クロマトグラフィー用オクタデシルシリル化シリカゲルを充塡する．
　カラム温度：40℃付近の一定温度
　移動相：水／アセトニトリル／リン酸混液(3800：2200：1)
　流量：[6]-ギンゲロールの保持時間が約19分になるように調整する．
システム適合性
　システムの性能：標準溶液10 μLにつき，上記の条件で操作するとき，[6]-ギンゲロールのピークの理論段数及びシンメトリー係数は，それぞれ5000段以上，1.5以下である．
　システムの再現性：標準溶液10 μLにつき，上記の条件で試験を6回繰り返すとき，[6]-ギンゲロールのピーク面積の相対標準偏差は1.5％以下である．

医薬品各条の部　ショウズクの条日本名別名の項を次のように改める．

ショウズク

小豆蔲
小豆蔲
小豆蒄
小豆蒄

医薬品各条の部　ショウマの条純度試験の項(3)の目を次のように改める．

ショウマ

純度試験
(3)　*Astilbe*属植物及びその他の根茎　本品の粉末を鏡検〈5.01〉するとき，シュウ酸カルシウムの集晶を認めない．

医薬品各条の部　真武湯エキスの条定量法の項(2)の目を次のように改める．

真武湯エキス

定量法
(2)　[6]-ギンゲロール　本品約0.5 gを精密に量り，薄めたメタノール(7→10) 50 mLを正確に加えて15分間振り混ぜた後，ろ過し，ろ液を試料溶液とする．別に定量用[6]-ギンゲロール約10 mgを精密に量り，メタノールに溶かし，正確に100 mLとする．この液5 mLを正確に量り，メタノールを加えて正確に50 mLとし，標準溶液とする．試料溶液及び標準溶液10 μLずつを正確にとり，次の条件で液体クロマトグラフィー〈2.01〉により試験を行い，それぞれの液の[6]-ギンゲロールのピーク面積A_T及びA_Sを測定する．

[6]-ギンゲロールの量(mg)＝$M_S × A_T/A_S × 1/20$

M_S：qNMRで含量換算した定量用[6]-ギンゲロールの秤取量(mg)

試験条件
　検出器：紫外吸光光度計(測定波長：282 nm)
　カラム：内径4.6 mm，長さ15 cmのステンレス管に5 μmの液体クロマトグラフィー用オクタデシルシリル化シリカゲルを充塡する．
　カラム温度：30℃付近の一定温度
　移動相：水／アセトニトリル／リン酸混液(620：380：1)
　流量：毎分1.0 mL ([6]-ギンゲロールの保持時間約15分)
システム適合性
　システムの性能：標準溶液10 μLにつき，上記の条件で操作するとき，[6]-ギンゲロールのピークの理論段数及びシンメトリー係数は，それぞれ5000段以上，1.5以下である．
　システムの再現性：標準溶液10 μLにつき，上記の条件で試験を6回繰り返すとき，[6]-ギンゲロールのピーク面積の相対標準偏差は1.5％以下である．

医薬品各条の部　センナの条生薬の性状の項及び確認試験の項(2)の目を次のように改める．

センナ

生薬の性状　本品はひ針形～狭ひ針形を呈し，長さ1.5～5 cm，幅0.5～1.5 cm，淡灰黄色～淡灰黄緑色である．全縁で先端はとがり，基部は非相称，小葉柄は短い．ルーペ視するとき，葉脈は浮き出て，一次側脈は辺縁に沿って上昇し，直上の側脈に合一する．下面は僅かに毛がある．
　本品は弱いにおいがあり，味は苦い．
　本品の横切片を鏡検〈5.01〉するとき，両面の表皮は厚いクチクラを有し，多数の気孔及び厚壁で表面に粒状突起のある単細胞毛があり，表皮細胞はしばしば葉面に平行な隔壁によって2層に分かれ，内層に粘液を含む．両面の表皮下には1細胞層の柵状組織があり，海綿状組織は3～4細胞層から

なり，シュウ酸カルシウムの集晶及び単晶を含む．維管束に接する細胞は結晶細胞列を形成する．

確認試験
（2）本品の粉末2 gにテトラヒドロフラン／メタノール／希塩酸混液(16：4：1) 20 mLを加えて5分間振り混ぜた後，ろ過し，ろ液を試料溶液とする．別にセンノシドA標準品又は薄層クロマトグラフィー用センノシドA 1 mgをテトラヒドロフラン／水混液(7：3) 1 mLに溶かし，標準溶液とする．これらの液につき，薄層クロマトグラフィー〈2.03〉により試験を行う．試料溶液及び標準溶液5 μLずつを薄層クロマトグラフィー用シリカゲルを用いて調製した薄層板にスポットする．次に1－プロパノール／酢酸エチル／水／酢酸(100)混液(40：40：30：1)を展開溶媒として約7 cm展開した後，薄層板を風乾する．これに紫外線(主波長365 nm)を照射するとき，試料溶液から得た数個のスポットのうち1個のスポットは，標準溶液から得た赤色～暗赤色の蛍光を発するスポットと色調及びR_f値が等しい．

医薬品各条の部　センナ末の条確認試験の項（2）の目を次のように改める．

センナ末

確認試験
（2）本品2 gにテトラヒドロフラン／メタノール／希塩酸混液(16：4：1) 20 mLを加えて5分間振り混ぜた後，ろ過し，ろ液を試料溶液とする．別にセンノシドA標準品又は薄層クロマトグラフィー用センノシドA 1 mgをテトラヒドロフラン／水混液(7：3) 1 mLに溶かし，標準溶液とする．これらの液につき，薄層クロマトグラフィー〈2.03〉により試験を行う．試料溶液及び標準溶液5 μLずつを薄層クロマトグラフィー用シリカゲルを用いて調製した薄層板にスポットする．次に1－プロパノール／酢酸エチル／水／酢酸(100)混液(40：40：30：1)を展開溶媒として約7 cm展開した後，薄層板を風乾する．これに紫外線(主波長365 nm)を照射するとき，試料溶液から得た数個のスポットのうち1個のスポットは，標準溶液から得た赤色～暗赤色の蛍光を発するスポットと色調及びR_f値が等しい．

医薬品各条の部　無コウイ大建中湯エキスの条定量法の項（2）の目を次のように改める．

無コウイ大建中湯エキス

定量法
（2）[6]－ショーガオール　本品約0.5 gを精密に量り，薄めたメタノール(3→4) 50 mLを正確に加えて15分間振り混ぜた後，遠心分離し，上澄液を試料溶液とする．別に定量用[6]－ショーガオール約10 mgを精密に量り，薄めたメタノール(3→4)に溶かし，正確に100 mLとする．この液10 mLを正確にとり，薄めたメタノール(3→4)を加えて正確に50 mLとし，標準溶液とする．試料溶液及び標準溶液20 μLずつを正確にとり，次の条件で液体クロマトグラフィー〈2.01〉により試験を行い，それぞれの液の[6]－ショーガオールのピーク面積A_T及びA_Sを測定する．

[6]－ショーガオールの量$(mg) = M_S \times A_T / A_S \times 1/10$

M_S：qNMRで含量換算した定量用[6]－ショーガオールの秤取量(mg)

試験条件
検出器：紫外吸光光度計(測定波長：225 nm)
カラム：内径4.6 mm，長さ15 cmのステンレス管に5 μmの液体クロマトグラフィー用オクチルシリル化シリカゲルを充塡する．
カラム温度：50℃付近の一定温度
移動相：シュウ酸二水和物0.1 gを水600 mLに溶かした後，アセトニトリル400 mLを加える．
流量：毎分1.0 mL ([6]－ショーガオールの保持時間約30分)

システム適合性
システムの性能：標準溶液20 μLにつき，上記の条件で操作するとき，[6]－ショーガオールのピークの理論段数及びシンメトリー係数は，それぞれ5000段以上，1.5以下である．
システムの再現性：標準溶液20 μLにつき，上記の条件で試験を6回繰り返すとき，[6]－ショーガオールのピーク面積の相対標準偏差は1.5％以下である．

医薬品各条の部　チョウジの条基原の項を次のように改める．

チョウジ

本品はチョウジ*Syzygium aromaticum* Merrill et L. M. Perry (*Eugenia caryophyllata* Thunberg) (*Myrtaceae*)のつぼみである．

医薬品各条の部　チョウジ油の条基原の項を次のように改める．

チョウジ油

本品はチョウジ*Syzygium aromaticum* Merrill et L. M. Perry (*Eugenia caryophyllata* Thunberg) (*Myrtaceae*)のつぼみ又は葉を水蒸気蒸留して得た精油である．

本品は定量するとき，総オイゲノール80.0 vol％以上を含む．

医薬品各条の部　チョウトウコウの条定量法の項を次のように改める．

チョウトウコウ

定量法　本品の中末約0.2 gを精密に量り，共栓遠心沈殿管にとり，メタノール／希酢酸混液(7：3) 30 mLを加えて30分間

振り混ぜた後，遠心分離し，上澄液を分取する．残留物にメタノール／希酢酸混液(7：3) 10 mLを加えて更に2回，同様に操作する．全抽出液を合わせ，メタノール／希酢酸混液(7：3)を加えて正確に50 mLとし，試料溶液とする．別に定量用リンコフィリン約5 mgを精密に量り，メタノール／希酢酸混液(7：3)に溶かして正確に100 mLとする．この液1 mLを正確に量り，メタノール／希酢酸混液(7：3)を加えて正確に10 mLとし，標準溶液(1)とする．別にヒルスチン1 mgをメタノール／希酢酸混液(7：3) 100 mLに溶かし，標準溶液(2)とする．試料溶液，標準溶液(1)及び標準溶液(2) 20 μLずつを正確にとり，次の条件で液体クロマトグラフィー〈2.01〉により試験を行う．試料溶液のリンコフィリン及びヒルスチンのピーク面積A_{Ta}及びA_{Tb}並びに標準溶液(1)のリンコフィリンのピーク面積A_Sを測定する．

総アルカロイド(リンコフィリン及びヒルスチン)の量(mg)
＝M_S ×(A_{Ta} + 1.405A_{Tb})／A_S × 1／20

M_S：定量用リンコフィリンの秤取量(mg)

試験条件
　検出器：紫外吸光光度計(測定波長：245 nm)
　カラム：内径4.6 mm，長さ25 cmのステンレス管に5 μmの液体クロマトグラフィー用オクタデシルシリル化シリカゲルを充填する．
　カラム温度：40℃付近の一定温度
　移動相：酢酸アンモニウム3.85 gを水200 mLに溶かし，酢酸(100) 10 mLを加え，水を加えて1000 mLとする．この液にアセトニトリル350 mLを加える．
　流量：リンコフィリンの保持時間が約17分になるように調整する．
　システム適合性
　　システムの性能：定量用リンコフィリン5 mgをメタノール／希酢酸混液(7：3) 100 mLに溶かす．この液5 mLにアンモニア水(28) 1 mLを加えて50℃で2時間加熱，又は還流冷却器を付けて10分間加熱する．冷後，反応液1 mLを量り，メタノール／希酢酸混液(7：3)を加えて5 mLとする．この液20 μLにつき，上記の条件で操作するとき，リンコフィリン以外にイソリンコフィリンのピークを認め，リンコフィリンとイソリンコフィリンの分離度は1.5以上である．
　　システムの再現性：標準溶液(1) 20 μLにつき，上記の条件で試験を6回繰り返すとき，リンコフィリンのピーク面積の相対標準偏差は1.5％以下である．

医薬品各条の部　桃核承気湯エキスの条定量法の項(1)の目を次のように改める．

桃核承気湯エキス

定量法

(1) アミグダリン　本品約0.5 gを精密に量り，薄めたメタノール(1→2) 50 mLを正確に加えて15分間振り混ぜた後，ろ過する．ろ液5 mLを正確に量り，あらかじめ，カラムクロマトグラフィー用ポリアミド2 gを用いて調製したカラムに入れ，水で流出させ，流出液を正確に20 mLとし，試料溶液とする．別に定量用アミグダリン約10 mgを精密に量り，薄めたメタノール(1→2)に溶かして正確に50 mLとし，標準溶液とする．試料溶液及び標準溶液10 μLずつを正確にとり，次の条件で液体クロマトグラフィー〈2.01〉により試験を行い，それぞれの液のアミグダリンのピーク面積A_T及びA_Sを測定する．

アミグダリンの量(mg)＝M_S × A_T／A_S × 4

M_S：定量用アミグダリンの秤取量(mg)

試験条件
　検出器：紫外吸光光度計(測定波長：210 nm)
　カラム：内径4.6 mm，長さ15 cmのステンレス管に5 μmの液体クロマトグラフィー用オクタデシルシリル化シリカゲルを充填する．
　カラム温度：45℃付近の一定温度
　移動相：0.05 mol/Lリン酸二水素ナトリウム試液／メタノール混液(5：1)
　流量：毎分0.8 mL(アミグダリンの保持時間約12分)
　システム適合性
　　システムの性能：標準溶液10 μLにつき，上記の条件で操作するとき，アミグダリンのピークの理論段数及びシンメトリー係数は，それぞれ5000段以上，1.5以下である．
　　システムの再現性：標準溶液10 μLにつき，上記の条件で試験を6回繰り返すとき，アミグダリンのピーク面積の相対標準偏差は1.5％以下である．

医薬品各条の部　トウニンの条定量法の項を次のように改める．

トウニン

定量法　本品をすりつぶし，その約0.5 gを精密に量り，薄めたメタノール(9→10) 40 mLを加え，直ちに還流冷却器を付けて30分間加熱し，冷後，ろ過し，薄めたメタノール(9→10)を加えて正確に50 mLとする．この液5 mLを正確に量り，水を加えて正確に10 mLとした後，試料溶液とする．別に定量用アミグダリン約10 mgを精密に量り，薄めたメタノール(1→2)に溶かして正確に50 mLとし，標準溶液とする．試料溶液及び標準溶液10 μLずつを正確にとり，次の条件で液体クロマトグラフィー〈2.01〉により試験を行い，それぞれの液のアミグダリンのピーク面積A_T及びA_Sを測定する．

アミグダリンの量(mg)＝M_S × A_T／A_S × 2

M_S：定量用アミグダリンの秤取量(mg)

試験条件
　検出器：紫外吸光光度計(測定波長：210 nm)
　カラム：内径4.6 mm，長さ15 cmのステンレス管に5 μmの液体クロマトグラフィー用オクタデシルシリル化シリカゲルを充填する．

カラム温度：45℃付近の一定温度
移動相：0.05 mol/Lリン酸二水素ナトリウム試液／メタノール混液(5：1)
流量：毎分0.8 mL (アミグダリンの保持時間約12分)
システム適合性
　システムの性能：標準溶液10 μLにつき，上記の条件で操作するとき，アミグダリンのピークの理論段数及びシンメトリー係数は，それぞれ5000段以上，1.5以下である．
　システムの再現性：標準溶液10 μLにつき，上記の条件で試験を6回繰り返すとき，アミグダリンのピーク面積の相対標準偏差は1.5％以下である．

医薬品各条の部　トウニン末の条定量法の項を次のように改める．

トウニン末

定量法　本品約0.5 gを精密に量り，薄めたメタノール(9→10) 40 mLを加え，直ちに還流冷却器を付けて30分間加熱し，冷後，ろ過し，薄めたメタノール(9→10)を加えて正確に50 mLとする．この液5 mLを正確に量り，水を加えて正確に10 mLとした後，試料溶液とする．別に定量用アミグダリン約10 mgを精密に量り，薄めたメタノール(1→2)に溶かして正確に50 mLとし，標準溶液とする．試料溶液及び標準溶液10 μLずつを正確にとり，次の条件で液体クロマトグラフィー〈2.01〉により試験を行い，それぞれの液のアミグダリンのピーク面積A_T及びA_Sを測定する．

アミグダリンの量(mg) ＝ $M_S \times A_T/A_S \times 2$

　M_S：定量用アミグダリンの秤取量(mg)

試験条件
　検出器：紫外吸光光度計(測定波長：210 nm)
　カラム：内径4.6 mm，長さ15 cmのステンレス管に5 μmの液体クロマトグラフィー用オクタデシルシリル化シリカゲルを充塡する．
　カラム温度：45℃付近の一定温度
　移動相：0.05 mol/Lリン酸二水素ナトリウム試液／メタノール混液(5：1)
　流量：毎分0.8 mL (アミグダリンの保持時間約12分)
システム適合性
　システムの性能：標準溶液10 μLにつき，上記の条件で操作するとき，アミグダリンのピークの理論段数及びシンメトリー係数は，それぞれ5000段以上，1.5以下である．
　システムの再現性：標準溶液10 μLにつき，上記の条件で試験を6回繰り返すとき，アミグダリンのピーク面積の相対標準偏差は1.5％以下である．

医薬品各条の部　ニガキの条生薬の性状の項の次に次を加える．

ニガキ

確認試験　本品の粉末0.1 gにメタノール5 mLを加えて5分間振り混ぜた後，ろ過し，ろ液を試料溶液とする．この液につき，薄層クロマトグラフィー〈2.03〉により試験を行う．試料溶液2 μLを薄層クロマトグラフィー用シリカゲルを用いて調製した薄層板にスポットする．次に酢酸エチル／ヘキサン混液(20：1)を展開溶媒として約7 cm展開した後，薄層板を風乾する．これに紫外線(主波長365 nm)を照射するとき，R_f値0.35付近に青白色の蛍光を発するスポットを認める．

医薬品各条の部　ニガキ末の条生薬の性状の項の次に次を加える．

ニガキ末

確認試験　本品0.1 gにメタノール5 mLを加えて5分間振り混ぜた後，ろ過し，ろ液を試料溶液とする．この液につき，薄層クロマトグラフィー〈2.03〉により試験を行う．試料溶液2 μLを薄層クロマトグラフィー用シリカゲルを用いて調製した薄層板にスポットする．次に酢酸エチル／ヘキサン混液(20：1)を展開溶媒として約7 cm展開した後，薄層板を風乾する．これに紫外線(主波長365 nm)を照射するとき，R_f値0.35付近に青白色の蛍光を発するスポットを認める．

医薬品各条の部　ニクズクの条日本名別名の項を次のように改める．

ニクズク

肉豆蔲
肉豆蔲
肉豆蔲
肉豆蔲

医薬品各条の部　八味地黄丸エキスの条定量法の項(1)の目を次のように改める．

八味地黄丸エキス

定量法

（1）　ロガニン　乾燥エキス約0.5 g (軟エキスは乾燥物として約0.5 gに対応する量)を精密に量り，薄めたメタノール(1→2) 50 mLを正確に加えて15分間振り混ぜた後，ろ過し，ろ液を試料溶液とする．別に定量用ロガニン約10 mgを精密に量り，薄めたメタノール(1→2)に溶かして正確に100 mLとし，標準溶液とする．試料溶液及び標準溶液10 μLずつを正確にとり，次の条件で液体クロマトグラフィー〈2.01〉により試験を行い，それぞれの液のロガニンのピーク面積A_T

及びA_Sを測定する．

ロガニンの量(mg)＝M_S × A_T/A_S × 1/2

M_S：qNMRで含量換算した定量用ロガニンの秤取量(mg)

試験条件
　検出器：紫外吸光光度計(測定波長：238 nm)
　カラム：内径4.6 mm，長さ15 cmのステンレス管に5 μmの液体クロマトグラフィー用オクタデシルシリル化シリカゲルを充填する．
　カラム温度：50℃付近の一定温度
　移動相：水／アセトニトリル／メタノール混液(55：4：1)
　流量：毎分1.2 mL(ロガニンの保持時間約25分)
　システム適合性
　　システムの性能：標準溶液10 μLにつき，上記の条件で操作するとき，ロガニンのピークの理論段数及びシンメトリー係数は，それぞれ5000段以上，1.5以下である．
　　システムの再現性：標準溶液10 μLにつき，上記の条件で試験を6回繰り返すとき，ロガニンのピーク面積の相対標準偏差は1.5％以下である．

医薬品各条の部　ハマボウフウの条基原の項を次のように改める．

ハマボウフウ

　本品はハマボウフウ *Glehnia littoralis* F. Schmidt ex Miquel (*Umbelliferae*)の根及び根茎である．

医薬品各条の部　半夏厚朴湯エキスの条定量法の項(3)の目を次のように改める．

半夏厚朴湯エキス

定量法
（3）［6］－ギンゲロール　乾燥エキス約0.5 g (軟エキスは乾燥物として約0.5 gに対応する量)を精密に量り，薄めたメタノール(7→10) 50 mLを正確に加えて15分間振り混ぜた後，ろ過し，ろ液を試料溶液とする．別に定量用［6］－ギンゲロール約10 mgを精密に量り，メタノールに溶かし，正確に100 mLとする．この液5 mLを正確に量り，メタノールを加えて正確に50 mLとし，標準溶液とする．試料溶液及び標準溶液10 μLずつを正確にとり，次の条件で液体クロマトグラフィー〈2.01〉により試験を行い，それぞれの液の［6］－ギンゲロールのピーク面積A_T及びA_Sを測定する．

［6］－ギンゲロールの量(mg)＝M_S × A_T/A_S × 1/20

M_S：qNMRで含量換算した定量用［6］－ギンゲロールの秤取量(mg)

試験条件
　検出器：紫外吸光光度計(測定波長：282 nm)
　カラム：内径4.6 mm，長さ15 cmのステンレス管に5 μmの液体クロマトグラフィー用オクタデシルシリル化シリカゲルを充填する．
　カラム温度：30℃付近の一定温度
　移動相：水／アセトニトリル／リン酸混液(620：380：1)
　流量：毎分1.0 mL(［6］－ギンゲロールの保持時間約15分)
　システム適合性
　　システムの性能：標準溶液10 μLにつき，上記の条件で操作するとき，［6］－ギンゲロールのピークの理論段数及びシンメトリー係数は，それぞれ5000段以上，1.5以下である．
　　システムの再現性：標準溶液10 μLにつき，上記の条件で試験を6回繰り返すとき，［6］－ギンゲロールのピーク面積の相対標準偏差は1.5％以下である．

医薬品各条の部　ボウイの条基原の項を次のように改める．

ボウイ

　本品はオオツヅラフジ *Sinomenium acutum* Rehder et E. H. Wilson (*Menispermaceae*)のつる性の茎及び根茎を，通例，横切したものである．

医薬品各条の部　麻黄湯エキスの条定量法の項（2）の目を次のように改める．

麻黄湯エキス

定量法
（2）アミグダリン　乾燥エキス約0.5 g (軟エキスは乾燥物として約0.5 gに対応する量)を精密に量り，薄めたメタノール(1→2) 50 mLを正確に加えて15分間振り混ぜた後，ろ過する．ろ液5 mLを正確に量り，あらかじめ，カラムクロマトグラフィー用ポリアミド2 gを用いて調製したカラムに入れ，水で流出させ，流出液を正確に20 mLとし，試料溶液とする．別に定量用アミグダリン約10 mgを精密に量り，薄めたメタノール(1→2)に溶かして正確に50 mLとし，標準溶液とする．試料溶液及び標準溶液10 μLずつを正確にとり，次の条件で液体クロマトグラフィー〈2.01〉により試験を行い，それぞれの液のアミグダリンのピーク面積A_T及びA_Sを測定する．

アミグダリンの量(mg)＝M_S × A_T/A_S × 4

M_S：定量用アミグダリンの秤取量(mg)

試験条件
　検出器：紫外吸光光度計(測定波長：210 nm)
　カラム：内径4.6 mm，長さ15 cmのステンレス管に5 μmの液体クロマトグラフィー用オクタデシルシリル化シリカゲルを充填する．
　カラム温度：45℃付近の一定温度
　移動相：0.05 mol/Lリン酸二水素ナトリウム試液／メタ

ノール混液(5：1)
　　流量：毎分0.8 mL(アミグダリンの保持時間約12分)
　システム適合性
　　システムの性能：標準溶液10 μLにつき，上記の条件で操作するとき，アミグダリンのピークの理論段数及びシンメトリー係数は，それぞれ5000段以上，1.5以下である．
　　システムの再現性：標準溶液10 μLにつき，上記の条件で試験を6回繰り返すとき，アミグダリンのピーク面積の相対標準偏差は1.5％以下である．

医薬品各条の部　モクツウの条基原の項を次のように改める．

モクツウ

　本品はアケビ *Akebia quinata* Decaisne，ミツバアケビ *Akebia trifoliata* Koidzumi 又はそれらの種間雑種 (*Lardizabalaceae*) のつる性の茎を，通例，横切したものである．

医薬品各条の部　ヤクチの条生薬の性状の項の次に次を加える．

ヤクチ

確認試験　本品の粉末1.0 gに水／メタノール混液(1：1) 6 mL及びヘキサン3 mLを加えて5分間振り混ぜた後，遠心分離し，上澄液の上層を試料溶液とする．別に薄層クロマトグラフィー用ノオトカトン1 mgをヘキサン1 mLに溶かし，標準溶液とする．これらの液につき，薄層クロマトグラフィー〈2.03〉により試験を行う．試料溶液20 μL及び標準溶液10 μLを薄層クロマトグラフィー用シリカゲルを用いて調製した薄層板にスポットする．次にヘキサン／酢酸エチル混液(3：1)を展開溶媒として約7 cm展開した後，薄層板を風乾する．これに2,4－ジニトロフェニルヒドラジン試液を均等に噴霧するとき，試料溶液から得た数個のスポットのうち1個のスポットは，標準溶液から得たスポットと色調及びR_f値が等しい．

医薬品各条の部　ヤクモソウの条生薬の性状の項を次のように改める．

ヤクモソウ

生薬の性状　本品は茎，葉及び花からなり，通例，横切したもの．茎は方柱形で，径0.2 ～ 3 cm，黄緑色～緑褐色を呈し，白色の短毛を密生する．髄は白色で切面中央部の多くを占める．質は軽い．葉は対生し，有柄で3全裂～3深裂し，裂片は羽状に裂け，終裂片は線状か針形で，先端は鋭形，又は鋭尖形，上面は淡緑色を呈し，下面は白色の短毛を密生し，灰緑色を呈する．花は輪生し，がくは筒状で上端は針状に5裂し，淡緑色～淡緑褐色，花冠は唇形で淡赤紫色～淡褐色を呈する．
　本品は僅かににおいがあり，味は僅かに苦く，収れん性である．
　本品の茎の横切片を鏡検〈5.01〉するとき，四稜を認め，*Leonurus sibiricus*の稜は一部がこぶ状に突出する．表皮には，1 ～ 3細胞からなる非腺毛，頭部が1 ～ 4細胞からなる腺毛及び8細胞からなる腺りんが認められる．稜部では表皮下に厚角組織が発達し，木部繊維の発達が著しい．皮層は数細胞層の柔細胞からなる．維管束は並立維管束で，ほぼ環状に配列する．師部の外側には師部繊維を認める．皮層及び髄中の柔細胞にシュウ酸カルシウムの針晶又は板状晶が認められる．

医薬品各条の部　抑肝散エキスの条の次に次の一条を加える．

抑肝散加陳皮半夏エキス
Yokukansankachimpihange Extract

　本品は定量するとき，製法の項に規定した分量で製したエキス当たり，サイコサポニンb_2 0.6 ～ 2.4 mg，グリチルリチン酸($C_{42}H_{62}O_{16}$：822.93) 10 ～ 30 mg及びヘスペリジン18 ～ 72 mgを含む．

製法

	1)	2)
トウキ	3 g	3 g
チョウトウコウ	3 g	3 g
センキュウ	3 g	3 g
ビャクジュツ	4 g	－
ソウジュツ	－	4 g
ブクリョウ	4 g	4 g
サイコ	2 g	2 g
カンゾウ	1.5 g	1.5 g
チンピ	3 g	3 g
ハンゲ	5 g	5 g

　1)又は2)の処方に従い生薬をとり，エキス剤の製法により乾燥エキス又は軟エキスとする．

性状　乾燥エキス　本品は灰褐色～帯赤黄褐色の粉末で，特異なにおいがあり，味は初め甘く，僅かに辛く，後に苦い．
　軟エキス　本品は褐色の粘性のある液体で，特異なにおいがあり，味は苦く，僅かに甘い．

確認試験
（1）乾燥エキス2.0 g (軟エキスは6.0 g)に水10 mLを加えて振り混ぜた後，ジエチルエーテル10 mLを加えて振り混ぜ，遠心分離する．ジエチルエーテル層を分取し，水酸化ナトリウム試液10 mLを加えて振り混ぜた後，遠心分離し，ジエチルエーテル層を試料溶液とする．別に薄層クロマトグラフィー用(*Z*)－リグスチリド試液を標準溶液とする．これらの液につき，薄層クロマトグラフィー〈2.03〉により試験を行う．試料溶液及び標準溶液10 μLずつを薄層クロマトグラフィー用シリカゲルを用いて調製した薄層板にスポットする．次に酢酸ブチル／ヘキサン混液(2：1)を展開溶媒として約7 cm展開した後，薄層板を風乾する．これに紫外線(主波長365

nm)を照射するとき，試料溶液から得た数個のスポットのうち1個のスポットは，標準溶液から得た青白色の蛍光を発するスポットと色調及びR_f値が等しい(トウキ及びセンキュウ)．

(2) 乾燥エキス2.0 g (軟エキスは6.0 g)に水20 mL及びアンモニア試液2 mLを加えて振り混ぜた後，ジエチルエーテル20 mLを加えて振り混ぜ，ジエチルエーテル層を分取し，低圧(真空)で溶媒を留去した後，残留物にメタノール1 mLを加えて試料溶液とする．別に薄層クロマトグラフィー用リンコフィリン及び薄層クロマトグラフィー用ヒルスチン1 mgずつをメタノール1 mLに溶かし，標準溶液とする．これらの液につき，薄層クロマトグラフィー〈2.03〉により試験を行う．試料溶液10 μL及び標準溶液2 μLを薄層クロマトグラフィー用シリカゲル(蛍光剤入り)を用いて調製した薄層板にスポットする．次に酢酸エチル/1－プロパノール/水/酢酸(100)混液(7:5:4:1)を展開溶媒として約7 cm展開した後，薄層板を風乾する．これに紫外線(主波長254 nm)を照射するとき，試料溶液から得た数個のスポットのうち少なくとも1個のスポットは，標準溶液から得た2個の暗紫色のスポットのうち少なくとも1個のスポットと色調及びR_f値が等しい(チョウトウコウ)．

(3) (ビャクジュツ配合処方) 乾燥エキス1.0 g (軟エキスは3.0 g)に水10 mLを加えて振り混ぜた後，ジエチルエーテル25 mLを加えて振り混ぜる．ジエチルエーテル層を分取し，低圧(真空)で溶媒を留去した後，残留物にジエチルエーテル2 mLを加えて試料溶液とする．別に薄層クロマトグラフィー用アトラクチレノリドⅢ 1 mgをメタノール2 mLに溶かし，標準溶液とする．これらの液につき，薄層クロマトグラフィー〈2.03〉により試験を行う．試料溶液及び標準溶液5 μLずつを薄層クロマトグラフィー用シリカゲルを用いて調製した薄層板にスポットする．次にヘキサン/酢酸エチル混液(2:1)を展開溶媒として約7 cm展開した後，薄層板を風乾する．これに1－ナフトール・硫酸試液を均等に噴霧し，105℃で5分間加熱した後，放冷するとき，試料溶液から得た数個のスポットのうち1個のスポットは，標準溶液から得た赤色～赤紫色のスポットと色調及びR_f値が等しい(ビャクジュツ)．

(4) (ソウジュツ配合処方) 乾燥エキス2.0 g (軟エキスは6.0 g)に水10 mLを加えて振り混ぜた後，ヘキサン25 mLを加えて振り混ぜる．ヘキサン層を分取し，低圧(真空)で溶媒を留去した後，残留物にヘキサン2 mLを加えて試料溶液とする．この液につき，薄層クロマトグラフィー〈2.03〉により試験を行う．試料溶液20 μLを薄層クロマトグラフィー用シリカゲル(蛍光剤入り)を用いて調製した薄層板にスポットする．次にヘキサン/アセトン混液(7:1)を展開溶媒として約7 cm展開した後，薄層板を風乾する．これに紫外線(主波長254 nm)を照射するとき，R_f値0.5付近に暗紫色のスポットを認める．また，このスポットは，噴霧用4－ジメチルアミノベンズアルデヒド試液を均等に噴霧し，105℃で5分間加熱した後，放冷するとき，帯緑褐色を呈する(ソウジュツ)．

(5) 乾燥エキス1.0 g (軟エキスは3.0 g)に水10 mLを加えて振り混ぜた後，1－ブタノール10 mLを加えて振り混ぜ，遠心分離し，1－ブタノール層を試料溶液とする．別に薄層クロマトグラフィー用サイコサポニンb_2 1 mgをメタノール1 mLに溶かし，標準溶液とする．これらの液につき，薄層クロマトグラフィー〈2.03〉により試験を行う．試料溶液10 μL及び標準溶液2 μLを薄層クロマトグラフィー用シリカゲルを用いて調製した薄層板にスポットする．次に酢酸エチル/エタノール(99.5)/水混液(8:2:1)を展開溶媒として約7 cm展開した後，薄層板を風乾する．これに噴霧用4－ジメチルアミノベンズアルデヒド試液を均等に噴霧し，105℃で5分間加熱した後，紫外線(主波長365 nm)を照射するとき，試料溶液から得た数個のスポットのうち1個のスポットは，標準溶液から得た黄色の蛍光を発するスポットと色調及びR_f値が等しい(サイコ)．

(6) 乾燥エキス1.0 g (軟エキスは3.0 g)に水10 mLを加えて振り混ぜた後，1－ブタノール10 mLを加えて振り混ぜ，遠心分離し，1－ブタノール層を試料溶液とする．別に薄層クロマトグラフィー用リクイリチン1 mgをメタノール1 mLに溶かし，標準溶液とする．これらの液につき，薄層クロマトグラフィー〈2.03〉により試験を行う．試料溶液及び標準溶液1 μLずつを薄層クロマトグラフィー用シリカゲルを用いて調製した薄層板にスポットする．次に酢酸エチル/メタノール/水混液(20:3:2)を展開溶媒として約7 cm展開した後，薄層板を風乾する．これに希硫酸を均等に噴霧し，105℃で5分間加熱した後，紫外線(主波長365 nm)を照射するとき，試料溶液から得た数個のスポットのうち1個のスポットは，標準溶液から得た黄緑色の蛍光を発するスポットと色調及びR_f値が等しい(カンゾウ)．

(7) 乾燥エキス1.0 g (軟エキスは3.0 g)に水10 mLを加えて振り混ぜた後，1－ブタノール10 mLを加えて振り混ぜ，遠心分離し，1－ブタノール層を試料溶液とする．別に薄層クロマトグラフィー用ヘスペリジン1 mgをメタノール1 mLに溶かし，標準溶液とする．これらの液につき，薄層クロマトグラフィー〈2.03〉により試験を行う．試料溶液20 μL及び標準溶液10 μLを薄層クロマトグラフィー用シリカゲルを用いて調製した薄層板にスポットする．次に酢酸エチル/アセトン/水/酢酸(100)混液(10:6:3:1)を展開溶媒として約7 cm展開した後，薄層板を風乾する．これに，2,6－ジブロモ－N－クロロ－1,4－ベンゾキノンモノイミン試液を均等に噴霧し，アンモニアガス中に放置するとき，試料溶液から得た数個のスポットのうち1個のスポットは，標準溶液から得た青色のスポットと色調及びR_f値が等しい(チンピ)．

純度試験
(1) 重金属〈1.07〉 乾燥エキス1.0 g (軟エキスは乾燥物として1.0 gに対応する量)をとり，エキス剤(4)に従い検液を調製し，試験を行う(30 ppm以下)．
(2) ヒ素〈1.11〉 乾燥エキス0.67 g (軟エキスは乾燥物として0.67 gに対応する量)をとり，第3法により検液を調製し，試験を行う(3 ppm以下)．

乾燥減量〈2.41〉 乾燥エキス 10.0%以下(1 g, 105℃, 5時間)．
　軟エキス 66.7%以下(1 g, 105℃, 5時間)．

灰分〈5.01〉 換算した乾燥物に対し9.0%以下．

定量法
(1) サイコサポニンb_2 乾燥エキス約0.5 g (軟エキスは乾燥物として約0.5 gに対応する量)を精密に量り，ジエチルエーテル20 mL及び水10 mLを加えて10分間振り混ぜる．これを遠心分離し，ジエチルエーテル層を除いた後，ジエチルエーテル20 mLを加えて同様に操作し，ジエチルエーテル層を除く．水層

にメタノール10 mLを加えて30分間振り混ぜた後，遠心分離し，上澄液を分取する．残留物に薄めたメタノール(1→2) 20 mLを加えて5分間振り混ぜた後，遠心分離し，上澄液を分取し，先の上澄液と合わせ，薄めたメタノール(1→2)を加えて正確に50 mLとし，試料溶液とする．別に定量用サイコサポニンb_2標準試液を標準溶液とする．試料溶液及び標準溶液10 μLずつを正確にとり，次の条件で液体クロマトグラフィー〈2.01〉により試験を行い，それぞれの液のサイコサポニンb_2のピーク面積A_T及びA_Sを測定する．

サイコサポニンb_2の量(mg)＝$C_S × A_T / A_S × 50$

C_S：定量用サイコサポニンb_2標準試液中のサイコサポニンb_2の濃度(mg/mL)

試験条件
 検出器：紫外吸光光度計(測定波長：254 nm)
 カラム：内径4.6 mm，長さ15 cmのステンレス管に5 μmの液体クロマトグラフィー用オクタデシルシリル化シリカゲルを充塡する．
 カラム温度：40℃付近の一定温度
 移動相：0.05 mol/Lリン酸二水素ナトリウム試液／アセトニトリル混液(5：3)
 流量：毎分1.0 mL

システム適合性
 システムの性能：標準溶液10 μLにつき，上記の条件で操作するとき，サイコサポニンb_2のピークの理論段数及びシンメトリー係数は，それぞれ5000段以上，1.5以下である．
 システムの再現性：標準溶液10 μLにつき，上記の条件で試験を6回繰り返すとき，サイコサポニンb_2のピーク面積の相対標準偏差は1.5％以下である．

(2)　グリチルリチン酸　乾燥エキス約0.5 g (軟エキスは乾燥物として約0.5 gに対応する量)を精密に量り，ジエチルエーテル20 mL及び水10 mLを加えて10分間振り混ぜる．これを遠心分離し，ジエチルエーテル層を除いた後，ジエチルエーテル20 mLを加えて同様に操作し，ジエチルエーテル層を除く．水層にメタノール10 mLを加えて30分間振り混ぜた後，遠心分離し，上澄液を分取する．残留物に薄めたメタノール(1→2) 20 mLを加えて5分間振り混ぜた後，遠心分離し，上澄液を分取し，先の上澄液と合わせ，薄めたメタノール(1→2)を加えて正確に50 mLとし，試料溶液とする．別にグリチルリチン酸標準品(別途10 mgにつき，電量滴定法により水分〈2.48〉を測定しておく)約10 mgを精密に量り，薄めたメタノール(1→2)に溶かして正確に100 mLとし，標準溶液とする．試料溶液及び標準溶液10 μLずつを正確にとり，次の条件で液体クロマトグラフィー〈2.01〉により試験を行い，それぞれの液のグリチルリチン酸のピーク面積A_T及びA_Sを測定する．

グリチルリチン酸($C_{42}H_{62}O_{16}$)の量(mg)
　＝$M_S × A_T / A_S × 1/2$

M_S：脱水物に換算したグリチルリチン酸標準品の秤取量(mg)

試験条件
 検出器：紫外吸光光度計(測定波長：254 nm)
 カラム：内径4.6 mm，長さ15 cmのステンレス管に5 μmの液体クロマトグラフィー用オクタデシルシリル化シリカゲルを充塡する．
 カラム温度：40℃付近の一定温度
 移動相：酢酸アンモニウム3.85 gを水720 mLに溶かし，酢酸(100) 5 mL及びアセトニトリル280 mLを加える．
 流量：毎分1.0 mL

システム適合性
 システムの性能：分離確認用グリチルリチン酸一アンモニウム5 mgを希エタノール20 mLに溶かす．この液10 μLにつき，上記の条件で操作するとき，グリチルリチン酸に対する相対保持時間約0.9のピークとグリチルリチン酸の分離度は1.5以上である．
 システムの再現性：標準溶液10 μLにつき，上記の条件で試験を6回繰り返すとき，グリチルリチン酸のピーク面積の相対標準偏差は1.5％以下である．

(3)　ヘスペリジン　乾燥エキス約0.1 g (軟エキスは乾燥物として約0.1 gに対応する量)を精密に量り，薄めたテトラヒドロフラン(1→4) 50 mLを正確に加えて30分間振り混ぜた後，遠心分離し，上澄液を試料溶液とする．別に定量用ヘスペリジンをデシケーター(シリカゲル)で24時間以上乾燥し，その約10 mgを精密に量り，メタノールに溶かして正確に100 mLとする．この液10 mLを正確に量り，薄めたテトラヒドロフラン(1→4)を加えて正確に100 mLとし，標準溶液とする．試料溶液及び標準溶液10 μLずつを正確にとり，次の条件で液体クロマトグラフィー〈2.01〉により試験を行い，それぞれの液のヘスペリジンのピーク面積A_T及びA_Sを測定する．

ヘスペリジンの量(mg)＝$M_S × A_T / A_S × 1/20$

M_S：定量用ヘスペリジンの秤取量(mg)

試験条件
 検出器：紫外吸光光度計(測定波長：285 nm)
 カラム：内径4.6 mm，長さ15 cmのステンレス管に5 μmの液体クロマトグラフィー用オクタデシルシリル化シリカゲルを充塡する．
 カラム温度：40℃付近の一定温度
 移動相：水／アセトニトリル／酢酸(100)混液(82：18：1)
 流量：毎分1.0 mL

システム適合性
 システムの性能：定量用ヘスペリジン及び薄層クロマトグラフィー用ナリンギン1 mgずつを薄めたメタノール(1→2)に溶かし，100 mLとする．この液10 μLにつき，上記の条件で操作するとき，ナリンギン，ヘスペリジンの順に溶出し，その分離度は1.5以上である．
 システムの再現性：標準溶液10 μLにつき，上記の条件で試験を6回繰り返すとき，ヘスペリジンのピーク面積の相対標準偏差は1.5％以下である．

貯法　容器　気密容器．

参照紫外可視吸収スペクトル

参照紫外可視吸収スペクトル　改正事項

参照紫外可視吸収スペクトルの部に次の四条を加える．

アナストロゾール

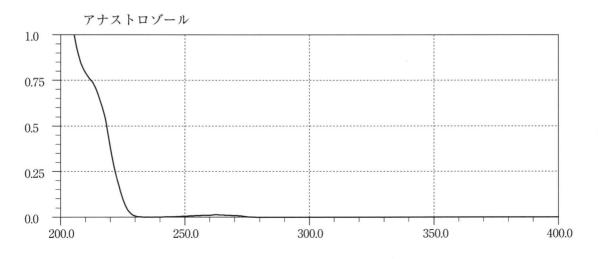

オキシブチニン塩酸塩

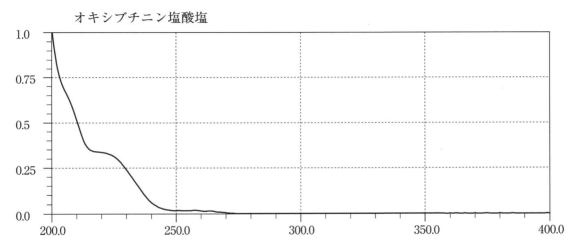

テモゾロミド

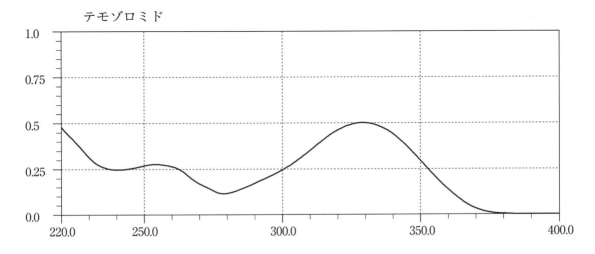

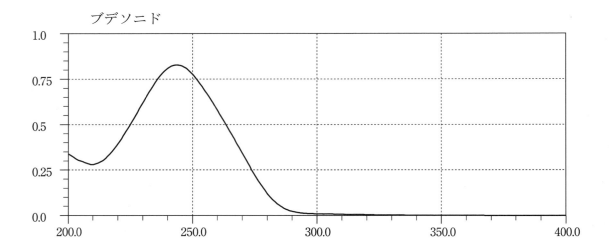
ブデソニド

参照赤外吸収スペクトル

参照赤外吸収スペクトル　改正事項

参照赤外吸収スペクトルの部に次の七条を加える．

アナストロゾール

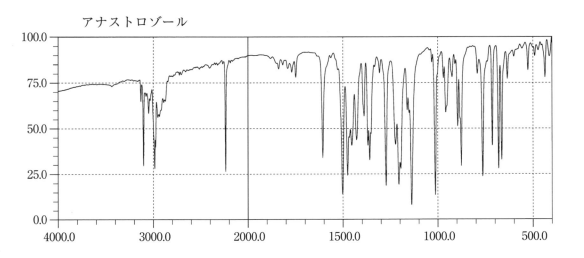

オキシブチニン塩酸塩

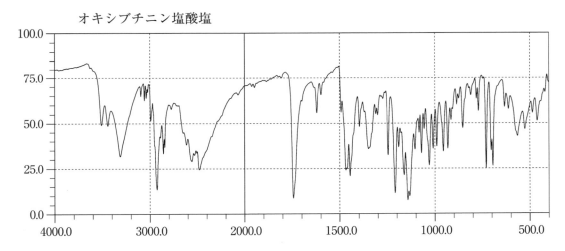

クロスカルメロースナトリウム

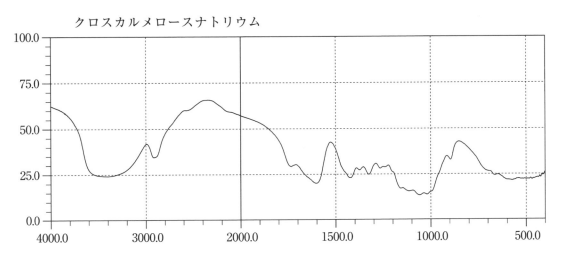

テモゾロミド

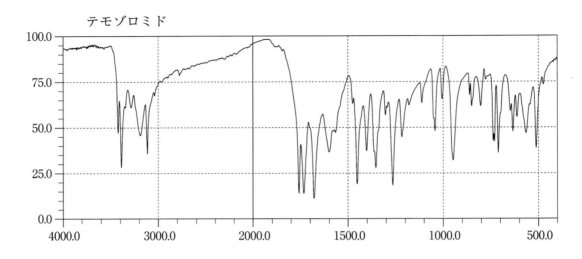

ブデソニド

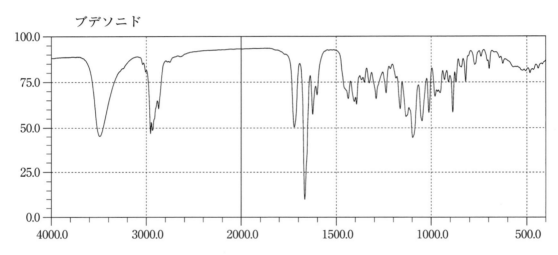

黄色ワセリン

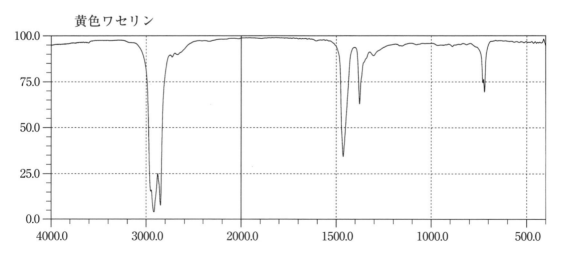

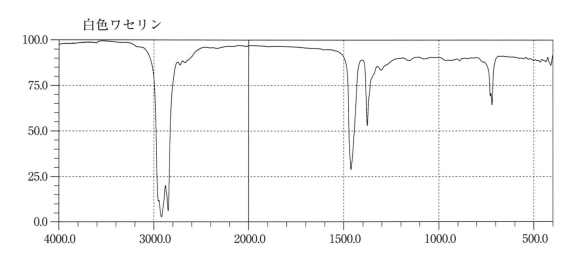

白色ワセリン

参 考 情 報

参　考　情　報

　参考情報は，医薬品の品質確保の上で必要な参考事項及び参考となる試験法を記載し，日本薬局方に付したものである．したがって，医薬品，医療機器等の品質，有効性及び安全性の確保等に関する法律に基づく承認の際に規定された場合を除き，医薬品の適否の判断を示すものではないが，日本薬局方を補足する重要情報として位置付けられている．参考情報を日本薬局方と一体として運用することにより，日本薬局方の質的向上や利用者の利便性の向上に資することができる．

　参考情報はその内容により以下のカテゴリーに分類し，それぞれに固有の番号を付している．固有番号は三つのブロックで構成され，左ブロックはカテゴリー番号，中央ブロックはカテゴリー内での番号を示す．右ブロックの数字は，左から2桁で直近改正（改正のない場合は新規作成）時の日局を示し，3桁目は大改正を0，第一追補を1，第二追補を2，一部改正を3とする．参考情報間で引用を行う場合は，該当する参考情報の番号を〈　〉を付して示す．

　　G0.　医薬品品質に関する基本的事項
　　G1.　理化学試験関連
　　G2.　物性関連
　　G3.　生物薬品関連
　　G4.　微生物関連
　　G5.　生薬関連
　　G6.　製剤関連
　　G7.　容器・包装関連
　　G8.　標準品関連
　　GZ.　その他

本改正の要旨は次のとおりである．
1.　参考情報のカテゴリー分類に「G9.　医薬品添加剤関連」を新設した．

2.　新たに作成したものは次のとおりである．
　（1）　液の色に関する機器測定法 〈G1-4-181〉
　（2）　クロマトグラフィーのライフサイクル各ステージにおける管理戦略と変更管理の考え方(クロマトグラフィーのライフサイクルにおける変更管理) 〈G1-5-181〉
　（3）　せん断セル法による粉体の流動性測定法 〈G2-5-181〉
　（4）　微生物試験における微生物の取扱いのバイオリスク管理 〈G4-11-181〉
　（5）　製剤に関連する添加剤の機能性関連特性について 〈G9-1-181〉

3.　改正したものは次のとおりである．
　（1）　化学合成される医薬品原薬及びその製剤の不純物に関する考え方 〈G0-3-181〉
　（2）　システム適合性 〈G1-2-181〉
　（3）　日本薬局方収載生薬の学名表記について 〈G5-1-181〉
　（4）　錠剤の摩損度試験法 〈G6-5-181〉
　（5）　製薬用水の品質管理 〈GZ-2-181〉

4.　廃止したものは次のとおりである．
　（1）　近赤外吸収スペクトル測定法 〈G1-3-161〉

参考情報　改正事項

参考情報　G0.　医薬品品質に関する基本的事項　化学合成される医薬品原薬及びその製剤の不純物に関する考え方　を次のように改める.

化学合成される医薬品原薬及びその製剤の不純物に関する考え方〈G0-3-181〉

1. 化学合成医薬品中に含まれる不純物の種類とその管理に際して準拠すべきガイドライン

化学合成医薬品中に存在する不純物は，有機不純物，無機不純物及び残留溶媒に大別される．新有効成分含有医薬品では，以下に示す医薬品規制調和国際会議(以下「ICH」という)で合意されたガイドラインに基づきこれらの不純物は管理されている．すなわち，有機不純物については，原薬は平成9年4月1日以降の製造承認申請から，また，製剤は平成11年4月1日以降の製造承認申請から，それぞれ「新有効成分含有医薬品のうち原薬の不純物に関するガイドラインについて(平成7年9月25日薬審第877号)」(以下「ICH Q3Aガイドライン」という)[1]並びに「新有効成分含有医薬品のうち製剤の不純物に関するガイドラインについて(平成9年6月23日薬審第539号)」(以下「ICH Q3Bガイドライン」という)[2]に基づいて規格が設定されている．一方，無機不純物については，日局の基準値や既知の安全性データに基づいて設定されていたところであるが，平成29年4月1日以降の製造販売承認申請から「医薬品の元素不純物ガイドラインについて(平成27年9月30日薬食審査発0930第4号)」(以下「ICH Q3Dガイドライン」という)が，残留溶媒については，平成12年4月1日以降の製造承認申請から「医薬品の残留溶媒ガイドラインについて(平成10年3月30日医薬審第307号)」(以下「ICH Q3Cガイドライン」という)が適用されている．不純物の中でもDNA反応性不純物については，主として平成28年1月15日以降の製造承認申請から「潜在的発がんリスクを低減するための医薬品中DNA反応性(変異原性)不純物の評価及び管理ガイドラインについて(平成27年11月10日薬生審査発1110第3号)」が適用されている．また，有機不純物の一種である光学対掌体については，ICH Q3Aガイドラインは対象外としているものの，その後に公表された「新医薬品の規格及び試験方法の設定について(平成13年5月1日医薬審発第568号)」(以下「ICH Q6Aガイドライン」という)では管理すべき不純物として規定され，測定可能な場合にはICH Q3Aガイドラインの原則に従い，管理されるべきであるとされた.

品質確保の観点から新有効成分含有医薬品以外の医薬品においても上記ガイドラインに準じた不純物の管理が求められているところであり，製造販売承認申請(あるいは製造販売承認事項一部変更承認申請)がなされる場合に適宜これらのガイドラインが適用される．残留溶媒は日局17の通則で，全ての日局収載医薬品が医薬品各条において規定する場合を除き，原則として一般試験法の残留溶媒に係る規定に従って管理されなければならないことが明記され，管理されることとなった．また，元素不純物に関しては日局への取込みとして試験法と管理方法の収載を段階的に進めてきた．日局18では，通則34の項においてICH Q3Dガイドラインに基づく元素不純物に係る規定を設け，併せて一般試験法「元素不純物試験法〈2.66〉」と参考情報「製剤中の元素不純物の管理」を統合すると共にICH Q3Dガイドラインの改正を反映した一般試験法「元素不純物〈2.66〉」を収載した．

2. 有機不純物の管理に関するICH Q3A及びQ3Bガイドラインの考え方

ICH Q3A及びQ3Bガイドラインは，新薬の開発段階において得られる情報を基に有機不純物の規格値を設定することを求めている．ICH Q3Aガイドラインでは，原薬中の不純物について，化学的観点並びに安全性の観点から検討対象とすべき事項に言及している．ICH Q3BガイドラインはQ3Aガイドラインを補完するものであり，基本的考え方は同一である．化学的観点の事項としては，不純物の分類と構造決定と報告の方法，規格の設定及び分析法の検討が含まれ，安全性の観点の事項としては，安全性試験及び臨床試験に用いられた原薬のロット中に全く存在しなかったか，あるいはかなり低いレベルでしか存在しなかった不純物の安全性を確認するための指針が含まれている．

安全性の確認とは，規格に設定された限度値のレベルでの個々の不純物又は不純物全体の安全性を立証するために必要なデータを集めて評価する作業のことである．不純物の判定基準の妥当性に関する安全性の側面からの考察を製造販売承認申請時の添付資料に記載することとする．既に安全性試験や臨床試験で十分安全であることが確かめられている新原薬中に存在しているすべての不純物については，試験に用いられた試料中に存在するレベルまでは安全性が確認されたものと通常考えることができる．

ガイドラインに従い得られたデータに基づき，個別規格設定不純物，個別規格が設定されない不純物及び不純物総量が設定される．原薬の場合，個別規格を設定しない不純物の閾値は，1日当たりの原薬の摂取量に依存して定められており，最大1日投与量が2 g以下の場合0.10％と規定されており，0.10％を超える不純物は個別規格を設定する必要がある．

また，製剤に関しては，ICH Q3Bガイドラインでは，原薬の分解生成物又は原薬と添加剤若しくは一次包装との反応による生成物を対象としている．したがって，原薬中の分解生成物以外の有機不純物(副生成物や合成中間体など)は，製剤中の不純物として認められたとしても既に原薬の規格として管理されていることから，個別規格を設定する必要はないが，製剤中で増加する分解生成物は規格を設定する必要がある．

3. 日局収載品目における有機不純物の管理の原則

従前より，日局においては，ICH Q3A及びQ3Bガイドラインに従って不純物を管理していた医薬品については日局収載時にICH Q3A及びQ3Bガイドラインに従って，個別規格設定不純物，個別規格が設定されない不純物及び不純物総量が設定されている(なお，収載時期が古くこれらガイドラインが適用される前に収載された医薬品についてはこの限りでない．ただし，これらの日局収載医薬品であっても，新たに製造販売承認申請などがなされる場合には，必要に応じてICH Q3A及びQ3Bガイドラインに準じた不純物の管理が求められる場合がある)．設定に際しては，原案作成会社から提出される開発時の分析データに加え，製造が安定した後の商業生産時のロットの不純

物の分析データが評価の対象となる．安全性の評価は，承認時に実施されていることから，日局収載時に改めて実施されることはない．

ICH Q3A及びQ3Bガイドラインでは，化学的合成法で製造される原薬及びこの原薬を用いて製造される製剤中の不純物を対象としており，日局においても同様に，生物薬品（バイオテクノロジー応用医薬品／生物起源由来医薬品），ペプチド，オリゴヌクレオチド，放射性医薬品，醗酵生成物，醗酵生成物を原料とした半合成医薬品，生薬及び動植物由来の医薬品は対象としない．

ICH Q3A及びQ3Bガイドラインの原則に従って評価された有機不純物を日局純度試験として収載する際に，日局の運用上の合理性を考慮し，独自の修正がなされている．①例外的な場合を除き不純物標準品は設定されず，不純物を液体クロマトグラフィーで同定する場合には，原薬に対する不純物の相対保持時間により行われる．②高純度の医薬品で特定されない不純物（0.1％以下）のみが設定されている場合，不純物総量の設定は通例免除される．③規格値を実測値ベースのみで設定すると，多数の不純物が少しずつ異なる規格値を有することになる場合は，代表的な少数の規格値から構成されるように考慮する．④不純物の化学構造情報や化学名は開示しない．これらの措置により，不純物標準品を使用することなく不純物の管理が可能であり，高純度の医薬品に関しては，システム適合性試験を簡略化することを可能としている．

一方，相対保持時間を利用して不純物を同定する方法は，カラム依存的であり，適切なカラムが入手できないと分析が困難になることから，日局17では，原薬の純度試験の設定に際して，不純物標準品を用いる分析方法も並行して認めることとした．さらに，原則として光学対掌体を含め，不純物の情報として化学名及び構造式を日局においても開示する方針とされた．

なお，ICH Q3Aガイドラインでも言及されているように，不純物の構造決定は不完全な場合も存在する．そのため，各条中のその他の項で開示する化学構造は，NMRなどにより確定されている構造の他，合成経路などから推定される化学的に妥当な構造を含めて示している．その際，立体化学が確定していない場合には，当該部分の構造は波線を用いて表記し，当該炭素に結合している水素は記載せず（構造を示すうえで必須である場合を除く），化学名にはR体とS体，E体とZ体の別を記載しないこととする．

製剤の有機不純物に対する純度試験に関しても日局に収載される際に独自の配慮がなされる場合がある．日局においても，製剤中の不純物として，原薬と添加剤若しくは一次包装との反応による生成物に由来する不純物が規定される．これら不純物は，処方依存的であり，異なる処方では，生成してこない場合もある．多様な処方を許容する公定書である日局においては，一律に各条において規定することが適当でない場合には，「別に規定する」として承認の際の規定に委ねられる場合がある．

新たに日局各条に医薬品を収載する際に不純物の規格を見直す場合には，以下の考え方に従って不純物の規格値が再検討される場合がある．すなわち，ICH Q6Aガイドラインは，製造販売承認申請時に得られているデータには限りがあり，それが判定基準を設定するのに影響を及ぼし得ることを考慮する必要があることを指摘している．不純物に関しても，製造段階では，開発段階で得られた不純物のプロファイルと異なる不純物プロファイルが得られることがあり，製造段階における不純物プロファイルの変化については，必要に応じて考慮されるべきであるとされている．この考えに従い，日局収載時に規格設定の対象となる不純物については，開発段階で得られる情報のほか，製造段階における不純物プロファイルの変化がある場合にはその情報，更に製品製造が安定生産に至った後の段階（以下「安定製造段階」という）での情報も考慮される．

しかしながら，安定製造段階で十分に低いレベルとなった，若しくは検出されなくなった不純物について，個別規格設定の候補化合物リストからむやみに外すことは望ましくない．日局収載医薬品については，医薬品各条の規格に適合することで医薬品として認められることになるが，原案作成会社の原薬とは製造方法が同一ではない後発医薬品などの場合，不純物のプロファイルが異なり，それらの不純物を含有することも想定されるからである．日局収載時に開発段階で検出された結果に基づき情報を提供することは，日局医薬品として流通する原薬及び製剤に含まれる不純物を網羅することにつながる可能性がある．

したがって，安定製造段階で十分に低いレベルとなった，若しくは検出されなくなった不純物について，日局の個別規格設定リストから外す際には，ICH Q3A及びQ3Bガイドラインの考え方に基づき安全性の観点から十分に設定の必要性が検討される．

また，不純物標準物質を用いて不純物を特定する方法で承認された原薬については，日局各条においても，原則として，特定された不純物が同定可能となるように適切に規格及び試験方法を設定することが望ましい．なお，製造時における不純物の管理に関しては，出荷試験，工程内試験及び工程パラメーターの管理を含め適切な管理戦略を設定し，不純物を管理することが可能である．

4. 参考資料

1) ICH: Guideline for Q3A, Impurities in New Drug Substances.
2) ICH: Guideline for Q3B, Impurities in New Drug Products.

参考情報 G1. 理化学試験関連 システム適合性 を次のように改める．

システム適合性 〈G1-2-181〉

試験結果の信頼性を確保するためには，日本薬局方などに収載されている試験法を含め，既存の試験法を医薬品の品質試験に適用する際に，試験を行う施設の分析システムを使って当該試験法が目的に適う試験結果を与えることをあらかじめ検証することが肝要であり，そうした検証を行った上で分析システムの稼働状態を日常的に確認する試験としてシステム適合性の試験を行う必要がある．

1. システム適合性の意義

「システム適合性」とは，試験法の適用時に目的に適う試験結果を与えることが検証された分析システムが，実際に品質試験を行う際にも適切な状態を維持していることを確認するための試験方法と適合要件について規定したものであり，通常，一連の品質試験ごとに適合性を確認するための試験が行われる．

システム適合性の試験方法及び適合要件は，医薬品の品質規格に記載される試験方法の中で規定する．規定されたシステム適合性の適合要件が満たされない場合には，その分析システムを用いて行った品質試験の結果を採用してはならない．

システム適合性は，機器分析法による多くの規格試験法に不可欠な規定である．この規定は，装置，電子的情報処理系，分析操作及び分析試料，更には試験者から構成される分析システムが，全体として適切な状態にあることを確認するための試験方法と適合要件を当該試験法の中に規定することによって，システムとして完結するとの考え方に基づいている．

2. システム適合性設定時の留意事項

規格試験法中に設定すべきシステム適合性の項目は，試験の目的と用いられる分析法のタイプに依存している．また，システム適合性の試験は，日常的に行う試験であることから，使用する分析システムが目的とする品質試験を行うのに適切な状態を維持していることを確認するのに必要な項目を選び，迅速かつ簡便に行えるような試験として設定することが望ましい．

例えば，液体クロマトグラフィーやガスクロマトグラフィーを用いた定量的な純度試験の場合には，システムの性能(試験対象物質を特異的に分析し得ることの確認)，システムの再現性(繰返し注入におけるばらつきの程度の確認)，検出の確認(限度値レベルでのレスポンスの数値的信頼性の確認)などの項目について設定する．ただし，面積百分率法において，マトリックスの影響が評価され，分析対象物の性質を考慮して管理すべき最低濃度レベルの溶液を用いる等，適切な検出の確認が設定されている場合，システムの再現性の規定が不要な場合がある．

クロマトグラフィーにおけるシステム適合性の規定は，クロマトグラフィー総論〈2.00〉，又は，液体クロマトグラフィー〈2.01〉に従う．日本薬局方一般試験法「液体クロマトグラフィー〈2.01〉」に記載されたシステム適合性の規定を補完する事項について以下に記載する．

2.1. 液体クロマトグラフィー及びガスクロマトグラフィーのシステムの再現性について

2.1.1. 許容限度値の設定

日本薬局方一般試験法「液体クロマトグラフィー〈2.01〉」のシステム適合性の項に「繰返し注入の回数は6回を原則とする」，また，「システムの再現性の許容限度値は，当該試験法の適用を検討した際のデータと試験に必要とされる精度を考慮して，適切なレベルに設定する．」と規定されていることから，6回繰返し注入における許容限度値を下記の記載を参考にして設定する．なお，日本薬局方収載の医薬品各条に規定された試験法により試験を行う場合には，当該各条に規定された許容限度値に従う．

(ⅰ) 原薬の定量法(原薬の含量がほぼ100%，あるいはそれに近い場合)：分析システムが，製品中の有効成分含量のばらつきの評価に適切な精度で稼働していることを確認できるレベルに設定する．例えば，含量規格の幅が，液体クロマトグラフィーを用いた定量法において含量規格として設定されることの多い98.0～102.0%の場合のように，5%以下の場合には「1.0%以下」を目安として適切に設定する．

(ⅱ) 製剤の定量法：製剤の含量規格の幅，並びに原薬の定量法におけるシステム再現性の規定(原薬と製剤に同様の試験法が用いられている場合)を考慮に入れて，適切に設定する．

(ⅲ) 類縁物質試験：標準溶液やシステム適合性試験用溶液など，システム再現性の試験に用いる溶液中の有効成分濃度を考慮して，適切に設定する．試料溶液を希釈し，0.5～1.0%の有効成分濃度の溶液を調製して，システム再現性の試験に用いる場合には，通例，「2.0%以下」を目安として適切に設定する．

なお，上記の目安は，ガスクロマトグラフィーの場合には適用しない．

2.1.2. システムの再現性の試験の質を落とさずに繰返し注入の回数を減らす方法

日本薬局方一般試験法「液体クロマトグラフィー〈2.01〉」のシステム適合性の項に「繰返し注入の回数は6回を原則とするが，グラジエント法を用いる場合や試料中に溶出が遅い成分が混在する場合など，1回の分析に時間がかかる場合には，6回注入時とほぼ同等のシステムの再現性が担保されるように達成すべきばらつきの許容限度値を厳しく規定することにより，繰返し注入の回数を減らしてもよい．」と規定されている．これと関連して，システムの再現性の試験の質を落とさずに繰返し注入の回数を減らす方法を以下に示した．この方法により，必要な場合には，繰返し注入の回数を減らして設定することができ，また変更可能である．

システムの再現性の試験の質を繰返し注入の回数が6回($n=6$)の試験と同等に保つために，$n=3$～5の試験で達成すべきばらつきの許容限度値を下記の表に示した．

しかしながら，繰返し注入の回数を減らすということは，システムの再現性を確認する上での1回の試験の重みが増すということであり，装置が適切に維持管理されることがより重要となることに留意する必要がある．

表　システムの再現性の試験の質を$n=6$の試験と同等に保つために$n=3$～5の試験で達成すべきばらつきの許容限度値*

		許容限度値(RSD)				
$n=6$の試験に規定されたばらつきの許容限度値		1.0%	2.0%	3.0%	4.0%	5.0%	10.0%
達成すべきばらつきの許容限度値	$n=5$	0.88%	1.76%	2.64%	3.52%	4.40%	8.81%
	$n=4$	0.72%	1.43%	2.15%	2.86%	3.58%	7.16%
	$n=3$	0.47%	0.95%	1.42%	1.89%	2.37%	4.73%

＊ 排除すべき性能の分析システムがシステム適合性の試験に合格する確率を5%とした．

参考情報　G1.　理化学試験関連　近赤外吸収スペクトル測定法　を削る．

参考情報 G1. 理化学試験関連 に液の色に関する機器測定法 及び クロマトグラフィーのライフサイクル各ステージにおける管理戦略と変更管理の考え方（クロマトグラフィーのライフサイクルにおける変更管理） を加える．

液の色に関する機器測定法〈G1-4-181〉

本試験法は，三薬局方での調和合意に基づき規定した試験法である．

なお，三薬局方で調和されていない部分のうち，調和合意において，調和の対象とされた項中非調和となっている項の該当箇所は「◆ ◆」で，調和の対象とされた項以外に日本薬局方が独自に規定することとした項は「◇ ◇」で囲むことにより示す．

三薬局方の調和合意に関する情報については，独立行政法人医薬品医療機器総合機構のウェブサイトに掲載している．

1. 原理

測定される物質の色は第一にその物質の吸収特性に依存する．しかし，光源の違い，光源のスペクトルのエネルギー，測定者の視感度，サイズの違い，背景の違い及び見る方向の違いのような種々の条件によっても色の見え方は異なる．色相，明度（又は輝度）及び彩度は色の三属性とされている．決められた条件のもとで機器分析を行えば色の数値化は可能である．どのような色の機器分析においても，ヒトの目が3タイプの受容体を通して色を見るということに基づいている．

色の測定において，機器分析法は目視による色の主観的な観察よりも客観的なデータを得ることができる．適切な保守管理及び校正を行うことで機器分析法により正確で，精度よく，更に経時的に変化しない一定の色の測定値を得ることができる．正常な色覚を持つヒト被験者による広範囲なカラーマッチング実験を通して，分散係数(荷重係数)を可視スペクトル範囲のそれぞれの波長で求めて，その波長の光による各受容体の相対的な刺激量を求めた．国際照明委員会(CIE)は，測色標準観測者が対象(視野)を認識する光源及び光の角度を考慮したモデルを開発した．溶液の色の目視テストにおいては視角2°の視野及び散乱昼光を用いる必要がある．ヒトの目の平均的な感受性は $\bar{x}_\lambda$，$\bar{y}_\lambda$及び$\bar{z}_\lambda$の分散係数で表される(図1)．

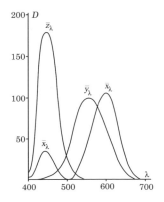

図1 CIE視角2°の視野でのヒトの目の平均的感受性（D：分散係数；λ：波長nm）

全ての色における各受容体タイプの刺激量は3刺激値(X，Y及びZ)によって定義される．

分散係数と3刺激値(X，Y及びZ)の関係は次の積分で表される．◇日本産業規格Z 8120の定義によると，一般に可視光の波長範囲の短波長限界は360 〜 400 nm，長波長限界は760 〜 830 nmにあると考えてよい．◇

$$X = k\int_0^\infty f_\lambda\, \bar{x}_\lambda S_\lambda d\lambda$$

$$Y = k\int_0^\infty f_\lambda\, \bar{y}_\lambda S_\lambda d\lambda$$

$$Z = k\int_0^\infty f_\lambda\, \bar{z}_\lambda S_\lambda d\lambda$$

$$k = 100\Big/\int_0^\infty f_\lambda\, \bar{y}_\lambda S_\lambda d\lambda$$

k：一つの受容体タイプと使用した光源を特徴付ける基準化係数

S_λ：光源の相対分光分布

$\bar{x}_\lambda$，$\bar{y}_\lambda$及び$\bar{z}_\lambda$：CIE 視角2°の視野の測色標準観測者におけるカラーマッチング分散係数

f_λ：物質の分光透過率係数T_λ

λ：波長(nm)

実際の3刺激値の計算において，積分は次式に示すように近似的な和で求める．

$$X = k\sum_\lambda T_\lambda\, \bar{x}_\lambda S_\lambda \Delta\lambda$$

$$Y = k\sum_\lambda T_\lambda\, \bar{y}_\lambda S_\lambda \Delta\lambda$$

$$Z = k\sum_\lambda T_\lambda\, \bar{z}_\lambda S_\lambda \Delta\lambda$$

$$k = \frac{100}{\sum_\lambda S_\lambda\, \bar{y}_\lambda \Delta\lambda}$$

3刺激値を用いてCIEのLab色空間座標：L^*(明度又は輝度)，a^*(赤色－緑色)及びb^*(黄色－青色)を計算することができる．これらは次のように定義される．

$L^* = 116 f(Y/Y_n) - 16$
$a^* = 500[f(X/X_n) - f(Y/Y_n)]$
$b^* = 200[f(Y/Y_n) - f(Z/Z_n)]$

ここで，

$X/X_n > (6/29)^3$のとき$f(X/X_n) = (X/X_n)^{1/3}$

それ以外の場合は

$f(X/X_n) = 841/108(X/X_n) + 4/29$
$Y/Y_n > (6/29)^3$のとき$f(Y/Y_n) = (Y/Y_n)^{1/3}$

それ以外の場合は

$f(Y/Y_n) = 841/108(Y/Y_n) + 4/29$
$Z/Z_n > (6/29)^3$のとき$f(Z/Z_n) = (Z/Z_n)^{1/3}$

それ以外の場合は

$f(Z/Z_n) = 841/108(Z/Z_n) + 4/29$

X_n, Y_n及びZ_nは精製水の3刺激値である.

分光光度法において,透過率は,可視スペクトルの全範囲の異なる任意の波長で得られる.そしてそれらの値と視角2°の視野の測色標準観測者及びCIE標準光源Cの荷重係数 $\bar{x}_\lambda$, $\bar{y}_\lambda$及び $\bar{z}_\lambda$を使って3刺激値を計算する(CIEの刊行物参照).

2. 分光光度法

装置に添付されている操作法に従い適切に分光光度計を操作し,10 nm以下の間隔で少なくとも400 nmから700 nmで透過率Tを求める.透過率は%で表わせる.3刺激値X, Y及びZ並びに色空間座標L^*, a^*及びb^*を計算する.

3. 色調の測定

装置に添付されている操作法に従い装置の校正を行う.システムの性能試験は装置の使用状況によって各測定前又は決められた間隔ごとに行う.そのために測定範囲において適切な標準物質(装置の製造元が求める保証されたフィルター又は標準液)を用いる.

装置の操作法に従い操作し,同じ測定条件(例えば,セル長,温度など)で検液と標準液を測定する.

透過率の測定には,標準として精製水を用い,可視スペクトルの全ての波長で透過率を100.0%とする.

CIE標準光源Cの荷重係数$\bar{x}_\lambda$, $\bar{y}_\lambda$及び$\bar{z}_\lambda$を使い,色空間座標$L^*=100$, $a^*=0$及び$b^*=0$に対する3刺激値を適切に計算する.

標準測定は,精製水又は新たに調製した色の比較液の色空間座標を用いて行われるか,若しくは同じ条件で測定された装置の製造元のデータベースにあるそれぞれの色空間座標を用いて行われる.

検液が濁っていたり,霞んでいたりしているときは,ろ過又は遠心分離する.ろ過又は遠心分離しない場合は,濁りや霞を結果として報告する.気泡が入らないようにし,入った場合は除去する.

色,色差又は決められた色との差に関して,機器分析法を用いて二つの溶液を比較する.検液tと色の比較液rの色差ΔE^*_{tr}を次式で求める.

$\Delta E^*_{tr} = \sqrt{(\Delta L^*)^2 + (\Delta a^*)^2 + (\Delta b^*)^2}$

ここで,ΔL^*, Δa^*及びΔb^*は色空間座標における差である.CIELab色空間座標の代わりにCIELCh色空間座標を用いることもできる.

4. $L^*a^*b^*$色空間内の位置の評価

測定機器から$L^*a^*b^*$色空間の範囲内で検液の実際の位置に関する情報が得られる.適切なアルゴリズムを用いることによって,対応する色の比較液との比較(「検液は色の比較液XYと同じ」又は「検液は色の比較液XYに近い」若しくは「検液は色の比較液XYとXZの間」など)ができる.

クロマトグラフィーのライフサイクル各ステージにおける管理戦略と変更管理の考え方(クロマトグラフィーのライフサイクルにおける変更管理)〈G1-5-181〉

医薬品の分析法(分析手法)は,目的に適った試験結果を与えるよう設定されなければならず,このことは,分析法のデザインから,開発,適格性評価,そして継続的検証に至るまでの分析法ライフサイクル全体において考慮される必要がある.医薬品開発の特に製造管理及び品質管理の分野においては,品質リスクアセスメントによるライフサイクル全体にわたる系統立った品質確保の取り組みが実践されている(参考情報「品質リスクマネジメントの基本的考え方」〈G0-2-170〉).同様の取り組みを分析法のライフサイクル各ステージにおける管理戦略として適用する取り組みが示されている[1)-4)].

医薬品やその構成成分,不純物の分析手法の中で各種クロマトグラフィーが汎用されている.このような中,クロマトグラフィーを用いた試験法に関する国際調和に伴い,分析条件の変更に関する手引きが示された(クロマトグラフィー総論〈2.00〉).しかし,分析条件変更の要因やタイミングは様々であり,ライフサイクル全般における位置づけを考慮した変更管理が必要となる.そこで,本参考情報では,クロマトグラフィーのライフサイクル各ステージにおける管理戦略策定の方法論を段階ごとに概括し,分析法の変更を含む分析法の管理がより効率的に行われることを目的とする.下記に示す方法論は,新たな規制要件の追加や緩和を意図するものではなく,従来,試験室で行われてきた作業を系統的に文書化したものととらえることができる.また,公的試験検査機関での医薬品品質試験においても本文書に記載の変更管理の考え方が参考となる.

1. 試験の目的に適う試験結果を与える分析法

分析法をデザイン・開発する前に,まずは,分析法開発の目的・目標(目標プロファイル)が暫定的に設定され,開発後期にかけて最終化されていく.クロマトグラフィーを有効成分などの定量分析に用いる場合は,報告される結果が,不純物や添加剤などの存在下で,表示量を含む一定の範囲にわたり,ある真度と精度により分析対象物を定量できなければならない.また,不純物の定量試験では,報告の閾値[5)]から規格限度値の120%の範囲内で,試料中に存在する様々な成分の存在下で,ある真度と精度により不純物を定量できなければならない.5項で述べるように,例えば,不純物プロファイルの変化などにより,分析法を変更する,あるいは分析法自体が不要となることもあるが,この分析法の目標プロファイルはライフサイクル全般にわたり,分析性能特性が適切であるかどうかの指標となり得る[1)].ここで,分析性能特性とは,主として,参考情報「分析法バリデーション」〈G1-1-130〉の"分析能パラメーター"で評価される特性である.(日本薬局方に規定する試験法では,医薬品各条に示された規格値や判定基準が目標プロファイルとなり得る.)

2. クロマトグラフィー案の策定と開発

分析法の目標プロファイルが提案されると,これを基に分析法の案を策定し,分析法の確立を行う.確立の過程においては,リスクアセスメントを行うことで,分析システムを含む一連の分析操作における変動要因とそれらが報告値に与える影響の理

解が深まる．特性要因図(石川ダイアグラム)などの手法により変動要因を探り，その原因を探り，排除していくことになる．その際，真度や精度だけでなく，それらに影響を与える特異性や直線性など，目標プロファイルで提案した関連する様々な分析能パラメーターの妥当性が確認される．一連の妥当性確認により，分析法の目標となるプロファイルはキーとなる分析性能特性に反映され1)，同時にそれらの実験の結果から，変動要因を特定し，分析法を修正していくことが可能になる．また，実験計画法(DOE)などにより，変動要因間の関係性を明らかにすると共に，分析法が異なった状況で行われた場合に起こり得る変動の程度を調べることができる．そして，管理すべき変動要因とその許容可能な変動範囲が明確になり，分析法が最適化されていく．この分析法策定の過程で取得された適切な実験結果を，バリデーションデータに代わるものとして使用できる場合がある．

リスクアセスメントの結果から管理戦略を策定する．管理項目としては，例えば，温度，試料溶液の安定性，繰返しの回数なども含まれるだろう．後述のようにシステム適合性の要件もあるだろう．

変数的な変動要因(例えば移動相pHやカラムサイズ)として管理できない，分析法に残されている変動要因の影響を評価するため，適切なチェック試験としてシステム適合性試験(System suitability test)が設定される(参考情報「システム適合性」〈G1-2-181〉)．したがって，システム適合性試験は，以下に記す分析性能の適格性評価段階では，最小限の管理手法として考慮されるべきである．システム適合性試験は，影響され得る分析性能特性に焦点を当てて，目標プロファイルの要件を満たすと考えられることが保証されるように設定される必要がある．システム適合性試験では，例えば，分離度やシンメトリー係数などが設定される．

3. 適格性評価の準備段階

変動要因の明確化，集積された知識により，分析法の管理戦略が提案され，分析能力が適格となる準備が整う．

すなわち，既に日本薬局方に規定する試験法が存在する場合は，当該試験法をベースとして，更に実際の分析を行う試験室でどの程度追加の変動要因があるか，どこまで事前の情報が得られているかをあらかじめ把握・検討する必要がある．追加の変動要因には，例えば，試料，試薬，施設，機器，更に，それらの変動に伴い生じ得る繰返しの回数が挙げられる．日本薬局方に規定する試験法を適用する際，多くの場合は試験者が当該分析法の開発の間に得られた知識や理解を有していないため，試験者はこの追加の変動要因に起因するリスクの可能性を認識し，分析性能の適格性評価などにより，上記リスクが適切に軽減されるように保証する必要がある．(独立行政法人医薬品医療機器総合機構のウェブサイトで公開されているカラム情報などは事前の情報として有用だろう)．

4. 分析性能の適格性評価

適格性評価の目的は，日常的に使用される試験室で分析法が目標プロファイルを常に満たすことを確認することである．適格性評価のための試験実施に当たっては，プロトコールが作成され，手順書と適切な管理に従って実行される．試験の結果，例えば，報告値のばらつきが目標プロファイルの要件を超える恐れがある場合には，当該試験室に対して管理戦略が最適化されているか検討し，変動要因を特定し，分析法の管理戦略が改善・改訂されることもある．日常的に使用される試験室で分析法開発がなされた場合，分析性能の適格性評価を省略できる場合がある．

日本薬局方に規定する試験法適用の際も，実験室や機器が異なれば，異なる管理戦略が必要になる．日本薬局方に規定する試験法を実施する試験室における適格性評価のために，医薬品各条中の規格値や判定基準の意図する目標プロファイルに適うように分析法の品質リスクマネジメントのプロセスが考慮されるべきである．

日本薬局方に規定する試験法適用時の適格性評価では，分析法を確立する際と同程度に分析能パラメーターの妥当性確認を再度行うことは必須ではないが，参考情報の「分析法バリデーション」〈G1-1-130〉にある分析能パラメーターのうち適切なものを用いて適格性を確認する必要がある．実施内容は，分析法のタイプ，関連する機器などを考慮する．さらに，試験試料に由来する要素に留意すべきである．例えば，日本薬局方に規定する試験法適用の際に，原薬及び製剤により異なる可能性のある不純物は，当該試験法の「特異性」に影響を与え得る．システム適合性試験で分離度が設定されている場合は，まずは，分離度で影響を確認し，特異性が低下している場合には，分析結果に与える影響を精査する．分析性能が低下している場合は，分析条件の検討が必要になるであろう．その他，特に製剤の添加剤が異なることにより，分析対象物質への妨害(特異性)，検出(検出限界)，添加回収率(真度)，定量値のばらつき(精度)に影響を与える可能性があるので，システム適合性試験や参考情報の「分析法バリデーション」〈G1-1-130〉にある分析能パラメーターのうち適切なものを用いて適格性評価を行う．

5. 分析法の継続的な検証

1) 日常的なモニタリング：この段階では，分析法の性能に関わるデータ，例えば，分析結果，システム適合性への適否，規格値からのずれや特定の傾向などのデータを収集し，解析する．もし，システム適合性への不適合，規格値からのずれや特定の傾向が明らかになった場合には，その原因究明に向けて検討を行い，修正や予防対策が行われなければならない．

2) 分析法の変更：医薬品の製造と同様，分析法にも継続した改善活動や異なる環境での分析のために，変更を加えることもあるであろう．日本薬局方に規定する試験法を新たに適用する場合も，現在ある装置やカラムに合わせた変更が必要になる場合もあるであろう．さらに1)の日常的なモニタリングの結果，分析法の変更が必要となることも想定される．変更の程度に応じて，その変更が試験結果に及ぼす影響を評価するための作業内容や作業量は異なる．以下に想定される変更の事例を挙げる．

①分析法開発時に評価した分析手法の許容可能な変動範囲内で変更する場合は，その変更の影響評価はケースバイケースで行い，変更後の分析手法が目標プロファイルを常に満たしていることを確認することが必要である(ただし，分析法開発時にこのような変動範囲について検討していない場合には当てはまらない．)．なお，個々の条件変更は許容可能な変動範囲内であっても，複数の条件を変更することにより，以下の②と同様の対応を必要とする場合もある．

②分析法開発時に評価した分析手法の許容可能な変動範囲を超えて変更する場合は，リスクアセスメントを必要とするであろう．また，分析法開発時に品質リスクマネジメント

により変更許容範囲が検討されていない場合も，分析条件を変更する場合は，リスクアセスメントが必要となる．リスクアセスメントは，どの分析性能特性（分析能パラメーター）が変更により影響を受ける可能性があるかを考慮する．そして，変更により，分析性能が目標プロファイルを外れないことを確認するために適格性評価を行う（4.を参照）．具体的には，参考情報「分析法バリデーション」〈G1-1-130〉の分析能パラメーターのうち変更の影響を受ける可能性がある分析能パラメーターを用いて検証する．変更の影響を受ける可能性がある分析能パラメーターが，システム適合性試験の1項目として設定されている場合は，当該分析能パラメーターについてシステム適合性試験を用いて検証できる場合もある．さらにクロマトグラフィーにおけるカラムサイズや移動相組成などの変更においては，クロマトグラフィー総論〈2.00〉の「クロマトグラフィー条件の調整」を参考にし，変更に際して適切に分析性能の検証を行う．

③試験室を変更する，あるいは日本薬局方に規定する試験法を新たに適用する場合は，分析装置，試験者，試薬などの変化に伴い分析性能特性が影響を受ける可能性があるため，リスクアセスメントを行い，適切な適格性評価を行う（3.，4.を参照）．一方，同じ試験室において分析装置やカラムの更新，試験者の交替などを行う場合には，変更した分析システムにより，少なくともシステム適合性の試験を行って，変更前後で同等の結果が得られることを確認する．

④新しい分析法や技術へ変更する場合には，新しい手法が目標プロファイルに合致するか示すために，新しい分析法の開発時に適格性評価を行う必要がある（2.，3.，4.を参照）．

⑤目標プロファイルに影響するような変更（例えば，規格値の変更，元の目標プロファイルで考慮していなかった不純物などの新たな分析物量を測定するための手法への変更）の必要が出てきた場合は，目標プロファイルを更新し，分析法が新しい目標プロファイルの要求を満たすかどうか評価するために，現在の分析法と適格性評価の見直しが必要になるであろう（1.，2.，3.，4.を参照）．

分析法の変更が目的に適う試験結果を与えるかどうかを確認するための作業の程度は，①変更に伴うリスク，②当該分析法について得られている知識，③管理戦略，に依存する．どのような変更をしたとしても，程度の差はあれリスクアセスメントを行い，これにより変更された分析法が試験法の目的に適う（つまり，目標プロファイルで規定された範囲の）結果を与えることを確認する．

6. **参考資料**

1) G.P. Martin, et al., Pharmacopeial Forum 39 (5), (2013).
2) Proposed New USP General Chapter: The Analytical Procedure life cycle<1220>, Pharmacopeial Forum 43 (1), (2017).
3) K.L. Barnett, et al., Pharmacopeial Forum 42 (5), (2016).
4) E. Kovacs, et al., Pharmacopeial Forum 42 (5), (2016).
5) ICH: Guideline for Q3A (R2), Impurities in New Drug Substances.

参考情報　G2.　物性関連　せん断セル法による粉体の流動性測定法　を加える．

せん断セル法による粉体の流動性測定法〈G2-5-181〉

医薬品の製造においては，混合機への原料投入や打錠機の臼への粉体充填など，粉体の搬送及び供給を伴う工程が多い．粉体の流動性は，質量や含量均一性などの製剤特性に関連することから，医薬品の品質に大きな影響を与える．製剤処方及び製造工程，並びに製造装置を適切に設計するためにも，粉体の流動性評価は重要である．せん断セル法は粉体の流動性評価に有用な試験法の一つで，幅広い応力条件下で測定が行えるため，粉体動摩擦角や単軸崩壊応力，フローファンクションなどの，医薬品の製造における様々な粉体挙動の予測に役立つパラメーターを求めることができる．

1. **原理**

ホッパーなどからの流出において粉体は，粒子同士の付着・凝集や複雑な表面形状による互いの動きへの干渉などのため，外から力が加えられても速やかに流れ出すとは限らず，加える力が十分に大きくなると急に流れ始めるようになる．また，容器中の準静的な条件下での粉体の流動性は，圧密応力に強く依存する．圧密とは，粉体層に荷重を加えて，そのかさ体積を減少させ，粉体層のかさ密度又は空間率を変化させる操作をいう．せん断セル法は，圧密した粉体に垂直応力を負荷しながら横滑りさせたとき，静止状態から流動状態に移行する過程の粉体の挙動，すなわち横滑りし始める直前の最大せん断応力や定常流動状態の動的摩擦力を測定する試験法である．

荷重下の粉体の流動性は，圧密の程度（かさ密度又は空間率，ε），垂直応力（σ）及びせん断応力（τ）の三つの条件によって決まる．三条件の関係を三次元的に表した図をロスコー状態図（図1）といい，せん断セル法は，このロスコー状態図あるいはロスコー状態図を構成する破壊包絡線を得るための試験法である．

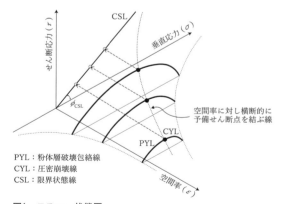

PYL：粉体層破壊包絡線
CYL：圧密崩壊線
CSL：限界状態線

図1　ロスコー状態図

2. **装置**

せん断セル法には，定荷重法と定容積法の二つの測定方法がある．どちらの方法でも，使用する装置は通例，せん断セル，試料に垂直応力を負荷するための分銅やプレス装置，試料をせ

ん断するための機構，垂直応力及びせん断応力を計測するロードセルからなる．

2.1. せん断セル

せん断セルは，上下に二分割できる容器(セル)に充填した粉体を，垂直応力を負荷しながら横滑りさせ，粉体層の内部にせん断面を生じさせることのできる構造を持つものが多い．定荷重法の場合，上部セルに嵌合する蓋はせん断応力が負荷されると上下し，粉体の収容容積が変化する．定容積法では，蓋を押し込むプレス機などにより蓋の位置が固定される．

せん断セルは，せん断応力を与える運動が並進か回転かにより，2種類に分類される．

2.1.1. 並進せん断セル

並進せん断セルでは，上部あるいは下部セルの一方を固定し，他方を直線的に水平移動(並進)させて，二つのセルに充填した粉体層にせん断応力を負荷する．せん断面は，下部セル中の粉体とリング状の上部セル中の粉体の境界に生じる．並進せん断セルには，円筒型のもの(図2)と試料を上下2枚の平板ではさんだ側壁のないものがあり，前者の代表例としてジェニケセル，後者の代表例として平行平板セルが挙げられる．

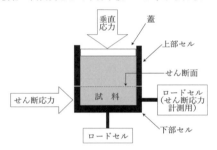

図2 並進せん断セルの例

2.1.2. 回転せん断セル

回転せん断セルでは，上下一対のセルの一方を固定し，他方を回転運動させて，二つのセルに充填した粉体層にせん断応力を負荷する．円筒型のものと環状型のもの(図3)がある．いずれの回転せん断セルでも，粉体がセル内壁との界面で滑らないよう，セルの内側に何らかの表面加工を施してある場合が多い．回転セルの試料に接する面には複数の刃を放射状に取り付けるなどして，粉体を噛み込む作りにしてある．粉体を充填した固定セルに回転セルを押し入れて回転させることにより，回転セル直下の粉体層にせん断面が形成される．

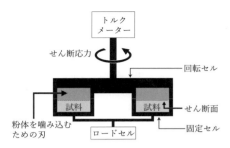

図3 回転せん断セルの例

2.2. その他の構成部分

ロードセルは，バネや圧電素子などを利用したセンサーで，荷重やトルクを検出し，加えられた力を電気信号に変換する装置である．ロードセル及び試料に垂直応力を負荷するための分銅などは，計量トレーサビリティの保証された標準によって定期的に校正を行う．

3. 測定

測定環境は，温度20±5℃，相対湿度50±10%が推奨される．試料は，測定ごとに新しいものを用いる．ただし，圧密履歴を経ていないことが明白な試料や希少な試料について，再使用した旨の記載を残す場合は，この限りではない．スパーテルや試料の最大粒子径より大きい目開きのふるいなどを用いて，静かにせん断セルに試料を充填する．このとき，粉体層内に空洞が生じないように注意する．充填した試料の表面は，スパーテルなどでならしておく．定荷重法では，1回の測定中は空間率を一定にして試験を行うため，初めに試料の圧密(予圧密)を行う．

ジェニケセルなどを用いた定荷重法における測定の手順を，図4に模式図で示す．試験に先立ち，垂直方向の予圧密応力(σ_{pre})を負荷しながら，せん断応力が定常値(τ_{pre})になるまで予備せん断を行う(図4(a)A)．定荷重法では予備せん断中，粉体の容積が減少あるいは場合によっては増加し，定常状態に至ると一定になる．言い換えれば，ある垂直応力の条件下でせん断応力が定常値になった粉体層の空間率は，その粉体の流動特性から一つに決まる．以下の本試験では，この空間率を有する試料についての測定を行う．せん断応力をゼロとした後σ_{pre}の垂直応力を取り除き，新たに垂直応力($\sigma_{sx}, x=1,2,3\cdots$)を負荷してせん断応力を測定する(図4(a)B)．せん断応力を徐々に増加させたとき，粉体層が横滑りし始める直前の最大せん断応力が$\tau_{sx}(x=1,2,3\cdots)$である．σ_{pre}以下の3～5点のσ_{sx}においてA～Bの操作を繰り返し，得られた結果から粉体層破壊包

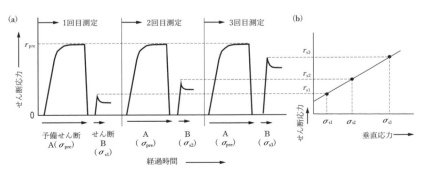

図4 測定中の垂直応力及びせん断応力の時間経過図(a)と粉体層破壊包絡線(b)の例

絡線(PYL：powder yield locus，図4(b))を描くことができる．

一方，定容積法では，プレス機などで蓋の位置を制御して空間率を所定値に保ちながら，垂直応力を徐々に変化させて，せん断応力を連続的に測定する．常に一定の空間率で測定が可能なため，せん断により粉体層が圧密崩壊する垂直応力領域では，図1中の圧密崩壊線(CYL：consolidation yield locus)が得られる．PYLとCYLは予備せん断点を共有し，1本の破壊包絡線(YL：yield locus)としてつながる．

4. データ解析

せん断応力には，粉体が流動していない(静的)状態で測定される値と，流動している(動的)状態で測定される値がある．

前項の図4(b)で示した各(σ_{sx}，τ_{sx})を結ぶ近似線は，圧密した粉体層が横滑りし始める直前，つまり静的な状態での垂直応力に対するせん断応力の関係を表し，PYLと呼ばれる．ここに，垂直応力σ_{pre}を負荷して行った予備せん断により定常状態に至ったときのせん断応力τ_{pre}をプロットする(図5)．この点は，動的な状態における測定値で，予備せん断点と呼ばれる．次に，垂直応力軸上に中心を持つ，予備せん断点を通りPYLに接する円(図5中の大きい方の半円)と原点を通りPYLに接する円(図5中の小さい方の半円)を描く．垂直応力軸上に中心を持ちPYLに接する円を，モール円と呼ぶ．

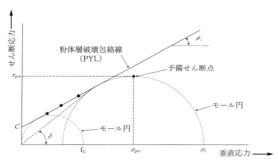

図5　粉体層破壊包絡線からの各種パラメーターの求め方

粉体の流動性を記述する各種パラメーターは，PYLとモール円から求められる．

4.1. せん断付着力(C)

PYLとτ軸の交点の値であり，垂直応力が負荷されていない状態でのせん断応力に相当する．

4.2. 内部摩擦角(ϕ_i)

PYLとσ軸がなす角度．PYLの勾配(tan ϕ_i)は，測定を行った圧密条件下での，粉体粒子同士の摩擦係数である．

4.3. 有効内部摩擦角(δ)

原点を通り，図5中の大きい方のモール円に接する直線がσ軸となす角度．粉体の流動が定常状態にあるときの，内部摩擦力の相対的な指標として用いられることがある．

4.4. フローファンクション(FF)

図5中の大きい方のモール円の最大主応力(σ_1)と，小さい方のモール円の最大主応力(単軸崩壊応力：f_c)の比(σ_1/f_c：ff_c)は，粉体の流動性を定性的に分類する際の指標として用いられることがある(表1)．同一の試料について複数の圧密条件下で測定したσ_1とf_cの関係から得られる線図，すなわちFFは，ホッパーを設計する際などの粉体の流動性解析に活用される．

表1　流動性の一般的な分類

ff_c	流動性
＜1	流動しない
1～2	付着性が高く，流動しにくい
2～4	付着性があり，やや流動しにくい
4～10	流動しやすい
10＜	極めて流動しやすい

上記の各パラメーターは，所定の空間率を有する試料において測定された垂直応力とせん断応力の関係を表す図5から求められるため，同じ粉体でも，圧密の程度が異なれば，違う値になることに注意する必要がある．

一方，図1の限界状態線(CSL：critical state line)は，複数の空間率で得られた予備せん断点(図中の黒丸)を$\sigma-\tau$面上に投影して得られる線で，原点を通る直線になる．動的な状態における垂直応力とせん断応力の関係を示すCSLは，測定に用いる装置の種類に依存せず，粉体の流動特性を反映する．CSLとσ軸のなす角度を粉体動摩擦角(ϕ_{CSL})といい，小さいほど流動性が高いことを示す．

5. 結果の報告

同一条件での測定は，得られる値のばらつきに応じた適当な回数繰り返し行い，その平均値を結果とする．測定結果は，表2に挙げる項目と共に報告する．

表2　結果報告に記載する項目例

項目	内容
一般的事項	測定日時，測定者名，試料名，使用した装置(機種，型式・製造会社)とセルの種類，測定法(定荷重法又は定容積法)など
試料関連事項	粒子径及び粒子径分布，粒子径測定法の種類，かさ密度，水分含量，乾燥処理条件など
測定条件	測定時の温度及び相対湿度，使用したセルのサイズ，試料量，予圧密条件，せん断速度など
測定結果	本試験における測定回ごとの垂直応力とせん断応力，破壊包絡線を描いた$\sigma-\tau$図，粉体動摩擦角などの解析で得られた各種パラメーターの値
その他の特記事項	予圧密応力や測定回数などを通常の設定から変更した場合，あるいは試料を再使用した場合には，その旨の記載

参考情報　G4．微生物関連　に微生物試験における微生物の取扱いのバイオリスク管理　を加える．

微生物試験における微生物の取扱いのバイオリスク管理 〈G4-11-181〉

本参考情報は，一般試験法の微生物学的試験法(4.02抗生物質の微生物学的力価試験法，4.05微生物限度試験法，4.06無菌試験法)，生薬試験法(5.02生薬及び生薬を主たる原料とする製剤の微生物限度試験法)，参考情報のG3.生物薬品関連(日局生物薬品のウイルス安全性確保の基本要件〈G3-13-141〉，バイオテクノロジー応用医薬品/生物起源由来医薬品の製造に用いる細胞基材に対するマイコプラズマ否定試験〈G3-14-170〉)，G4．微生物関連(保存効力試験法〈G4-3-170〉，微生物迅速試験法〈G4-6-170〉，遺伝子解析による微生物の迅速同定法〈G4-7-160〉，蛍光染色による細菌数の迅速測定法〈G4-8-152〉，消毒法及び除染法〈G4-9-170〉)などの実施に際して考慮すべき微生物の安全な取扱いにおける基本要件を示すものである．

微生物を取り扱う作業に当たり，試験実施により生じるバイオリスクを的確に管理することが求められる．微生物を取り扱う際のリスクは，微生物の特性と取扱い作業内容により異なるため，そのリスクマネジメントにおいては，個々の作業ごとにリスクアセスメントを行ってリスクを特定，分析及び評価し，微生物取扱い者を防護すると共に，実験室バイオセーフティ上及びバイオセキュリティ上のリスクを低減することが必要である．その実践に際しては，組織内にバイオリスク管理に関する責任者及び担当者を置き，運営のための規則と計画の策定に当たる．リスクを低減するために安全管理，個人用防護具，安全機器及び物理的封じ込め施設・設備の4要素を組み合わせて実験室バイオセーフティ対策を行う．構築したリスクマネジメント方法は，継続的なリスクレビューにより更新する[1]．

微生物の取扱いにおけるバイオリスク管理に必要な基本的な考え方を以下に示す．

1. 用語の定義

本参考情報で用いる用語の定義は，次のとおりである．

1.1. 実験室(Laboratory)：検査，試験，研究のための実験などを行う目的で微生物を取り扱う施設・設備．

1.2. バイオハザード(Biohazard)：生物及び生物由来物質による災害．

1.3. 微生物リスクレベル分類：微生物取扱い者及び関連者に対する微生物のリスクを分類したもの．

1.4. 実験室バイオセーフティ(Laboratory Biosafety)：バイオハザードのリスクに応じたリスク低減対策をバイオセーフティと呼ぶ．病原体又は毒素の意図しない曝露や拡散及び偶発的漏洩を予防するのが目的である．その中でも，実験室バイオセーフティは，安全管理，個人用防護具，安全機器及び物理的封じ込め施設・設備の4要素を組み合わせて行う．

1.5. 実験室バイオセーフティレベル(Biosafety Level, BSL)：実験室バイオセーフティを実践する4要素の組合せによりBSL1からBSL4に分けられ，個々のBSLに応じたリスク低減対策を構築する．

1.6. バイオセキュリティ(Biosecurity)：防護・監視を必要とする重要な生物材料(Valuable Biological Materials)への不正アクセス，紛失，盗難，濫用，悪用，流用又は意図的な放出を防止するための実験施設内における防御や制御を示す．

1.7. バイオリスク(Biorisk)：実験室バイオセーフティ及びバイオセキュリティ上の両方を併合し，危害をもたらす有害的事象(偶発的感染，不正アクセス，紛失，盗難，濫用，悪用，流用又は意図的な放出など)が起こる可能性や機会の全てを含む．

1.8. バイオリスクマネジメント(Biorisk Management)：リスクアセスメント(Assessment)，リスク低減(Mitigation)，実施(Performance)の3要素で構成されている．

1.9. 微生物取扱い者：実験室において直接微生物を取り扱う者及び実験施設の維持管理のために実験室へ入室する者．

1.10. 関連者：微生物取扱い者と直接あるいは間接的に接触する実験室使用者，微生物取扱い者の同僚あるいは同居人など感染の可能性がある者．

1.11. 標準微生物学実験手技(Good Microbiological Technique, GMT)：微生物を安全に取り扱う標準的技術．技術取得のための教育プログラム，標準作業手順書，規則などの整備を含む．

1.12. 個人用防護具(Personal Protective Equipment, PPE)：微生物取扱い者をバイオハザードから防護するために個人で装着する用具一式．例えば，マスク，呼吸器保護具，ゴーグル，手袋，防護服，靴カバーなど．

1.13. 安全機器(Safety Equipment)：微生物取扱い者を生物学的危険物質曝露から防護する装置，機器，器材一式．例えば，電動ピペット，密閉容器，生物学用安全キャビネット(Biological Safety Cabinet)など．生物学用安全キャビネットは，機器内で発生したエアロゾルの機器外への漏出を防ぐことを目的とした装置のことで，開口部に気流によるエアバリアを形成して機器内外を隔絶する開放型と閉鎖されたグローブボックス型の装置がある．

1.14. 物理的封じ込め施設・設備(Physical Containment)：微生物リスクレベル分類に応じて微生物の取扱いを安全上管理する施設・設備．物理的封じ込めレベルによりP1からP4までの4段階に分類される．

1.15. 管理区域：バイオリスク管理が必要な区域．微生物取扱い実験室の他，バイオハザードのリスクがあると考えられる廃棄物処理施設・設備，排水処理施設・設備，空調機械室などを含む．

2. 微生物取扱いにおけるリスクアセスメント

個々の試験の実施計画において微生物取扱い作業に伴う以下のリスクについて評価する．

2.1. 実験室バイオセーフティ上問題になるリスク

2.1.1. 微生物の特性によるリスク

(ⅰ) 微生物のリスクレベル分類によるリスク

微生物は，分類上の種や株ごとにヒトに危害を及ぼす程度が異なることから，微生物に感染した場合の微生物取扱い者の症状や関連者への影響を考慮し，リスクが低いものから順に微生物リスクレベル1から4までに分類する(表1)．個々の微生物リスクレベルの分類は，国や地域，対象(ヒトや家畜)，有効な治療法や予防法の有無，感染の成立に必要な最少感染量，感染経路，使用する量，作業内容などによって異なる．なお，国内に存在しない微生物は高いリスクレベルに分類する場合が多い．

表1 微生物リスクレベル分類

微生物リスクレベル	基準
1	微生物取扱い者及び関連者に対するリスクが無いか低いリスク．ヒトあるいは動物に疾病を起こす見込みがないもの(健康人に病気を発生させることのないもの)
2	微生物取扱い者に対する中程度のリスク，関連者に対する低いリスク．ヒトあるいは動物に感染すると疾病を起こし得るが，微生物取扱い者や関連者に対し，重大な健康被害を起こす可能性が低いもの．有効な治療法，予防法があり，関連者への伝播のリスクが低いもの，すでに多くの者が免疫をもっており感染を容易に予防できるもの．
3	微生物取扱い者に対する高いリスク，関連者に対する低いリスク．ヒトあるいは動物に感染すると重篤な疾病を起こすが，通常，感染者から関連者への伝播の可能性が低いもの．有効な治療法，予防法があるもの．
4	微生物取扱い者及び関連者に対する高いリスク．ヒトあるいは動物に感染すると重篤な疾病を起こし，感染者から関連者への伝播が直接又は間接に起こり得るもの．通常，有効な治療法，予防法がないもの．

（ⅱ）微生物の感染経路や曝露経路によるリスク

微生物取扱い者に曝露が想定される微生物の感染経路を検討する．自然感染では口腔，鼻腔，眼の粘膜が感染経路になりやすく，粘膜への接触，経口感染，飛沫感染，空気感染，媒介昆虫の有無などを検討する．実験室内感染においては，針刺し感染，皮膚の傷からの感染，器具などの汚染物への接触による感染に留意する．

（ⅲ）宿主の感受性によるリスク

使用する微生物に対する微生物取扱い者の感受性が異なるリスクについて検討する．ワクチンが存在する微生物の場合，適切なワクチン接種により微生物取扱い者に抵抗性を付与し，当該感染症の発症などのリスクを減らすことができる．

（ⅳ）関連法規に定める微生物によるリスク

法律[2-5]により定められている微生物種，株及び毒素は，それらの使用，所持，保管，移動などに当たり，関連する法律を遵守する．一般的事項については，それらを詳述した法令，通知，事務連絡などを参照する．

2.1.2. 取扱い作業によるリスク

（ⅰ）取り扱う微生物の形状や量によるリスク

ピペット操作などは飛沫やエアロゾルを発生する場合が多く，微生物を含むエアロゾルは気流によって広範囲に拡散するリスクが大きい．取り扱う微生物種，株及び毒素の量が多くなるに従い，それらに付随するリスクが高くなることを考慮する．

（ⅱ）微生物取扱い者の技量によるリスク

取り扱う微生物に関する十分な知識を有しない者又は適切な微生物の取扱い方法について十分な教育・訓練を受けていない者の作業は，リスクが高くなることを考慮する．

（ⅲ）取り扱う器具の形状によるリスク

ガラス器具を作業に用いることは，破損によって微生物を含む内容物の汚染リスクが高くなるだけではなく，破損物で生ずる傷などを介して感染するリスクが高くなることを考慮し，ガラス器具を用いる際には，リスクを考慮して用途を検討する．

（ⅳ）作業内容に伴うリスク

液体又は粉体を含む容器の開封，ピペット又はピペッターを用いた液体の取扱い，ボルテックスミキサーによる液体の撹拌，遠心分離後の上清を他の容器に移し替える操作などは，エアロゾルを発生させるリスクが高くなることを考慮する．

（ⅴ）作業工程ごとのリスク

作業工程が複数ある場合，各工程の作業内容によりリスクが異なることを考慮する．

（ⅵ）微生物の受入・分与のリスク

微生物，株及び毒素の受入・分与に伴い，新たなリスクが生じることを考慮する．

（ⅶ）微生物移動時のリスク

微生物を含む試料を移動する際には，管理区域内移動と管理区域外への移動の場合でリスク（外部への影響）が異なることを考慮する．

（ⅷ）感染性廃棄物のリスク

作業中に微生物で汚染した全ての器具や試料は，消毒，除染又は滅菌して微生物を不活化させるまでは感染のリスクがある感染性廃棄物として取り扱う．

（ⅸ）緊急時のリスク

微生物取扱い者の微生物曝露，施設・設備の汚染，微生物の管理区域外漏洩などが発生した時の緊急時対応を考慮する．

2.2. バイオセキュリティ上問題になるリスク

微生物を取り扱う施設への入室管理や微生物の保管管理方法が適切にとられていない状況は，微生物への不正アクセス，紛失，盗難，濫用，悪用，流用，意図的な放出などがバイオセキュリティ上のリスクになる．

3. 微生物取扱いにおけるリスク低減対策

評価により明らかになった各リスクに対しては，微生物取扱い者や関連者にリスクを及ぼさないように，必要な対策を講じてリスクを低減する．実施に当たっては，以下の内容を含む．

3.1. バイオリスクマネジメント体制の構築

微生物を保有し，取り扱う機関は，微生物取扱い者の人数に係わらず，バイオリスクマネジメントに関する管理組織の構築が求められる[6-8]．

・管理組織における役割，権限，責任を明確にする．
・バイオリスクマネジメントに関する責任者を置く．
・バイオリスクマネジメントの担当者を置く．
・バイオリスクマネジメント運営のための規則並びに計画を策定する．

実施する内容には，以下のものがある．

・実験室バイオセーフティ上問題になるリスクを低減する．
・バイオセキュリティ上問題になるリスクを低減する．
・バイオリスク教育・訓練を実施する．
・管理区域の施設・設備の維持管理計画を策定して実施する．
・関連法規を遵守する．

3.2. 実験室バイオセーフティ上問題になるリスクの低減

微生物取扱いにおけるリスク低減対策には，主なものとして安全管理，個人用防護具，安全機器・器材，物理的封じ込め施設・設備の4要素がある．バイオリスクに応じて4要素を組み合わせた実験室バイオセーフティ対策（表2）を行い，リスクを低減する[9]．

（ⅰ）安全管理（Safety Management）

安全管理には，関連する全ての事項を含み，以下のものが必要である．

・微生物の安全な取扱いに必要な諸項目に関する規則を策定する．
・標準微生物学実験手技（GMT）に基づく標準作業手順書を整備する．
・標準微生物学実験手技（GMT）を取得するため，継続的な教育・訓練を行う．
・微生物取扱い者の健康管理に関し，使用する微生物に対するワクチンなどの効果的な予防法がある場合には，微生物取扱い者のワクチン接種歴を活用する仕組みを導入する．
・緊急時対策を整備する．
・バイオリスク教育・訓練を実施する．

（ⅱ）個人用防護具

作業時には，適切な個人用防護具（PPE）を用い，微生物曝露のリスクを低減する．個人用防護具（PPE）は，取り扱う微生物の特徴と感染経路及び作業内容によって適切なものを選択する．

（ⅲ）安全機器

電動ピペットなどを用い，微生物取扱い者が直接微生物に接触することが無いようにする．器具・器材は破損しにくい材質の漏出しない容器を使用する．注射針などの鋭利な器具を廃棄する際は，鋭利な器具が貫通しない容器（注射針回収容器など）に廃棄する．

表2　実験室バイオセーフティレベル(BSL)分類と対策

BSL分類	安全管理	個人用防護具	安全機器	施設・設備(物理的封じ込めレベル)
BSL1	標準微生物学実験手技及び管理体制(管理組織，取扱い手順書，教育・訓練)	個人用防護具	安全機器	P1(基本実験室)
BSL2	BSL1の要求に加えて，微生物リスクレベル2に対応した標準微生物学実験手技	BSL1の要求に加えて，微生物リスクレベル2に対応した個人用防護具	BSL1の要求に加えて，微生物リスクレベル2に対応した安全機器	P2(微生物リスクレベル2に対応した基本実験室)
BSL3	BSL2の要求に加えて，微生物リスクレベル3に対応した専用標準微生物学実験手技	BSL2の要求に加えて，微生物リスクレベル3に対応した専用個人用防護具	BSL2の要求に加えて，微生物リスクレベル3に対応した専用安全機器	P3(物理的封じ込め実験室)
BSL4	BSL3の要求に加えて，微生物リスクレベル4に対応した専用標準微生物学実験手技	BSL3の要求に加えて，微生物リスクレベル4に対応した専用個人用防護具	BSL3の要求に加えて，微生物リスクレベル4に対応した専用安全機器	P4(高度物理的封じ込め実験室)

各微生物リスクレベルに応じた総合的なリスクマネジメント方法をBSL1からBSL4に分類し，BSLの数値が上がるにつれて，新たに発生，懸念されるリスクに応じて対応策を順次追加，強化する．特にBSL3及びBSL4では，専用の標準微生物学実験手技，個人用防護具及び安全機器を用いる必要がある．

微生物を開放系で取り扱う作業は，生物学用安全キャビネットなどの中で行い，発生するエアロゾルに含まれる微生物の曝露や作業場所への拡散のリスクを低減する．エアロゾル感染のリスクが高い試料は，エアロゾルを封じ込める対策を施した遠心機を使用する．生物学用安全キャビネットなどの中で使用した安全機器などは，生物学用安全キャビネットなどの中で消毒後に持ち出す．

微生物(芽胞や胞子を含む)は，封じ込め性能が担保されていないクリーンベンチで取扱わない．

(iv) 物理的封じ込め施設・設備

微生物の特性及び作業内容をもとにリスクアセスメントでリスクレベルを設定し，必要な物理的封じ込め施設・設備を使用する．施設・設備には，封じ込めレベルごとに定められた要件があり[10, 11]，物理的封じ込めレベル3(P3)以上の施設・設備では，作業中に発生する微生物を含むエアロゾルによる微生物取扱い者への曝露の防止と周辺への漏洩を防止する有効な対策が必要である．

(v) 微生物受入・分与時のリスク低減

受入及び分与に際しては，関連する法律[2-5]を遵守する．機関内に新たに微生物を受け入れる際には，その機関において微生物リスクをアセスメントして実験室バイオセーフティレベル(BSL)を設定すると共に，緊急時や曝露時の対応策など必要事項を事前に決めておく．分与に際しては，事前に分与先の実験室バイオセーフティを確認する．一般的事項については，それらを詳述した法令，通知，事務連絡などを参照する．

(vi) 微生物移動時のリスク低減

微生物試料を移動する際は，管理区域内での移動においても適切な漏洩防止策をとる．管理区域外に移動する際には，試料が漏れない三重梱包を施すことが基本となる[12]．施設外に移動する際には，法律[2-5]を遵守する．

(vii) 感染性廃棄物のリスク低減

感染性廃棄物は，対象となる微生物に適切な薬剤又は高圧蒸気滅菌法などにより確実に不活化する．不活化処理は，管理区域内で完結する．

(viii) 緊急時のリスク低減

微生物の曝露，漏洩などの緊急事態が発生した場合に備えて，適切な対処方法を文書化する．対処方法には，連絡方法，連絡網の整備，具体的な対処方法，必要な器材・器具の備蓄，それらに対する教育・訓練を含む．それらを実施する組織体制を確立しておく．

3.3. バイオセキュリティ上問題になるリスクの低減

バイオセキュリティ上問題になるリスクの低減には，以下の内容を含む[13]．

(i) 微生物取扱い者のアクセスコントロール
・ID管理
・微生物取扱い者の登録管理
・施錠
・入退室管理

(ii) 微生物のコントロール
・微生物の保管出納管理

3.4. バイオリスク教育及び訓練

微生物取扱い者の技量の向上のため，微生物の取扱いに関するリスクの理解とその対策に関する教育訓練を行う．微生物の特性，作業によるリスク，標準微生物学実験手技(GMT)の取得と訓練，緊急時対応などが重要である．教育・訓練は，繰り返し行う．

3.5. 関連法規の遵守

法律[2-5]で指定される特定微生物などの取扱いについては，微生物や毒素の所持，出納管理，移動などについて，関連する法律を遵守する．一般的事項については，それらを詳述した法令，通知，事務連絡などを参照する．

4. バイオリスクマネジメントのレビューと更新

バイオリスクマネジメントが有効に機能していることを評価するため，リスクアセスメント(Assessment)，リスク低減(Mitigation)，実施(Performance)が適切に行われていることを定期的にレビューし，マネジメント計画を更新する．適切に管理する手法として例えば計画Plan-実行Do-評価Check-改善Act(PDCAサイクル)などがある．

5. 参考資料

1) 第十八改正日本薬局方，参考情報「品質リスクマネジメントの基本的考え方〈G0-2-170〉」．
2) 平成10年法律第114号「感染症の予防及び感染症の患者に対する医療に関する法律」(平成11年4月1日施行)．
3) 昭和26年法律第166号「家畜伝染病予防法」(昭和26年6月1日施行)．
4) 昭和25年法律第151号「植物防疫法」(昭和25年5月4日施行)．
5) 平成15年法律第97号「遺伝子組換え生物等の使用等の規制による生物の多様性の確保に関する法律(カルタヘナ法)」

(平成16年2月19日施行).
6) CEN (European Committee for Standardization), CWA (CEN Workshop Agreement) 15793「Laboratory biorisk management」, 2011年9月.
7) ISO/DIS 35001: 2019, Biorisk management for laboratories and other related organisations.
8) CEN (European Committee for Standardization), CWA (CEN Workshop Agreement) 16393「Laboratory biorisk management-Guidelines for the implementation of CWA 15793: 2008」, 2012年1月.
9) WHO, Laboratory biosafety manual Third Edition, 2004.
ISBN 92-4-154650-6.
10) 昭和36年2月1日厚生省令第2号「薬局等構造設備規則」第八条「特定生物由来医薬品の製造者等の製造所の構造設備」.
11) 平成16年12月24日厚生労働省令第179号「医薬品及び医薬部外品の製造管理及び品質管理の基準に関する省令」第二章第四節「生物由来医薬品の製造管理及び品質管理」.
12) WHO, Guidance on regulations for the Transport of Infectious Substances 2013-2014.
13) WHO, Biorisk management: Laboratory biosecurity guidance, 2006.

参考情報　G5.　生薬関連　日本薬局方収載生薬の学名表記について　のコウボク，サンシシ，チョウジ，チョウジ油，ハマボウフウ，ボウイ，モウツウの項を次のように改める．

日本薬局方収載生薬の学名表記について 〈G5-1-181〉

日本薬局方の学名表記と分類学的に用いられる学名表記

生薬名	日本薬局方の学名表記 ＝分類学的に用いられている学名表記 日本薬局方の学名表記とは異なるが分類学的に同一あるいは同一とみなされることがあるもの及び収載種に含まれる代表的な下位分類群．*印のあるものは，日本薬局方で併記されているもの．	科名
コウボク	ホオノキ *Magnolia obovata* Thunberg ＝*Magnolia obovata* Thunb. * *Magnolia hypoleuca* Siebold et Zuccarini ＝*Magnolia hypoleuca* Siebold & Zucc. *Magnolia officinalis* Rehder et E. H. Wilson *Magnolia officinalis* Rehder et E. H. Wilson var. *biloba* Rehder et E. H. Wilson	*Magnoliaceae* モクレン科
サンシシ	クチナシ *Gardenia jasminoides* J. Ellis *Gardenia jasminoides* J. Ellis f. *longicarpa* Z. W. Xie & M. Okada	*Rubiaceae* アカネ科
チョウジ チョウジ油	チョウジ *Syzygium aromaticum* Merrill et L. M. Perry ＝*Syzygium aromaticum* (L.) Merr. & L. M. Perry * *Eugenia caryophyllata* Thunberg ＝*Eugenia caryophyllata* Thunb. *Eugenia caryophyllus* (Spreng.) Bullock & S. G. Harrison	*Myrtaceae* フトモモ科
ハマボウフウ	ハマボウフウ *Glehnia littoralis* F. Schmidt ex Miquel ＝*Glehnia littoralis* F. Schmidt ex Miq.	*Umbelliferae* セリ科
ボウイ	オオツヅラフジ *Sinomenium acutum* Rehder et E. H. Wilson ＝*Sinomenium acutum* (Thunb.) Rehder & E. H. Wilson	*Menispermaceae* ツヅラフジ科
モクツウ	アケビ *Akebia quinata* Decaisne ＝*Akebia quinata* (Thunb. ex Houtt.) Decne. ミツバアケビ *Akebia trifoliata* Koidzumi ＝*Akebia trifoliata* (Thunb.) Koidz. 上記種の種間雑種	*Lardizabalaceae* アケビ科

参考情報 G6. 製剤関連 錠剤の摩損度試験法 を次のように改める．

錠剤の摩損度試験法〈G6-5-181〉

本試験法は，三薬局方での調和合意に基づき規定した試験法である．
三薬局方の調和合意に関する情報については，独立行政法人医薬品医療機器総合機構のウェブサイトに掲載している．

錠剤の摩損度試験法は，剤皮を施していない圧縮成型錠の摩損度を測定する方法である．ここに記載した試験手順はほとんどの圧縮成型錠に適用できる．摩損度の測定は，錠剤の硬度など他の物理的強度の試験を補足するものである．

装置
内径283.0 ～ 291.0 mm，深さ36.0 ～ 40.0 mmの内面が滑らかな透明な合成樹脂製で，静電気をおびにくいドラムを用いる（典型的な装置については図1参照）．ドラムの一方の側面は取り外しができる．錠剤はドラムの中央から外壁まで伸びている内側半径75.5 ～ 85.5 mmの湾曲した仕切り板に沿ってドラムの回転ごとに転がり落ちる．中心軸リング部の外径は24.5 ～ 25.5 mmとする．ドラムは，24 ～ 26 rpmで回転する装置の水平軸に取り付けられる．したがって，錠剤は各回転ごとに転がり若しくは滑ってドラム壁に又は他の錠剤の上に落ちる．

操作法
1錠の質量が650 mg以下のときは，6.5 gにできるだけ近い量に相当するn錠を試料とする．1錠の質量が650 mgを超えるときは10錠を試料とする．試験前に注意深く錠剤に付着している粉末を取り除く．錠剤試料の質量を精密に量り，ドラムに入れる．ドラムを24 ～ 26 rpmで100回転させた後，錠剤を取り出す．試験開始前と同様に錠剤に付着した粉末を取り除いた後，質量を精密に量る．

通常，試験は一回行う．試験後の錠剤試料に明らかにひび，割れ，あるいは欠けの見られる錠剤があるとき，その試料は不適合である．もし結果が判断しにくいとき，あるいは質量減少が目標値より大きいときは，更に試験を二回繰り返し，三回の試験結果の平均値を求める．多くの製品において，一回の試験又は三回の平均として得られる質量減少は，1.0％以下であることが望ましい．発泡錠やチュアブル錠の摩損度規格はこの範囲を超えることがある．

もし錠剤の大きさや形によって回転落下が不規則になるなら，

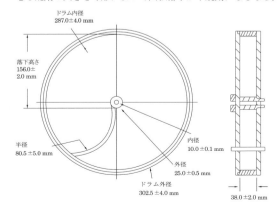

図1　錠剤の摩損度試験装置

錠剤が密集状態にあっても錠剤同士が付着して錠剤の自由落下を妨げることのないよう，水平面とドラムの装置下台との角度が約10°になるよう装置を調整する．

吸湿性の錠剤の場合の試験は，適切な湿度の雰囲気下で行う必要がある．

多くの試料を同時に試験できるよう設計された，仕切り板を二つ持ったドラムや二つ以上のドラムを備えた装置を利用してもよい．

参考情報 G8. 標準品関連 の次にG9. 医薬品添加剤関連のカテゴリー及び製剤に関連する添加剤の機能性関連特性について を加える．

G9. 医薬品添加剤関連

製剤に関連する添加剤の機能性関連特性について〈G9-1-181〉

添加剤の機能性関連特性（Functionality Related Characteristics，FRC）とは，製剤の製造工程・保管・使用において，有効成分及び製剤の有用性の向上に密接に関連する添加剤の物理的・化学的特性である．

添加剤は製剤総則[1]製剤通則(6)に記載されるように，「その製剤の投与量において薬理作用を示さず，無害」でなくてはならず，「有効成分及び製剤の有用性を高める，製剤化を容易にする，品質の安定化を図る，又は使用性を向上させる」などの役割も担う．添加剤各条では，物質の確認と品質の確保を主な目的として，規格と試験法が規定されている．

FRCは，添加剤が上記の役割を果たすための有効な指標となるが，添加剤に求められるFRCの特性値は，使用目的や製剤処方に依存し，添加剤の安全性や安定性に直接関わる品質特性とは異なることから，試験法には規格を設定しない．また，本参考情報に記載されたFRCの試験法は，他の適切な試験法の適用を制限するものではない．

黄色ワセリン及び白色ワセリンに関して，FRCとなる項目とその試験法の例を以下に示す．

黄色ワセリン，白色ワセリン：稠度に関する試験法

黄色ワセリン及び白色ワセリンは石油から得た炭化水素類の混合物を精製したものであり，通常，軟膏剤などの半固形製剤の基剤として使用される．軟膏剤は製剤総則[3]製剤各条11.4. 軟膏剤(3)において「本剤は，皮膚に適用する上で適切な粘性を有する．」とされており，当該剤形の流動学的性質の一つである硬さ・軟らかさは，特性値として稠度を測定することにより示すことができる．一般試験法「半固形製剤の流動学的測定法」の2. 稠度試験法(penetrometry)を用いて本品の稠度を評価する場合の試験法を記載する．

（i）器具　標準円錐又はオプション円錐により試験を行う．なお，試料容器は直径100±6 mm，深さ65 mm以上の金属製の平底円筒形のものを用いる．

（ii）操作法　オーブンに必要数の空の試料容器を入れ，それらの容器と共に容器に入れた一定量の本品を82±2.5℃に加温する．融解した本品を1個以上の試料容器に注ぎ込み，試料容器の縁から6 mm以内まで満たす．通風を避けて25±2.5℃で

16時間以上冷やす．試験開始2時間前に，試料容器を25±0.5℃の水浴中に入れる．室温が23.5℃未満又は26.5℃を超える場合には円錐を水浴中に入れて円錐の温度を25±0.5℃に調整する．試料の表面を乱さないように，試料容器をペネトロメーターの試料台に乗せ，円錐を，先端が試料容器の縁から25～38 mm離れた位置で試料の表面に接触するように下げる．ゼロ点を調整し，直ちに留金具を離し，5秒間放置する．留金具を固定し，目盛りから進入の深さを読む．進入した部位が重ならないよう間隔を空けて3回以上測定する．進入の深さが20 mmを超える場合には，別の試料容器を使用して各測定を行う．進入の深さは最短0.1 mmまで読みとる．3回以上の測定値の平均値を求める．

参考情報 GZ．その他 製薬用水の品質管理 の4.5．理化学的モニタリング以降を次のように改める．

製薬用水の品質管理 〈GZ-2-181〉

4.5. 理化学的モニタリング

製薬用水システムの理化学的モニタリングは，通例，導電率及び有機体炭素(TOC)を指標として行われる．導電率を指標とするモニタリングによれば，混在する無機塩類の総量の概略を知ることができ，TOCを指標とするモニタリング(TOCモニタリング)によれば，混在する有機物の総量を評価することができる．これらの理化学的モニタリングは，基本的に日本薬局方一般試験法に規定される導電率測定法〈2.51〉及び有機体炭素試験法〈2.59〉を準用して行われるが，モニタリングのための試験には，医薬品各条の試験とは異なる側面があることから，以下にはそれぞれの一般試験法で対応できない部分に対する補完的事項を記載する．

なお，各製造施設において，導電率及びTOCを指標とするモニタリングを行う場合，それぞれの指標について適切な警報基準値及び処置基準値を設定し，不測の事態に対する対応手順を定めておく必要がある．

4.5.1. 導電率を指標とするモニタリング

モニタリング用の導電率測定は，通例，流液型セル又は配管挿入型セルを用いてインラインで連続的に行われるが，製薬用水システムの適切な場所よりサンプリングし，浸漬型セルを用いてオフラインのバッチ試験として行うこともできる．

(1) オンライン又はインラインでの測定

インラインでの導電率モニタリングでは，通常，測定温度の制御は困難である．したがって，任意の温度でモニタリングしようとする場合には，下記の方法を適用する．

(ⅰ) 温度非補償方式により試料水の温度及び導電率を測定する．

(ⅱ) 表3から，測定された温度における許容導電率を求める．測定された温度が表3に記載されている温度の間にある場合は，測定された温度よりも低い方の温度における値を許容導電率とする．

(ⅲ) 測定された導電率が，許容導電率以下であれば，導電率試験適合とする．許容導電率を超える場合は，オフラインでの測定を行う．

表3 異なる測定温度における許容導電率[*]

温度(℃)	許容導電率 (µS·cm^{-1})	温度(℃)	許容導電率 (µS·cm^{-1})
0	0.6		
5	0.8	55	2.1
10	0.9	60	2.2
15	1.0	65	2.4
20	1.1	70	2.5
25	1.3	75	2.7
30	1.4	80	2.7
35	1.5	85	2.7
40	1.7	90	2.7
45	1.8	95	2.9
50	1.9	100	3.1

[*] 温度非補償方式での導電率測定に対してのみ適用する．

(2) オフラインでの測定

(ⅰ) 下記の方法により，容器に採水後，強くかき混ぜることによって，大気中から二酸化炭素を平衡状態になるまで吸収させ，大気と平衡状態になった試料の導電率を測定する．

(ⅱ) 十分な量の試料を適当な容器にとり，かき混ぜる．温度を25±1℃に調節し，強くかき混ぜながら，一定時間ごとにこの液の導電率の測定を行う．5分当たりの導電率変化が0.1 µS·cm^{-1}以下となったときの導電率を本品の導電率(25℃)とする．

(ⅲ) 前項で得られた導電率(25℃)が2.1 µS·cm^{-1}以下であれば，導電率試験適合とし，それを超える場合は不適合と判定する．

4.5.2. TOCモニタリング

「精製水」及び「注射用水」のTOCの規格限度値はいずれも「0.50 mg/L以下」(500 ppb以下)とされているが，製薬用水の各製造施設は，製薬用水システムの運転管理にあたり，別途警報基準値と処置基準値を定めてTOCモニタリングを行うことが望ましい．

推奨されるTOCの処置基準値は，下記のとおりである．

処置基準値：≦300 ppb (インライン)
≦400 ppb (オフライン)

水道水(「常水」)のTOCの許容基準値は「3 mg/L以下」(3 ppm以下)(水道法第4条に基づく水質基準)であるが，上記の管理基準を考慮し，製薬用水製造の原水として使われる水についても，各製造施設において適切な警報基準値及び処置基準値を設けてTOCモニタリングによる水質管理を実施することが望ましい．

なお，日本薬局方では有機体炭素試験法〈2.59〉を定めており，通例，これに適合する装置を用いてTOCの測定を行うが，高純度の水(イオン性の有機物や分子中に窒素，硫黄，リン又はハロゲン原子を含む有機物が含まれていない純度の高い水)を原水として用いる場合に限り，米国薬局方のGeneral Chapter <643> TOTAL ORGANIC CARBON又は欧州薬局方のMethods of Analysis 2.2.44. TOTAL ORGANIC CARBON IN WATER FOR PHARMACEUTICAL USEに定める装置適合性試験に適合する装置を製薬用水システムのTOCモニタリングに用いることができる．

ただし，二酸化炭素を試料水から分離せずに測定した有機物の分解前後の導電率の差からTOC量を求める方式の装置は，試料水中にイオン性の有機物が含まれている場合，若しくは分子中に窒素，硫黄，リン又はハロゲン原子を含む有機物が含まれている場合には，マイナス又はプラスの影響を受けることが

あるので，測定対象の水の純度や装置の不具合発生時の汚染リスクを考慮して適切な装置を選択する．

4.6. 注射用水の一時的保存

注射用水の一時的な保存については，微生物の増殖を厳しく抑制するために高温で循環するなどの方策をとると共に，汚染並びに品質劣化のリスクを考慮し，バリデーションの結果に基づいて適切な保存時間を設定する．

5. 容器入りの水の品質管理に関する留意事項

製品として流通する容器入りの水（「精製水（容器入り）」，「滅菌精製水（容器入り）」及び「注射用水（容器入り）」）の品質管理に関しては，別途，留意すべき事項が幾つかある．

5.1. 滅菌した容器入りの水の製法について

「滅菌精製水（容器入り）」及び「注射用水（容器入り）」の製法としては，次の二つの異なる方法がある．
（ⅰ）「精製水」又は「注射用水」を密封容器に入れた後，滅菌する．
（ⅱ）あらかじめ滅菌した「精製水」又は「注射用水」を無菌的な手法により無菌の容器に入れた後，密封する．

製造された容器入りの水の無菌性を保証するには，（ⅰ）の製法では，最終の滅菌工程についてバリデーションを行えば良いのに対して，（ⅱ）の製法では，全ての工程についてバリデーションを行う必要がある．これは，（ⅱ）の製法があらかじめろ過滅菌などの方法によって滅菌したものを"無菌的に"容器に入れて密封することにより，無菌性を保証しようとするものであるためである．

5.2. 容器中での保存に伴う水質変化

5.2.1. 無機性不純物（導電率を指標として管理）

バルクの精製水又は注射用水の導電率が$1.3\ \mu S \cdot cm^{-1}$以下（25℃）で管理されている場合であっても，それを容器に入れたときには，容器への充填時の空気との接触や保存中におけるプラスチック膜透過に伴う空気中の二酸化炭素の溶け込み及び保存中における容器からのイオン性物質の溶出が原因となって，導電率が上昇する．特に，小容量のガラス容器を用いる場合には，保存中における導電率の変化に注意する必要がある．

5.2.2. 有機性不純物（過マンガン酸カリウム還元性物質又はTOCを指標として管理）

日本薬局方では，容器入りの水（「精製水（容器入り）」，「滅菌精製水（容器入り）」及び「注射用水（容器入り）」）中の有機性不純物に対しては，古典的な過マンガン酸カリウム還元性物質による管理を求めている．容器入りの水に対するこの規定は，バルクの水において，TOCによる管理(限度値「0.50 mg/L以下」(500 ppb以下))を規定していることと対照的である．これは，容器中での保存により，TOC量が著しく増加する事例があり，バルクの水に整合させてTOCにより規格を設定することが困難と判断されたことによるものである．特に，小容量のプラスチック製容器入りの水については，保存中における容器からの溶出物の増加に十分注意する必要がある．

容器入りの水において，過マンガン酸カリウム還元性物質による有機性不純物の管理を求めているのは，容器の材質（ガラス，ポリエチレン，ポリプロピレンなど）やサイズ(0.5 ～ 2000 mL)及び保存期間の如何によらず，同一の試験法を用いて試験できるようにするための止むを得ない措置としてとられたものであり，溶存する有機性不純物の限度試験として最適なものとして規定されているわけではない．医薬品の製造業者の責任において，過マンガン酸カリウム還元性物質の代わりにTOCにより品質管理を行うことが望ましい．TOCにより品質管理を行う場合，下記のような目標値により管理することが望ましい．

 内容量が10 mL以下のもの：TOC 1500 ppb以下
 内容量が10 mLを超えるもの：TOC 1000 ppb以下

ポリエチレン，ポリプロピレンなどのプラスチック製医薬品容器入りの水については，容器からのモノマー，オリゴマー，可塑剤などの溶出がまず懸念されるが，プラスチックにはガス透過性や水分透過性もあることから，アルコールなどの低分子の揮発性有機物や窒素酸化物などの低分子の大気汚染物質の透過による汚染が起こりうるので，保存場所・保存環境にも留意する必要がある．

5.2.3. 微生物限度（総好気性微生物数）

「精製水（容器入り）」には無菌性が求められているわけではないが，保存期間中を通して総好気性微生物数の許容基準「1 mL当たり10^2 CFU」に適合するためには，衛生的あるいは無菌的に製造する必要がある．また，流通上，微生物汚染には特段の注意が必要である．加えて，開封後はできるだけ短期間に使いきるように努めることが望ましい．

総好気性微生物数の許容基準「1 mL当たり10^2 CFU」は，「精製水」（バルク）の生菌数の処置基準値と同じであるが，精製水製造システムにおける微生物モニタリングとは違い，主に保存期間中に起こる可能性のある環境由来の微生物による汚染を検出するために，ソイビーン・カゼイン・ダイジェストカンテン培地を用いて試験を行う．

5.3. 容器入りの水を入手して医薬品の製造や試験に用いる場合の注意事項

市販の「精製水（容器入り）」，「滅菌精製水（容器入り）」又は「注射用水（容器入り）」を入手して，医薬品又は治験薬の製造用水，医薬品試験用の水として利用することができるが，下記の事項に留意する必要がある．

（ⅰ）製品の受入試験又は製造業者から提供された当該製品の試験成績書により日局各条への適合を確認した後，速やかに使用すること．
（ⅱ）医薬品の製造に使用する場合は，当該医薬品の製造工程の一環としてプロセスバリデーションを実施しておくこと，また，治験薬の製造に使用する場合には，その品質に影響がないことを確認しておくこと．
（ⅲ）滅菌した容器入りの水については，一回使いきりを原則とし，保存後の再使用はしないこと．
（ⅳ）開封直後からヒト及び試験室環境などによる汚染又は水質変化が急速に進むことを前提として，使用目的に合わせた標準操作手順書を作成しておくこと．

索 引

日 本 名 索 引

＊イタリック体は製剤総則，一般試験法及び参考情報の頁，ボールドイタリック体は医薬品各条の頁を示す．
なお，下線のついていないものは「第十八改正日本薬局方」における頁を，
下線のついているものは「第十八改正日本薬局方第一追補」における頁を示す．

ア

ICP分析用水 ……………………………………… *204*
ICP分析用パラジウム標準液 ……………………… *201*
アウリントリカルボン酸アンモニウム …………… *204*
亜鉛 ……………………………………………… *204*
亜鉛(標準試薬) ………………………………… *204*
亜鉛，ヒ素分析用 ……………………………… *204*
亜鉛，無ヒ素 …………………………………… *204*
0.1 mol/L亜鉛液 ………………………………… *190*
亜鉛華 …………………………………………… **872**
亜鉛華デンプン ………………………………… **389**
亜鉛華軟膏 ……………………………………… **389**
亜鉛標準液 ……………………………………… *201*
亜鉛標準液，原子吸光光度用 …………………… *201*
亜鉛標準原液 …………………………………… *201*
亜鉛粉末 ………………………………………… *204*
亜鉛末 …………………………………………… *204*
アカメガシワ …………………………………… **1861**
アクチノマイシンD ……………………………… **389**
アクテオシド，薄層クロマトグラフィー用 ……… *204*
アクラルビシン塩酸塩 ……………………… **390**, *33*
アクリノール ……………………………………… *204*
アクリノール・亜鉛華軟膏 ……………………… **392**
アクリノール・チンク油 ………………………… **392**
アクリノール酸化亜鉛軟膏 ……………………… **392**
アクリノール水和物 ……………………… *204*, **391**, *33*
アクリルアミド …………………………………… *204*
アコニチン，純度試験用 ………………………… *204*
アザチオプリン ………………………………… **393**, *33*
アザチオプリン錠 ……………………………… **394**
アサリニン，薄層クロマトグラフィー用 ………… *205*
(E)-アサロン …………………………………… *205*
亜酸化窒素 ……………………………… *205*, **395**
アジ化ナトリウム ………………………………… *205*
アジ化ナトリウム・リン酸塩緩衝塩化ナトリウム試液 … *205*
アシクロビル …………………………………… **396**, *33*
アシクロビル顆粒 ……………………………… **398**
アシクロビル眼軟膏 …………………………… **401**
アシクロビル錠 ………………………………… **397**
アシクロビルシロップ ………………………… **399**
アシクロビル注射液 …………………………… **400**
アシクロビル軟膏 ……………………………… **401**
アジスロマイシン水和物 ……………………… **402**, *33*
亜ジチオン酸ナトリウム ………………………… *205*
2,2′-アジノビス(3-エチルベンゾチアゾリン-6-
　　スルホン酸)二アンモニウム ……………… *205*
2,2′-アジノビス(3-エチルベンゾチアゾリン-6-
　　スルホン酸)二アンモニウム試液 ………… *205*
アジピン酸 ……………………………………… *205*
アジマリン ……………………………………… **403**
アジマリン，定量用 …………………………… *205*
アジマリン錠 …………………………………… **403**
亜硝酸アミル …………………………………… **404**
亜硝酸カリウム ………………………………… *205*
亜硝酸ナトリウム ……………………………… *205*
0.1 mol/L亜硝酸ナトリウム液 …………………… *190*
亜硝酸ナトリウム試液 ………………………… *205*
アスコルビン酸 ……………………… *205*, **404**, *33*
L-アスコルビン酸 ……………………………… *205*
アスコルビン酸，鉄試験用 ……………………… *205*
アスコルビン酸・塩酸試液，0.012 g/dL ………… *205*
L-アスコルビン酸・塩酸試液，0.012 g/dL ……… *206*
アスコルビン酸・塩酸試液，0.02 g/dL …………… *205*
L-アスコルビン酸・塩酸試液，0.02 g/dL ………… *206*
アスコルビン酸・塩酸試液，0.05 g/dL …………… *205*
L-アスコルビン酸・塩酸試液，0.05 g/dL ………… *206*
アスコルビン酸・パントテン酸カルシウム錠 …… **406**
アスコルビン酸散 ……………………………… **405**
アスコルビン酸注射液 ………………………… **405**
アストラガロシドIV，薄層クロマトグラフィー用 … *206*
アズトレオナム ………………………………… **407**, *33*
L-アスパラギン一水和物 ………………………… *206*
アスパラギン酸 ………………………………… *206*
DL-アスパラギン酸 ……………………………… *206*
L-アスパラギン酸 ……………………… *206*, **409**, *33*
アスピリン ……………………………… *206*, **410**, *33*
アスピリンアルミニウム ………………………… **411**
アスピリン錠 …………………………………… **410**
アスポキシシリン水和物 ……………………… **412**, *33*
アセタゾラミド ………………………………… **413**, *33*
アセタール ……………………………………… *206*
アセチルアセトン ……………………………… *206*
アセチルアセトン試液 ………………………… *206*
N-アセチルガラクトサミン …………………… *206*

アセチルサリチル酸 …… 410
アセチルサリチル酸アルミニウム …… 411
アセチルサリチル酸錠 …… 410
アセチルシステイン …… 414, **33**
N－アセチルノイラミン酸 …… 206
N－アセチルノイラミン酸，エポエチンアルファ用 …… 206
N－アセチルノイラミン酸試液，0.4 mmol/L …… 206
アセチレン …… 206
o－アセトアニシジド …… 206
p－アセトアニシジド …… 206
アセトアニリド …… 206
アセトアミノフェン …… 207, 415, **33**
アセトアルデヒド …… 207
アセトアルデヒド，ガスクロマトグラフィー用 …… 207
アセトアルデヒド，定量用 …… 207
アセトアルデヒドアンモニアトリマー三水和物 …… 207
アセトニトリル …… 207
アセトニトリル，液体クロマトグラフィー用 …… 207
アセトヘキサミド …… 416, **33**
アセトリゾン酸 …… 207
アセトン …… 207
アセトン，生薬純度試験用 …… 207
アセトン，非水滴定用 …… 207
アセナフテン …… 207
アセブトロール塩酸塩 …… 417, **33**
アセメタシン …… 207, 418, **33**
アセメタシン，定量用 …… 207
アセメタシンカプセル …… 419
アセメタシン錠 …… 418
アゼラスチン塩酸塩 …… 420, **33**
アゼラスチン塩酸塩，定量用 …… 208
アゼラスチン塩酸塩顆粒 …… 421
アゼルニジピン …… 422, **33**
アゼルニジピン，定量用 …… 208
アゼルニジピン錠 …… 423
亜セレン酸 …… 208
亜セレン酸・硫酸試液 …… 208
亜セレン酸ナトリウム …… 208
アセンヤク …… 1861
阿仙薬 …… 1861
アセンヤク末 …… 1861
阿仙薬末 …… 1861
アゾセミド …… 424, **33**
アゾセミド，定量用 …… 208
アゾセミド錠 …… 425
アテノロール …… 426, **33**
亜テルル酸カリウム …… 208
アトラクチレノリドⅢ，定量用 …… 208
アトラクチレノリドⅢ，薄層クロマトグラフィー用 …… 208
アトラクチロジン，定量用 …… 209
アトラクチロジン試液，定量用 …… 209
アトルバスタチンカルシウム錠 …… 428
アトルバスタチンカルシウム水和物 …… 426, **33**
アドレナリン …… 429, **33**

アドレナリン液 …… 430
アドレナリン注射液 …… 430
アトロピン硫酸塩水和物 …… 209, 431
アトロピン硫酸塩水和物，定量用 …… 209
アトロピン硫酸塩水和物，薄層クロマトグラフィー用 …… 209
アトロピン硫酸塩注射液 …… 431
アナストロゾール …… **51**
アナストロゾール錠 …… **52**
p－アニスアルデヒド …… 209
p－アニスアルデヒド・酢酸試液 …… 209
p－アニスアルデヒド・硫酸試液 …… 209
14－アニソイルアコニン塩酸塩，定量用 …… 209
アニソール …… 210
アニリン …… 210
アニリン硫酸塩 …… 210
アネスタミン …… 448
亜ヒ酸パスタ …… 432
アビジン・ビオチン試液 …… 210
アプリンジン塩酸塩 …… 433, **33**
アプリンジン塩酸塩，定量用 …… 210
アプリンジン塩酸塩カプセル …… 433
アフロクアロン …… 434, **33**
アプロチニン …… 210
アプロチニン試液 …… 210
アヘン・トコン散 …… 1863
アヘンアルカロイド・アトロピン注射液 …… 437
アヘンアルカロイド・スコポラミン注射液 …… 438
アヘンアルカロイド塩酸塩 …… 435
アヘンアルカロイド塩酸塩注射液 …… 436
アヘン散 …… 1862
アヘンチンキ …… 1862
アヘン末 …… 1861
α－アポオキシテトラサイクリン …… 210
β－アポオキシテトラサイクリン …… 210
アマチャ …… 1863
甘茶 …… 1863
アマチャジヒドロイソクマリン，
　　薄層クロマトグラフィー用 …… 211
アマチャ末 …… 1863
甘茶末 …… 1863
アマンタジン塩酸塩 …… 440, **33**
アミオダロン塩酸塩 …… 441, **33**
アミオダロン塩酸塩，定量用 …… 211
アミオダロン塩酸塩錠 …… 442
アミカシン硫酸塩 …… 443, **33**
アミカシン硫酸塩注射液 …… 444
アミグダリン，成分含量測定用 …… 211
アミグダリン，定量用 …… 211, **23**
アミグダリン，薄層クロマトグラフィー用 …… 211
6－アミジノ－2－ナフトールメタンスルホン酸塩 …… 211
アミドトリゾ酸 …… 445, **33**
アミドトリゾ酸，定量用 …… 211
アミドトリゾ酸ナトリウムメグルミン注射液 …… 446
アミトリプチリン塩酸塩 …… 447, **33**

アミトリプチリン塩酸塩錠	***447***
アミド硫酸(標準試薬)	*211*
アミド硫酸アンモニウム	*211*
アミド硫酸アンモニウム試液	*211*
4-アミノアセトフェノン	*211*
p-アミノアセトフェノン	*211*
4-アミノアセトフェノン試液	*211*
p-アミノアセトフェノン試液	*211*
3-アミノ安息香酸	*211*
4-アミノ安息香酸	*211*
p-アミノ安息香酸	*211*
4-アミノ安息香酸イソプロピル	*211*
p-アミノ安息香酸イソプロピル	*211*
アミノ安息香酸エチル	*211*, ***448***, ***33***
4-アミノ安息香酸メチル	*211*
アミノ安息香酸誘導体化試液	*211*
4-アミノアンチピリン	*211*
4-アミノアンチピリン塩酸塩	*212*
4-アミノアンチピリン塩酸塩試液	*212*
4-アミノアンチピリン試液	*211*
2-アミノエタノール	*212*
2-アミノエタンチオール塩酸塩	*212*
3-(2-アミノエチル)インドール	*212*
アミノエチルスルホン酸	***1091***
ε-アミノカプロン酸	*212*
6-アミノキノリル-*N*-ヒドロキシスクシンイミジルカルバメート	*212*
4-アミノ-6-クロロベンゼン-1,3-ジスルホンアミド	*212*
2-アミノ-5-クロロベンゾフェノン,薄層クロマトグラフィー用	*212*
アミノ酸自動分析用6 mol/L塩酸試液	*212*
アミノ酸分析法〈G3-2-171〉	*2533*
アミノ酸分析用無水ヒドラジン	*212*
4-アミノ-*N*,*N*-ジエチルアニリン硫酸塩一水和物	*212*
4-アミノ-*N*,*N*-ジエチルアニリン硫酸塩試液	*212*
L-2-アミノスベリン酸	*212*
1-アミノ-2-ナフトール-4-スルホン酸	*212*
1-アミノ-2-ナフトール-4-スルホン酸試液	*212*
2-アミノ-2-ヒドロキシメチル-1,3-プロパンジオール	*212*
2-アミノ-2-ヒドロキシメチル-1,3-プロパンジオール塩酸塩	*212*
アミノピリン	*212*
アミノフィリン水和物	***449***, ***33***
アミノフィリン注射液	***449***
2-アミノフェノール	*212*
3-アミノフェノール	*212*
4-アミノフェノール	*212*
m-アミノフェノール	*212*
4-アミノフェノール塩酸塩	*212*
2-アミノ-1-ブタノール	*212*
アミノプロピルシリル化シリカゲル,液体クロマトグラフィー用	*380*
アミノプロピルシリル化シリカゲル,前処理用	*213*
N-アミノヘキサメチレンイミン	*213*
2-アミノベンズイミダゾール	*213*
4-アミノメチル安息香酸	*213*
1-アミノ-2-メチルナフタレン	*213*
2-アミノメチルピペリジン	*213*
4-アミノ酪酸	*213*
n-アミルアルコール	*213*
t-アミルアルコール	*213*
アミルアルコール, イソ	*213*
アミルアルコール, 第三	*213*
アミローストリス-(3,5-ジメチルフェニルカルバメート)被覆シリカゲル, 液体クロマトグラフィー用	*380*
アムホテリシンB	***450***
アムホテリシンB錠	***451***, ***53***
アムホテリシンBシロップ	***451***
アムロジピンベシル酸塩	***452***, ***33***
アムロジピンベシル酸塩口腔内崩壊錠	***454***
アムロジピンベシル酸塩錠	***453***
アモキサピン	***455***, ***33***
アモキシシリン	*213*
アモキシシリンカプセル	***457***
アモキシシリン水和物	*213*, ***456***, ***33***
アモスラロール塩酸塩	***458***, ***33***
アモスラロール塩酸塩, 定量用	*213*
アモスラロール塩酸塩錠	***459***
アモバルビタール	***460***, ***33***
アラキジン酸メチル, ガスクロマトグラフィー用	*213*
アラセプリル	*213*, ***461***, ***33***
アラセプリル, 定量用	*213*
アラセプリル錠	***462***
β-アラニン	*213*
L-アラニン	*213*, ***463***, ***33***
アラビアゴム	***1864***
アラビアゴム末	***1864***
L-アラビノース	*213*
アラントイン, 薄層クロマトグラフィー用	*213*
アリザリンS	*214*
アリザリンS試液	*214*
アリザリンエローGG	*214*
アリザリンエローGG・チモールフタレイン試液	*214*
アリザリンエローGG試液	*214*
アリザリンコンプレキソン	*214*
アリザリンコンプレキソン試液	*214*
アリザリンレッドS	*214*
アリザリンレッドS試液	*214*
アリストロキア酸Ⅰ, 生薬純度試験用	*214*
アリストロキア酸について〈G5-4-141〉	*2623*
アリソールA, 薄層クロマトグラフィー用	*214*
アリソールB	*214*
アリソールBモノアセテート	*214*
アリメマジン酒石酸塩	***464***, ***33***
亜硫酸塩標準液	*201*
亜硫酸オキシダーゼ	*214*

134 日本名索引

亜硫酸オキシダーゼ試液 ················ 215
亜硫酸水 ···························· 215
亜硫酸水素ナトリウム ········ 215, 464, **33**
亜硫酸水素ナトリウム試液 ·············· 215
亜硫酸ナトリウム ······················ 215
亜硫酸ナトリウム，無水 ················ 215
亜硫酸ナトリウム・リン酸二水素ナトリウム試液 ··· 215
亜硫酸ナトリウム試液，1 mol/L ········ 215
亜硫酸ナトリウム七水和物 ·············· 215
亜硫酸ビスマス・インジケーター ········ 215
アルガトロバン水和物 ············ **465, 34**
アルカリ性1.6％過ヨウ素酸カリウム・
　0.2％過マンガン酸カリウム試液 ······ 215
アルカリ性1,3－ジニトロベンゼン試液 ···· 215
アルカリ性m－ジニトロベンゼン試液 ···· 215
アルカリ性銅試液 ······················ 215
アルカリ性銅試液(2) ·················· 215
アルカリ性銅溶液 ······················ 215
アルカリ性2,4,6－トリニトロフェノール試液 ··· 215
アルカリ性ピクリン酸試液 ·············· 215
アルカリ性ヒドロキシルアミン試液 ······ 215
アルカリ性フェノールフタレイン試液 ···· 215
アルカリ性フェリシアン化カリウム試液 ·· 215
アルカリ性ブルーテトラゾリウム試液 ···· 215
アルカリ性ヘキサシアノ鉄(Ⅲ)酸カリウム試液 ··· 215
アルカリ性ホスファターゼ ·············· 215
アルカリ性ホスファターゼ試液 ·········· 215
アルカリ性硫酸銅試液 ·················· 215
アルカリ銅試液 ························ 215
L－アルギニン ················ 215, 467, **34**
L－アルギニン塩酸塩 ·········· 215, 467, **34**
L－アルギニン塩酸塩注射液 ············ **468**
アルキレングリコールフタル酸エステル，
　ガスクロマトグラフィー用 ·············· 215
アルコール ···························· **589**
アルコール数測定法 ···················· 23
アルコール数測定用エタノール ·········· 215
アルゴン ······························ 215
アルシアンブルー8GX ·················· 215
アルシアンブルー染色液 ················ 215
アルジオキサ ······················ **468, 34**
アルジオキサ，定量用 ·················· 215
アルジオキサ顆粒 ······················ **469**
アルジオキサ錠 ························ **469**
アルセナゾⅢ ·························· 215
アルセナゾⅢ試液 ······················ 215
アルデヒドデヒドロゲナーゼ ············ 215
アルデヒドデヒドロゲナーゼ試液 ········ 216
アルテミシア・アルギイ，純度試験用 ···· 216
RPMI－1640粉末培地 ·················· 216
アルビフロリン ························ 216
アルブチン，成分含量測定用 ············ 216
アルブチン，定量用 ················ 216, <u>24</u>
アルブチン，薄層クロマトグラフィー用 ···· 216

アルブミン試液 ························ 216
アルプラゾラム ···················· **470, 34**
アルプレノロール塩酸塩 ············ **471, 34**
アルプロスタジル ······················ **471**
アルプロスタジル　アルファデクス ······ **474**
アルプロスタジル注射液 ············ **472, 34**
アルベカシン硫酸塩 ················ **476, 34**
アルベカシン硫酸塩注射液 ·············· **477**
α－アルミナ，比表面積測定用 ············ 385
アルミニウム ·························· 216
アルミニウム標準液，原子吸光光度用 ···· 202
アルミニウム標準原液 ·················· 202
アルミノプロフェン ···················· **477**
アルミノプロフェン，定量用 ············ 216
アルミノプロフェン錠 ·················· **478**
アルミノン ···························· 216
アルミノン試液 ························ 216
アレコリン臭化水素酸塩，薄層クロマトグラフィー用 ··· 216
アレンドロン酸ナトリウム錠 ············ **480**
アレンドロン酸ナトリウム水和物 ···· 217, **479, 34**
アレンドロン酸ナトリウム注射液 ········ **482**
アロエ ······························ **1865**
アロエ末 ···························· **1866**
アロチノロール塩酸塩 ·············· **482, 34**
アロプリノール ·············· 217, **483, 34**
アロプリノール，定量用 ················ 217
アロプリノール錠 ······················ **483**
安息香酸 ···················· 217, **484, 34**
安息香酸イソアミル ···················· 217
安息香酸イソプロピル ·················· 217
安息香酸エチル ························ 217
安息香酸コレステロール ················ 217
安息香酸ナトリウム ·········· 217, **485, 34**
安息香酸ナトリウムカフェイン ······ **486, 34**
安息香酸フェニル ······················ 217
安息香酸ブチル ························ 217
安息香酸プロピル ······················ 217
安息香酸ベンジル ················ 217, **487**
安息香酸メチル ························ 217
安息香酸メチル，エストリオール試験用 ·· 217
アンソッコウ ························ **1866**
安息香 ······························ **1866**
アンチトロンビンⅢ ···················· 217
アンチトロンビンⅢ試液 ················ 217
アンチピリン ·············· 217, **487, 34**
アントロン ···························· 217
アントロン試液 ························ 217
アンピシリン水和物 ················ **489, 34**
アンピシリンナトリウム ············ **490, 34**
アンピロキシカム ·················· **493, 34**
アンピロキシカム，定量用 ·············· 217
アンピロキシカムカプセル ·············· **494**
アンベノニウム塩化物 ·············· **495, 34**

アンミントリクロロ白金酸アンモニウム，
　　液体クロマトグラフィー用 …………………… 217
アンモニア・ウイキョウ精 …………………… **1867**
アンモニア・エタノール試液 …………………… 218
アンモニア・塩化アンモニウム緩衝液, pH 8.0 … 218
アンモニア・塩化アンモニウム緩衝液, pH 10.0 … 218
アンモニア・塩化アンモニウム緩衝液, pH 10.7 … 218
アンモニア・塩化アンモニウム緩衝液, pH 11.0 … 218
アンモニア・酢酸アンモニウム緩衝液, pH 8.0 … 218
アンモニア・酢酸アンモニウム緩衝液, pH 8.5 … 218
アンモニアガス …………………………………… 218
アンモニア試液 …………………………………… 218
アンモニア試液, 1 mol/L ………………………… 218
アンモニア試液, 13.5 mol/L ……………………… 218
アンモニア水 ………………………… 218, **495**, *34*
アンモニア水(28) ………………………………… 218
アンモニア水, 1 mol/L …………………………… 218
アンモニア水, 13.5 mol/L ………………………… 218
アンモニア水, 強 ………………………………… 218
アンモニア銅試液 ………………………………… 218
アンモニア飽和1-ブタノール試液 ……………… 218
アンモニウム試験法 ……………………………… 24
アンモニウム試験用次亜塩素酸ナトリウム試液 … 218
アンモニウム試験用水 …………………………… 218
アンモニウム試験用精製水 ……………………… 218
アンモニウム標準液 ……………………………… 202
アンレキサノクス ………………………… **496**, *34*
アンレキサノクス錠 ……………………………… **497**

イ

EMB平板培地 ……………………………………… 218
イオウ ………………………………… 218, **498**, *34*
硫黄 ………………………………………………… 218
イオウ・カンフルローション …………………… **498**
イオウ・サリチル酸・チアントール軟膏 ……… **499**
イオタラム酸 ……………………………… **499**, *34*
イオタラム酸, 定量用 …………………………… 218
イオタラム酸ナトリウム注射液 ………………… **500**
イオタラム酸メグルミン注射液 ………………… **501**
イオトロクス酸 …………………………… **502**, *34*
イオパミドール …………………………… **502**, *34*
イオパミドール, 定量用 ………………………… 218
イオパミドール注射液 …………………………… **503**
イオヘキソール …………………………… **505**, *34*
イオヘキソール注射液 …………………………… **506**
イカリイン, 薄層クロマトグラフィー用 ……… 218
イクタモール ……………………………………… **507**
イーグル最少必須培地 …………………………… 218
イーグル最少必須培地, ウシ血清付 …………… 218
イコサペント酸エチル …………………… **508**, *34*
イコサペント酸エチルカプセル ………………… **509**
イサチン …………………………………………… 218
イスコフ改変ダルベッコ液体培地, フィルグラスチム用 … 219

イスコフ改変ダルベッコ粉末培地 ……………… 218
イセパマイシン硫酸塩 …………………… **510**, *34*
イセパマイシン硫酸塩注射液 …………………… **511**
イソアミルアルコール …………………………… 219
イソオクタン ……………………………………… 219
イソクスプリン塩酸塩 …………………… **511**, *34*
イソクスプリン塩酸塩, 定量用 ………………… 219
イソクスプリン塩酸塩錠 ………………………… **512**
(*S*)-イソシアン酸1-フェニルエチルエステル … 219
イソソルビド ……………………………… **513**, *34*
イソニアジド …………………………… 219, **514**, *34*
イソニアジド, 定量用 …………………………… 219
イソニアジド試液 ………………………………… 219
イソニアジド錠 …………………………………… **514**
イソニアジド注射液 ……………………………… **515**
イソニコチン酸 …………………………………… 219
イソニコチン酸アミド …………………………… 219
(*E*)-イソフェルラ酸 …………………………… 219
(*E*)-イソフェルラ酸・(*E*)-フェルラ酸混合試液,
　　薄層クロマトグラフィー用 …………………… 219
イソフェンインスリン　ヒト(遺伝子組換え)
　　水性懸濁注射液 ………………………… **556**, *55*
イソブタノール …………………………………… 219
イソフルラン ……………………………………… **516**
l-イソプレナリン塩酸塩 ………………… **517**, *34*
イソプロパノール ……………………… 219, **518**
イソプロパノール, 液体クロマトグラフィー用 … 219
イソプロピルアミン ……………………………… 219
イソプロピルアミン・エタノール試液 ………… 219
イソプロピルアルコール ………………………… **518**
イソプロピルアンチピリン ……………… **518**, *34*
イソプロピルエーテル …………………………… 219
4-イソプロピルフェノール ……………………… 219
イソプロメタジン塩酸塩, 薄層クロマトグラフィー用 … 219
イソマル …………………………………………… **519**
イソマル水和物 …………………………… **519**, *34*
イソマルト ………………………………………… 219
L-イソロイシン ………………………… 219, **520**, *34*
L-イソロイシン, 定量用 ………………………… 219
イソロイシン・ロイシン・バリン顆粒 ………… **521**
イダルビシン塩酸塩 ……………………… **523**, *34*
一次抗体試液 ……………………………………… 219
一硝酸イソソルビド, 定量用 …………………… 220
一硝酸イソソルビド錠 …………………………… **526**
70%一硝酸イソソルビド乳糖末 ………… **524**, *34*
胃腸薬のpH試験法 〈G6-6-131〉 ……………… 2642
一酸化炭素 ………………………………………… 220
一酸化炭素測定用検知管 ………………………… 385
一酸化窒素 ………………………………………… 220
一酸化鉛 …………………………………………… 220
一臭化ヨウ素 ……………………………………… 220
一般試験法 ………………………………………… 23
遺伝子解析による微生物の迅速同定法 〈G4-7-160〉 … 2600
遺伝子情報を利用する生薬の純度試験 〈G5-6-172〉 … 2624

イドクスウリジン	527, **34**
イドクスウリジン点眼液	528
イトラコナゾール	529, **34**
イフェンプロジル酒石酸塩	530, **34**
イフェンプロジル酒石酸塩，定量用	220
イフェンプロジル酒石酸塩細粒	531
イフェンプロジル酒石酸塩錠	530
イブジラスト	532, **34**
イプシロン－アミノカプロン酸	221
イブプロフェン	221, 533, **34**
イブプロフェンピコノール	221, 533, **34**
イブプロフェンピコノール，定量用	221
イブプロフェンピコノールクリーム	534
イブプロフェンピコノール軟膏	534
イプラトロピウム臭化物水和物	535, **34**
イプリフラボン	536, **34**
イプリフラボン錠	537
イミダゾール	221
イミダゾール，水分測定用	221
イミダゾール，薄層クロマトグラフィー用	221
イミダゾール試液	221
イミダゾール臭化水素塩酸塩	221
イミダプリル塩酸塩	221, 537, **34**
イミダプリル塩酸塩，定量用	221
イミダプリル塩酸塩錠	538
2,2′－イミノジエタノール塩酸塩	221
イミノジベンジル	221
イミプラミン塩酸塩	221, 540
イミプラミン塩酸塩錠	540
イミペネム水和物	541, **34**
医薬品原薬及び製剤の品質確保の基本的考え方〈G0-1-172〉	2502
医薬品等の試験に用いる水〈GZ-1-161〉	2655
医薬品の安定性試験の実施方法〈G0-4-171〉	2508
医薬品包装における基本的要件と用語〈G0-5-170〉	2510
イリノテカン塩酸塩水和物	543, **35**
イリノテカン塩酸塩水和物，定量用	221
イリノテカン塩酸塩注射液	544
イルソグラジンマレイン酸塩	221, 546, **35**
イルソグラジンマレイン酸塩，定量用	221
イルソグラジンマレイン酸塩細粒	548
イルソグラジンマレイン酸塩錠	547
イルベサルタン	549, **35**
イルベサルタン，定量用	221
イルベサルタン・アムロジピンベシル酸塩錠	550
イルベサルタン錠	550
イレイセン	1867
威霊仙	1867
色の比較液	204
色の比較試験法	90
インジウム，熱分析用	385
インジゴカルミン	221, 553, **35**
インジゴカルミン試液	221
インジゴカルミン注射液	553
インスリン アスパルト(遺伝子組換え)	559
インスリン グラルギン(遺伝子組換え)	561
インスリン グラルギン(遺伝子組換え)注射液	562
インスリングラルギン用V8プロテアーゼ	222
インスリン ヒト(遺伝子組換え)	554, **54**
インスリン ヒト(遺伝子組換え)注射液	555, **55**
インダパミド	563, **35**
インダパミド錠	564
インターフェロン アルファ(NAMALWA)	565
インターフェロン アルファ(NAMALWA)注射液	568
インターフェロンアルファ確認用基質試液	222
インターフェロンアルファ(NAMALWA)用DNA標準原液	222
インターフェロンアルファ用クーマシーブリリアントブルー試液	222
インターフェロンアルファ用分子量マーカー	222
インターロイキン－2依存性マウスナチュラルキラー細胞NKC3	222
インチンコウ	1867, **83**
茵蔯蒿	1867
茵陳蒿	1867
インデノロール塩酸塩	569, **35**
インドメタシン	222, 570, **35**
インドメタシンカプセル	571
インドメタシン坐剤	572
2,3－インドリンジオン	222
インフルエンザHAワクチン	573
インヨウカク	1868
淫羊藿	1868

ウ

ウィイス試液	222
ウイキョウ	1868
茴香	1868
ウイキョウ末	1868
茴香末	1868
ウイキョウ油	1869
ウコン	1869, **83**
鬱金	1869
ウコン末	1870
鬱金末	1870
ウサギ抗ナルトグラスチム抗体	222, **32**
ウサギ抗ナルトグラスチム抗体試液	222, **32**
ウサギ脱繊維血	222
ウシ血清	222
ウシ血清アルブミン	222
ウシ血清アルブミン，ウリナスタチン試験用	222
ウシ血清アルブミン，ゲルろ過分子量マーカー用	222
ウシ血清アルブミン，定量用	222
ウシ血清アルブミン・塩化ナトリウム・リン酸塩緩衝液，0.1 w/v%	222
ウシ血清アルブミン・塩化ナトリウム・リン酸塩緩衝液，pH 7.2	222

ウシ血清アルブミン・生理食塩液 ････････････････････ *222*
1 w/v%ウシ血清アルブミン・リン酸塩緩衝液・
　塩化ナトリウム試液 ･････････････････････････････ *222*
0.1%ウシ血清アルブミン含有酢酸緩衝液 ･････････････ *222*
ウシ血清アルブミン試液, セクレチン標準品用 ･･････ *222*
ウシ血清アルブミン試液, セクレチン用 ･････････････ *222*
ウシ血清アルブミン試液, ナルトグラスチム試験用 ･･ *222*, *32*
ウシ血清加イーグル最小必須培地 ･･･････････････････ *222*
ウシ胎児血清 ･････････････････････････････････････ *222*
ウシ由来活性化血液凝固X因子 ･････････････････････ *222*
薄めたエタノール ･････････････････････････････････ *223*
ウベニメクス ･････････････････････････････**573**, **35**
ウベニメクス, 定量用 ･････････････････････････････ *223*
ウベニメクスカプセル ･････････････････････････････**573**
埋め込み注射剤 ･･･････････････････････････････････ *15*
ウヤク ･･ **1871**
烏薬 ･･ **1871**
ウラシル ･･･ *223*
ウラピジル ･････････････････････････････**575**, **35**
ウリナスタチン ･････････････････････････････**575**, **35**
ウリナスタチン試験用ウシ血清アルブミン ･･････････ *223*
ウリナスタチン試験用トリプシン試液 ･･････････････ *223*
ウリナスタチン定量用結晶トリプシン ･･････････････ *223*
ウルソデオキシコール酸 ･･････････ *223*, **577**, **35**
ウルソデオキシコール酸, 定量用 ･･･････････････････ *223*
ウルソデオキシコール酸顆粒 ･･････････････････････**579**
ウルソデオキシコール酸錠 ････････････････････････**578**
ウレタン ･･･ *223*
ウロキナーゼ ･････････････････････････････**580**, **35**
ウワウルシ ･･････････････････････････････**1871**, **83**
ウワウルシ流エキス ････････････････････････････ **1872**
温清飲エキス ･･････････････････････････････････ **1872**
ウンベリフェロン, 薄層クロマトグラフィー用 ･･････ *223*

エ

エイコセン酸メチル, ガスクロマトグラフィー用 ････ *223*
エイジツ ･･････････････････････････････････････ **1874**
営実 ･･ **1874**
エイジツ末 ････････････････････････････････････ **1874**
営実末 ･･ **1874**
エオシン ･･･ *223*
エオシンY ･･･････････････････････････････････････ *223*
エオシンメチレンブルーカンテン培地 ･･････････････ *223*
A型赤血球浮遊液 ･････････････････････････････････ *223*
エカベトナトリウム顆粒 ･･････････････････････････**582**
エカベトナトリウム水和物 ･･････････････**581**, **35**
エカベトナトリウム水和物, 定量用 ･････････････････ *223*
液状チオグリコール酸培地 ････････････････････････ *223*
液状フェノール ･･････････････････････････････････**1457**
エキス剤 ･･･ *20*
液体クロマトグラフィー ･･････････････････ *37*, *10*
液体クロマトグラフィー用アセトニトリル ･････････ *224*
液体クロマトグラフィー用アミノプロピル
　シリル化シリカゲル ･････････････････････････････ *380*
液体クロマトグラフィー用アミローストリス-(3,5-
　ジメチルフェニルカルバメート)被覆シリカゲル ･･ *380*
液体クロマトグラフィー用アンミントリクロロ白金酸
　アンモニウム ･･･････････････････････････････････ *224*
液体クロマトグラフィー用イソプロパノール ･･･････ *224*
液体クロマトグラフィー用エタノール(99.5) ･･･････ *224*
液体クロマトグラフィー用エレウテロシドB ･･･････ *224*
液体クロマトグラフィー用オクタデシル-
　強アニオン交換基シリル化シリカゲル ･･･････････ *380*
液体クロマトグラフィー用オクタデシルシリル化
　シリカゲル ･････････････････････････････････････ *380*
液体クロマトグラフィー用オクタデシルシリル化
　シリコーンポリマー被覆シリカゲル ･･･････････････ *380*
液体クロマトグラフィー用オクタデシルシリル化
　多孔質ガラス ･･･････････････････････････････････ *380*
液体クロマトグラフィー用オクタデシルシリル化
　ポリビニルアルコールゲルポリマー ･･･････････････ *380*
液体クロマトグラフィー用オクタデシルシリル化
　モノリス型シリカ ･･･････････････････････････････ *380*
液体クロマトグラフィー用オクタデシルシリル基
　及びオクチルシリル基を結合した多孔質シリカゲル ･･ *32*
液体クロマトグラフィー用オクチルシリル化
　シリカゲル ･････････････････････････････････････ *380*
液体クロマトグラフィー用オボムコイド化学結合
　アミノシリカゲル ･･･････････････････････････････ *380*
液体クロマトグラフィー用カルバモイル基結合型
　シリカゲル ･････････････････････････････････････ *380*
液体クロマトグラフィー用強塩基性イオン交換樹脂 ･･ *380*
液体クロマトグラフィー用強酸性イオン交換樹脂 ･･ *380*
液体クロマトグラフィー用強酸性イオン交換シリカゲル ･･ *380*
液体クロマトグラフィー用18-クラウンエーテル
　固定化シリカゲル ･･･････････････････････････････ *380*
液体クロマトグラフィー用グラファイトカーボン ･･ *380*
液体クロマトグラフィー用グリコールエーテル化
　シリカゲル ･････････････････････････････････････ *380*
液体クロマトグラフィー用3′-クロロ-3′-
　デオキシチミジン ･･･････････････････････････････ *224*
液体クロマトグラフィー用ゲル型強塩基性
　イオン交換樹脂 ･････････････････････････････････ *380*
液体クロマトグラフィー用ゲル型強酸性
　イオン交換樹脂(架橋度6%) ･･････････････････････ *380*
液体クロマトグラフィー用ゲル型強酸性
　イオン交換樹脂(架橋度8%) ･･････････････････････ *380*
液体クロマトグラフィー用α₁-酸性
　糖タンパク質結合シリカゲル ･････････････････････ *380*
液体クロマトグラフィー用シアノプロピルシリル化
　シリカゲル ･････････････････････････････････････ *380*
液体クロマトグラフィー用ジエチルアミノエチル基を
　結合した合成高分子 ･････････････････････････････ *380*
液体クロマトグラフィー用ジオールシリカゲル ･････ *380*
液体クロマトグラフィー用β-シクロデキストリン
　結合シリカゲル ･････････････････････････････････ *380*

液体クロマトグラフィー用ジビニルベンゼン－
　　メタクリラート共重合体 …………………… 380
液体クロマトグラフィー用ジメチルアミノプロピル
　　シリル化シリカゲル ………………………… 380
液体クロマトグラフィー用 N,N－ジメチルホルムアミド … 224
液体クロマトグラフィー用弱酸性イオン交換樹脂 ………… 380
液体クロマトグラフィー用弱酸性イオン交換シリカゲル … 380
液体クロマトグラフィー用シリカゲル ………………… 380
液体クロマトグラフィー用親水性シリカゲル ……………… 380
液体クロマトグラフィー用スチレン－
　　ジビニルベンゼン共重合体 ………………… 380
液体クロマトグラフィー用スルホンアミド基を
　　結合したヘキサデシルシリル化シリカゲル ………… 381
液体クロマトグラフィー用セルモロイキン ………………… 224
液体クロマトグラフィー用セルローストリス(4－
　　メチルベンゾエート)被覆シリカゲル ……………… 381
液体クロマトグラフィー用セルロース誘導体
　　被覆シリカゲル ……………………………… 381
液体クロマトグラフィー用第四級アンモニウム基を
　　結合した親水性ビニルポリマーゲル ……………… 381
液体クロマトグラフィー用多孔質シリカゲル …………… 381
液体クロマトグラフィー用多孔性スチレン－
　　ジビニルベンゼン共重合体 ………………… 381
液体クロマトグラフィー用多孔性ポリメタクリレート …… 381
液体クロマトグラフィー用チミン ……………………… 224
液体クロマトグラフィー用 $2'$－デオキシウリジン ………… 224
液体クロマトグラフィー用デキストラン－
　　高度架橋アガロースゲルろ過担体 ………………… 381
液体クロマトグラフィー用テトラヒドロフラン ………… 224
液体クロマトグラフィー用トリアコンチルシリル化
　　シリカゲル ………………………………… 381
液体クロマトグラフィー用トリプシン ………………… 224
液体クロマトグラフィー用トリメチルシリル化
　　シリカゲル ………………………………… 381
液体クロマトグラフィー用パーフルオロヘキシル
　　プロピルシリル化シリカゲル ……………… 381
液体クロマトグラフィー用パルミトアミドプロピル
　　シリル化シリカゲル ………………………… 381
液体クロマトグラフィー用非多孔性強酸性
　　イオン交換樹脂 ……………………………… 381
液体クロマトグラフィー用ヒトアルブミン化学結合
　　シリカゲル ………………………………… 381
液体クロマトグラフィー用 2－ヒドロキシプロピル－
　　$β$－シクロデキストリル化シリカゲル ……………… 381
液体クロマトグラフィー用ヒドロキシプロピル
　　シリル化シリカゲル ………………………… 381
液体クロマトグラフィー用フェニル化シリカゲル ……… 381
液体クロマトグラフィー用フェニルシリル化シリカゲル … 381
液体クロマトグラフィー用フェニルヘキシル
　　シリル化シリカゲル ………………………… 381
液体クロマトグラフィー用ブチルシリル化シリカゲル …… 381
液体クロマトグラフィー用フルオロシリル化シリカゲル … 381
液体クロマトグラフィー用 2－プロパノール ……………… 224
液体クロマトグラフィー用ヘキサシリル化シリカゲル …… 381
液体クロマトグラフィー用ヘキサン ………………… 224
液体クロマトグラフィー用 n－ヘキサン ……………… 224
液体クロマトグラフィー用ヘプタン ………………… 224
液体クロマトグラフィー用ペンタエチレンヘキサアミノ化
　　ポリビニルアルコールポリマービーズ ……………… 381
液体クロマトグラフィー用ポリアミンシリカゲル ……… <u>32</u>
液体クロマトグラフィー用メタノール ………………… 224
液体クロマトグラフィー用 1－メチル－$1H$－
　　テトラゾール－5－チオール ……………………… 224
液体クロマトグラフィー用 5－ヨードウラシル …………… 224
液体クロマトグラフィー用 4級アルキルアミノ化
　　スチレン－ジビニルベンゼン共重合体 …………… 380
液の色に関する機器測定法〈G1-4-181〉 …………… <u>115</u>
エコチオパートヨウ化物 ……………………… **583**, <u>35</u>
エスタゾラム ………………………………… **584**, <u>35</u>
SDSポリアクリルアミドゲル電気泳動法〈G3-8-170〉 …… 2555
SDSポリアクリルアミドゲル電気泳動用緩衝液 ………… 224
エストラジオール安息香酸エステル ……………… **584**
エストラジオール安息香酸エステル水性懸濁注射液 …… **585**
エストリオール ……………………………… **586**, <u>35</u>
エストリオール試験用安息香酸メチル ……………… 224
エストリオール錠 …………………………… **586**
エストリオール水性懸濁注射液 ……………………… **587**
エタクリン酸 ………………………………… **588**, <u>35</u>
エタクリン酸，定量用 ……………………… 224
エタクリン酸錠 ……………………………… **588**
エタノール ………………………… 224, **589**, <u>55</u>
エタノール(95) ……………………………… 224
エタノール(95)，メタノール不含 ……………… 224
エタノール(99.5) ……………………………… 224
エタノール(99.5)，液体クロマトグラフィー用 ……… 224
エタノール，薄めた ………………………… 224
エタノール，ガスクロマトグラフィー用 ……… 224
エタノール，希 ……………………………… 224
エタノール，消毒用 ………………………… 224
エタノール，中和 …………………………… 224
エタノール，無アルデヒド ………………… 224
エタノール，無水 …………………………… 224
エタノール，メタノール不含 ……………… 224
エタノール・生理食塩液 …………………… 224
エタノール不含クロロホルム ……………… 224
エダラボン ………………………………… **591**, <u>35</u>
エダラボン，定量用 ……………………… 224
エダラボン注射液 ………………………… **592**
エタンブトール塩酸塩 …………………… **594**, <u>35</u>
エチオナミド ……………………………… **594**, <u>35</u>
エチゾラム ………………………………… **595**, <u>35</u>
エチゾラム，定量用 ……………………… 224
エチゾラム細粒 …………………………… **597**
エチゾラム錠 ……………………………… **596**
エチドロン酸二ナトリウム ……………… **598**, <u>35</u>
エチドロン酸二ナトリウム，定量用 ……… 224
エチドロン酸二ナトリウム錠 ……………… **599**
エチニルエストラジオール ……………… 224, **600**

エチニルエストラジオール錠	*600*	4'-エトキシアセトフェノン	*225*
エチルアミン塩酸塩	*224*	3-エトキシ-4-ヒドロキシベンズアルデヒド	*225*
L-エチルシステイン塩酸塩	*601*, **35**	4-エトキシフェノール	*226*
エチルシリル化シリカゲル，カラムクロマトグラフィー用	*381*	p-エトキシフェノール	*226*
エチルセルロース	*602*, **35**	エトスクシミド	*609*, **35**
2-エチル-2-フェニルマロンジアミド	*224*	エトドラク	*610*, **35**
エチルベンゼン	*225*	エトポシド	*610*, **35**
N-エチルマレイミド	*225*	エドロホニウム塩化物	*611*, **35**
エチルモルヒネ塩酸塩水和物	*603*	エドロホニウム塩化物注射液	*612*
N-エチルモルホリン	*225*	エナラプリルマレイン酸塩	*226*, *612*, **35**
エチレフリン塩酸塩	*225*, *604*, **35**	エナラプリルマレイン酸塩錠	*613*
エチレフリン塩酸塩，定量用	*225*	エナント酸メテノロン	*226*
エチレフリン塩酸塩錠	*604*	エナント酸メテノロン，定量用	*226*
エチレンオキシド	*225*	NADHペルオキシダーゼ	*226*
エチレングリコール	*225*	NADHペルオキシダーゼ試液	*226*
エチレングリコール，水分測定用	*225*	NN指示薬	*226*
エチレンジアミン	*225*, *605*, **35**	NFS-60細胞	*226*
エチレンジアミン試液	*225*	NK-7細胞	*226*
0.001 mol/Lエチレンジアミン四酢酸二水素二ナトリウム液	*191*	エノキサシン水和物	*615*, **35**
0.01 mol/Lエチレンジアミン四酢酸二水素二ナトリウム液	*191*	エバスチン	*616*, **35**
0.02 mol/Lエチレンジアミン四酢酸二水素二ナトリウム液	*191*	エバスチン，定量用	*226*
0.05 mol/Lエチレンジアミン四酢酸二水素二ナトリウム液	*191*	エバスチン口腔内崩壊錠	*618*
0.1 mol/Lエチレンジアミン四酢酸二水素二ナトリウム液	*191*	エバスチン錠	*616*
エチレンジアミン四酢酸二水素二ナトリウム試液，0.04 mol/L	*225*	エパルレスタット	*619*, **35**
エチレンジアミン四酢酸二水素二ナトリウム試液，0.1 mol/L	*225*	エパルレスタット錠	*620*
エチレンジアミン四酢酸二水素二ナトリウム試液，0.4 mol/L，pH 8.5	*225*	4-エピオキシテトラサイクリン	*226*
エチレンジアミン四酢酸二水素二ナトリウム二水和物	*225*	6-エピドキシサイクリン塩酸塩	*226*
エチレンジアミン四酢酸二ナトリウム	*225*	エピネフリン	*429*
エチレンジアミン四酢酸二ナトリウム亜鉛	*225*	エピネフリン液	*430*
エチレンジアミン四酢酸二ナトリウム亜鉛四水和物	*225*	エピネフリン注射液	*430*
0.001 mol/Lエチレンジアミン四酢酸二ナトリウム液	*191*	エピリゾール	*621*, **35**
0.01 mol/Lエチレンジアミン四酢酸二ナトリウム液	*191*	エピルビシン塩酸塩	*621*, **35**
0.02 mol/Lエチレンジアミン四酢酸二ナトリウム液	*191*	エフェドリン塩酸塩	*226*, *622*, **35**
0.05 mol/Lエチレンジアミン四酢酸二ナトリウム液	*191*	エフェドリン塩酸塩，生薬定量用	*226*
0.1 mol/Lエチレンジアミン四酢酸二ナトリウム液	*191*	エフェドリン塩酸塩，定量用	*226*
エチレンジアミン四酢酸二ナトリウム試液，0.1 mol/L	*225*	エフェドリン塩酸塩散10%	*624*
エチレンジアミン四酢酸二ナトリウム銅	*225*	エフェドリン塩酸塩錠	*623*
エチレンジアミン四酢酸二ナトリウム銅四水和物	*225*	エフェドリン塩酸塩注射液	*625*
エデト酸カルシウムナトリウム水和物	*606*, **35**	FL細胞	*226*
エデト酸ナトリウム水和物	*607*, **35**	FBS・IMDM	*226*
エーテル	*225*, *607*	エプレレノン	*625*, **35**
エーテル，生薬純度試験用	*225*	エプレレノン錠	*626*
エーテル，麻酔用	*225*	エペリゾン塩酸塩	*627*, **35**
エーテル，無水	*225*	エポエチン　アルファ(遺伝子組換え)	*628*
エテンザミド	*225*, *608*, **35**	エポエチンアルファ液体クロマトグラフィー用トリプシン	*227*
		エポエチンアルファ用N-アセチルノイラミン酸	*227*
		エポエチンアルファ用基質試液	*227*
		エポエチンアルファ用試料緩衝液	*227*
		エポエチンアルファ用トリプシン試液	*227*
		エポエチンアルファ用ブロッキング試液	*227*
		エポエチンアルファ用分子量マーカー	*227*
		エポエチンアルファ用ポリアクリルアミドゲル	*227*
		エポエチンアルファ用リン酸塩緩衝液	*227*

エポエチン　ベータ(遺伝子組換え)	**631**, <u>56</u>
エポエチンベータ用トリエチルアミン	227
エポエチンベータ用トリフルオロ酢酸	227
エポエチンベータ用ポリソルベート20	227
エポエチンベータ用2－メルカプトエタノール	227
エボジアミン，定量用	227
MTT試液	228
エメダスチンフマル酸塩	**633**, <u>35</u>
エメダスチンフマル酸塩，定量用	228
エメダスチンフマル酸塩徐放カプセル	**634**
エメチン塩酸塩，定量用	228
エモルファゾン	**635**, <u>35</u>
エモルファゾン，定量用	228
エモルファゾン錠	**636**
エリオクロムブラックT	228
エリオクロムブラックT・塩化ナトリウム指示薬	228
エリオクロムブラックT試液	228
エリキシル剤	11
エリスロマイシン	**637**, <u>35</u>
エリスロマイシンB	228
エリスロマイシンC	228
エリスロマイシンエチルコハク酸エステル	**638**
エリスロマイシンステアリン酸塩	**639**
エリスロマイシン腸溶錠	**638**
エリスロマイシンラクトビオン酸塩	**639**
エリブリンメシル酸塩	**640**, <u>35</u>
エルカトニン	**644**
エルカトニン試験用トリプシン試液	228
エルゴカルシフェロール	**646**
エルゴタミン酒石酸塩	**647**
エルゴメトリンマレイン酸塩	**648**
エルゴメトリンマレイン酸塩錠	**648**
エルゴメトリンマレイン酸塩注射液	**649**
エレウテロシドB，液体クロマトグラフィー用	228
塩化亜鉛	228, **650**, <u>35</u>
塩化亜鉛試液	228
塩化亜鉛試液，0.04 mol/L	229
塩化アセチル	229
塩化アルミニウム	229
塩化アルミニウム試液	229
塩化アルミニウム(Ⅲ)試液	229
塩化アルミニウム(Ⅲ)六水和物	229
塩化アンチモン(Ⅲ)	229
塩化アンチモン(Ⅲ)試液	229
塩化アンモニウム	229
塩化アンモニウム・アンモニア試液	229
塩化アンモニウム緩衝液，pH 10	229
塩化アンモニウム試液	229
塩化インジウム(^{111}In)注射液	**650**
塩化カリウム	229, **650**, <u>35</u>
塩化カリウム，赤外吸収スペクトル用	229
塩化カリウム，定量用	229
塩化カリウム，導電率測定用	229
塩化カリウム・塩酸緩衝液	229
塩化カリウム試液，0.2 mol/L	229
塩化カリウム試液，酸性	229
塩化カルシウム	229
塩化カルシウム，乾燥用	229
塩化カルシウム，水分測定用	229
塩化カルシウム試液	229
塩化カルシウム水和物	**651**, <u>36</u>
塩化カルシウム水和物，定量用	229
塩化カルシウム注射液	**651**
塩化カルシウム二水和物	229
塩化カルシウム二水和物，定量用	229
塩化金酸	229
塩化金酸試液	229
塩化コバルト	229
塩化コバルト・エタノール試液	229
塩化コバルト(Ⅱ)・エタノール試液	229
塩化コバルト試液	229
塩化コバルト(Ⅱ)試液	229
塩化コバルト(Ⅱ)六水和物	229
塩化コリン	229
塩化水銀(Ⅱ)	229
塩化水素・エタノール試液	229
塩化スキサメトニウム，薄層クロマトグラフィー用	229
塩化スズ(Ⅱ)・塩酸試液	229
塩化スズ(Ⅱ)・硫酸試液	229
塩化スズ(Ⅱ)試液	229
塩化スズ(Ⅱ)試液，酸性	229
塩化スズ(Ⅱ)二水和物	229
塩化ストロンチウム	229
塩化ストロンチウム六水和物	229
塩化セシウム	229
塩化セシウム試液	229
塩化第一スズ	229
塩化第一スズ・硫酸試液	230
塩化第一スズ試液	229
塩化第一スズ試液，酸性	229
塩化第二水銀	230
塩化第二鉄	230
塩化第二鉄・酢酸試液	230
塩化第二鉄・ピリジン試液，無水	230
塩化第二鉄・メタノール試液	230
塩化第二鉄・ヨウ素試液	230
塩化第二鉄試液	230
塩化第二鉄試液，希	230
塩化第二鉄試液，酸性	230
塩化第二銅	230
塩化第二銅・アセトン試液	230
塩化タリウム(^{201}Tl)注射液	**651**
塩化チオニル	230
塩化チタン(Ⅲ)(20)	230
塩化チタン(Ⅲ)・硫酸試液	230
0.1 mol/L塩化チタン(Ⅲ)液	191
塩化チタン(Ⅲ)試液	230
塩化鉄(Ⅲ)・アミド硫酸試液	230

項目	ページ
塩化鉄(Ⅲ)・酢酸試液	230
塩化鉄(Ⅲ)・ピリジン試液，無水	230
塩化鉄(Ⅲ)・ヘキサシアノ鉄(Ⅲ)酸カリウム試液	230
塩化鉄(Ⅲ)・メタノール試液	230
塩化鉄(Ⅲ)・ヨウ素試液	230
塩化鉄(Ⅲ)試液	230
塩化鉄(Ⅲ)試液，希	230
塩化鉄(Ⅲ)試液，酸性	230
塩化鉄(Ⅲ)六水和物	230
塩化テトラn-ブチルアンモニウム	230
塩化銅(Ⅱ)・アセトン試液	230
塩化銅(Ⅱ)二水和物	230
塩化トリフェニルテトラゾリウム	230
塩化2,3,5-トリフェニル-2H-テトラゾリウム	230
塩化2,3,5-トリフェニル-2H-テトラゾリウム・メタノール試液，噴霧用	230
塩化トリフェニルテトラゾリウム試液	230
塩化2,3,5-トリフェニル-2H-テトラゾリウム試液	230
塩化ナトリウム	230, **652**, *36*, **56**
塩化ナトリウム(標準試薬)	230
塩化ナトリウム，定量用	230
塩化ナトリウム試液	230
塩化ナトリウム試液，0.1 mol/L	230
塩化ナトリウム試液，0.2 mol/L	230
塩化ナトリウム試液，1 mol/L	230
0.9％塩化ナトリウム注射液	**991**
10％塩化ナトリウム注射液	**653**
塩化p-ニトロベンゼンジアゾニウム試液	230
塩化p-ニトロベンゼンジアゾニウム試液，噴霧用	230
塩化白金酸	230
塩化白金酸・ヨウ化カリウム試液	230
塩化白金酸試液	230
塩化パラジウム	231
塩化パラジウム(Ⅱ)	231
塩化パラジウム試液	231
塩化パラジウム(Ⅱ)試液	231
塩化バリウム	231
0.01 mol/L塩化バリウム液	192
0.02 mol/L塩化バリウム液	192
0.1 mol/L塩化バリウム液	192
塩化バリウム試液	231
塩化バリウム二水和物	231
塩化パルマチン	231
塩化ヒドロキシルアンモニウム	231
塩化ヒドロキシルアンモニウム・エタノール試液	231
塩化ヒドロキシルアンモニウム・塩化鉄(Ⅲ)試液	231
塩化ヒドロキシルアンモニウム試液	231
塩化ヒドロキシルアンモニウム試液，pH 3.1	231
塩化ビニル	231
塩化ビニル標準液	202
塩化1,10-フェナントロリニウム一水和物	231
塩化フェニルヒドラジニウム	231
塩化フェニルヒドラジニウム試液	231
塩化n-ブチル	231
塩化物試験法	25
塩化物標準液	202
塩化物標準原液	202
塩化ベルベリン	231
塩化ベルベリン，薄層クロマトグラフィー用	231
塩化ベンザルコニウム	231
塩化ベンゼトニウム，定量用	231
塩化ベンゾイル	231
塩化マグネシウム	231
0.01 mol/L塩化マグネシウム液	192
0.05 mol/L塩化マグネシウム液	192
塩化マグネシウム六水和物	231
塩化メチルロザニリン	231
塩化メチルロザニリン試液	231
塩化ランタン試液	231
塩化リゾチーム用基質試液	231
塩化リチウム	231
塩化ルビジウム	231
エンゴサク	**1875**, **83**
延胡索	**1875**
エンゴサク末	**1875**, **84**
延胡索末	**1875**
塩酸	231, **653**, **36**
0.001 mol/L塩酸	193
0.01 mol/L塩酸	193
0.02 mol/L塩酸	193
0.05 mol/L塩酸	193
0.1 mol/L塩酸	193
0.2 mol/L塩酸	192
0.5 mol/L塩酸	192
1 mol/L塩酸	192
2 mol/L塩酸	192
塩酸，希	231
塩酸，精製	231
塩酸・エタノール試液	232
塩酸・塩化カリウム緩衝液，pH 2.0	232
塩酸・酢酸アンモニウム緩衝液，pH 3.5	232
塩酸・2-プロパノール試液	232
塩酸・メタノール試液，0.01 mol/L	232
塩酸・メタノール試液，0.05 mol/L	232
塩酸アゼラスチン，定量用	232
塩酸14-アニソイルアコニン，成分含量測定用	232
塩酸アプリンジン，定量用	232
塩酸アミオダロン，定量用	232
塩酸4-アミノアンチピリン	232
塩酸4-アミノアンチピリン試液	232
塩酸4-アミノフェノール	232
塩酸p-アミノフェノール	232
塩酸アモスラロール，定量用	232
塩酸L-アルギニン	232
塩酸イソクスプリン，定量用	232
塩酸イソプロメタジン，薄層クロマトグラフィー用	232
塩酸イミダプリル	232
塩酸イミダプリル，定量用	232

塩酸イミプラミン	232	塩酸ヒドロキシアンモニウム	232
塩酸エチレフリン	232	塩酸ヒドロキシアンモニウム・エタノール試液	232
塩酸エチレフリン，定量用	232	塩酸ヒドロキシアンモニウム・塩化鉄(III)試液	233
塩酸6－エピドキシサイクリン	232	塩酸ヒドロキシアンモニウム試液	232
塩酸エフェドリン	232	塩酸ヒドロキシアンモニウム試液，pH 3.1	232
塩酸エフェドリン，定量用	232	塩酸ヒドロキシルアミン	233
塩酸エメチン，成分含量測定用	232	塩酸ヒドロキシルアミン・塩化第二鉄試液	233
塩酸オキシコドン，定量用	232	塩酸ヒドロキシルアミン試液	233
塩酸クロルプロマジン，定量用	232	塩酸ヒドロキシルアミン試液，pH 3.1	233
塩酸クロルヘキシジン	232	塩酸ヒドロコタルニン，定量用	233
塩酸(2－クロロエチル)ジエチルアミン	232	塩酸ピペリジン	233
塩酸2,4－ジアミノフェノール	232	塩酸1－(4－ピリジル)ピリジニウムクロリド	233
塩酸2,4－ジアミノフェノール試液	232	塩酸ピリドキシン	233
塩酸試液，0.001 mol/L	231	塩酸1,10－フェナントロリニウム一水和物	233
塩酸試液，0.01 mol/L	231	塩酸o－フェナントロリン	233
塩酸試液，0.02 mol/L	231	塩酸フェニルヒドラジニウム	233
塩酸試液，0.05 mol/L	231	塩酸フェニルヒドラジニウム試液	233
塩酸試液，0.1 mol/L	231	塩酸フェニルヒドラジン	233
塩酸試液，0.2 mol/L	231	塩酸フェニルヒドラジン試液	233
塩酸試液，0.5 mol/L	231	塩酸フェニルピペラジン	233
塩酸試液，1 mol/L	231	塩酸フェネチルアミン	233
塩酸試液，2 mol/L	231	塩酸プソイドエフェドリン	233
塩酸試液，3 mol/L	231	塩酸ブホルミン，定量用	233
塩酸試液，5 mol/L	231	塩酸プロカイン	233
塩酸試液，6 mol/L	231	塩酸プロカイン，定量用	233
塩酸試液，7.5 mol/L	231	塩酸プロカインアミド	233
塩酸試液，10 mol/L	232	塩酸プロカインアミド，定量用	233
塩酸試液，アミノ酸自動分析用6 mol/L	232	塩酸プロカテロール	233
塩酸ジエタノールアミン	232	塩酸プロパフェノン，定量用	233
L－塩酸システイン	232	塩酸プロプラノロール，定量用	233
塩酸ジフェニドール	232	塩酸ペチジン，定量用	233
塩酸1,1－ジフェニル－4－ピペリジノ－1－ブテン，薄層クロマトグラフィー用	232	塩酸ベニジピン	233
塩酸ジブカイン	232	塩酸ベニジピン，定量用	233
塩酸N,N－ジメチル－p－フェニレンジアミン	232	塩酸ベノキシネート	**668**
塩酸ジルチアゼム	232	塩酸ベラパミル，定量用	233
塩酸シンコカイン	**918**	塩酸ベンゾイルヒパコニン，成分含量測定用	233
塩酸スレオプロカテロール	232	塩酸ベンゾイルメサコニン，成分含量測定用	233
塩酸セチリジン，定量用	232	塩酸ベンゾイルメサコニン，薄層クロマトグラフィー用	233
塩酸セフカペンピボキシル	232	塩酸ミノサイクリン	233
塩酸セミカルバジド	232	塩酸メタサイクリン	233
塩酸タムスロシン	232	dl－塩酸メチルエフェドリン	233
塩酸チアプリド，定量用	232	dl－塩酸メチルエフェドリン，定量用	233
塩酸チアラミド，定量用	232	塩酸メトホルミン，定量用	233
塩酸テトラサイクリン	232	塩酸メピバカイン，定量用	233
塩酸ドパミン，定量用	232	塩酸メフロキン	233
塩酸トリメタジジン，定量用	232	塩酸モルヒネ	233
塩酸ニカルジピン，定量用	232	塩酸モルヒネ，定量用	233
塩酸パパベリン	232	塩酸ラベタロール	233
塩酸パパベリン，定量用	232	塩酸ラベタロール，定量用	233
塩酸パラアミノフェノール	232	塩酸L－リジン	233
L－塩酸ヒスチジン	232	塩酸リトドリン	233
塩酸ヒドララジン	232	塩酸リモナーデ	**654**
塩酸ヒドララジン，定量用	232	塩酸ロキサチジンアセタート	233
		炎色反応試験法	25

塩素	233
塩素酸カリウム	233
塩素試液	233
エンタカポン	*654*, *36*
エンタカポン錠	*656*
遠藤培地	233
遠藤平板培地	233
エンドトキシン規格値の設定〈G4-5-131〉	2598
エンドトキシン試験法	*112*
エンドトキシン試験法と測定試薬に遺伝子組換えタンパク質を用いる代替法〈G4-4-180〉	2596
エンドトキシン試験用水	233
エンドトキシン試験用トリス緩衝液	233
エンビオマイシン硫酸塩	*657*, *36*, *56*
エンフルラン	233, *658*
円偏光二色性測定法	*16*

オ

オイゲノール，薄層クロマトグラフィー用	233
オウギ	*1876*
黄耆	*1876*
オウゴニン，薄層クロマトグラフィー用	234
オウゴン	*1877*
黄芩	*1877*
オウゴン末	*1878*
黄芩末	*1878*
黄色ワセリン	*1857*, *51*, *81*
王水	234
オウセイ	*1878*
黄精	*1878*
オウバク	*1879*
黄柏	*1879*
オウバク・タンナルビン・ビスマス散	*1881*
オウバク末	*1880*
黄柏末	*1880*
オウヒ	*1881*
桜皮	*1881*
オウレン	*1882*
黄連	*1882*
黄連解毒湯エキス	*1884*
オウレン末	*1883*
黄連末	*1883*
黄蝋	*2064*
オキサゾラム	*659*, *36*
オキサピウムヨウ化物	*660*, *36*
オキサプロジン	*660*, *36*
p－オキシ安息香酸	234
p－オキシ安息香酸イソプロピル	234
p－オキシ安息香酸ベンジル	234
2－オキシ－1－(2′－オキシ－4′－スルホ－1′－ナフチルアゾ)－3－ナフトエ酸	234
8－オキシキノリン	234
オキシコドン塩酸塩水和物	*661*

オキシコドン塩酸塩水和物，定量用	234
オキシテトラサイクリン塩酸塩	*664*, *36*
オキシトシン	234, *665*
オキシトシン注射液	*667*
オキシドール	*668*, *36*
オキシブチニン塩酸塩	*57*
オキシブプロカイン塩酸塩	*668*, *36*
オキシメトロン	*669*
オキセサゼイン	*670*, *36*
オキセタカイン	*670*
オクスプレノロール塩酸塩	*670*, *36*
n－オクタデカン	234
オクタデシル－強アニオン交換基シリル化シリカゲル，液体クロマトグラフィー用	381
オクタデシルシリル化シリカゲル，液体クロマトグラフィー用	381
オクタデシルシリル化シリカゲル，薄層クロマトグラフィー用	381
オクタデシルシリル化シリカゲル(蛍光剤入り)，薄層クロマトグラフィー用	381
オクタデシルシリル化シリカゲル，前処理用	234
オクタデシルシリル化シリコンポリマー被覆シリカゲル，液体クロマトグラフィー用	381
オクタデシルシリル化シリコーンポリマー被覆シリカゲル，液体クロマトグラフィー用	381
オクタデシルシリル化多孔質ガラス，液体クロマトグラフィー用	381
オクタデシルシリル化ポリビニルアルコールゲルポリマー，液体クロマトグラフィー用	381
オクタデシルシリル化モノリス型シリカ，液体クロマトグラフィー用	381
オクタデシルシリル基及びオクチルシリル基を結合した多孔質シリカゲル，液体クロマトグラフィー用	*32*
1－オクタノール	234
n－オクタン	234
オクタン，イソ	234
1－オクタンスルホン酸ナトリウム	234
オクチルアルコール	234
オクチルシリル化シリカゲル，液体クロマトグラフィー用	381
n－オクチルベンゼン	234
オザグレルナトリウム	*671*, *36*
オザグレルナトリウム注射液	*672*
オストール，薄層クロマトグラフィー用	234
乙字湯エキス	*1886*
オピアル	*435*
オピアル注射液	*436*
オフロキサシン	234, *673*, *36*
オフロキサシン脱メチル体	234
オボムコイド化学結合アミノシリカゲル，液体クロマトグラフィー用	381
オメプラゾール	*674*, *36*
オメプラゾール，定量用	234
オメプラゾール腸溶錠	*675*
オーラノフィン	*676*, *36*

オーラノフィン錠 ･･････････････････････････････ *677*
オリブ油 ･･････････････････････････ *234*, **1889**
オルシプレナリン硫酸塩 ･･････････････ **678**, <u>*36*</u>
オルシン ･････････････････････････････････････ *234*
オルシン・塩化第二鉄試液 ･････････････････････ *234*
オルシン・塩化鉄(Ⅲ)試液 ･････････････････････ *234*
オルトキシレン ･･････････････････････････････ *234*
オルトトルエンスルホンアミド ･････････････････ *234*
オルメサルタン　メドキソミル ･････････ **679**, <u>*36*</u>
オルメサルタン　メドキソミル錠 ･･･････････ **680**
オレイン酸 ･･･････････････････････････････････ *234*
オレイン酸メチル，ガスクロマトグラフィー用 ･･･ *235*
オレンジ油 ･････････････････････････････････ **1889**
オロパタジン塩酸塩 ･･････････････････ **681**, <u>*36*</u>
オロパタジン塩酸塩，定量用 ･･･････････････････ *235*
オロパタジン塩酸塩錠 ･･･････････････････････ **682**
オンジ ･･･････････････････････････ *235*, **1889**
遠志 ･･･････････････････････････････････････ **1889**
オンジ末 ･･････････････････････････････････ **1890**
遠志末 ･･･････････････････････････････････ **1890**
温度計 ･･･････････････････････････････････････ *388*

カ

海砂 ･･･ *235*
カイニン酸 ･･････････････････････････････････ *235*
カイニン酸，定量用 ･･････････････････････････ *235*
カイニン酸・サントニン散 ･････････････････ **684**
カイニン酸水和物 ･････････････ *235*, **683**, <u>*36*</u>
カイニン酸水和物，定量用 ･････････････････････ *235*
海人草 ･････････････････････････････････････ **2063**
ガイヨウ ･･･････････････････････････ **1890**, <u>*84*</u>
艾葉 ･･･････････････････････････････････････ **1890**
外用エアゾール剤 ･････････････････････････････ *19*
外用液剤 ･････････････････････････････････････ *19*
外用固形剤 ･･･････････････････････････････････ *19*
外用散剤 ･････････････････････････････････････ *19*
過塩素酸 ･････････････････････････････････････ *235*
0.02 mol/L過塩素酸 ･･････････････････････････ *193*
0.05 mol/L過塩素酸 ･･････････････････････････ *193*
0.1 mol/L過塩素酸 ･･･････････････････････････ *193*
過塩素酸・エタノール試液 ･････････････････････ *235*
0.004 mol/L過塩素酸・ジオキサン液 ･････････ *193*
0.004 mol/L過塩素酸・1,4－ジオキサン液 ････ *193*
0.05 mol/L過塩素酸・ジオキサン液 ･･････････ *193*
0.05 mol/L過塩素酸・1,4－ジオキサン液 ･････ *193*
0.1 mol/L過塩素酸・ジオキサン液 ･･･････････ *193*
0.1 mol/L過塩素酸・1,4－ジオキサン液 ･･････ *193*
過塩素酸・無水エタノール試液 ･････････････････ *235*
過塩素酸第二鉄 ･････････････････････････････ *235*
過塩素酸第二鉄・無水エタノール試液 ･･･････････ *235*
過塩素酸鉄(Ⅲ)・エタノール試液 ･･･････････････ *235*
過塩素酸鉄(Ⅲ)六水和物 ･･･････････････････････ *235*
過塩素酸ナトリウム ･････････････････････････ *235*

過塩素酸ナトリウム一水和物 ･･･････････････････ *235*
過塩素酸バリウム ･･･････････････････････････ *235*
0.005 mol/L過塩素酸バリウム液 ････････････ *193*
過塩素酸ヒドロキシルアミン ･･･････････････････ *235*
過塩素酸ヒドロキシルアミン・エタノール試液 ･･･ *235*
過塩素酸ヒドロキシルアミン・無水エタノール試液 ･･･ *235*
過塩素酸ヒドロキシルアミン試液 ･･･････････････ *235*
過塩素酸リチウム ･･･････････････････････････ *235*
カオリン ･･････････････････････････････････ **684**
カカオ脂 ･･･････････････････････････････････ **1891**
化学合成される医薬品原薬及びその製剤の
　　不純物に関する考え方〈G0-3-181〉 ････････ *2506*, <u>*112*</u>
化学用体積計 ････････････････････････････････ *385*
過ギ酸 ･･･････････････････････････････････････ *235*
核酸分解酵素不含水 ･････････････････････････ *235*
核磁気共鳴(NMR)法を利用した定量技術と
　　日本薬局方試薬への応用〈G5-5-170〉 ･･･････ *2623*
核磁気共鳴スペクトル測定法 ･････････････････････ *43*
核磁気共鳴スペクトル測定用DSS－d_6 ･････････ *235*
核磁気共鳴スペクトル測定用重塩酸 ･････････････ *235*
核磁気共鳴スペクトル測定用重水 ･･･････････････ *235*
核磁気共鳴スペクトル測定用重水素化アセトン ･･･ *235*
核磁気共鳴スペクトル測定用重水素化ギ酸 ･･･････ *235*
核磁気共鳴スペクトル測定用重水素化クロロホルム ･･･ *235*
核磁気共鳴スペクトル測定用重水素化
　　ジメチルスルホキシド ･････････････････････ *235*
核磁気共鳴スペクトル測定用重水素化ピリジン ･･･ *235*
核磁気共鳴スペクトル測定用重水素化メタノール ･･･ *235*
核磁気共鳴スペクトル測定用重水素化溶媒 ･･･････ *235*
核磁気共鳴スペクトル測定用テトラメチルシラン ･･･ *235*
核磁気共鳴スペクトル測定用トリフルオロ酢酸 ･･･ *235*
核磁気共鳴スペクトル測定用3－トリメチルシリル
　　プロパンスルホン酸ナトリウム ･････････････ *235*
核磁気共鳴スペクトル測定用3－トリメチルシリル
　　プロピオン酸ナトリウム－d_4 ･････････････ *235*
核磁気共鳴スペクトル測定用1,4－
　　ビス(トリメチルシリル)ベンゼン－d_4 ･････ *236*
核磁気共鳴スペクトル測定用1,4－BTMSB－d_4 ･･ *236*
確認試験用タクシャトリテルペン混合試液 ･･･････ *236*
加香ヒマシ油 ･･･････････････････････････････ **2033**
加工ブシ ･･････････････････････････････････ **2039**
加工ブシ末 ･･･････････････････････････････ **2040**
カゴソウ ･･････････････････････････････････ **1891**
夏枯草 ･････････････････････････････････････ **1891**
かさ密度及びタップ密度測定法 ･････････････････ *98*
過酸化水素(30) ･････････････････････････････ *236*
過酸化水素・水酸化ナトリウム試液 ･････････････ *236*
過酸化水素試液 ･････････････････････････････ *236*
過酸化水素試液，希 ･････････････････････････ *236*
過酸化水素水，強 ･･･････････････････････････ *236*
過酸化水素濃度試験紙 ･･･････････････････････ *384*
過酸化水素標準液 ･･･････････････････････････ *202*
過酸化水素標準原液 ･････････････････････････ *202*
過酸化ナトリウム ･･･････････････････････････ *236*

過酸化ベンゾイル，25%含水 ………………………… *236*
カシアフラスコ ………………………………………… *385*
カシュウ ……………………………………………… **1891**
何首烏 ………………………………………………… **1891**
ガジュツ ……………………………………………… **1892**
莪蒁 …………………………………………………… **1892**
莪朮 …………………………………………………… **1892**
加水ラノリン ………………………………………… **2072**
ガスクロマトグラフィー ……………………… *40*, <u>*12*</u>
ガスクロマトグラフィー用アセトアルデヒド ……… *236*
ガスクロマトグラフィー用アラキジン酸メチル …… *236*
ガスクロマトグラフィー用アルキレングリコール
　フタル酸エステル ………………………………… *236*
ガスクロマトグラフィー用エイコセン酸メチル …… *236*
ガスクロマトグラフィー用エタノール ……………… *236*
ガスクロマトグラフィー用オレイン酸メチル ……… *236*
ガスクロマトグラフィー用グラファイトカーボン … *381*
ガスクロマトグラフィー用グリセリン ……………… *236*
ガスクロマトグラフィー用ケイソウ土 ……………… *381*
ガスクロマトグラフィー用コハク酸ジエチレン
　グリコールポリエステル …………………………… *236*
ガスクロマトグラフィー用6%シアノプロピル
　フェニル–94%ジメチルシリコーンポリマー …… *236*
ガスクロマトグラフィー用14%シアノプロピル
　フェニル–86%ジメチルシリコーンポリマー …… *381*
ガスクロマトグラフィー用6%シアノプロピル–
　6%フェニル–メチルシリコーンポリマー ………… *236*
ガスクロマトグラフィー用7%シアノプロピル–
　7%フェニル–メチルシリコーンポリマー ………… *236*
ガスクロマトグラフィー用シアノプロピルメチル
　フェニルシリコーン ………………………………… *236*
ガスクロマトグラフィー用ジエチレングリコール
　アジピン酸エステル ………………………………… *236*
ガスクロマトグラフィー用ジエチレングリコール
　コハク酸エステル …………………………………… *236*
ガスクロマトグラフィー用5%ジフェニル・
　95%ジメチルポリシロキサン ……………………… *236*
ガスクロマトグラフィー用ジメチルポリシロキサン … *236*
ガスクロマトグラフィー用シリカゲル ……………… *381*
ガスクロマトグラフィー用ステアリン酸 …………… *236*
ガスクロマトグラフィー用ステアリン酸メチル …… *236*
ガスクロマトグラフィー用ゼオライト(孔径0.5 nm) … *382*
ガスクロマトグラフィー用石油系ヘキサメチル
　テトラコサン類分枝炭化水素混合物(L) ………… *236*
ガスクロマトグラフィー用D–ソルビトール ………… *236*
ガスクロマトグラフィー用多孔質シリカゲル ……… *382*
ガスクロマトグラフィー用多孔性アクリロニトリル–
　ジビニルベンゼン共重合体
　(孔径0.06～0.08 μm，100～200 m²/g) ………… *382*
ガスクロマトグラフィー用多孔性エチルビニルベンゼン–
　ジビニルベンゼン共重合体 ………………………… *382*
ガスクロマトグラフィー用多孔性エチルビニルベンゼン–
　ジビニルベンゼン共重合体
　(平均孔径0.0075 μm，500～600 m²/g) ………… *382*

ガスクロマトグラフィー用多孔性スチレン–
　ジビニルベンゼン共重合体
　(平均孔径0.0085 μm，300～400 m²/g) ………… *382*
ガスクロマトグラフィー用多孔性スチレン–
　ジビニルベンゼン共重合体
　(平均孔径0.3～0.4 μm，50 m²/g以下) ………… *382*
ガスクロマトグラフィー用多孔性ポリマービーズ … *382*
ガスクロマトグラフィー用テトラキスヒドロキシ
　プロピルエチレンジアミン ………………………… *236*
ガスクロマトグラフィー用テトラヒドロフラン …… *236*
ガスクロマトグラフィー用テレフタル酸 …………… *382*
ガスクロマトグラフィー用ノニルフェノキシ
　ポリ(エチレンオキシ)エタノール ………………… *236*
ガスクロマトグラフィー用パルミチン酸 …………… *236*
ガスクロマトグラフィー用パルミチン酸メチル …… *236*
ガスクロマトグラフィー用パルミトレイン酸メチル … *236*
ガスクロマトグラフィー用25%フェニル–
　25%シアノプロピル–メチルシリコーンポリマー … *236*
ガスクロマトグラフィー用5%フェニル–
　メチルシリコーンポリマー ………………………… *236*
ガスクロマトグラフィー用35%フェニル–
　メチルシリコーンポリマー ………………………… *236*
ガスクロマトグラフィー用50%フェニル–
　メチルシリコーンポリマー ………………………… *236*
ガスクロマトグラフィー用65%フェニル–
　メチルシリコーンポリマー ………………………… *236*
ガスクロマトグラフィー用50%フェニル–
　50%メチルポリシロキサン ………………………… *237*
ガスクロマトグラフィー用プロピレングリコール … *237*
ガスクロマトグラフィー用ポリアクリル酸メチル … *237*
ガスクロマトグラフィー用ポリアルキレングリコール … *237*
ガスクロマトグラフィー用ポリアルキレングリコール
　モノエーテル ………………………………………… *237*
ガスクロマトグラフィー用ポリエチレングリコール
　20 M ………………………………………………… *237*
ガスクロマトグラフィー用ポリエチレングリコール
　400 …………………………………………………… *237*
ガスクロマトグラフィー用ポリエチレングリコール
　600 …………………………………………………… *237*
ガスクロマトグラフィー用ポリエチレングリコール
　1500 ………………………………………………… *237*
ガスクロマトグラフィー用ポリエチレングリコール
　6000 ………………………………………………… *237*
ガスクロマトグラフィー用ポリエチレングリコール
　15000–ジエポキシド ……………………………… *237*
ガスクロマトグラフィー用ポリエチレングリコール
　エステル化物 ………………………………………… *237*
ガスクロマトグラフィー用ポリエチレングリコール
　2–ニトロテレフタレート …………………………… *237*
ガスクロマトグラフィー用ポリテトラフルオロエチレン … *382*
ガスクロマトグラフィー用ポリメチルシロキサン … *237*
ガスクロマトグラフィー用ミリスチン酸メチル …… *237*
ガスクロマトグラフィー用無水トリフルオロ酢酸 … *237*
ガスクロマトグラフィー用メチルシリコーンポリマー … *237*

項目	ページ
ガスクロマトグラフィー用四フッ化エチレンポリマー	382
ガスクロマトグラフィー用ラウリン酸メチル	237
ガスクロマトグラフィー用リグノセリン酸メチル	237
ガスクロマトグラフィー用リノール酸メチル	237
ガスクロマトグラフィー用リノレン酸メチル	237
カゼイン(乳製)	237
カゼイン,乳製	237
カゼイン製ペプトン	237
ガチフロキサシン水和物	**685**, **36**
ガチフロキサシン点眼液	**686**
カッコウ	**1892**
藿香	**1892**
カッコン	**1893**
葛根	**1893**
葛根湯エキス	**1893**
葛根湯加川芎辛夷エキス	**1896**
活性アルミナ	237
活性炭	237
活性部分トロンボプラスチン時間測定用試液	237
活性部分トロンボプラスチン時間測定用試薬	237
カッセキ	**1900**
滑石	**1900**
過テクネチウム酸ナトリウム(^{99m}Tc)注射液	**688**
カテコール	237
果糖	237, **688**, **36**
果糖,薄層クロマトグラフィー用	237
果糖注射液	**688**, **36**
カドミウム・ニンヒドリン試液	237
カドミウム地金	237
カドミウム標準液	202
カドミウム標準原液	202
カドララジン	**689**, **36**
カドララジン,定量用	237
カドララジン錠	**690**
カナマイシン一硫酸塩	**691**, **36**
カナマイシン硫酸塩	237, **692**, **36**
カノコソウ	**1900**
カノコソウ末	**1900**
カフェイン	237
カフェイン,無水	237
カフェイン水和物	237, **693**, **36**
カプサイシン,成分含量測定用	237
(E)-カプサイシン,成分含量測定用	237
(E)-カプサイシン,定量用	237
カプサイシン,薄層クロマトグラフィー用	237
(E)-カプサイシン,薄層クロマトグラフィー用	238
カプセル	**694**
カプセル剤	10
カプトプリル	**695**, **36**
カプリル酸	238
n-カプリル酸エチル	238
ガベキサートメシル酸塩	**695**, **36**
カベルゴリン	**697**, **36**
火麻仁	**2064**
過マンガン酸カリウム	238, **698**, **36**
0.002 mol/L過マンガン酸カリウム液	194
0.02 mol/L過マンガン酸カリウム液	194
過マンガン酸カリウム試液	238
過マンガン酸カリウム試液,酸性	238
加味帰脾湯エキス	**1901**
加味逍遙散エキス	**1904**
ガム剤	13
カモスタットメシル酸塩	**698**, **36**
過ヨウ素酸カリウム	238
1.6%過ヨウ素酸カリウム・0.2%過マンガン酸カリウム試液,アルカリ性	238
過ヨウ素酸カリウム試液	238
過ヨウ素酸ナトリウム	238
過ヨウ素酸ナトリウム試液	238
D-ガラクトサミン塩酸塩	238
β-ガラクトシダーゼ(アスペルギルス)	**699**, **36**
β-ガラクトシダーゼ(ペニシリウム)	**700**, **36**
ガラクトース	238
D-ガラクトース	238
ガラスインピンジャーによる吸入剤の空気力学的粒度測定法〈G6-3-171〉	2639
ガラスウール	384
ガラス製医薬品容器〈G7-1-171〉	2644
ガラス繊維	384
ガラスろ過器	384
ガラスろ過器,酸化銅ろ過用	384
カラムクロマトグラフィー用エチルシリル化シリカゲル	382
カラムクロマトグラフィー用強塩基性イオン交換樹脂	382
カラムクロマトグラフィー用強酸性イオン交換樹脂	382
カラムクロマトグラフィー用合成ケイ酸マグネシウム	382
カラムクロマトグラフィー用ジエチルアミノエチルセルロース	382
カラムクロマトグラフィー用ジビニルベンゼン-N-ビニルピロリドン共重合体	382
カラムクロマトグラフィー用中性アルミナ	382
カラムクロマトグラフィー用ポリアミド	382
カリウム標準原液	202
カリジノゲナーゼ	**701**
カリジノゲナーゼ測定用基質試液(1)	238
カリジノゲナーゼ測定用基質試液(2)	238
カリジノゲナーゼ測定用基質試液(3)	238
カリジノゲナーゼ測定用基質試液(4)	238
カリ石ケン	**703**
顆粒剤	11
過硫酸アンモニウム	239
過硫酸カリウム	239
カルシウム標準液	202
カルシウム標準液,原子吸光光度用	202
カルシトニン サケ	**703**
カルテオロール塩酸塩	**706**, **36**
カルナウバロウ	**1906**
カルバゾクロム	239
カルバゾクロムスルホン酸ナトリウム,成分含量測定用	239

カルバゾクロムスルホン酸ナトリウム三水和物	239	乾燥減量試験法	51
カルバゾクロムスルホン酸ナトリウム水和物	706, 36	甘草末	1910
カルバゾール	239	乾燥甲状腺	840
カルバゾール試液	239	乾燥酵母	841
カルバマゼピン	707, 36	含嗽剤	13
カルバミン酸エチル	239	乾燥細胞培養痘そうワクチン	1186
カルバミン酸クロルフェネシン，定量用	239	乾燥ジフテリアウマ抗毒素	918
カルバモイル基結合型シリカゲル，		乾燥弱毒生おたふくかぜワクチン	673
液体クロマトグラフィー用	382	乾燥弱毒生風しんワクチン	1444
カルビドパ水和物	708, 36	乾燥弱毒生麻しんワクチン	1660
カルベジロール	709, 36	乾燥水酸化アルミニウムゲル	960, 40
カルベジロール，定量用	239	乾燥水酸化アルミニウムゲル細粒	961
カルベジロール錠	710	カンゾウ粗エキス	1910
カルボキシメチルセルロース	715	乾燥組織培養不活化狂犬病ワクチン	744
カルボキシメチルセルロースカルシウム	716	乾燥炭酸ナトリウム	239, 1111, 41
カルボキシメチルセルロースナトリウム	717	乾燥痘そうワクチン	1186
L－カルボシステイン	711, 36	乾燥はぶウマ抗毒素	1323
L－カルボシステイン，定量用	239	乾燥BCGワクチン	1374
L－カルボシステイン錠	712	乾燥ボウショウ	2047
カルボプラチン	239, 713	乾燥ボツリヌスウマ抗毒素	1637
カルボプラチン注射液	714	カンゾウ末	1909
カルメロース	715, 36	甘草末	1909
カルメロースカルシウム	716, 36	乾燥まむしウマ抗毒素	1662
カルメロースナトリウム	717, 36	乾燥用塩化カルシウム	239
カルモナムナトリウム	719, 36	乾燥用合成ゼオライト	239
カルモフール	720, 37	乾燥硫酸アルミニウムカリウム	1803
カロコン	1907	乾燥硫酸ナトリウム	2047
栝楼根	1907	カンデサルタン　シレキセチル	721, 37
カンキョウ	1907, 85	カンデサルタン　シレキセチル・	
乾姜	1907	アムロジピンベシル酸塩錠	724
還元液，分子量試験用	239	カンデサルタン　シレキセチル・	
還元緩衝液，ナルトグラスチム試料用	239, 32	ヒドロクロロチアジド錠	726
還元鉄	239	カンデサルタン　シレキセチル錠	722
丸剤	21	カンデサルタンシレキセチル	239
緩衝液，SDSポリアクリルアミドゲル電気泳動用	239	カンデサルタンシレキセチル，定量用	239
緩衝液，酵素消化用	239	カンテン	240, 1911
緩衝液，セルモロイキン用	239	寒天	1911
緩衝液，ナルトグラスチム試料用	239, 32	カンテン斜面培地	240
緩衝液，フィルグラスチム試料用	239	カンテン培地，普通	240
緩衝液用1 mol/Lクエン酸試液	239	カンテン末	1911
緩衝液用0.2 mol/Lフタル酸水素カリウム試液	239	寒天末	1911
緩衝液用0.2 mol/Lホウ酸・0.2 mol/L塩化カリウム試液	239	含糖ペプシン	240, 730
緩衝液用1 mol/Lリン酸一水素カリウム試液	239	眼軟膏剤	17
緩衝液用1 mol/Lリン酸水素二カリウム試液	239	眼軟膏剤の金属性異物試験法	147
緩衝液用0.2 mol/Lリン酸二水素カリウム試液	239	ガンビール	1861
乾生姜	1964	ガンビール末	1861
乾生姜末	1965	d－カンファスルホン酸	240
25％含水過酸化ベンゾイル	239	カンフル	240
4％含水中性アルミナ	239	d－カンフル	731
カンゾウ	1908	dl－カンフル	731
甘草	1908	肝油	732
乾燥亜硫酸ナトリウム	465, 33	カンレノ酸カリウム	732, 37
カンゾウエキス	1909		
甘草エキス	1909		

キ

希エタノール……240
希塩化第二鉄試液……240
希塩化鉄(Ⅲ)試液……240
希塩酸……240, 653, **36**
希過酸化水素試液……240
気管支・肺に適用する製剤……16
希ギムザ試液……240
キキョウ……240, **1912**
桔梗根……**1912**
桔梗根末……**1912**
キキョウ末……**1912**
キキョウ流エキス……**1912**
キクカ……**1913**
菊花……**1913**
希五酸化バナジウム試液……240
希酢酸……240
キササゲ……**1913**
ギ酸……240
ギ酸アンモニウム……240
ギ酸アンモニウム緩衝液，0.05 mol/L, pH 4.0……240
ギ酸エチル……240
希酸化バナジウム(V)試液……240
キサンテン……240
キサンテン-9-カルボン酸……240
キサントヒドロール……240
キサントン……240
ギ酸 n-ブチル……240
希次酢酸鉛試液……240
希次硝酸ビスマス・ヨウ化カリウム試液，噴霧用……240
キジツ……240, **1914**
枳実……**1914**
基質緩衝液，セルモロイキン用……240
基質試液，インターフェロンアルファ確認用……241
基質試液，エポエチンアルファ用……241
基質試液，塩化リゾチーム用……241
基質試液，リゾチーム塩酸塩用……241
基質試液(1)，カリジノゲナーゼ測定用……241
基質試液(2)，カリジノゲナーゼ測定用……241
基質試液(3)，カリジノゲナーゼ測定用……241
基質試液(4)，カリジノゲナーゼ測定用……241
希2,6-ジブロモ-N-クロロ-1,4-ベンゾキノンモノイミン試液……241
希p-ジメチルアミノベンズアルデヒド・塩化第二鉄試液……241
希4-ジメチルアミノベンズアルデヒド・塩化鉄(Ⅲ)試液……241
希釈液，粒子計数装置用……241
希硝酸……241
キシリット……**733**
キシリット注射液……**734**
キシリトール……241, **733**, **37**
キシリトール注射液……**734**

キシレノールオレンジ……241
キシレノールオレンジ試液……241
キシレン……241
o-キシレン……241
キシレンシアノールFF……241
キシロース……241
D-キシロース……241
希水酸化カリウム・エタノール試液……241
希水酸化ナトリウム試液……241
キタサマイシン……**734**
キタサマイシン酢酸エステル……**735**
キタサマイシン酒石酸塩……**737**, **37**
希チモールブルー試液……241
キッカ……**1913**
吉草根……**1900**
吉草根末……**1900**
n-吉草酸……241
希鉄・フェノール試液……241
キナプリル塩酸塩……**738**, **37**
キナプリル塩酸塩，定量用……241
キナプリル塩酸塩錠……**739**
キニジン硫酸塩水和物……241, **741**
キニーネエチル炭酸エステル……**742**, **37**
キニーネ塩酸塩水和物……**742**
キニーネ硫酸塩水和物……241, **743**, **37**
キニノーゲン……241
キニノーゲン試液……242
8-キノリノール……242
キノリン……242
キノリン試液……242
希フェノールフタレイン試液……242
希フェノールレッド試液……242
希フォリン試液……242
希ブロモフェノールブルー試液……242
希ペンタシアノニトロシル鉄(Ⅲ)酸ナトリウム・ヘキサシアノ鉄(Ⅲ)酸カリウム試液……242
希ホルムアルデヒド試液……242
ギムザ試液……242
ギムザ試液，希……242
希メチルレッド試液……242
キモトリプシノーゲン，ゲルろ過分子量マーカー用……242
α-キモトリプシン……242
キャピラリー電気泳動法〈G3-7-180〉……**2551**
牛脂……**1914**
吸収スペクトル用ジメチルスルホキシド……242
吸収スペクトル用ヘキサン……242
吸収スペクトル用n-ヘキサン……242
吸水クリーム……**765**
吸水軟膏……**765**
吸入エアゾール剤……16
吸入液剤……16
吸入剤……16
吸入剤の空気力学的粒度測定法……166
吸入剤の送達量均一性試験法……163

吸入粉末剤	16
強アンモニア水	242
強塩基性イオン交換樹脂	242
強塩基性イオン交換樹脂，液体クロマトグラフィー用	382
強塩基性イオン交換樹脂，カラムクロマトグラフィー用	382
強過酸化水素水	242
キョウカツ	**1914**
羌活	**1914**
凝固点測定法	51
強酢酸第二銅試液	242
強酢酸銅(Ⅱ)試液	242
強酸性イオン交換樹脂	242
強酸性イオン交換樹脂，液体クロマトグラフィー用	382
強酸性イオン交換樹脂，カラムクロマトグラフィー用	382
強酸性イオン交換シリカゲル，液体クロマトグラフィー用	382
希ヨウ素試液	242
キョウニン	**1915**, 85
杏仁	**1915**
キョウニン水	**1915**
杏仁水	**1915**
強熱減量試験法	52
強熱残分試験法	52
希ヨードチンキ	**1754**
希硫酸	242
希硫酸アンモニウム鉄(Ⅲ)試液	242
希硫酸第二鉄アンモニウム試液	242
[6]-ギンゲロール，成分含量測定用	242
[6]-ギンゲロール，定量用	242, 25
[6]-ギンゲロール，薄層クロマトグラフィー用	243
近赤外吸収スペクトル測定法	_14_
近赤外吸収スペクトル測定法〈G1-3-161〉	2520, _114_
ギンセノシドRb₁，薄層クロマトグラフィー用	243
ギンセノシドRc	243
ギンセノシドRe	243
ギンセノシドRg₁，薄層クロマトグラフィー用	243
金属ナトリウム	244
金チオリンゴ酸ナトリウム	**744**, _37_
キンヒドロン	244
金標準液，原子吸光光度用	202
銀標準液，原子吸光光度用	202
金標準原液	202
銀標準原液	202

ク

グアイフェネシン	244, **745**, _37_
グアナベンズ酢酸塩	**746**, _37_
グアニン	244
グアネチジン硫酸塩	**747**, _37_
グアヤコール	244
グアヤコール，定量用	244
グアヤコールスルホン酸カリウム	244, **747**
クエチアピンフマル酸塩	**748**, _37_
クエチアピンフマル酸塩細粒	**751**
クエチアピンフマル酸塩錠	**750**
クエン酸	244
クエン酸・酢酸試液	244
クエン酸・無水酢酸試液	244
クエン酸・リン酸塩・アセトニトリル試液	244
クエン酸アンモニウム	244
クエン酸アンモニウム鉄(Ⅲ)	244
クエン酸一水和物	244
クエン酸ガリウム(⁶⁷Ga)注射液	**753**
クエン酸緩衝液，0.05 mol/L，pH 6.6	244
クエン酸三カリウム一水和物	244
クエン酸三ナトリウム試液，0.1 mol/L	245
クエン酸三ナトリウム二水和物	245
クエン酸試液，0.01 mol/L	244
クエン酸試液，0.1 mol/L	244
クエン酸試液，1 mol/L，緩衝液用	244
クエン酸水素二アンモニウム	245
クエン酸水和物	**753**, _37_
クエン酸第二鉄アンモニウム	245
クエン酸銅(Ⅱ)試液	245
クエン酸ナトリウム	245
クエン酸ナトリウム試液，0.1 mol/L	245
クエン酸ナトリウム水和物	245, **754**, _37_
クエン酸モサプリド，定量用	245
クオリティ・バイ・デザイン(QbD)，品質リスクマネジメント(QRM)及び医薬品品質システム(PQS)に関連する用語集〈G0-6-172〉	2514
クコシ	**1916**
枸杞子	**1916**
クジン	**1916**
苦参	**1916**
クジン末	**1917**
苦参末	**1917**
屈折率測定法	52
クペロン	245
クペロン試液	245
クーマシー染色試液	245
クーマシーブリリアントブルーG-250	245
クーマシーブリリアントブルーR-250	245
クーマシーブリリアントブルー試液，インターフェロンアルファ用	245
苦味重曹水	**1963**
苦味チンキ	**1917**
18-クラウンエーテル固定化シリカゲル，液体クロマトグラフィー用	382
グラファイトカーボン，液体クロマトグラフィー用	382
グラファイトカーボン，ガスクロマトグラフィー用	382
クラブラン酸カリウム	**755**, _37_
クラリスロマイシン	**756**, _37_
クラリスロマイシン錠	**757**
40%グリオキサール試液	245
グリオキサール標準液	202
グリオキサール標準原液	202

項目	ページ
グリクラジド	759, **37**
グリココール酸ナトリウム，薄層クロマトグラフィー用	245
N-グリコリルノイラミン酸	245
N-グリコリルノイラミン酸試液，0.1 mmol/L	245
グリコールエーテル化シリカゲル，液体クロマトグラフィー用	382
グリコール酸	245
グリシン	245, 760, **37**
グリース・ロメン亜硝酸試薬	245
グリース・ロメン硝酸試薬	245
クリスタルバイオレット	245
クリスタルバイオレット試液	245
グリセリン	245, 761, **37**
85％グリセリン	245
グリセリン，ガスクロマトグラフィー用	245
グリセリン塩基性試液	245
グリセリンカリ液	763
グリセロール	761
グリチルリチン酸，薄層クロマトグラフィー用	245
グリチルリチン酸一アンモニウム，分離確認用	246
クリノフィブラート	763, **37**
グリベンクラミド	764, **37**
クリーム剤	19
グリメピリド	765, **37**
グリメピリド錠	767
クリンダマイシン塩酸塩	768, **37**
クリンダマイシン塩酸塩カプセル	769
クリンダマイシンリン酸エステル	770, **37**
クリンダマイシンリン酸エステル注射液	771
グルカゴン(遺伝子組換え)	772
グルカゴン用酵素試液	246
クルクマ紙	384
クルクミン	246
クルクミン，成分含量測定用	246
クルクミン，定量用	246
クルクミン試液	246
D-グルコサミン塩酸塩	246
4′-O-グルコシル-5-O-メチルビサミノール，薄層クロマトグラフィー用	246
グルコースオキシダーゼ	246
グルコース検出用試液	246
グルコース検出用試液，ペニシリウム由来β-ガラクトシダーゼ用	246
グルコン酸カルシウム，薄層クロマトグラフィー用	247
グルコン酸カルシウム水和物	773, **37**
グルコン酸カルシウム水和物，薄層クロマトグラフィー用	247
グルコン酸ナトリウム	247
グルタチオン	247, 774, **37**
L-グルタミン	247, 774, **37**
L-グルタミン酸	247, 775, **37**
グルタミン試液	247
7-(グルタリルグリシル-L-アルギニルアミノ)-4-メチルクマリン	247
7-(グルタリルグリシル-L-アルギニルアミノ)-4-メチルクマリン試液	247
クレオソート	2065
クレゾール	247, 776
m-クレゾール	247
p-クレゾール	247
クレゾール水	777
クレゾール石ケン液	777
クレゾールレッド	247
クレゾールレッド試液	247
クレボプリドリンゴ酸塩	778, **37**
クレマスチンフマル酸塩	778, **37**
クロカプラミン塩酸塩水和物	779, **37**
クロキサシリンナトリウム水和物	780, **37**
クロキサゾラム	247, 781, **37**
クロコナゾール塩酸塩	782, **37**
クロスカルメロースナトリウム	718, **36**, **58**
クロスポビドン	783, **37**
クロチアゼパム	784, **37**
クロチアゼパム，定量用	247
クロチアゼパム錠	785
クロトリマゾール	247, 785, **37**
クロナゼパム	786, **37**
クロナゼパム，定量用	247
クロナゼパム細粒	788
クロナゼパム錠	787
クロニジン塩酸塩	788, **37**
クロピドグレル硫酸塩	789, **37**
クロピドグレル硫酸塩錠	791
クロフィブラート	247, 792, **37**
クロフィブラートカプセル	793
クロフェダノール塩酸塩	794, **37**
γ-グロブリン	247
クロベタゾールプロピオン酸エステル	794, **37**
クロペラスチン塩酸塩	795, **37**
クロペラスチンフェンジゾ酸塩	796, **37**
クロペラスチンフェンジゾ酸塩，定量用	247
クロペラスチンフェンジゾ酸塩錠	797
クロマトグラフィー総論	**3**
クロマトグラフィーのライフサイクル各ステージにおける管理戦略と変更管理の考え方(クロマトグラフィーのライフサイクルにおける変更管理) 〈G1-5-181〉	**116**
クロマトグラフィー用ケイソウ土	382
クロマトグラフィー用担体／充塡剤	380, **32**
クロマトグラフィー用中性アルミナ	382
クロミフェンクエン酸塩	798, **38**
クロミフェンクエン酸塩錠	799
クロミプラミン塩酸塩	800, **38**
クロミプラミン塩酸塩，定量用	247
クロミプラミン塩酸塩錠	800
クロム酸・硫酸試液	247
クロム酸カリウム	247
クロム酸カリウム試液	247
クロム酸銀飽和クロム酸カリウム試液	247

クロム酸ナトリウム(51Cr)注射液	*801*
クロム標準液，原子吸光光度用	*202*
クロモグリク酸ナトリウム	*801*, **38**
クロモトロプ酸	*247*
クロモトロプ酸試液	*247*
クロモトロープ酸試液	*247*
クロモトロプ酸試液，濃	*247*
クロモトロープ酸試液，濃	*247*
クロモトロープ酸二ナトリウム二水和物	*247*
クロラゼプ酸二カリウム	*802*, **38**
クロラゼプ酸二カリウム，定量用	*247*
クロラゼプ酸二カリウムカプセル	*803*
クロラミン	*247*
クロラミン試液	*247*
クロラムフェニコール	*247*, *804*, **38**
クロラムフェニコール・コリスチンメタンスルホン酸ナトリウム点眼液	*805*
クロラムフェニコールコハク酸エステルナトリウム	*805*, **38**
クロラムフェニコールパルミチン酸エステル	*806*, **38**
p－クロルアニリン	*247*
p－クロル安息香酸	*247*
クロルジアゼポキシド	*247*, *807*, **38**
クロルジアゼポキシド，定量用	*247*
クロルジアゼポキシド散	*809*
クロルジアゼポキシド錠	*808*
クロルフェニラミンマレイン酸塩	*247*, *810*, **38**
d－クロルフェニラミンマレイン酸塩	*814*, **38**
クロルフェニラミンマレイン酸塩散	*812*
クロルフェニラミンマレイン酸塩錠	*811*
クロルフェニラミンマレイン酸塩注射液	*813*
クロルフェネシンカルバミン酸エステル	*815*, **38**
クロルフェネシンカルバミン酸エステル，定量用	*248*
クロルフェネシンカルバミン酸エステル錠	*816*
p－クロルフェノール	*248*
クロルプロパミド	*817*, **38**
クロルプロパミド，定量用	*248*
クロルプロパミド錠	*817*
クロルプロマジン塩酸塩	*818*, **38**
クロルプロマジン塩酸塩，定量用	*248*
クロルプロマジン塩酸塩錠	*819*
クロルプロマジン塩酸塩注射液	*820*
クロルヘキシジン塩酸塩	*248*, *820*, **38**
クロルヘキシジングルコン酸塩液	*821*
p－クロルベンゼンスルホンアミド	*248*
クロルマジノン酢酸エステル	*822*, **38**
4－クロロアニリン	*248*
4－クロロ安息香酸	*248*
2－クロロエチルジエチルアミン塩酸塩	*248*
クロロギ酸9－フルオレニルメチル	*248*
クロロゲン酸，薄層クロマトグラフィー用	*248*
(E)－クロロゲン酸，薄層クロマトグラフィー用	*248*
クロロ酢酸	*248*
1－クロロ－2,4－ジニトロベンゼン	*248*
3′－クロロ－3′－デオキシチミジン，液体クロマトグラフィー用	*248*
クロロトリメチルシラン	*248*
(2－クロロフェニル)－ジフェニルメタノール，薄層クロマトグラフィー用	*248*
4－クロロフェノール	*248*
クロロブタノール	*248*, *823*
1－クロロブタン	*248*
3－クロロ－1,2－プロパンジオール	*249*
4－クロロベンゼンジアゾニウム塩試液	*249*
4－クロロベンゼンスルホンアミド	*249*
4－クロロベンゾフェノン	*249*
クロロホルム	*249*
クロロホルム，エタノール不含	*249*
クロロホルム，水分測定用	*249*

ケ

ケイガイ	*1917*
荊芥穂	*1917*
経口液剤	*11*
蛍光基質試液	*249*
蛍光光度法	*45*, **13**
蛍光試液	*249*
経口ゼリー剤	*12*
蛍光染色による細菌数の迅速測定法〈G4-8-152〉	*2601*
経口投与する製剤	*10*
経口フィルム剤	*12*
ケイ酸アルミン酸マグネシウム	*826*, **38**
ケイ酸マグネシウム	*828*
軽質無水ケイ酸	*823*, **38**
軽質流動パラフィン	*1333*, **44**
桂枝茯苓丸エキス	*1918*, **85**
ケイソウ土	*249*
ケイソウ土，ガスクロマトグラフィー用	*382*
ケイソウ土，クロマトグラフィー用	*382*
継代培地，ナルトグラスチム試験用	*249*, **32**
ケイタングステン酸二十六水和物	*249*
ケイヒ	*1919*
桂皮	*1919*
ケイ皮酸	*249*
(E)－ケイ皮酸，成分含量測定用	*249*
(E)－ケイ皮酸，定量用	*249*
(E)－ケイ皮酸，薄層クロマトグラフィー用	*250*
ケイヒ末	*1920*
桂皮末	*1920*
ケイヒ油	*1920*
桂皮油	*1920*
計量器・用器	*385*
ケタミン塩酸塩	*829*, **38**
血液カンテン培地	*250*
血液透析用剤	*16*
1％血液浮遊液	*250*
結晶セルロース	*1078*, **41**

結晶トリプシン	250
結晶トリプシン，ウリナスタチン定量用	251
ケツメイシ	**1920**
決明子	**1920**
ケトコナゾール	251, **829**, <u>38</u>
ケトコナゾール，定量用	251
ケトコナゾール液	830
ケトコナゾールクリーム	831
ケトコナゾールローション	831
ケトチフェンフマル酸塩	**832**, <u>38</u>
ケトプロフェン	**833**, <u>38</u>
ゲニポシド，成分含量測定用	251
ゲニポシド，定量用	251
ゲニポシド，薄層クロマトグラフィー用	252
ケノデオキシコール酸	**834**, <u>38</u>
ケノデオキシコール酸，薄層クロマトグラフィー用	252
ゲファルナート	**834**, <u>38</u>
ゲフィチニブ	**836**, <u>38</u>
ゲル型強塩基性イオン交換樹脂，液体クロマトグラフィー用	382
ゲル型強酸性イオン交換樹脂（架橋度6％），液体クロマトグラフィー用	382
ゲル型強酸性イオン交換樹脂（架橋度8％），液体クロマトグラフィー用	382
ゲル剤	20
ゲルろ過分子量マーカー用ウシ血清アルブミン	252
ゲルろ過分子量マーカー用キモトリプシノーゲン	252
ゲルろ過分子量マーカー用卵白アルブミン	252
ゲルろ過分子量マーカー用リボヌクレアーゼA	252
ケロシン	252
ケンゴシ	**1921**
牽牛子	**1921**
原子吸光光度法	46
原子吸光光度用亜鉛標準液	202
原子吸光光度用アルミニウム標準液	202
原子吸光光度用カルシウム標準液	202
原子吸光光度用金標準液	202
原子吸光光度用銀標準液	202
原子吸光光度用クロム標準液	202
原子吸光光度用鉄標準液	202
原子吸光光度用鉄標準液(2)	202
原子吸光光度用ニッケル標準液	203
原子吸光光度用マグネシウム標準液	203
元素不純物	91
懸濁剤	11
ゲンタマイシンB	252
ゲンタマイシン硫酸塩	**837**, <u>38</u>
ゲンタマイシン硫酸塩注射液	838
ゲンタマイシン硫酸塩点眼液	839
ゲンタマイシン硫酸塩軟膏	839
ゲンチアナ	**1921**
ゲンチアナ・重曹散	**1922**
ゲンチアナ末	**1921**
ゲンチオピクロシド，薄層クロマトグラフィー用	252
ゲンチジン酸	253
ゲンノショウコ	**1922**
ゲンノショウコ末	**1922**

コ

コウイ	**1923**
膠飴	**1923**
抗インターフェロンアルファ抗血清	253
抗ウリナスタチンウサギ血清	253
抗ウロキナーゼ血清	253, <u>26</u>
抗A血液型判定用抗体	253
コウカ	**1923**
紅花	**1923**
広藿香	**1892**
硬化油	**840**, <u>38</u>
紅耆	**1972**
口腔内に適用する製剤	12
口腔内崩壊錠	10
口腔内崩壊フィルム剤	12
口腔用液剤	13
口腔用錠剤	12
口腔用スプレー剤	13
口腔用半固形剤	13
光遮蔽型自動微粒子測定器校正用標準粒子	385
コウジン	**1923**
紅参	**1923**
校正球，粒子密度測定用	385
合成ケイ酸アルミニウム	**824**, <u>38</u>
合成ケイ酸マグネシウム，カラムクロマトグラフィー用	382
合成ゼオライト，乾燥用	253
抗生物質の微生物学的力価試験法	115
抗生物質用リン酸塩緩衝液，0.1 mol/L, pH 8.0	253
抗生物質用リン酸塩緩衝液，pH 6.5	253
酵素試液	253
酵素試液，グルカゴン用	253
酵素消化用緩衝液	253
酵素免疫測定法 〈G3-11-171〉	2566
抗B血液型判定用抗体	253
コウブシ	**1925**
香附子	**1925**
コウブシ末	**1925**
香附子末	**1925**
抗ブラジキニン抗体	253
抗ブラジキニン抗体試液	253
コウベイ	**1925**
粳米	**1925**
酵母エキス	253
コウボク	**1926**, <u>86</u>
厚朴	**1926**
コウボク末	**1926**
厚朴末	**1926**
高密度ポリエチレンフィルム	253
鉱油試験法	25

ゴオウ	*1927*	コレステロール	255, **856**
牛黄	*1927*	コロジオン	*255*
コカイン塩酸塩	**841**	コロホニウム	**2080**
固形製剤のブリスター包装の水蒸気透過性試験法		コロンボ	**1936**
〈G7-3-171〉	*2646*	コロンボ末	**1936**
五酸化バナジウム	*253*	混合ガス調製器	*385*
五酸化バナジウム試液	*253*	コンゴーレッド	*255*
五酸化バナジウム試液，希	*253*	コンゴーレッド紙	*384*
五酸化リン	*253*	コンゴーレッド試液	*255*
ゴシツ	**1928**, **86**	コンズランゴ	**1936**
牛膝	**1928**	コンズランゴ流エキス	**1937**
ゴシツ，薄層クロマトグラフィー用	*253*		
牛車腎気丸エキス	**1928**, **86**	**サ**	
ゴシュユ	254, **1931**		
呉茱萸	**1931**	サイクロセリン	**857**, **38**
呉茱萸湯エキス	**1931**, **86**	サイコ	**1937**
固体又は粉体の密度〈G2-1-171〉	*2523*	柴胡	**1937**
コデインリン酸塩散1%	**844**	柴胡桂枝乾姜湯エキス	**87**
コデインリン酸塩散10%	**845**	柴胡桂枝湯エキス	**1938**
コデインリン酸塩錠	**843**	サイコサポニンa，d混合標準試液，定量用	*256*
コデインリン酸塩水和物	**842**	サイコサポニンa，成分含量測定用	*255*
コデインリン酸塩水和物，定量用	*254*	サイコサポニンa，定量用	*255*
ゴナドレリン酢酸塩	**845**	サイコサポニンa，薄層クロマトグラフィー用	*256*
コハク酸	*254*	サイコサポニンb$_2$，成分含量測定用	*256*
コハク酸ジエチレングリコールポリエステル，		サイコサポニンb$_2$，定量用	*256*
ガスクロマトグラフィー用	*254*	サイコサポニンb$_2$，薄層クロマトグラフィー用	*257*
コハク酸シベンゾリン，定量用	*254*	サイコサポニンb$_2$標準試液，定量用	*257*
コハク酸トコフェロール	*254*	サイコサポニンd，成分含量測定用	*257*
コハク酸トコフェロールカルシウム	*254*	サイコサポニンd，定量用	*257*
コバルチ亜硝酸ナトリウム	*254*	サイコ成分含量測定用リン酸塩緩衝液	*258*
コバルチ亜硝酸ナトリウム試液	*254*	サイコ定量用リン酸塩緩衝液	*258*
コプチシン塩化物，薄層クロマトグラフィー用	*254*	サイシン	**1941**
ゴボウシ	**1933**, **87**	細辛	**1941**
牛蒡子	**1933**	サイズ排除クロマトグラフィー	*43*
コポビドン	**847**, **38**	SYBR Green含有PCR 2倍反応液	*258*
ゴマ	**1934**	細胞懸濁液，テセロイキン用	*258*
胡麻	**1934**	細胞毒性試験用リン酸塩緩衝液	*258*
ゴマ油	254, **1934**	柴朴湯エキス	**1942**
ゴミシ	**1934**	柴苓湯エキス	**1944**
五味子	**1934**	酢酸	258, **857**, **38**
コムギデンプン	**1180**, **65**	酢酸(31)	*258*
コメデンプン	**1182**	酢酸(100)	*258*
コリスチンメタンスルホン酸ナトリウム	**849**, **38**	酢酸，希	*258*
コリスチン硫酸塩	**850**	酢酸，非水滴定用	*258*
コリン塩化物	*254*	酢酸，氷	*258*
コール酸，薄層クロマトグラフィー用	*254*	酢酸・酢酸アンモニウム緩衝液，pH 3.0	*258*
コール酸ナトリウム水和物	*254*	酢酸・酢酸アンモニウム緩衝液，pH 4.5	*258*
コルチゾン酢酸エステル	255, **851**	酢酸・酢酸アンモニウム緩衝液，pH 4.8	*258*
コルヒチン	**852**	酢酸・酢酸カリウム緩衝液，pH 4.3	*258*
五苓散エキス	**1934**	酢酸・酢酸ナトリウム緩衝液，0.05 mol/L，pH 4.0	*258*
コレカルシフェロール	**854**	酢酸・酢酸ナトリウム緩衝液，0.05 mol/L，pH 4.6	*258*
コレスチミド	**854**, **38**	酢酸・酢酸ナトリウム緩衝液，0.1 mol/L，pH 4.0	*258*
コレスチミド顆粒	**856**	酢酸・酢酸ナトリウム緩衝液，1 mol/L，pH 5.0	*258*
コレスチミド錠	**855**	酢酸・酢酸ナトリウム緩衝液，1 mol/L，pH 6.0	*258*

酢酸・酢酸ナトリウム緩衝液, pH 4.0	258	酢酸鉛	260
酢酸・酢酸ナトリウム緩衝液, pH 4.5	259	酢酸鉛(Ⅱ)三水和物	260
酢酸・酢酸ナトリウム緩衝液, pH 4.5, 鉄試験用	259	酢酸鉛紙	384
酢酸・酢酸ナトリウム緩衝液, pH 4.7	259	酢酸鉛(Ⅱ)紙	384
酢酸・酢酸ナトリウム緩衝液, pH 5.0	259	酢酸鉛試液	260
酢酸・酢酸ナトリウム緩衝液, pH 5.5	259	酢酸鉛(Ⅱ)試液	260
酢酸・酢酸ナトリウム緩衝液, pH 5.6	259	酢酸ヒドロキソコバラミン	260
酢酸・酢酸ナトリウム試液	259	酢酸ヒドロコルチゾン	260
酢酸・酢酸ナトリウム試液, 0.02 mol/L	259	酢酸ビニル	260
酢酸・酢酸ナトリウム試液, pH 7.0	259	酢酸フタル酸セルロース	**1068**
酢酸・硫酸試液	259	酢酸ブチル	260
酢酸亜鉛	259	酢酸n-ブチル	260
0.02 mol/L酢酸亜鉛液	194	酢酸プレドニゾロン	260
0.05 mol/L酢酸亜鉛液	194	酢酸メチル	260
酢酸亜鉛緩衝液, 0.25 mol/L, pH 6.4	259	酢酸3-メチルブチル	260
酢酸亜鉛二水和物	259	酢酸リチウム二水和物	260
酢酸アンモニウム	259	サケ精子DNA	260
酢酸アンモニウム試液	259	坐剤	18
酢酸アンモニウム試液, 0.5 mol/L	259	サッカリン	**858**, **38**
酢酸イソアミル	259	サッカリンナトリウム水和物	**860**, **38**
酢酸エチル	259	サフラン	**1947**
酢酸塩緩衝液, 0.01 mol/L, pH 5.0	259	サーモリシン	260
酢酸塩緩衝液, 0.02 mol/L, pH 6.0	259	サラシ粉	260, **861**
酢酸塩緩衝液, pH 3.5	259	サラシ粉試液	260
酢酸塩緩衝液, pH 4.0, 0.05 mol/L	259	サラシミツロウ	**2064**
酢酸塩緩衝液, pH 4.5	259	サラゾスルファピリジン	**861**, **38**
酢酸塩緩衝液, pH 5.4	259	サリチル・ミョウバン散	**865**
酢酸塩緩衝液, pH 5.5	259	サリチルアミド	260
酢酸カドミウム	259	サリチルアルダジン	260
酢酸カドミウム二水和物	259	サリチルアルデヒド	260
酢酸カリウム	259	サリチル酸	260, **862**, **38**
酢酸カリウム試液	259	サリチル酸, 定量用	260
酢酸カルシウム一水和物	259	サリチル酸イソブチル	260
酢酸コルチゾン	259	サリチル酸試液	260
酢酸試液, 0.25 mol/L	258	サリチル酸精	**863**
酢酸試液, 2 mol/L	258	サリチル酸鉄試液	261
酢酸試液, 6 mol/L	258	サリチル酸ナトリウム	261, **865**, **38**
酢酸水銀(Ⅱ)	259	サリチル酸ナトリウム・水酸化ナトリウム試液	261
酢酸水銀(Ⅱ)試液, 非水滴定用	259	サリチル酸絆創膏	**864**
酢酸セミカルバジド試液	259	サリチル酸メチル	261, **866**, **38**
酢酸第二水銀	259	サルササポゲニン, 薄層クロマトグラフィー用	261
酢酸第二水銀試液, 非水滴定用	259	ザルトプロフェン	261, **866**, **38**
酢酸第二銅	259	ザルトプロフェン, 定量用	261
酢酸第二銅試液, 強	259	ザルトプロフェン錠	**867**
酢酸銅(Ⅱ)一水和物	259	サルブタモール硫酸塩	**868**, **38**
酢酸銅(Ⅱ)試液, 強	259	サルポグレラート塩酸塩	261, **869**, **38**
酢酸トコフェロール	260	サルポグレラート塩酸塩細粒	**871**, **58**
酢酸ナトリウム	260	サルポグレラート塩酸塩錠	**870**
酢酸ナトリウム, 無水	260	三塩化アンチモン	261
酢酸ナトリウム・アセトン試液	260	三塩化アンチモン試液	261
0.1 mol/L酢酸ナトリウム液	194	三塩化チタン	261
酢酸ナトリウム三水和物	260	三塩化チタン・硫酸試液	261
酢酸ナトリウム試液	260	0.1 mol/L三塩化チタン液	194
酢酸ナトリウム水和物	**858**, **38**	三塩化チタン試液	261

三塩化ヨウ素	261
酸化亜鉛	872, **38**
酸化亜鉛デンプン	**389**
酸化亜鉛軟膏	**389**
酸化アルミニウム	261
酸化カルシウム	261, **873**
酸化クロム(VI)	261
酸化クロム(VI)試液	261
酸化チタン	**874**
酸化チタン(IV)	261
酸化チタン(IV)試液	261
酸化銅ろ過用ガラスろ過器	384
酸化鉛(II)	261
酸化鉛(IV)	261
酸化バナジウム(V)	261
酸化バナジウム(V)試液	261
酸化バナジウム(V)試液，希	261
酸化バリウム	261
酸化マグネシウム	261, **874**, **38**
酸化メシチル	261
酸化モリブデン(VI)	261
酸化モリブデン(VI)・クエン酸試液	261
酸化ランタン(III)	261
酸化リン(V)	261
サンキライ	**1947**
山帰来	**1947**
サンキライ末	**1948**
山帰来末	**1948**
散剤	11
サンザシ	**1948**
山査子	**1948**
三酸化クロム	261
三酸化クロム試液	261
三酸化ナトリウムビスマス	262
三酸化二ヒ素	262, **876**
三酸化二ヒ素試液	262
三酸化ヒ素	262
三酸化ヒ素試液	262
三酸化モリブデン	262
三酸化モリブデン・クエン酸試液	262
サンシシ	**1949**, **89**
山梔子	**1949**
サンシシ末	**1949**
山梔子末	**1949**
32D clone3細胞	262
サンシュユ	**1950**, **89**
山茱萸	**1950**
サンショウ	262, **1951**
山椒	**1951**
参照抗インターロイキン-2抗血清試液	262
参照抗インターロイキン-2抗体，テセロイキン用	262
サンショウ末	**1951**
山椒末	**1951**
酸処理ゼラチン	262
酸性塩化カリウム試液	262
酸性塩化スズ(II)試液	262
酸性塩化第一スズ試液	262
酸性塩化第二鉄試液	262
酸性塩化鉄(III)試液	262
酸性過マンガン酸カリウム試液	262
α₁-酸性糖タンパク質結合シリカゲル，液体クロマトグラフィー用	380
酸性白土	262
酸性硫酸アンモニウム鉄(III)試液	262
酸素	262, **876**
サンソウニン	**1951**
酸棗仁	**1951**
酸素スパンガス，定量用	262
酸素ゼロガス，定量用	262
酸素比較ガス，定量用	262
酸素フラスコ燃焼法	26
サントニン	262, **877**
サントニン，定量用	262
三ナトリウム五シアノアミン第一鉄試液	262
三ナトリウム五シアノアミン鉄(II)試液	262
3倍濃厚乳糖ブイヨン	262
三フッ化ホウ素	262
三フッ化ホウ素・メタノール試液	262
酸又はアルカリ試験用メチルレッド試液	262
サンヤク	**1952**
山薬	**1952**
サンヤク末	**1952**
山薬末	**1952**
残留溶媒	53

シ

次亜塩素酸ナトリウム・水酸化ナトリウム試液	262
次亜塩素酸ナトリウム試液	262
次亜塩素酸ナトリウム試液，10%	262
次亜塩素酸ナトリウム試液，アンモニウム試験用	262
次亜臭素酸ナトリウム試液	262
ジアスターゼ	**877**
ジアスターゼ・重曹散	**877**
ジアセチル	262
ジアセチル試液	263
ジアゼパム	**878**, **38**
ジアゼパム，定量用	263
ジアゼパム錠	**878**
ジアゾ化滴定用スルファニルアミド	263
ジアゾ試液	263
ジアゾベンゼンスルホン酸試液	263
ジアゾベンゼンスルホン酸試液，濃	263
シアナミド	**879**, **39**
1-シアノグアニジン	263
シアノコバラミン	263, **880**
シアノコバラミン注射液	**881**

シアノプロピルシリル化シリカゲル，
　　液体クロマトグラフィー用 ……………………… 382
6％シアノプロピルフェニル－94％ジメチル
　　シリコーンポリマー，ガスクロマトグラフィー用 …… 263
14％シアノプロピルフェニル－86％ジメチル
　　シリコーンポリマー，ガスクロマトグラフィー用 …… 382
6％シアノプロピル－6％フェニル－メチル
　　シリコーンポリマー，ガスクロマトグラフィー用 …… 263
7％シアノプロピル－7％フェニル－メチル
　　シリコーンポリマー，ガスクロマトグラフィー用 …… 263
シアノプロピルメチルフェニルシリコーン，
　　ガスクロマトグラフィー用 ……………………… 263
2,3－ジアミノナフタリン ……………………………… 263
2,4－ジアミノフェノール二塩酸塩 …………………… 263
2,4－ジアミノフェノール二塩酸塩試液 ……………… 264
1,4－ジアミノブタン …………………………………… **32**
3,3′－ジアミノベンジジン四塩酸塩 …………………… 264
次亜リン酸 ……………………………………………… 264
シアン化カリウム ……………………………………… 264
シアン化カリウム試液 ………………………………… 264
シアン酢酸 ……………………………………………… 264
シアン酢酸エチル ……………………………………… 264
シアン標準液 …………………………………………… 203
シアン標準原液 ………………………………………… 203
ジイソプロピルアミン ………………………………… 264
ジェサコニチン，純度試験用 ………………………… 264
ジエタノールアミン …………………………………… 264
ジエチルアミノエチル基を結合した合成高分子，
　　液体クロマトグラフィー用 ……………………… 382
ジエチルアミノエチルセルロース，
　　カラムクロマトグラフィー用 …………………… 382
ジエチルアミン ………………………………………… 264
ジエチルエーテル ……………………………………… 264
ジエチルエーテル，生薬純度試験用 ………………… 264
ジエチルエーテル，無水 ……………………………… 265
ジエチルカルバマジンクエン酸塩 ……………… 881, **39**
ジエチルカルバマジンクエン酸塩錠 ………………… 882
N,N－ジエチルジチオカルバミド酸銀 ……………… 265
N,N－ジエチルジチオカルバミド酸ナトリウム三水和物 … 265
ジエチルジチオカルバミン酸亜鉛 …………………… 265
ジエチルジチオカルバミン酸銀 ……………………… 265
ジエチルジチオカルバミン酸ナトリウム …………… 265
N,N－ジエチルジチオカルバミン酸ナトリウム三水和物 … 265
N,N－ジエチル－N′－1－ナフチルエチレンジアミン
　　シュウ酸塩 ………………………………………… 265
N,N－ジエチル－N′－1－ナフチルエチレンジアミン
　　シュウ酸塩・アセトン試液 ……………………… 265
N,N－ジエチル－N′－1－ナフチルエチレンジアミン
　　シュウ酸塩試液 …………………………………… 265
ジエチレングリコール ………………………………… 265
ジエチレングリコールアジピン酸エステル，
　　ガスクロマトグラフィー用 ……………………… 265
ジエチレングリコールコハク酸エステル，
　　ガスクロマトグラフィー用 ……………………… 265
ジエチレングリコールジメチルエーテル …………… 265
ジエチレングリコールモノエチルエーテル ………… 265
ジエチレングリコールモノエチルエーテル，水分測定用 … 265
ジオウ …………………………………………………… **1953**
地黄 ……………………………………………………… **1953**
ジオキサン ……………………………………………… 265
1,4－ジオキサン ………………………………………… 265
ジオールシリカゲル，液体クロマトグラフィー用 … 382
紫外可視吸光度測定法 ………………………………… 47
歯科用アンチホルミン ………………………………… **488**
歯科用次亜塩素酸ナトリウム液 ……………………… **488**
歯科用トリオジンクパスタ …………………………… **1226**
歯科用パラホルムパスタ ……………………………… **1335**
歯科用フェノール・カンフル ………………………… **1459**
歯科用ヨード・グリセリン …………………………… **1755**
ジギトニン ……………………………………………… 265
シクラシリン ……………………………………… 883, **39**
ジクロキサシリンナトリウム水和物 ………………… 883
シクロスポリン …………………………………… 884, **39**
シクロスポリンU ……………………………………… 265
β－シクロデキストリン結合シリカゲル，
　　液体クロマトグラフィー用 ……………………… 382
ジクロフェナクナトリウム ………………… 265, 885, **39**
ジクロフェナクナトリウム，定量用 ………………… 265
ジクロフェナクナトリウム坐剤 ……………………… **886**
シクロブタンカルボン酸 ……………………………… 265
1,1－シクロブタンジカルボン酸 ……………………… 266
シクロヘキサン ………………………………………… 266
シクロヘキシルアミン ………………………………… 266
シクロヘキシルメタノール …………………………… 266
シクロペントラート塩酸塩 ……………………… 887, **39**
シクロホスファミド錠 ………………………………… **888**
シクロホスファミド水和物 ……………………… 887, **39**
シクロホスファミド水和物，定量用 ………………… 266
1,2－ジクロルエタン …………………………………… 266
2,6－ジクロルフェノールインドフェノールナトリウム … 266
2,6－ジクロルフェノールインドフェノール
　　ナトリウム試液 …………………………………… 266
2,6－ジクロルフェノールインドフェノール
　　ナトリウム試液，滴定用 ………………………… 266
ジクロルフルオレセイン ……………………………… 266
ジクロルフルオレセイン試液 ………………………… 266
ジクロルメタン ………………………………………… 266
3,4－ジクロロアニリン ………………………………… 266
2,6－ジクロロインドフェノールナトリウム・
　　酢酸ナトリウム試液 ……………………………… 266
2,6－ジクロロインドフェノールナトリウム試液 …… 266
2,6－ジクロロインドフェノールナトリウム試液，
　　滴定用 ……………………………………………… 266
2,6－ジクロロインドフェノールナトリウム二水和物 …… 266
1,2－ジクロロエタン …………………………………… 266
2,6－ジクロロフェノール ……………………………… 266
ジクロロフルオレセイン ……………………………… 266
ジクロロフルオレセイン試液 ………………………… 266

項目	ページ
1,2－ジクロロベンゼン	266
ジクロロメタン	266
試験菌移植培地，テセロイキン用	266
試験菌移植培地斜面，テセロイキン用	266
シゴカ	**1953**
刺五加	**1953**
ジゴキシン	266, **889**
ジゴキシン錠	**890**
ジゴキシン注射液	**892**
ジゴッピ	**1954**
地骨皮	**1954**
シコン	**1954**
紫根	**1954**
次酢酸鉛試液	266
次酢酸鉛試液，希	266
シザンドリン，薄層クロマトグラフィー用	266
ジシクロヘキシル	266
ジシクロヘキシルウレア	267
N,N'－ジシクロヘキシルカルボジイミド	267
N,N'－ジシクロヘキシルカルボジイミド・エタノール試液	267
N,N'－ジシクロヘキシルカルボジイミド・無水エタノール試液	267
次硝酸ビスマス	267, **893**
次硝酸ビスマス試液	267
ジスチグミン臭化物	**893**, **39**
ジスチグミン臭化物，定量用	267
ジスチグミン臭化物錠	**894**
L－シスチン	267, **894**, **39**
L－システイン	**895**, **39**
L－システイン塩酸塩一水和物	267
L－システイン塩酸塩水和物	**896**, **39**
L－システイン酸	267
システム適合性〈G1-2-181〉	2519, **113**
システム適合性試験用試液，フィルグラスチム用	267
シスプラチン	267, **897**
ジスルフィラム	**898**, **39**
磁製るつぼ	384
持続性注射剤	15
ジソピラミド	**898**, **39**
紫蘇葉	**1984**
2,6－ジ－第三ブチル－p－クレゾール	267
2,6－ジ－第三ブチル－p－クレゾール試液	267
シタグリプチンリン酸塩錠	**901**
シタグリプチンリン酸塩水和物	**899**, **39**
シタラビン	**902**, **39**
ジチオジグリコール酸	267
ジチオジプロピオン酸	267
ジチオスレイトール	267
1,1'－[3,3'－ジチオビス(2－メチル－1－オキソプロピル)]－L－ジプロリン	267
1,3－ジチオラン－2－イリデンマロン酸ジイソプロピル	267
シチコリン	**903**, **39**
ジチゾン	267
ジチゾン液，抽出用	267
ジチゾン試液	267
シツリシ	**1955**
蒺藜子	**1955**
質量分析法	81
シトシン	267
ジドブジン	**904**, **39**
ジドロゲステロン	**905**, **39**
ジドロゲステロン，定量用	267
ジドロゲステロン錠	**906**
2,2'－ジナフチルエーテル	268
2,4－ジニトロクロルベンゼン	268
2,4－ジニトロフェニルヒドラジン	268
2,4－ジニトロフェニルヒドラジン・エタノール試液	268
2,4－ジニトロフェニルヒドラジン・ジエチレングリコールジメチルエーテル試液	268
2,4－ジニトロフェニルヒドラジン試液	268
2,4－ジニトロフェノール	268
2,4－ジニトロフェノール試液	268
2,4－ジニトロフルオルベンゼン	268
1,2－ジニトロベンゼン	268
1,3－ジニトロベンゼン	268
m－ジニトロベンゼン	268
1,3－ジニトロベンゼン試液	268
1,3－ジニトロベンゼン試液，アルカリ性	268
m－ジニトロベンゼン試液	268
m－ジニトロベンゼン試液，アルカリ性	268
シネオール，定量用	268
シノキサシン	**907**, **39**
シノキサシン，定量用	268
シノキサシンカプセル	**907**
シノブファギン，成分含量測定用	268
シノブファギン，定量用	268
ジノプロスト	**908**
シノメニン，定量用	269
シノメニン，薄層クロマトグラフィー用	270
ジピコリン酸	270
ジヒドロエルゴクリスチンメシル酸塩，薄層クロマトグラフィー用	270
ジヒドロエルゴタミンメシル酸塩	**909**
ジヒドロエルゴトキシンメシル酸塩	**910**, **39**
2,4－ジヒドロキシ安息香酸	270
1,3－ジヒドロキシナフタレン	270
2,7－ジヒドロキシナフタレン	270
2,7－ジヒドロキシナフタレン試液	270
ジヒドロコデインリン酸塩	**912**
ジヒドロコデインリン酸塩，定量用	270
ジヒドロコデインリン酸塩散1％	**912**
ジヒドロコデインリン酸塩散10％	**913**
3,4－ジヒドロ－6－ヒドロキシ－2(1H)－キノリノン	270
1－[(2R,5S)－2,5－ジヒドロ－5－(ヒドロキシメチル)－2－フリル]チミン，薄層クロマトグラフィー用	270
ジビニルベンゼン－N－ビニルピロリドン共重合体，カラムクロマトグラフィー用	382

ジビニルベンゼン－メタクリラート共重合体，
　　液体クロマトグラフィー用 ·················· 383
α,α′－ジピリジル ································· 270
1,3－ジー(4－ピリジル)プロパン ················ 270
ジピリダモール ···························· **914**, <u>39</u>
ジフェニドール塩酸塩 ············· 270, **915**, <u>39</u>
ジフェニル ·· 270
5％ジフェニル・95％ジメチルポリシロキサン，
　　ガスクロマトグラフィー用 ·················· 271
ジフェニルアミン ································· 270
ジフェニルアミン・酢酸試液 ··················· 270
ジフェニルアミン・氷酢酸試液 ················ 270
ジフェニルアミン試液 ··························· 270
9,10－ジフェニルアントラセン ·················· 271
ジフェニルイミダゾール ························· 271
ジフェニルエーテル ······························· 271
ジフェニルカルバジド ··························· 271
ジフェニルカルバジド試液 ······················ 271
ジフェニルカルバゾン ··························· 271
ジフェニルカルバゾン試液 ······················ 271
1,5－ジフェニルカルボノヒドラジド ··········· 271
1,5－ジフェニルカルボノヒドラジド試液 ····· 271
ジフェニルスルホン，定量用 ············ 271, <u>26</u>
1,1－ジフェニル－4－ピペリジノ－1－ブテン塩酸塩，
　　薄層クロマトグラフィー用 ·················· 272
1,4－ジフェニルベンゼン ························· 272
ジフェンヒドラミン ················ 272, **916**, <u>39</u>
ジフェンヒドラミン・バレリル尿素散 ········ **917**
ジフェンヒドラミン・フェノール・亜鉛華リニメント ···· **917**
ジフェンヒドラミン塩酸塩 ············· **916**, <u>39</u>
ジブカイン塩酸塩 ···················· 272, **918**, <u>39</u>
ジブチルアミン ···································· 272
ジ－n－ブチルエーテル ··························· 272
2,6－ジ－t－ブチルクレゾール ··················· 272
2,6－ジ－t－ブチルクレゾール試液 ············ 272
ジブチルジチオカルバミン酸亜鉛 ············· 272
ジフテリアトキソイド ·························· **918**
4,4′－ジフルオロベンゾフェノン ················ 272
ジフルコルトロン吉草酸エステル ····· **919**, <u>39</u>
ジプロフィリン ···································· 272
シプロフロキサシン ······················ **920**, <u>39</u>
シプロフロキサシン塩酸塩水和物 ····· **921**, <u>39</u>
シプロヘプタジン塩酸塩水和物 ········ **922**, <u>39</u>
2,6－ジブロムキノンクロルイミド ·············· 272
2,6－ジブロムキノンクロルイミド試液 ········ 272
2,6－ジブロモ－N－クロロ－1,4－ベンゾキノン
　　モノイミン ·· 272
2,6－ジブロモ－N－クロロ－p－ベンゾキノン
　　モノイミン ·· 272
2,6－ジブロモ－N－クロロ－1,4－ベンゾキノン
　　モノイミン試液 ···································· 272
2,6－ジブロモ－N－クロロ－p－ベンゾキノン
　　モノイミン試液 ···································· 272
2,6－ジブロモ－N－クロロ－1,4－ベンゾキノン
　　モノイミン試液，希 ······························ 272
2,6－ジブロモ－N－クロロ－p－ベンゾキノン
　　モノイミン試液，希 ······························ 272
ジフロラゾン酢酸エステル ············· **923**, <u>39</u>
ジベカシン硫酸塩 ···················· 272, **924**, <u>39</u>
ジベカシン硫酸塩点眼液 ······················ **925**
シベレスタットナトリウム水和物 ··· 272, **925**, <u>39</u>
ジベンジル ·· 272
N,N′－ジベンジルエチレンジアミン二酢酸塩 ····· 272
ジベンズ[a,h]アントラセン ······················· 273
シベンゾリンコハク酸塩 ················ **927**, <u>39</u>
シベンゾリンコハク酸塩，定量用 ············· 273
シベンゾリンコハク酸塩錠 ··················· **928**
脂肪酸メチルエステル混合試液 ················ 274
脂肪油 ··· 274
シメチジン ································ **929**, <u>39</u>
N,N－ジメチルアセトアミド ····················· 274
ジメチルアニリン ································· 274
2,6－ジメチルアニリン ···························· 274
N,N－ジメチルアニリン ·························· 274
(ジメチルアミノ)アゾベンゼンスルホニルクロリド ····· 274
4－ジメチルアミノアンチピリン ················ 274
4－ジメチルアミノシンナムアルデヒド ······· 274
p－ジメチルアミノシンナムアルデヒド ······· 274
4－ジメチルアミノシンナムアルデヒド試液 ·· 274
p－ジメチルアミノシンナムアルデヒド試液 ·· 274
ジメチルアミノフェノール ······················ 274
ジメチルアミノプロピルシリル化シリカゲル，
　　液体クロマトグラフィー用 ·················· 383
4－ジメチルアミノベンジリデンロダニン ····· 274
p－ジメチルアミノベンジリデンロダニン ····· 274
4－ジメチルアミノベンジリデンロダニン試液 ··· 274
p－ジメチルアミノベンジリデンロダニン試液 ··· 274
4－ジメチルアミノベンズアルデヒド ·········· 274
p－ジメチルアミノベンズアルデヒド ·········· 274
p－ジメチルアミノベンズアルデヒド・塩化第二鉄試液 ···· 274
p－ジメチルアミノベンズアルデヒド・塩化第二鉄試液，
　　希 ··· 274
4－ジメチルアミノベンズアルデヒド・塩化鉄(III)試液 ···· 275
p－ジメチルアミノベンズアルデヒド・塩化鉄(III)試液 ···· 275
4－ジメチルアミノベンズアルデヒド・塩化鉄(III)試液，
　　希 ··· 275
4－ジメチルアミノベンズアルデヒド・塩酸・酢酸試液 ···· 275
4－ジメチルアミノベンズアルデヒド・塩酸試液 ···· 275
p－ジメチルアミノベンズアルデヒド・塩酸試液 ···· 275
4－ジメチルアミノベンズアルデヒド試液 ···· 274
p－ジメチルアミノベンズアルデヒド試液 ···· 274
4－ジメチルアミノベンズアルデヒド試液，噴霧用 ···· 274
p－ジメチルアミノベンズアルデヒド試液，噴霧用 ···· 274
ジメチルアミン ···································· 275
N,N－ジメチル－n－オクチルアミン ············ 275
ジメチルグリオキシム ·························· 275
ジメチルグリオキシム・チオセミカルバジド試液 ···· 275

ジメチルグリオキシム試液	275
ジメチルシリル化シリカゲル(蛍光剤入り),	
薄層クロマトグラフィー用	383
ジメチルスルホキシド	275
ジメチルスルホキシド，吸収スペクトル用	275
3-(4,5-ジメチルチアゾール-2-イル)-2,5-	
ジフェニル-2*H*-テトラゾリウム臭化物	275
3-(4,5-ジメチルチアゾール-2-イル)-2,5-	
ジフェニル-2*H*-テトラゾリウム臭化物試液	275
2,6-ジメチル-4-(2-ニトロソフェニル)-3,5-	
ピリジンジカルボン酸ジメチルエステル,	
薄層クロマトグラフィー用	275
N,N-ジメチル-*p*-フェニレンジアンモニウム	
二塩酸塩	275
ジメチルポリシロキサン，ガスクロマトグラフィー用	275
ジメチルホルムアミド	275
N,N-ジメチルホルムアミド	275
N,N-ジメチルホルムアミド,	
液体クロマトグラフィー用	275
ジメトキシメタン	275
ジメドン	275
ジメモルファンリン酸塩	**929**, **39**
ジメルカプロール	**930**, **39**
ジメルカプロール注射液	**930**
ジメンヒドリナート	**931**
ジメンヒドリナート，定量用	275
ジメンヒドリナート錠	**931**
次没食子酸ビスマス	**932**, **39**
ジモルホラミン	**933**, **39**
ジモルホラミン，定量用	275
ジモルホラミン注射液	**933**
シャカンゾウ	**1955**, **90**
炙甘草	**1955**
試薬・試液	204, **23**
弱アヘンアルカロイド・スコポラミン注射液	**439**
弱塩基性DEAE-架橋デキストラン	
陰イオン交換体(Cl型)	383
弱酸性イオン交換樹脂，液体クロマトグラフィー用	383
弱酸性イオン交換シリカゲル,	
液体クロマトグラフィー用	383
弱酸性CM-架橋セルロース陽イオン交換体(H型)	383
シャクヤク	**1956**
芍薬	**1956**
芍薬甘草湯エキス	**1957**
シャクヤク末	**1957**
芍薬末	**1957**
ジャショウシ	**1959**, **90**
蛇床子	**1959**
シャゼンシ	**1959**
車前子	**1959**
シャゼンシ，薄層クロマトグラフィー用	275, **26**
シャゼンソウ	**1959**, **90**
車前草	**1959**
重塩酸，核磁気共鳴スペクトル測定用	276

臭化カリウム	276, **934**, **39**
臭化カリウム，赤外吸収スペクトル用	276
臭化シアン試液	276
臭化ジスチグミン，定量用	276
臭化ジミジウム	276
臭化ジミジウム-パテントブルー混合試液	276
臭化3-(4,5-ジメチルチアゾール-2-イル)-2,5-	
ジフェニル-2*H*-テトラゾリウム	276
臭化3-(4,5-ジメチルチアゾール-2-イル)-2,5-	
ジフェニル-2*H*-テトラゾリウム試液	276
臭化水素酸	276
臭化水素酸アレコリン，薄層クロマトグラフィー用	276
臭化水素酸スコポラミン	276
臭化水素酸スコポラミン，薄層クロマトグラフィー用	276
臭化水素酸セファエリン	276
臭化水素酸ホマトロピン	276
臭化ダクロニウム，薄層クロマトグラフィー用	276
臭化*n*-デシルトリメチルアンモニウム	276
臭化*n*-デシルトリメチルアンモニウム試液,	
0.005 mol/L	276
臭化テトラ*n*-ブチルアンモニウム	276
臭化テトラ*n*-プロピルアンモニウム	276
臭化テトラ*n*-ヘプチルアンモニウム	276
臭化テトラ*n*-ペンチルアンモニウム	276
臭化ナトリウム	276, **934**, **39**
臭化プロパンテリン	276
臭化ヨウ素(Ⅱ)	276
臭化ヨウ素(Ⅱ)試液	277
臭化リチウム	277
重金属試験法	27
重クロム酸カリウム	277
重クロム酸カリウム(標準試薬)	277
重クロム酸カリウム・硫酸試液	277
1/60 mol/L重クロム酸カリウム液	194
重クロム酸カリウム試液	277
シュウ酸	277
シュウ酸アンモニウム	277
シュウ酸アンモニウム一水和物	277
シュウ酸アンモニウム試液	277
0.005 mol/Lシュウ酸液	194
0.05 mol/Lシュウ酸液	194
シュウ酸塩pH標準液	203, **277**
シュウ酸試液	277
シュウ酸ナトリウム(標準試薬)	277
0.005 mol/Lシュウ酸ナトリウム液	194
シュウ酸*N*-(1-ナフチル)-*N*′-ジエチルエチレン	
ジアミン	277
シュウ酸*N*-(1-ナフチル)-*N*′-ジエチルエチレン	
ジアミン・アセトン試液	277
シュウ酸*N*-(1-ナフチル)-*N*′-ジエチルエチレン	
ジアミン試液	277
シュウ酸二水和物	277
重水，核磁気共鳴スペクトル測定用	277
重水素化アセトン，核磁気共鳴スペクトル測定用	277

重水素化ギ酸，核磁気共鳴スペクトル測定用 …… *277*
重水素化クロロホルム，核磁気共鳴スペクトル測定用 …… *277*
重水素化ジメチルスルホキシド，
　　核磁気共鳴スペクトル測定用 …………… *277*
重水素化ピリジン，核磁気共鳴スペクトル測定用 …… *277*
重水素化メタノール，核磁気共鳴スペクトル測定用 …… *277*
重水素化溶媒，核磁気共鳴スペクトル測定用 …… *277*
十全大補湯エキス …………………………… **1960**
臭素 ……………………………………………… *277*
臭素・酢酸試液 ………………………………… *277*
臭素・シクロヘキサン試液 …………………… *277*
臭素・水酸化ナトリウム試液 ………………… *277*
臭素・四塩化炭素試液 ………………………… *277*
重曹 …………………………………………… **1111**
0.05 mol/L 臭素液 ……………………………… *194*
臭素酸カリウム ………………………………… *277*
1／60 mol/L 臭素酸カリウム液 ……………… *195*
臭素試液 ………………………………………… *277*
重炭酸ナトリウム …………………………… **1111**
重炭酸ナトリウム注射液 …………………… **1111**
収着－脱着等温線測定法及び水分活性測定法 …… *107*
ジュウヤク …………………………………… **1963**
十薬 …………………………………………… **1963**
シュクシャ …………………………………… **1963**
縮砂 …………………………………………… **1963**
シュクシャ末 ………………………………… **1964**
縮砂末 ………………………………………… **1964**
宿主細胞由来タンパク質試験法〈G3-9-172〉…… *2560*
酒精剤 …………………………………………… *21*
酒石酸 ………………………………… *277*, **935**, 39
L－酒石酸 ……………………………………… *277*
酒石酸アンモニウム …………………………… *277*
L－酒石酸アンモニウム ……………………… *277*
酒石酸カリウム ………………………………… *277*
酒石酸カリウムナトリウム …………………… *277*
酒石酸緩衝液，pH 3.0 ………………………… *277*
酒石酸水素ナトリウム ………………………… *277*
酒石酸水素ナトリウム一水和物 ……………… *277*
酒石酸水素ナトリウム試液 …………………… *277*
酒石酸第一鉄試液 ……………………………… *277*
酒石酸鉄(Ⅱ)試液 ……………………………… *277*
酒石酸ナトリウム ……………………………… *277*
酒石酸ナトリウムカリウム四水和物 ………… *277*
酒石酸ナトリウム二水和物 …………………… *277*
酒石酸メトプロロール，定量用 ……………… *277*
酒石酸レバロルファン，定量用 ……………… *277*
純度試験用アコニチン ………………………… *277*
純度試験用アルテミシア・アルギイ ………… *277*
純度試験用ジェサコニチン …………………… *277*
純度試験用ヒパコニチン ……………………… *278*
純度試験用ブシジエステルアルカロイド混合標準溶液 …… *278*
純度試験用ペウケダヌム・レデボウリエルロイデス …… *278*
純度試験用メサコニチン ……………………… *278*
純度試験用ラポンチシン ……………………… *278*

消化力試験法 …………………………………… *119*
ショウキョウ ………………………… **1964**, 90
生姜 …………………………………………… **1964**
ショウキョウ末 ……………………… **1965**, 90
生姜末 ………………………………………… **1965**
錠剤 ……………………………………………… *10*
錠剤硬度測定法〈G6-4-180〉 ………………… *2641*
小柴胡湯エキス ……………………………… **1965**
錠剤の摩損度試験法〈G6-5-181〉 …… *2642*, 125
硝酸 ……………………………………………… *278*
硝酸，希 ………………………………………… *278*
硝酸，発煙 ……………………………………… *278*
硝酸アンモニウム ……………………………… *278*
硝酸イソソルビド …………………… **936**, 39
硝酸イソソルビド，定量用 …………………… *278*
硝酸イソソルビド錠 ………………………… **936**
硝酸カリウム …………………………………… *278*
硝酸カルシウム ………………………………… *278*
硝酸カルシウム四水和物 ……………………… *278*
硝酸銀 ………………………… *278*, **935**, 39
硝酸銀・アンモニア試液 ……………………… *278*
0.001 mol/L 硝酸銀液 ………………………… *195*
0.005 mol/L 硝酸銀液 ………………………… *195*
0.01 mol/L 硝酸銀液 ………………………… *195*
0.02 mol/L 硝酸銀液 ………………………… *195*
0.1 mol/L 硝酸銀液 …………………………… *195*
硝酸銀試液 ……………………………………… *278*
硝酸銀点眼液 ………………………………… **935**
硝酸コバルト …………………………………… *278*
硝酸コバルト(Ⅱ)六水和物 …………………… *278*
硝酸試液，2 mol/L …………………………… *278*
硝酸ジルコニル ………………………………… *278*
硝酸ジルコニル二水和物 ……………………… *278*
硝酸ストリキニーネ，定量用 ………………… *278*
硝酸セリウム(Ⅲ)試液 ………………………… *278*
硝酸セリウム(Ⅲ)六水和物 …………………… *278*
硝酸第一セリウム ……………………………… *278*
硝酸第一セリウム試液 ………………………… *278*
硝酸第二鉄 ……………………………………… *278*
硝酸第二鉄試液 ………………………………… *278*
硝酸チアミン …………………………………… *278*
硝酸鉄(Ⅲ)九水和物 …………………………… *278*
硝酸鉄(Ⅲ)試液 ………………………………… *278*
硝酸デヒドロコリダリン，成分含量測定用 …… *278*
0.1 mol/L 硝酸銅(Ⅱ)液 ……………………… *195*
硝酸銅(Ⅱ)三水和物 …………………………… *278*
硝酸ナトリウム ………………………………… *279*
硝酸ナファゾリン ……………………………… *279*
硝酸ナファゾリン，定量用 …………………… *279*
硝酸鉛 …………………………………………… *279*
硝酸鉛(Ⅱ) ……………………………………… *279*
硝酸二アンモニウムセリウム(Ⅳ) …………… *279*
硝酸二アンモニウムセリウム(Ⅳ)試液 ……… *279*
硝酸バリウム …………………………………… *279*

硝酸バリウム試液	279
硝酸ビスマス	279
硝酸ビスマス・ヨウ化カリウム試液	279
0.01 mol/L硝酸ビスマス液	195
硝酸ビスマス五水和物	279
硝酸ビスマス試液	279
硝酸標準液	203
硝酸マグネシウム	279
硝酸マグネシウム六水和物	279
硝酸マンガン（Ⅱ）六水和物	279
硝酸ミコナゾール	279
常水	959
ショウズク	1968, 91
小豆蔲	1968, 91
小豆蔲	91
小豆蔲	91
小豆蔲	1968, 91
焦性ブドウ酸ナトリウム	279
小青竜湯エキス	1968
焼セッコウ	1975
焼石膏	1975
消毒法及び除染法〈G4-9-170〉	2603
消毒用アルコール	591
消毒用エタノール	279, 591
消毒用フェノール	1457
消毒用フェノール水	1458
樟脳	731
ショウマ	1971, 91
升麻	1971
焼ミョウバン	1803
生薬及び生薬製剤のアフラトキシン試験法〈G5-7-170〉	2628
生薬及び生薬製剤の薄層クロマトグラフィー〈G5-3-170〉	2621
生薬及び生薬を主たる原料とする製剤の微生物限度試験法	138
生薬関連製剤	20
生薬関連製剤各条	20
生薬試験法	134
生薬純度試験用アセトン	279
生薬純度試験用アリストロキア酸Ⅰ	279
生薬純度試験用エーテル	279
生薬純度試験用ジエチルエーテル	279
生薬純度試験用ヘキサン	279
生薬総則	7
生薬定量用エフェドリン塩酸塩	279
生薬等の定量指標成分について〈G5-2-170〉	2620
生薬の放射能測定法〈G5-8-180〉	2630
蒸留水，注射用	279
[6]－ショーガオール，定量用	279, 27
[6]－ショーガオール，薄層クロマトグラフィー用	280
食塩	652
触媒用ラニーニッケル	281
植物油	281
ジョサマイシン	281, 937, 39
ジョサマイシン錠	938
ジョサマイシンプロピオン酸エステル	281, 939, 39
シラザプリル	281
シラザプリル，定量用	281
シラザプリル錠	940
シラザプリル水和物	281, 940, 39
シラザプリル水和物，定量用	281
シラスタチンアンモニウム，定量用	281
シラスタチンナトリウム	942, 39
ジラゼプ塩酸塩水和物	943, 39
シリカゲル	282
シリカゲル，液体クロマトグラフィー用	383
シリカゲル，ガスクロマトグラフィー用	383
シリカゲル，薄層クロマトグラフィー用	383
シリカゲル(蛍光剤入り)，薄層クロマトグラフィー用	383
シリカゲル(混合蛍光剤入り)，薄層クロマトグラフィー用	383
シリカゲル(粒径5 〜 7 μm，蛍光剤入り)，薄層クロマトグラフィー用	383
シリコーン樹脂	282
シリコン樹脂	282
シリコーン油	282
シリコン油	282
試料緩衝液，エポエチンアルファ用	282
ジルコニル・アリザリンS試液	282
ジルコニル・アリザリンレッドS試液	282
ジルチアゼム塩酸塩	282, 944, 40
ジルチアゼム塩酸塩，定量用	282
ジルチアゼム塩酸塩徐放カプセル	945
シルニジピン	946, 40
シルニジピン錠	947
シロスタゾール	949, 40
シロスタゾール錠	950
シロップ剤	12
シロップ用アシクロビル	399
シロップ用クラリスロマイシン	758
シロップ用剤	12
シロップ用セファトリジンプロピレングリコール	1005
シロップ用セファドロキシル	1008
シロップ用セファレキシン	1012
シロップ用セフポドキシム　プロキセチル	1059
シロップ用セフロキサジン	1065
シロップ用トラニラスト	1214
シロップ用ファロペネムナトリウム	1439
シロップ用ペミロラストカリウム	1607
シロップ用ホスホマイシンカルシウム	1635
シロドシン	282, 951, 40
シロドシン口腔内崩壊錠	954
シロドシン錠	952
シンイ	282, 1971
辛夷	1971
シンギ	1972
晋耆	1972
シンコニジン	282

シンコニン	282	水酸化ナトリウム試液，0.05 mol/L	283
ジンコン	282	水酸化ナトリウム試液，0.2 mol/L	283
ジンコン試液	282	水酸化ナトリウム試液，0.5 mol/L	283
浸剤・煎剤	21	水酸化ナトリウム試液，2 mol/L	283
親水クリーム	**765**	水酸化ナトリウム試液，4 mol/L	283
親水性シリカゲル，液体クロマトグラフィー用	383	水酸化ナトリウム試液，5 mol/L	283
親水軟膏	**765**	水酸化ナトリウム試液，6 mol/L	283
親水ワセリン	**1858**	水酸化ナトリウム試液，8 mol/L	283
診断用クエン酸ナトリウム液	**754**	水酸化ナトリウム試液，希	283
浸透圧測定法(オスモル濃度測定法)	59	水酸化バリウム	283
シンドビスウイルス	282, <u>27</u>	水酸化バリウム試液	283
シンナムアルデヒド，薄層クロマトグラフィー用	282	水酸化バリウム八水和物	283
(*E*)－シンナムアルデヒド，薄層クロマトグラフィー用	282	水酸化リチウム一水和物	283
シンバスタチン	**956**, <u>40</u>	水素	283
シンバスタチン錠	**957**	水素化ホウ素ナトリウム	283
真武湯エキス	**1972**, <u>91</u>	水分測定法(カールフィッシャー法)	60
		水分測定用イミダゾール	283
ス		水分測定用エチレングリコール	283
		水分測定用塩化カルシウム	283
水，核酸分解酵素不含	282	水分測定用クロロホルム	283
水銀	282	水分測定用試液	283
水銀標準液	203	水分測定用ジエチレングリコールモノエチルエーテル	283
水酸化カリウム	282, **961**, <u>40</u>	水分測定用炭酸プロピレン	283
0.1 mol/L水酸化カリウム・エタノール液	196	水分測定用ピリジン	283
0.5 mol/L水酸化カリウム・エタノール液	196	水分測定用ホルムアミド	283
水酸化カリウム・エタノール試液	282	水分測定用メタノール	283
水酸化カリウム・エタノール試液，0.1 mol/L	282	水分測定用2－メチルアミノピリジン	283
水酸化カリウム・エタノール試液，希	283	水分測定用陽極液A	283
0.1 mol/L水酸化カリウム液	195	スウェルチアマリン，薄層クロマトグラフィー用	283
0.5 mol/L水酸化カリウム液	195	スキサメトニウム塩化物水和物	**963**
1 mol/L水酸化カリウム液	195	スキサメトニウム塩化物水和物，	
水酸化カリウム試液	282	薄層クロマトグラフィー用	284
水酸化カリウム試液，0.02 mol/L	282	スキサメトニウム塩化物注射液	**963**
水酸化カリウム試液，0.05 mol/L	282	スクラルファート水和物	**964**, <u>40</u>
水酸化カリウム試液，8 mol/L	282	スクロース	284
水酸化カルシウム	283, **961**, <u>40</u>	スクロース，旋光度測定用	284
水酸化カルシウム，pH測定用	283	スコポラミン臭化水素酸塩水和物	284, **965**
水酸化カルシウムpH標準液	203, 283	スコポラミン臭化水素酸塩水和物，	
水酸化カルシウム試液	283	薄層クロマトグラフィー用	284
水酸化第二銅	283	スコポレチン，薄層クロマトグラフィー用	284
水酸化銅(Ⅱ)	283	スズ	284
水酸化ナトリウム	283, **962**, <u>40</u>	スズ，熱分析用	385
0.025 mol/L水酸化ナトリウム・エタノール(99.5)液	196	スズ標準液	203
水酸化ナトリウム・ジオキサン試液	283	スタキオース，薄層クロマトグラフィー用	284
水酸化ナトリウム・メタノール試液	283	スダンⅢ	284
0.01 mol/L水酸化ナトリウム液	196	ズダンⅢ	284
0.02 mol/L水酸化ナトリウム液	196	スダンⅢ試液	284
0.05 mol/L水酸化ナトリウム液	196	ズダンⅢ試液	284
0.1 mol/L水酸化ナトリウム液	196	スチレン	284
0.2 mol/L水酸化ナトリウム液	196	スチレン－ジビニルベンゼン共重合体，	
0.5 mol/L水酸化ナトリウム液	196	液体クロマトグラフィー用	383
1 mol/L水酸化ナトリウム液	196	*p*－スチレンスルホン酸ナトリウム	284
水酸化ナトリウム試液	283	スチレン－マレイン酸交互共重合体	
水酸化ナトリウム試液，0.01 mol/L	283	部分ブチルエステル	285

ステアリルアルコール ················· 285, **966**
ステアリルナトリウムフマル酸塩 ················ 285
ステアリン酸 ····················· **966**, <u>40</u>, 59
ステアリン酸，ガスクロマトグラフィー用 ········· 285
ステアリン酸カルシウム ·············· **968**, <u>40</u>
ステアリン酸ポリオキシル40 ············· **968**, <u>40</u>
ステアリン酸マグネシウム ············· **968**, <u>40</u>, 59
ステアリン酸メチル，ガスクロマトグラフィー用 ···· 285
ストリキニーネ硝酸塩，定量用 ················ 285
ストレプトマイシン硫酸塩 ················ **970**, <u>40</u>
ストロンチウム試液 ······················· 286
スピラマイシン酢酸エステル ············ **971**, <u>40</u>
スピロノラクトン ························ **972**
スピロノラクトン錠 ······················· **973**
スプレー剤 ······························ 19
スペクチノマイシン塩酸塩水和物 ·············· **974**
スリンダク ························ **975**, <u>40</u>
スルタミシリントシル酸塩錠 ················· **977**
スルタミシリントシル酸塩水和物 ········ **976**, <u>40</u>
スルチアム ························ **978**, <u>40</u>
スルバクタムナトリウム ·············· **979**, <u>40</u>
スルバクタムナトリウム，スルバクタムペニシラミン用 ··· 286
スルバクタムペニシラミン用スルバクタムナトリウム ······ 286
スルピリド ························ **980**, <u>40</u>
スルピリド，定量用 ······················· 286
スルピリドカプセル ······················· **981**
スルピリド錠 ···························· **981**
スルピリン ······························ 286
スルピリン，定量用 ······················· 286
スルピリン水和物 ················· 286, **982**, <u>40</u>
スルピリン水和物，定量用 ··················· 286
スルピリン注射液 ························ **982**
スルファサラジン ························ **861**
スルファジアジン銀 ······················· **983**
スルファチアゾール ······················· 286
スルファニルアミド ······················· 286
スルファニルアミド，ジアゾ化滴定用 ··········· 286
スルファニル酸 ·························· 286
スルファフラゾール ······················· **986**
スルファミン酸(標準試薬) ·················· 286
スルファミン酸アンモニウム ·················· 286
スルファミン酸アンモニウム試液 ·············· 286
スルファメチゾール ················· **984**, <u>40</u>
スルファメトキサゾール ··············· **984**, <u>40</u>
スルファモノメトキシン水和物 ··········· **985**, <u>40</u>
スルフイソキサゾール ················ **986**, <u>40</u>
スルベニシリンナトリウム ·············· **986**, <u>40</u>
スルホコハク酸ジー2ーエチルヘキシルナトリウム ··· 286
スルホサリチル酸 ························ 286
スルホサリチル酸試液 ····················· 286
5ースルホサリチル酸二水和物 ················ 286
スルホブロモフタレインナトリウム ········ **987**, <u>40</u>
スルホブロモフタレインナトリウム注射液 ······· **988**

スルホンアミド基を結合したヘキサデシルシリル化
　シリカゲル，液体クロマトグラフィー用 ········ 383
スレオプロカテロール塩酸塩 ················· 286

セ

製剤各条 ································ 10
製剤均一性試験法 ······················· 147
製剤総則 ································ 9
製剤通則 ································ 9
製剤に関連する添加剤の機能性関連特性について
　〈G9-1-181〉 ························ <u>125</u>
製剤の粒度の試験法 ····················· 149
製剤包装通則 ···························· 9
制酸力試験法 ··························· 149
青色リトマス紙 ························· 384
成人用沈降ジフテリアトキソイド ············· **918**
精製塩酸 ······························ 287
精製水 ··························· 287, **959**
精製水(容器入り) ······················· **959**
精製水，アンモニウム試験用 ················ 287
精製水，滅菌 ··························· 287
精製ゼラチン ······················ **1071**, <u>41</u>
精製セラック ······················ **1073**, <u>41</u>
精製デヒドロコール酸 ··············· **1162**, <u>42</u>
精製白糖 ····························· **1312**
精製ヒアルロン酸ナトリウム ········· 287, **1360**, <u>45</u>
精製ヒアルロン酸ナトリウム注射液 ·········· **1361**
精製ヒアルロン酸ナトリウム点眼液 ·········· **1362**
精製ブドウ糖 ······················ **1476**, <u>46</u>
精製メタノール ························· 287
精製ラノリン ·························· **2072**
精製硫酸 ······························ 287
性腺刺激ホルモン試液，ヒト絨毛性 ············ 287
成分含量測定用アミグダリン ················ 287
成分含量測定用アルブチン ·················· 287
成分含量測定用塩酸14ーアニソイルアコニン ···· 287
成分含量測定用塩酸エメチン ················ 287
成分含量測定用塩酸ベンゾイルヒパコニン ······ 287
成分含量測定用塩酸ベンゾイルメサコニン ······ 287
成分含量測定用カプサイシン ················ 287
成分含量測定用(E)ーカプサイシン ············ 287
成分含量測定用カルバゾクロムスルホン酸ナトリウム ··· 287
成分含量測定用[6]ーギンゲロール ············ 287
成分含量測定用クルクミン ·················· 287
成分含量測定用(E)ーケイ皮酸 ··············· 287
成分含量測定用ゲニポシド ·················· 287
成分含量測定用サイコサポニンa ············· 287
成分含量測定用サイコサポニンb_2 ············ 287
成分含量測定用サイコサポニンd ············· 287
成分含量測定用シノブファギン ·············· 287
成分含量測定用硝酸デヒドロコリダリン ········ 287
成分含量測定用バルバロイン ················ 287
成分含量測定用10ーヒドロキシー2ー(E)ーデセン酸 ···· 287

成分含量測定用ブシモノエステルアルカロイド混合
　　　標準試液 ……………………………………287
成分含量測定用ブファリン ………………………287
成分含量測定用ペオノール ………………………287
成分含量測定用ヘスペリジン ……………………287
成分含量測定用ペリルアルデヒド ………………287
成分含量測定用マグノロール ……………………287
成分含量測定用リンコフィリン …………………287
成分含量測定用レジブフォゲニン ………………287
成分含量測定用ロガニン …………………………287
成分含量測定用ロスマリン酸 ……………………287
製薬用水の品質管理〈GZ-2-181〉………2655, <u>126</u>
精油 …………………………………………………287
西洋ワサビペルオキシダーゼ ……………………287
生理食塩液 ………………………………287, 991, <u>40</u>
ゼオライト(孔径0.5 nm), ガスクロマトグラフィー用 ……383
赤外吸収スペクトル測定法 ………………………48
赤外吸収スペクトル用塩化カリウム ……………287
赤外吸収スペクトル用臭化カリウム ……………287
赤色リトマス紙 ……………………………………384
石油エーテル ………………………………………287
石油系ヘキサメチルテトラコサン類分枝炭化水素
　　　混合物(L), ガスクロマトグラフィー用 ……287
石油ベンジン ………………………………287, 991
赤リン ………………………………………………287
セクレチン標準品用ウシ血清アルブミン試液 …287
セクレチン用ウシ血清アルブミン試液 …………287
セサミン, 薄層クロマトグラフィー用 …………287
セスキオレイン酸ソルビタン ……………………288
セタノール ………………………………………288, 992
セチリジン塩酸塩 ……………………………992, <u>40</u>
セチリジン塩酸塩, 定量用 ………………………288
セチリジン塩酸塩錠 ………………………………993
セチルピリジニウム塩化物一水和物 ……………288
石灰乳 ………………………………………………288
舌下錠 ………………………………………………13
赤血球浮遊液, A型 ………………………………288
赤血球浮遊液, B型 ………………………………288
セッコウ ……………………………………………1975
石膏 …………………………………………………1975
セトチアミン塩酸塩水和物 …………………994, <u>40</u>
セトラキサート塩酸塩 ………………………995, <u>40</u>
セトリミド …………………………………………288
セネガ ………………………………………………1975
セネガシロップ ……………………………………1976
セネガ末 ……………………………………………1976
セファエリン臭化水素酸塩 ………………………288
セファクロル ……………………………………996, <u>40</u>
セファクロルカプセル ……………………………997
セファクロル細粒 …………………………………1000
セファクロル複合顆粒 ……………………………998
セファゾリンナトリウム ……………………1001, <u>40</u>
セファゾリンナトリウム水和物 ……………1003, <u>40</u>
セファトリジンプロピレングリコール ……288, 1005, <u>40</u>

セファドロキシル ………………………288, 1006, <u>40</u>
セファドロキシルカプセル ………………………1007
セファレキシン ………………………………1008, <u>40</u>
セファレキシンカプセル …………………………1009
セファレキシン複合顆粒 …………………………1010
セファロチンナトリウム ……………………1013, <u>40</u>
セフィキシムカプセル ……………………………1016
セフィキシム細粒 …………………………………1017
セフィキシム水和物 ………………………………1015
セフェピム塩酸塩水和物 ……………………1018, <u>40</u>
セフォジジムナトリウム ……………………1020, <u>40</u>
セフォゾプラン塩酸塩 ………………………1022, <u>40</u>
セフォタキシムナトリウム …………………1023, <u>40</u>
セフォチアム塩酸塩 …………………………1024, <u>40</u>
セフォチアム　ヘキセチル塩酸塩 …………1026, <u>40</u>
セフォテタン …………………………………1028, <u>40</u>
セフォペラゾンナトリウム …………………1030, <u>40</u>
セフカペン　ピボキシル塩酸塩細粒 ……………1035
セフカペン　ピボキシル塩酸塩錠 ………………1034
セフカペン　ピボキシル塩酸塩水和物 ……1033, <u>40</u>
セフカペンピボキシル塩酸塩水和物 ……………288
セフジトレン　ピボキシル ………………………1036, <u>41</u>
セフジトレン　ピボキシル細粒 …………………1038
セフジトレン　ピボキシル錠 ……………………1037
セフジニル ……………………………………1039, <u>41</u>
セフジニルカプセル ………………………………1040
セフジニル細粒 ……………………………………1041
セフジニルラクタム環開裂ラクトン ……………288
セフスロジンナトリウム ……………………1041, <u>41</u>
セフタジジム水和物 …………………………1043, <u>41</u>
セフチゾキシムナトリウム …………………1045, <u>41</u>
セフチブテン水和物 …………………………1046, <u>41</u>
セフテラム　ピボキシル ……………………1048, <u>41</u>
セフテラム　ピボキシル細粒 ……………………1050
セフテラム　ピボキシル錠 ………………………1049
セフトリアキソンナトリウム水和物 ………1051, <u>41</u>
セフピラミドナトリウム ……………………1053, <u>41</u>
セフピロム硫酸塩 ……………………………1054, <u>41</u>
セフブペラゾンナトリウム …………………1055, <u>41</u>
セフポドキシム　プロキセチル ……………1056, <u>41</u>
セフポドキシム　プロキセチル錠 ………………1058
セフミノクスナトリウム水和物 ……………1060, <u>41</u>
セフメタゾールナトリウム …………………1061, <u>41</u>
セフメノキシム塩酸塩 ………………………1062, <u>41</u>
セフロキサジン水和物 ………………………1064, <u>41</u>
セフロキシム　アキセチル …………………1066, <u>41</u>
セボフルラン ………………………………………1067
セミカルバジド塩酸塩 ……………………………288
セラセフェート ………………………………1068, <u>41</u>
ゼラチン ……………………………………288, 1069, <u>41</u>
ゼラチン, 酸処理 …………………………………288
ゼラチン・トリス緩衝液 …………………………288
ゼラチン・トリス緩衝液, pH 8.0 ………………288
ゼラチン・リン酸塩緩衝液 ………………………289

ゼラチン・リン酸塩緩衝液，pH 7.0	289	ソーダ石灰	289
ゼラチン・リン酸塩緩衝液，pH 7.4	289	ゾニサミド	1082, **41**
ゼラチン試液	288	ゾニサミド錠	1083
ゼラチン製ペプトン	289	ゾピクロン	1084, **41**
L－セリン	289, 1074, **41**	ゾピクロン，定量用	289
セルモロイキン(遺伝子組換え)	1075	ゾピクロン錠	1085
セルモロイキン，液体クロマトグラフィー用	289	ソボク	1984
セルモロイキン分子量測定用マーカータンパク質	289	蘇木	1984
セルモロイキン用緩衝液	289	ソヨウ	1984
セルモロイキン用基質緩衝液	289	蘇葉	1984
セルモロイキン用濃縮ゲル	289	ソルビタンセスキオレイン酸エステル	289, 1086, **41**
セルモロイキン用培養液	289	ゾルピデム酒石酸塩	1086, **41**
セルモロイキン用分離ゲル	289	ゾルピデム酒石酸塩，定量用	289
セルロース，薄層クロマトグラフィー用	383	ゾルピデム酒石酸塩錠	1087
セルロース(蛍光剤入り)，薄層クロマトグラフィー用	383	D－ソルビトール	289, 1088, **41**
セルローストリス(4－メチルベンゾエート)被覆 シリカゲル，液体クロマトグラフィー用	383	D－ソルビトール，ガスクロマトグラフィー用	289
セルロース誘導体被覆シリカゲル， 液体クロマトグラフィー用	383	D－ソルビトール液	1089, **41**
セレコキシブ	1081, **41**	**タ**	
セレン	289	ダイオウ	1985
セレン標準液	203	大黄	1985
セレン標準原液	203	大黄甘草湯エキス	1987
センキュウ	1976	ダイオウ末	1986
川芎	1976	大黄末	1986
センキュウ末	1977	大柴胡湯エキス	1989
川芎末	1977	第三アミルアルコール	289
ゼンコ	1977	第三ブタノール	289
前胡	1977	第Xa因子	289
旋光度測定法	62	第Xa因子試液	290
旋光度測定用スクロース	289	第十八改正日本薬局方における国際調和〈GZ-3-180〉	2660
センコツ	1978	ダイズ製ペプトン	290
川骨	1978	ダイズ油	290, 1992
洗浄液，ナルトグラスチム試験用	289, **32**	タイソウ	1992
センソ	1978	大棗	1992
蟾酥	1978	大腸菌由来タンパク質	290
センダイウイルス	289	大腸菌由来タンパク質原液	290
せん断セル法による粉体の流動性測定法〈G2-5-181〉	118	第Ⅱa因子	290
センナ	1979, **91**	第二ブタノール	290
センナ末	1980, **92**	胎盤性性腺刺激ホルモン	989
センノシドA，薄層クロマトグラフィー用	289	第四級アンモニウム基を結合した親水性ビニル ポリマーゲル，液体クロマトグラフィー用	383
センブリ	289, 1981	ダウノルビシン塩酸塩	1090, **41**
センブリ・重曹散	1982	タウリン	290, 1091, **41**
センブリ末	1982	タウロウルソデオキシコール酸ナトリウム， 薄層クロマトグラフィー用	290
ソ		タカルシトール水和物	1092
ソイビーン・カゼイン・ダイジェスト培地	289	タカルシトール軟膏	1093
ソウジュツ	1983	タカルシトールローション	1093
蒼朮	1983	タクシャ	1992
ソウジュツ末	1983	沢瀉	1992
蒼朮末	1983	タクシャトリテルペン混合試液，確認試験用	290
ソウハクヒ	1983	タクシャ末	1992
桑白皮	1983	沢瀉末	1992

166　日本名索引

ダクチノマイシン ·· ***389***
濁度試験法 ··· ***80***
ダクロニウム臭化物，薄層クロマトグラフィー用 ············· 290
タクロリムスカプセル ·· ***1095***
タクロリムス水和物 ····································· ***1095***, ***41***
多孔質シリカゲル，液体クロマトグラフィー用 ············· 383
多孔質シリカゲル，ガスクロマトグラフィー用 ············· 383
多孔性アクリロニトリル―ジビニルベンゼン共重合体
　　（孔径0.06 ～ 0.08 μm，100 ～ 200 m²/g），
　　　ガスクロマトグラフィー用 ····························· 383
多孔性エチルビニルベンゼン―ジビニルベンゼン共重合体，
　　　ガスクロマトグラフィー用 ····························· 383
多孔性エチルビニルベンゼン―ジビニルベンゼン共重合体
　　（平均孔径0.0075 μm，500 ～ 600 m²/g），
　　　ガスクロマトグラフィー用 ····························· 383
多孔性スチレン―ジビニルベンゼン共重合体，
　　　液体クロマトグラフィー用 ····························· 383
多孔性スチレン―ジビニルベンゼン共重合体
　　（平均孔径0.0085 μm，300 ～ 400 m²/g），
　　　ガスクロマトグラフィー用 ····························· 383
多孔性スチレン―ジビニルベンゼン共重合体
　　（平均孔径0.3 ～ 0.4 μm，50 m²/g以下），
　　　ガスクロマトグラフィー用 ····························· 383
多孔性ポリマービーズ，ガスクロマトグラフィー用 ········ 383
多孔性ポリメタクリレート，液体クロマトグラフィー用 ··· 383
タゾバクタム ·· ***1096***, ***41***
脱色フクシン試液 ·· 290
ダナゾール ··· ***1099***, ***41***
タムスロシン塩酸塩 ································ 290, ***1100***, ***41***
タムスロシン塩酸塩，定量用 ··································· 290
タムスロシン塩酸塩徐放錠 ···································· ***1101***
タモキシフェンクエン酸塩 ························· ***1102***, ***41***
タランピシリン塩酸塩 ······························· ***1103***, ***41***
多硫化アンモニウム試液 ·· 290
タルク ·· 290, ***1104***
タルチレリン口腔内崩壊錠 ···································· ***1107***
タルチレリン錠 ··· ***1106***
タルチレリン水和物 ································· ***1105***, ***41***
タルチレリン水和物，定量用 ·································· 290
タングステン酸ナトリウム ····································· 290
タングステン(VI)酸ナトリウム二水和物 ····················· 290
炭酸アンモニウム ·· 291
炭酸アンモニウム試液 ·· 291
炭酸塩緩衝液，0.1 mol/L，pH 9.6 ····························· 291
炭酸塩pH標準液 ··· 203
炭酸カリウム ··· 291, ***1108***, ***41***
炭酸カリウム，無水 ·· 291
炭酸カリウム・炭酸ナトリウム試液 ·························· 291
炭酸カルシウム ··· 291
炭酸カルシウム，定量用 ·· 291
炭酸水素アンモニウム ·· 291
炭酸水素アンモニウム試液，0.1 mol/L ······················ 291
炭酸水素カリウム ·· 291
炭酸水素ナトリウム ································ 291, ***1111***, ***41***
炭酸水素ナトリウム，pH測定用 ······························ 291
炭酸水素ナトリウム試液 ·· 291
炭酸水素ナトリウム試液，10% ······························· 291
炭酸水素ナトリウム注射液 ···································· ***1111***
炭酸水素ナトリウム注射液，7% ······························ 291
炭酸脱水酵素 ·· 291
炭酸銅 ··· 291
炭酸銅一水和物 ··· 291
炭酸ナトリウム ··· 291
炭酸ナトリウム(標準試薬) ····································· 291
炭酸ナトリウム，pH測定用 ··································· 291
炭酸ナトリウム，無水 ·· 291
炭酸ナトリウム試液 ··· 291
炭酸ナトリウム試液，0.55 mol/L ····························· 291
炭酸ナトリウム十水和物 ······································· 291
炭酸ナトリウム水和物 ······························· ***1112***, ***41***
炭酸プロピレン ··· 291
炭酸プロピレン，水分測定用 ·································· 291
炭酸マグネシウム ··································· ***1112***, ***41***
炭酸リチウム ··· ***1113***, ***41***
胆汁酸塩 ·· 291
単シロップ ·· ***1114***
タンジン ··· ***1993***
丹参 ··· ***1993***
単糖分析及びオリゴ糖分析／
　　糖鎖プロファイル法〈G3-5-170〉 ······················ 2545
ダントロレンナトリウム水和物 ····················· ***1115***, ***42***
タンナルビン ··· ***1116***
単軟膏 ·· ***1993***
タンニン酸 ··· 291, ***1115***
タンニン酸アルブミン ··· ***1116***
タンニン酸試液 ··· 291
タンニン酸ジフェンヒドラミン ············· 291, ***1116***, ***42***
タンニン酸ベルベリン ··· ***1116***
タンパク質医薬品注射剤の不溶性微粒子試験法 ············· 177
タンパク質含量試験用アルカリ性銅試液 ····················· 291
タンパク質消化酵素試液 ······································· 291
タンパク質定量法〈G3-12-172〉 ···························· 2568
タンパク質のアミノ酸分析法 ··································· 42

チ

チアプリド塩酸塩 ···································· ***1117***, ***42***
チアプリド塩酸塩，定量用 ···································· 291
チアプリド塩酸塩錠 ·· ***1118***
チアマゾール ··· ***1119***, ***42***
チアマゾール錠 ·· ***1119***
チアミラールナトリウム ··························· ***1120***, ***42***
チアミン塩化物塩酸塩 ······························· ***1121***, ***42***
チアミン塩化物塩酸塩散 ······································ ***1122***
チアミン塩化物塩酸塩注射液 ································ ***1123***
チアミン硝化物 ······················· 291, ***1123***, ***42***
チアラミド塩酸塩 ···································· ***1124***, ***42***
チアラミド塩酸塩，定量用 ···································· 291

チアラミド塩酸塩錠	*1125*
チアントール	291, *1125*
3-チエニルエチルペニシリンナトリウム	291
チオアセトアミド	291
チオアセトアミド・グリセリン塩基性試液	292
チオアセトアミド試液	292
チオグリコール酸	292
チオグリコール酸ナトリウム	292
チオグリコール酸培地Ⅰ, 無菌試験用	292
チオグリコール酸培地Ⅱ, 無菌試験用	292
チオシアン酸アンモニウム	292
チオシアン酸アンモニウム・硝酸コバルト試液	292
チオシアン酸アンモニウム・硝酸コバルト(Ⅱ)試液	292
0.02 mol/Lチオシアン酸アンモニウム液	*197*
0.1 mol/Lチオシアン酸アンモニウム液	*197*
チオシアン酸アンモニウム試液	292
チオシアン酸カリウム	292
チオシアン酸カリウム試液	292
チオシアン酸第一鉄試液	292
チオシアン酸鉄(Ⅱ)試液	292
チオジグリコール	292
チオセミカルバジド	292
チオ尿素	292
チオ尿素試液	292
チオペンタール, 定量用	292
チオペンタールナトリウム	292, *1127*, **42**
チオリダジン塩酸塩	*1128*, **42**
チオ硫酸ナトリウム	292
0.002 mol/Lチオ硫酸ナトリウム液	*197*
0.005 mol/Lチオ硫酸ナトリウム液	*197*
0.01 mol/Lチオ硫酸ナトリウム液	*197*
0.02 mol/Lチオ硫酸ナトリウム液	*197*
0.05 mol/Lチオ硫酸ナトリウム液	*197*
0.1 mol/Lチオ硫酸ナトリウム液	*197*
チオ硫酸ナトリウム五水和物	292
チオ硫酸ナトリウム試液	292
チオ硫酸ナトリウム水和物	*1129*, **42**
チオ硫酸ナトリウム注射液	*1129*
チクセツサポニンⅣ, 薄層クロマトグラフィー用	292
チクセツニンジン	*1993*
竹節人参	*1993*
チクセツニンジン末	*1994*
竹節人参末	*1994*
チクロピジン塩酸塩	*1130*, **42**
チクロピジン塩酸塩, 定量用	292
チクロピジン塩酸塩錠	*1130*
チザニジン塩酸塩	*1131*, **42**
チタンエロー	293
腟錠	18
窒素	293, *1132*
窒素定量法(セミミクロケルダール法)	27
腟に適用する製剤	18
腟用坐剤	18
チトクロムc	293
チニダゾール	*1133*, **42**
チペピジンヒベンズ酸塩	*1133*, **42**
チペピジンヒベンズ酸塩, 定量用	293
チペピジンヒベンズ酸塩錠	*1134*
チミン, 液体クロマトグラフィー用	293
チメピジウム臭化物水和物	*1136*, **42**
チモ	293, *1994*
知母	*1994*
チモール	293, *1136*
チモール, 定量用	293
チモール, 噴霧試液用	293
チモール・硫酸・メタノール試液, 噴霧用	293
チモールフタレイン	293
チモールフタレイン試液	293
チモールブルー	293
チモールブルー・ジオキサン試液	293
チモールブルー・1,4-ジオキサン試液	293
チモールブルー・ジメチルホルムアミド試液	293
チモールブルー・N,N-ジメチルホルムアミド試液	293
チモールブルー試液	293
チモールブルー試液, 希	293
チモロールマレイン酸塩	*1137*, **42**
茶剤	21
チュアブル錠	10
注射剤	13
注射剤の採取容量試験法	150
注射剤の不溶性異物検査法	150
注射剤の不溶性微粒子試験法	150
注射剤用ガラス容器試験法	178
注射により投与する製剤	13
注射用アシクロビル	*401*
注射用アズトレオナム	*408*
注射用アセチルコリン塩化物	*413*, **33**
注射用アミカシン硫酸塩	*445*
注射用アムホテリシンB	*452*, **53**
注射用アンピシリンナトリウム	*491*
注射用アンピシリンナトリウム・スルバクタムナトリウム	*492*, **53**
注射用イダルビシン塩酸塩	*524*
注射用イミペネム・シラスタチンナトリウム	*542*, **54**
注射用オザグレルナトリウム	*673*
注射用シベレスタットナトリウム	*926*
注射用蒸留水	293
注射用水	293, *960*
注射用水(容器入り)	*960*
注射用スキサメトニウム塩化物	*964*
注射用ストレプトマイシン硫酸塩	*971*
注射用スペクチノマイシン塩酸塩	***974***, **60**
注射用セファゾリンナトリウム	*1004*
注射用セファロチンナトリウム	*1014*
注射用セフェピム塩酸塩	*1019*
注射用セフォゾプラン塩酸塩	*1023*
注射用セフォチアム塩酸塩	*1025*
注射用セフォペラゾンナトリウム	*1031*

注射用セフォペラゾンナトリウム・		釣藤散エキス	1997
スルバクタムナトリウム	1031, **61**	貼付剤	20
注射用セフタジジム	1044	直腸に適用する製剤	18
注射用セフメタゾールナトリウム	1062	直腸用半固形剤	18
注射用胎盤性性腺刺激ホルモン	991	チョレイ	1999
注射用タゾバクタム・ピペラシリン	1097	猪苓	1999
注射用チアミラールナトリウム	1121	チョレイ末	1999
注射用チオペンタールナトリウム	1128, **42**	猪苓末	1999
注射用テセロイキン(遺伝子組換え)	1160	L-チロシン	293, 1138, **42**
注射用テモゾロミド	**64**	L-チロジン	294
注射用ドキソルビシン塩酸塩	1194	チンキ剤	21
注射用ドセタキセル	1203	チンク油	1138
注射用ドリペネム	1236	沈降ジフテリア破傷風混合トキソイド	919
注射用ナルトグラスチム(遺伝子組換え)	1272, **65**	沈降精製百日せきジフテリア破傷風混合ワクチン	1415
注射用パニペネム・ベタミプロン	1320	沈降精製百日せきワクチン	1415
注射用バンコマイシン塩酸塩	1357	沈降炭酸カルシウム	1109, **41**
注射用ヒト絨毛性性腺刺激ホルモン	991	沈降炭酸カルシウム細粒	1110
注射用ヒドララジン塩酸塩	1385	沈降炭酸カルシウム錠	1109
注射用ピペラシリンナトリウム	1409	沈降破傷風トキソイド	1316
注射用ビンブラスチン硫酸塩	1432	沈降B型肝炎ワクチン	1370
注射用ファモチジン	1436	チンピ	2000
注射用フェニトインナトリウム	1448, **46**	陳皮	2000

ツ

通則	3
ツバキ油	2000
椿油	2000
ツロブテロール	1139, **42**
ツロブテロール,定量用	294
ツロブテロール塩酸塩	1140, **42**
ツロブテロール経皮吸収型テープ	1139

注射用プレドニゾロンコハク酸エステルナトリウム	1530
注射用フロモキセフナトリウム	1570
注射用ペニシリンGカリウム	1621
注射用ペプロマイシン硫酸塩	1603
注射用ベンジルペニシリンカリウム	1621
注射用ホスホマイシンナトリウム	1637
注射用ボリコナゾール	1646
注射用マイトマイシンC	1656
注射用ミノサイクリン塩酸塩	1680
注射用メトトレキサート	1714
注射用メロペネム	1730
注射用ロキサチジン酢酸エステル塩酸塩	1839
抽出用ジチゾン液	293
中心静脈栄養剤中の微量アルミニウム試験法 ⟨G6-7-160⟩	2642
中性アルミナ,カラムクロマトグラフィー用	383
中性アルミナ,4%含水	293
中性アルミナ,クロマトグラフィー用	383
中性洗剤	293
注腸剤	18
中和エタノール	293
丁香	1995
丁香末	1995
チョウジ	1995, **92**
丁子	1995
チョウジ末	1995
丁子末	1995
チョウジ油	1995, **92**
丁子油	1995
チョウトウコウ	1996, **92**
釣藤鉤	1996
釣藤鈎	1996

テ

DEAE-架橋デキストラン陰イオン交換体(Cl型), 弱塩基性	383
DSS-d_6,核磁気共鳴スペクトル測定用	294
DNA標準原液,インターフェロンアルファ(NAMALWA)用	294
テイコプラニン	1141, **42**
定性反応	28
低置換度ヒドロキシプロピルセルロース	1390, **45**
p,p'-DDD(2,2-ビス(4-クロロフェニル)-1,1-ジクロロエタン)	294
p,p'-DDE(2,2-ビス(4-クロロフェニル)-1,1-ジクロロエチレン)	294
o,p'-DDT(1,1,1-トリクロロ-2-(2-クロロフェニル)-2-(4-クロロフェニル)エタン)	294
p,p'-DDT(1,1,1-トリクロロ-2,2-ビス(4-クロロフェニル)エタン)	294
低分子量ヘパリン,分子量測定用	294
定量分析用ろ紙	384
定量用アジマリン	294

定量用アセトアルデヒド	294
定量用アセメタシン	294
定量用アゼラスチン塩酸塩	294
定量用アゼルニジピン	294
定量用アゾセミド	294
定量用アトラクチレノリドⅢ	294
定量用アトラクチロジン	294
定量用アトラクチロジン試液	294
定量用アトロピン硫酸塩水和物	294
定量用14－アニソイルアコニン塩酸塩	294
定量用アプリンジン塩酸塩	294
定量用アミオダロン塩酸塩	295
定量用アミグダリン	295
定量用アミドトリゾ酸	295
定量用アモスラロール塩酸塩	295
定量用アラセプリル	295
定量用アルジオキサ	295
定量用アルブチン	295
定量用アルミノプロフェン	295
定量用アロプリノール	295
定量用アンピロキシカム	295
定量用イオタラム酸	295
定量用イオパミドール	295
定量用イソクスプリン塩酸塩	295
定量用イソニアジド	295
定量用L－イソロイシン	295
定量用一硝酸イソソルビド	295
定量用イフェンプロジル酒石酸塩	295
定量用イブプロフェンピコノール	295
定量用イミダプリル塩酸塩	295
定量用イリノテカン塩酸塩水和物	295
定量用イルソグラジンマレイン酸塩	295
定量用イルベサルタン	295
定量用ウシ血清アルブミン	295
定量用ウベニメクス	295
定量用ウルソデオキシコール酸	295
定量用エカベトナトリウム水和物	295
定量用エタクリン酸	295
定量用エダラボン	295
定量用エチゾラム	295
定量用エチドロン酸二ナトリウム	295
定量用エチレフリン塩酸塩	295
定量用エナント酸メテノロン	295
定量用エバスチン	295
定量用エフェドリン塩酸塩	295
定量用エボジアミン	295
定量用エメダスチンフマル酸塩	295
定量用エメチン塩酸塩	295
定量用エモルファゾン	295
定量用塩化カリウム	295
定量用塩化カルシウム水和物	295
定量用塩化カルシウム二水和物	295
定量用塩化ナトリウム	295
定量用塩化ベンゼトニウム	295
定量用塩酸アゼラスチン	295
定量用塩酸アプリンジン	295
定量用塩酸アミオダロン	295
定量用塩酸アモスラロール	295
定量用塩酸イソクスプリン	295
定量用塩酸イミダプリル	295
定量用塩酸エチレフリン	295
定量用塩酸エフェドリン	295
定量用塩酸オキシコドン	295
定量用塩酸クロルプロマジン	295
定量用塩酸セチリジン	295
定量用塩酸チアプリド	295
定量用塩酸チアラミド	295
定量用塩酸ドパミン	295
定量用塩酸トリメタジジン	295
定量用塩酸ニカルジピン	295
定量用塩酸パパベリン	295
定量用塩酸ヒドララジン	295
定量用塩酸ヒドロコタルニン	295
定量用塩酸ブホルミン	295
定量用塩酸プロカイン	295
定量用塩酸プロカインアミド	295
定量用塩酸プロパフェノン	295
定量用塩酸プロプラノロール	295
定量用塩酸ペチジン	295
定量用塩酸ベニジピン	295
定量用塩酸ベラパミル	295
定量用dl－塩酸メチルエフェドリン	295
定量用塩酸メトホルミン	296
定量用塩酸メピバカイン	296
定量用塩酸モルヒネ	296
定量用塩酸ラベタロール	296
定量用オキシコドン塩酸塩水和物	296
定量用オメプラゾール	296
定量用オロパタジン塩酸塩	296
定量用カイニン酸	296
定量用カイニン酸水和物	296
定量用カドララジン	296
定量用(E)－カプサイシン	296
定量用カルバミン酸クロルフェネシン	296
定量用カルベジロール	296
定量用L－カルボシステイン	296
定量用カンデサルタンシレキセチル	296
定量用キナプリル塩酸塩	296
定量用[6]－ギンゲロール	296
定量用グアヤコール	296
定量用クエン酸モサプリド	296
定量用クルクミン	296
定量用クロチアゼパム	296
定量用クロナゼパム	296
定量用クロペラスチンフェンジゾ酸塩	296
定量用クロミプラミン塩酸塩	296
定量用クロラゼプ酸二カリウム	296
定量用クロルジアゼポキシド	296

定量用クロルフェネシンカルバミン酸エステル	296	定量用チアプリド塩酸塩	297
定量用クロルプロパミド	296	定量用チアラミド塩酸塩	297
定量用クロルプロマジン塩酸塩	296	定量用チオペンタール	297
定量用(E)-ケイ皮酸	296	定量用チクロピジン塩酸塩	297
定量用ケトコナゾール	296	定量用チペピジンヒベンズ酸塩	297
定量用ゲニポシド	296	定量用チモール	297
定量用コデインリン酸塩水和物	296	定量用ツロブテロール	297
定量用コハク酸シベンゾリン	296	定量用テオフィリン	297
定量用サイコサポニンa	296	定量用デヒドロコリダリン硝化物	297
定量用サイコサポニンa，d混合標準試液	296	定量用テモカプリル塩酸塩	297
定量用サイコサポニンb_2	296	定量用テルビナフィン塩酸塩	297
定量用サイコサポニンb_2標準試液	296	定量用テルミサルタン	297
定量用サイコサポニンd	296	定量用ドキシフルリジン	297
定量用サリチル酸	296	定量用ドパミン塩酸塩	297
定量用ザルトプロフェン	296	定量用トラニラスト	297
定量用酸素スパンガス	296	定量用トリエンチン塩酸塩	297
定量用酸素ゼロガス	296	定量用トリメタジジン塩酸塩	297
定量用酸素比較ガス	296	定量用ドロキシドパ	297
定量用サントニン	296	定量用ナファゾリン硝酸塩	297
定量用ジアゼパム	296	定量用ナフトピジル	297
定量用ジクロフェナクナトリウム	296	定量用ニカルジピン塩酸塩	297
定量用シクロホスファミド水和物	296	定量用ニコモール	297
定量用ジスチグミン臭化物	296	定量用ニセルゴリン	297
定量用ジドロゲステロン	296	定量用ニトレンジピン	297
定量用シネオール	296	定量用ニフェジピン	297
定量用シノキサシン	296	定量用L-乳酸ナトリウム液	297
定量用シノブファギン	296	定量用ノルトリプチリン塩酸塩	297
定量用シノメニン	296	定量用パパベリン塩酸塩	297
定量用ジヒドロコデインリン酸塩	296	定量用パラアミノサリチル酸カルシウム水和物	297
定量用ジフェニルスルホン	296	定量用L-バリン	297
定量用シベンゾリンコハク酸塩	296	定量用バルバロイン	297
定量用ジメンヒドリナート	296	定量用バルプロ酸ナトリウム	297
定量用ジモルホラミン	296	定量用ハロペリドール	297
定量用臭化ジスチグミン	296	定量用ヒアルロン酸ナトリウム	297
定量用酒石酸メトプロロール	296	定量用ビソプロロールフマル酸塩	297
定量用酒石酸レバロルファン	296	定量用ヒト血清アルブミン	297
定量用硝酸イソソルビド	296	定量用ヒドララジン塩酸塩	297
定量用硝酸ストリキニーネ	296	定量用10-ヒドロキシ-2-(E)-デセン酸	297
定量用硝酸ナファゾリン	296	定量用ヒドロコタルニン塩酸塩水和物	297
定量用[6]-ショーガオール	296	定量用ヒベンズ酸チペピジン	297
定量用シラザプリル	296	定量用ビリルビン	297
定量用シラザプリル水和物	296	定量用ピルシカイニド塩酸塩水和物	297
定量用シラスタチンアンモニウム	296	定量用ヒルスチン	297
定量用ジルチアゼム塩酸塩	296	定量用ピロカルピン塩酸塩	297
定量用ストリキニーネ硝酸塩	297	定量用ファモチジン	297
定量用スルピリド	297	定量用フェニトイン	297
定量用スルピリン	297	定量用フェノバルビタール	297
定量用スルピリン水和物	297	定量用フェノール	297
定量用セチリジン塩酸塩	297	定量用フェノールスルホンフタレイン	297
定量用ゾピクロン	297	定量用フェルビナク	297
定量用ゾルピデム酒石酸塩	297	定量用(E)-フェルラ酸	297
定量用タムスロシン塩酸塩	297	定量用フェロジピン	297
定量用タルチレリン水和物	297	定量用ブシモノエステルアルカロイド混合標準試液	297
定量用炭酸カルシウム	297	定量用ブシラミン	297

定量用ブテナフィン塩酸塩	297	定量用l-メントール	298
定量用フドステイン	297	定量用モサプリドクエン酸塩水和物	298
定量用ブファリン	297	定量用モルヒネ塩酸塩水和物	298
定量用ブホルミン塩酸塩	297	定量用ヨウ化イソプロピル	298
定量用フマル酸ビソプロロール	297	定量用ヨウ化カリウム	298
定量用プラゼパム	297	定量用ヨウ化メチル	298
定量用フルコナゾール	297	定量用ヨウ素	298
定量用フルジアゼパム	297	定量用ヨードエタン	298
定量用フルトプラゼパム	297	定量用ヨードメタン	298
定量用フルラゼパム	297	定量用ラフチジン	298
定量用フレカイニド酢酸塩	297	定量用ラベタロール塩酸塩	298
定量用プロカインアミド塩酸塩	298	定量用リシノプリル	298
定量用プロカイン塩酸塩	297	定量用リシノプリル水和物	298
定量用ブロチゾラム	298	定量用リスペリドン	298
定量用プロパフェノン塩酸塩	298	定量用リドカイン	298
定量用プロピルチオウラシル	298	定量用硫酸アトロピン	298
定量用プロプラノロール塩酸塩	298	定量用リンコフィリン	298
定量用フロプロピオン	298	定量用リン酸コデイン	298
定量用ペオノール	298	定量用リン酸ジヒドロコデイン	298
定量用ベザフィブラート	298	定量用レイン	298
定量用ヘスペリジン	298	定量用レジブフォゲニン	298
定量用ベタヒスチンメシル酸塩	298	定量用レバミピド	298
定量用ベタミプロン	298	定量用レバロルファン酒石酸塩	298
定量用ペチジン塩酸塩	298	定量用レボフロキサシン水和物	298
定量用ベニジピン塩酸塩	298	定量用L-ロイシン	298
定量用ベポタスチンベシル酸塩	298	定量用ロガニン	298
定量用ベラパミル塩酸塩	298	定量用ロスマリン酸	298
定量用ベラプロストナトリウム	298	定量用ワルファリンカリウム	298
定量用ペリルアルデヒド	298	2′-デオキシウリジン,液体クロマトグラフィー用	298
定量用ペルフェナジンマレイン酸塩	298	デオキシコール酸,薄層クロマトグラフィー用	299
定量用ベンゼトニウム塩化物	298	テオフィリン	299, 1144, **42**
定量用ベンゾイルヒパコニン塩酸塩	298	テオフィリン,定量用	299
定量用ベンゾイルメサコニン塩酸塩	298	テガフール	**1145**, **42**
定量用ボグリボース	298	1-デカンスルホン酸ナトリウム	299
定量用マグノフロリンヨウ化物	298	1-デカンスルホン酸ナトリウム試液, 0.0375 mol/L	299
定量用マグノロール	298	デキサメタゾン	**1145**
定量用マレイン酸イルソグラジン	298	デキサメタゾン	**1145**, **42**
定量用マレイン酸ペルフェナジン	298	デキストラン-高度架橋アガロースゲルろ過担体, 　液体クロマトグラフィー用	383
定量用マレイン酸メチルエルゴメトリン	298	デキストラン40	**1146**, **42**
定量用マンギフェリン	298	デキストラン40注射液	**1147**
定量用メキタジン	298	デキストラン70	**1148**, **42**
定量用メサラジン	298	デキストラン硫酸エステルナトリウム　イオウ5	**1149**, **42**
定量用メシル酸ベタヒスチン	298	デキストラン硫酸エステルナトリウム　イオウ18	**1149**, **42**
定量用dl-メチルエフェドリン塩酸塩	298	デキストリン	**1150**, **42**
定量用メチルエルゴメトリンマレイン酸塩	298	デキストロメトルファン臭化水素酸塩水和物	**1150**, **42**
定量用メチルドパ	298	滴定終点検出法	63
定量用メチルドパ水和物	298	滴定用2,6-ジクロロインドフェノールナトリウム試液	299
定量用メテノロンエナント酸エステル	298	n-デシルトリメチルアンモニウム臭化物	299
定量用メトクロプラミド	298	n-デシルトリメチルアンモニウム臭化物試液, 　0.005 mol/L	299
定量用メトプロロール酒石酸塩	298	テストステロン	300
定量用メトホルミン塩酸塩	298	テストステロンエナント酸エステル	**1151**
定量用メトロニダゾール	298	テストステロンエナント酸エステル注射液	**1152**
定量用メピバカイン塩酸塩	298		
定量用メフルシド	298		

テストステロンプロピオン酸エステル……………300, **1152**
テストステロンプロピオン酸エステル注射液 …………**1153**
デスラノシド………………………………………**1154**
デスラノシド注射液………………………………**1154**
テセロイキン(遺伝子組換え)……………………**1155**
テセロイキン用細胞懸濁液………………………300
テセロイキン用参照抗インターロイキン-2抗体………300
テセロイキン用試験菌移植培地…………………300
テセロイキン用試験菌移植培地斜面……………300
テセロイキン用等電点マーカー…………………300
テセロイキン用発色試液…………………………300
テセロイキン用普通カンテン培地………………300
テセロイキン用分子量マーカー…………………300
テセロイキン用力価測定用培地…………………300
デソキシコール酸ナトリウム……………………300
鉄……………………………………………………300
鉄・フェノール試液………………………………300
鉄・フェノール試液,希…………………………300
鉄試験法………………………………………………33
鉄試験用アスコルビン酸…………………………300
鉄試験用酢酸・酢酸ナトリウム緩衝液, pH 4.5 …300
鉄標準液……………………………………………203
鉄標準液, 原子吸光光度用………………………203
鉄標準液(2), 原子吸光光度用……………………203
鉄標準原液…………………………………………203
鉄粉…………………………………………………300
テトラエチルアンモニウムヒドロキシド試液…300
テトラカイン塩酸塩…………………………**1160**, **42**
テトラキスヒドロキシプロピルエチレンジアミン,
　　ガスクロマトグラフィー用………………300
テトラクロロ金(III)酸試液………………………300
テトラクロロ金(III)酸四水和物…………………300
テトラクロロ金試液………………………………300
テトラサイクリン…………………………………300
テトラサイクリン塩酸塩……………300, **1161**, **42**
テトラデシルトリメチルアンモニウム臭化物…300
テトラヒドロキシキノン…………………………301
テトラヒドロキシキノン指示薬…………………301
テトラヒドロフラン………………………………301
テトラヒドロフラン, 液体クロマトグラフィー用………301
テトラヒドロフラン, ガスクロマトグラフィー用………301
テトラフェニルホウ酸ナトリウム………………301
0.02 mol/Lテトラフェニルホウ酸ナトリウム液………197
テトラフェニルボロンカリウム試液……………301
テトラフェニルボロンナトリウム………………301
0.02 mol/Lテトラフェニルボロンナトリウム液………197
テトラ-*n*-ブチルアンモニウム塩化物……………301
テトラ-*n*-ブチルアンモニウム臭化物……………301
テトラブチルアンモニウムヒドロキシド・
　　メタノール試液………………………………301
10%テトラブチルアンモニウムヒドロキシド・
　　メタノール試液………………………………302
0.1 mol/Lテトラブチルアンモニウムヒドロキシド液………197
テトラブチルアンモニウムヒドロキシド試液…301

テトラブチルアンモニウムヒドロキシド試液,
　　0.005 mol/L……………………………………301
テトラブチルアンモニウムヒドロキシド試液, 40% ……301
テトラブチルアンモニウム硫酸水素塩…………301
テトラブチルアンモニウムリン酸二水素塩……301
テトラ-*n*-プロピルアンモニウム臭化物…………302
テトラブロムフェノールフタレインエチル
　　エステルカリウム塩…………………………302
テトラブロムフェノールフタレインエチル
　　エステル試液…………………………………302
テトラブロモフェノールフタレインエチル
　　エステルカリウム……………………………302
テトラブロモフェノールフタレインエチル
　　エステル試液…………………………………302
テトラ-*n*-ヘプチルアンモニウム臭化物…………302
テトラ-*n*-ペンチルアンモニウム臭化物…………302
テトラメチルアンモニウムヒドロキシド………302
0.1 mol/Lテトラメチルアンモニウムヒドロキシド・
　　メタノール液…………………………………198
テトラメチルアンモニウムヒドロキシド・
　　メタノール試液………………………………302
0.02 mol/Lテトラメチルアンモニウムヒドロキシド液……198
0.1 mol/Lテトラメチルアンモニウムヒドロキシド液………198
0.2 mol/Lテトラメチルアンモニウムヒドロキシド液………198
テトラメチルアンモニウムヒドロキシド試液…302
テトラメチルアンモニウムヒドロキシド試液, pH 5.5 ……302
N,N,N',N'-テトラメチルエチレンジアミン……302
テトラメチルシラン, 核磁気共鳴スペクトル測定用………302
3,3',5,5'-テトラメチルベンジジン二塩酸塩二水和物……302
デバルダ合金………………………………………302
デヒドロコリダリン硝化物, 定量用…………302, **28**
デヒドロコリダリン硝化物, 薄層クロマトグラフィー用
　　……………………………………………303, **28**
デヒドロコール酸…………………………**1162**, **42**
デヒドロコール酸注射液…………………**1163**, **42**
デフェロキサミンメシル酸塩……………**1163**, **42**
テープ剤………………………………………………20
テプレノン…………………………………**1164**, **42**
テプレノンカプセル………………………………**1166**
N-デメチルエリスロマイシン……………………303
デメチルクロルテトラサイクリン塩酸塩………**1167**, **42**
N-デメチルロキシスロマイシン…………………303
デメトキシクルクミン……………………………303
テモカプリル塩酸塩………………………**1168**, **42**
テモカプリル塩酸塩, 定量用……………………303
テモカプリル塩酸塩錠……………………………**1169**
テモゾロミド……………………………………**32**, **61**
テモゾロミドカプセル………………………………**62**
テルビナフィン塩酸塩……………………**1170**, **42**
テルビナフィン塩酸塩, 定量用…………………303
テルビナフィン塩酸塩液…………………………**1172**
テルビナフィン塩酸塩クリーム…………………**1173**
テルビナフィン塩酸塩錠…………………………**1171**
テルビナフィン塩酸塩スプレー…………………**1172**

テルフェニル	303
p－テルフェニル	303
テルブタリン硫酸塩	**1173**, <u>42</u>
デルマタン硫酸エステル	303
テルミサルタン	**1174**, <u>42</u>
テルミサルタン，定量用	304
テルミサルタン・アムロジピンベシル酸塩錠	**1176**
テルミサルタン・ヒドロクロロチアジド錠	**1178**
テルミサルタン錠	**1175**
テレビン油	304, **2001**
テレフタル酸	304
テレフタル酸，ガスクロマトグラフィー用	383
テレフタル酸ジエチル	304
点眼剤	16
点眼剤の不溶性異物検査法	159
点眼剤の不溶性微粒子試験法	153
点耳剤	17
天台烏薬	**1871**
天然ケイ酸アルミニウム	824, <u>38</u>
点鼻液剤	17
点鼻剤	17
点鼻粉末剤	17
デンプン	304
デンプン，溶性	304
デンプン・塩化ナトリウム試液	304
デンプングリコール酸ナトリウム	**1185**, <u>42</u>
デンプン試液	304
でんぷん消化力試験用バレイショデンプン試液	304
でんぷん消化力試験用フェーリング試液	304
テンマ	**2001**
天麻	**2001**
テンモンドウ	**2001**
天門冬	**2001**

ト

銅	304
銅(標準試薬)	304
銅エチレンジアミン試液，1 mol/L	304
桃核承気湯エキス	**2002**, <u>93</u>
トウガシ	**2004**
冬瓜子	**2004**
トウガラシ	**2005**
トウガラシ・サリチル酸精	**2007**
トウガラシチンキ	**2006**
トウガラシ末	**2005**
透過率校正用光学フィルター	385
トウキ	**2007**
当帰	**2007**
当帰芍薬散エキス	**2008**
トウキ末	**2008**
当帰末	**2008**
糖鎖試験法	88
銅試液，アルカリ性	304
銅試液，タンパク質含量試験用アルカリ性	304
銅試液(2)，アルカリ性	304
トウジン	**2010**
党参	**2010**
透析に用いる製剤	15
透析用剤	15
透析用ヘパリンナトリウム液	**1600**
動的光散乱法による液体中の粒子径測定法〈G2-4-161〉	2527
等電点電気泳動法〈G3-6-142〉	2549
等電点マーカー，テセロイキン用	305
導電率測定法	64
導電率測定用塩化カリウム	305
トウニン	**2011**, <u>93</u>
桃仁	**2011**
トウニン末	**2011**, <u>94</u>
桃仁末	**2011**
トウヒ	305, **2012**
橙皮	**2012**
Cu－PAN	305
Cu－PAN試液	305
トウヒシロップ	**2012**
橙皮シロップ	**2012**
トウヒチンキ	**2013**
橙皮チンキ	**2013**
銅標準液	203
銅標準原液	203
トウモロコシデンプン	**1183**
トウモロコシ油	305, **2013**
当薬	**1981**
当薬末	**1982**
銅溶液，アルカリ性	304
ドキサゾシンメシル酸塩	**1186**, <u>42</u>
ドキサゾシンメシル酸塩錠	**1187**
ドキサプラム塩酸塩水和物	**1188**, <u>42</u>
ドキシサイクリン塩酸塩錠	**1190**
ドキシサイクリン塩酸塩水和物	**1188**, <u>42</u>
ドキシフルリジン	305, **1191**, <u>42</u>
ドキシフルリジン，定量用	305
ドキシフルリジンカプセル	**1192**
ドキセピン塩酸塩	305
ドキソルビシン塩酸塩	305, **1193**
ドクカツ	**2013**
独活	**2013**
ドコサン酸メチル	305
トコフェロール	305, **1194**, <u>43</u>
トコフェロールコハク酸エステル	305
トコフェロールコハク酸エステルカルシウム	305, **1195**
トコフェロール酢酸エステル	305, **1196**, <u>43</u>
トコフェロールニコチン酸エステル	**1197**, <u>43</u>
トコン	**2014**
吐根	**2014**
トコンシロップ	**2015**
吐根シロップ	**2015**
トコン末	**2014**

吐根末	2014	トリクロル酢酸	306
トスフロキサシントシル酸塩錠	1200	トリクロルメチアジド	1227, **43**
トスフロキサシントシル酸塩水和物	**1198**, **43**	トリクロルメチアジド錠	**1228**
ドセタキセル水和物	305, **1201**, **43**	トリクロロエチレン	306
ドセタキセル注射液	**1202**	トリクロロ酢酸	306
トチュウ	2016	トリクロロ酢酸・ゼラチン・トリス緩衝液	306
杜仲	2016	トリクロロ酢酸試液	306
ドッカツ	2013	1,1,2－トリクロロ－1,2,2－トリフルオロエタン	306
ドデシルベンゼンスルホン酸ナトリウム	305	トリクロロフルオロメタン	306
ドデシルベンゼンスルホン酸ナトリウム標準液	203	トリコマイシン	**1230**
トドララジン塩酸塩水和物	**1204**, **43**	トリシン	306
ドネペジル塩酸塩	**1204**, **43**	トリス・塩化カルシウム緩衝液, pH 6.5	307
ドネペジル塩酸塩細粒	**1206**	トリス・塩化ナトリウム緩衝液, pH 8.0	307
ドネペジル塩酸塩錠	**1205**	トリス・塩酸塩緩衝液, 0.05 mol/L, pH 7.5	307
ドパミン塩酸塩	**1208**, **43**	トリス・塩酸塩緩衝液, 0.2 mol/L, pH 7.4	307
ドパミン塩酸塩, 定量用	305	トリス・グリシン緩衝液, pH 6.8	307
ドパミン塩酸塩注射液	**1208**	トリス・酢酸緩衝液, pH 6.5	307
トフィソパム	**1209**, **43**	トリス・酢酸緩衝液, pH 8.0	307
ドブタミン塩酸塩	**1209**, **43**	トリス塩緩衝液, 0.02 mol/L, pH 7.5	306
トブラマイシン	**1210**, **43**	トリス緩衝液, 0.02 mol/L, pH 7.4	306
トブラマイシン注射液	**1211**	トリス緩衝液, 0.05 mol/L, pH 7.0	306
ドーフル散	**1863**	トリス緩衝液, 0.05 mol/L, pH 8.6	306
トラガント	2016	トリス緩衝液, 0.1 mol/L, pH 7.3	306
トラガント末	305, 2016	トリス緩衝液, 0.1 mol/L, pH 8.0	306
ドラーゲンドルフ試液	305	トリス緩衝液, 0.2 mol/L, pH 8.1	306
ドラーゲンドルフ試液, 噴霧用	305	トリス緩衝液, 0.5 mol/L, pH 6.8	306
トラニラスト	**1211**, **43**	トリス緩衝液, 0.5 mol/L, pH 8.1	306
トラニラスト, 定量用	305	トリス緩衝液, 1 mol/L, pH 7.5	306
トラニラストカプセル	**1212**	トリス緩衝液, 1 mol/L, pH 8.0	306
トラニラスト細粒	**1213**	トリス緩衝液, 1.5 mol/L, pH 8.8	306
トラニラスト点眼液	**1215**	トリス緩衝液, pH 6.8	306
トラネキサム酸	**1216**, **43**	トリス緩衝液, pH 7.0	306
トラネキサム酸カプセル	**1218**	トリス緩衝液, pH 8.2	307
トラネキサム酸錠	**1217**	トリス緩衝液, pH 8.3	307
トラネキサム酸注射液	**1218**	トリス緩衝液, pH 8.4	307
トラピジル	**1219**, **43**	トリス緩衝液, pH 8.8	307
トラマドール塩酸塩	**1220**, **43**	トリス緩衝液, pH 9.5	307
トリアコンチルシリル化シリカゲル,		トリス緩衝液, エンドトキシン試験用	306
液体クロマトグラフィー用	383	トリス緩衝液・塩化ナトリウム試液, 0.01 mol/L,	
トリアゾラム	**1221**, **43**	pH 7.4	307
トリアムシノロン	**1222**, **43**	トリスヒドロキシメチルアミノメタン	307
トリアムシノロンアセトニド	305, **1223**, **43**	トリデカンスルホン酸ナトリウム	307
トリアムテレン	**1224**, **43**	2,4,6－トリニトロフェノール	307
トリエタノールアミン	305	2,4,6－トリニトロフェノール・エタノール試液	307
トリエチルアミン	305	2,4,6－トリニトロフェノール試液	307
トリエチルアミン, エポエチンベータ用	305	2,4,6－トリニトロフェノール試液, アルカリ性	307
1％トリエチルアミン・リン酸緩衝液, pH 3.0	305	2,4,6－トリニトロベンゼンスルホン酸	307
トリエチルアミン・リン酸緩衝液, pH 5.0	305	2,4,6－トリニトロベンゼンスルホン酸ナトリウム	
トリエチルアミン緩衝液, pH 3.2	305	二水和物	307
トリエンチン塩酸塩	**1224**, **43**	2,4,6－トリニトロベンゼンスルホン酸二水和物	307
トリエンチン塩酸塩, 定量用	306	トリフェニルアンチモン	307
トリエンチン塩酸塩カプセル	**1225**	トリフェニルクロルメタン	308
トリクロホスナトリウム	**1226**, **43**	トリフェニルクロロメタン	308
トリクロホスナトリウムシロップ	**1227**	2,3,5－トリフェニル－2H－テトラゾリウム塩酸塩	308

2,3,5-トリフェニル-2*H*-テトラゾリウム塩酸塩試液	308
トリフェニルメタノール,薄層クロマトグラフィー用	308
トリフェニルメタン	308
トリプシン	308
トリプシン,液体クロマトグラフィー用	308
トリプシン,エポエチンアルファ 液体クロマトグラフィー用	308
トリプシンインヒビター	308
トリプシンインヒビター試液	308
トリプシン試液	308
トリプシン試液,ウリナスタチン試験用	308
トリプシン試液,エポエチンアルファ用	308
トリプシン試液,エルカトニン試験用	308
L-トリプトファン	308, **1231**, **43**
トリフルオロ酢酸	308
トリフルオロ酢酸,エポエチンベータ用	308
トリフルオロ酢酸,核磁気共鳴スペクトル測定用	309
トリフルオロ酢酸試液	309
トリフルオロメタンスルホン酸アンモニウム	309
トリヘキシフェニジル塩酸塩	**1232**, **43**
トリヘキシフェニジル塩酸塩錠	**1232**
ドリペネム水和物	**1234**, **43**
トリメタジオン	**1237**, **43**
トリメタジジン塩酸塩	**1238**, **43**
トリメタジジン塩酸塩,定量用	309
トリメタジジン塩酸塩錠	**1238**
トリメチルシリルイミダゾール	309
トリメチルシリル化シリカゲル, 液体クロマトグラフィー用	383
3-トリメチルシリルプロパンスルホン酸ナトリウム, 核磁気共鳴スペクトル測定用	309
3-トリメチルシリルプロピオン酸ナトリウム-d_4, 核磁気共鳴スペクトル測定用	309
トリメトキノール塩酸塩水和物	**1240**, **43**
トリメブチンマレイン酸塩	**1241**, **43**
トルイジンブルー	309
トルイジンブルーO	309
o-トルイル酸	309
トルエン	309
o-トルエンスルホンアミド	309
p-トルエンスルホンアミド	309
トルエンスルホンクロロアミドナトリウム三水和物	309
トルエンスルホンクロロアミドナトリウム試液	309
p-トルエンスルホン酸	309
p-トルエンスルホン酸一水和物	309
ドルゾラミド塩酸塩	**1241**, **43**
ドルゾラミド塩酸塩・チモロールマレイン酸塩点眼液	**1244**
ドルゾラミド塩酸塩点眼液	**1243**
トルナフタート	**1246**, **43**
トルナフタート液	**1246**
トルブタミド	309, **1247**, **43**
トルブタミド錠	**1247**
トルペリゾン塩酸塩	**1248**, **43**
L-トレオニン	309, **1248**, **43**
トレハロース水和物	**1249**, **43**
トレピブトン	**1250**, **43**
ドロキシドパ	**1251**, **43**
ドロキシドパ,定量用	309
ドロキシドパカプセル	**1251**
ドロキシドパ細粒	**1252**
トロキシピド	**1253**, **43**
トロキシピド細粒	**1254**
トロキシピド錠	**1254**
トローチ剤	13
トロピカミド	**1255**, **43**
ドロペリドール	**1256**, **43**
トロンビン	309, **1257**
豚脂	**2016**
ドンペリドン	**1257**, **43**

ナ

ナイスタチン	**1258**, **43**
ナイルブルー	309
ナタネ油	**2017**
菜種油	**2017**
ナタマイシン	**1413**
ナテグリニド	**1259**, **43**
ナテグリニド錠	**1260**
ナトリウム	309
ナトリウム,金属	309
ナトリウム標準原液	203
ナトリウムペンタシアノアンミンフェロエート	309
0.1 mol/Lナトリウムメトキシド・ジオキサン液	198
0.1 mol/Lナトリウムメトキシド・1,4-ジオキサン液	198
0.1 mol/Lナトリウムメトキシド液	198
ナドロール	**1261**, **43**
七モリブデン酸六アンモニウム・硫酸試液	309
七モリブデン酸六アンモニウム試液	309
七モリブデン酸六アンモニウム四水和物	309
七モリブデン酸六アンモニウム四水和物・ 硫酸セリウム(IV)試液	309
七モリブデン酸六アンモニウム四水和物・ 硫酸第二セリウム試液	309
ナファゾリン・クロルフェニラミン液	**1263**
ナファゾリン塩酸塩	309, **1262**
ナファゾリン硝酸塩	309, **1262**, **43**
ナファゾリン硝酸塩,定量用	309
ナファモスタットメシル酸塩	**1263**, **43**
ナフタレン	310
1,3-ナフタレンジオール	310
1,3-ナフタレンジオール試液	310
2-ナフタレンスルホン酸	310
2-ナフタレンスルホン酸一水和物	310
2-ナフタレンスルホン酸ナトリウム	310
α-ナフチルアミン	310
1-ナフチルアミン	310
ナフチルエチレンジアミン試液	310

N-1-ナフチルエチレンジアミン二塩酸塩 310
ナフトキノンスルホン酸カリウム 310
1,2-ナフトキノン-4-スルホン酸カリウム 310
ナフトキノンスルホン酸カリウム試液 310
1,2-ナフトキノン-4-スルホン酸カリウム試液 310
β-ナフトキノンスルホン酸ナトリウム 310
ナフトキノンスルホン酸ナトリウム試液 310
ナフトピジル **1264, 43**
ナフトピジル，定量用 310
ナフトピジル口腔内崩壊錠 **1266**
ナフトピジル錠 **1265**
α-ナフトール 310
β-ナフトール 310
1-ナフトール 310
2-ナフトール 310
1-ナフトール・硫酸試液 310
α-ナフトール試液 310
β-ナフトール試液 310
1-ナフトール試液 310
2-ナフトール試液 310
α-ナフトールベンゼイン 310
p-ナフトールベンゼイン 310
α-ナフトールベンゼイン試液 310
p-ナフトールベンゼイン試液 310
ナフトレゾルシン・リン酸試液 310
ナブメトン **1267, 43**
ナブメトン錠 **1268**
ナプロキセン **1269, 44**
鉛標準液 203
鉛標準原液 203
ナマルバ細胞 310
ナリジクス酸 310, **1269, 44**
ナリンギン，薄層クロマトグラフィー用 310
ナルトグラスチム(遺伝子組換え) **1270, 65**
ナルトグラスチム試験用ウシ血清アルブミン試液 310, **32**
ナルトグラスチム試験用継代培地 310, **32**
ナルトグラスチム試験用洗浄液 310, **32**
ナルトグラスチム試験用ブロッキング試液 310, **32**
ナルトグラスチム試験用分子量マーカー 311, **32**
ナルトグラスチム試験用力価測定培地 311, **32**
ナルトグラスチム試料用還元緩衝液 311, **32**
ナルトグラスチム試料用緩衝液 311, **32**
ナルトグラスチム用ポリアクリルアミドゲル 311, **32**
ナロキソン塩酸塩 **1273**
軟滑石 **1900**
軟膏剤 19

ニ

二亜硫酸ナトリウム 311
二亜硫酸ナトリウム試液 311
ニガキ **2017, 94**
苦木 **2017**
ニガキ末 **2017, 94**
苦木末 **2017**
ニカルジピン塩酸塩 **1274, 44**
ニカルジピン塩酸塩，定量用 311
ニカルジピン塩酸塩注射液 **1274**
肉エキス 311
ニクジュウヨウ **2017**
ニクジュヨウ **2017**
肉蓯蓉 **2017**
肉蓯蓉 **2017**
ニクズク **2018, 94**
肉豆蔲 **2018, 94**
肉豆蔲 **94**
肉豆蔲 **94**
肉豆蔲 **2018, 94**
肉製ペプトン 311
二クロム酸カリウム 311
二クロム酸カリウム(標準試薬) 311
二クロム酸カリウム・硫酸試液 311
1/60 mol/L二クロム酸カリウム液 198
二クロム酸カリウム試液 311
β-ニコチンアミドアデニンジヌクレオチド(β-NAD) 311
β-ニコチンアミドアデニンジヌクレオチド還元型 (β-NADH) 311
β-ニコチンアミドアデニンジヌクレオチド還元型試液 311
β-ニコチンアミドアデニンジヌクレオチド試液 311
ニコチン酸 311, **1275, 44**
ニコチン酸アミド 311, **1277, 44**
ニコチン酸注射液 **1276**
ニコモール **1277, 44**
ニコモール，定量用 311
ニコモール錠 **1278**
ニコランジル **1279, 44**
二酢酸N,N'-ジベンジルエチレンジアミン 311
ニザチジン **1279, 44**
ニザチジンカプセル **1280**
二酸化イオウ 311
二酸化硫黄 311
二酸化セレン 311
二酸化炭素 311, **1281**
二酸化炭素測定用検知管 385
二酸化チタン 311
二酸化チタン試液 311
二酸化鉛 311
二酸化マンガン 311
二次抗体試液 311
二シュウ酸三水素カリウム二水和物，pH測定用 311
ニセリトロール **1282, 44**
ニセルゴリン **1283, 44**
ニセルゴリン，定量用 312
ニセルゴリン散 **1285**
ニセルゴリン錠 **1284**
二相性イソフェンインスリン ヒト(遺伝子組換え)
　水性懸濁注射液 **558, 55**

日局生物薬品のウイルス安全性確保の基本要件
　　〈G3-13-141〉 ………………………………… 2571
ニッケル標準液 ……………………………………… 203
ニッケル標準液，原子吸光光度用 ………………… 203
ニッケル標準原液 …………………………………… 203
ニトラゼパム ………………………………… **1286**, **44**
ニトリロ三酢酸 ……………………………………… 312
2,2′,2″-ニトリロトリエタノール …………………… 312
2,2′,2″-ニトリロトリエタノール塩酸塩 …………… 312
2,2′,2″-ニトリロトリエタノール塩酸塩緩衝液，
　　0.6 mol/L, pH 8.0 …………………………… 312
2,2′,2″-ニトリロトリエタノール緩衝液, pH 7.8 … 312
ニトレンジピン ……………………………… **1286**, **44**
ニトレンジピン，定量用 …………………………… 312
ニトレンジピン錠 …………………………………… **1287**
3-ニトロアニリン …………………………………… 312
4-ニトロアニリン …………………………………… 312
p-ニトロアニリン …………………………………… 312
4-ニトロアニリン・亜硝酸ナトリウム試液 ……… 312
p-ニトロアニリン・亜硝酸ナトリウム試液 ……… 312
ニトロエタン ………………………………………… 312
4-ニトロ塩化ベンジル ……………………………… 312
p-ニトロ塩化ベンジル ……………………………… 312
4-ニトロ塩化ベンゾイル …………………………… 312
p-ニトロ塩化ベンゾイル …………………………… 312
ニトログリセリン錠 ………………………………… **1288**
α-ニトロソ-β-ナフトール ………………………… 312
1-ニトロソ-2-ナフトール …………………………… 312
α-ニトロソ-β-ナフトール試液 …………………… 312
1-ニトロソ-2-ナフトール試液 ……………………… 312
1-ニトロソ-2-ナフトール-3,6-
　　ジスルホン酸二ナトリウム ………………… 312
2-ニトロフェニル-β-D-ガラクトピラノシド …… 313
o-ニトロフェニル-β-D-ガラクトピラノシド …… 313
2-ニトロフェノール ………………………………… 313
3-ニトロフェノール ………………………………… 313
4-ニトロフェノール ………………………………… 313
ニトロプルシドナトリウム ………………………… 313
ニトロプルシドナトリウム試液 …………………… 313
4-(4-ニトロベンジル)ピリジン …………………… 313
2-ニトロベンズアルデヒド ………………………… 313
o-ニトロベンズアルデヒド ………………………… 313
ニトロベンゼン ……………………………………… 313
4-ニトロベンゼンジアゾニウム塩酸塩試液 ……… 313
p-ニトロベンゼンジアゾニウム塩酸塩試液 ……… 313
4-ニトロベンゼンジアゾニウム塩酸塩試液，噴霧用 … 313
p-ニトロベンゼンジアゾニウム塩酸塩試液，噴霧用 … 313
4-ニトロベンゼンジアゾニウムフルオロボレート … 313
p-ニトロベンゼンジアゾニウムフルオロボレート … 313
ニトロメタン ………………………………………… 313
2倍濃厚乳糖ブイヨン ……………………………… 313
ニフェジピン ………………………………… 313, **1289**, **44**
ニフェジピン，定量用 ……………………………… 313
ニフェジピン細粒 …………………………………… **1291**
ニフェジピン徐放カプセル ………………………… **1290**
ニフェジピン腸溶細粒 ……………………………… **1292**
日本薬局方収載生薬の学名表記について
　　〈G5-1-181〉 ……………………………… 2610, **124**
日本薬局方における標準品及び標準物質〈G8-1-170〉 … 2652
日本薬局方の通則等に規定する動物由来医薬品起源
　　としての動物に求められる要件〈G3-15-141〉 ………… 2588
乳剤 ……………………………………………………… 12
乳酸 …………………………………………… 314, **1293**, **44**
L-乳酸 ………………………………………… **1293**, **44**
乳酸エタクリジン …………………………………… 391
乳酸カルシウム水和物 ……………………… **1294**, **44**
乳酸試液 ……………………………………………… 314
L-乳酸ナトリウム液 ………………………… **1295**, **44**
L-乳酸ナトリウム液，定量用 ……………………… 314
L-乳酸ナトリウムリンゲル液 ……………… **1296**, **44**
乳製カゼイン ………………………………………… 314
乳糖 …………………………………………………… 314
α-乳糖・β-乳糖混合物(1：1) …………………… 314
乳糖一水和物 ………………………………………… 314
乳糖基質試液 ………………………………………… 314
乳糖基質試液，ペニシリウム由来
　　β-ガラクトシダーゼ用 ……………………… 314
乳糖水和物 …………………………………… **1299**, **44**
乳糖ブイヨン ………………………………………… 314
乳糖ブイヨン，2倍濃厚 …………………………… 314
乳糖ブイヨン，3倍濃厚 …………………………… 314
ニュートラルレッド ………………………………… 314
ニュートラルレッド・ウシ血清加イーグル最小必須培地 … 314
ニュートラルレッド試液 …………………………… 314
尿素 …………………………………………… 314, **1299**, **44**
尿素・EDTA試液 …………………………………… 314
二硫化炭素 …………………………………………… 314
二硫酸カリウム ……………………………………… 314
ニルバジピン ………………………………… **1300**, **44**
ニルバジピン錠 ……………………………………… **1301**
ニワトコレクチン …………………………………… 314
ニワトコレクチン試液 ……………………………… 314
ニワトリ赤血球浮遊液，0.5 vol% ………………… 314
認証ヒ素標準液 ……………………………………… 203
ニンジン ……………………………………………… **2018**
人参 …………………………………………………… **2018**
ニンジン末 …………………………………………… **2020**
人参末 ………………………………………………… **2020**
ニンドウ ……………………………………………… **2021**
忍冬 …………………………………………………… **2021**
ニンヒドリン ………………………………………… 314
ニンヒドリン・アスコルビン酸試液 ……………… 314
ニンヒドリン・L-アスコルビン酸試液 …………… 314
ニンヒドリン・エタノール試液，噴霧用 ………… 314
ニンヒドリン・塩化スズ(Ⅱ)試液 ………………… 314
ニンヒドリン・塩化第一スズ試液 ………………… 314
ニンヒドリン・クエン酸・酢酸試液 ……………… 314
ニンヒドリン・酢酸試液 …………………………… 314

0.2％ニンヒドリン・水飽和1－ブタノール試液	314
ニンヒドリン・ブタノール試液	314
ニンヒドリン・硫酸試液	314
ニンヒドリン試液	314

ネ

ネオカルチノスタチン	314
ネオカルチノスタチン・スチレン－マレイン酸交互共重合体部分ブチルエステル2対3縮合物	315
ネオスチグミンメチル硫酸塩	**1302**
ネオスチグミンメチル硫酸塩注射液	**1303**
ネオマイシン硫酸塩	**1489**
ネスラー管	385
熱分析法	66
熱分析用インジウム	385
熱分析用スズ	385
粘着力試験法	159
粘度計校正用標準液	203
粘度測定法	68

ノ

濃グリセリン	762, _37_
濃グリセロール	762
濃クロモトロープ酸試液	315
濃クロモトロブ酸試液	315
濃厚乳糖ブイヨン，2倍	315
濃厚乳糖ブイヨン，3倍	315
濃ジアゾベンゼンスルホン酸試液	315
濃縮ゲル，セルモロイキン用	315
濃ベンザルコニウム塩化物液50	**1618**
濃ヨウ化カリウム試液	316
ノオトカトン，薄層クロマトグラフィー用	_32_
ノスカピン	**1303**, _44_
ノスカピン塩酸塩水和物	**1304**
ノダケニン，薄層クロマトグラフィー用	316
1－ノナンスルホン酸ナトリウム	316
ノニル酸バニリルアミド	316
ノニルフェノキシポリ(エチレンオキシ)エタノール，ガスクロマトグラフィー用	316
ノルアドレナリン	**1305**
ノルアドレナリン注射液	**1305**
ノルエチステロン	**1306**
ノルエピネフリン	**1305**
ノルエピネフリン注射液	**1305**
ノルゲストレル	**1306**, _44_
ノルゲストレル・エチニルエストラジオール錠	**1307**
ノルトリプチリン塩酸塩	316, **1308**, _44_
ノルトリプチリン塩酸塩，定量用	316
ノルトリプチリン塩酸塩錠	**1309**
ノルフロキサシン	**1310**, _44_
L－ノルロイシン	316

ハ

バイオテクノロジー応用医薬品/生物起源由来医薬品の製造に用いる細胞基材に対するマイコプラズマ否定試験〈G3-14-170〉	2584
バイオテクノロジー応用医薬品(バイオ医薬品)の品質確保の基本的考え方〈G3-1-180〉	2529
バイカリン，薄層クロマトグラフィー用	316
バイカリン一水和物，薄層クロマトグラフィー用	316
バイカレイン，分離確認用	316
ハイドロサルファイトナトリウム	316
バイモ	**2021**
貝母	**2021**
培養液，セルモロイキン用	316
はかり及び分銅	385
バカンピシリン塩酸塩	**1310**, _44_
バクガ	**2022**
麦芽	**2022**
白色セラック	**1074**, _41_
白色軟膏	**1274**
白色ワセリン	**1857**, _51_, _82_
薄層クロマトグラフィー	41
薄層クロマトグラフィー用アクテオシド	316
薄層クロマトグラフィー用アサリニン	316
薄層クロマトグラフィー用アストラガロシドⅣ	316
薄層クロマトグラフィー用アトラクチレノリドⅢ	316
薄層クロマトグラフィー用アトロピン硫酸塩水和物	316
薄層クロマトグラフィー用アマチャジヒドロイソクマリン	316
薄層クロマトグラフィー用アミグダリン	316
薄層クロマトグラフィー用2－アミノ－5－クロロベンゾフェノン	316
薄層クロマトグラフィー用アラントイン	317
薄層クロマトグラフィー用アリソールA	317
薄層クロマトグラフィー用アルブチン	317
薄層クロマトグラフィー用アレコリン臭化水素酸塩	317
薄層クロマトグラフィー用イカリイン	317
薄層クロマトグラフィー用(E)－イソフェルラ酸・(E)－フェルラ酸混合試液	317
薄層クロマトグラフィー用イソプロメタジン塩酸塩	317
薄層クロマトグラフィー用イミダゾール	317
薄層クロマトグラフィー用ウンベリフェロン	317
薄層クロマトグラフィー用塩化スキサメトニウム	317
薄層クロマトグラフィー用塩化ベルベリン	317
薄層クロマトグラフィー用塩酸イソプロメタジン	317
薄層クロマトグラフィー用塩酸1,1－ジフェニル－4－ピペリジノ－1－ブテン	317
薄層クロマトグラフィー用塩酸ベンゾイルメサコニン	317
薄層クロマトグラフィー用オイゲノール	317
薄層クロマトグラフィー用オウゴニン	317
薄層クロマトグラフィー用オクタデシルシリル化シリカゲル	383
薄層クロマトグラフィー用オクタデシルシリル化シリカゲル(蛍光剤入り)	383

薄層クロマトグラフィー用オストール ················· 317
薄層クロマトグラフィー用果糖 ···························· 317
薄層クロマトグラフィー用カプサイシン ················ 317
薄層クロマトグラフィー用(E)-カプサイシン ········· 317
薄層クロマトグラフィー用[6]-ギンゲロール ··········· 317
薄層クロマトグラフィー用ギンセノシドRb_1 ·········· 317
薄層クロマトグラフィー用ギンセノシドRg_1 ·········· 317
薄層クロマトグラフィー用グリココール酸ナトリウム ····· 317
薄層クロマトグラフィー用グリチルリチン酸 ·········· 317
薄層クロマトグラフィー用4′-O-グルコシル-5-O-
　メチルビサミノール ····································· 317
薄層クロマトグラフィー用グルコン酸カルシウム ···· 317
薄層クロマトグラフィー用グルコン酸カルシウム水和物 ··· 317
薄層クロマトグラフィー用クロロゲン酸 ················ 317
薄層クロマトグラフィー用(E)-クロロゲン酸 ········· 317
薄層クロマトグラフィー用(2-クロロフェニル)-
　ジフェニルメタノール ································· 317
薄層クロマトグラフィー用(E)-ケイ皮酸 ·············· 317
薄層クロマトグラフィー用ゲニポシド ··················· 317
薄層クロマトグラフィー用ケノデオキシコール酸 ···· 317
薄層クロマトグラフィー用ゲンチオピクロシド ······· 317
薄層クロマトグラフィー用ゴシツ ························ 317
薄層クロマトグラフィー用コプチシン塩化物 ·········· 317
薄層クロマトグラフィー用コール酸 ····················· 317
薄層クロマトグラフィー用サイコサポニンa ············ 317
薄層クロマトグラフィー用サイコサポニンb_2 ·········· 317
薄層クロマトグラフィー用サルササポゲニン ·········· 317
薄層クロマトグラフィー用シザンドリン ················ 317
薄層クロマトグラフィー用シノメニン ··················· 317
薄層クロマトグラフィー用ジヒドロエルゴクリスチン
　メシル酸塩 ·· 317
薄層クロマトグラフィー用1-[(2R,5S)-2,5-ジヒドロ-
　5-(ヒドロキシメチル)-2-フリル]チミン ·········· 317
薄層クロマトグラフィー用1,1-ジフェニル-4-
　ピペリジノ-1-ブテン塩酸塩 ·························· 317
薄層クロマトグラフィー用ジメチルシリル化シリカゲル
　(蛍光剤入り) ··· 383
薄層クロマトグラフィー用2,6-ジメチル-4-(2-
　ニトロソフェニル)-3,5-ピリジンジカルボン酸
　ジメチルエステル ·· 317
薄層クロマトグラフィー用シャゼンシ ··················· 318
薄層クロマトグラフィー用臭化水素酸アレコリン ···· 318
薄層クロマトグラフィー用臭化水素酸スコポラミン ····· 318
薄層クロマトグラフィー用臭化ダクロニウム ·········· 318
薄層クロマトグラフィー用[6]-ショーガオール ········ 318
薄層クロマトグラフィー用シリカゲル ·················· 383
薄層クロマトグラフィー用シリカゲル(蛍光剤入り) ····· 383
薄層クロマトグラフィー用シリカゲル(混合蛍光剤入り) ···· 384
薄層クロマトグラフィー用シリカゲル
　(粒径5～7 μm,蛍光剤入り) ·························· 384
薄層クロマトグラフィー用シンナムアルデヒド ······· 318
薄層クロマトグラフィー用(E)-シンナムアルデヒド ····· 318
薄層クロマトグラフィー用スウェルチアマリン ······· 318
薄層クロマトグラフィー用スキサメトニウム塩化物
　水和物 ·· 318
薄層クロマトグラフィー用スコポラミン臭化水素酸塩
　水和物 ·· 318
薄層クロマトグラフィー用スコポレチン ··············· 318
薄層クロマトグラフィー用スタキオース ··············· 318
薄層クロマトグラフィー用セサミン ····················· 318
薄層クロマトグラフィー用セルロース ·················· 384
薄層クロマトグラフィー用セルロース(蛍光剤入り) ····· 384
薄層クロマトグラフィー用センノシドA ················ 318
薄層クロマトグラフィー用タウロウルソデオキシコール酸
　ナトリウム ·· 318
薄層クロマトグラフィー用ダクロニウム臭化物 ······ 318
薄層クロマトグラフィー用チクセツサポニンⅣ ······ 318
薄層クロマトグラフィー用デオキシコール酸 ········· 318
薄層クロマトグラフィー用デヒドロコリダリン硝化物 ··· 318
薄層クロマトグラフィー用トリフェニルメタノール ···· 318
薄層クロマトグラフィー用ナリンギン ·················· 318
薄層クロマトグラフィー用ノオトカトン ··············· <u>32</u>
薄層クロマトグラフィー用ノダケニン ·················· 318
薄層クロマトグラフィー用バイカリン ·················· 318
薄層クロマトグラフィー用バイカリン一水和物 ······ 318
薄層クロマトグラフィー用バルバロイン ··············· 318
薄層クロマトグラフィー用ヒオデオキシコール酸 ···· 318
薄層クロマトグラフィー用10-ヒドロキシ-2-(E)-
　デセン酸 ··· 318
薄層クロマトグラフィー用3-(3-ヒドロキシ-4-
　メトキシフェニル)-2-(E)-プロペン酸・
　(E)-フェルラ酸混合試液 ····························· 318
薄層クロマトグラフィー用ヒペロシド ·················· 318
薄層クロマトグラフィー用ヒルスチン ·················· 318
薄層クロマトグラフィー用プエラリン ·················· 318
薄層クロマトグラフィー用フェルラ酸シクロアルテニル ···· 318
薄層クロマトグラフィー用ブタ胆汁末 ·················· 318
薄層クロマトグラフィー用フマル酸 ····················· 318
薄層クロマトグラフィー用(±)-プラエルプトリンA ······· 318
薄層クロマトグラフィー用プラチコジンD ············· 318
薄層クロマトグラフィー用フルオロキノロン酸 ······ 318
薄層クロマトグラフィー用ペオニフロリン ············ 318
薄層クロマトグラフィー用ペオノール ·················· 318
薄層クロマトグラフィー用ヘスペリジン ··············· 318
薄層クロマトグラフィー用ペリルアルデヒド ········· 318
薄層クロマトグラフィー用ベルゲニン ·················· 318
薄層クロマトグラフィー用ベルバスコシド ············ 318
薄層クロマトグラフィー用ベルベリン塩化物水和物 ···· 318
薄層クロマトグラフィー用ベンゾイルメサコニン塩酸塩 ···· 318
薄層クロマトグラフィー用ポリアミド ·················· 384
薄層クロマトグラフィー用ポリアミド(蛍光剤入り) ·········· 384
薄層クロマトグラフィー用マグノロール ··············· 318
薄層クロマトグラフィー用マンニノトリオース ······ 318
薄層クロマトグラフィー用ミリスチシン ··············· 318
薄層クロマトグラフィー用メシル酸
　ジヒドロエルゴクリスチン ···························· 318

薄層クロマトグラフィー用2-メチル-5-ニトロイミダゾール	319
薄層クロマトグラフィー用3-*O*-メチルメチルドパ	319
薄層クロマトグラフィー用(*E*)-2-メトキシシンナムアルデヒド	319
薄層クロマトグラフィー用リオチロニンナトリウム	319
薄層クロマトグラフィー用リクイリチン	319
薄層クロマトグラフィー用(*Z*)-リグスチリド	319
薄層クロマトグラフィー用(*Z*)-リグスチリド試液	319
薄層クロマトグラフィー用リトコール酸	319
薄層クロマトグラフィー用リモニン	319
薄層クロマトグラフィー用硫酸アトロピン	319
薄層クロマトグラフィー用リンコフィリン	319
薄層クロマトグラフィー用ルチン	319
薄層クロマトグラフィー用ルテオリン	319
薄層クロマトグラフィー用レイン	319
薄層クロマトグラフィー用レジブフォゲニン	319
薄層クロマトグラフィー用レボチロキシンナトリウム	319
薄層クロマトグラフィー用レボチロキシンナトリウム水和物	319
薄層クロマトグラフィー用ロガニン	319
薄層クロマトグラフィー用ロスマリン酸	319
白糖	319, 1312, **44**
バクモンドウ	319, 2022
麦門冬	2022
麦門冬湯エキス	2022
白蝋	2064
バクロフェン	1313, **44**
バクロフェン錠	1314
馬血清	319
バシトラシン	1315, **44**
バシトラシンA	1315
パスカルシウム顆粒	1324
パスカルシウム水和物	1324
パズフロキサシンメシル酸塩	1316, **44**
パズフロキサシンメシル酸塩注射液	1317
バソプレシン	319
バソプレシン注射液	1318
八味地黄丸エキス	2024, **94**
ハチミツ	2027
蜂蜜	2027
波長及び透過率校正用光学フィルター	385
波長校正用光学フィルター	385
発煙硝酸	319
発煙硫酸	319
ハッカ	319, 2027
薄荷	2027
ハッカ水	2028
ハッカ油	319, 2028
薄荷油	2028
バッカル錠	13
発色試液, テセロイキン用	319
発色性合成基質	319
発熱性物質試験法	121
パップ剤	20
パップ用複方オウバク散	1881
発泡顆粒剤	11
発泡錠	10
パテントブルー	319
ハートインフュージョンカンテン培地	319
バナジン酸アンモニウム	319
バナジン(V)酸アンモニウム	319
鼻に適用する製剤	17
パニペネム	1319, **44**
バニリン	319
バニリン・塩酸試液	319
バニリン・硫酸・エタノール試液	319
バニリン・硫酸・エタノール試液, 噴霧用	319
バニリン・硫酸試液	319
ハヌス試液	319
パパベリン塩酸塩	319, 1322
パパベリン塩酸塩, 定量用	319
パパベリン塩酸塩注射液	1322
パーフルオロヘキシルプロピルシリル化シリカゲル, 液体クロマトグラフィー用	384
ハマボウフウ	2028, 95
浜防風	2028
バメタン硫酸塩	320, 1323, **44**
パラアミノサリチル酸カルシウム顆粒	1324
パラアミノサリチル酸カルシウム水和物	1324, **44**
パラアミノサリチル酸カルシウム水和物, 定量用	320
パラオキシ安息香酸	320
パラオキシ安息香酸イソアミル	320
パラオキシ安息香酸イソブチル	320
パラオキシ安息香酸イソプロピル	320
パラオキシ安息香酸エチル	320, 1325, **44**, 65
パラオキシ安息香酸-2-エチルヘキシル	320
パラオキシ安息香酸ブチル	320, 1326, **44**, 66
パラオキシ安息香酸ブチル, 分離確認用	320
パラオキシ安息香酸プロピル	320, 1327, **44**, 68
パラオキシ安息香酸プロピル, 分離確認用	320
パラオキシ安息香酸ヘキシル	321
パラオキシ安息香酸ヘプチル	321
パラオキシ安息香酸ベンジル	321, 29
パラオキシ安息香酸メチル	321, 1329, **44**, 69
パラオキシ安息香酸メチル, 分離確認用	321
パラジウム標準液, ICP分析用	203
バラシクロビル塩酸塩	1330, **44**
バラシクロビル塩酸塩錠	1331
パラセタモール	415
パラフィン	321, 1332, **44**
パラフィン, 流動	321
パラホルムアルデヒド	1334
H-D-バリル-L-ロイシル-L-アルギニン-4-ニトロアニリド二塩酸塩	321
L-バリン	322, 1335, **44**
L-バリン, 定量用	322
バルサム	322

バルサルタン	322, *1336*, __44__
バルサルタン・ヒドロクロロチアジド錠	*1338*
バルサルタン錠	*1337*
パルナパリンナトリウム	*1340*, __44__
バルバロイン，成分含量測定用	322
バルバロイン，定量用	322
バルバロイン，薄層クロマトグラフィー用	322
バルビタール	322, *1342*, __44__
バルビタール緩衝液	322
バルビタールナトリウム	322
バルプロ酸ナトリウム	*1343*, __44__
バルプロ酸ナトリウム，定量用	322
バルプロ酸ナトリウム錠	*1343*
バルプロ酸ナトリウム徐放錠A	*1344*
バルプロ酸ナトリウム徐放錠B	*1345*
バルプロ酸ナトリウムシロップ	*1346*
パルマチン塩化物	322
パルミチン酸，ガスクロマトグラフィー用	322
パルミチン酸メチル，ガスクロマトグラフィー用	322
パルミトアミドプロピルシリル化シリカゲル，液体クロマトグラフィー用	384
パルミトレイン酸メチル，ガスクロマトグラフィー用	322
バレイショデンプン	322, *1184*
バレイショデンプン試液	322
バレイショデンプン試液，でんぷん消化力試験用	322
ハロキサゾラム	*1347*, __44__
パロキセチン塩酸塩錠	*1350*
パロキセチン塩酸塩水和物	*1348*, __45__
ハロタン	*1351*
ハロペリドール	*1352*, __45__
ハロペリドール，定量用	322
ハロペリドール細粒	*1353*
ハロペリドール錠	*1352*
ハロペリドール注射液	*1354*
パンクレアチン	*1355*
パンクレアチン用リン酸塩緩衝液	322
パンクロニウム臭化物	*1355*
ハンゲ	*2029*
半夏	*2029*
半夏厚朴湯エキス	*2029*, __95__
半夏瀉心湯エキス	*2030*
半固形製剤の流動学的測定法	*174*
バンコマイシン塩酸塩	*1356*, __45__
蕃椒	*2005*
蕃椒末	*2005*
パンテチン	*1358*, __45__
パントテン酸カルシウム	322, *1359*, __45__

ヒ

ヒアルロニダーゼ	323
ヒアルロン酸	323
ヒアルロン酸ナトリウム，精製	323
ヒアルロン酸ナトリウム，定量用	323

α－BHC(α－ヘキサクロロシクロヘキサン)	323
β－BHC(β－ヘキサクロロシクロヘキサン)	323
γ－BHC(γ－ヘキサクロロシクロヘキサン)	323
δ－BHC(δ－ヘキサクロロシクロヘキサン)	323
pH測定用水酸化カルシウム	323
pH測定用炭酸水素ナトリウム	323
pH測定用炭酸ナトリウム	323
pH測定用二シュウ酸三水素カリウム二水和物	323
pH測定用フタル酸水素カリウム	323
pH測定用ホウ酸ナトリウム	323
pH測定用無水リン酸一水素ナトリウム	323
pH測定用四シュウ酸カリウム	323
pH測定用四ホウ酸ナトリウム十水和物	323
pH測定用リン酸水素二ナトリウム	324
pH測定用リン酸二水素カリウム	324
ピオグリタゾン塩酸塩	*1363*, __45__
ピオグリタゾン塩酸塩・グリメピリド錠	*1365*
ピオグリタゾン塩酸塩・メトホルミン塩酸塩錠	*1367*
ピオグリタゾン塩酸塩錠	*1364*
ビオチン	*1370*, __45__
ビオチン標識ニワトコレクチン	324
ヒオデオキシコール酸，薄層クロマトグラフィー用	324
比較乳濁液 I	324
B型赤血球浮遊液	324
ビカルタミド	*1370*, __45__
ビカルタミド錠	__70__
ピクリン酸	324
ピクリン酸・エタノール試液	324
ピクリン酸試液	324
ピクリン酸試液，アルカリ性	324
ピコスルファートナトリウム水和物	*1372*, __45__
ビサコジル	*1373*, __45__
ビサコジル坐剤	*1374*
PCR 2倍反応液，SYBR Green含有	324
BGLB	324
比重及び密度測定法	*72*
非水滴定用アセトン	324
非水滴定用酢酸	324
非水滴定用酢酸水銀(II)試液	324
非水滴定用酢酸第二水銀試液	324
非水滴定用氷酢酸	324
4,4′－ビス(ジエチルアミノ)ベンゾフェノン	324
L－ヒスチジン	324, *1375*, __45__
L－ヒスチジン塩酸塩一水和物	324
L－ヒスチジン塩酸塩水和物	*1375*, __45__
ビスデメトキシクルクミン	324
ビス(1,1－トリフルオロアセトキシ)ヨードベンゼン	325
ビストリメチルシリルアセトアミド	325
1,4－ビス(トリメチルシリル)ベンゼン－d_4，核磁気共鳴スペクトル測定用	325
N,N′－ビス[2－ヒドロキシ－1－(ヒドロキシメチル)エチル]－5－ヒドロキシアセチルアミノ－2,4,6－トリヨードイソフタルアミド	325
ビス－(1－フェニル－3－メチル－5－ピラゾロン)	325

ビスマス酸ナトリウム 325
微生物限度試験法 122
微生物試験における微生物の取扱いの
　バイオリスク管理〈G4-11-181〉 120
微生物試験に用いる培地及び微生物株の管理
　〈G4-2-180〉 2592
微生物迅速試験法〈G4-6-170〉 2598
ヒ素試験法 33
ヒ素標準液 203
ヒ素標準原液 203
ビソプロロールフマル酸塩 1376, 45
ビソプロロールフマル酸塩，定量用 325
ビソプロロールフマル酸塩錠 1377
ヒ素分析用亜鉛 325
非多孔性強酸性イオン交換樹脂，
　液体クロマトグラフィー用 384
ピタバスタチンカルシウム口腔内崩壊錠 1381
ピタバスタチンカルシウム錠 1380
ピタバスタチンカルシウム水和物 1378, 45
ビタミンA酢酸エステル 1818
ビタミンA定量法 71
ビタミンA定量用2-プロパノール 325
ビタミンAパルミチン酸エステル 1818
ビタミンA油 1383
ビタミンB_1塩酸塩 1121
ビタミンB_1塩酸塩散 1122
ビタミンB_1塩酸塩注射液 1123
ビタミンB_1硝酸塩 1123
ビタミンB_2 1798
ビタミンB_2散 1798
ビタミンB_2酪酸エステル 1799
ビタミンB_2リン酸エステル 1800
ビタミンB_2リン酸エステル注射液 1801
ビタミンB_6 1419
ビタミンB_6注射液 1419
ビタミンB_{12} 880
ビタミンB_{12}注射液 881
ビタミンC 404
ビタミンC散 405
ビタミンC注射液 405
ビタミンD_2 646
ビタミンD_3 854
ビタミンE 1194
ビタミンEコハク酸エステルカルシウム 1195
ビタミンE酢酸エステル 1196
ビタミンEニコチン酸エステル 1197
ビタミンH 1370
ビタミンK_1 1440
1,4-BTMSB-d_4，核磁気共鳴スペクトル測定用 325
ヒトアルブミン化学結合シリカゲル，
　液体クロマトグラフィー用 384
ヒトインスリン 325
ヒトインスリンデスアミド体含有試液 325
ヒトインスリン二量体含有試液 325

ヒト下垂体性性腺刺激ホルモン 988
ヒト血清アルブミン，定量用 325
ヒト絨毛性性腺刺激ホルモン 989
ヒト絨毛性性腺刺激ホルモン試液 325
ヒト正常血漿 325
ヒト正常血漿乾燥粉末 325
人全血液 1383
人免疫グロブリン 1384
ヒト由来アンチトロンビン 325
ヒト由来アンチトロンビンIII 325
ヒドラジン一水和物 325
ヒドララジン塩酸塩 325, 1384, 45
ヒドララジン塩酸塩，定量用 325
ヒドララジン塩酸塩散 1385
ヒドララジン塩酸塩錠 1384
m-ヒドロキシアセトフェノン 325
p-ヒドロキシアセトフェノン 326
3-ヒドロキシ安息香酸 326
4-ヒドロキシイソフタル酸 326
N-(2-ヒドロキシエチル)イソニコチン酸アミド
　硝酸エステル 326
ヒドロキシエチルセルロース 1386, 45
1-(2-ヒドロキシエチル)-1H-テトラゾール-5-
　チオール 326
N-2-ヒドロキシエチルピペラジン-N'-2-
　エタンスルホン酸 326
d-3-ヒドロキシ-cis-2,3-ジヒドロ-5-[2-
　(ジメチルアミノ)エチル]-2-(4-メトキシフェニル)-
　1,5-ベンゾチアゼピン-4(5H)-オン塩酸塩 326
d-3-ヒドロキシ-cis-2,3-ジヒドロ-5-[2-
　(ジメチルアミノ)エチル]-2-(p-メトキシフェニル)-
　1,5-ベンゾチアゼピン-4(5H)-オン塩酸塩 326
ヒドロキシジン塩酸塩 1387, 45
ヒドロキシジンパモ酸塩 1388, 45
10-ヒドロキシ-2-(E)-デセン酸,
　成分含量測定用 326
10-ヒドロキシ-2-(E)-デセン酸，定量用 326
10-ヒドロキシ-2-(E)-デセン酸,
　薄層クロマトグラフィー用 327
2-ヒドロキシ-1-(2-ヒドロキシ-4-スルホ-1-
　ナフチルアゾ)-3-ナフトエ酸 328
N-(3-ヒドロキシフェニル)アセトアミド 328
3-(p-ヒドロキシフェニル)プロピオン酸 328
2-ヒドロキシプロピル-β-シクロデキストリル化
　シリカゲル，液体クロマトグラフィー用 384
ヒドロキシプロピルシリル化シリカゲル,
　液体クロマトグラフィー用 384
ヒドロキシプロピルセルロース 1389, 45
2-[4-(2-ヒドロキシメチル)-1-ピペラジニル]
　プロパンスルホン酸 328
3-(3-ヒドロキシ-4-メトキシフェニル)-2-(E)-
　プロペン酸 328

3－(3－ヒドロキシ－4－メトキシフェニル)－2－(*E*)－プロペン酸・(*E*)－フェルラ酸混合試液，薄層クロマトグラフィー用	328
ヒドロキシルアミン過塩素酸塩	328
ヒドロキシルアミン過塩素酸塩・エタノール試液	328
ヒドロキシルアミン過塩素酸塩・無水エタノール試液	328
ヒドロキシルアミン過塩素酸塩試液	328
ヒドロキシルアミン試液	328
ヒドロキシルアミン試液，アルカリ性	328
ヒドロキソコバラミン酢酸塩	328, *1391*
ヒドロキノン	328
ヒドロクロロチアジド	328, *1392*, 45
ヒドロコタルニン塩酸塩水和物	*1393*, 45
ヒドロコタルニン塩酸塩水和物，定量用	328
ヒドロコルチゾン	328, *1393*
ヒドロコルチゾン・ジフェンヒドラミン軟膏	*1397*
ヒドロコルチゾンコハク酸エステル	*1394*
ヒドロコルチゾンコハク酸エステルナトリウム	*1395*
ヒドロコルチゾン酢酸エステル	328, *1396*
ヒドロコルチゾン酪酸エステル	*1397*, 45
ヒドロコルチゾンリン酸エステルナトリウム	*1398*, 45
2－ビニルピリジン	328
4－ビニルピリジン	328
1－ビニル－2－ピロリドン	328
ヒパコニチン，純度試験用	329
非必須アミノ酸試液	329
比表面積測定法	100
比表面積測定用 α－アルミナ	385
2,2'－ビピリジル	329
2－(4－ビフェニリル)プロピオン酸	329
皮膚などに適用する製剤	18
皮膚に適用する製剤の放出試験法	161
ピブメシリナム塩酸塩	*1400*, 45
ピブメシリナム塩酸塩錠	*1400*
ヒプロメロース	*1401*, 45
ヒプロメロースカプセル	694
ヒプロメロース酢酸エステルコハク酸エステル	*1403*, 45
ヒプロメロースフタル酸エステル	*1405*, 45, 71
ピペミド酸水和物	*1406*, 45
ピペラシリン水和物	329, *1406*, 45
ピペラシリンナトリウム	*1408*, 45
ピペラジンアジピン酸塩	*1410*, 45
ピペラジンリン酸塩錠	*1411*
ピペラジンリン酸塩水和物	*1410*, 45
ピペリジン塩酸塩	329
ビペリデン塩酸塩	*1411*, 45
ヒペロシド，薄層クロマトグラフィー用	329
ヒベンズ酸チペピジン，定量用	329
ヒポキサンチン	330
ビホナゾール	330, *1412*, 45
ヒマシ油	330, *2033*
ピマリシン	*1413*, 45
非無菌医薬品の微生物学的品質特性 〈G4-1-170〉	2590
ヒメクロモン	*1414*, 45
ピモジド	*1414*, 45
ビャクゴウ	*2033*
百合	*2033*
ビャクシ	*2034*
白芷	*2034*
ビャクジュツ	*2034*
白朮	*2034*
ビャクジュツ末	*2035*
白朮末	*2035*
白虎加人参湯エキス	*2035*
氷酢酸	330, *857*, 38
氷酢酸，非水滴定用	330
氷酢酸・硫酸試液	330
標準液	201
pH標準液，シュウ酸塩	203
pH標準液，水酸化カルシウム	203
pH標準液，炭酸塩	203
pH標準液，フタル酸塩	203
pH標準液，ホウ酸塩	203
pH標準液，リン酸塩	203
標準品	186, 23
標準粒子，光遮蔽型自動微粒子測定器校正用	385
標準粒子等	385
表面プラズモン共鳴法 〈G3-10-170〉	2563
ピラジナミド	*1415*, 45
ピラゾール	330
ピラルビシン	*1416*, 45
ピランテルパモ酸塩	*1417*, 45
1－(2－ピリジルアゾ)－2－ナフトール	330
1－(4－ピリジル)ピリジニウム塩化物塩酸塩	330
ピリジン	330
ピリジン，水分測定用	330
ピリジン，無水	330
ピリジン・ギ酸緩衝液，0.2 mol/L, pH 3.0	330
ピリジン・酢酸試液	330
ピリジン・ピラゾロン試液	330
ピリドキサールリン酸エステル水和物	*1418*, 45
ピリドキシン塩酸塩	330, *1419*, 45
ピリドキシン塩酸塩注射液	*1419*
ピリドスチグミン臭化物	*1420*, 45
ビリルビン，定量用	330
ピルシカイニド塩酸塩カプセル	*1421*
ピルシカイニド塩酸塩水和物	*1421*, 45
ピルシカイニド塩酸塩水和物，定量用	330
ヒルスチン	330
ヒルスチン，定量用	330, 29
ヒルスチン，薄層クロマトグラフィー用	331
ピルビン酸ナトリウム	331
ピルビン酸ナトリウム試液，100 mmol/L	331
ピレノキシン	*1423*, 45
ピレンゼピン塩酸塩水和物	*1423*, 45
ピロ亜硫酸ナトリウム	*1424*, 46
ピロアンチモン酸カリウム	331
ピロアンチモン酸カリウム試液	331

ピロカルピン塩酸塩	**1425**
ピロカルピン塩酸塩，定量用	331
ピロカルピン塩酸塩錠	**1425**
ピロガロール	331
ピロキシカム	**1427**, **46**
ピロキシリン	**1428**
L－ピログルタミルグリシル－L－アルギニン－p－ニトロアニリン塩酸塩	331
L－ピログルタミルグリシル－L－アルギニン－p－ニトロアニリン塩酸塩試液	332
ピロリジンジチオカルバミン酸アンモニウム	332
2－ピロリドン	332
ピロ硫酸カリウム	332
ピロリン酸塩緩衝液，0.05 mol/L，pH 9.0	332
ピロリン酸塩緩衝液，pH 9.0	332
ピロリン酸カリウム	332
ピロール	332
ピロールニトリン	**1428**
ビワヨウ	**2037**
枇杷葉	**2037**
ビンクリスチン硫酸塩	332, **1429**
品質リスクマネジメントの基本的考え方〈G0-2-170〉	**2503**
ピンドロール	**1430**, **46**
ビンブラスチン硫酸塩	332, **1431**
ビンロウジ	**2038**
檳榔子	**2038**

フ

ファモチジン	**1433**, **46**
ファモチジン，定量用	332
ファモチジン散	**1434**
ファモチジン錠	**1433**
ファモチジン注射液	**1435**
ファロペネムナトリウム錠	**1438**
ファロペネムナトリウム水和物	**1437**, **46**
フィトナジオン	332, **1440**, **46**
フィブリノーゲン	332
ブイヨン，普通	332
フィルグラスチム(遺伝子組換え)	**1441**
フィルグラスチム(遺伝子組換え)注射液	**1443**
フィルグラスチム試料用緩衝液	332
フィルグラスチム用イスコフ改変ダルベッコ液体培地	332
フィルグラスチム用システム適合性試験用試液	332
フィルグラスチム用ポリアクリルアミドゲル	332
フェキソフェナジン塩酸塩	**1444**, **46**
フェキソフェナジン塩酸塩錠	**1445**
フェナセチン	332
フェナゾン	**487**
o－フェナントロリン	332
1,10－フェナントロリン一水和物	332
1,10－フェナントロリン試液	332
o－フェナントロリン試液	332
フェニトイン	**1446**, **46**
フェニトイン，定量用	332
フェニトイン散	**1448**
フェニトイン錠	**1447**
H－D－フェニルアラニル－L－ピペコリル－L－アルギニル－p－ニトロアニリド二塩酸塩	333
フェニルアラニン	333
L－フェニルアラニン	333, **1449**, **46**
フェニルイソチオシアネート	333
フェニル化シリカゲル，液体クロマトグラフィー用	384
D－フェニルグリシン	333
25％フェニル－25％シアノプロピル－メチルシリコーンポリマー，ガスクロマトグラフィー用	333
フェニルシリル化シリカゲル，液体クロマトグラフィー用	384
フェニルヒドラジン	333
1－フェニルピペラジン一塩酸塩	333
フェニルブタゾン	**1449**, **46**
フェニルフルオロン	333
フェニルフルオロン・エタノール試液	333
フェニルヘキシルシリル化シリカゲル，液体クロマトグラフィー用	384
5％フェニル－メチルシリコーンポリマー，ガスクロマトグラフィー用	333
35％フェニル－メチルシリコーンポリマー，ガスクロマトグラフィー用	333
50％フェニル－メチルシリコーンポリマー，ガスクロマトグラフィー用	333
65％フェニル－メチルシリコーンポリマー，ガスクロマトグラフィー用	333
1－フェニル－3－メチル－5－ピラゾロン	333
50％フェニル－50％メチルポリシロキサン，ガスクロマトグラフィー用	333
フェニレフリン塩酸塩	**1450**
o－フェニレンジアミン	333
1,3－フェニレンジアミン塩酸塩	333
o－フェニレンジアミン二塩酸塩	333
フェネチシリンカリウム	**1451**, **46**
フェネチルアミン塩酸塩	333
フェノバルビタール	**1452**, **46**
フェノバルビタール，定量用	333
フェノバルビタール散10％	**1453**
フェノバルビタール錠	**1452**
フェノフィブラート	**1454**, **46**
フェノフィブラート錠	**1455**
フェノール	333, **1457**
フェノール，定量用	333
フェノール・亜鉛華リニメント	**1458**
フェノール・ニトロプルシドナトリウム試液	333
フェノール・ペンタシアノニトロシル鉄(III)酸ナトリウム試液	333
フェノール塩酸試液	333
フェノール水	**1458**
p－フェノールスルホン酸ナトリウム	333
p－フェノールスルホン酸ナトリウム二水和物	333

フェノールスルホンフタレイン	*1459*
フェノールスルホンフタレイン，定量用	*334*
フェノールスルホンフタレイン注射液	*1460*
フェノールフタレイン	*334*
フェノールフタレイン・チモールブルー試液	*334*
フェノールフタレイン試液	*334*
フェノールフタレイン試液，希	*334*
フェノールレッド	*334*
フェノールレッド試液	*334*
フェノールレッド試液，希	*334*
プエラリン，薄層クロマトグラフィー用	*334*
フェリシアン化カリウム	*334*
0.05 mol/Lフェリシアン化カリウム液	*199*
0.1 mol/Lフェリシアン化カリウム液	*199*
フェリシアン化カリウム試液	*334*
フェリシアン化カリウム試液，アルカリ性	*334*
フェーリング試液	*334*
フェーリング試液，でんぷん消化力試験用	*334*
フェルビナク	*1460*, **46**
フェルビナク，定量用	*334*
フェルビナクテープ	*1461*
フェルビナクパップ	*1461*
(E)－フェルラ酸	*334*
(E)－フェルラ酸，定量用	*334*
フェルラ酸シクロアルテニル， 薄層クロマトグラフィー用	*335*
フェロシアン化カリウム	*335*
フェロシアン化カリウム試液	*335*
フェロジピン	*1462*, **46**
フェロジピン，定量用	*336*
フェロジピン錠	*1463*
フェンタニルクエン酸塩	*1464*, **46**
フェンネル油	*1869*
フェンブフェン	*1464*, **46**
フォリン試液	*336*
フォリン試液，希	*336*
フクシン	*336*
フクシン・エタノール試液	*336*
フクシン亜硫酸試液	*336*
フクシン試液，脱色	*336*
複方アクリノール・チンク油	*393*
複方オキシコドン・アトロピン注射液	*662*
複方オキシコドン注射液	*662*
複方サリチル酸精	*864*
複方サリチル酸メチル精	*866*
複方ジアスターゼ・重曹散	*878*
複方ダイオウ・センナ散	*1987*
複方チアントール・サリチル酸液	*1126*
複方ヨード・グリセリン	*1756*
複方ロートエキス・ジアスターゼ散	*2084*
腹膜透析用剤	*15*
ブクモロール塩酸塩	*1465*, **46**
ブクリョウ	*2038*
茯苓	*2038*

ブクリョウ末	*2038*
茯苓末	*2038*
ブシ	*2039*
ブシジエステルアルカロイド混合標準溶液，純度試験用	*336*
フシジン酸ナトリウム	*1466*, **46**
ブシ末	*2040*
ブシモノエステルアルカロイド混合標準試液， 成分含量測定用	*336*
ブシモノエステルアルカロイド混合標準試液，定量用	*336*
ブシ用リン酸塩緩衝液	*336*
ブシラミン	*336*, *1468*, **46**
ブシラミン，定量用	*336*
ブシラミン錠	*1469*
ブスルファン	*1470*, **46**
プソイドエフェドリン塩酸塩	*336*
ブタ胆汁末，薄層クロマトグラフィー用	*336*
1－ブタノール	*336*
1－ブタノール，アンモニア飽和	*336*
2－ブタノール	*336*
n－ブタノール	*336*
ブタノール，イソ	*336*
ブタノール，第二	*336*
ブタノール，第三	*336*
1－ブタノール試液，アンモニア飽和	*336*
2－ブタノン	*336*
o－フタルアルデヒド	*337*
フタルイミド	*337*
フタル酸	*337*
フタル酸塩pH標準液	*203*
フタル酸緩衝液，pH 5.8	*337*
フタル酸ジエチル	*337*
フタル酸ジシクロヘキシル	*337*
フタル酸ジノニル	*337*
フタル酸ジフェニル	*337*
フタル酸ジーnーブチル	*337*
フタル酸ジメチル	*337*
フタル酸水素カリウム	*337*
フタル酸水素カリウム(標準試薬)	*337*
フタル酸水素カリウム，pH測定用	*337*
フタル酸水素カリウム緩衝液，0.3 mol/L，pH 4.6	*337*
フタル酸水素カリウム緩衝液，pH 3.5	*337*
フタル酸水素カリウム緩衝液，pH 4.6	*337*
フタル酸水素カリウム緩衝液，pH 5.6	*337*
フタル酸水素カリウム試液，0.2 mol/L，緩衝液用	*337*
フタル酸ビス(シスー3,3,5ートリメチルシクロヘキシル)	*338*
フタレインパープル	*338*
付着錠	*13*
n－ブチルアミン	*338*
t－ブチルアルコール	*338*
ブチルシリル化シリカゲル，液体クロマトグラフィー用	*384*
ブチルスコポラミン臭化物	*1470*, **46**
n－ブチルボロン酸	*338*
$tert$－ブチルメチルエーテル	*338*
ブチロラクトン	*338*

普通カンテン培地	338	プラゼパム	**1491**, 46
普通カンテン培地，テセロイキン用	338	プラゼパム，定量用	339
普通ブイヨン	338	プラゼパム錠	**1491**
フッ化水素酸	338	プラゾシン塩酸塩	**1492**, 46
フッ化ナトリウム	338	プラチコジンD，薄層クロマトグラフィー用	339
フッ化ナトリウム(標準試薬)	338	プラノプロフェン	**1493**, 46
フッ化ナトリウム・塩酸試液	338	プラバスタチンナトリウム	340, **1494**, 46
フッ化ナトリウム試液	338	プラバスタチンナトリウム液	**1498**
フッ素標準液	203	プラバスタチンナトリウム細粒	**1496**
沸点測定法及び蒸留試験法	74	プラバスタチンナトリウム錠	**1495**
ブデソニド	**72**	フラビンアデニンジヌクレオチドナトリウム	**1499**, 46
ブテナフィン塩酸塩	**1471**, 46	フラボキサート塩酸塩	**1500**, 46
ブテナフィン塩酸塩，定量用	338	プランルカスト水和物	**1501**, 46
ブテナフィン塩酸塩液	**1472**	プリミドン	**1502**, 46
ブテナフィン塩酸塩クリーム	**1473**	ブリリアントグリン	340
ブテナフィン塩酸塩スプレー	**1472**	ふるい	385
ブドウ酒	**1474**, 46	フルオシノニド	**1503**
ブドウ糖	338, **1475**, 46	フルオシノロンアセトニド	340, **1504**
ブドウ糖試液	338	フルオレスカミン	340
ブドウ糖水和物	**1477**, 46	フルオレセイン	340
ブドウ糖注射液	**1479**	フルオレセインナトリウム	340, **1505**
N-t-ブトキシカルボニル-L-グルタミン酸-α-フェニルエステル	338	フルオレセインナトリウム試液	340
		9-フルオレニルメチルクロロギ酸	340
フドステイン	**1479**, 46	4-フルオロ安息香酸	340
フドステイン，定量用	338	フルオロウラシル	**1505**, **46**
フドステイン錠	**1480**	フルオロキノロン酸，薄層クロマトグラフィー用	340
ブトロピウム臭化物	**1481**, **46**, **73**	1-フルオロ-2,4-ジニトロベンゼン	340
ブナゾシン塩酸塩	**1482**, 46	フルオロシリル化シリカゲル，液体クロマトグラフィー用	384
ブピバカイン塩酸塩水和物	**1482**, 46	7-フルオロ-4-ニトロベンゾ-2-オキサ-1,3-ジアゾール	340
ブファリン，成分含量測定用	338		
ブファリン，定量用	338		
ブフェトロール塩酸塩	**1483**, 46	フルオロメトロン	**1506**, **47**
ブプラノロール塩酸塩	**1484**, 46	フルコナゾール	**1507**, **47**
ブプレノルフィン塩酸塩	**1485**, 46	フルコナゾール，定量用	340
ブホルミン塩酸塩	**1485**, 46	フルコナゾールカプセル	**1508**
ブホルミン塩酸塩，定量用	339	フルコナゾール注射液	**1509**
ブホルミン塩酸塩錠	**1486**	フルジアゼパム	**1509**, **47**
ブホルミン塩酸塩腸溶錠	**1487**	フルジアゼパム，定量用	340
フマル酸，薄層クロマトグラフィー用	339	フルジアゼパム錠	**1510**
フマル酸ビソプロロール，定量用	339	フルシトシン	**1511**, **47**
ブメタニド	**1488**, 46	ブルシン	340
浮遊培養用培地	339	ブルシンn水和物	341
Primer F	339	ブルシン二水和物	341
Primer F試液	339	フルスルチアミン塩酸塩	**1512**, **47**
Primer R	339	フルタミド	**1513**, **47**
Primer R試液	339	ブルーテトラゾリウム	341
(±)-プラエルプトリンA，薄層クロマトグラフィー用	339	ブルーテトラゾリウム試液，アルカリ性	341
フラジオマイシン硫酸塩	**1489**, 46	フルトプラゼパム	**1514**, **47**
ブラジキニン	339	フルトプラゼパム，定量用	341
プラスチック製医薬品容器及び輸液用ゴム栓の容器設計における一般的な考え方と求められる要件〈G7-2-162〉	2645	フルトプラゼパム錠	**1514**
		フルドロコルチゾン酢酸エステル	**1515**, **47**
		フルニトラゼパム	**1516**, **47**
プラスチック製医薬品容器試験法	179	フルフェナジンエナント酸エステル	**1517**, **47**
プラステロン硫酸エステルナトリウム水和物	**1490**, 46	フルフラール	341

フルボキサミンマレイン酸塩	1517, 47	V8プロテアーゼ	341
フルボキサミンマレイン酸塩錠	1519	V8プロテアーゼ，インスリングラルギン用	341
フルラゼパム，定量用	341	V8プロテアーゼ酵素試液	342
フルラゼパム塩酸塩	1520, 47	プロテイン銀	1550
プルラナーゼ	341	プロテイン銀液	1550
プルラナーゼ試液	341	1－プロパノール	342
プルラン	1520, 47	2－プロパノール	342
プルランカプセル	694	2－プロパノール，液体クロマトグラフィー用	342
フルルビプロフェン	1521, 47	2－プロパノール，ビタミンA定量用	342
ブレオマイシン塩酸塩	1522, 47	n－プロパノール	342
ブレオマイシン硫酸塩	1524, 47	プロパノール，イソ	342
フレカイニド酢酸塩	341, 1526, 47	プロパフェノン塩酸塩	1551, 47
フレカイニド酢酸塩，定量用	341	プロパフェノン塩酸塩，定量用	342
フレカイニド酢酸塩錠	1527	プロパフェノン塩酸塩錠	1551
プレドニゾロン	341, 1528, 47	プロパンテリン臭化物	342, 1552
プレドニゾロンコハク酸エステル	1529	プロピオン酸	342
プレドニゾロン酢酸エステル	341, 1531	プロピオン酸エチル	342
プレドニゾロン錠	1529	プロピオン酸ジョサマイシン	342
プレドニゾロンリン酸エステルナトリウム	1532, 47	プロピオン酸テストステロン	342
プレドニゾン	341	プロピオン酸ベクロメタゾン	342
フロイント完全アジュバント	341, 32	プロピフェナゾン	518
プロカインアミド塩酸塩	341, 1535, 47	プロピベリン塩酸塩	1553, 47
プロカインアミド塩酸塩，定量用	341	プロピベリン塩酸塩錠	1554
プロカインアミド塩酸塩錠	1535	プロピルアミン，イソ	342
プロカインアミド塩酸塩注射液	1536	プロピルエーテル，イソ	342
プロカイン塩酸塩	341, 1533, 47	プロピルチオウラシル	1555
プロカイン塩酸塩，定量用	341	プロピルチオウラシル，定量用	342
プロカイン塩酸塩注射液	1534	プロピルチオウラシル錠	1556
プロカテロール塩酸塩水和物	341, 1537, 47	プロピレングリコール	342, 1557, 47
プロカルバジン塩酸塩	1537, 47	プロピレングリコール，ガスクロマトグラフィー用	342
プログルミド	1538, 47	プロブコール	1558, 47
プロクロルペラジンマレイン酸塩	1539, 47	プロブコール細粒	1559
プロクロルペラジンマレイン酸塩錠	1539	プロブコール錠	1559
プロゲステロン	341, 1541	プロプラノロール塩酸塩	1560, 47
プロゲステロン注射液	1541	プロプラノロール塩酸塩，定量用	342
プロスタグランジンA₁	341	プロプラノロール塩酸塩錠	1561
プロセス解析工学によるリアルタイムリリース試験における 　　含量均一性評価のための判定基準〈G6-1-171〉	2636	フロプロピオン	342, 1562, 47
フロセミド	1542, 47	フロプロピオン，定量用	342
フロセミド錠	1543	フロプロピオンカプセル	1562
フロセミド注射液	1544	プロベネシド	342, 1563, 47
プロタミン硫酸塩	1544	プロベネシド錠	1564
プロタミン硫酸塩注射液	1545	ブロマゼパム	1565, 47
プロチオナミド	1545, 47	ブロムクレゾールグリン	342
ブロチゾラム	1546, 47	ブロムクレゾールグリン・塩化メチルロザニリン試液	342
ブロチゾラム，定量用	341	ブロムクレゾールグリン・水酸化ナトリウム・酢酸・ 　　酢酸ナトリウム試液	342
ブロチゾラム錠	1547	ブロムクレゾールグリン・水酸化ナトリウム試液	342
プロチレリン	1548, 47	ブロムクレゾールグリン・メチルレッド試液	342
プロチレリン酒石酸塩水和物	1549, 47	ブロムクレゾールグリン試液	342
ブロッキング剤	341	ブロムクレゾールパープル	342
ブロッキング試液，エポエチンアルファ用	341	ブロムクレゾールパープル・水酸化ナトリウム試液	342
ブロッキング試液，ナルトグラスチム試験用	341, 32	ブロムクレゾールパープル・リン酸一水素カリウム・ 　　クエン酸試液	342
ブロック緩衝液	341	
ブロッティング試液	341	ブロムクレゾールパープル試液	342

N-ブロムサクシンイミド	342
N-ブロムサクシンイミド試液	342
ブロムチモールブルー	342
ブロムチモールブルー・水酸化ナトリウム試液	343
ブロムチモールブルー試液	342
ブロムフェナクナトリウム水和物	**1565**, *47*
ブロムフェナクナトリウム点眼液	**1566**
ブロムフェノールブルー	343
ブロムフェノールブルー・フタル酸水素カリウム試液	343
ブロムフェノールブルー試液	343
ブロムフェノールブルー試液，pH 7.0	343
ブロムフェノールブルー試液，希	343
ブロムヘキシン塩酸塩	**1567**, *47*, *73*
ブロムワレリル尿素	343, **1571**
プロメタジン塩酸塩	**1568**, *47*
プロモキセフナトリウム	**1568**, *47*
ブロモクリプチンメシル酸塩	**1571**, *47*
ブロモクレゾールグリン	343
ブロモクレゾールグリン・クリスタルバイオレット試液	343
ブロモクレゾールグリン・水酸化ナトリウム・エタノール試液	343
ブロモクレゾールグリン・水酸化ナトリウム・酢酸・酢酸ナトリウム試液	343
ブロモクレゾールグリン・水酸化ナトリウム試液	343
ブロモクレゾールグリン・メチルレッド試液	343
ブロモクレゾールグリン試液	343
ブロモクレゾールグリーン	343
ブロモクレゾールグリーン・クリスタルバイオレット試液	343
ブロモクレゾールグリーン・水酸化ナトリウム・エタノール試液	343
ブロモクレゾールグリーン・水酸化ナトリウム・酢酸・酢酸ナトリウム試液	343
ブロモクレゾールグリーン・水酸化ナトリウム試液	343
ブロモクレゾールグリーン・メチルレッド試液	343
ブロモクレゾールグリーン試液	343
ブロモクレゾールパープル	343
ブロモクレゾールパープル・水酸化ナトリウム試液	343
ブロモクレゾールパープル・リン酸水素二カリウム・クエン酸試液	343
ブロモクレゾールパープル試液	343
N-ブロモスクシンイミド	343
N-ブロモスクシンイミド試液	343
ブロモチモールブルー	343
ブロモチモールブルー・エタノール性水酸化ナトリウム試液	343
ブロモチモールブルー・水酸化ナトリウム試液	343
ブロモチモールブルー試液	343
ブロモバレリル尿素	343, **1571**, *47*
ブロモフェノールブルー	343
ブロモフェノールブルー・フタル酸水素カリウム試液	343
ブロモフェノールブルー試液	343
ブロモフェノールブルー試液，0.05%	343
ブロモフェノールブルー試液，pH 7.0	343
ブロモフェノールブルー試液，希	343
L-プロリン	343, **1572**, *47*
フロログルシノール二水和物	343
フロログルシン	343
フロログルシン二水和物	343
分散錠	10
分子量試験用還元液	344
分子量測定用低分子量ヘパリン	344
分子量測定用マーカータンパク質	344
分子量標準原液	344
分子量マーカー，インターフェロンアルファ用	344
分子量マーカー，エポエチンアルファ用	344
分子量マーカー，テセロイキン用	344
分子量マーカー，ナルトグラスチム試験用	344, *32*
分析法バリデーション〈G1-1-130〉	2516
粉体の細かさの表示法〈G2-2-171〉	2524
粉体の粒子密度測定法	102
粉体の流動性〈G2-3-171〉	2524
分銅	385
粉末飴	**1923**
粉末X線回折測定法	74, *17*
粉末セルロース	**1080**, *41*, *61*
噴霧試液用チモール	344
噴霧用塩化2,3,5-トリフェニル-2*H*-テトラゾリウム・メタノール試液	344
噴霧用塩化*p*-ニトロベンゼンジアゾニウム試液	344
噴霧用希次硝酸ビスマス・ヨウ化カリウム試液	344
噴霧用4-ジメチルアミノベンズアルデヒド試液	344
噴霧用*p*-ジメチルアミノベンズアルデヒド試液	344
噴霧用チモール・硫酸・メタノール試液	344
噴霧用ドラーゲンドルフ試液	344
噴霧用4-ニトロベンゼンジアゾニウム塩塩試液	344
噴霧用*p*-ニトロベンゼンジアゾニウム塩塩試液	344
噴霧用ニンヒドリン・エタノール試液	344
噴霧用バニリン・硫酸・エタノール試液	344
噴霧用4-メトキシベンズアルデヒド・硫酸・酢酸・エタノール試液	344
分離確認用グリチルリチン酸一アンモニウム	344
分離確認用バイカレイン	344
分離確認用パラオキシ安息香酸ブチル	344
分離確認用パラオキシ安息香酸プロピル	344
分離確認用パラオキシ安息香酸メチル	344
分離ゲル，セルモロイキン用	344

へ

ペウケダヌム・レデボウリエルロイデス，純度試験用	344
ペオニフロリン，薄層クロマトグラフィー用	344
ペオノール，成分含量測定用	345
ペオノール，定量用	345
ペオノール，薄層クロマトグラフィー用	345
ベカナマイシン硫酸塩	345, **1573**, *47*
ヘキサクロロ白金(IV)酸試液	345
ヘキサクロロ白金(IV)酸六水和物	345

ヘキサクロロ白金(Ⅳ)酸・ヨウ化カリウム試液	345
ヘキサシアノ鉄(Ⅱ)酸カリウム三水和物	345
ヘキサシアノ鉄(Ⅱ)酸カリウム試液	345
ヘキサシアノ鉄(Ⅲ)酸カリウム	345
0.05 mol/Lヘキサシアノ鉄(Ⅲ)酸カリウム液	199
0.1 mol/Lヘキサシアノ鉄(Ⅲ)酸カリウム液	199
ヘキサシアノ鉄(Ⅲ)酸カリウム試液	345
ヘキサシアノ鉄(Ⅲ)酸カリウム試液, アルカリ性	345
ヘキサシリル化シリカゲル, 液体クロマトグラフィー用	384
ヘキサニトロコバルト(Ⅲ)酸ナトリウム	345
ヘキサニトロコバルト(Ⅲ)酸ナトリウム試液	345
1－ヘキサノール	345
ヘキサヒドロキソアンチモン(Ⅴ)酸カリウム	346
ヘキサヒドロキソアンチモン(Ⅴ)酸カリウム試液	346
ヘキサミン	346
1,1,1,3,3,3－ヘキサメチルジシラザン	346
ヘキサメチレンテトラミン	346
ヘキサメチレンテトラミン試液	346
ヘキサン	346
n－ヘキサン, 液体クロマトグラフィー用	346
n－ヘキサン, 吸収スペクトル用	346
ヘキサン, 液体クロマトグラフィー用	346
ヘキサン, 吸収スペクトル用	346
ヘキサン, 生薬純度試験用	346
1－ヘキサンスルホン酸ナトリウム	346
ベクロメタゾンプロピオン酸エステル	346, 1574, **47**
ベザフィブラート	1575, **47**
ベザフィブラート, 定量用	346
ベザフィブラート徐放錠	1576
ヘスペリジン, 成分含量測定用	346
ヘスペリジン, 定量用	346
ヘスペリジン, 薄層クロマトグラフィー用	347
ベタキソロール塩酸塩	1577, **48**
ベタネコール塩化物	1578, **48**
ベタヒスチンメシル酸塩	347, 1578, **48**
ベタヒスチンメシル酸塩, 定量用	347
ベタヒスチンメシル酸塩錠	1579
ベタミプロン	347, 1580, **48**
ベタミプロン, 定量用	347
ベタメタゾン	1581, **48**
ベタメタゾン吉草酸エステル	1583
ベタメタゾン吉草酸エステル・ゲンタマイシン硫酸塩クリーム	1585
ベタメタゾン吉草酸エステル・ゲンタマイシン硫酸塩軟膏	1584
ベタメタゾンジプロピオン酸エステル	1586, **48**
ベタメタゾン錠	1582
ベタメタゾンリン酸エステルナトリウム	1587
ペチジン塩酸塩	1588
ペチジン塩酸塩, 定量用	347
ペチジン塩酸塩注射液	1589
ベニジピン塩酸塩	347, 1590, **48**
ベニジピン塩酸塩, 定量用	347
ベニジピン塩酸塩錠	1591
ペニシリウム由来β－ガラクトシダーゼ用グルコース検出用試液	347
ペニシリウム由来β－ガラクトシダーゼ用乳糖基質試液	347
ペニシリウム由来β－ガラクトシダーゼ用リン酸水素二ナトリウム・クエン酸緩衝液, pH 4.5	347
ペニシリンGカリウム	1620
ベニバナ	1923
pH測定法	70
ヘパリンカルシウム	1592, **48**
ヘパリンナトリウム	347, 1596, **48**
ヘパリンナトリウム注射液	1599, **48**
ペプシン, 含糖	347
ヘプタフルオロ酪酸	347
ヘプタン	347
ヘプタン, 液体クロマトグラフィー用	347
1－ヘプタンスルホン酸ナトリウム	347
ペプチド及びタンパク質の質量分析〈G3-4-161〉	2543
ペプチドマップ法〈G3-3-142〉	2539
ペプトン	347
ペプトン, カゼイン製	347
ペプトン, ゼラチン製	347
ペプトン, ダイズ製	347
ペプトン, 肉製	347
ペプロマイシン硫酸塩	1601, **48**
ヘペス緩衝液, pH 7.5	347
ベヘン酸メチル	347
ベポタスチンベシル酸塩	1603, **48**
ベポタスチンベシル酸塩, 定量用	347
ベポタスチンベシル酸塩錠	1604
ヘマトキシリン	348
ヘマトキシリン試液	348
ペミロラストカリウム	348, 1606, **48**
ペミロラストカリウム錠	1607
ペミロラストカリウム点眼液	1608
ベラドンナエキス	2042
ベラドンナコン	2041
ベラドンナ根	2041
ベラドンナ総アルカロイド	2043
ベラパミル塩酸塩	1609, **48**
ベラパミル塩酸塩, 定量用	348
ベラパミル塩酸塩錠	1609
ベラパミル塩酸塩注射液	1610
ベラプロストナトリウム	348, 1611
ベラプロストナトリウム, 定量用	348
ベラプロストナトリウム錠	1612
ヘリウム	348
ペリルアルデヒド, 成分含量測定用	348
ペリルアルデヒド, 定量用	348
ペリルアルデヒド, 薄層クロマトグラフィー用	348
ペルオキシダーゼ	348
ペルオキシダーゼ測定用基質液	348
ペルオキシダーゼ標識アビジン	348
ペルオキシダーゼ標識アビジン試液	348

ペルオキシダーゼ標識抗ウサギ抗体 …………………… 348
ペルオキシダーゼ標識抗ウサギ抗体試液 ……………… 348
ペルオキシダーゼ標識ブラジキニン …………………… 348
ペルオキシダーゼ標識ブラジキニン試液 ……………… 348
ペルオキソ二硫酸アンモニウム ………………………… 348
ペルオキソ二硫酸アンモニウム試液, 10% …………… 348
ペルオキソ二硫酸カリウム ……………………………… 348
ベルゲニン, 薄層クロマトグラフィー用 ……………… 348
ベルバスコシド, 薄層クロマトグラフィー用 ………… 349
ペルフェナジン ………………………………… 1613, **48**
ペルフェナジン錠 …………………………………… 1614
ペルフェナジンマレイン酸塩 ………………… 1615, **48**
ペルフェナジンマレイン酸塩, 定量用 ………………… 349
ペルフェナジンマレイン酸塩錠 …………………… 1615
ベルベリン塩化物水和物 ……………………… 349, 1616, **48**
ベルベリン塩化物水和物, 薄層クロマトグラフィー用 …… 349
ベンザルコニウム塩化物 ……………………… 349, 1617
ベンザルコニウム塩化物液 ………………………… 1618
ベンザルフタリド ………………………………………… 349
ベンジルアルコール …………………… 349, 1619, **74**
p-ベンジルフェノール ………………………………… 349
ベンジルペニシリンカリウム ………………… 349, 1620, **48**
ベンジルペニシリンベンザチン ………………………… 349
ベンジルペニシリンベンザチン水和物 … 349, 1622, **48**
ヘンズ ……………………………………………… 2043
扁豆 ………………………………………………… 2043
ベンズアルデヒド ………………………………………… 349
ベンズ[*a*]アントラセン ………………………………… 349
ベンズブロマロン ……………………………… 1623, **48**
ベンゼトニウム塩化物 ……………………………… 1624
ベンゼトニウム塩化物, 定量用 ………………………… 349
ベンゼトニウム塩化物液 …………………………… 1625
0.004 mol/Lベンゼトニウム塩化物液 ………………… 199
ベンセラジド塩酸塩 …………………………… 1625, **48**
ベンゼン …………………………………………………… 349
N-α-ベンゾイル-L-アルギニンエチル塩酸塩 ……… 349
N-α-ベンゾイル-L-アルギニンエチル試液 ………… 350
N-α-ベンゾイル-L-アルギニン-4-
　ニトロアニリド塩酸塩 ……………………………… 350
N-α-ベンゾイル-L-アルギニン-4-
　ニトロアニリド試液 ………………………………… 350
N-ベンゾイル-L-イソロイシル-L-グルタミル
　(γ-OR)-グリシル-L-アルギニル-*p*-
　ニトロアニリド塩酸塩 ……………………………… 350
ベンゾイルヒパコニン塩酸塩, 定量用 ………………… 350
ベンゾイルメサコニン塩酸塩, 定量用 ………………… 350
ベンゾイルメサコニン塩酸塩,
　薄層クロマトグラフィー用 ………………………… 351
ベンゾイン ………………………………………………… 351
ベンゾカイン …………………………………………… **448**
p-ベンゾキノン ………………………………………… 351
p-ベンゾキノン試液 …………………………………… 351
ベンゾ[*a*]ピレン ………………………………………… 351
ベンゾフェノン …………………………………………… 351

ペンタエチレンヘキサアミノ化ポリビニルアルコール
　ポリマービーズ, 液体クロマトグラフィー用 ……… 384
ペンタシアノアンミン鉄(Ⅱ)酸ナトリウム*n*水和物 … 351
ペンタシアノニトロシル鉄(Ⅲ)酸ナトリウム・
　ヘキサシアノ鉄(Ⅲ)酸カリウム試液 ……………… 351
ペンタシアノニトロシル鉄(Ⅲ)酸ナトリウム・
　ヘキサシアノ鉄(Ⅲ)酸カリウム試液, 希 ………… 351
ペンタシアノニトロシル鉄(Ⅲ)酸ナトリウム試液 … 351
ペンタシアノニトロシル鉄(Ⅲ)酸ナトリウム二水和物 … 351
ペンタゾシン …………………………………… 1626, **48**
ペンタン …………………………………………………… 351
1-ペンタンスルホン酸ナトリウム ……………………… 351
ペントキシベリンクエン酸塩 ………………… 1626, **48**
ベントナイト ……………………………………… 1627
ペントバルビタールカルシウム ……………… 1628, **48**
ペントバルビタールカルシウム錠 ………………… 1629
ペンブトロール硫酸塩 ………………………… 1630, **48**
変法チオグリコール酸培地 ……………………………… 352

ホ

ボウイ ……………………………………………… 2044, **95**
防已 ………………………………………………… 2044
防已黄耆湯エキス ………………………………… 2044
崩壊試験第1液 …………………………………………… 352
崩壊試験第2液 …………………………………………… 352
崩壊試験法 ………………………………………………… 153
芳香水剤 ……………………………………………………… 21
ボウコン …………………………………………… 2046
茅根 ………………………………………………… 2046
ホウ酸 …………………………………… 352, 1630, **48**
ホウ酸・塩化カリウム・水酸化ナトリウム緩衝液,
　pH 9.0 ………………………………………………… 352
ホウ酸・塩化カリウム・水酸化ナトリウム緩衝液,
　pH 9.2 ………………………………………………… 352
ホウ酸・塩化カリウム・水酸化ナトリウム緩衝液,
　pH 9.6 ………………………………………………… 352
ホウ酸・塩化カリウム・水酸化ナトリウム緩衝液,
　pH 10.0 ……………………………………………… 352
0.2 mol/Lホウ酸・0.2 mol/L塩化カリウム試液,
　緩衝液用 ……………………………………………… 352
ホウ酸・塩化マグネシウム緩衝液, pH 9.0 ………… 352
ホウ酸・水酸化ナトリウム緩衝液, pH 8.4 ………… 352
ホウ酸・メタノール緩衝液 ……………………………… 352
ホウ酸塩・塩酸緩衝液, pH 9.0 ………………………… 352
ホウ酸塩pH標準液 ……………………………………… 203
ホウ酸ナトリウム ………………………………………… 352
ホウ酸ナトリウム, pH測定用 ………………………… 352
ホウ砂 …………………………………… 352, 1631, **48**
ボウショウ ………………………………………… 2047
芒硝 ………………………………………………… 2047
抱水クロラール ………………………………… 352, 1631
抱水クロラール試液 ……………………………………… 352
抱水ヒドラジン …………………………………………… 352

ホウ素標準液	203	ポリエチレングリコール1500	*1657*
ボウフウ	**2048**	ポリエチレングリコール1500,	
防風	**2048**	ガスクロマトグラフィー用	*353*
防風通聖散エキス	**2048**	ポリエチレングリコール4000	*1658*
飽和ヨウ化カリウム試液	*352*	ポリエチレングリコール6000	*1658*
ボクソク	**2052**	ポリエチレングリコール6000,	
樸樕	**2052**	ガスクロマトグラフィー用	*353*
ボグリボース	***1631***, <u>48</u>	ポリエチレングリコール15000－ジエポキシド,	
ボグリボース, 定量用	*352*	ガスクロマトグラフィー用	*353*
ボグリボース口腔内崩壊錠	<u>**74**</u>	ポリエチレングリコール20000	*1659*
ボグリボース錠	***1632***, <u>**74**</u>	ポリエチレングリコールエステル化物,	
ホスゲン紙	*384*	ガスクロマトグラフィー用	*353*
ホスファターゼ, アルカリ性	*352*	ポリエチレングリコール軟膏	*1659*
ホスファターゼ試液, アルカリ性	*352*	ポリエチレングリコール2－ニトロテレフタレート,	
ホスフィン酸	*352*	ガスクロマトグラフィー用	*353*
ホスホマイシンカルシウム水和物	***1634***, <u>48</u>	ポリオキシエチレン(23)ラウリルエーテル	*353*
ホスホマイシンナトリウム	***1636***, <u>48</u>	ポリオキシエチレン(40)オクチルフェニルエーテル	*353*
保存効力試験法〈G4-3-170〉	*2594*	ポリオキシエチレン硬化ヒマシ油60	*353*
ボタンピ	**2053**	ボリコナゾール	*353*, ***1644***, <u>48</u>
牡丹皮	**2053**	ボリコナゾール錠	***1645***
ボタンピ末	**2053**	ポリスチレンスルホン酸カルシウム	***1647***, <u>48</u>
牡丹皮末	**2053**	ポリスチレンスルホン酸ナトリウム	***1649***, <u>48</u>
補中益気湯エキス	**2054**	ポリソルベート20	*353*
ポテトエキス	*352*	ポリソルベート20, エポエチンベータ用	*354*
ホノキオール	*352*	ポリソルベート80	*354*, ***1650***, <u>48</u>, <u>75</u>
ポビドン	***1637***, <u>48</u>	ポリテトラフルオロエチレン,	
ポビドンヨード	***1640***, <u>48</u>	ガスクロマトグラフィー用	*384*
ホマトロピン臭化水素酸塩	*352*, *1640*	ホリナートカルシウム	*1652*
ホミカ	**2057**	ホリナートカルシウム水和物	***1652***, <u>48</u>
ホミカエキス	**2058**	ポリビニリデンフロライド膜	*354*
ホミカエキス散	**2058**	ポリビニルアルコール	*354*
ホミカチンキ	**2059**	ポリビニルアルコールⅠ	*354*
ホモクロルシクリジン塩酸塩	***1641***, <u>48</u>	ポリビニルアルコールⅡ	*354*
ポラプレジンク	***1642***, <u>48</u>	ポリビニルアルコール試液	*354*
ポラプレジンク顆粒	*1643*	ポリミキシンB硫酸塩	***1653***, <u>48</u>
ボラン－ピリジン錯体	*352*	ポリメチルシロキサン, ガスクロマトグラフィー用	*354*
ポリアクリルアミドゲル, エポエチンアルファ用	*353*	ボルネオール酢酸エステル	*354*
ポリアクリルアミドゲル, ナルトグラスチム用	*353*, <u>32</u>	ホルマジン乳濁原液	*203*
ポリアクリルアミドゲル, フィルグラスチム用	*353*	ホルマジン標準乳濁液	*355*
ポリアクリル酸メチル, ガスクロマトグラフィー用	*353*	ホルマリン	*355*, ***1654***
ポリアミド, カラムクロマトグラフィー用	*384*	ホルマリン・硫酸試液	*355*
ポリアミド, 薄層クロマトグラフィー用	*384*	ホルマリン試液	*355*
ポリアミド(蛍光剤入り), 薄層クロマトグラフィー用	*384*	ホルマリン水	*1654*
ポリアミンシリカゲル, 液体クロマトグラフィー用	<u>32</u>	2－ホルミル安息香酸	*355*
ポリアルキレングリコール, ガスクロマトグラフィー用	*353*	ホルムアミド	*355*
ポリアルキレングリコールモノエーテル,		ホルムアミド, 水分測定用	*355*
ガスクロマトグラフィー用	*353*	ホルムアルデヒド液	*355*
ポリエチレングリコール20 M,		ホルムアルデヒド液・硫酸試液	*355*
ガスクロマトグラフィー用	*353*	ホルムアルデヒド液試液	*355*
ポリエチレングリコール400	*1657*	ホルムアルデヒド試液, 希	*355*
ポリエチレングリコール400,		ホルモテロールフマル酸塩水和物	***1654***, <u>48</u>, <u>77</u>
ガスクロマトグラフィー用	*353*	ボレイ	**2059**
ポリエチレングリコール600,		牡蛎	**2059**
ガスクロマトグラフィー用	*353*	ボレイ末	**2060**

日本名索引

牡蛎末 ································· **2060**
ポンプスプレー剤 ······················· *19*

マ

マイクロプレート ························· *355*
マイクロプレート洗浄用リン酸塩緩衝液 ······· *355*
マイトマイシンC ························ **1655**
マウス抗エポエチンアルファモノクローナル抗体 ···· *355*
前処理用アミノプロピルシリル化シリカゲル ······ *355*
前処理用オクタデシルシリル化シリカゲル ······· *355*
マオウ ································· **2060**
麻黄 ··································· **2060**
麻黄湯エキス ························· **2061**, *95*
マーカータンパク質，セルモロイキン分子量測定用 ··· *355*
マグネシア試液 ···························· *355*
マグネシウム ····························· *355*
マグネシウム標準液，原子吸光光度用 ········· *203*
マグネシウム標準原液 ······················· *203*
マグネシウム粉末 ·························· *355*
マグネシウム末 ···························· *355*
マグノフロリンヨウ化物，定量用 ············· *355*
マグノロール，成分含量測定用 ················ *356*
マグノロール，定量用 ······················· *356*
マグノロール，薄層クロマトグラフィー用 ······· *357*
マクリ ································· **2063**
マクロゴール400 ························· **1657**
マクロゴール600 ·························· *357*
マクロゴール1500 ······················· **1657**
マクロゴール4000 ······················· **1658**
マクロゴール6000 ······················· **1658**
マクロゴール20000 ······················ **1659**
マクロゴール軟膏 ························ **1659**
マシニン ································ **2064**
麻子仁 ·································· **2064**
麻酔用エーテル ······················· *357*, *608*
マニジピン塩酸塩 ······················· **1660**, *48*
マニジピン塩酸塩錠 ························ **1661**
マプロチリン塩酸塩 ····················· **1662**, *48*
マラカイトグリーン ························· *357*
マラカイトグリーンシュウ酸塩 ················ *357*
マルチトール ······························ *357*
マルトース ······························· *357*
マルトース水和物 ···················· *357*, **1663**, *48*
マルトトリオース ·························· *357*
4－(マレイミドメチル)シクロヘキシルカルボン酸－N－
　ヒドロキシコハク酸イミドエステル ·········· *357*
マレイン酸 ································ *357*
マレイン酸イルソグラジン ·················· *357*
マレイン酸イルソグラジン，定量用 ············ *357*
マレイン酸エナラプリル ···················· *357*
マレイン酸クロルフェニラミン ················ *357*
マレイン酸ペルフェナジン，定量用 ············ *357*
マレイン酸メチルエルゴメトリン，定量用 ······· *357*

マロン酸ジメチル ·························· *357*
マンギフェリン，定量用 ····················· *357*
D－マンニトール ···················· *358*, **1664**, *48*, *79*
D－マンニトール注射液 ····················· **1665**
マンニノトリオース，薄層クロマトグラフィー用 ··· *358*
D－マンノサミン塩酸塩 ····················· *358*
D－マンノース ···························· *358*

ミ

ミオイノシトール ·························· *358*
ミオグロビン ····························· *358*
ミグリトール ······················ *358*, **1666**, *48*
ミグリトール錠 ··························· **1667**
ミグレニン ··························· **1668**, *48*
ミクロノマイシン硫酸塩 ·················· **1669**, *48*
ミコナゾール ························· **1670**, *49*
ミコナゾール硝酸塩 ··············· *358*, **1670**, *49*
水・メタノール標準液 ······················ *204*
ミゾリビン ··························· **1671**, *49*
ミゾリビン錠 ··························· **1672**
ミチグリニドカルシウム錠 ·················· **1674**
ミチグリニドカルシウム水和物 ········ *358*, **1673**, *49*
ミツロウ ··························· *358*, **2064**
ミデカマイシン ························ **1676**, *49*
ミデカマイシン酢酸エステル ·············· **1676**, *49*
ミノサイクリン塩酸塩 ·············· *358*, **1677**, *49*
ミノサイクリン塩酸塩顆粒 ··················· **1679**
ミノサイクリン塩酸塩錠 ····················· **1678**
耳に投与する製剤 ··························· *17*
ミョウバン ······························ **1803**
ミョウバン水 ···························· **1681**
ミリスチシン，薄層クロマトグラフィー用 ······· *358*
ミリスチン酸イソプロピル ··················· *358*
ミリスチン酸イソプロピル，無菌試験用 ········· *359*
ミリスチン酸メチル，ガスクロマトグラフィー用 ··· *359*

ム

無アルデヒドエタノール ····················· *359*
無菌医薬品の包装完全性の評価〈G7-4-180〉 ·········· **2648**
無菌医薬品包装の漏れ試験法〈G7-5-180〉 ············ **2650**
無菌試験法 ······························· *131*
無菌試験用チオグリコール酸培地Ⅰ ············ *359*
無菌試験用チオグリコール酸培地Ⅱ ············ *359*
無菌試験用ミリスチン酸イソプロピル ·········· *359*
無コウイ大建中湯エキス ·············· **1988**, *92*
無水亜硫酸ナトリウム ······················ *359*
無水アルコール ···························· *590*
無水アンピシリン ······················ **488**, *34*
無水エタノール ······················ *359*, *590*, *56*
無水エーテル ······························ *359*
無水塩化第二鉄・ピリジン試液 ················ *359*
無水塩化鉄(Ⅲ)・ピリジン試液 ················ *359*

無水カフェイン	359, 692, **36**
無水クエン酸	752, **37**
無水コハク酸	359
無水酢酸	359
無水酢酸・ピリジン試液	359
無水酢酸ナトリウム	359
無水ジエチルエーテル	359
無水炭酸カリウム	359
無水炭酸ナトリウム	359
無水トリフルオロ酢酸, ガスクロマトグラフィー用	359
無水乳糖	359, 1298, **44**
無水ヒドラジン, アミノ酸分析用	359
無水ピリジン	359
無水フタル酸	359
無水ボウショウ	2047
無水芒硝	2047
無水メタノール	359
無水硫酸銅	359
無水硫酸ナトリウム	359, 2047
無水リン酸一水素ナトリウム	359
無水リン酸一水素ナトリウム, pH測定用	359
無水リン酸水素カルシウム	1812, **50**
無水リン酸水素二ナトリウム	359
無水リン酸二水素ナトリウム	359
無ヒ素亜鉛	359
ムピロシンカルシウム水和物	1681, **49**
ムピロシンカルシウム軟膏	1682
ムレキシド	359
ムレキシド・塩化ナトリウム指示薬	359

メ

メキシレチン塩酸塩	1683, **49**
メキタジン	1684, **49**
メキタジン, 定量用	359
メキタジン錠	1685
メグルミン	359, 1685, **49**
メクロフェノキサート塩酸塩	1686, **49**
メコバラミン	1687
メコバラミン錠	1688
メサコニチン, 純度試験用	359
メサラジン	1689, **49**
メサラジン, 定量用	360
メサラジン徐放錠	1691
メシル酸ジヒドロエルゴクリスチン, 薄層クロマトグラフィー用	360
メシル酸ベタヒスチン	360
メシル酸ベタヒスチン, 定量用	360
メストラノール	1692, **49**
メタクレゾールパープル	360
メタクレゾールパープル試液	360
メタケイ酸アルミン酸マグネシウム	827, **38**
メタサイクリン塩酸塩	360
メタ重亜硫酸ナトリウム	360, 1424
メタ重亜硫酸ナトリウム試液	360
メダゼパム	1693, **49**
メタニルイエロー	360
メタニルイエロー試液	360
メタノール	360
メタノール, 液体クロマトグラフィー用	360
メタノール, 水分測定用	360
メタノール, 精製	360
メタノール, 無水	360
メタノール試験法	35
メタノール標準液	204
メタノール不含エタノール	360
メタノール不含エタノール(95)	360
メタリン酸	360
メタリン酸・酢酸試液	360
メタンスルホン酸	360
メタンスルホン酸カリウム	361
メタンスルホン酸試液	361
メタンスルホン酸試液, 0.1 mol/L	361
メタンフェタミン塩酸塩	1693
メチオニン	361
L－メチオニン	361, 1694, **49**
メチクラン	1695, **49**
メチラポン	1696, **49**
2－メチルアミノピリジン	361
2－メチルアミノピリジン, 水分測定用	361
4－メチルアミノフェノール硫酸塩	361
4－メチルアミノフェノール硫酸塩試液	361
メチルイエロー	361
メチルイエロー試液	361
メチルイソブチルケトン	361
メチルエチルケトン	361
dl－メチルエフェドリン塩酸塩	361, 1696, **49**
dl－メチルエフェドリン塩酸塩, 定量用	361
dl－メチルエフェドリン塩酸塩散10％	1697
メチルエルゴメトリンマレイン酸塩	1698
メチルエルゴメトリンマレイン酸塩, 定量用	361
メチルエルゴメトリンマレイン酸塩錠	1698
メチルエロー	361
メチルエロー試液	361
メチルオレンジ	361
メチルオレンジ・キシレンシアノールFF試液	361
メチルオレンジ・ホウ酸試液	361
メチルオレンジ試液	361
メチルシクロヘキサン	361
メチルジゴキシン	1700, **49**
メチルシリコーンポリマー, ガスクロマトグラフィー用	361
メチルセルロース	1701, **49**
メチルセロソルブ	361
メチルチモールブルー	361
メチルチモールブルー・塩化ナトリウム指示薬	361
メチルチモールブルー・硝酸カリウム指示薬	361
メチルテストステロン	361, 1702
メチルテストステロン錠	1703

1-メチル-1*H*-テトラゾール-5-
　チオラートナトリウム ·· *361*
1-メチル-1*H*-テトラゾール-5-
　チオラートナトリウム二水和物 ······························ *361*
1-メチル-1*H*-テトラゾール-5-チオール ··················· *361*
1-メチル-1*H*-テトラゾール-5-チオール，
　液体クロマトグラフィー用 ······································· *362*
メチルドパ ··· *362*
メチルドパ，定量用 ··· *362*
メチルドパ錠 ·· **1705**
メチルドパ水和物 ······························· *362*, **1704**, **49**
メチルドパ水和物，定量用 ·· *362*
2-メチル-5-ニトロイミダゾール，
　薄層クロマトグラフィー用 ······································· *362*
N-メチルピロリジン ··· *362*
3-メチル-1-フェニル-5-ピラゾロン ······················ *362*
3-メチル-1-ブタノール ·· *362*
メチルプレドニゾロン ························· *362*, **1706**
メチルプレドニゾロンコハク酸エステル ··········· **1706**, **49**
2-メチル-1-プロパノール ·· *362*
メチルベナクチジウム臭化物 ······································ **1707**
D-(+)-α-メチルベンジルアミン ······················· *362*
3-メチル-2-ベンゾチアゾロンヒドラゾン塩酸塩
　一水和物 ··· *362*
4-メチルベンゾフェノン ··· *362*
4-メチル-2-ペンタノン ·· *362*
4-メチルペンタン-2-オール ·· *362*
3-*O*-メチルメチルドパ，薄層クロマトグラフィー用 ····· *362*
メチルレッド ·· *362*
メチルレッド・水酸化ナトリウム試液 ······················· *363*
メチルレッド・メチレンブルー試液 ·························· *363*
メチルレッド試液 ··· *362*
メチルレッド試液，希 ··· *362*
メチルレッド試液，酸又はアルカリ試験用 ·············· *362*
N,*N*′-メチレンビスアクリルアミド ························· *363*
メチレンブルー ··· *363*
メチレンブルー・硫酸・リン酸二水素ナトリウム試液 ····· *363*
メチレンブルー試液 ··· *363*
滅菌精製水 ··· *363*, **959**
滅菌精製水(容器入り) ··· **959**
滅菌法及び滅菌指標体〈G4-10-162〉 ······················· 2606
メテノロンエナント酸エステル ········ *363*, **1708**, **49**
メテノロンエナント酸エステル，定量用 ··················· *363*
メテノロンエナント酸エステル注射液 ····················· **1708**
メテノロン酢酸エステル ······················ **1709**, **49**
メトキサレン ·· **1710**, **49**
4′-メトキシアセトフェノン ······································· *363*
2-メトキシエタノール ·· *363*
(*E*)-2-メトキシシンナムアルデヒド，
　薄層クロマトグラフィー用 ······································· *363*
1-メトキシ-2-プロパノール ·· *363*
4-メトキシベンズアルデヒド ····································· *363*
4-メトキシベンズアルデヒド・酢酸試液 ················· *363*

4-メトキシベンズアルデヒド・硫酸・酢酸・
　エタノール試液，噴霧用 ··· *363*
4-メトキシベンズアルデヒド・硫酸・酢酸試液 ········· *363*
4-メトキシベンズアルデヒド・硫酸試液 ················· *363*
2-メトキシ-4-メチルフェノール ······························ *363*
メトクロプラミド ······························ **1710**, **49**
メトクロプラミド，定量用 ·· *364*
メトクロプラミド錠 ··· **1711**
メトトレキサート ··························· *364*, **1712**
メトトレキサートカプセル ·· **1713**
メトトレキサート錠 ··· **1712**
メトプロロール酒石酸塩 ··················· **1715**, **49**
メトプロロール酒石酸塩，定量用 ······························· *364*
メトプロロール酒石酸塩錠 ·· **1716**
メトホルミン塩酸塩 ·························· **1717**, **49**
メトホルミン塩酸塩，定量用 ·· *364*
メトホルミン塩酸塩錠 ··· **1717**
メドロキシプロゲステロン酢酸エステル ····· **1718**, **49**
メトロニダゾール ···················· *364*, **1719**, **49**
メトロニダゾール，定量用 ·· *364*
メトロニダゾール錠 ··· **1719**
メナテトレノン ································· **1720**, **49**
目に投与する製剤 ·· *16*
メピチオスタン ································· **1722**, **49**
メピバカイン塩酸塩 ·························· **1723**, **49**
メピバカイン塩酸塩，定量用 ·· *364*
メピバカイン塩酸塩注射液 ·· **1723**
メフェナム酸 ····································· **1724**, **49**
メフルシド ··· **1725**, **49**
メフルシド，定量用 ··· *364*
メフルシド錠 ·· **1725**
メフロキン塩酸塩 ···················· *364*, **1726**, **49**
メペンゾラート臭化物 ······················· **1727**, **49**
メベンダゾール ··· *364*
2-メルカプトエタノール ··· *364*
2-メルカプトエタノール，エポエチンベータ用 ········ *364*
メルカプトエタンスルホン酸 ·· *364*
メルカプト酢酸 ··· *365*
メルカプトプリン ··· *365*
メルカプトプリン水和物 ···················· *365*, **1727**, **49**
メルファラン ···································· **1728**, **49**
メロペネム水和物 ······························· **1729**, **49**
綿実油 ·· *365*
メントール ·· *365*
dl-メントール ···································· **1731**, **81**
l-メントール ····································· **1731**, **81**
l-メントール，定量用 ··· *365*

モ

木クレオソート ··· **2065**
モクツウ ···································· **2066**, **96**
木通 ··· **2066**
モサプリドクエン酸塩散 ··· **1734**

モサプリドクエン酸塩錠	*1733*
モサプリドクエン酸塩水和物	*1732*, **49**
モサプリドクエン酸塩水和物，定量用	*365*
モッコウ	*365*, *2066*
木香	*2066*
没食子酸	*365*
没食子酸一水和物	*365*
モノエタノールアミン	*365*
モノステアリン酸アルミニウム	*1735*, **49**
モノステアリン酸グリセリン	*1736*, **81**
モリブデン酸アンモニウム	*365*
モリブデン酸アンモニウム・硫酸試液	*365*
モリブデン酸アンモニウム試液	*365*
モリブデン酸ナトリウム	*365*
モリブデン(VI)酸二ナトリウム二水和物	*365*
モリブデン硫酸試液	*365*
モルヒネ・アトロピン注射液	*1738*
モルヒネ塩酸塩錠	*1737*
モルヒネ塩酸塩水和物	*365*, *1736*
モルヒネ塩酸塩水和物，定量用	*365*
モルヒネ塩酸塩注射液	*1738*
モルヒネ硫酸塩水和物	*1740*
3－(*N*－モルホリノ)プロパンスルホン酸	*365*
3－(*N*－モルホリノ)プロパンスルホン酸緩衝液，0.02 mol/L, pH 7.0	*365*
3－(*N*－モルホリノ)プロパンスルホン酸緩衝液，0.02 mol/L, pH 8.0	*365*
3－(*N*－モルホリノ)プロパンスルホン酸緩衝液，0.1 mol/L, pH 7.0	*365*
モンテルカストナトリウム	*1740*, **49**
モンテルカストナトリウム顆粒	*1746*
モンテルカストナトリウム錠	*1743*
モンテルカストナトリウムチュアブル錠	*1744*

ヤ

ヤギ抗大腸菌由来タンパク質抗体	*365*
ヤギ抗大腸菌由来タンパク質抗体試液	*365*
ヤクチ	*2067*, **96**
益智	*2067*
ヤクモソウ	*2067*, **96**
益母草	*2067*
薬用石ケン	*1748*, **49**
薬用炭	*1748*, **49**
ヤシ油	*2067*
椰子油	*2067*

ユ

有機体炭素試験法	*78*
ユウタン	*2067*
熊胆	*2067*
融点測定法	*79*
誘導結合プラズマ発光分光分析法及び誘導結合プラズマ質量分析法	*85*
輸液剤	*15*
輸液用ゴム栓試験法	*184*
ユーカリ油	*2068*
輸血用クエン酸ナトリウム注射液	*754*
油脂試験法	*35*
ユビキノン－9	*365*
ユビデカレノン	*1749*, **49**

ヨ

ヨウ化亜鉛デンプン紙	*384*
ヨウ化亜鉛デンプン試液	*366*
溶解アセチレン	*366*
溶解錠	*10*
ヨウ化イソプロピル，定量用	*366*
ヨウ化エチル	*366*
ヨウ化カリウム	*366*, *1750*, **49**
ヨウ化カリウム，定量用	*366*
ヨウ化カリウム・硫酸亜鉛試液	*366*
ヨウ化カリウム試液	*366*
ヨウ化カリウム試液，濃	*366*
ヨウ化カリウム試液，飽和	*366*
ヨウ化カリウムデンプン紙	*384*
ヨウ化カリウムデンプン試液	*366*
ヨウ化水素酸	*366*
ヨウ化ナトリウム	*1750*, **50**
ヨウ化ナトリウム(¹²³I)カプセル	*1751*
ヨウ化ナトリウム(¹³¹I)液	*1751*
ヨウ化ナトリウム(¹³¹I)カプセル	*1751*
ヨウ化ビスマスカリウム試液	*366*
ヨウ化人血清アルブミン(¹³¹I)注射液	*1751*
ヨウ化ヒプル酸ナトリウム(¹³¹I)注射液	*1751*
ヨウ化メチル	*366*
ヨウ化メチル，定量用	*366*
陽極液A，水分測定用	*366*
葉酸	*366*, *1751*
葉酸錠	*1752*
葉酸注射液	*1753*
溶出試験装置の機械的校正の標準的方法〈G6-2-170〉	*2637*
溶出試験第1液	*366*
溶出試験第2液	*366*
溶出試験法	*155*
溶性デンプン	*366*
溶性デンプン試液	*366*
ヨウ素	*366*, *1753*
ヨウ素，定量用	*366*
ヨウ素・デンプン試液	*366*
0.002 mol/Lヨウ素液	*199*
0.005 mol/Lヨウ素液	*199*
0.01 mol/Lヨウ素液	*199*
0.025 mol/Lヨウ素液	*199*
0.05 mol/Lヨウ素液	*199*

ヨウ素酸カリウム	366
ヨウ素酸カリウム(標準試薬)	366
0.05 mol/Lヨウ素酸カリウム液	199
1/60 mol/Lヨウ素酸カリウム液	199
1/1200 mol/Lヨウ素酸カリウム液	199
ヨウ素酸カリウムデンプン紙	384
ヨウ素試液	366
ヨウ素試液, 0.0002 mol/L	366
ヨウ素試液, 0.5 mol/L	366
ヨウ素試液, 希	366
容量分析用標準液	190
容量分析用硫酸亜鉛	366
ヨクイニン	2068
薏苡仁	2068
ヨクイニン末	2069
薏苡仁末	2069
抑肝散エキス	2069
抑肝散加陳皮半夏エキス	**96**
ヨード・サリチル酸・フェノール精	*1757*
5-ヨードウラシル, 液体クロマトグラフィー用	366
ヨードエタン	367
ヨードエタン, 定量用	367
ヨード酢酸	367
ヨードチンキ	*1754*
ヨードホルム	*1758*
ヨードメタン	367
ヨードメタン, 定量用	367
四塩化炭素	265
4級アルキルアミノ化スチレン-ジビニルベンゼン共重合体, 液体クロマトグラフィー用	380
四酢酸鉛	**32**
四酢酸鉛・フルオレセインナトリウム試液	**32**
四シュウ酸カリウム, pH測定用	367
四フッ化エチレンポリマー, ガスクロマトグラフィー用	384
四ホウ酸ナトリウム・塩化カルシウム緩衝液, pH 8.0	367
四ホウ酸ナトリウム・硫酸試液	367
四ホウ酸ナトリウム十水和物	367
四ホウ酸ナトリウム十水和物, pH測定用	367
四ホウ酸二カリウム四水和物	367

ラ

ライセート試液	367
ライセート試薬	367
ライネッケ塩	367
ライネッケ塩一水和物	367
ライネッケ塩試液	367
ラウリル硫酸ナトリウム	367, *1759*
0.01 mol/Lラウリル硫酸ナトリウム液	199
ラウリル硫酸ナトリウム試液	367
ラウリル硫酸ナトリウム試液, 0.2%	367
ラウリン酸メチル, ガスクロマトグラフィー用	367
ラウロマクロゴール	367, *1759*
ラクツロース	*1760*, **50**

α-ラクトアルブミン	367
β-ラクトグロブリン	367
ラクトビオン酸	367
ラタモキセフナトリウム	*1761*, **50**
ラッカセイ油	367, *2071*
落花生油	*2071*
ラニチジン塩酸塩	*1762*, **50**
ラニチジンジアミン	367
ラニーニッケル, 触媒用	368
ラノコナゾール	368, *1763*, **50**
ラノコナゾール外用液	*1764*
ラノコナゾールクリーム	*1764*
ラノコナゾール軟膏	*1764*
ラフチジン	*1766*, **50**
ラフチジン, 定量用	368
ラフチジン錠	*1766*
ラベタロール塩酸塩	368, *1768*, **50**
ラベタロール塩酸塩, 定量用	368
ラベタロール塩酸塩錠	*1769*
ラベプラゾールナトリウム	*1770*, **50**
ラポンチシン, 純度試験用	368
ラマンスペクトル測定法	49
L-ラムノース一水和物	368
LAL試液	368
LAL試薬	368
ランソプラゾール	*1771*, **50**
ランソプラゾール腸溶カプセル	*1773*
ランソプラゾール腸溶性口腔内崩壊錠	*1772*
ランタン-アリザリンコンプレキソン試液	368
卵白アルブミン, ゲルろ過分子量マーカー用	368

リ

リオチロニンナトリウム	368, *1774*
リオチロニンナトリウム, 薄層クロマトグラフィー用	368
リオチロニンナトリウム錠	*1775*
力価測定用培地, ナルトグラスチム試験用	368, **32**
力価測定用培地, テセロイキン用	368
リクイリチン, 薄層クロマトグラフィー用	368
(Z)-リグスチリド, 薄層クロマトグラフィー用	368
(Z)-リグスチリド試液, 薄層クロマトグラフィー用	368
リグノセリン酸メチル, ガスクロマトグラフィー用	368
リシノプリル	368
リシノプリル, 定量用	368
リシノプリル錠	*1777*
リシノプリル水和物	368, *1776*, **50**
リシノプリル水和物, 定量用	368
リシルエンドペプチダーゼ	369
リジルエンドペプチダーゼ	369
L-リシン塩酸塩	369, *1778*, **50**
L-リジン塩酸塩	369
L-リシン酢酸塩	*1779*, **50**
リスペリドン	*1780*, **50**
リスペリドン, 定量用	369

リスペリドン細粒	1782	0.01 mol/L硫酸	200
リスペリドン錠	1780	0.02 mol/L硫酸	200
リスペリドン内服液	1783	0.025 mol/L硫酸	200
リセドロン酸ナトリウム錠	1785	0.05 mol/L硫酸	200
リセドロン酸ナトリウム水和物	1784, 50	0.1 mol/L硫酸	200
リゾチーム塩酸塩	1787, 50	0.25 mol/L硫酸	200
リゾチーム塩酸塩用基質試液	369	0.5 mol/L硫酸	200
六君子湯エキス	2073	硫酸, 希	369
リドカイン	1787, 50	硫酸, 精製	369
リドカイン, 定量用	369	硫酸, 発煙	369
リドカイン注射液	1788	硫酸, 硫酸呈色物用	369
リトコール酸, 薄層クロマトグラフィー用	369	硫酸・エタノール試液	370
リトドリン塩酸塩	369, 1789, 50	硫酸・水酸化ナトリウム試液	370
リトドリン塩酸塩錠	1790	硫酸・ヘキサン・メタノール試液	370
リトドリン塩酸塩注射液	1791	硫酸・メタノール試液	370
リトマス紙, 青色	384	硫酸・メタノール試液, 0.05 mol/L	370
リトマス紙, 赤色	385	硫酸・リン酸二水素ナトリウム試液	370
リニメント剤	19	硫酸亜鉛	370
リノール酸メチル, ガスクロマトグラフィー用	369	硫酸亜鉛, 容量分析用	370
リノレン酸メチル, ガスクロマトグラフィー用	369	0.02 mol/L硫酸亜鉛液	200
リバビリン	369, 1792, 50	0.05 mol/L硫酸亜鉛液	200
リバビリンカプセル	1793	0.1 mol/L硫酸亜鉛液	200
リファンピシン	1794, 50	硫酸亜鉛試液	370
リファンピシンカプセル	1795	硫酸亜鉛水和物	1802, 50
リボスタマイシン硫酸塩	1797, 50	硫酸亜鉛点眼液	1803
リポソーム注射剤	15	硫酸亜鉛七水和物	370
リボヌクレアーゼA, ゲル沪過分子量マーカー用	369	硫酸アトロピン	370
リボフラビン	369, 1798	硫酸アトロピン, 定量用	370
リボフラビン散	1798	硫酸アトロピン, 薄層クロマトグラフィー用	370
リボフラビン酪酸エステル	1799, 50	硫酸4-アミノ-N,N-ジエチルアニリン	370
リボフラビンリン酸エステルナトリウム	369, 1800	硫酸4-アミノ-N,N-ジエチルアニリン試液	370
リボフラビンリン酸エステルナトリウム注射液	1801	硫酸アルミニウムカリウム	370
リマプロスト アルファデクス	1801	硫酸アルミニウムカリウム水和物	1803, 50
リモナーデ剤	12	硫酸アンモニウム	370
リモニン, 薄層クロマトグラフィー用	369	硫酸アンモニウム緩衝液	370
リモネン	369	硫酸アンモニウム試液	370
流エキス剤	22	0.02 mol/L硫酸アンモニウム鉄(II)液	201
硫化アンモニウム試液	369	0.1 mol/L硫酸アンモニウム鉄(II)液	200
硫化水素	369	硫酸アンモニウム鉄(II)六水和物	370
硫化水素試液	369	0.1 mol/L硫酸アンモニウム鉄(III)液	201
硫化鉄	369	硫酸アンモニウム鉄(III)試液	370
硫化鉄(II)	369	硫酸アンモニウム鉄(III)試液, 希	370
硫化ナトリウム	369	硫酸アンモニウム鉄(III)試液, 酸性	370
硫化ナトリウム九水和物	369	硫酸アンモニウム鉄(III)十二水和物	370
硫化ナトリウム試液	369	硫酸塩試験法	37
リュウガンニク	2075	硫酸カナマイシン	370
竜眼肉	2075	硫酸カリウム	370, 1804, 50
リュウコツ	2076	硫酸カリウムアルミニウム十二水和物	370
竜骨	2076	硫酸カリウム試液	370
リュウコツ末	2076	硫酸キニジン	370
竜骨末	2076	硫酸キニーネ	370
硫酸	369	硫酸試液	370
0.0005 mol/L硫酸	200	硫酸試液, 0.05 mol/L	370
0.005 mol/L硫酸	200	硫酸試液, 0.25 mol/L	370

硫酸試液，0.5 mol/L	370
硫酸試液，1 mol/L	370
硫酸試液，2 mol/L	370
硫酸試液，5 mol/L	370
硫酸ジベカシン	370
硫酸水素カリウム	370
硫酸水素テトラブチルアンモニウム	370
0.1 mol/L硫酸セリウム(IV)液	201
硫酸セリウム(IV)四水和物	370
硫酸第一鉄	370
硫酸第一鉄アンモニウム	370
0.02 mol/L硫酸第一鉄アンモニウム液	201
0.1 mol/L硫酸第一鉄アンモニウム液	201
硫酸第一鉄試液	370
硫酸第二セリウムアンモニウム	370
硫酸第二セリウムアンモニウム・リン酸試液	370
0.01 mol/L硫酸第二セリウムアンモニウム液	201
0.1 mol/L硫酸第二セリウムアンモニウム液	201
硫酸第二セリウムアンモニウム試液	370
硫酸第二鉄	370
硫酸第二鉄アンモニウム	370
0.1 mol/L硫酸第二鉄アンモニウム液	201
硫酸第二鉄アンモニウム試液	370
硫酸第二鉄アンモニウム試液，希	370
硫酸第二鉄試液	370
硫酸呈色物試験法	37
硫酸呈色物用硫酸	370
硫酸鉄(II)試液	370
硫酸鉄(II)七水和物	370
硫酸鉄(III)試液	371
硫酸鉄(III) n 水和物	371
硫酸鉄水和物	**1804**, **50**
硫酸銅	371
硫酸銅(II)	371
硫酸銅，無水	371
硫酸銅・ピリジン試液	371
硫酸銅(II)・ピリジン試液	371
硫酸銅(II)五水和物	371
硫酸銅試液	371
硫酸銅試液，アルカリ性	371
硫酸銅(II)試液	371
硫酸銅(II)試液，アルカリ性	371
硫酸ナトリウム	371, **2047**
硫酸ナトリウム，無水	371
硫酸ナトリウム十水塩	**2047**
硫酸ナトリウム十水和物	371
硫酸ニッケルアンモニウム	371
硫酸ニッケル(II)アンモニウム六水和物	371
硫酸ニッケル(II)六水和物	371
硫酸パメタン	371
硫酸バリウム	**1805**, **50**
硫酸ヒドラジニウム	371
硫酸ヒドラジニウム試液	371
硫酸ヒドラジン	371

硫酸ビンクリスチン	371
硫酸ビンブラスチン	371
硫酸ベカナマイシン	371
硫酸マグネシウム	371
硫酸マグネシウム試液	371
硫酸マグネシウム水	**1806**
硫酸マグネシウム水和物	**1805**, **50**
硫酸マグネシウム注射液	**1806**
硫酸マグネシウム七水和物	371
硫酸4－メチルアミノフェノール	371
硫酸 p －メチルアミノフェノール	371
硫酸4－メチルアミノフェノール試液	371
硫酸 p －メチルアミノフェノール試液	371
硫酸四アンモニウムセリウム(IV)・リン酸試液	371
0.01 mol/L硫酸四アンモニウムセリウム(IV)液	201
0.1 mol/L硫酸四アンモニウムセリウム(IV)液	201
硫酸四アンモニウムセリウム(IV)試液	371
硫酸四アンモニウムセリウム(IV)二水和物	371
硫酸リチウム	371
硫酸リチウム一水和物	371
粒子計数装置	371
粒子計数装置用希釈液	371
粒子密度測定用校正球	385
リュウタン	**2076**
竜胆	**2076**
リュウタン末	**2077**
竜胆末	**2077**
流動パラフィン	371, **1333**, **44**
粒度測定法	103, **21**
リュープロレリン酢酸塩	**1806**
リョウキョウ	**2077**
良姜	**2077**
苓桂朮甘湯エキス	**2078**
両性担体液，pH 3～10用	371
両性担体液，pH 6～9用	371
両性担体液，pH 8～10.5用	371
リルマザホン塩酸塩錠	**1810**
リルマザホン塩酸塩水和物	371, **1808**, **50**
リンゲル液	**1811**, **50**
リンコフィリン，成分含量測定用	371
リンコフィリン，定量用	371, **30**
リンコフィリン，薄層クロマトグラフィー用	372
リンコマイシン塩酸塩水和物	**1811**, **50**
リンコマイシン塩酸塩注射液	**1812**
リン酸	372
リン酸・酢酸・ホウ酸緩衝液，pH 2.0	372
リン酸・硫酸ナトリウム緩衝液，pH 2.3	372
リン酸一水素カリウム	372
リン酸一水素カリウム・クエン酸緩衝液，pH 5.3	372
リン酸一水素カリウム試液，1 mol/L，緩衝液用	372
リン酸一水素ナトリウム	372
リン酸一水素ナトリウム，無水	372
リン酸一水素ナトリウム，無水，pH測定用	372
リン酸一水素ナトリウム・クエン酸塩緩衝液，pH 5.4	372

リン酸一水素ナトリウム・クエン酸緩衝液, pH 4.5 ………	*372*
リン酸一水素ナトリウム・クエン酸緩衝液, pH 6.0 ………	*372*
リン酸一水素ナトリウム試液 …………………………………	*372*
リン酸一水素ナトリウム試液, 0.05 mol/L …………………	*372*
リン酸一水素ナトリウム試液, 0.5 mol/L ……………………	*372*
リン酸塩pH標準液 ……………………………………………	*204*
リン酸塩緩衝液, 0.01 mol/L …………………………………	*372*
リン酸塩緩衝液, 0.01 mol/L, pH 6.8 ………………………	*372*
リン酸塩緩衝液, 0.02 mol/L, pH 3.0 ………………………	*372*
リン酸塩緩衝液, 0.02 mol/L, pH 3.5 ………………………	*372*
リン酸塩緩衝液, 0.02 mol/L, pH 7.5 ………………………	*372*
リン酸塩緩衝液, 0.02 mol/L, pH 8.0 ………………………	*372*
リン酸塩緩衝液, 0.03 mol/L, pH 7.5 ………………………	*373*
リン酸塩緩衝液, 0.05 mol/L, pH 3.5 ………………………	*373*
リン酸塩緩衝液, 0.05 mol/L, pH 6.0 ………………………	*373*
リン酸塩緩衝液, 0.05 mol/L, pH 7.0 ………………………	*373*
リン酸塩緩衝液, 0.1 mol/L, pH 4.5 …………………………	*373*
リン酸塩緩衝液, 0.1 mol/L, pH 5.3 …………………………	*373*
リン酸塩緩衝液, 0.1 mol/L, pH 6.8 …………………………	*373*
リン酸塩緩衝液, 0.1 mol/L, pH 7.0 …………………………	*373*
リン酸塩緩衝液, 0.1 mol/L, pH 8.0 …………………………	*373*
リン酸塩緩衝液, 0.1 mol/L, pH 8.0, 抗生物質用 ………	*373*
リン酸塩緩衝液, 0.2 mol/L, pH 10.5 ………………………	*373*
リン酸塩緩衝液, 1/15 mol/L, pH 5.6 ………………………	*373*
リン酸塩緩衝液, pH 3.0 ………………………………………	*373*
リン酸塩緩衝液, pH 3.1 ………………………………………	*373*
リン酸塩緩衝液, pH 3.2 ………………………………………	<u>*32*</u>
リン酸塩緩衝液, pH 4.0 ………………………………………	*373*
リン酸塩緩衝液, pH 5.9 ………………………………………	*373*
リン酸塩緩衝液, pH 6.0 ………………………………………	*373*
リン酸塩緩衝液, pH 6.2 ………………………………………	*373*
リン酸塩緩衝液, pH 6.5 ………………………………………	*373*
リン酸塩緩衝液, pH 6.5, 抗生物質用 ……………………	*373*
リン酸塩緩衝液, pH 6.8 ………………………………………	*373*
リン酸塩緩衝液, pH 7.0 ………………………………………	*373*
リン酸塩緩衝液, pH 7.2 ………………………………………	*373*
リン酸塩緩衝液, pH 7.4 ………………………………………	*373*
リン酸塩緩衝液, pH 8.0 ………………………………………	*373*
リン酸塩緩衝液, pH 12 ………………………………………	*373*
リン酸塩緩衝液, エポエチンアルファ用 …………………	*372*
リン酸塩緩衝液, サイコ成分含量測定用 …………………	*372*
リン酸塩緩衝液, サイコ定量用 ……………………………	*372*
リン酸塩緩衝液, 細胞毒性試験用 …………………………	*372*
リン酸塩緩衝液, パンクレアチン用 ………………………	*372*
リン酸塩緩衝液, ブシ用 ……………………………………	*372*
リン酸塩緩衝液, マイクロプレート洗浄用 ………………	*372*
リン酸塩緩衝液・塩化ナトリウム試液, 0.01 mol/L, pH 7.4 ……………………………………	*373*
リン酸塩緩衝塩化ナトリウム試液 …………………………	*373*
リン酸塩試液 ……………………………………………………	*373*
リン酸カリウム三水和物 ……………………………………	<u>*32*</u>
リン酸緩衝液, 0.1 mol/L, pH 7 ………………………………	*373*
リン酸コデイン, 定量用 ……………………………………	*373*
リン酸三ナトリウム十二水和物 ……………………………	*373*
リン酸ジヒドロコデイン, 定量用 …………………………	*373*
リン酸水素アンモニウムナトリウム ……………………	*374*
リン酸水素アンモニウムナトリウム四水和物 …………	*374*
リン酸水素カルシウム水和物 …………………… *1813*, <u>*50*</u>
リン酸水素ナトリウム水和物 …………………… *1814*, <u>*50*</u>
リン酸水素二アンモニウム …………………………………	*374*
リン酸水素二カリウム ………………………………………	*374*
リン酸水素二カリウム・クエン酸緩衝液, pH 5.3 ……	*374*
リン酸水素二カリウム試液, 1 mol/L, 緩衝液用 ………	*374*
リン酸水素二ナトリウム, pH測定用 ……………………	*374*
リン酸水素二ナトリウム, 無水 …………………………	*374*
リン酸水素二ナトリウム・クエン酸塩緩衝液, pH 3.0 ……	*374*
リン酸水素二ナトリウム・クエン酸塩緩衝液, pH 5.4 ……	*374*
リン酸水素二ナトリウム・クエン酸緩衝液, 0.05 mol/L, pH 6.0 ……………………………………	*374*
リン酸水素二ナトリウム・クエン酸緩衝液, pH 3.0 …	*374*
リン酸水素二ナトリウム・クエン酸緩衝液, pH 4.5 …	*374*
リン酸水素二ナトリウム・クエン酸緩衝液, pH 5.0 …	*374*
リン酸水素二ナトリウム・クエン酸緩衝液, pH 5.4 …	*374*
リン酸水素二ナトリウム・クエン酸緩衝液, pH 5.5 …	*374*
リン酸水素二ナトリウム・クエン酸緩衝液, pH 6.0 …	*374*
リン酸水素二ナトリウム・クエン酸緩衝液, pH 6.8 …	*374*
リン酸水素二ナトリウム・クエン酸緩衝液, pH 7.2 …	*374*
リン酸水素二ナトリウム・クエン酸緩衝液, pH 7.5 …	*374*
リン酸水素二ナトリウム・クエン酸緩衝液, pH 8.2 …	*374*
リン酸水素二ナトリウム・クエン酸緩衝液, ペニシリウム由来β－ガラクトシダーゼ用, pH 4.5 …	*374*
リン酸水素二ナトリウム試液 ………………………………	*374*
リン酸水素二ナトリウム試液, 0.05 mol/L ………………	*374*
リン酸水素二ナトリウム試液, 0.5 mol/L …………………	*374*
リン酸水素二ナトリウム十二水和物 ……………………	*374*
リン酸テトラブチルアンモニウム ………………………	*374*
リン酸トリス(4-*t*-ブチルフェニル) ………………………	*374*
リン酸ナトリウム ……………………………………………	*374*
リン酸ナトリウム緩衝液, 0.1 mol/L, pH 7.0 ……………	*374*
リン酸ナトリウム試液 ………………………………………	*374*
リン酸二水素アンモニウム …………………………………	*374*
リン酸二水素アンモニウム試液, 0.02 mol/L ……………	*374*
リン酸二水素カリウム ………………………………………	*374*
リン酸二水素カリウム, pH測定用 ………………………	*374*
リン酸二水素カリウム試液, 0.01 mol/L, pH 4.0 ………	*374*
リン酸二水素カリウム試液, 0.02 mol/L …………………	*374*
リン酸二水素カリウム試液, 0.05 mol/L …………………	*375*
リン酸二水素カリウム試液, 0.05 mol/L, pH 3.0 ………	*375*
リン酸二水素カリウム試液, 0.05 mol/L, pH 4.7 ………	*375*
リン酸二水素カリウム試液, 0.1 mol/L ……………………	*375*
リン酸二水素カリウム試液, 0.1 mol/L, pH 2.0 ………	*375*
リン酸二水素カリウム試液, 0.2 mol/L ……………………	*375*
リン酸二水素カリウム試液, 0.2 mol/L, 緩衝液用 ……	*375*
リン酸二水素カリウム試液, 0.25 mol/L, pH 3.5 ………	*375*
リン酸二水素カリウム試液, 0.33 mol/L …………………	*375*
リン酸二水素カルシウム水和物 ………………… *1814*, <u>*50*</u>
リン酸二水素ナトリウム ………………………………	*375*
リン酸二水素ナトリウム, 無水 …………………………	*375*

リン酸二水素ナトリウム・エタノール試液 ……………… 375
リン酸二水素ナトリウム一水和物 ……………………… 375
リン酸二水素ナトリウム試液, 0.01 mol/L, pH 7.5 …… 375
リン酸二水素ナトリウム試液, 0.05 mol/L ……………… 375
リン酸二水素ナトリウム試液, 0.05 mol/L, pH 2.6 …… 375
リン酸二水素ナトリウム試液, 0.05 mol/L, pH 3.0 …… 375
リン酸二水素ナトリウム試液, 0.05 mol/L, pH 5.5 …… 375
リン酸二水素ナトリウム試液, 0.1 mol/L ……………… 375
リン酸二水素ナトリウム試液, 0.1 mol/L, pH 3.0 …… 375
リン酸二水素ナトリウム試液, 2 mol/L ………………… 375
リン酸二水素ナトリウム試液, pH 2.2 ………………… 375
リン酸二水素ナトリウム試液, pH 2.5 ………………… 375
リン酸二水素ナトリウム二水和物 ……………………… 375
リン酸標準液 …………………………………………… 204
リン酸リボフラビンナトリウム ………………………… 375
リンタングステン酸 …………………………………… 375
リンタングステン酸試液 ………………………………… 375
リンタングステン酸n水和物 …………………………… 375
リンモリブデン酸 ……………………………………… 375
リンモリブデン酸n水和物 ……………………………… 375

ル

ルチン, 薄層クロマトグラフィー用 …………………… 375
ルテオリン, 薄層クロマトグラフィー用 ……………… 376

レ

レイン, 定量用 ………………………………………… 376
レイン, 薄層クロマトグラフィー用 …………………… 376
レーザー回折・散乱法による粒子径測定法 ………… 109
レザズリン ……………………………………………… 376
レザズリン液 …………………………………………… 376
レシチン ………………………………………………… 376
レジブフォゲニン, 成分含量測定用 …………………… 376
レジブフォゲニン, 定量用 ……………………………… 376
レジブフォゲニン, 薄層クロマトグラフィー用 ……… 377
レセルピン ……………………………………………… 1815
レセルピン散0.1% ……………………………………… 1817
レセルピン錠 …………………………………………… 1816
レセルピン注射液 ……………………………………… 1817
レソルシノール ………………………………………… 377
レソルシノール・硫酸試液 ……………………………… 377
レソルシノール・硫酸銅(Ⅱ)試液 ……………………… 377
レソルシノール試液 …………………………………… 377
レゾルシン ……………………………………………… 377
レゾルシン試液 ………………………………………… 377
レゾルシン硫酸試液 …………………………………… 377
レチノール酢酸エステル ……………………………… 1818
レチノールパルミチン酸エステル ……………………… 1818
レナンピシリン塩酸塩 ………………………… 1819, **50**
レノグラスチム(遺伝子組換え) ………………………… 1821
レバミピド ……………………………………… 1823, **50**
レバミピド, 定量用 …………………………………… 377
レバミピド錠 …………………………………………… 1824
レバロルファン酒石酸塩 ……………………… 1826, **50**
レバロルファン酒石酸塩, 定量用 ……………………… 377
レバロルファン酒石酸塩注射液 ……………………… 1826
レボチロキシンナトリウム …………………………… 377
レボチロキシンナトリウム, 薄層クロマトグラフィー用 … 377
レボチロキシンナトリウム錠 ………………………… 1828
レボチロキシンナトリウム水和物 …………… 377, 1827
レボチロキシンナトリウム水和物,
　　薄層クロマトグラフィー用 ……………………… 377
レボドパ ………………………………………… 1829, **50**
レボフロキサシン細粒 ………………………………… 1831
レボフロキサシン錠 …………………………………… 1830
レボフロキサシン水和物 ……………………… 1829, **50**
レボフロキサシン水和物, 定量用 …………………… 377
レボフロキサシン注射液 ……………………………… 1832
レボフロキサシン点眼液 ……………………………… 1833
レボホリナートカルシウム水和物 …………… 1834, **50**
レボメプロマジンマレイン酸塩 ……………… 1835, **50**
レンギョウ ……………………………………… 377, 2079
連翹 …………………………………………………… 2079
レンニク ……………………………………………… 2080
蓮肉 …………………………………………………… 2080

ロ

ロイコボリンカルシウム ……………………………… 1652
L－ロイシン …………………………………… 377, 1836, **50**
L－ロイシン, 定量用 ………………………………… 377
ロカイ ………………………………………………… 1865
ロカイ末 ……………………………………………… 1866
ロガニン, 成分含量測定用 …………………………… 377
ロガニン, 定量用 …………………………………… 377, *31*
ロガニン, 薄層クロマトグラフィー用 ……………… 378
ロキサチジン酢酸エステル塩酸塩 …………… 378, 1837, **50**
ロキサチジン酢酸エステル塩酸塩徐放カプセル ……… 1838
ロキサチジン酢酸エステル塩酸塩徐放錠 …………… 1837
ロキシスロマイシン …………………………… 1840, **50**
ロキシスロマイシン錠 ………………………………… 1841
ロキソプロフェンナトリウム錠 ……………………… 1843
ロキソプロフェンナトリウム水和物 ………… 1842, **50**
ロサルタンカリウム …………………………… 378, 1844, **50**
ロサルタンカリウム・ヒドロクロロチアジド錠 ……… 1846
ロサルタンカリウム錠 ………………………………… 1845
ろ紙 …………………………………………………… 385
ろ紙, 定量分析用 ……………………………………… 385
ろ紙, ろ過フィルター, 試験紙, るつぼ等 …………… 384
ローション剤 ……………………………………………… 19
ロジン ………………………………………………… 2080
ロスバスタチンカルシウム …………………… 378, 1849, **50**
ロスバスタチンカルシウム鏡像異性体 ……………… 378
ロスバスタチンカルシウム錠 ………………………… 1851
ローズベンガル ……………………………………… 378
ロスマリン酸, 成分含量測定用 ……………………… 378

ロスマリン酸，定量用 …………………… *378*	ロフラゼプ酸エチル錠 …………………… *1854*
ロスマリン酸，薄層クロマトグラフィー用 …… *379*	ロベンザリットナトリウム …………… *1856*, <u>*51*</u>
ロック・リンゲル試液 ……………………… *379*	ローヤルゼリー ……………………………… *2084*
ロック用ヘパリンナトリウム液 …………… *1600*	ロラゼパム …………………………… *1856*, <u>*51*</u>
ロートエキス ………………………………… *2081*	
ロートエキス・アネスタミン散 …………… *2083*	ワ
ロートエキス・カーボン散 ………………… *2084*	
ロートエキス・タンニン坐剤 ……………… *2084*	ワセリン ……………………………………… *379*
ロートエキス散 ……………………………… *2082*	ワルファリンカリウム ………………… *1858*, <u>*51*</u>
ロートコン …………………………………… *2080*	ワルファリンカリウム，定量用 …………… *379*
ロバスタチン ………………………………… *379*	ワルファリンカリウム錠 …………………… *1859*
ロフラゼプ酸エチル ………………… *1853*, <u>*50*</u>	

資　料

資料1　関連告示、通知、事務連絡等

第十八改正日本薬局方第一追補における改正

告　示
令和 4年12月12日　　厚生労働省告示第355号 ··· 3
　　　　　　　　　　　（官報第876号）

通　知
令和 4年12月12日　　第十八改正日本薬局方第一追補の制定等について
　　　　　　　　　　　（薬生発1212第2号） ··· 4

令和 4年12月12日　　第十八改正日本薬局方第一追補の制定に伴う医薬品製造販売承認申請等の
　　　　　　　　　　　取扱いについて（薬生薬審発1212第1号） ·· 15

第十八改正日本薬局方の正誤表

令和 4年 9月14日　　第十八改正日本薬局方正誤表の送付について（その1）
　　　　　　　　　　　（医薬品審査管理課事務連絡） ··· 19

第十八改正日本薬局方第一追補における改正関連情報

令和 3年 9月　　　　クロマトグラフィーに関連する一般試験法案及び参考情報案について
　　　　　　　　　　　（独立行政法人医薬品医療機器総合機構　審査マネジメント部） ························ 21

令和 3年 9月　　　　医薬品各条　アナストロゾール錠（案）及びビカルタミド錠（案）における
　　　　　　　　　　　溶出性の試験液量（1000 mL）の規定について
　　　　　　　　　　　（独立行政法人医薬品医療機器総合機構　審査マネジメント部） ························ 22

令和 3年 9月　　　　新規参考情報案「製剤に関連する添加剤の機能性関連特性について」について
　　　　　　　　　　　（独立行政法人医薬品医療機器総合機構　審査マネジメント部） ························ 23

令和 4年 6月　　　　第十八改正日本薬局方における元素不純物管理の取込みに伴う
　　　　　　　　　　　医薬品各条からの重金属試験及び個別金属不純物試験の削除について（報告）
　　　　　　　　　　　（独立行政法人医薬品医療機器総合機構　審査マネジメント部） ························ 24

令和 4年 9月　　　　参考情報「日本薬局方収載生薬の学名表記について」の改正について
　　　　　　　　　　　（日本薬局方原案検討委員会生薬等委員会） ··· 39

カラム情報

令和 3年12月24日　　日本薬局方医薬品各条原案に係るカラムの情報の公開について
　　　　　　　　　　　（独立行政法人医薬品医療機器総合機構　審査マネジメント部） ························ 40

令和 4年 3月 1日　　日本薬局方医薬品各条（生薬等）原案に係るカラムの情報の公開について
　　　　　　　　　　　（独立行政法人医薬品医療機器総合機構　審査マネジメント部） ························ 42

| 資料2 | 第十九改正日本薬局方原案作成要領

令和 4年 3月29日　　第十九改正日本薬局方原案作成要領について
　　　　　　　　　　（薬機審マ発第0329001号）··· **44**

| 資料3 | オリジナル索引

医薬品各条日本名索引··· **101**
試薬・試液名称索引··· **141**
スペクトル索引·· **197**

|資料1|

関連告示、通知、事務連絡等

第十八改正日本薬局方第一追補における改正

告　示

○厚生労働省告示第355号

　医薬品、医療機器等の品質、有効性及び安全性の確保等に関する法律（昭和35年法律第145号）第41条第1項の規定に基づき、日本薬局方（令和3年厚生労働省告示第220号）の一部を次のように改正する。

　令和4年12月12日

厚生労働大臣　加藤　勝信

（「次のよう」は省略し、この告示による改正後の日本薬局方の全文を厚生労働省医薬・生活衛生局医薬品審査管理課及び地方厚生局並びに都道府県庁に備え置いて縦覧に供するとともに、厚生労働省のホームページに掲載する方法により公表する。）
　　　附　則
　（適用期日）
1　この告示は、告示の日（次項及び第3項において「告示日」という。）から適用する。
　（経過措置）
2　この告示による改正前の日本薬局方（以下「旧薬局方」という。）に収められていた医薬品（この告示による改正後の日本薬局方（以下「新薬局方」という。）に収められているものに限る。）であって告示日において現に医薬品、医療機器等の品質、有効性及び安全性の確保等に関する法律第14条第1項の規定による承認を受けているもの（告示日の前日において、医薬品、医療機器等の品質、有効性及び安全性の確保等に関する法律第14条第1項の規定に基づき製造販売の承認を要しないものとして厚生労働大臣の指定する医薬品等（平成6年厚生省告示第104号）により製造販売の承認を要しない医薬品として指定されている医薬品を含む。）については、令和6年6月30日までの間は、旧薬局方で定める基準（当該医薬品に関する部分に限る。）は新薬局方で定める基準とみなすことができるものとする。
3　新薬局方に収められている医薬品（旧薬局方に収められていたものを除く。）であって告示日において現に医薬品、医療機器等の品質、有効性及び安全性の確保等に関する法律第14条第1項の規定による承認を受けている医薬品については、令和6年6月30日までの間は、新薬局方に収められていない医薬品とみなすことができるものとする。

（なお、「次のよう」とは、「一般試験法」から始まり、「参照赤外吸収スペクトル」（107頁）までをいう。）

4 資料1

通　知

薬生発1212第2号
令和4年12月12日

各都道府県知事殿

厚生労働省医薬・生活衛生局長

第十八改正日本薬局方第一追補の制定等について

　日本薬局方については、「日本薬局方の全部を改正する件」（令和3年厚生労働省告示第220号）をもって、第十八改正日本薬局方（以下「薬局方」という。）が告示され、令和3年6月7日から施行されているところです。
　今般、「日本薬局方の一部を改正する件」（令和4年厚生労働省告示第355号）が令和4年12月12日に公布され、同日から施行されることとなりましたので、下記の事項を御了知の上、関係者に対する周知徹底及び指導に御配慮をお願いします。

記

第1　薬局方の一部改正の要点等について
　今回の薬局方の一部改正（以下「第一追補」という。）は、「第十九改正日本薬局方作成基本方針」（令和3年9月2日薬事・食品衛生審議会答申）に基づき、医学薬学等の進展に対応するとともに、諸外国における基準との調和を図るため、所要の見直しを行ったものであり、次の点について留意されたいこと。

1　薬局方においては、通則、生薬総則、製剤総則、一般試験法、医薬品各条、参照紫外可視吸収スペクトル及び参照赤外吸収スペクトルの順に収載されているが、改正告示のうち、官報において略することとした「次のよう」とは、一般試験法から参照赤外吸収スペクトルまでの改正をいうこと。

2　一般試験法について、以下のとおりとしたこと。
　(1)　別紙第1の1の試験法を新たに収載した。
　(2)　別紙第1の2の試験法を改正した。
　(3)　別紙第1の3に掲げる標準品を追加した。
　(4)　別紙第1の4に掲げる標準品について削除を行った。
　(5)　別紙第1の5に掲げる標準品の製造機関を国立感染症研究所から、別に厚生労働大臣が定めるところにより厚生労働大臣の登録を受けた者へと変更した。
　(6)　試薬・試液に関しては、新たに8品目を収載し、14品目を改正するほか、21品目を削除した。
　(7)　クロマトグラフィー用担体／充填剤として、新たに4品目を収載した。

3　医薬品各条の主な改正は、以下のとおりであること。
　(1)　新規収載した医薬品及び収載されていた医薬品のうち第一追補にて削除した品目は、それぞれ別紙第2の1及び別紙第2の2のとおりである。
　(2)　改正した医薬品各条は別紙第2の3のとおりである。
　(3)　医薬品各条（化学薬品等）の純度試験の項中の一部の目を削除した医薬品各条は別紙第2の4のとおりである。

4　参照紫外可視吸収スペクトルについて、以下のとおりとしたこと。
　(1)　別紙第3のスペクトルを追加した。

5　参照赤外吸収スペクトルについて、以下のとおりとしたこと。
　(1)　別紙第4のスペクトルを追加した。

第2　参考情報について
1　第一追補の告示に併せ、参考情報について、次のとおりとしたこと。
　(1)　新たに作成した参考情報及び作成されていた参考情報のうち第一追補にて廃止したものは、それぞれ別紙第5の1、別紙第5の2である。
　(2)　改正した参考情報は別紙第5の3のとおりである。
　(3)　参考情報のカテゴリー分類に「G9. 医薬品添加剤関連」を新設した。

2 参考情報の取扱い
　参考情報は、医薬品の品質確保の上で必要な参考事項及び日本薬局方に収載された医薬品に関する参考となる試験法を記載したものであり、日本薬局方に収載された医薬品の適否の判断を示すものではないこと。

第3　他の医薬品等の規格集等に収載されていた品目の取扱い
1　日本薬局方外医薬品規格2002の取扱い
　平成14年9月20日付け医薬発第0920001号厚生労働省医薬局長通知「日本薬局方外医薬品規格2002について」の別添により定められた各条の部のうち、別紙第6の1に掲げるものを削除すること。

第4　その他
1　標準品について
　第十八改正第一追補において、3品目の標準品の追加等を行ったところである。一般に、標準品の製造・頒布に当たっては、当該医薬品の製造販売業者及び原薬製造業者等の協力が不可欠である。特に標準品の製造に必要となる原薬の提供に当たっては、後々のロット更新時を含めて、我が国の医薬品の品質を確保するために必要な公的基準である日本薬局方の趣旨を踏まえ、御協力をお願いしたいこと。

2　経過措置期間について
　第一追補に伴い令和6年6月30日までに承認事項一部変更承認申請等の必要な措置を行うとともに、医薬品、医療機器等の品質、有効性及び安全性の確保等に関する法律（昭和35年法律第145号）第50条（直接の容器等の記載事項）、第55条（販売、授与等の禁止）及び第56条（販売、製造等の禁止）に抵触することがないよう、遅滞なく改正後の基準に改める必要があること。

6 資料1

別紙

第1 一般試験法

1 新たに収載した一般試験法

| (1) | 2.00 クロマトグラフィー総論 | (2) | 2.27 近赤外吸収スペクトル測定法 |
| (3) | 2.28 円偏光二色性測定法 | | |

2 改正した一般試験法

(1)	2.01 液体クロマトグラフィー	(2)	2.02 ガスクロマトグラフィー
(3)	2.22 蛍光光度法	(4)	2.58 粉末X線回折測定法
(5)	3.04 粒度測定法	(6)	9.01 標準品
(7)	9.41 試薬・試液	(8)	9.42 クロマトグラフィー用担体／充填剤

3 新たに日本薬局方に収められた標準品

| (1) | アナストロゾール標準品 | (2) | テモゾロミド標準品 |
| (3) | ブデソニド標準品 | | |

4 削除を行った標準品

| (1) | ナルトグラスチム標準品 |

5 国立感染症研究所から、別に厚生労働大臣が定めるところにより厚生労働大臣の登録を受けた者が製造する標準品へと変更した標準品

(1)	アミカシン硫酸塩標準品	(2)	クリンダマイシンリン酸エステル標準品
(3)	セファクロル標準品	(4)	セファレキシン標準品
(5)	ドキソルビシン塩酸塩標準品		

第2 医薬品各条

1 新規収載した医薬品

(1)	アナストロゾール	(2)	アナストロゾール錠
(3)	オキシブチニン塩酸塩	(4)	テモゾロミド
(5)	テモゾロミドカプセル	(6)	注射用テモゾロミド
(7)	ビカルタミド錠	(8)	ブデソニド
(9)	ボグリボース口腔内崩壊錠	(10)	柴胡桂枝乾姜湯エキス
(11)	抑肝散加陳皮半夏エキス		

2 削除した医薬品

| (1) | ナルトグラスチム（遺伝子組換え） | (2) | 注射用ナルトグラスチム（遺伝子組換え） |

3 改正した医薬品

(1)	アムホテリシンB錠	(2)	注射用アムホテリシンB
(3)	注射用アンピシリンナトリウム・スルバクタムナトリウム	(4)	注射用イミペネム・シラスタチンナトリウム
(5)	インスリン ヒト（遺伝子組換え）	(6)	インスリン ヒト（遺伝子組換え）注射液
(7)	イソフェンインスリン ヒト（遺伝子組換え）水性懸濁注射液	(8)	二相性イソフェンインスリン ヒト（遺伝子組換え）水性懸濁注射液
(9)	エタノール	(10)	無水エタノール
(11)	エポエチン ベータ（遺伝子組換え）	(12)	塩化ナトリウム
(13)	エンビオマイシン硫酸塩	(14)	クロスカルメロースナトリウム
(15)	サルポグレラート塩酸塩細粒	(16)	ステアリン酸
(17)	ステアリン酸マグネシウム	(18)	注射用スペクチノマイシン塩酸塩
(19)	注射用セフォペラゾンナトリウム・スルバクタムナトリウム	(20)	粉末セルロース
(21)	コムギデンプン	(22)	パラオキシ安息香酸エチル
(23)	パラオキシ安息香酸ブチル	(24)	パラオキシ安息香酸プロピル
(25)	パラオキシ安息香酸メチル	(26)	ヒプロメロースフタル酸エステル
(27)	ブトロピウム臭化物	(28)	ブロムヘキシン塩酸塩
(29)	ベンジルアルコール	(30)	ボグリボース錠
(31)	ポリソルベート80	(32)	ホルモテロールフマル酸塩水和物
(33)	D－マンニトール	(34)	dl－メントール

(35)	l-メントール	(36)	モノステアリン酸グリセリン
(37)	黄色ワセリン	(38)	白色ワセリン
(39)	インチンコウ	(40)	ウコン
(41)	ウワウルシ	(42)	エンゴサク
(43)	エンゴサク末	(44)	ガイヨウ
(45)	カンキョウ	(46)	キョウニン
(47)	桂枝茯苓丸エキス	(48)	コウボク
(49)	ゴシツ	(50)	牛車腎気丸エキス
(51)	呉茱萸湯エキス	(52)	ゴボウシ
(53)	サンシシ	(54)	サンシュユ
(55)	シャカンゾウ	(56)	ジャショウシ
(57)	シャゼンソウ	(58)	ショウキョウ
(59)	ショウキョウ末	(60)	ショウズク
(61)	ショウマ	(62)	真武湯エキス
(63)	センナ	(64)	センナ末
(65)	無コウイ大建中湯エキス	(66)	チョウジ
(67)	チョウジ油	(68)	チョウトウコウ
(69)	桃核承気湯エキス	(70)	トウニン
(71)	トウニン末	(72)	ニガキ
(73)	ニガキ末	(74)	ニクズク
(75)	八味地黄丸エキス	(76)	ハマボウフウ
(77)	半夏厚朴湯エキス	(78)	ボウイ
(79)	麻黄湯エキス	(80)	モクツウ
(81)	ヤクチ	(82)	ヤクモソウ

4 医薬品各条（化学薬品等）の純度試験の項中の一部の目を削除した医薬品各条

(1)	アクラルビシン塩酸塩	(2)	アクリノール水和物
(3)	アザチオプリン	(4)	アシクロビル
(5)	アジスロマイシン水和物	(6)	アスコルビン酸
(7)	アズトレオナム	(8)	L-アスパラギン酸
(9)	アスピリン	(10)	アスポキシシリン水和物
(11)	アセタゾラミド	(12)	注射用アセチルコリン塩化物
(13)	アセチルシステイン	(14)	アセトアミノフェン
(15)	アセトヘキサミド	(16)	アセブトロール塩酸塩
(17)	アセメタシン	(18)	アゼラスチン塩酸塩
(19)	アゼルニジピン	(20)	アゾセミド
(21)	アテノロール	(22)	アトルバスタチンカルシウム水和物
(23)	アドレナリン	(24)	アプリンジン塩酸塩
(25)	アフロクアロン	(26)	アマンタジン塩酸塩
(27)	アミオダロン塩酸塩	(28)	アミカシン硫酸塩
(29)	アミドトリゾ酸	(30)	アミトリプチリン塩酸塩
(31)	アミノ安息香酸エチル	(32)	アミノフィリン水和物
(33)	アムロジピンベシル酸塩	(34)	アモキサピン
(35)	アモキシシリン水和物	(36)	アモスラロール塩酸塩
(37)	アモバルビタール	(38)	アラセプリル
(39)	L-アラニン	(40)	アリメマジン酒石酸塩
(41)	亜硫酸水素ナトリウム	(42)	乾燥亜硫酸ナトリウム
(43)	アルガトロバン水和物	(44)	L-アルギニン
(45)	L-アルギニン塩酸塩	(46)	アルジオキサ
(47)	アルプラゾラム	(48)	アルプレノロール塩酸塩
(49)	アルプロスタジル注射液	(50)	アルベカシン硫酸塩
(51)	アレンドロン酸ナトリウム水和物	(52)	アロチノロール塩酸塩
(53)	アロプリノール	(54)	安息香酸
(55)	安息香酸ナトリウム	(56)	安息香酸ナトリウムカフェイン
(57)	アンチピリン	(58)	無水アンピシリン
(59)	アンピシリン水和物	(60)	アンピシリンナトリウム
(61)	アンピロキシカム	(62)	アンベノニウム塩化物
(63)	アンモニア水	(64)	アンレキサノクス
(65)	イオウ	(66)	イオタラム酸
(67)	イオトロクス酸	(68)	イオパミドール
(69)	イオヘキソール	(70)	イコサペント酸エチル
(71)	イセパマイシン硫酸塩	(72)	イソクスプリン塩酸塩

(73)	イソソルビド	(74)	イソニアジド
(75)	l-イソプレナリン塩酸塩	(76)	イソプロピルアンチピリン
(77)	イソマル水和物	(78)	L-イソロイシン
(79)	イダルビシン塩酸塩	(80)	70％一硝酸イソソルビド乳糖末
(81)	イドクスウリジン	(82)	イトラコナゾール
(83)	イフェンプロジル酒石酸塩	(84)	イブジラスト
(85)	イブプロフェン	(86)	イブプロフェンピコノール
(87)	イプラトロピウム臭化物水和物	(88)	イプリフラボン
(89)	イミダプリル塩酸塩	(90)	イミペネム水和物
(91)	イリノテカン塩酸塩水和物	(92)	イルソグラジンマレイン酸塩
(93)	イルベサルタン	(94)	インジゴカルミン
(95)	インダパミド	(96)	インデノロール塩酸塩
(97)	インドメタシン	(98)	ウベニメクス
(99)	ウラピジル	(100)	ウリナスタチン
(101)	ウルソデオキシコール酸	(102)	ウロキナーゼ
(103)	エカベトナトリウム水和物	(104)	エコチオパートヨウ化物
(105)	エスタゾラム	(106)	エストリオール
(107)	エタクリン酸	(108)	エダラボン
(109)	エタンブトール塩酸塩	(110)	エチオナミド
(111)	エチゾラム	(112)	エチドロン酸二ナトリウム
(113)	L-エチルシステイン塩酸塩	(114)	エチルセルロース
(115)	エチレフリン塩酸塩	(116)	エチレンジアミン
(117)	エデト酸カルシウムナトリウム水和物	(118)	エデト酸ナトリウム水和物
(119)	エテンザミド	(120)	エトスクシミド
(121)	エトドラク	(122)	エトポシド
(123)	エドロホニウム塩化物	(124)	エナラプリルマレイン酸塩
(125)	エノキサシン水和物	(126)	エバスチン
(127)	エパルレスタット	(128)	エピリゾール
(129)	エピルビシン塩酸塩	(130)	エフェドリン塩酸塩
(131)	エプレレノン	(132)	エペリゾン塩酸塩
(133)	エメダスチンフマル酸塩	(134)	エモルファゾン
(135)	エリスロマイシン	(136)	エリプリンメシル酸塩
(137)	塩化亜鉛	(138)	塩化カリウム
(139)	塩化カルシウム水和物	(140)	塩化ナトリウム
(141)	塩酸	(142)	希塩酸
(143)	エンタカポン	(144)	エンビオマイシン硫酸塩
(145)	オキサゾラム	(146)	オキサピウムヨウ化物
(147)	オキサプロジン	(148)	オキシテトラサイクリン塩酸塩
(149)	オキシドール	(150)	オキシブプロカイン塩酸塩
(151)	オキセサゼイン	(152)	オクスプレノロール塩酸塩
(153)	オザグレルナトリウム	(154)	オフロキサシン
(155)	オメプラゾール	(156)	オーラノフィン
(157)	オルシプレナリン硫酸塩	(158)	オルメサルタン　メドキソミル
(159)	オロパタジン塩酸塩	(160)	カイニン酸水和物
(161)	ガチフロキサシン水和物	(162)	果糖
(163)	果糖注射液	(164)	カドララジン
(165)	カナマイシン一硫酸塩	(166)	カナマイシン硫酸塩
(167)	無水カフェイン	(168)	カフェイン水和物
(169)	カプトプリル	(170)	ガベキサートメシル酸塩
(171)	カベルゴリン	(172)	過マンガン酸カリウム
(173)	カモスタットメシル酸塩	(174)	β-ガラクトシダーゼ(アスペルギルス)
(175)	β-ガラクトシダーゼ(ペニシリウム)	(176)	カルテオロール塩酸塩
(177)	カルバゾクロムスルホン酸ナトリウム水和物	(178)	カルバマゼピン
(179)	カルビドパ水和物	(180)	カルベジロール
(181)	L-カルボシステイン	(182)	カルメロース
(183)	カルメロースカルシウム	(184)	カルメロースナトリウム
(185)	クロスカルメロースナトリウム	(186)	カルモナムナトリウム
(187)	カルモフール	(188)	カンデサルタン　シレキセチル
(189)	カンレノ酸カリウム	(190)	キシリトール
(191)	キタサマイシン酒石酸塩	(192)	キナプリル塩酸塩
(193)	キニーネエチル炭酸エステル	(194)	キニーネ硫酸塩水和物
(195)	金チオリンゴ酸ナトリウム	(196)	グアイフェネシン
(197)	グアナベンズ酢酸塩	(198)	グアネチジン硫酸塩

(199)	クエチアピンフマル酸塩	(200)	無水クエン酸
(201)	クエン酸水和物	(202)	クエン酸ナトリウム水和物
(203)	クラブラン酸カリウム	(204)	クラリスロマイシン
(205)	グリクラジド	(206)	グリシン
(207)	グリセリン	(208)	濃グリセリン
(209)	クリノフィブラート	(210)	グリベンクラミド
(211)	グリメピリド	(212)	クリンダマイシン塩酸塩
(213)	クリンダマイシンリン酸エステル	(214)	グルコン酸カルシウム水和物
(215)	グルタチオン	(216)	L-グルタミン
(217)	L-グルタミン酸	(218)	クレボプリドリンゴ酸塩
(219)	クレマスチンフマル酸塩	(220)	クロカプラミン塩酸塩水和物
(221)	クロキサシリンナトリウム水和物	(222)	クロキサゾラム
(223)	クロコナゾール塩酸塩	(224)	クロスポビドン
(225)	クロチアゼパム	(226)	クロトリマゾール
(227)	クロナゼパム	(228)	クロニジン塩酸塩
(229)	クロピドグレル硫酸塩	(230)	クロフィブラート
(231)	クロフェダノール塩酸塩	(232)	クロベタゾールプロピオン酸エステル
(233)	クロペラスチン塩酸塩	(234)	クロペラスチンフェンジゾ酸塩
(235)	クロミフェンクエン酸塩	(236)	クロミプラミン塩酸塩
(237)	クロモグリク酸ナトリウム	(238)	クロラゼプ酸二カリウム
(239)	クロラムフェニコール	(240)	クロラムフェニコールコハク酸エステルナトリウム
(241)	クロラムフェニコールパルミチン酸エステル	(242)	クロルジアゼポキシド
(243)	クロルフェニラミンマレイン酸塩	(244)	d-クロルフェニラミンマレイン酸塩
(245)	クロルフェネシンカルバミン酸エステル	(246)	クロルプロパミド
(247)	クロルプロマジン塩酸塩	(248)	クロルヘキシジン塩酸塩
(249)	クロルマジノン酢酸エステル	(250)	軽質無水ケイ酸
(251)	合成ケイ酸アルミニウム	(252)	天然ケイ酸アルミニウム
(253)	ケイ酸アルミン酸マグネシウム	(254)	メタケイ酸アルミン酸マグネシウム
(255)	ケタミン塩酸塩	(256)	ケトコナゾール
(257)	ケトチフェンフマル酸塩	(258)	ケトプロフェン
(259)	ケノデオキシコール酸	(260)	ゲファルナート
(261)	ゲフィチニブ	(262)	ゲンタマイシン硫酸塩
(263)	硬化油	(264)	コポビドン
(265)	コリスチンメタンスルホン酸ナトリウム	(266)	コレスチミド
(267)	サイクロセリン	(268)	酢酸
(269)	氷酢酸	(270)	酢酸ナトリウム水和物
(271)	サッカリン	(272)	サッカリンナトリウム水和物
(273)	サラゾスルファピリジン	(274)	サリチル酸
(275)	サリチル酸ナトリウム	(276)	サリチル酸メチル
(277)	ザルトプロフェン	(278)	サルブタモール硫酸塩
(279)	サルポグレラート塩酸塩	(280)	酸化亜鉛
(281)	酸化マグネシウム	(282)	ジアゼパム
(283)	シアナミド	(284)	ジエチルカルバマジンクエン酸塩
(285)	シクラシリン	(286)	シクロスポリン
(287)	ジクロフェナクナトリウム	(288)	シクロペントラート塩酸塩
(289)	シクロホスファミド水和物	(290)	ジスチグミン臭化物
(291)	L-シスチン	(292)	L-システイン
(293)	L-システイン塩酸塩水和物	(294)	ジスルフィラム
(295)	ジソピラミド	(296)	シタグリプチンリン酸塩水和物
(297)	シタラビン	(298)	シチコリン
(299)	ジドブジン	(300)	ジドロゲステロン
(301)	シノキサシン	(302)	ジヒドロエルゴトキシンメシル酸塩
(303)	ジピリダモール	(304)	ジフェニドール塩酸塩
(305)	ジフェンヒドラミン	(306)	ジフェンヒドラミン塩酸塩
(307)	ジブカイン塩酸塩	(308)	ジフルコルトロン吉草酸エステル
(309)	シプロフロキサシン	(310)	シプロフロキサシン塩酸塩水和物
(311)	シプロヘプタジン塩酸塩水和物	(312)	ジフロラゾン酢酸エステル
(313)	ジベカシン硫酸塩	(314)	シベレスタットナトリウム水和物
(315)	シベンゾリンコハク酸塩	(316)	シメチジン
(317)	ジメモルファンリン酸塩	(318)	ジメルカプロール
(319)	次没食子酸ビスマス	(320)	ジモルホラミン
(321)	臭化カリウム	(322)	臭化ナトリウム
(323)	酒石酸	(324)	硝酸銀

(325)	硝酸イソソルビド	(326)	ジョサマイシン
(327)	ジョサマイシンプロピオン酸エステル	(328)	シラザプリル水和物
(329)	シラスタチンナトリウム	(330)	ジラゼプ塩酸塩水和物
(331)	ジルチアゼム塩酸塩	(332)	シルニジピン
(333)	シロスタゾール	(334)	シロドシン
(335)	シンバスタチン	(336)	乾燥水酸化アルミニウムゲル
(337)	水酸化カリウム	(338)	水酸化カルシウム
(339)	水酸化ナトリウム	(340)	スクラルファート水和物
(341)	ステアリン酸	(342)	ステアリン酸カルシウム
(343)	ステアリン酸ポリオキシル40	(344)	ステアリン酸マグネシウム
(345)	ストレプトマイシン硫酸塩	(346)	スピラマイシン酢酸エステル
(347)	スリンダク	(348)	スルタミシリントシル酸塩水和物
(349)	スルチアム	(350)	スルバクタムナトリウム
(351)	スルピリド	(352)	スルピリン水和物
(353)	スルファメチゾール	(354)	スルファメトキサゾール
(355)	スルファモノメトキシン水和物	(356)	スルフイソキサゾール
(357)	スルベニシリンナトリウム	(358)	スルホブロモフタレインナトリウム
(359)	生理食塩液	(360)	セチリジン塩酸塩
(361)	セトチアミン塩酸塩水和物	(362)	セトラキサート塩酸塩
(363)	セファクロル	(364)	セファゾリンナトリウム
(365)	セファゾリンナトリウム水和物	(366)	セファトリジンプロピレングリコール
(367)	セファドロキシル	(368)	セファレキシン
(369)	セファロチンナトリウム	(370)	セフェピム塩酸塩水和物
(371)	セフォジジムナトリウム	(372)	セフォゾプラン塩酸塩
(373)	セフォタキシムナトリウム	(374)	セフォチアム塩酸塩
(375)	セフォチアム　ヘキセチル塩酸塩	(376)	セフォテタン
(377)	セフォペラゾンナトリウム	(378)	セフカペン　ピボキシル塩酸塩水和物
(379)	セフジトレン　ピボキシル	(380)	セフジニル
(381)	セフスロジンナトリウム	(382)	セフタジジム水和物
(383)	セフチゾキシムナトリウム	(384)	セフチブテン水和物
(385)	セフテラム　ピボキシル	(386)	セフトリアキソンナトリウム水和物
(387)	セフピラミドナトリウム	(388)	セフピロム硫酸塩
(389)	セフブペラゾンナトリウム	(390)	セフポドキシム　プロキセチル
(391)	セフミノクスナトリウム水和物	(392)	セフメタゾールナトリウム
(393)	セフメノキシム塩酸塩	(394)	セフロキサジン水和物
(395)	セフロキシム　アキセチル	(396)	セラセフェート
(397)	ゼラチン	(398)	精製ゼラチン
(399)	精製セラック	(400)	白色セラック
(401)	L－セリン	(402)	結晶セルロース
(403)	粉末セルロース	(404)	セレコキシブ
(405)	ゾニサミド	(406)	ゾピクロン
(407)	ソルビタンセスキオレイン酸エステル	(408)	ゾルピデム酒石酸塩
(409)	D－ソルビトール	(410)	D－ソルビトール液
(411)	ダウノルビシン塩酸塩	(412)	タウリン
(413)	タクロリムス水和物	(414)	タゾバクタム
(415)	ダナゾール	(416)	タムスロシン塩酸塩
(417)	タモキシフェンクエン酸塩	(418)	タランピシリン塩酸塩
(419)	タルチレリン水和物	(420)	炭酸カリウム
(421)	沈降炭酸カルシウム	(422)	炭酸水素ナトリウム
(423)	乾燥炭酸ナトリウム	(424)	炭酸ナトリウム水和物
(425)	炭酸マグネシウム	(426)	炭酸リチウム
(427)	ダントロレンナトリウム水和物	(428)	タンニン酸ジフェンヒドラミン
(429)	チアプリド塩酸塩	(430)	チアマゾール
(431)	チアミラールナトリウム	(432)	チアミン塩化物塩酸塩
(433)	チアミン硝化物	(434)	チアラミド塩酸塩
(435)	チオペンタールナトリウム	(436)	注射用チオペンタールナトリウム
(437)	チオリダジン塩酸塩	(438)	チオ硫酸ナトリウム水和物
(439)	チクロピジン塩酸塩	(440)	チザニジン塩酸塩
(441)	チニダゾール	(442)	チペピジンヒベンズ酸塩
(443)	チメピジウム臭化物水和物	(444)	チモロールマレイン酸塩
(445)	L－チロシン	(446)	ツロブテロール
(447)	ツロブテロール塩酸塩	(448)	テイコプラニン
(449)	テオフィリン	(450)	テガフール

(451)	デキサメタゾン	(452)	デキストラン40
(453)	デキストラン70	(454)	デキストラン硫酸エステルナトリウム　イオウ5
(455)	デキストラン硫酸エステルナトリウム　イオウ18	(456)	デキストリン
(457)	デキストロメトルファン臭化水素酸塩水和物	(458)	テトラカイン塩酸塩
(459)	テトラサイクリン塩酸塩	(460)	デヒドロコール酸
(461)	精製デヒドロコール酸	(462)	デヒドロコール酸注射液
(463)	デフェロキサミンメシル酸塩	(464)	テプレノン
(465)	デメチルクロルテトラサイクリン塩酸塩	(466)	テモカプリル塩酸塩
(467)	テルビナフィン塩酸塩	(468)	テルブタリン硫酸塩
(469)	テルミサルタン	(470)	デンプングリコール酸ナトリウム
(471)	ドキサゾシンメシル酸塩	(472)	ドキサプラム塩酸塩水和物
(473)	ドキシサイクリン塩酸塩水和物	(474)	ドキシフルリジン
(475)	トコフェロール	(476)	トコフェロール酢酸エステル
(477)	トコフェロールニコチン酸エステル	(478)	トスフロキサシントシル酸塩水和物
(479)	ドセタキセル水和物	(480)	トドラリジン塩酸塩水和物
(481)	ドネペジル塩酸塩	(482)	ドパミン塩酸塩
(483)	トフィソパム	(484)	ドブタミン塩酸塩
(485)	トブラマイシン	(486)	トラニラスト
(487)	トラネキサム酸	(488)	トラピジル
(489)	トラマドール塩酸塩	(490)	トリアゾラム
(491)	トリアムシノロン	(492)	トリアムシノロンアセトニド
(493)	トリアムテレン	(494)	トリエンチン塩酸塩
(495)	トリクロホスナトリウム	(496)	トリクロルメチアジド
(497)	L-トリプトファン	(498)	トリヘキシフェニジル塩酸塩
(499)	ドリペネム水和物	(500)	トリメタジオン
(501)	トリメタジジン塩酸塩	(502)	トリメトキノール塩酸塩水和物
(503)	トリメブチンマレイン酸塩	(504)	ドルゾラミド塩酸塩
(505)	トルナフタート	(506)	トルブタミド
(507)	トルペリゾン塩酸塩	(508)	L-トレオニン
(509)	トレハロース水和物	(510)	トレピブトン
(511)	ドロキシドパ	(512)	トロキシピド
(513)	トロピカミド	(514)	ドロペリドール
(515)	ドンペリドン	(516)	ナイスタチン
(517)	ナテグリニド	(518)	ナドロール
(519)	ナファゾリン硝酸塩	(520)	ナファモスタットメシル酸塩
(521)	ナフトピジル	(522)	ナブメトン
(523)	ナプロキセン	(524)	ナリジクス酸
(525)	ニカルジピン塩酸塩	(526)	ニコチン酸
(527)	ニコチン酸アミド	(528)	ニコモール
(529)	ニコランジル	(530)	ニザチジン
(531)	ニセリトロール	(532)	ニセルゴリン
(533)	ニトラゼパム	(534)	ニトレンジピン
(535)	ニフェジピン	(536)	乳酸
(537)	L-乳酸	(538)	乳酸カルシウム水和物
(539)	L-乳酸ナトリウム液	(540)	L-乳酸ナトリウムリンゲル液
(541)	無水乳糖	(542)	乳糖水和物
(543)	尿素	(544)	ニルバジピン
(545)	ノスカピン	(546)	ノルゲストレル
(547)	ノルトリプチリン塩酸塩	(548)	ノルフロキサシン
(549)	バカンピシリン塩酸塩	(550)	白糖
(551)	バクロフェン	(552)	バシトラシン
(553)	パズフロキサシンメシル酸塩	(554)	パニペネム
(555)	パメタン硫酸塩	(556)	パラアミノサリチル酸カルシウム水和物
(557)	パラオキシ安息香酸エチル	(558)	パラオキシ安息香酸ブチル
(559)	パラオキシ安息香酸プロピル	(560)	パラオキシ安息香酸メチル
(561)	パラシクロビル塩酸塩	(562)	パラフィン
(563)	流動パラフィン	(564)	軽質流動パラフィン
(565)	L-バリン	(566)	バルサルタン
(567)	パルナパリンナトリウム	(568)	バルビタール
(569)	バルプロ酸ナトリウム	(570)	ハロキサゾラム
(571)	パロキセチン塩酸塩水和物	(572)	ハロペリドール
(573)	バンコマイシン塩酸塩	(574)	パンテチン
(575)	パンテトン酸カルシウム	(576)	精製ヒアルロン酸ナトリウム

(577)	ピオグリタゾン塩酸塩	(578)	ビオチン
(579)	ビカルタミド	(580)	ピコスルファートナトリウム水和物
(581)	ビサコジル	(582)	L－ヒスチジン
(583)	L－ヒスチジン塩酸塩水和物	(584)	ビソプロロールフマル酸塩
(585)	ピタバスタチンカルシウム水和物	(586)	ヒドララジン塩酸塩
(587)	ヒドロキシエチルセルロース	(588)	ヒドロキシジン塩酸塩
(589)	ヒドロキシジンパモ酸塩	(590)	ヒドロキシプロピルセルロース
(591)	低置換度ヒドロキシプロピルセルロース	(592)	ヒドロクロロチアジド
(593)	ヒドロコタルニン塩酸塩水和物	(594)	ヒドロコルチゾン酪酸エステル
(595)	ヒドロコルチゾンリン酸エステルナトリウム	(596)	ピブメシリナム塩酸塩
(597)	ヒプロメロース	(598)	ヒプロメロース酢酸エステルコハク酸エステル
(599)	ヒプロメロースフタル酸エステル	(600)	ピペミド酸水和物
(601)	ピペラシリン水和物	(602)	ピペラシリンナトリウム
(603)	ピペラジンアジピン酸塩	(604)	ピペラジンリン酸塩水和物
(605)	ビペリデン塩酸塩	(606)	ビホナゾール
(607)	ピマリシン	(608)	ヒメクロモン
(609)	ピモジド	(610)	ピラジナミド
(611)	ピラルビシン	(612)	ピランテルパモ酸塩
(613)	ピリドキサールリン酸エステル水和物	(614)	ピリドキシン塩酸塩
(615)	ピリドスチグミン臭化物	(616)	ピルシカイニド塩酸塩水和物
(617)	ピレノキシン	(618)	ピレンゼピン塩酸塩水和物
(619)	ピロ亜硫酸ナトリウム	(620)	ピロキシカム
(621)	ピンドロール	(622)	ファモチジン
(623)	ファロペネムナトリウム水和物	(624)	フィトナジオン
(625)	フェキソフェナジン塩酸塩	(626)	フェニトイン
(627)	注射用フェニトインナトリウム	(628)	L－フェニルアラニン
(629)	フェニルブタゾン	(630)	フェネチシリンカリウム
(631)	フェノバルビタール	(632)	フェノフィブラート
(633)	フェルビナク	(634)	フェロジピン
(635)	フェンタニルクエン酸塩	(636)	フェンブフェン
(637)	ブクモロール塩酸塩	(638)	フシジン酸ナトリウム
(639)	ブシラミン	(640)	ブスルファン
(641)	ブチルスコポラミン臭化物	(642)	ブテナフィン塩酸塩
(643)	ブドウ酒	(644)	ブドウ糖
(645)	精製ブドウ糖	(646)	ブドウ糖水和物
(647)	フドステイン	(648)	ブトロピウム臭化物
(649)	ブナゾシン塩酸塩	(650)	ブピバカイン塩酸塩水和物
(651)	ブフェトロール塩酸塩	(652)	ブプラノロール塩酸塩
(653)	ブプレノルフィン塩酸塩	(654)	ブホルミン塩酸塩
(655)	ブメタニド	(656)	フラジオマイシン硫酸塩
(657)	プラステロン硫酸エステルナトリウム水和物	(658)	プラゼパム
(659)	プラゾシン塩酸塩	(660)	プラノプロフェン
(661)	プラバスタチンナトリウム	(662)	フラビンアデニンジヌクレオチドナトリウム
(663)	フラボキサート塩酸塩	(664)	プランルカスト水和物
(665)	プリミドン	(666)	フルオロウラシル
(667)	フルオロメトロン	(668)	フルコナゾール
(669)	フルジアゼパム	(670)	フルシトシン
(671)	フルスルチアミン塩酸塩	(672)	フルタミド
(673)	フルトプラゼパム	(674)	フルドロコルチゾン酢酸エステル
(675)	フルニトラゼパム	(676)	フルフェナジンエナント酸エステル
(677)	フルボキサミンマレイン酸塩	(678)	フルラゼパム塩酸塩
(679)	プルラン	(680)	フルルビプロフェン
(681)	ブレオマイシン塩酸塩	(682)	ブレオマイシン硫酸塩
(683)	フレカイニド酢酸塩	(684)	プレドニゾロン
(685)	プレドニゾロンリン酸エステルナトリウム	(686)	プロカイン塩酸塩
(687)	プロカインアミド塩酸塩	(688)	プロカテロール塩酸塩水和物
(689)	プロカルバジン塩酸塩	(690)	プログルミド
(691)	プロクロルペラジンマレイン酸塩	(692)	フロセミド
(693)	プロチオナミド	(694)	ブロチゾラム
(695)	プロチレリン	(696)	プロチレリン酒石酸塩水和物
(697)	プロパフェノン塩酸塩	(698)	プロピベリン塩酸塩
(699)	プロピレングリコール	(700)	プロブコール
(701)	プロプラノロール塩酸塩	(702)	フロプロピオン

(703)	プロベネシド	(704)	ブロマゼパム
(705)	ブロムフェナクナトリウム水和物	(706)	ブロムヘキシン塩酸塩
(707)	プロメタジン塩酸塩	(708)	フロモキセフナトリウム
(709)	ブロモクリプチンメシル酸塩	(710)	ブロモバレリル尿素
(711)	L-プロリン	(712)	ベカナマイシン硫酸塩
(713)	ベクロメタゾンプロピオン酸エステル	(714)	ベザフィブラート
(715)	ベタキソロール塩酸塩	(716)	ベタネコール塩化物
(717)	ベタヒスチンメシル酸塩	(718)	ベタミプロン
(719)	ベタメタゾン	(720)	ベタメタゾンジプロピオン酸エステル
(721)	ベニジピン塩酸塩	(722)	ヘパリンカルシウム
(723)	ヘパリンナトリウム	(724)	ヘパリンナトリウム注射液
(725)	ペプロマイシン硫酸塩	(726)	ベポタスチンベシル酸塩
(727)	ペミロラストカリウム	(728)	ベラパミル塩酸塩
(729)	ペルフェナジン	(730)	ペルフェナジンマレイン酸塩
(731)	ベルベリン塩化物水和物	(732)	ベンジルペニシリンカリウム
(733)	ベンジルペニシリンベンザチン水和物	(734)	ベンズブロマロン
(735)	ベンセラジド塩酸塩	(736)	ペンタゾシン
(737)	ペントキシベリンクエン酸塩	(738)	ペントバルビタールカルシウム
(739)	ペンブトロール硫酸塩	(740)	ホウ酸
(741)	ホウ砂	(742)	ボグリボース
(743)	ホスホマイシンカルシウム水和物	(744)	ホスホマイシンナトリウム
(745)	ポビドン	(746)	ポビドンヨード
(747)	ホモクロルシクリジン塩酸塩	(748)	ポラプレジンク
(749)	ボリコナゾール	(750)	ポリスチレンスルホン酸カルシウム
(751)	ポリスチレンスルホン酸ナトリウム	(752)	ポリソルベート80
(753)	ホリナートカルシウム水和物	(754)	ポリミキシンB硫酸塩
(755)	ホルモテロールフマル酸塩水和物	(756)	マニジピン塩酸塩
(757)	マプロチリン塩酸塩	(758)	マルトース水和物
(759)	D-マンニトール	(760)	ミグリトール
(761)	ミグレニン	(762)	ミクロノマイシン硫酸塩
(763)	ミコナゾール	(764)	ミコナゾール硝酸塩
(765)	ミゾリビン	(766)	ミチグリニドカルシウム水和物
(767)	ミデカマイシン	(768)	ミデカマイシン酢酸エステル
(769)	ミノサイクリン塩酸塩	(770)	ムピロシンカルシウム水和物
(771)	メキシレチン塩酸塩	(772)	メキタジン
(773)	メグルミン	(774)	メクロフェノキサート塩酸塩
(775)	メサラジン	(776)	メストラノール
(777)	メダゼパム	(778)	L-メチオニン
(779)	メチクラン	(780)	メチラポン
(781)	dl-メチルエフェドリン塩酸塩	(782)	メチルジゴキシン
(783)	メチルセルロース	(784)	メチルドパ水和物
(785)	メチルプレドニゾロンコハク酸エステル	(786)	メテノロンエナント酸エステル
(787)	メテノロン酢酸エステル	(788)	メトキサレン
(789)	メトクロプラミド	(790)	メトプロロール酒石酸塩
(791)	メトホルミン塩酸塩	(792)	メドロキシプロゲステロン酢酸エステル
(793)	メトロニダゾール	(794)	メナテトレノン
(795)	メピチオスタン	(796)	メピバカイン塩酸塩
(797)	メフェナム酸	(798)	メフルシド
(799)	メフロキン塩酸塩	(800)	メペンゾラート臭化物
(801)	メルカプトプリン水和物	(802)	メルファラン
(803)	メロペネム水和物	(804)	モサプリドクエン酸塩水和物
(805)	モノステアリン酸アルミニウム	(806)	モンテルカストナトリウム
(807)	薬用石ケン	(808)	薬用炭
(809)	ユビデカレノン	(810)	ヨウ化カリウム
(811)	ヨウ化ナトリウム	(812)	ラクツロース
(813)	ラタモキセフナトリウム	(814)	ラニチジン塩酸塩
(815)	ラノコナゾール	(816)	ラフチジン
(817)	ラベタロール塩酸塩	(818)	ラベプラゾールナトリウム
(819)	ランソプラゾール	(820)	リシノプリル水和物
(821)	L-リシン塩酸塩	(822)	L-リシン酢酸塩
(823)	リスペリドン	(824)	リセドロン酸ナトリウム水和物
(825)	リゾチーム塩酸塩	(826)	リドカイン
(827)	リトドリン塩酸塩	(828)	リバビリン

14　資　料　1

(829)	リファンピシン	(830)	リボスタマイシン硫酸塩
(831)	リボフラビン酪酸エステル	(832)	硫酸亜鉛水和物
(833)	硫酸アルミニウムカリウム水和物	(834)	硫酸カリウム
(835)	硫酸鉄水和物	(836)	硫酸バリウム
(837)	硫酸マグネシウム水和物	(838)	リルマザホン塩酸塩水和物
(839)	リンゲル液	(840)	リンコマイシン塩酸塩水和物
(841)	無水リン酸水素カルシウム	(842)	リン酸水素カルシウム水和物
(843)	リン酸水素ナトリウム水和物	(844)	リン酸二水素カルシウム水和物
(845)	レナンピシリン塩酸塩	(846)	レバミピド
(847)	レバロルファン酒石酸塩	(848)	レボドパ
(849)	レボフロキサシン水和物	(850)	レボホリナートカルシウム水和物
(851)	レボメプロマジンマレイン酸塩	(852)	L-ロイシン
(853)	ロキサチジン酢酸エステル塩酸塩	(854)	ロキシスロマイシン
(855)	ロキソプロフェンナトリウム水和物	(856)	ロサルタンカリウム
(857)	ロスバスタチンカルシウム	(858)	ロフラゼプ酸エチル
(859)	ロベンザリットナトリウム	(860)	ロラゼパム
(861)	黄色ワセリン	(862)	白色ワセリン
(863)	ワルファリンカリウム		

第3　新規収載した参照紫外可視吸収スペクトル

(1)	アナストロゾール	(2)	オキシブチニン塩酸塩
(3)	テモゾロミド	(4)	ブデゾニド

第4　新規収載した参照赤外吸収スペクトル

(1)	アナストロゾール	(2)	オキシブチニン塩酸塩
(3)	クロスカルメロースナトリウム	(4)	テモゾロミド
(5)	ブデゾニド	(6)	黄色ワセリン
(7)	白色ワセリン		

第5　参考情報
1　新たに作成した参考情報

(1)	液の色に関する機器測定法〈G1-4-181〉	(2)	クロマトグラフィーのライフサイクル各ステージにおける管理戦略と変更管理の考え方(クロマトグラフィーのライフサイクルにおける変更管理)〈G1-5-181〉
(3)	せん断セル法による粉体の流動性測定法〈G2-5-181〉	(4)	微生物試験における微生物の取扱いのバイオリスク管理〈G4-11-181〉
(5)	製剤に関連する添加剤の機能性関連特性について〈G9-1-181〉		

2　廃止した参考情報

(1)	近赤外吸収スペクトル測定法〈G1-3-161〉

3　改正した参考情報

(1)	化学合成される医薬品原薬及びその製剤の不純物に関する考え方〈G0-3-181〉	(2)	システム適合性〈G1-2-181〉
(3)	日本薬局方収載生薬の学名表記について〈G5-1-181〉	(4)	錠剤の摩損度試験法〈G6-5-181〉
(5)	製薬用水の品質管理〈GZ-2-181〉		

第6　他の医薬品等の規格集等に収載されていた品目の取扱い
1　日本薬局方外医薬品規格2002から削除した各条

(1)	塩酸オキシブチニン	(2)	ブデソニド
(3)	ヨクイニンエキス[注]		

注)「日本薬局方外生薬規格2022について」(令和4年3月8日薬生薬審発0308第1号厚生労働省医薬・生活衛生局医薬品審査管理課長通知)の制定に伴う削除。

薬生薬審発1212第1号
令和4年12月12日

各都道府県衛生主管部（局）長殿

厚生労働省医薬・生活衛生局医薬品審査管理課長

第十八改正日本薬局方第一追補の制定に伴う医薬品製造販売承認申請等の取扱いについて

　令和4年12月12日厚生労働省告示第355号をもって「日本薬局方の一部を改正する件」（第十八改正日本薬局方第一追補、以下「第一追補」という。）が告示され、「第十八改正日本薬局方第一追補の制定等について」（令和4年12月12日薬生発1212第2号厚生労働省医薬・生活衛生局長通知、以下「局長通知」という。）により、この改正の要点等が示されたところです。
　今般、これに関する医薬品製造販売承認申請等の取扱いを下記のとおりとするので、御了知の上、貴管下関係業者に周知をよろしく御配慮願います。

記

1. 新規収載品目の取扱い
　局長通知第1の3（1）（別紙第2の1）に示す第一追補で新たに収載された品目については、令和6年6月30日までは、なお従前の例によることができる。一方、令和6年7月1日以降に第一追補で定める基準に適合しないものは、製造販売又は販売することは認められないので、次の点に留意するとともに遅滞なく手続きを行わせること。
（1）第一追補で定める基準に適合させるため、医薬品、医療機器等の品質、有効性及び安全性の確保等に関する法律（以下「法」という。）第14条第1項に基づく承認を受けている品目について、承認事項を改める場合の取扱い
　① 「規格及び試験方法」欄のみを改める場合の取扱い
　　法第14条第16項の規定に基づく承認事項の軽微変更に係る届出（以下「軽微変更届出」という。）を行わせること。その際、軽微変更届出書の「備考」欄に「令和4年12月12日薬生薬審発1212第1号「第十八改正日本薬局方第一追補の制定に伴う医薬品製造販売承認申請等の取扱いについて」による届出」と記載すること。
　　また、「規格及び試験方法」欄に既に規定している純度試験等については、同等の管理が可能であるか確認した上で必要に応じて当該規格及び試験方法を第一追補で定める基準に加えて設定すること。なお、今回、設定しないと判断した場合、法第14条第15項の規定に基づく承認事項の一部変更承認申請（以下「一変申請」という。）を別途行う機会に、その審査等の中で規格の設定を不要と判断した根拠データの提出を求めることがあるため、当該データを適切に保存しておくこと。
　② 「成分及び分量又は本質」欄（有効成分は除く）の変更が伴う場合
　　一変申請を以下の点に留意し、行わせること。
　ア．原則として当該品目に係る医薬品製造販売承認書の写しを添付し、さらに、平成26年11月21日薬食発1121第2号厚生労働省医薬食品局長通知「医薬品の承認申請について」の別表1のロの3の資料が必要となるほか、必要に応じ、同通知の別表1のハの3又はホの5の資料を添付すること。
　イ．一変申請書の変更する欄及び「備考」欄の記載は、昭和55年10月9日薬審第1462号厚生省薬務局審査課長・生物製剤課長通知「日本薬局方医薬品の製造又は輸入の承認・許可申請の取扱いについて」の別記「日本薬局方医薬品に係る承認申請書の記載要領」に準拠し、「備考」欄には、「十八局第一追補新規収載品目に係る変更申請である」旨を併せて記載すること。
　ウ．一変申請については、令和6年6月30日までに必要な措置を円滑に講じることができるよう迅速な処理を行うこととしている。市場流通品の調整などで迅速な処理が必要な品目については、原則として、一変承認が完了するよう必要な措置を令和5年12月31日までに行うこと。当該申請書にあっては、「備考」欄に迅速処理を希望する旨及びFD申請の場合にあっては、優先審査コードとして「19123」の記録を記載すること。また、市場流通品の調整にはある程度の時間を要することから、告示後できるだけ速やかに調整を開始すること。
　エ．一変申請書の右肩に「局新規」（「局」に〇（マル）を付ける）の表示を朱書きすること。
　③ 「製造方法」欄の変更が伴う場合の取扱い
　　一変申請又は軽微変更届出を行わせること。一変申請に当たっては1.（1）②ア.〜エ.に準ずることとし、軽微変更届出に当たっては軽微変更届出書の「備考」欄に「令和4年12月12日薬生薬審発1212第1号「第十八改正日本薬局方第一追補の制定に伴う医薬品製造販売承認申請等の取扱いについて」による届出」と記載すること。

2. 削除品目の取扱い
　局長通知第1の3（1）（別紙第2の2）に示す削除品目については、令和4年12月12日以降は、日本薬局方医薬品として製造販売又は販売することは認められないこと。ただし、改正前の日本薬局方に収められていた医薬品であって、令和4年12月12日において法第14条第1項による承認を受けているものについては、令和6年6月30日までは日本薬局方医薬品として製造販売又は販売

することは認められること。

3. 改正品目の取扱い
　局長通知第1の3（2）（別紙第2の3及び4）に示す品目について第一追補により、その基準が改正前の日本薬局方（以下「旧薬局方」という。）と異なるものとなった医薬品については、令和6年6月30日までは、第一追補で定めるものとみなすことができるものとする。一方、同年7月1日以降は旧薬局方の基準により製造販売又は販売することは認められないので、次の点に留意するとともに遅滞なく手続きを行わせること。
(1) 第一追補で定める基準に適合させるため、製剤に係る承認事項を改める場合の取扱い
　① 「成分及び分量又は本質」欄（有効成分は除く）又は「製造方法」欄の変更が伴う場合の取扱い
　　上記1.(1) ②及び③に準ずることとすること。
　② 第一追補における医薬品各条において「別に規定する」とされた規格項目の取扱い
　　基本的には下記5.に準ずることとすること。
　　なお、アムホテリシンB錠、注射用アムホテリシンB、注射用アンピシリンナトリウム・スルバクタムナトリウム、注射用イミペネム・シラスタチンナトリウム、注射用スペクチノマイシン塩酸塩、注射用セフォペラゾンナトリウム・スルバクタムナトリウムについては旧薬局方の医薬品各条（化学薬品等）の錠・カプセル等の製剤の製剤均一性試験で規定していたT値をそのまま承認書に記載する場合は軽微変更届出を行う事で差し支えない。
　③ 一変申請を行う際の手続き
　　「備考」欄には、「十八局第一追補継続収載品目に係る変更申請である」旨を併せて記載すること。また、一変申請書の右肩に「局改正」（「局」に○（マル）を付ける）の表示を朱書きすること。
(2) 改正品目のうち、医薬品（成分）に係る取扱い
　① 当該医薬品（成分）の規格を第一追補で定める基準に適合させるに伴い、製剤の承認内容を変更する場合
　　一変申請又は軽微変更届出を行わせること。なお、一変申請の際は、「備考」欄には、「十八局第一追補継続収載品目に係る変更申請である」旨を併せて記載すること。また、一変申請書の右肩に「局改正」（「局」に○（マル）を付ける）の表示を朱書きすること。
　② 「黄色ワセリン」及び「白色ワセリン」について
　　当該品目については、医薬品各条において、抗酸化剤としてジブチルヒドロキシトルエン又は適切な型のトコフェロールを加えることができるとしたところである。法第14条第1項の規定に基づき製造販売の承認を要しないものとして厚生労働大臣の指定する医薬品等（平成6年厚生省告示第104号）で指定している「黄色ワセリン」及び「白色ワセリン」のうち、抗酸化剤を加えている製剤及び新たに抗酸化剤を加える製剤にあっては、「成分及び分量又は本質」欄に添加している抗酸化剤の名称及び配合量を記載する医薬品製造販売届出事項変更届を行うこと。
　　添付文書又は容器若しくは被包にも同様に表示すること。
　　抗酸化剤を加えた「黄色ワセリン」又は「白色ワセリン」を添加剤として含有する製剤においては、「成分及び分量又は本質」のテキスト欄に加えた抗酸化剤の名称及び配合量を記載する変更を行うための軽微変更届出を行わせること。なお、抗酸化剤の添加の有無又は配合量、種類を変更する場合には、軽微変更届出を行うこと。

4. 新規収載医薬品（成分）を含有する既承認の医薬品、医薬部外品及び化粧品（以下「医薬品等」という。）（製剤（ただし、第一追補に収載されている製剤は除く））の取扱いについて（下記5.を除く。）
(1) 「成分及び分量又は本質」欄の規格を日本薬局方に改めるのみの場合
　当欄の当該医薬品（成分）の規格を日本薬局方に改めるのみの一変申請又は軽微変更届出を行う必要はなく、他の理由により、一変申請又は軽微変更届出を行う機会があるときに併せて変更することで差し支えないこと。なお、「規格及び試験方法」欄に既に規定している純度試験等の取扱いは、上記1.(1) ①に準ずることとする。
(2) 当該医薬品（成分）の日本薬局方収載に伴い、製剤の承認内容を変更する必要のある場合（ただし、上記(1)に該当する部分は除く。）
　当該医薬品（成分）の規格を日本薬局方で定める基準に適合させるに伴い、製剤の承認内容を変更する場合は、一変申請又は軽微変更届出を行うこと。
(3) 漢方処方エキスを含有する医薬品について
　第一追補においては、「柴胡桂枝乾姜湯エキス」及び「抑肝散加陳皮半夏エキス」の漢方処方エキスを収載したところであるが、これらの漢方処方エキスを含有する医薬品等の取扱いについては、上記4.(1)、(2)に準ずる他、以下のとおりとすること。
　① 添付文書又は容器若しくは被包に配合生薬の1日量当たりの配合量を表示すること。
　② 一般用医薬品の取扱いについて
　　ア．第一追補の製法に規定されている生薬の種類及び配合量の範囲であり、かつ、満量処方の場合
　　　医療用医薬品と同様の取扱いとする。
　　イ．第一追補の製法に規定されている生薬の種類及び配合量の範囲であり、かつ、満量処方でない場合

「成分及び分量又は本質」欄の漢方処方エキス成分名は、漢方処方エキス名の後に処方量を（ ）を付して記載する変更を行うための軽微変更届出を行わせること。この場合、規格は日局とせず、別紙規格とすること。なお、販売名については変更する必要はないこと。また、満量処方に変更する場合については、新規承認申請を行わせること。
　　ウ．第一追補の製法に規定されている生薬の種類及び配合量の範囲外である場合
　　　　「成分及び分量又は本質」欄の漢方処方エキス成分名は、漢方処方エキス名の後に出典名及び満量処方でない場合はその処方量を（ ）を付して記載する変更を行うための軽微変更届出を行わせること。この場合、規格は日局とせず、別紙規格とすること。なお、販売名については変更する必要はないこと。また、第一追補に規定されている生薬の種類及び配合量に変更する場合については、新規承認申請を行わせること。

5．新規収載医薬品（成分）を含有する医薬品等又は新規収載された医薬品（製剤）のうち、第一追補において、当該医薬品各条に「別に規定する」と規定した品目等に係る取扱い
　　現承認書上、当該規格項目が設定されている場合には、軽微変更届出にて日本薬局方による旨の記載へ変更する際に、既に設定されている内容もそのまま併せて記載すること。
　　一方、承認書上、当該規格項目が設定されていない場合には、設定について適切に検討し、新たに設定を要する場合には、日本薬局方による旨の記載への変更及び当該規格項目の設定をするための一変申請を行うこと。なお、設定しないと判断した場合、次の一変申請の審査等の際に規格の設定を不要と判断した根拠データの提出を求めることがあるため、当該データを適切に保存しておくこと。
　　また、日本薬局方外医薬品規格によるものとしていた場合も同様とすること。

6．承認事項の一部において日本薬局方による旨を記載して承認された医薬品等の取扱い
（1）「成分及び分量又は本質」欄で、配合成分の規格（の一部）を日本薬局方による旨を記載して承認された医薬品等及び「製造方法」欄、「規格及び試験方法」欄又は「貯法及び有効期間」欄で「日本薬局方による」旨を記載の上、承認された医薬品等
　　令和6年6月30日まではなお従前の例によることができるが、令和6年7月1日以降は改正後の基準によるものであること。
（2）「規格及び試験方法」欄で試験法の一部について日本薬局方の一般試験法又は製剤総則で定める試験法による旨を記載して承認された医薬品等であって、日本薬局方に収められていないもの
　　試験方法については、承認当時の日本薬局方に定める試験法によって行うものとする。一方承認当時の日本薬局方で定める試験法と第一追補で定める同規定との相違性を十分確認した上であれば、日常の試験検査業務に第一追補で定める規定による試験をすることは差し支えない。ただし、承認当時が一般試験法「液体クロマトグラフィー〈2.01〉」又は「ガスクロマトグラフィー〈2.02〉」によるものであったところを一般試験法「クロマトグラフィー総論〈2.00〉」によるものへ変更する場合（日常の試験業務も含む）については、下記8.(2)①を参照のこと。なお、承認事項の一部（有効成分以外の成分の種類又は分量、製造方法等）を改めないと第一追補で定める試験法に適合しない製品であって、第一追補で定める試験法に適合させることが製剤の改良等になると判断されるものには、第一追補で定める試験法に適合させるため、一変申請又は軽微変更届出を行うよう指導すること。

7．原薬等登録原簿（以下「MF」という。）に係る取扱いについて
　　法第80条の6第1項の規定に基づき、医薬品原薬等についてはMFに、その原薬等の名称等について登録を受けることができるとしているところである。
　　第一追補において新規に収載された品目及び、基準の改められた品目に係る取扱いについては、上記1.～6.と同様の取扱いとすること。ただし、「一変申請」は「変更登録申請」と読み替えること。

8．通則及び一般試験法に係る取扱いについて
（1）要指導・一般用医薬品に係る通則34及び一般試験法〈2.66〉元素不純物の取扱いについて
　　要指導・一般用医薬品の元素不純物の管理等の基本的な考え方については、「要指導・一般用医薬品に係る元素不純物の取扱いについて」（令和4年12月12日付け薬生審査発1212第5号厚生労働省医薬・生活衛生局医薬品審査管理課長通知）及び「要指導・一般用医薬品に係る元素不純物の取扱いに係る質疑応答集（Q＆A）について」（令和4年12月12日付け事務連絡）によること。
　　令和6年6月30日までは通則34の規定にかかわらず、なお従前の例によることができるが、令和6年7月1日以降は改正後の基準によるものであること。
（2）一般試験法〈2.00〉クロマトグラフィー総論の取扱いについて
　　第一追補では、新たに一般試験法「クロマトグラフィー総論〈2.00〉」の新規収載に伴い、一般試験法「液体クロマトグラフィー〈2.01〉」及び「ガスクロマトグラフィー〈2.02〉」も改正したところであるため、以下に関連事項の取扱いを示す。
　　①　承認申請書又はMFにおける「液体クロマトグラフィー」又は「ガスクロマトグラフィー」の記載について、第一追補に収載された一般試験法「クロマトグラフィー総論〈2.00〉」に従う試験法で規定する場合には、「クロマトグラフィー総論の

液体クロマトグラフィー」又は「クロマトグラフィー総論のガスクロマトグラフィー」と記載すること。
　なお、「液体クロマトグラフィー」又は「ガスクロマトグラフィー」と記載されている場合は、一般試験法「液体クロマトグラフィー〈2.01〉」又は「ガスクロマトグラフィー〈2.02〉」をそれぞれ示すことに留意すること。また、一般試験法「液体クロマトグラフィー〈2.01〉」又は「ガスクロマトグラフィー〈2.02〉」に従う試験法を一般試験法「クロマトグラフィー総論〈2.00〉」に従う試験法に変更する場合は、一変申請を行うこと。
② 　第一追補で改正された一般試験法「液体クロマトグラフィー〈2.01〉」及び「ガスクロマトグラフィー〈2.02〉」の「8. 用語」にて「クロマトグラフィー総論〈2.00〉の定義に従う.」とされていることを踏まえ、令和6年6月30日以前に承認された日本薬局方に収められていない医薬品等において、一般試験法「液体クロマトグラフィー〈2.01〉」又は「ガスクロマトグラフィー〈2.02〉」を適用し、システム適合性にSN比を規定している場合、従前の「8. 用語」におけるSN比の定義を適用し続けることで差し支えないものの、必要であればクロマトグラフィー総論〈2.00〉の定義に従った変更が期待される。
　なお、SN比の定義を新たに規定又は変更を行う場合は一変申請を行うこと。また、その他の用語に関しては、他の理由により、一変申請又は軽微変更届出を行う機会があるときに併せて変更すること。

9. 　その他留意事項等
(1) 医薬品各条に規定する製剤の試験方法について
　係る記載は、標準的な試験方法を示したものである。添加剤が測定結果に影響を与え、係る試験の実施が科学的に困難である場合には、その妥当性を示せることを前提として、規定法に代わる試験法を承認書に規定することは許容される。なお、既に同内容にて承認を取得している場合には当該試験方法を申請書に記載しておくことで差し支えない。

第十八改正日本薬局方の正誤表

事務連絡
令和4年9月14日

各都道府県衛生主管部（局）薬務主管課　御中

厚生労働省医薬・生活衛生局医薬品審査管理課

第十八改正日本薬局方正誤表の送付について（その1）

第十八改正日本薬局方（令和3年厚生労働省告示第220号）につきまして、一部に誤植等がありましたので別紙のとおり正誤表を送付いたします。

別　紙

第十八改正日本薬局方告知版に対する正誤表

1. 一般試験法

該当箇所	頁、左右	↓/↑、行	正	誤
9.41 試薬・試液 ロスバスタチンカルシウム鏡像異性体	378、右	↓23	ロスバスタチンカルシウム鏡像異性体 ($C_{22}H_{27}FN_3O_6S)_2Ca$ 白色の粉末である．	ロスバスタチンカルシウム鏡像異性体 ($C_{22}H_{28}FN_3O_6S)_2Ca$ 白色の粉末である．

2．医薬品各条（化学薬品等）

該当箇所	頁、左右	↓/↑、行	正	誤
カンデサルタン　シレキセチル・アムロジピンベシル酸塩錠	724、左	↓3	Candesartan Cilexetil and Amlodipine Besilate Tablets	Candesartan Cilexetil and Amlodipine Besylate Tablets
天然ケイ酸アルミニウム	825、右	↓2	B：容量約1000 mLの水蒸気発生器	B：容量約100 mLの水蒸気発生器
酸化マグネシウム	875、右	↓2	B：容量約1000 mLの水蒸気発生器	B：容量約100 mLの水蒸気発生器
粉末セルロース	1081、	↓11-12	残留物を105℃で30分間乾燥し，	残留物を105で30分間乾燥し，
ゾピクロン	1084、左	↑2-1	それぞれの液の各々のピーク面積を自動積分法により測定するとき，試料溶液のゾピクロンに対する相対保持時間約0.1の類縁物質A，約0.2の類縁物質B，約0.5の類縁物質C，約0.9の類縁物質Dのピーク面積は，標準溶液のゾピクロンのピーク面積の1／10より大きくなく，試料溶液のゾピクロン及び上記以外のピークの面積は，標準溶液のゾピクロンのピーク面積の1／10より大きくない．	それぞれの液の各々のピーク面積を自動積分法により測定するとき，試料溶液のゾピクロンに対する相対保持時間約0.1の類縁物質A，約0.2の類縁物質B，約0.5の類縁物質C，約0.9の類縁物質D及び上記以外のピークの面積は，標準溶液のゾピクロンのピーク面積の1／10より大きくない．

			正	誤
ビカルタミド	1371、左	↓26-27	それぞれの液の各々のピーク面積を自動積分法により測定するとき，試料溶液のビカルタミドに対する相対保持時間約0.26の類縁物質M，約0.34の類縁物質N，約1.03の類縁物質K及び約1.13の類縁物質Lのピーク面積は，標準溶液のビカルタミドのピーク面積より大きくなく，	それぞれの液の各々のピーク面積を自動積分法により測定するとき，試料溶液のビカルタミドに対する相対保持時間約0.26の類縁物質M，約0.34の類縁物質N，約1.03の類縁物質L及び約1.13の類縁物質Kのピーク面積は，標準溶液のビカルタミドのピーク面積より大きくなく，

3．生薬等

該当箇所	頁、左右	↓/↑、行	正	誤
センブリ	1981、左	↑10-9	葉は線形〜狭ひ針形で，長さ1〜4 cm，幅0.1〜0.5 cm，	葉は線形〜狭ひ針形で，長さ1〜4 cm，幅0.1〜0.5 mm，
トウヒ	2012、右	↓18	本品1.0 gに	本品の1.0 gに
抑肝散エキス	2071、左	↓6	C_S：定量用サイコサポニンb_2標準試液中のサイコサポニンb_2の濃度（mg/mL）	C_S：定量用サイコサポニンb_2標準溶液中のサイコサポニンb_2の濃度（mg/mL）

第十八改正日本薬局方第一追補における改正関連情報

クロマトグラフィーに関連する一般試験法案及び参考情報案について

令和3年9月
独立行政法人医薬品医療機器総合機構
審査マネジメント部

今般、以下に示すクロマトグラフィーに関連する一般試験法及び参考情報案（4件）の意見公募を開始するにあたり、これらの背景等について説明いたします。

- 新規一般試験法案「2.00　クロマトグラフィー総論」
- 新規参考情報案「G1-5-181　クロマトグラフィーのライフサイクルにおける変更管理」
- 一般試験法改正案「2.01　液体クロマトグラフィー」
- 一般試験法改正案「2.02　ガスクロマトグラフィー」

平成21年より日米欧三薬局方検討会議（PDG）で議論が開始された国際調和試験法案G-20 Chromatographyは、日局原案検討委員会 総合委員会の下に設置されたクロマトグラフィーWGにて、平成29年7月から9月にかけて実施されたPDG Stage 2意見公募で提出された意見を踏まえて調和合意に向けて検討されてきました。今般、PDG調和作業手順のStage 3Aに到達したことから、新規の日局一般試験法案「2.00　クロマトグラフィー総論」として意見公募の実施をするものです。また、これに伴い、「2.00　クロマトグラフィー総論」の適切な運用等に資するよう、新規参考情報案「G1-5-181　クロマトグラフィーのライフサイクルにおける変更管理」、一般試験法改正案「2.01　液体クロマトグラフィー」及び「2.02　ガスクロマトグラフィー」が検討され、あわせて意見公募を実施することとなりました。このような背景を踏まえ、これら4件の日局収載案に関するご意見を検討される際には、相互に参照いただくことをお願い申し上げます。

また、参考情報「G1-2-152　システム適合性」についても、「3. 分析システム変更時の考え方」を、新規参考情報案「G1-5-181　クロマトグラフィーのライフサイクルにおける変更管理」に統合する等、その改正案を検討中です。今後、上記の4件との同時収載を目指して、意見募集を開始する予定です。

以下にこれら4件の主な特徴・改正点等をそれぞれご紹介します。

- 新規一般試験法案「2.00　クロマトグラフィー総論」
  - 本試験法案は既収載の日局医薬品各条に遡及して適用することはせず、新規収載各条から適用可能とする予定である。
  - 「4. クロマトグラフィー条件の調整」について、液体クロマトグラフィーとガスクロマトグラフィーに適用し、薄層クロマトグラフィーには適用されない、生物薬品の試験には適用できない場合があること及び生薬等を対象外としたこと、といった調和試験法案にはない日局独自の適用を設定した。

- 新規参考情報案「G1-5-181　クロマトグラフィーのライフサイクルにおける変更管理」
  - 「2.00　クロマトグラフィー総論」における「4. クロマトグラフィー条件の調整」の適用に際し、リスクアセスメントが適切に行われるよう、変更管理に関する留意点を記載した。その際、分析法の開発から始まり、分析性能の適格性評価、さらに分析法の継続的な検証に至る分析法のライフサイクルを意識して変更管理の取組みが進められるような構成とし、各ステージにおける変更時の留意点を明確に示した。
  - 科学的観点からの技術情報を記載する文書として位置付け、薬事的な手続きに関する内容を記載しないこととした。
  - 公的認定試験検査機関において、分析条件変更時の留意点をまとめた手引きとして利用されることも視野に入れた記載とした。

- 一般試験法改正案「2.01　液体クロマトグラフィー」
  - 「6. システム適合性」について、「2.00　クロマトグラフィー総論」で規定するシステム適合性との関係性を明確化した。
  - 「7. 試験条件の変更に関する留意事項」について、国際調和の観点から、「2.00　クロマトグラフィー総論」における「4. クロマトグラフィー条件の調整」の内容と同様に、適切なリスクアセスメントによる変更管理が行われるよう記載を改めるとともに、重複する試験条件を削除した。
  - 「8. 用語」について、日局のクロマトグラフィー関連用語を「2.00　クロマトグラフィー総論」の記載に統一することとし、削除した。

- 一般試験法改正案「2.02　ガスクロマトグラフィー」
  ・「7．試験条件の変更に関する留意事項」について、国際調和の観点から、「2.00　クロマトグラフィー総論」における「4．クロマトグラフィー条件の調整」の内容と同様に、適切なリスクアセスメントによる変更管理が行われるよう記載を改めるとともに、重複する試験条件を削除した。

以上

医薬品各条　アナストロゾール錠（案）及びビカルタミド錠（案）における溶出性の試験液量（1000 mL）の規定について

令和3年9月
独立行政法人医薬品医療機器総合機構
審査マネジメント部

今般、医薬品各条「アナストロゾール錠（案）」及び「ビカルタミド錠（案）」に関するご意見募集を開始するにあたり、本医薬品各条の溶出性における試験液量に1000 mLを規定することとした背景等についてご説明致します。

日局一般試験法〈6.10〉溶出試験法では、溶出試験に用いる装置について「容器は底部が半円球の円筒形で，容積は1 L，高さ160〜210 mm，内径は98〜106 mmで，容器の上部には出縁がある．」と規定されています。日局医薬品各条では、汎用性の観点から容器容積1 Lの容器を用いて多様な条件で試験可能な試験液量900 mLを標準とした溶出性の規定を行ってきました。またUSPなど海外においても、試験液量900 mLとした規定が広く用いられています。
一方で近年、海外薬局方などにおいて、試験液量1000 mLとした溶出試験が設定されている場合もあります。
これらの状況を考慮し、日本薬局方原案検討委員会では、「アナストロゾール錠（案）」及び「ビカルタミド錠（案）」について、個別に溶出試験法の妥当性を検討した結果、試験液量1000 mLとした溶出性を規定することに致しました。

なお、「アナストロゾール錠（案）」及び「ビカルタミド錠（案）」への試験液量を1000 mLとした溶出試験の収載は、当該製剤を対象とした検討結果に基づく措置であり他の製品に一般化できるものではないこと、試験者の現有設備では試験液量1000 mLにて試験を適切に行えない場合であっても試験液量900 mLでの試験実施は認められないこと、また、アナストロゾール錠及びビカルタミド錠の生物学的同等性評価における溶出試験の実施では、引き続き関連ガイドラインに則って原則として900 mLにて行う必要があることにご留意ください。

以上

新規参考情報案「製剤に関連する添加剤の機能性関連特性について」について

令和3年9月
独立行政法人医薬品医療機器総合機構
審査マネジメント部

　今般、新規参考情報案「製剤に関連する添加剤の機能性関連特性について」に関するご意見募集を開始するにあたり、本参考情報案を作成することとした背景等についてご説明致します。

　本参考情報は、製剤の製造工程・保存・使用における有効成分及び製剤の有用性を高めるために必要な、添加剤の物理的・化学的特性を機能性関連特性（Functionality Related Characteristics、FRC）として解説するものです。
　特定の添加剤には、物質の確認と品質の確保を主な目的として各条に規定される規格及び試験方法とは別に、FRCの評価に適用される試験法が存在します。この試験法は、品質要件ではない、機能の付与の指標となる物理的・化学的特性を評価するものです。例えば、製剤の崩壊性を適切に制御するために使用される添加剤においては、FRCとして保水量等が挙げられます。

＜本参考情報の作成方針＞
・FRCの評価に適用する試験法は、医薬品添加物各条の中では規定せず、本参考情報の中で個別の品目毎にFRC及び適用される試験法を一例として提供する。
・本参考情報に収載される試験法は一例であり、FRCの評価に適用する試験法として実施を強制するものではないことから、本参考情報に収載する試験法には規格を設定しない。
・当面の間、PDG調和対象品目に限定してFRC及びその評価に適用される試験法を参考情報中に収載する。ただし、PDG調和対象品目であっても、既に各条に収載済のFRCの評価に適用される試験法は、対象外とする。

　なお、本参考情報の収載に伴い、PDG調和対象品目であり、2019年9月30日から同年12月30日に日局収載原案の意見公募を実施した黄色ワセリン及び白色ワセリンについて、稠度に関する規格及び試験法は同各条からは削除となります。詳細は、第十八改正日本薬局方第一追補の追加改定（報告）に掲載されている同各条の変更原案をご確認ください。

以上

第十八改正日本薬局方における元素不純物管理の取込みに伴う
医薬品各条からの重金属試験及び個別金属不純物試験の削除について（報告）

令和4年6月
独立行政法人医薬品医療機器総合機構
審査マネジメント部

　令和3年12月に意見公募を行いました第十八改正日本薬局方第一追補における医薬品各条に規定される重金属試験及び個別金属不純物試験の削除につきまして、いただいた御意見をもとに検討した結果、削除対象となる重金属試験及び個別金属不純物試験を別紙のとおり報告いたします。削除対象から除外した項目は、以下のとおりです。

医薬品各条名	改正（削除）を見送る項目
酸化チタン	鉛、ヒ素
酸化マグネシウム	ヒ素
次硝酸ビスマス	ヒ素、銅、鉛、銀
カオリン	重金属
ケイ酸マグネシウム	重金属
ベントナイト	重金属

以上

別紙

第十八改正日本薬局方第一追補において、削除する純度試験
表1. 化学薬品

番号	医薬品各条名	純度試験において削除する項目
1	アクリノール水和物	重金属
2	アザチオプリン	重金属、ヒ素
3	アシクロビル	重金属
4	アスコルビン酸	重金属
5	L-アスパラギン酸	重金属
6	アスピリン	重金属
7	アセタゾラミド	重金属
8	注射用アセチルコリン塩化物	重金属
9	アセチルシステイン	重金属
10	アセトアミノフェン	重金属、ヒ素
11	アセトヘキサミド	重金属
12	アセブトロール塩酸塩	重金属、ヒ素
13	アセメタシン	重金属
14	アゼラスチン塩酸塩	重金属、ヒ素
15	アゼルニジピン	重金属
16	アゾセミド	重金属
17	アテノロール	重金属
18	アトルバスタチンカルシウム水和物	重金属
19	アドレナリン	重金属
20	アプリンジン塩酸塩	重金属
21	アフロクアロン	重金属
22	アマンタジン塩酸塩	重金属、ヒ素
23	アミオダロン塩酸塩	重金属
24	アミドトリゾ酸	重金属、ヒ素
25	アミトリプチリン塩酸塩	重金属
26	アミノ安息香酸エチル	重金属
27	アミノフィリン水和物	重金属
28	アムロジピンベシル酸塩	重金属
29	アモキサピン	重金属
30	アモスラロール塩酸塩	重金属
31	アモバルビタール	重金属

番号	医薬品各条名	純度試験において削除する項目
32	アラセプリル	重金属
33	L－アラニン	重金属
34	アリメマジン酒石酸塩	重金属、ヒ素
35	アルガトロバン水和物	重金属、ヒ素
36	L－アルギニン	重金属
37	L－アルギニン塩酸塩	重金属、ヒ素
38	アルジオキサ	重金属
39	アルプラゾラム	重金属
40	アルプレノロール塩酸塩	重金属、ヒ素
41	アルプロスタジル注射液	重金属
42	アレンドロン酸ナトリウム水和物	重金属
43	アロチノロール塩酸塩	重金属
44	アロプリノール	重金属、ヒ素
45	安息香酸	重金属
46	安息香酸ナトリウム	重金属、ヒ素
47	安息香酸ナトリウムカフェイン	重金属、ヒ素
48	アンチピリン	重金属
49	アンピロキシカム	重金属
50	アンベノニウム塩化物	重金属
51	アンモニア水	重金属
52	アンレキサノクス	重金属
53	イオウ	ヒ素
54	イオタラム酸	重金属、ヒ素
55	イオトロクス酸	重金属
56	イオパミドール	重金属
57	イオヘキソール	重金属
58	イコサペント酸エチル	重金属、ヒ素
59	イソクスプリン塩酸塩	重金属
60	イソソルビド	重金属、ヒ素
61	イソニアジド	重金属、ヒ素
62	l－イソプレナリン塩酸塩	重金属
63	イソプロピルアンチピリン	重金属、ヒ素
64	L－イソロイシン	重金属、ヒ素
65	70％一硝酸イソソルビド乳糖末	重金属
66	イドクスウリジン	重金属
67	イトラコナゾール	重金属
68	イフェンプロジル酒石酸塩	重金属
69	イブジラスト	重金属
70	イブプロフェン	重金属、ヒ素
71	イブプロフェンピコノール	重金属
72	イプラトロピウム臭化物水和物	重金属、ヒ素
73	イプリフラボン	重金属、ヒ素
74	イミダプリル塩酸塩	重金属
75	イリノテカン塩酸塩水和物	重金属
76	イルソグラジンマレイン酸塩	重金属
77	イルベサルタン	重金属
78	インジゴカルミン	ヒ素
79	インダパミド	重金属
80	インデノロール塩酸塩	重金属、ヒ素
81	インドメタシン	重金属、ヒ素
82	ウベニメクス	重金属
83	ウラピジル	重金属
84	ウルソデオキシコール酸	重金属、バリウム
85	エカベトナトリウム水和物	重金属
86	エコチオパートヨウ化物	重金属
87	エスタゾラム	重金属、ヒ素
88	エストリオール	重金属
89	エタクリン酸	重金属、ヒ素
90	エダラボン	重金属
91	エタンブトール塩酸塩	重金属、ヒ素
92	エチオナミド	重金属、ヒ素
93	エチゾラム	重金属

番号	医薬品各条名	純度試験において削除する項目
94	エチドロン酸二ナトリウム	重金属、ヒ素
95	L-エチルシステイン塩酸塩	重金属
96	エチレフリン塩酸塩	重金属
97	エデト酸ナトリウム水和物	重金属、ヒ素
98	エテンザミド	重金属、ヒ素
99	エトスクシミド	重金属、ヒ素
100	エトドラク	重金属
101	エトポシド	重金属
102	エドロホニウム塩化物	重金属、ヒ素
103	エナラプリルマレイン酸塩	重金属
104	エノキサシン水和物	重金属、ヒ素
105	エバスチン	重金属
106	エパルレスタット	重金属
107	エピリゾール	重金属、ヒ素
108	エフェドリン塩酸塩	重金属
109	エプレレノン	重金属
110	エペリゾン塩酸塩	重金属
111	エメダスチンフマル酸塩	重金属
112	エモルファゾン	重金属、ヒ素
113	エリブリンメシル酸塩	重金属
114	塩化亜鉛	重金属、ヒ素
115	塩化カリウム	重金属、ヒ素
116	塩化カルシウム水和物	重金属、ヒ素、バリウム
117	塩酸	重金属、ヒ素、水銀
118	希塩酸	重金属、ヒ素、水銀
119	エンタカポン	重金属
120	オキサゾラム	重金属、ヒ素
121	オキサピウムヨウ化物	重金属
122	オキサプロジン	重金属、ヒ素
123	オキシドール	重金属、ヒ素
124	オキシブプロカイン塩酸塩	重金属
125	オキセサゼイン	重金属
126	オクスプレノロール塩酸塩	重金属、ヒ素
127	オザグレルナトリウム	重金属
128	オフロキサシン	重金属
129	オメプラゾール	重金属
130	オーラノフィン	重金属、ヒ素
131	オルシプレナリン硫酸塩	重金属
132	オルメサルタン メドキソミル	重金属
133	オロパタジン塩酸塩	重金属
134	カイニン酸水和物	重金属、ヒ素
135	ガチフロキサシン水和物	重金属
136	果糖	重金属、ヒ素
137	果糖注射液	重金属、ヒ素
138	カドララジン	重金属
139	無水カフェイン	重金属
140	カフェイン水和物	重金属
141	カプトプリル	重金属、ヒ素
142	ガベキサートメシル酸塩	重金属、ヒ素
143	カベルゴリン	重金属
144	過マンガン酸カリウム	ヒ素
145	カモスタットメシル酸塩	重金属、ヒ素
146	カルテオロール塩酸塩	重金属、ヒ素
147	カルバゾクロムスルホン酸ナトリウム水和物	重金属
148	カルバマゼピン	重金属
149	カルビドパ水和物	重金属
150	カルベジロール	重金属
151	L-カルボシステイン	重金属、ヒ素
152	カルモフール	重金属
153	カンデサルタン シレキセチル	重金属
154	カンレノ酸カリウム	重金属、ヒ素
155	キシリトール	重金属、ヒ素、ニッケル

番号	医薬品各条名	純度試験において削除する項目
156	キナプリル塩酸塩	重金属
157	キニーネエチル炭酸エステル	重金属
158	キニーネ硫酸塩水和物	重金属
159	金チオリンゴ酸ナトリウム	重金属、ヒ素
160	グアイフェネシン	重金属、ヒ素
161	グアナベンズ酢酸塩	重金属
162	グアネチジン硫酸塩	重金属
163	クエチアピンフマル酸塩	重金属
164	クエン酸ナトリウム水和物	重金属、ヒ素
165	グリクラジド	重金属
166	グリシン	重金属、ヒ素
167	クリノフィブラート	重金属、ヒ素
168	グリベンクラミド	重金属
169	グリメピリド	重金属
170	グルコン酸カルシウム水和物	重金属、ヒ素
171	グルタチオン	重金属、ヒ素
172	L－グルタミン	重金属
173	L－グルタミン酸	重金属
174	クレボプリドリンゴ酸塩	重金属
175	クレマスチンフマル酸塩	重金属、ヒ素
176	クロカプラミン塩酸塩水和物	重金属
177	クロキサゾラム	重金属、ヒ素
178	クロコナゾール塩酸塩	重金属
179	クロチアゼパム	重金属、ヒ素
180	クロトリマゾール	重金属、ヒ素
181	クロナゼパム	重金属
182	クロニジン塩酸塩	重金属、ヒ素
183	クロピドグレル硫酸塩	重金属
184	クロフィブラート	重金属、ヒ素
185	クロフェダノール塩酸塩	重金属
186	クロベタゾールプロピオン酸エステル	重金属
187	クロペラスチン塩酸塩	重金属
188	クロペラスチンフェンジゾ酸塩	重金属
189	クロミフェンクエン酸塩	重金属
190	クロミプラミン塩酸塩	重金属、ヒ素
191	クロモグリク酸ナトリウム	重金属
192	クロラゼプ酸二カリウム	重金属、ヒ素
193	クロルジアゼポキシド	重金属
194	クロルフェニラミンマレイン酸塩	重金属
195	d－クロルフェニラミンマレイン酸塩	重金属
196	クロルフェネシンカルバミン酸エステル	重金属、ヒ素
197	クロルプロパミド	重金属
198	クロルプロマジン塩酸塩	重金属
199	クロルヘキシジン塩酸塩	重金属、ヒ素
200	クロルマジノン酢酸エステル	重金属、ヒ素
201	合成ケイ酸アルミニウム	重金属、ヒ素
202	天然ケイ酸アルミニウム	重金属、ヒ素
203	ケタミン塩酸塩	重金属、ヒ素
204	ケトコナゾール	重金属
205	ケトチフェンフマル酸塩	重金属
206	ケトプロフェン	重金属
207	ケノデオキシコール酸	重金属、バリウム
208	ゲファルナート	重金属
209	ゲフィチニブ	重金属
210	コレスチミド	重金属
211	酢酸	重金属
212	氷酢酸	重金属
213	酢酸ナトリウム水和物	重金属、ヒ素
214	サラゾスルファピリジン	重金属、ヒ素
215	サリチル酸	重金属
216	サリチル酸ナトリウム	重金属、ヒ素
217	サリチル酸メチル	重金属

番号	医薬品各条名	純度試験において削除する項目
218	ザルトプロフェン	重金属、ヒ素
219	サルブタモール硫酸塩	重金属
220	サルポグレラート塩酸塩	重金属、ヒ素
221	酸化亜鉛	鉛、ヒ素
222	酸化マグネシウム	重金属
223	ジアゼパム	重金属
224	シアナミド	重金属
225	ジエチルカルバマジンクエン酸塩	重金属
226	シクロスポリン	重金属
227	ジクロフェナクナトリウム	重金属、ヒ素
228	シクロペントラート塩酸塩	重金属
229	シクロホスファミド水和物	重金属
230	ジスチグミン臭化物	重金属
231	L-シスチン	重金属
232	L-システイン	重金属
233	L-システイン塩酸塩水和物	重金属
234	ジスルフィラム	重金属、ヒ素
235	ジソピラミド	重金属、ヒ素
236	シタグリプチンリン酸塩水和物	重金属
237	シタラビン	重金属
238	シチコリン	重金属、ヒ素
239	ジドブジン	重金属
240	ジドロゲステロン	重金属
241	シノキサシン	重金属
242	ジヒドロエルゴトキシンメシル酸塩	重金属
243	ジピリダモール	重金属、ヒ素
244	ジフェニドール塩酸塩	重金属、ヒ素
245	ジフェンヒドラミン	重金属
246	ジフェンヒドラミン塩酸塩	重金属
247	ジブカイン塩酸塩	重金属
248	ジフルコルトロン吉草酸エステル	重金属
249	シプロフロキサシン	重金属
250	シプロフロキサシン塩酸塩水和物	重金属
251	シプロヘプタジン塩酸塩水和物	重金属
252	ジフロラゾン酢酸エステル	重金属
253	シベレスタットナトリウム水和物	重金属
254	シベンゾリンコハク酸塩	重金属、ヒ素
255	シメチジン	重金属、ヒ素
256	ジメモルファンリン酸塩	重金属、ヒ素
257	ジメルカプロール	重金属
258	次没食子酸ビスマス	ヒ素、銅、鉛、銀
259	ジモルホラミン	重金属
260	臭化カリウム	重金属、ヒ素、バリウム
261	臭化ナトリウム	重金属、ヒ素、バリウム
262	酒石酸	重金属、ヒ素
263	硝酸銀	ビスマス、銅及び鉛のうち銅、鉛 (本試験法の名称をビスマスとする。)
264	硝酸イソソルビド	重金属
265	シラザプリル水和物	重金属
266	シラスタチンナトリウム	重金属、ヒ素
267	ジラゼプ塩酸塩水和物	重金属、ヒ素
268	ジルチアゼム塩酸塩	重金属、ヒ素
269	シルニジピン	重金属
270	シロスタゾール	重金属
271	シロドシン	重金属
272	シンバスタチン	重金属
273	乾燥水酸化アルミニウムゲル	重金属、ヒ素
274	水酸化カリウム	重金属
275	水酸化カルシウム	重金属、ヒ素
276	水酸化ナトリウム	重金属、水銀
277	スクラルファート水和物	重金属、ヒ素
278	スリンダク	重金属、ヒ素

番号	医薬品各条名	純度試験において削除する項目
279	スルチアム	重金属、ヒ素
280	スルピリド	重金属
281	スルピリン水和物	重金属
282	スルファメチゾール	重金属、ヒ素
283	スルファメトキサゾール	重金属、ヒ素
284	スルファモノメトキシン水和物	重金属、ヒ素
285	スルフイソキサゾール	重金属
286	スルホブロモフタレインナトリウム	重金属、ヒ素
287	生理食塩液	重金属、ヒ素
288	セチリジン塩酸塩	重金属
289	セトチアミン塩酸塩水和物	重金属
290	セトラキサート塩酸塩	重金属、ヒ素
291	L－セリン	重金属
292	セレコキシブ	重金属
293	ゾニサミド	重金属
294	ゾピクロン	重金属
295	ゾルピデム酒石酸塩	重金属
296	D－ソルビトール	重金属、ヒ素、ニッケル
297	D－ソルビトール液	重金属、ヒ素、ニッケル
298	タウリン	重金属
299	タクロリムス水和物	重金属
300	ダナゾール	重金属
301	タムスロシン塩酸塩	重金属
302	タモキシフェンクエン酸塩	重金属
303	タルチレリン水和物	重金属
304	炭酸カリウム	重金属、ヒ素
305	沈降炭酸カルシウム	重金属、ヒ素、バリウム
306	炭酸水素ナトリウム	重金属、ヒ素
307	炭酸マグネシウム	重金属、ヒ素
308	炭酸リチウム	重金属、ヒ素、バリウム
309	ダントロレンナトリウム水和物	重金属
310	タンニン酸ジフェンヒドラミン	重金属
311	チアプリド塩酸塩	重金属
312	チアマゾール	重金属、ヒ素、セレン
313	チアミラールナトリウム	重金属
314	チアミン塩化物塩酸塩	重金属
315	チアミン硝化物	重金属
316	チアラミド塩酸塩	重金属、ヒ素
317	チオペンタールナトリウム	重金属
318	注射用チオペンタールナトリウム	重金属
319	チオリダジン塩酸塩	重金属、ヒ素
320	チオ硫酸ナトリウム水和物	重金属、ヒ素
321	チクロピジン塩酸塩	重金属、ヒ素
322	チザニジン塩酸塩	重金属
323	チニダゾール	重金属、ヒ素
324	チペピジンヒベンズ酸塩	重金属、ヒ素
325	チメピジウム臭化物水和物	重金属
326	チモロールマレイン酸塩	重金属
327	L－チロシン	重金属
328	ツロブテロール	重金属
329	ツロブテロール塩酸塩	重金属
330	テオフィリン	重金属、ヒ素
331	テガフール	重金属、ヒ素
332	デキサメタゾン	重金属
333	デキストラン40	重金属、ヒ素
334	デキストラン70	重金属、ヒ素
335	デキストラン硫酸エステルナトリウム　イオウ5	重金属、ヒ素
336	デキストラン硫酸エステルナトリウム　イオウ18	重金属、ヒ素
337	デキストリン	重金属
338	デキストロメトルファン臭化水素酸塩水和物	重金属
339	テトラカイン塩酸塩	重金属
340	デヒドロコール酸	重金属、バリウム

番号	医薬品各条名	純度試験において削除する項目
341	精製デヒドロコール酸	重金属、バリウム
342	デヒドロコール酸注射液	重金属
343	デフェロキサミンメシル酸塩	重金属、ヒ素
344	テプレノン	重金属
345	テモカプリル塩酸塩	重金属
346	テルビナフィン塩酸塩	重金属
347	テルブタリン硫酸塩	重金属、ヒ素
348	テルミサルタン	重金属
349	ドキサゾシンメシル酸塩	重金属
350	ドキサプラム塩酸塩水和物	重金属、ヒ素
351	ドキシフルリジン	重金属
352	トコフェロール	重金属
353	トコフェロール酢酸エステル	重金属
354	トコフェロールニコチン酸エステル	重金属、ヒ素
355	トスフロキサシントシル酸塩水和物	重金属、ヒ素
356	ドセタキセル水和物	重金属
357	ドドラジン塩酸塩水和物	重金属、ヒ素
358	ドネペジル塩酸塩	重金属
359	ドパミン塩酸塩	重金属、ヒ素
360	トフィソパム	重金属、ヒ素
361	ドブタミン塩酸塩	重金属
362	トラニラスト	重金属
363	トラネキサム酸	重金属、ヒ素
364	トラゾドン	重金属、ヒ素
365	トラマドール塩酸塩	重金属
366	トリアゾラム	重金属
367	トリアムシノロン	重金属
368	トリアムシノロンアセトニド	重金属
369	トリアムテレン	重金属、ヒ素
370	トリエンチン塩酸塩	重金属
371	トリクロホスナトリウム	重金属、ヒ素
372	トリクロルメチアジド	重金属、ヒ素
373	L-トリプトファン	重金属、ヒ素
374	トリヘキシフェニジル塩酸塩	重金属
375	トリメタジオン	重金属
376	トリメタジジン塩酸塩	重金属
377	トリメトキノール塩酸塩水和物	重金属
378	トリメブチンマレイン酸塩	重金属、ヒ素
379	ドルゾラミド塩酸塩	重金属
380	トルナフタート	重金属
381	トルブタミド	重金属
382	トルペリゾン塩酸塩	重金属
383	L-トレオニン	重金属、ヒ素
384	トレピブトン	重金属
385	ドロキシドパ	重金属、ヒ素
386	トロキシピド	重金属
387	トロピカミド	重金属
388	ドロペリドール	重金属
389	ドンペリドン	重金属
390	ナテグリニド	重金属
391	ナドロール	重金属
392	ナファゾリン硝酸塩	重金属
393	ナファモスタットメシル酸塩	重金属
394	ナフトピジル	重金属
395	ナブメトン	重金属
396	ナプロキセン	重金属、ヒ素
397	ナリジクス酸	重金属
398	ニカルジピン塩酸塩	重金属
399	ニコチン酸	重金属
400	ニコチン酸アミド	重金属
401	ニコモール	重金属、ヒ素
402	ニコランジル	重金属

番号	医薬品各条名	純度試験において削除する項目
403	ニザチジン	重金属
404	ニセリトロール	重金属、ヒ素
405	ニセルゴリン	重金属
406	ニトラゼパム	重金属、ヒ素
407	ニトレンジピン	重金属
408	ニフェジピン	重金属、ヒ素
409	乳酸	重金属
410	L－乳酸	重金属
411	乳酸カルシウム水和物	重金属、ヒ素
412	L－乳酸ナトリウム液	重金属、ヒ素
413	L－乳酸ナトリウムリンゲル液	重金属
414	尿素	重金属
415	ニルバジピン	重金属
416	ノスカピン	重金属
417	ノルゲストレル	重金属
418	ノルトリプチリン塩酸塩	重金属、ヒ素
419	ノルフロキサシン	重金属、ヒ素
420	バクロフェン	重金属、ヒ素
421	パズフロキサシンメシル酸塩	重金属
422	バメタン硫酸塩	重金属、ヒ素
423	パラアミノサリチル酸カルシウム水和物	重金属、ヒ素
424	バラシクロビル塩酸塩	重金属、パラジウム
425	L－バリン	重金属、ヒ素
426	バルサルタン	重金属
427	バルビタール	重金属
428	バルプロ酸ナトリウム	重金属
429	ハロキサゾラム	重金属、ヒ素
430	パロキセチン塩酸塩水和物	重金属
431	ハロペリドール	重金属
432	パンテチン	重金属、ヒ素
433	パントテン酸カルシウム	重金属
434	ピオグリタゾン塩酸塩	重金属
435	ビオチン	重金属、ヒ素
436	ビカルタミド	重金属
437	ピコスルファートナトリウム水和物	重金属、ヒ素
438	ビサコジル	重金属
439	L－ヒスチジン	重金属
440	L－ヒスチジン塩酸塩水和物	重金属
441	ビソプロロールフマル酸塩	重金属
442	ピタバスタチンカルシウム水和物	重金属
443	ヒドララジン塩酸塩	重金属
444	ヒドロキシジン塩酸塩	重金属
445	ヒドロキシジンパモ酸塩	重金属、ヒ素
446	ヒドロクロロチアジド	重金属
447	ヒドロコタルニン塩酸塩水和物	重金属
448	ヒドロコルチゾン酪酸エステル	重金属
449	ヒドロコルチゾンリン酸エステルナトリウム	重金属、ヒ素
450	ピブメシリナム塩酸塩	重金属、ヒ素
451	ピペミド酸水和物	重金属、ヒ素
452	ピペラジンアジピン酸塩	重金属
453	ピペラジンリン酸塩水和物	重金属、ヒ素
454	ビペリデン塩酸塩	重金属、ヒ素
455	ビホナゾール	重金属
456	ヒメクロモン	重金属、ヒ素
457	ピモジド	重金属、ヒ素
458	ピラジナミド	重金属
459	ピランテルパモ酸塩	重金属、ヒ素
460	ピリドキサールリン酸エステル水和物	重金属、ヒ素
461	ピリドキシン塩酸塩	重金属
462	ピリドスチグミン臭化物	重金属、ヒ素
463	ピルシカイニド塩酸塩水和物	重金属
464	ピレノキシン	重金属

番号	医薬品各条名	純度試験において削除する項目
465	ピレンゼピン塩酸塩水和物	重金属
466	ピロキシカム	重金属
467	ピンドロール	重金属、ヒ素
468	ファモチジン	重金属
469	フィトナジオン	重金属
470	フェキソフェナジン塩酸塩	重金属
471	フェニトイン	重金属
472	注射用フェニトインナトリウム	重金属
473	L-フェニルアラニン	重金属、ヒ素
474	フェニルブタゾン	重金属、ヒ素
475	フェノバルビタール	重金属
476	フェノフィブラート	重金属
477	フェルビナク	重金属
478	フェロジピン	重金属
479	フェンタニルクエン酸塩	重金属
480	フェンブフェン	重金属、ヒ素
481	ブクモロール塩酸塩	重金属、ヒ素
482	ブシラミン	重金属、ヒ素
483	ブスルファン	重金属
484	ブチルスコポラミン臭化物	重金属
485	ブテナフィン塩酸塩	重金属
486	ブドウ酒	ヒ素
487	フドステイン	重金属、ヒ素
488	ブトロピウム臭化物	重金属
489	ブナゾシン塩酸塩	重金属
490	ブピバカイン塩酸塩水和物	重金属
491	ブフェトロール塩酸塩	重金属
492	プロプラノロール塩酸塩	重金属、ヒ素
493	ブプレノルフィン塩酸塩	重金属
494	ブホルミン塩酸塩	重金属、ヒ素
495	ブメタニド	重金属、ヒ素
496	プラステロン硫酸エステルナトリウム水和物	重金属
497	プラゼパム	重金属、ヒ素
498	プラゾシン塩酸塩	重金属
499	プラノプロフェン	重金属
500	プラバスタチンナトリウム	重金属
501	フラビンアデニンジヌクレオチドナトリウム	重金属、ヒ素
502	フラボキサート塩酸塩	重金属、ヒ素
503	プランルカスト水和物	重金属、ヒ素
504	プリミドン	重金属
505	フルオロウラシル	重金属、ヒ素
506	フルオロメトロン	重金属
507	フルコナゾール	重金属
508	フルジアゼパム	重金属
509	フルシトシン	重金属、ヒ素
510	フルスルチアミン塩酸塩	重金属
511	フルタミド	重金属
512	フルトプラゼパム	重金属
513	フルドロコルチゾン酢酸エステル	重金属
514	フルニトラゼパム	重金属
515	フルフェナジンエナント酸エステル	重金属
516	フルボキサミンマレイン酸塩	重金属
517	フルラゼパム塩酸塩	重金属
518	フルルビプロフェン	重金属
519	フレカイニド酢酸塩	重金属
520	プレドニゾロン	セレン
521	プレドニゾロンリン酸エステルナトリウム	重金属
522	プロカイン塩酸塩	重金属
523	プロカインアミド塩酸塩	重金属、ヒ素
524	プロカテロール塩酸塩水和物	重金属
525	プロカルバジン塩酸塩	重金属
526	プログルミド	重金属、ヒ素

番号	医薬品各条名	純度試験において削除する項目
527	プロクロルペラジンマレイン酸塩	重金属
528	フロセミド	重金属
529	プロチオナミド	重金属、ヒ素
530	プロチゾラム	重金属
531	プロチレリン	重金属
532	プロチレリン酒石酸塩水和物	重金属、ヒ素
533	プロパフェノン塩酸塩	重金属
534	プロピベリン塩酸塩	重金属
535	プロブコール	重金属
536	プロプラノロール塩酸塩	重金属
537	フロプロピオン	重金属
538	プロベネシド	重金属、ヒ素
539	ブロマゼパム	重金属
540	ブロムフェナクナトリウム水和物	重金属
541	ブロムヘキシン塩酸塩	重金属
542	プロメタジン塩酸塩	重金属
543	ブロモクリプチンメシル酸塩	重金属
544	ブロモバレリル尿素	重金属、ヒ素
545	L－プロリン	重金属
546	ベカナマイシン硫酸塩	重金属、ヒ素
547	ベクロメタゾンプロピオン酸エステル	重金属
548	ベザフィブラート	重金属
549	ベタキソロール塩酸塩	重金属、ヒ素
550	ベタネコール塩化物	重金属
551	ベタヒスチンメシル酸塩	重金属
552	ベタミプロン	重金属
553	ベタメタゾン	重金属
554	ベタメタゾンジプロピオン酸エステル	重金属
555	ベニジピン塩酸塩	重金属
556	ベポタスチンベシル酸塩	重金属
557	ペミロラストカリウム	重金属
558	ベラパミル塩酸塩	重金属、ヒ素
559	ペルフェナジン	重金属
560	ペルフェナジンマレイン酸塩	重金属、ヒ素
561	ベルベリン塩化物水和物	重金属
562	ベンズブロマロン	重金属
563	ベンセラジド塩酸塩	重金属
564	ペンタゾシン	重金属、ヒ素
565	ペントキシベリンクエン酸塩	重金属、ヒ素
566	ペントバルビタールカルシウム	重金属
567	ベンプロール硫酸塩	重金属、ヒ素
568	ホウ酸	重金属、ヒ素
569	ホウ砂	重金属、ヒ素
570	ボグリボース	重金属
571	ポビドンヨード	重金属、ヒ素
572	ホモクロルシクリジン塩酸塩	重金属
573	ポラプレジンク	鉛
574	ポリコナゾール	重金属
575	ポリスチレンスルホン酸カルシウム	重金属、ヒ素
576	ポリスチレンスルホン酸ナトリウム	重金属、ヒ素
577	ホリナートカルシウム水和物	重金属
578	ホルモテロールフマル酸塩水和物	重金属
579	マニジピン塩酸塩	重金属、ヒ素
580	マプロチリン塩酸塩	重金属
581	マルトース水和物	重金属、ヒ素
582	ミグリトール	重金属
583	ミグレニン	重金属
584	ミコナゾール	重金属、ヒ素
585	ミコナゾール硝酸塩	重金属、ヒ素
586	ミゾリビン	重金属
587	ミチグリニドカルシウム水和物	重金属
588	メキシレチン塩酸塩	重金属

番号	医薬品各条名	純度試験において削除する項目
589	メキタジン	重金属
590	メクロフェノキサート塩酸塩	重金属、ヒ素
591	メサラジン	重金属
592	メストラノール	重金属、ヒ素
593	メダゼパム	重金属、ヒ素
594	L-メチオニン	重金属、ヒ素
595	メチクラン	重金属、ヒ素
596	メチラポン	重金属、ヒ素
597	dl-メチルエフェドリン塩酸塩	重金属
598	メチルジゴキシン	ヒ素
599	メチルドパ水和物	重金属、ヒ素
600	メチルプレドニゾロンコハク酸エステル	重金属、ヒ素
601	メテノロンエナント酸エステル	重金属
602	メテノロン酢酸エステル	重金属
603	メトキサレン	重金属、ヒ素
604	メトクロプラミド	重金属、ヒ素
605	メトプロロール酒石酸塩	重金属
606	メトホルミン塩酸塩	重金属
607	メドロキシプロゲステロン酢酸エステル	重金属
608	メトロニダゾール	重金属
609	メナテトレノン	重金属
610	メピチオスタン	重金属
611	メピバカイン塩酸塩	重金属
612	メフェナム酸	重金属、ヒ素
613	メフルシド	重金属、ヒ素
614	メフロキン塩酸塩	重金属、ヒ素
615	メベンゾラート臭化物	重金属、ヒ素
616	メルカプトプリン水和物	重金属
617	メルファラン	重金属、ヒ素
618	モサプリドクエン酸塩水和物	重金属
619	モンテルカストナトリウム	重金属
620	薬用石ケン	重金属
621	薬用炭	重金属、ヒ素
622	ユビデカレノン	重金属
623	ヨウ化カリウム	重金属、ヒ素、バリウム
624	ラクツロース	重金属、ヒ素
625	ラニチジン塩酸塩	重金属、ヒ素
626	ラノコナゾール	重金属
627	ラフチジン	重金属
628	ラベタロール塩酸塩	重金属
629	ラベプラゾールナトリウム	重金属
630	ランソプラゾール	重金属、ヒ素
631	リシノプリル水和物	重金属
632	L-リシン塩酸塩	重金属、ヒ素
633	L-リシン酢酸塩	重金属
634	リスペリドン	重金属
635	リセドロン酸ナトリウム水和物	重金属、ヒ素
636	リドカイン	重金属
637	リトドリン塩酸塩	重金属
638	リバビリン	重金属、ヒ素
639	リボフラビン酪酸エステル	重金属
640	硫酸亜鉛水和物	重金属、ヒ素
641	硫酸アルミニウムカリウム水和物	重金属、ヒ素
642	硫酸カリウム	重金属、ヒ素
643	硫酸鉄水和物	重金属、ヒ素
644	硫酸バリウム	重金属、ヒ素
645	硫酸マグネシウム水和物	重金属、ヒ素
646	リルマザホン塩酸塩水和物	重金属
647	リンゲル液	重金属、ヒ素
648	レバミピド	重金属
649	レバロルファン酒石酸塩	重金属
650	レボドパ	重金属、ヒ素

番号	医薬品各条名	純度試験において削除する項目
651	レボフロキサシン水和物	重金属
652	レボホリナートカルシウム水和物	重金属、白金
653	レボメプロマジンマレイン酸塩	重金属
654	L－ロイシン	重金属、ヒ素
655	ロキサチジン酢酸エステル塩酸塩	重金属
656	ロキソプロフェンナトリウム水和物	重金属
657	ロサルタンカリウム	重金属
658	ロスバスタチンカルシウム	重金属
659	ロフラゼプ酸エチル	重金属、ヒ素
660	ロベンザリットナトリウム	重金属、ヒ素
661	ロラゼパム	重金属、ヒ素
662	ワルファリンカリウム	重金属

表2. 抗生物質

番号	医薬品各条名	純度試験において削除する項目
1	アクラルビシン塩酸塩	重金属
2	アジスロマイシン水和物	重金属
3	アズトレオナム	重金属
4	アスポキシシリン水和物	重金属、ヒ素
5	アミカシン硫酸塩	重金属
6	アモキシシリン水和物	重金属、ヒ素
7	アルベカシン硫酸塩	重金属
8	無水アンピシリン	重金属、ヒ素
9	アンピシリン水和物	重金属、ヒ素
10	アンピシリンナトリウム	重金属、ヒ素
11	イセパマイシン硫酸塩	重金属
12	イダルビシン塩酸塩	銀
13	イミペネム水和物	重金属、ヒ素
14	エピルビシン塩酸塩	重金属
15	エリスロマイシン	重金属
16	エンビオマイシン硫酸塩	重金属、ヒ素
17	オキシテトラサイクリン塩酸塩	重金属
18	カナマイシン一硫酸塩	重金属、ヒ素
19	カナマイシン硫酸塩	重金属、ヒ素
20	カルモナムナトリウム	重金属、ヒ素
21	キタサマイシン酒石酸塩	重金属
22	クラブラン酸カリウム	重金属、ヒ素
23	クラリスロマイシン	重金属
24	クリンダマイシン塩酸塩	重金属
25	クリンダマイシンリン酸エステル	重金属、ヒ素
26	クロキサシリンナトリウム水和物	重金属、ヒ素
27	クロラムフェニコール	重金属
28	クロラムフェニコールコハク酸エステルナトリウム	重金属
29	クロラムフェニコールパルミチン酸エステル	重金属、ヒ素
30	ゲンタマイシン硫酸塩	重金属
31	コリスチンメタンスルホン酸ナトリウム	重金属、ヒ素
32	サイクロセリン	重金属
33	シクラシリン	重金属、ヒ素
34	ジベカシン硫酸塩	重金属
35	ジョサマイシン	重金属
36	ジョサマイシンプロピオン酸エステル	重金属
37	ストレプトマイシン硫酸塩	重金属、ヒ素
38	スピラマイシン酢酸エステル	重金属
39	スルタミシリントシル酸塩水和物	重金属
40	スルバクタムナトリウム	重金属
41	スルベニシリンナトリウム	重金属、ヒ素
42	セファクロル	重金属、ヒ素
43	セファゾリンナトリウム	重金属、ヒ素
44	セファゾリンナトリウム水和物	重金属
45	セファトリジンプロピレングリコール	重金属、ヒ素
46	セファドロキシル	重金属

番号	医薬品各条名	純度試験において削除する項目
47	セファレキシン	重金属、ヒ素
48	セファロチンナトリウム	重金属、ヒ素
49	セフェピム塩酸塩水和物	重金属
50	セフォジジムナトリウム	重金属、ヒ素
51	セフォゾプラン塩酸塩	重金属、ヒ素
52	セフォタキシムナトリウム	重金属、ヒ素
53	セフォチアム塩酸塩	重金属、ヒ素
54	セフォチアム ヘキセチル塩酸塩	重金属、ヒ素
55	セフォテタン	重金属
56	セフォペラゾンナトリウム	重金属、ヒ素
57	セフカペン ピボキシル塩酸塩水和物	重金属
58	セフジトレン ピボキシル	重金属
59	セフジニル	重金属
60	セフスロジンナトリウム	重金属、ヒ素
61	セフタジジム水和物	重金属
62	セフチゾキシムナトリウム	重金属、ヒ素
63	セフチブテン水和物	重金属
64	セフテラム ピボキシル	重金属
65	セフトリアキソンナトリウム水和物	重金属、ヒ素
66	セフピラミドナトリウム	重金属
67	セフピロム硫酸塩	重金属、ヒ素
68	セフブペラゾンナトリウム	重金属、ヒ素
69	セフポドキシム プロキセチル	重金属
70	セフミノクスナトリウム水和物	重金属、ヒ素
71	セフメタゾールナトリウム	重金属、ヒ素
72	セフメノキシム塩酸塩	重金属、ヒ素
73	セフロキサジン水和物	重金属
74	セフロキシム アキセチル	重金属
75	ダウノルビシン塩酸塩	重金属
76	タゾバクタム	重金属
77	タランピシリン塩酸塩	重金属、ヒ素
78	テイコプラニン	重金属、ヒ素
79	テトラサイクリン塩酸塩	重金属
80	デメチルクロルテトラサイクリン塩酸塩	重金属
81	ドキシサイクリン塩酸塩水和物	重金属
82	トブラマイシン	重金属
83	ドリペネム水和物	重金属
84	ナイスタチン	重金属
85	バカンピシリン塩酸塩	重金属、ヒ素
86	バシトラシン	重金属
87	パニペネム	重金属
88	バンコマイシン塩酸塩	重金属
89	ピペラシリン水和物	重金属
90	ピペラシリンナトリウム	重金属、ヒ素
91	ピマリシン	重金属
92	ピラルビシン	重金属
93	ファロペネムナトリウム水和物	重金属
94	フェネチシリンカリウム	重金属、ヒ素
95	フシジン酸ナトリウム	重金属
96	フラジオマイシン硫酸塩	重金属、ヒ素
97	ブレオマイシン塩酸塩	銅
98	ブレオマイシン硫酸塩	銅
99	フロモキセフナトリウム	重金属、ヒ素
100	ペプロマイシン硫酸塩	銅
101	ベンジルペニシリンカリウム	重金属、ヒ素
102	ベンジルペニシリンベンザチン水和物	重金属、ヒ素
103	ホスホマイシンカルシウム水和物	重金属、ヒ素
104	ホスホマイシンナトリウム	重金属、ヒ素
105	ポリミキシンB硫酸塩	重金属
106	ミクロノマイシン硫酸塩	重金属
107	ミデカマイシン	重金属
108	ミデカマイシン酢酸エステル	重金属

番号	医薬品各条名	純度試験において削除する項目
109	ミノサイクリン塩酸塩	重金属
110	ムピロシンカルシウム水和物	工程由来の無機塩類
111	メロペネム水和物	重金属
112	ラタモキセフナトリウム	重金属、ヒ素
113	リファンピシン	重金属、ヒ素
114	リボスタマイシン硫酸塩	重金属、ヒ素
115	リンコマイシン塩酸塩水和物	重金属
116	レナンピシリン塩酸塩	重金属、ヒ素
117	ロキシスロマイシン	重金属

表3. 生物薬品

番号	医薬品各条名	純度試験において削除する項目
1	ウリナスタチン	重金属
2	ウロキナーゼ	重金属
3	β－ガラクトシダーゼ（アスペルギルス）	重金属、ヒ素
4	β－ガラクトシダーゼ（ペニシリウム）	重金属、ヒ素
5	パルナパリンナトリウム	重金属
6	精製ヒアルロン酸ナトリウム	重金属
7	ヘパリンカルシウム	重金属、バリウム
8	ヘパリンナトリウム	バリウム
9	ヘパリンナトリウム注射液	バリウム
10	リゾチーム塩酸塩	重金属

表4. 医薬品添加物

番号	医薬品各条名	純度試験において削除する項目
1	亜硫酸水素ナトリウム	重金属
2	乾燥亜硫酸ナトリウム	重金属
3	イソマル水和物	重金属
4	エチルセルロース	重金属
5	エチレンジアミン	重金属
6	エデト酸カルシウムナトリウム水和物	重金属
7	塩化ナトリウム	重金属
8	カルメロース	重金属
9	カルメロースカルシウム	重金属
10	カルメロースナトリウム	重金属、ヒ素
11	クロスカルメロースナトリウム	重金属
12	無水クエン酸	重金属
13	クエン酸水和物	重金属
14	グリセリン	重金属
15	濃グリセリン	重金属
16	クロスポビドン	重金属
17	軽質無水ケイ酸	重金属
18	ケイ酸アルミン酸マグネシウム	重金属
19	メタケイ酸アルミン酸マグネシウム	重金属
20	硬化油	重金属
21	コポビドン	重金属
22	サッカリン	重金属
23	サッカリンナトリウム水和物	重金属
24	ステアリン酸	重金属
25	ステアリン酸カルシウム	重金属
26	ステアリン酸ポリオキシル40	重金属
27	ステアリン酸マグネシウム	重金属
28	セラセフェート	重金属
29	ゼラチン	重金属、ヒ素
30	精製ゼラチン	重金属、ヒ素
31	精製セラック	重金属
32	白色セラック	重金属
33	結晶セルロース	重金属
34	粉末セルロース	重金属
35	ソルビタンセスキオレイン酸エステル	重金属

番号	医薬品各条名	純度試験において削除する項目
36	乾燥炭酸ナトリウム	重金属
37	炭酸ナトリウム水和物	重金属
38	デンプングリコール酸ナトリウム	重金属
39	トレハロース水和物	重金属
40	無水乳糖	重金属
41	乳糖水和物	重金属
42	白糖	重金属
43	パラオキシ安息香酸エチル	重金属
44	パラオキシ安息香酸ブチル	重金属
45	パラオキシ安息香酸プロピル	重金属
46	パラオキシ安息香酸メチル	重金属
47	パラフィン	重金属
48	流動パラフィン	重金属
49	軽質流動パラフィン	重金属
50	ヒドロキシエチルセルロース	重金属
51	ヒドロキシプロピルセルロース	重金属
52	低置換度ヒドロキシプロピルセルロース	重金属
53	ヒプロメロース	重金属
54	ヒプロメロース酢酸エステルコハク酸エステル	重金属
55	ヒプロメロースフタル酸エステル	重金属
56	ピロ亜硫酸ナトリウム	重金属
57	ブドウ糖	重金属
58	精製ブドウ糖	重金属
59	ブドウ糖水和物	重金属
60	プルラン	重金属
61	プロピレングリコール	重金属
62	ポビドン	重金属
63	ポリソルベート80	重金属
64	D－マンニトール	重金属
65	メグルミン	重金属
66	メチルセルロース	重金属
67	モノステアリン酸アルミニウム	重金属
68	ヨウ化ナトリウム	重金属
69	無水リン酸水素カルシウム	重金属
70	リン酸水素カルシウム水和物	重金属
71	リン酸水素ナトリウム水和物	重金属
72	リン酸二水素カルシウム水和物	重金属
73	黄色ワセリン	重金属、ヒ素
74	白色ワセリン	重金属、ヒ素

参考情報「日本薬局方収載生薬の学名表記について」の改正について

令和4年9月
日本薬局方原案検討委員会生薬等委員会

　今般、参考情報「日本薬局方収載生薬の学名表記について」の改正に関する意見募集を開始するにあたり、本改正の背景等について、ご説明いたします。

　日本薬局方に収載される生薬の基原植物の学名は、日本薬局方原案作成要領において、「International Plant Name Index (IPNI)」を指針に記載する。(中略) 科名は、新エングラーの分類体系に従う、と定められております。一方、現在、植物分類学では、形態学的な特徴に基づく分類体系である新エングラーやクロンキストなどの体系に代わり、DNA情報を基にした分類体系であるAPG分類を用いることが一般的となっております。この乖離は、主に局方が学術書ではなく法令であるため、頻繁な記載の修正を避ける目的で、現在進行形で改訂作業が行われている分類体系の採用を見送ってきたことに起因しております。しかしながら、APG分類体系の最初の発表から20年以上が経過し、その間、解析データの蓄積と3度の改訂が行われたことにより、信頼できる新しい分類体系として成熟したことから、現在では、専門の研究分野にとどまらず、一般者向けの植物図鑑にも採用されております。この現状を鑑み、日局参考情報「日本薬局方収載生薬の学名表記について」を改正し、APG分類における科名を追記することといたしました。改正にあたり、以下の整理を行っております。

1．既存の参考情報では、和科名が記載されておりましたが、医薬品各条における記載がラテン語表記のみのため、和科名は削除しました。
2．Leguminosae、Labiataeなど、慣用的に長く用いられてきた科名については、『国際藻類・菌類・植物命名規約（深圳規約）2018』の第18.5、18.6条において、正式に発表されたものとして扱い、このものを正名とすることが明記されています。また、第18.5条には、該当する9つの科名に対する代替名も記載されているため、「正名／代替名」の体裁で記載しました。
　例）Leguminosae/Fabaceae
3．APG分類体系の対象外である裸子植物、藻類、真菌類及び動物に由来する生薬の基原種の科名については、米倉浩司、『新維管束植物分類表（北隆館）』及びGlobal Biodiversity Information Facility (GBIF: https://www.gbif.org) に従いました。マオウ、ロジン、マクリ、チョレイ、ブクリョウ、ボレイなどが該当しますが、現在の局方の記載と異なるものはありません。また、APG分類に該当しないこれらの品目については、表中、#印を付記しております。

　なお、意見募集に際し、確認作業の利便性を考慮し、改正参考情報の他に、新エングラーとAPG分類体系において、科名が異なる品目を抜き出したものを、参考資料として付けております。

以上

カラム情報

日本薬局方医薬品各条原案に係るカラムの情報の公開について

日本薬局方収載原案意見募集（令和3年12月24日分）に係るカラム情報の公開について

令和3年12月24日
独立行政法人医薬品医療機器総合機構
審査マネジメント部

　標記募集に当たり、「日本薬局方医薬品各条原案に係るカラムの情報の公開について」（平成28年3月1日付独立行政法人医薬品医療機器総合機構規格基準部医薬品基準課）（別添参照）の方針等に基づき、関連各条原案に係るカラム情報を以下のとおり公開します。

パブリックコメント掲載日	各条名	試験法名	カラム情報
令和3年12月24日	ボグリボース錠	確認試験	DOWEX™ 50Wx2 100-200 Mesh (H) Cation Exchange Resin
			DOWEX™ 50Wx4 100-200 Mesh (H) Cation Exchange Resin
令和3年12月1日	エンビオマイシン硫酸塩	成分含量比	InertSustain AQ-C18 HP
令和3年9月1日	アナストロゾール錠	製剤均一性、溶出性、定量法	Hicrom RPB
令和3年9月1日	ビカルタミド錠	定量法	Spherisorb ODS2
令和3年6月1日	ボグリボース口腔内崩壊錠	製剤均一性、溶出性、定量法	YMC-Pack Polyamine II
令和3年3月1日	ブデソニド	純度試験(2) 類縁物質、異性体比、定量法	Hypersil ODS C18 又は Discovery HS C18
令和2年9月1日	テモゾロミド	純度試験(2) 類縁物質	Spherisorb ODS2 5 µm 150 mm × 4.6 mm
		定量法	
		純度試験(3) アセトニトリル	J&W DB-WAX, 30 m × 0.53 mm fused silica, 1.0 µm film thickness
令和2年9月1日	テモゾロミドカプセル	確認試験	Spherisorb ODS2 5 µm 150 mm × 4.6 mm
		純度試験 類縁物質	
		製剤均一性	
		定量法	
令和2年9月1日	注射用テモゾロミド	確認試験	Spherisorb ODS2 5 µm 150 mm × 4.6 mm
		純度試験 類縁物質	
		定量法	
令和2年6月1日	アナストロゾール	純度試験(2) 類縁物質、定量法	Hichrom RPB
令和2年6月1日	ホルモテロールフマル酸塩水和物	純度試験(2) 類縁物質	Zorbax SB-C8
		純度試験(3) ジアステレオマー	Asahipak ODP-50
令和2年3月2日	オキシブチニン塩酸塩	純度試験(2) 類縁物質	Symmetry C8

※第十八改正日本薬局方第一追補掲載の品目に合わせて記載。

第十八改正日本薬局方第一追補への収載が見送られた品目
令和2年9月1日公開　精製白糖

別添

日本薬局方医薬品各条原案に係るカラムの情報の公開について

平成28年3月1日
独立行政法人医薬品医療機器総合機構
規格基準部　医薬品基準課

　日本薬局方の医薬品各条（生薬等に係るものを除く。以下同じ。）の原案に係るカラムの情報（カラムの名称（型番）等）について、下記の方針等により原則公開することとする取組を、今般開始しますので、御了知くださいますようお願いします。

記

1．標記の取組は、日本薬局方改正過程における透明性のより一層の確保が求められている中で、医薬品各条原案中カラムを用いる試験全般に関して、原案の作成において参照されたデータ等を得る上で用いられたカラムの情報を、当機構が、当該原案に係る意見公募開始と合わせ、当機構ホームページ上に掲載するものであること。

2．この公開は、意見公募の実施に当たって、上記1．の情報を、原案作成会社以外のステークホルダーとも広く共有し、もって意見公募の充実を期することを主たる目的として行うものであることから、代替で用いることが可能なその他のカラムの情報の追加、技術革新に伴う情報の更新等は原則行わないものであること。

3．公開されるカラムは、当該原案に係る医薬品各条の適用対象となり得る全ての検体に適用可能なものであることが確認されたものではないこと。

4．標記の取組は、「第十七改正日本薬局方原案作成要領（一部改正　その２）」（平成27年10月5日付規格基準部長通知（薬機規発第1005001号））の施行日以降に原案作成会社から医薬品各条の新規収載・改正に係る案（試験法の一部改正に係るものを含む。）が提出され、受理されたものから全面的に適用するものであること。ただし、上記通知の施行日以前に受理されていた案であっても、原案作成会社から協力が得られた場合には、標記取組の適用対象とすることができるものであること。

以上

日本薬局方医薬品各条（生薬等）原案に係るカラムの情報の公開について

令和4年3月1日
独立行政法人医薬品医療機器総合機構
審査マネジメント部

　医薬品各条　生薬等に収載される品目は、天然物の特性として多成分系であり、また、基原植物の二次代謝、生育環境、栽培条件、遺伝要因、加工方法の違い等により構成成分の組成及び含量に一定の範囲内で多様性が存在します。そのため、同一各条の試験においても、各社・各団体の有する試験検体に応じてカラムを選定する必要があり、原案検討においては、複数検体の試験結果を集約し、検討しているところです。原案検討時に検討されたカラムの情報を開示し、広く共有することは、社会における情報共有の点で有益であると考えられることから、日本薬局方の医薬品各条（生薬等）の原案に係るカラムの情報（カラムの名称（型番）等）について、下記の方針等により原則公開することとする取組を平成27年12月より開始しています。今般、第十八改正日本薬局方第一追補に収載予定の各条原案に係るカラム情報を新たに公開しますので、御了知くださいますようお願いします。

記

1．標記の取組は、日本薬局方改正過程における透明性のより一層の確保が求められている中で、医薬品各条（生薬等）原案中カラムを用いる試験全般に関して、原案の作成において参照されたデータ等を得る上で用いられたカラムの情報を、当機構ホームページ上に掲載するものであること。

2．代替で用いることが可能なその他のカラムの情報の追加、技術革新に伴う情報の更新等は原則行わないものであること。

3．公開されるカラムは、当該原案に係る医薬品各条の適用対象となり得る全ての検体に適用可能なものであることが確認されたものではないこと。

4．標記の取組は、第十七改正日本薬局方以降に収載された生薬関連製剤のエキス剤、及び「第十七改正日本薬局方原案作成要領（一部改正　その2）」（平成27年10月5日付規格基準部長通知（薬機規発第1005001号））の施行日以降に原案作成団体から医薬品各条の新規収載・改正に係る案（試験法の一部改正に係るものを含む。）が提出され、受理されたものから全面的に適用するものであること。

【公開履歴】
令和4年3月　　第十八改正日本薬局方第一追補に収載予定の生薬関連製剤のエキス剤
令和元年12月　第十八改正日本薬局方に収載予定の生薬関連製剤のエキス剤
平成30年6月　 第十七改正日本薬局方第二追補に収載予定の生薬関連製剤のエキス剤
平成29年1月　 第十七改正日本薬局方第一追補に収載予定の生薬関連製剤のエキス剤
平成27年12月　第十七改正日本薬局方に収載された生薬関連製剤のエキス剤

以上

令和4年3月1日

【第十八改正日本薬局方第一追補に収載予定の生薬関連製剤のエキス剤】

柴胡桂枝乾姜湯エキス：サイコサポニンb_2
（カラム：粒子径5 μm，4.6 mmID×15 cm）

カラム名
COSMOSIL 5C_{18}-MS-Ⅱ
Inertsil ODS-3
L-column2 ODS
Mightysil RP-18 GP
TSKgel ODS-100S
TSKgel ODS-120A
TSKgel ODS-80Ts
YMC-Pack ODS-A

柴胡桂枝乾姜湯エキス：バイカリン
（カラム：粒子径5 μm，4.6 mmID×15 cm）

カラム名
COSMOSIL 5C_{18}-AR-Ⅱ
COSMOSIL 5C_{18}-MS-Ⅱ
Mightysil RP-18GP
Mightysil RP-18GP Aqua
TSKgel ODS-80Ts
TSKgel ODS-80TsQA
YMC-Pack ODS-A

柴胡桂枝乾姜湯エキス：グリチルリチン酸
（カラム：粒子径5 μm，4.6 mmID×15 cm）

カラム名
Mightysil RP-18GP
TSKgel ODS-100S
TSKgel ODS-100V
TSKgel ODS-80Ts
TSKgel ODS-80TsQA
YMC-Pack ODS-A

抑肝散加陳皮半夏エキス：サイコサポニンb_2
（カラム：粒子径5 μm，4.6 mmID×15 cm）

カラム名
COSMOSIL 5C_{18}-AR-Ⅱ
Inertsil ODS-4V
Mightysil RP-18GP
TSKgel ODS-100S
TSKgel ODS-80TsQA
YMC-Pack ODS-A

抑肝散加陳皮半夏エキス：グリチルリチン酸
（カラム：粒子径5 μm，4.6 mmID×15 cm）

カラム名
Atlantis dC18
COSMOSIL 5C_{18}-AR-Ⅱ
Develosil ODS-HG-5
TSKgel ODS-100S
TSKgel ODS-80TsQA
YMC-Pack *Pro*-C18

抑肝散加陳皮半夏エキス：ヘスペリジン
（カラム：粒子径5 μm，4.6 mmID×15 cm）

カラム名
COSMOSIL 5C_{18}-AR-Ⅱ
Develosil ODS-HG-5
Mightysil RP-18GP
TSKgel ODS-100S
TSKgel ODS-100V
TSKgel ODS-80Ts
TSKgel ODS-80TsQA
YMC-Pack ODS-A
YMC-Pack *Pro*-C18

※第十八改正日本薬局方第一追補掲載の品目に合わせて記載。

資料2

第十九改正日本薬局方原案作成要領

薬機審マ発第0329001号
令和4年3月29日

(別記)殿

独立行政法人医薬品医療機器総合機構
審査マネジメント部長

第十九改正日本薬局方原案作成要領について

　平素より、当機構の日本薬局方業務に多々ご協力いただき御礼申し上げます。現在、日本薬局方の原案作成にあたっては、「第十八改正日本薬局方原案作成要領（一部改正　その2）」（令和2年12月21日薬機審マ発第1221001号　医薬品医療機器総合機構審査マネジメント部長通知）を活用しているところです。当該要領に関しては、日本薬局方原案検討委員会において、科学・技術の進歩や国際調和の発展を踏まえた新しい検討方針及び対応方法を検討してまいりました。

　第十九改正日本薬局方に関しては、厚生労働省から「第十九改正日本薬局方作成基本方針」（令和3年10月25日付け厚生労働省医薬・生活衛生局医薬品審査管理課事務連絡別添）が示されたことから、この作成基本方針に基づき、今般「第十九改正日本薬局方原案作成要領」をとりまとめ、下記の当機構ホームページに公開しましたのでお知らせいたします。

　つきましては、貴傘下団体・傘下企業の皆様に周知いただくようお願い申し上げます。

記

○第十九改正日本薬局方原案作成要領の掲載ページ
　URL：https://www.pmda.go.jp/rs-std-jp/standards-development/jp/0003.html

(別記)略

別添

第十九改正日本薬局方原案作成要領

令和4年3月
独立行政法人医薬品医療機器総合機構
審査マネジメント部

はじめに

　日本薬局方は医薬品、医療機器等の品質、有効性及び安全性の確保等に関する法律（昭和35年8月10日法律第145号。以下「法」という。）第41条により医薬品の品質の適正を図るために定められ、薬事行政、製薬企業、医療、薬学研究、薬学教育などに携わる多くの医薬品関係者により、それぞれの場で広く活用されています。また、厚生労働省から示された「第十九改正日本薬局方作成基本方針」（令和3年10月25日付け厚生労働省医薬・生活衛生局医薬品審査管理課事務連絡別添）には、「日本薬局方は我が国の医薬品の品質を適正に確保するために必要な規格・基準及び標準的試験法等を示す公的な規範書」と位置づけられています。日本薬局方が、この役割を果たすために、少なくとも10年に一度の全面改正が義務付けられており、実際には第九改正（昭和51年）以降は5年ごとに全面改正が行われ、さらに第十二改正（平成3年）からは全面改正の間に2度の追補が発行されています。また、日本薬局方の事務局機能を強化するために、平成16年度から、厚生労働省の委託を受け、薬事・食品衛生審議会日本薬局方部会以外の委員会組織の事務局として、医薬品医療機器総合機構が検討組織の運営を行っています。

　機構は日本薬局方の作成のため、分野毎に17の委員会を設置し、製薬企業等から提出された原案の検討を進めていますが、当該原案の完成度を高め、委員会での検討を円滑化するとともに日本薬局方全体の整合を図るため、原案作成のための要領を定め公開しているところです。第十九改正日本薬局方については上記のとおり厚生労働省から「第十九改正日本薬局方作成基本方針」が示されたことから、今般、この作成基本方針に基づき、原案作成要領の見直しを行いました。見直しされた要領は、第十八改正日本薬局方第一追補（令和4年12月告示予定）以降の改正にも適用することとしております。

　本要領が、薬事行政、製薬企業、医療、薬学研究、薬学教育に携わる皆様に、それぞれの場面に応じご活用いただければ幸いです。なお、科学・技術の進歩と医療需要等に応じ、本要領を改正する必要が生じた場合には、適宜、見直しを行う予定です。

　終わりに、本要領の作成に際し、ご尽力頂いた国立医薬品食品衛生研究所所長合田幸広先生他日本薬局方原案検討委員会総合小委員会の皆様に厚く御礼を申し上げます。

令和4年3月

独立行政法人　医薬品医療機器総合機構
審査マネジメント部長

日本薬局方原案検討委員会総合小委員会委員（五十音順）

	氏名	所属
	石井　明子	国立医薬品食品衛生研究所　生物薬品部長
	伊豆津　健一	国立医薬品食品衛生研究所　薬品部長
	伊藤　亮一	公益社団法人 東京医薬品工業協会
	加藤　くみ子	北里大学　薬学部　教授
	川原崎　芳彦	関西医薬品協会
	菊池　裕	千葉県立保健医療大学　健康科学部　栄養学科　教授
	栗原　正明	湘南医療大学　薬学部　薬化学教室　教授
座長	合田　幸広	国立医薬品食品衛生研究所　所長
	坂本　知昭	国立医薬品食品衛生研究所　薬品部　第三室長
	袴塚　高志	国立医薬品食品衛生研究所　生薬部長
	花尻　瑠理	国立医薬品食品衛生研究所　生薬部　第三室長
	丸山　卓郎	国立医薬品食品衛生研究所　生薬部　主任研究官
	宮崎　玉樹	国立医薬品食品衛生研究所　薬品部　主任研究官
	米持　悦生	星薬科大学　薬学部　教授

令和4年3月現在

目　次

第十九改正日本薬局方原案作成要領
1. 目　　的
2. 構　　成
3. 対　　象
4. 適　　用

第一部　第十九改正日本薬局方原案の作成に関する細則
1. 基本的事項
1.1 規格及び試験方法の設定
1.2 有害な試薬の扱い
2. 一般的事項
2.1 用語及び用字
2.2 規格値／判定基準及び実測値
2.3 単位及び記号
2.4 温度
2.5 圧力
2.6 時間
2.7 質量百分率及び濃度
2.8 長さ
2.9 質量
2.10 容量
2.11 計算式の記載方法
2.12 一般試験法番号の記載方法
2.13 国際調和に関する記載方法
2.14 その他
3. 医薬品各条
3.1 各条の内容及び記載順
3.2 日本名
3.3 英名
3.4 日本名別名
3.5 ラテン名
3.6 構造式
3.7 分子式及び分子量（組成式及び式量）
3.8 化学名及びケミカル・アブストラクツ・サービス（CAS）登録番号
3.9 基原
3.10 成分の含量規定
3.11 表示規定
3.12 製法
3.13 製造要件
3.14 性状
3.15 生薬の性状
3.16 確認試験
3.17 示性値
3.18 純度試験
3.19 意図的混入有害物質
3.20 乾燥減量，水分又は強熱減量
3.21 強熱残分，灰分又は酸不溶性灰分
3.22 製剤試験
3.23 その他の試験
3.24 定量又は成分の含量
3.25 貯法
3.26 有効期間
3.27 その他
4. 液体クロマトグラフィー等を用いる場合の表記
4.1 記載事項
4.2 試験条件の記載事項及び表記例
4.3 システム適合性
4.4 その他の記載例
5. ICP発光分光分析法及びICP質量分析法を用いる場合の記載例
5.1 ICP発光分光分析法
5.2 ICP質量分析法
6. 核磁気共鳴スペクトル測定法による定量NMR（qNMR）を用いる場合の記載例
6.1 定量^{1}H NMR測定法
6.2 定量^{1}H NMR測定法の一般試験法「9.41　試薬・試液」の項，又は標準品品質標準の「様式-標2」への記載に際しての留意点
7. その他
7.1 標準品及び標準物質
7.2 試薬・試液等

第二部　医薬品各条原案の提出資料とその作成方法
別添1　「標準品品質標準」原案の提出資料とその作成方法
別添2　「標準品品質標準」原案の提出資料とその作成方法（生物薬品（バイオテクノロジー応用医薬品／生物起源由来医薬品）標準品）
別添3　「標準品品質標準」原案の提出資料とその作成方法（システム適合性試験用標準品）

付表及び用字例付表
塩化物の％換算表
硫酸塩の％換算表
重金属のppm及び％換算表
ヒ素のppm換算表
乾燥減量及び強熱残分の％記載法
「原子量表（2017）」について
変動範囲による原子量の表記について
原子量表（2017）
原子量表（2010）
用字例

第十九改正日本薬局方原案作成要領

1. 目　的
本要領は「原案」の具体的な作成方法，記載方法など第十九改正日本薬局方の作成にあたって必要な事項を定めることにより，「原案」の完成度を高め，委員会検討を円滑化し，日本薬局方全体の記載整備を図ることを目的とする．

2. 構　成
本要領は，「第一部　第十九改正日本薬局方原案の作成に関する細則」及び「第二部　医薬品各条原案の提出資料とその作成方法」からなる．
「第一部　第十九改正日本薬局方原案の作成に関する細則」は，薬局方の医薬品各条を改正するにあたり，必要とされる具体的な原案の作成方針，記載方法等を定めたものである．
「第二部　医薬品各条原案の提出資料とその作成方法」は，規定の様式による医薬品各条原案の作成及び提出ができるよう，注意事項などを定めたものである．

3. 対　象
本要領は「医薬品各条の原薬及びその製剤」を対象とする．
なお，本要領に記載のない事項については，当該各条の特殊性に応じた記載をすることができる．
また，一般試験法の記載についても可能な範囲で適用する．

4. 適　用
本要領は，原則として第十九改正日本薬局方に適用するが，その考え方については今後予定される第十八改正日本薬局方の一部改正（追補を含む）においても適用する．

第一部
第十九改正日本薬局方原案の作成に関する細則

1. 基本的事項

1.1 規格及び試験方法の設定

1.1.1 試験項目の設定
日本薬局方は，法第41条の規定により，医薬品の適正な性状及び品質の確保を図ることを目的とするものであり，試験項目としては，有効性，安全性に関して同等とみなすことができる一定の品質を総合的に保証する上で必要な試験項目を設定する．ただし，当該品目の原料，製造工程等からみて，適正な品質を確保できることが明らかであるなど合理的な理由がある場合には，3.1に規定するすべての項目を設定する必要はない．

1.1.2 規格値／判定基準の設定
規格値／判定基準には，必ずしも高い純度や含量を求めるのではなく，当該医薬品の有効性と安全性を確保することができるよう，実測値及び必要に応じて安全性試験や安定性試験（長期保存試験等）の結果等に基づき，一定の品質の保証に必要な限度値，許容範囲，その他の適切な基準を設定する．ただし，生物薬品などの工程由来不純物，製剤の溶出性，浸透圧比／pH等にみられるように，同一品目であっても製法が異なることなどによって，一定の品質の保証に必要な値を画一的に設定することが極めて困難な場合には，試験項目を設定した場合にあっても，規格値／判定基準の設定は行わず，法に基づく承認の際などに規格値／判定基準を設定させることができる．なお，局外規記載の規格値／判定基準を設定する場合にあっても，提出された実測値に基づいて審議するため，実測値を考慮した規格値／判定基準の提案が望ましい．

1.1.3 試験方法の設定
試験方法は，医薬品の品質の適否が明確となるように設定する．規格値／判定基準を法に基づく承認の際などに設定させる試験項目にあっては，試験方法を必ずしも設定する必要はない．
試験方法は，必要な目的が達せられるかぎり，簡易なものとなるよう配慮する．さらに，試験の妥当性を必要に応じて確認できる操作法，標準溶液と共に試験するなど目的が達せられる感度及び精度が得られていることが確認できる操作法などを試験法中に導入し，合理的なものとなるよう配慮する．このような観点から，確認試験，純度試験への機器分析の導入，定量法への相対試験法の導入等，簡便で鋭敏な試験法を積極的に導入する．
試料の調製法の規定に当たっては，試験に用いる試料並びに試薬の使用量を可能な限り低減するよう努める．

1.1.4 「別に規定する」の定義
各条原案作成時には必要な試験項目と規格値／判定基準を設定する．
しかしながら，原案検討委員会の検討を経て，1.1.2にあるように，生物薬品などの工程由来不純物，製剤の溶出性，浸透圧比／pH等にみられるように，同一品目であっても製法が異なることなどによって，一定の品質の保証に必要な値を画一的に設定することが極めて困難で，知的所有権の一部で保護されるべき内容等については，規格値／判定基準の設定は行わず，「別に規定する」と記載することができる．
「別に規定する」とは，法に基づく製造販売承認書の中の規格値／判定基準として別途規定されていることを意味する．なお，法に基づく承認審査において設定する必要がないと判断され，承認書に規定されない場合も含む．

1.2　有害な試薬の扱い

有害な試薬を用いないなど，人及び環境への影響に配慮した試験方法となるよう努める．

次のような試薬については使用を避けるか，又は使用量を最小限にする．

　　有害で試験者への曝露が懸念される試薬
　　有害作用及び残留性等で環境への負荷が大きい試薬
　　特殊な取扱いが必要な試薬（麻薬や覚醒剤等）

次の試薬は，原則として用いない．

　　水銀化合物
　　シアン化合物
　　ベンゼン
　　四塩化炭素
　　1,2-ジクロロエタン
　　1,1-ジクロロエテン
　　1,1,1-トリクロロエタン
　　1,4-ジオキサン

次の試薬は，代替溶媒がない場合についてのみ使用できる．

　　ハロゲン化合物（クロロホルム，ジクロロメタンなど．クロロホルムとジクロロメタンのどちらも選択可能な場合はジクロロメタンを優先して選択する．）
　　二硫化炭素

2.　一般的事項

2.1　用語及び用字

薬局方の記載は，口語体で，横書きとする．

用語については，原則として次の用語集などに従う．

　　常用漢字及び現代仮名遣い
　　文部科学省『学術用語集』

なお，著しく誤解を招きやすいものについては，常用漢字以外の漢字を用いてもよい．

2.1.1　おくりがななどの表記

おくりがな，かなで書くもの，文字の書き換え及び術語等については，原則として用字例による．ただし，顆，煎，膏，漿，絆，坐等は用いる．

2.1.2　検液及び標準液

「検液」及び「標準液」は，それぞれ一般試験法中の各試験法又は標準液の項に規定されたものを用いる．

医薬品各条で調製する場合は，「検液」は「試料溶液」，「標準液」は「標準溶液」と記載する．

2.1.3　句読点

句読点は「，」「．」「：」を用いる．句読点は誤解が生じないよう適宜用いる．

2.1.4　医薬品名，試薬名，外来語及び動植物名

次のものは，原則としてカタカナ又は常用漢字で表記する．

　　医薬品名
　　試薬名

また，次のものは，原則としてカタカナで表記する．

　　外来語
　　植物名
　　動物名

2.1.5　繰り返し符号

繰り返し符号の「々」「ゝ」「ゞ」は，原則として用いない．ただし，慣用語（例：各々，徐々に）には用いても差し支えない．

2.1.6　数字

数字は算用数字（アラビア数字）を用いる．

また，必要に応じてローマ数字を用いることができ，慣用語などについては漢数字を用いる．

［例］　一般，一次，一度，一部，一つ，二層，四捨五入，二酸化硫黄，二塩酸塩，二グルコン酸塩，三水和物，エチレンジアミン四酢酸二ナトリウム，酸化リン(V)

2.1.6.1　大きな数字の表記

数字は連続して表記し，3桁ごとにカンマ（,）等で区切らない．

2.1.7　文字及び記号

原則としてJIS第一水準及び第二水準の文字，記号などを用いる．

また，動植物又は細菌等の学名，物理量を表す記号（例えば，屈折率n，比重d等）及び数式中の変数（例えば，吸光度A_1，ピーク面積比Q_Sなど）などは，原則としてイタリック体を用いる．

2.1.7.1　変数の代数表記

変数の代数表記は下記による．

　　質量：M
　　容量：V
　　吸光度：A
　　ピーク面積：A
　　ピーク高さ：H
　　ピーク面積等の比：Q
　　ピーク面積等の和：S
　　製剤単位の表示量：C

2.1.8　括弧の使い方

括弧の使用順は，原則として次のとおりとする．

　　括弧の使用順：（　｛　［　（　）　］　｝　）

［例］　2-{(Z)-(2-Aminothiazol-4-yl)-[(2S, 3S)-2-methyl-
　　　　4-oxo-1-sulfoazetidin-
　　　　3-ylcarbamoyl]methyleneaminooxy}-
　　　　2-methyl-1-propanoic acid
　　　リゾチームの量[mg(力価)]
　　　クロラムフェニコール($C_{11}H_{12}Cl_2N_2O_5$)の量[μg(力価)]

ただし，計算式の場合は下記の使用順とする．

　　計算式の場合の括弧の使用順：［　｛　（　）　｝　］

［例］　デスアミド体以外の類縁物質の量(%)
　　　$= [\{A_T - (A_I + A_D)\} / A_T] \times 100$

2.2　規格値／判定基準及び実測値

2.2.1　規格値及び実測値の定義

規格値とは，示性値，純度試験，特殊試験，定量法等で，試験の最終成績に基づいて適否の判定をする際に，基準となる数値をいう．

実測値とは，それぞれの項に記載された方法に従って試験して得た測定結果をいう．

2.2.2　規格値

2.2.2.1　規格値の表記

規格値は，例えば，○～○%，△～△℃ のように範囲で示すか，又は▽% 以下（以上，未満）のように示す．

2.2.2.2　規格値の桁数

規格値の桁数は，実測値の有効数字の桁数を考慮し，一定の品質を確保する観点から必要な桁数とする．

規格値が1000以上の場合で，その有効数字の桁数を明確にする必要がある場合は，規格値をべき数で表記することができる．

［例］ 10000 ～ 12000単位 → $1.0×10^4$ ～ $1.2×10^4$単位
 30000単位以上 → $3.0×10^4$単位以上

また，微生物限度の規格値については10^1，10^2，10^3と表記する．
［例］ 本品1 mL当たり，総好気性微生物数の許容基準は10^2 CFU，総真菌数の許容基準は10^1CFUである．

2.2.3 実測値の丸め方

規格値又は規格値の有効数字の桁数がn桁の場合，通則の規定に従い，実測値を$n+1$桁目まで求めた後，$n+1$桁目の数値を四捨五入して，n桁の数値とする．

実測値が更に多くの桁数まで求められる場合は，$n+2$桁目以下は切り捨て，$n+1$桁目の数値を四捨五入して，n桁の数値とする．

［例］ 規格値又は規格値の有効数字が2桁の場合
 1.23 → 1.2, 1.25 → 1.3, 1.249 → 1.2
 $2.54×10^3$ (2540) → $2.5×10^3$ (2500), $2.56×10^3$ (2560) → $2.6×10^3$ (2600),
 $2.549×10^3$ (2549) → $2.5×10^3$ (2500)

2.3 単位及び記号

通則の規定に従い，SI単位系に整合した物理的及び化学的な単位を用いる．ただし，エンドトキシン単位のような生物学的単位はこの限りでない．

また，w/v%については，製剤の処方又は成分などの濃度を示す場合に限定して用いる．

メートル	m
センチメートル	cm
ミリメートル	mm
マイクロメートル	μm
ナノメートル	nm
キログラム	kg
グラム	g
ミリグラム	mg
マイクログラム	μg
ナノグラム	ng
ピコグラム	pg
モル	mol
ミリモル	mmol
セルシウス度	℃
平方センチメートル	cm^2
リットル	L
ミリリットル	mL
マイクロリットル	μL
メガヘルツ	MHz
ニュートン	N
毎センチメートル	cm^{-1}
キロパスカル	kPa
パスカル	Pa
モル毎リットル	mol/L
ミリモル毎リットル	mmol/L
パスカル秒	Pa・s
ミリパスカル秒	mPa・s
平方ミリメートル毎秒	mm^2/s
ルクス	lx
質量百分率	%
質量百万分率	ppm
質量十億分率	ppb
体積百分率	vol%
体積百万分率	vol ppm
質量対容量百分率	w/v%
マイクロジーメンス毎センチメートル	$μS・cm^{-1}$
ピーエイチ	pH
エンドトキシン単位	EU
コロニー形成単位	CFU
ラジアン	rad
度（角度）	°
オスモル	Osm
ミリオスモル	mOsm
当量	Eq
ミリ当量	mEq

2.4 温度

試験又は貯蔵に用いる温度は，原則として具体的な数値で記載する．ただし，以下の記述を用いることができる．

2.4.1 温度に関する定義

2.4.1.1 温度に関する用語の定義

温度に関する用語に対応する具体的な温度は，次のとおりである．

「標準温度」	20℃
「常温」	15 ～ 25℃
「室温」	1 ～ 30℃
「微温」	30 ～ 40℃

2.4.1.2 「冷所」の定義

「冷所」は，別に規定するもののほか，1 ～ 15℃の場所をいう．

2.4.1.3 水の温度に関する用語の定義

水の温度に関する用語に対応する具体的な温度は，次のとおりである．

「冷水」	10℃ 以下
「微温湯」	30 ～ 40℃
「温湯」	60 ～ 70℃
「熱湯」	約100℃

2.4.1.4 「加温」の定義など

「加温する」とは，通例，60 ～ 70℃に熱することをいう．
なお，「加熱する」又は「強熱する」場合は，できるかぎり具体的な温度を記載する．

2.4.1.5 「加熱した溶媒（熱溶媒）」及び「加温した溶媒（温溶媒）」の定義

「加熱した溶媒」又は「熱溶媒」とは，その溶媒の沸点付近の温度に熱した溶媒をいう．

「加温した溶媒」又は「温溶媒」とは，通例，60 ～ 70℃に熱した溶媒をいう．

2.4.1.6 「冷浸」及び「温浸」の定義

「冷浸」は，通例，15 ～ 25℃で行う．
「温浸」は，通例，35 ～ 45℃で行う．

2.4.1.7 水浴などを用いての加熱に関する定義

「水浴上で加熱する」とは，別に規定するもののほか，沸騰している水浴上で加熱することをいう．

ただし,「水浴」の代わりに「約100℃の蒸気浴」を用いることができる.
「還流冷却器を付けて加熱する」とは,別に規定するもののほか,その溶媒を沸騰させて,溶媒を還流させることである.

2.4.2 温度の表記
温度の表記は,**2.3**の規定に従い,セルシウス温度を用いて,アラビア数字の後に「℃」を付ける.

2.4.3 温度の表記における許容範囲
試験操作法などにおいて,一点で温度を示す場合,その許容範囲は,通例,±3℃とする.

また,原則として約○℃という温度の表記は用いず,試験操作法などの必要に応じ,37±1℃又は32 〜 37℃のように範囲を記載する.

2.4.4 クロマトグラフィーのカラム温度の表記
クロマトグラフィーにおけるカラム温度は,「××℃付近の一定温度」と記載し,「室温」は用いない.

2.5 圧力
2.5.1 圧力の表記
圧力の表記は,**2.3**の規定に従い,パスカルを基本単位とし,必要に応じて,補助単位と組み合わせて用いる.

2.5.2 圧力の表記における許容範囲
試験操作法などにおいて,一点で圧力を示す場合,その許容範囲は,通例,±10%とする.また,原則として約○ kPaという圧力の表記は用いず,試験操作法などの必要に応じ,50±2 kPaのように範囲を記載する.

2.5.3 「減圧」の定義
「減圧」とは,別に規定するもののほか,2.0 kPa以下とする.

2.6 時間
2.6.1 時間の表記
時間の表記には,「秒」,「分」,「時間」,「日」,「箇月」を用いる.

また,これらの単位を組み合わせて用いることは避け,整数で小さな数値となる一つの単位を用いることとし,関連する記述の中では原則として共通の単位を用いることとする.

[例] 1時間30分は,通例,90分と記載し,1.5時間又は5400秒とは記載しない.

2.6.2 時間の表記における許容範囲
試験操作法などにおいて,一点で時間を示す場合,その許容範囲は,通例,±10%とする.ただし,液体クロマトグラフィー及びガスクロマトグラフィーの保持時間については,本規定の限りではない.

2.6.3 「直ちに」の定義
医薬品の試験の操作において,「直ちに」とあるのは,通例,前の操作の終了から30秒以内に次の操作を開始することを意味する.

2.7 質量百分率及び濃度
2.7.1 百分率などによる表記
百分率の表記は,**2.3**の規定に従い,質量百分率は「%」,体積百分率は「vol%」の記号を用いて表す.

通則においては,製剤に関する処方又は成分などの濃度を示す場合に限り,「w/v%」を用いることができると規定されているが,新たに原案を作成する場合は,製剤総則に「有効成分の濃度を%で示す場合はw/v%を意味する」という規定のある注射剤と点眼剤,腹膜透析用剤,点耳剤以外については,特段の混乱を生じさせない限り「w/v%」以外の単位(例えば,「%」又は「vol%」など)を用いることが望ましい.

また,質量百万分率は「ppm」,質量十億分率は「ppb」,体積百万分率は「vol ppm」の記号を用いる.ただし,一般試験法2.21核磁気共鳴スペクトル測定法で用いるppmは化学シフトを示す.

2.7.2 矢印を用いた表記
「＊＊の□□溶液(○→△)」とは,固形の試薬においては○ g,液状の試薬においては○ mLを溶媒□□に溶かし,全量を△ mLとした場合と同じ比率になるように調製した＊＊の□□溶液のことである.

「＊＊溶液(○→△)」とは,○ gの＊＊を水に溶かし,全量を△ mLとした場合と同じ比率になるように調製した＊＊の水溶液のことである.

すなわち,○及び△の数値は比率を示すものであって,採取する絶対量を示すものではない.記載に当たっては,最小の整数となるように示す.例えば,(25→100)や(0.25→1)ではなく,(1→4)とする.

[例] 「パラオキシ安息香酸メチルのアセトニトリル溶液(3→4000)」とは,パラオキシ安息香酸メチル3 gをアセトニトリルに溶かし,4000 mLとした場合と同じ比率になるように調製したパラオキシ安息香酸メチルのアセトニトリル溶液のことである.

「水酸化ナトリウム溶液(1→25)」とは,水酸化ナトリウム1 gを水に溶かし,25 mLとした場合と同じ比率になるように調製した水酸化ナトリウム水溶液のことである.

2.7.3 モル濃度による表記
溶液の濃度の表記に当たっては,**2.7.2**のほか,モル濃度などによることができる.

[例] mol/L＊＊溶液

2.7.4 混液の表記
混液は,各試薬・試液名の間にスラッシュ「/」を入れて組成を表記する.

○○○/△△△混液(10:1)又は＊＊＊/□□□/▽▽▽混液(5:3:1)などは,液状試薬・試液の○○○ 10容量と△△△ 1容量の混液又は＊＊＊ 5容量と□□□ 3容量と▽▽▽ 1容量の混液などを意味する.ただし,容量の大きいものから先に記載し,容量が等しい場合は,**3.14.7.1**溶解性の記載順序の溶解性が同じ場合の記載順に従う.

[例] アセトン/ヘキサン混液(3:1)[ヘキサン/アセトン混液(1:3)とは記載しない.]

2.7.5 濃度の表記における許容範囲
溶液の濃度に関する数値の許容範囲は,通例,±10%とする.

2.8 長さ
2.8.1 長さの表記
長さの表記は,**2.3**の規定に従い,通例,一つの単位の記号を用いて整数で記載する.

[例] 2 m 10 cmは210 cm,2.5 cmは25 mm

2.8.2 長さの表記における許容範囲
試験操作法などにおいて,一点で長さを示す場合,通例,その許容範囲は±10%とする.

2.8.3 図における器具などの寸法
一般試験法及び医薬品各条の図中の器具等の寸法はmmで示す.概略の数値を示す場合は「約」を付して記載する.

2.9 質量

2.9.1 質量の表記

質量の表記は，**2.3**の規定に従い，「〇 mgをとる」，「約〇 mgを精密に量る」又は「〇 mgを正確に量る」のように記載する．「約〇 mgを精密に量る」とは，記載された量の±10%の試料につき，化学はかりを用いて0.1 mgまで読みとるか，又はセミミクロ化学はかりを用いて10 µgまで読みとることを意味する．化学はかり又は，セミミクロ化学はかりのいずれを用いるかは，規格値の桁数を考慮して定める．

ミクロ化学はかり及びウルトラミクロ化学はかりを用いる場合には，その旨を規定し，それぞれ，1 µg，0.1 µgまで読みとる．

2.9.2 「正確に量る」の意味

質量を「正確に量る」とは，指示された数値の質量をその桁数まで量ることを意味する．

「〇 mgを正確に量る」と「〇 mgをとる」とは同じ意味であり，指示された数値の次の桁を四捨五入して，〇 mgとなることを意味する．

50 mg	とは	49.5	～ 50.4 mg
50.0 mg	とは	49.95	～ 50.04 mg
0.10 g	とは	0.095	～ 0.104 g
2.000 g	とは	1.9995	～ 2.0004 g
5 g	とは	4.5	～ 5.4 g

を量ることを意味する．

試料，試薬などの質量の桁数は，要求される実測値の桁数を考慮して，必要な桁数まで記載する．

2.9.3 質量の単位の表記

質量の単位は，原則として次のとおりとする．

100 ng未満	ng
100 ng以上 100 µg未満	µg
100 µg以上 100 mg未満	mg
100 mg以上	g

2.10 容量

2.10.1 容量の表記

容量の表記は，**2.3**の規定に従い，「〇 mLをとる」，「〇 mLを正確に量る」又は「正確に〇 mLとする」のように記載する．

試料，試薬などの容量で，特に正確を要する場合には「正確に」という用語を用いるか，メスフラスコなどの化学用体積計を用いる旨明確に記載する．

［例］「本品5 mLを正確に量り，…」とは，通例，5 mLの全量ピペットを用いることを意味し，「〇〇 mLを正確に量り，水を加えて正確に100 mLとする．」とは，〇〇 mLを正確に100 mLのメスフラスコにとり，水を標線まで加えることを意味する．

「水を加えて50 mLとする．」とは，通例，メスシリンダーを用いることを意味する．

2.10.2 容量の単位の表記

容量の単位は，原則として次のとおりとする．

100 µL未満	µL
100 µL以上　1 mL 未満	mL
（必要に応じてµLを使用してもよい）	
1 mL以上　5000 mL 未満	mL
5000 mL以上	L

2.11 計算式の記載方法

計算式の右辺は変数，定数の順に記載し，変数は代数表記とする．なお，計算式においては容量分析用標準液のファクターは記載しない．

2.11.1 分数の表記について

① 分数は，原則としてスラッシュ表記とする．
② スラッシュ表記の分数項は括弧でくくらず，分数項の前後に半角スペースを挿入する．
　　記載例：＊＊の量(mg) ＝ $M_S \times A_T / A_S$
③ 例えば下記のような場合であって，スラッシュ表記が誤解や混乱を招きやすくすると考えられる場合はスラッシュ表記としない．
　　1) 分数式の分子又は分母に分数式が含まれる場合
　　2) 三重以上の括弧を含む式であって，計算式右辺に改行が必要となる場合

2.11.2 分子量換算係数等の小数となる換算係数の記載桁数

吸光度法，クロマトグラフィー等の計算式の分子量換算係数等は，有効数字3桁，又は小数第3位まで記載する．

2.11.3 定数の記載

定数項の記載順は希釈等補正係数，分子量換算係数の順とする．

定量法，含量均一性試験，溶出試験等では分子量換算係数以外の希釈等補正係数は，項を分けることなく，合算結果を一つの定数として記載する．

純度試験では分子量換算係数などを別項とする必要がある場合を除き，全ての定数の合算結果を一つの定数として記載する．

2.11.4 定数の説明

原案においては，計算式の理解を助けるように定数の説明を記載することができる．

2.12 一般試験法番号の記載方法

2.12.1 一般試験法番号記載方針

製剤総則，一般試験法，医薬品各条の適否判定にかかわる試験の実施及び判定等において参照すべき一般試験法の番号を，"〈　〉"で囲んで記載する．

適否の判定基準に該当しない医薬品各条の性状の項及び参考情報には，特に必要のない場合には，一般試験法番号を記載しない．また，「不溶性微粒子試験を適用しない」のように，試験の実施を伴わない場合及び「別に規定する」場合にも一般試験法番号を記載しない．

2.12.2 一般試験法番号の記載方法

2.12.2.1 一般試験法名又は一般試験法が適用される名称の場合

1) 試験法名が，一般試験法の名称どおりに記載されている場合：一般試験法名の直後に記載する．
［例］　紫外可視吸光度測定法〈2.24〉により，…
　　　旋光度測定法〈2.49〉により

2) 試験項目名が，一般試験法の名称どおりではないが一般試験法が適用される場合：試験項目名の直後に記載する．
［例］　酸価〈1.13〉　0.2以下

なお，試験項目名に一般試験法番号を記載した項目中の当該一般試験法の適用を意味する語句には一般試験法番号を記載しない．

［例］　旋光度〈2.49〉　エルゴタミン塩基〔α〕$_D^{20}$：－155 ～ －165° 本品…とする．この液につき，層長100 mmで旋

光度を測定する．
3) 試験項目名に一般試験法番号記載がない項目の本文中に，一般試験法の名称どおりではないが，一般試験法の適用を意味する語句がある場合：一般試験法の適用を意味する「名詞的語句」の直後に該当する一般試験法番号を記載する．

［例］　…の定性反応〈1.09〉を呈する．
　　　　…するとき，その融点〈2.60〉は…
　　　　…水分〈2.48〉を測定しておく
　　　　…で乾燥減量〈2.41〉を測定しておく
またpHについては，適否判定以外の操作を意味する場合には一般試験法番号を記載しない．

［例］　リン酸を加えてpH 3.0に調整した液

4) 試験項目名に一般試験法番号記載がない項目の本文中に同じ一般試験法名又は一般試験法の適用を意味する「名詞的語句」が複数ある場合：必要に応じて，一般試験法番号を記載する．誤解や混乱を招く恐れのある場合を除き，一般試験法番号を重複記載しない．

［例］　旋光度測定法〈2.49〉により20±1℃，層長100 mmで〔α〕$_D^{20}$を測定する．

2.12.2.2.2　一般試験法の名称に，当該試験法中の特定規定を示す「名詞的語句」が併記されている場合
1) 一般試験法の名称と「名詞的語句」が助詞等を介することなく連続して記載されている場合：連続記載された「名詞的語句」の直後に一般試験法番号を記載する．

［例］　原子吸光光度法（冷蒸気方式）〈2.23〉

2) 一般試験法名称と「名詞的語句」が「の」などを介して記載されている場合：一般試験法名称の直後に一般試験法番号を記載する．

［例］　赤外吸収スペクトル測定法〈2.25〉の臭化カリウム錠剤法により，
　　　　水分測定法〈2.48〉の電量滴定法
　　　　…の定性反応〈1.09〉の(1)及び(3)を呈する．ただし，定性反応の一つのみを規定する場合は，「…の定性反応(1)〈1.09〉を呈する」と記載する．
　　　　抗生物質の微生物学的力価試験法〈4.02〉の円筒平板法により

2.12.2.2.3　特殊対応例
「滴定〈2.50〉する」のように記載する．

［例］　…で滴定〈2.50〉する（電位差滴定法）．
　　　　…で滴定〈2.50〉する（指示薬：＊＊）．
　　　　…で滴定〈2.50〉するとき，…

2.13　国際調和に関する記載方法

2.13.1　国際調和に関する記載方針
通則48に基づき，日本薬局方，欧州薬局方及び米国薬局方（以下「三薬局方」という．）での調和合意に基づき規定した一般試験法及び医薬品各条については，それぞれの冒頭にその旨を記載し，三薬局方の調和合意文とは異なる部分を「◆　◆」又は「◇　◇」で囲む．また，調和合意に関する情報を独立行政法人医薬品医療機器総合機構のウェブサイトに掲載している旨を記載し，国際調和に関する参考情報に当該サイトのURLを掲載する．

2.13.2　記載方法

2.13.2.1　一般試験法の場合
1) 一般試験法が三薬局方で完全調和されている場合：当該一般試験法の冒頭に記載する．

［例］　本試験法は，三薬局方での調和合意に基づき規定した試験法である．
　　　　三薬局方の調和合意に関する情報については，独立行政法人医薬品医療機器総合機構のウェブサイトに掲載している．

2) 一般試験法が三薬局方で調和されたが，不完全調和である場合：当該一般試験法の冒頭に記載する．

［例］　本試験法は，三薬局方での調和合意に基づき規定した試験法である．
　　　　なお，三薬局方で調和されていない部分のうち，調和合意において，調和の対象とされた項中非調和となっている項の該当箇所は「◆　◆」で，調和の対象とされた項以外に日本薬局方が独自に規定することとした項は「◇　◇」で囲むことにより示す．
　　　　三薬局方の調和合意に関する情報については，独立行政法人医薬品医療機器総合機構のウェブサイトに掲載している．

2.13.2.2　医薬品各条の場合
1) 医薬品各条が三薬局方で完全調和されている場合：当該医薬品各条の基原の前に記載する．

［例］　本医薬品各条は，三薬局方での調和合意に基づき規定した医薬品各条である．
　　　　三薬局方の調和合意に関する情報については，独立行政法人医薬品医療機器総合機構のウェブサイトに掲載している．

2) 医薬品各条が三薬局方で調和されたが，不完全調和である場合：当該医薬品各条の冒頭に記載する．

［例］　本医薬品各条は，三薬局方での調和合意に基づき規定した医薬品各条である．
　　　　なお，三薬局方で調和されていない部分のうち，調和合意において，調和の対象とされた項中非調和となっている項の該当箇所は「◆　◆」で，調和の対象とされた項以外に日本薬局方が独自に規定することとした項は「◇　◇」で囲むことにより示す．
　　　　三薬局方の調和合意に関する情報については，独立行政法人医薬品医療機器総合機構のウェブサイトに掲載している．

2.14　その他

2.14.1　「適合」に関する記載
「…に適合しなければならない」という意味の場合は「…に適合する」と記載する．

2.14.2　「溶かす」に関する記載
「本品1.0 gに水20 mLを加えて溶かす」ことを意味する場合には「本品1.0 gを水20 mLに溶かす」と記載する．なお，標準溶液及び試料溶液の調製操作など溶解時に「振り混ぜる」など敢えて記載する必要のない操作は記載しない．

2.14.3　「乾燥し」の意味
試料について単に「乾燥し」とあるのは，その医薬品各条の乾燥減量の項と同じ条件で乾燥することをいう．

2.14.4 ろ過に関する記載

ろ紙以外を用いてろ過する場合には，用いるろ過器を記載する．ガラスろ過器又はメンブランフィルターを用いる場合は，用いる目のあらさを記載する．また，必要がある場合には，メンブランフィルターなどの材質を記載する．

ガラスろ過器の操作は，別に規定するもののほか，吸引ろ過とする．

2.14.5 試験に用いる水

医薬品の試験に用いる水は，別に規定するもののほか，試験を妨害する物質を含まないなど，試験を行うのに適した水を用い，「水」と記載する．

2.14.6 水溶液の表記

溶質名の次に溶液と記載し，特にその溶媒名を示さないものは水溶液を示す．

2.14.7 試料の使用量

試験に用いる試料は，操作上又は精度管理上支障のない範囲で少量化をはかる．

2.14.8 試験を行うにあたり注意すべき操作の記載

試験方法の冒頭に具体的な操作条件を記載する．

試験操作中の曝光を制限する必要がある場合は，試験方法の冒頭に次のように記載し，原則として「本操作は直射日光を避け・・・」とは記載しない．

通常の遮光条件下で行う場合（溶出試験の場合には，装置を遮光する必要はなく，分析操作には遮光容器を用いる．）

　［例］本操作は遮光した容器を用いて行う．

より厳密な遮光条件下で行う場合（溶出試験の場合には，試験室を暗くする，装置を適切な幕などで覆うなど，遮光に工夫して試験を行う．）

　［例］本操作は光を避け，遮光した容器を用いて行う．

また，標準溶液，試料溶液が安定でない場合などでは「速やかに行う」とは記載せず，試験時間・温度などの具体的条件を記載する．

試験時間を規定して行う場合

　［例］本操作は試料溶液調製後，2時間以内に行う．（グリクラジドなど）

試料溶液などの保存温度などを規定して行う場合

　［例］試料溶液及び標準溶液は5℃以下に保存し，2時間以内に使用する．（セフチブテン水和物など）

2.14.9 「薄めた……」による混液の表記

1種類の試液又は液状の試薬と水の混液の場合には，組成比による記載（2.7.4）のほかに「薄めた□□」の表記も用いることができる．

薄めた□□(1→△)とは，□□1 mLに水を加えて△ mLに薄めた場合と同じ比率で薄めた□□のことである．

　［例］薄めた塩酸(1→5)
　　　　薄めたメタノール(1→2)
　　　　薄めた0.01 mol/Lヨウ素液(9→40)
　　　　薄めた色の比較液A (1→5)

2.14.10 飽和した溶液の表記

水が溶媒の飽和溶液の表記は，「［溶質名］飽和溶液」，水以外の溶媒の飽和溶液の場合は「［溶質名］の飽和［溶媒名］溶液」と記載する．

　［例］塩化ナトリウム飽和溶液（塩化ナトリウムを飽和した水溶液）

水酸化カリウムの飽和エタノール(95)溶液（水酸化カリウムを飽和したエタノール(95)溶液）

2.14.11 日局で規定する試薬・試液の活用

試薬・試液を設定する場合には安易に試薬・試液の新規設定をせず，既存の試薬・試液が使用可能かを極力検討する．既存の試薬・試液の採用が困難な場合には，新たに設定する．

3. 医薬品各条

3.1 各条の内容及び記載順

医薬品各条は次の項目の順に記載する．なお，医薬品の性状及び品質の適正を図る観点から設定の必要のない項目は記載しない．製剤で有効成分が複数の場合，10)成分の含量規格，15)確認試験，21)製剤試験，23)定量法等は原則として成分ごとに記載する．

以下については，化学薬品の原薬を中心に記載しているが，生物薬品・生薬等については，特有の項目についてその旨注記している．

項目	原薬	製剤
1) 日本名	○	○
2) 英名	○	○
3) ラテン名 生薬関係品目について記載する	△	△
4) 日本名別名	△	△
5) 構造式	○	×
6) 分子式及び分子量（組成式及び式量）	○	×
7) 化学名	○	×
8) ケミカル・アブストラクツ・サービス(CAS)登録番号	○	×
9) 基原	△	△
10) 成分の含量規定	○	○
11) 表示規定	△	△
12) 製法	×	○
13) 製造要件	△	△
14) 性状	○	○
15) 確認試験	○	○
16) 示性値	○	△
17) 純度試験	○	△
18) 意図的混入有害物質	△	△
19) 乾燥減量，水分又は強熱減量	○	△
20) 強熱残分，灰分又は酸不溶性灰分	△	×
21) 製剤試験	×	○
22) その他の試験	△	△
23) 定量法	○	○
24) 貯法	○	○
25) 有効期間	△	△
26) その他	△	△

（注）○印は原則として記載する項目，△印は必要に応じて記載する項目，×印は記載する必要がない項目を示す．

3.1.1 試験項目における括弧及び算用数字・ローマ数字の使い分け

試験項目両方を満たさなければならない場合は両括弧とし，どちらか一方を満たせば良い場合は片括弧を用いる．項目番号のローマ数字は試験の操作順番などを細かく分けて記載する場合，同項目内に試験が複数ある場合又は試験を選択する場合等に用いる．

［例］ 純度試験
　　（1）重金属
　　（2）類縁物質
［例］ 生薬の性状
　　1）
　　2）
［例］ 純度試験
　　（1）次のⅰ）又はⅱ）により試験を行う.
　　　ⅰ）
　　　ⅱ）

3.2 日本名
3.2.1 原薬の日本名
原薬の日本名は，わが国における医薬品の一般的名称（JAN）の日本語名及び国際一般的名称（INN）を参考に命名する．JANもINNもない場合には，慣用名を参考にする．

1) 薬効本体がアミンであり，原薬がその無機酸塩又は有機酸塩の場合は，「○○○＊＊＊塩」と命名する．
［例］ アクラルビシン塩酸塩
　　　クロミフェンクエン酸塩

2) 薬効本体が第四級アンモニウムであり，原薬がその塩の場合は，「○○○＊＊＊化物」と命名する．
［例］ アンベノニウム塩化物
　　　エコチオパートヨウ化物

3) 薬効本体がアルコールであり，原薬がそのエステル誘導体の場合は，「○○○＊＊＊エステル」と命名する．
［例］ ヒドロコルチゾン酪酸エステル
　　　エストラジオール安息香酸エステル

4) 薬効本体がカルボン酸であり，原薬がそのエステル誘導体の場合で，エステル置換基名としてINNが定めた短縮名を用いる場合には，カルボン酸の名称とエステル置換基の名称をスペースでつないで命名する．
［例］ セフロキシム　アキセチル
　　　セフテラム　ピボキシル

5) 原薬が水和物の場合は，「○○○水和物」と記載する．ただし，一水和物でない場合（二水和物や三水和物などの場合）であっても水和物の数は記載しない．
［例］ アンピシリン水和物
　　　ピペミド酸水和物

6) 原薬が薬効本体の包接体の場合は，ゲストである薬効本体の名称とINNが定めたホスト化合物の名称をスペースでつないで命名する．
［例］ アルプロスタジル　アルファデクス
　　　リマプロスト　アルファデクス

7) L-アミノ酸及びその誘導体の場合，日本名に「L-」を付ける．
［例］ L-バリン，L-カルボシステイン

8) 遺伝子組換え医薬品の場合は，「○○○（遺伝子組換え）」と命名する．

9) 細胞培養医薬品の場合，名称の後に，原則として種細胞株を（ ）で追加して命名する．

10) インスリン類縁体及びインターフェロン類の場合，インスリン及びインターフェロンの後にスペースを入れ，その後ろにアミノ酸配列の違いを示す語を付けて命名する．

11) 糖タンパク質や糖ペプチドで，アミノ酸配列は同じで糖鎖部分が異なる場合，名称の後にスペースを入れその後にギリシャ文字のカタカナ表記（アルファ，ベータ，ガンマ等）を付けて命名する．

12) 化学修飾されたペプチドやタンパク質等で，INNで2語式の命名がなされている場合，INNと同様に2語式の名称とし，2語の間は全角スペースとする．

13) 生物薬品については，水溶液の場合，基原に水溶液であることを記載し，日本名に液や水溶液を付けない．

14) 生薬の日本名はカタカナ書きとする．

なお，原薬の日本名にスペースを用いる場合，基原以下の項ではスペースを空けずに記載する．

3.2.2 製剤の日本名
製剤の日本名は，通例，有効成分の名称に剤形を示す名称を組み合わせて命名する．

剤形を示す名称は，製剤総則の小分類（口腔内崩壊錠，吸入粉末剤など）に該当する場合は，その剤形名を用いる．小分類に該当するものがなく，中分類（錠剤，注射剤など）に該当するものがある場合は，中分類の剤形名を用いる．製剤各条及び生薬関連製剤各条に収載以外の剤形についても，必要に応じて，適切な剤形とすることができる．例えば，投与経路と製剤各条の剤形名などを組み合わせることにより，性状又は用途などに適した剤形名を使用することができる．有効成分の名称部分は，製剤の有効成分が単一の場合は，その原薬の日本名とし，製剤の有効成分が複数の場合は，これらの原薬の日本名を五十音順に並べるか，又は支障のない限り，このうちの一つ以上を代表させて五十音順に並べることにより構成するが，開発の経緯を踏まえ，主薬成分の順番を先とすることもできる．ただし，原薬として水和物を用いていても，製剤の日本名には「水和物」を表記しない．また，医療の場において広く使われている製剤の慣用名などで特定の商品名に由来しないものがある場合においては，支障のない限り，慣用名などを用いることは差し支えない．また，倍散製剤はその濃度を％で表記し，倍散の名称は用いない．

［例］ アザチオプリン錠
　　　カイニン酸・サントニン散
　　　イオウ・サリチル酸・チアントール軟膏
　　　コデインリン酸塩散1％

3.3 英名
原薬の英名は，日本名に対応する英名で命名する．

製剤の英名は，支障のない限り，日本名に対応する英名を用いて命名する．また，米国薬局方，欧州薬局方等で使用されている剤形名も参考とする．

英名はそれぞれの単語の最初を大文字で始める．

漢方処方エキスに用いる漢方処方名の英名は，関連主要学会の統一表記法（漢方処方名ローマ字表記法）に従う．参考資料：日本東洋医学雑誌, **56**(4), 609-622 (2005); 和漢医薬学雑誌, **22**, 綴じ込み別冊 (2005); *Natural Medicines*, **59** (3), 129-141 (2005).

3.4 日本名別名
原薬の日本名別名は，原則として設定しないこととする．原薬の日本名が，INNの日本語読み，又は，繁用されている名称と異なるときなどは，これらを日本名別名として記載することができる．

製剤においても，有効成分の名称部分については，必要があ

れば日本名別名を記載することができる．また，医療の場において広く使われている製剤の慣用名などで特定の商品名に由来しないものがある場合は，これを日本名別名とすることができる．

原薬又は製剤の日本名が改正されたときには，必要に応じて改正前の日本名を日本名別名として記載する．

日本名が承認書の一般的名称と異なる場合は，承認書の一般的名称を日本名別名として記載する．

生薬については，原則として漢字表記等の日本名を日本名別名として設定することとする．

3.5 ラテン名

生薬では，ラテン名を国際名として英名の次に揚げる．ラテン名は，原則として生薬の基原の属名と利用部位を組み合わせたものとする．もし，同属に別な生薬がある場合には，種小名や，生薬の形態学的特徴，別名等を示すラテン語を組み合わせる．なお，生薬の慣用ラテン名がある場合にはそれを用いる．

3.6 構造式

構造式は，「WHO化学構造式記載ガイドライン（The graphic representation of chemical formulae in the publications of international nonproprietary names (INN) for pharmaceutical substances (WHO/Pharm/95.579))，https://apps.who.int/iris/handle/10665/63585」を指針に作成する．なお，幾何異性体，立体異性体及びラセミ化合物である場合においても，当該化合物の化学構造式は異性体であることを反映した構造式であることを原則とする．化合物の立体配置が一方に決定している場合，当該部分の構造の立体表記は楔線と点線を用いて示す．混合物であることが判明している場合，当該部分の構造は楔線と点線を用いてR体を表記し，ラセミ体は「*」を付けずに「及び鏡像異性体」を付記する．ジアステレオマーでは当該不斉炭素に「*」を付し，「及びC^*位エピマー」を構造式右下に記載する．幾何異性体では当該炭素に「*」を付し，「及びC^*位幾何異性体」を構造式右下に記載する．

ペプチド及びタンパク質医薬品のアミノ酸配列は，3文字（概ね20アミノ酸残基以下）又は1文字（概ね21アミノ酸残基以上）で表記する．1文字表記においては，10残基ごとにスペースを入れ，50残基ごとに改行する．また，ジスルフィド結合及び翻訳後修飾等の構造情報も明記する．ペプチド及びタンパク質医薬品については，通例，次のように記載する．なお，アミノ酸配列は，1文字表記の場合，等幅フォントを用いて記載する．

［例1］ ペプチド医薬品
Glu-Ile-Val-Glu-Gln-Cys-Cys-Thr-Ser-Ile-Cys-Ser-Leu-Tyr-Gln-Leu-Glu-Asn
Glu1，ピログルタミン酸

［例2］ タンパク質医薬品（2本鎖）
A鎖
```
        MIVEQCCTSI CSLYQLENYA CGEAGFFTPE G
```
B鎖
```
        GIVEQCIYVL LENYIALYQL PVCQHLCGSH LVAAK
```
A鎖M1：ホルミル化；A鎖G31：アミド化；B鎖K35：部分的プロセシング

［例3］ タンパク質医薬品（ホモダイマー）

```
APAERCELAA ALAGLAFFAP RGYSLGNWVC AEPQPGGSQC VEHDCFALYP
AAKFESNFNT QATNRNTDGS TDYGILQINS GPATFLNASQ ICDGLRGHLM
RWWCNDGRTP GSRNLCNIPC SALLSSDITA TVRSSVAADA ISLLLNGDGG
SVNCAKKIVS DGNGMNAWVA WRNRCKGTDV QLPPGCGDPK RLGPLRGFQW
QAWIRGCRLV FPATCRPLAV GAWDESVENG GCEHACNAIP GAPRCQCAGP
AALQADGRSC TASATQSCND LCEHFCVPNP DQPGSYSCMC ETGYRLAADQ
HRCEDVDDCI LEPSPCPQRC VNTQGGFECH CYPNYDLVDG ECVEPVDPCF
RANCEYQCQP LNQTSYLCVC AEGFAPIPHE PHRCQMFCNQ TACPADCDPN
TQASCSCPEG YILDDGFICT DIDECENGGF CSGVCTNLPG TFECIGPDK
```

C245-C245：サブユニット間ジスルフィド結合

［例4］ 糖タンパク質医薬品

タンパク質部分

```
APAERCELAA ALAGLAFFAP RGYSLGNWVC AEPQPGGSQC VEHDCFALYP
AAKFESNFNT QATNRNTDGS TDYGILQINS GPATFLNASQ ICDGLRGHLM
RWWCNDGRTP GSRNLCNIPC SALLSSDITA TVRSSVAADA ISLLLNGDGG
SVNCAKKIVS DGNGMNAWVA WRNRCKGTDV QLPPGCGDPK RLGPLRGFQW
QAWIRGCRLV FPATCRPLAV GAWDESVENG GCEHACNAIP GAPRCQCAGP
AALQADGRSC TASATQSCND LCEHFCVPNP DQPGSYSCMC ETGYRLAADQ
HRCEDVDDCI LEPSPCPQRC VNTQGGFECH CYPNYDLVDG ECVEPVDPCF
RANCEYQCQP LNQTSYLCVC AEGFAPIPHE PHRCQMFCNQ TACPADCDPN
TQASCSCPEG YILDDGFICT DIDECENGGF CSGVCTNLPG TFECIGPDK
```

N87, N362, T436：糖鎖結合；N389：部分的糖鎖結合

糖鎖部分（主な糖鎖構造）

N87, N362, N389

Manα1→6
Manα1→3
Manα1→6 Manβ1-4GlcNAcβ1-4GlcNAc
Manα1→3

(NeuAcα2-)₀₋₂ 3/6Galβ1-4GlcNAcβ1-2Manα1→6
                                              Manβ1-4GlcNAcβ1-4GlcNAc
              3/6Galβ1-4GlcNAcβ1-2Manα1→3
                                Fucα1→6

T436
NeuAcα2-6Galβ1-3GalNAc

3.7 分子式及び分子量（組成式及び式量）

3.7.1 有機及び無機化合物

有機化合物については分子式及び分子量を，無機化合物については組成式及び式量を記載する．

3.7.2 分子式の記載

分子式は構造式の表記と整合したものとする．

有機化合物の分子式の元素の記載順は，C，Hの順とし，次いでそれ以外の元素記号を元素記号のアルファベット順に記載する．塩を形成する化合物，溶媒和物，包接化合物などは，分子式と分子式の間に「・」を入れて記載する［例1］．分子式の係数は，原則として整数とする［例2］．ただし，溶媒和物の場合は，溶媒の分子式の係数に分数（帯分数を含む）を使用することができる［例3］．塩や溶媒の数が不明の時は，係数としてx，yなどを用いて記載する［例4］．

［例1］ $C_6H_{14}N_4O_2 \cdot HCl$
$C_{16}H_{10}ClKN_2O_3 \cdot KOH$
$(C_{18}H_{22}N_2S)_2 \cdot C_4H_6O_6$

$C_{37}H_{67}NO_{13}\cdot C_{12}H_{22}O_{12}$
$C_{17}H_{21}NO\cdot C_7H_7ClN_4O_2$
$C_{15}H_{17}NS_2\cdot C_{14}H_{10}O_4$
$C_{18}H_{18}N_6O_5S_2\cdot C_3H_8O_2$
$C_4H_{10}N_2\cdot C_6H_{10}O_4$
$C_{12}H_{15}NO_3\cdot HCl\cdot H_2O$
$C_{15}H_{15}N_3O\cdot C_3H_6O_3\cdot H_2O$

［例2］ $C_{16}H_{19}N_3O_5S\cdot 2H_2O$
$C_{16}H_{20}N_7NaO_7S_3\cdot 7H_2O$
$(C_{12}H_{19}NO_2)_2\cdot H_2SO_4$
$(C_{18}H_{22}N_2S)\cdot C_4H_6O_6$
$C_{20}H_{24}ClN_3S\cdot 2C_4H_4O_4$
$(C_{26}H_{41}N_5O_7)_2\cdot 5H_2SO_4$
$C_{19}H_{24}N_6O_5S_2\cdot 2HCl\cdot H_2O$
$(C_{16}H_{18}N_2O_4S)_2\cdot C_{16}H_{20}N_2\cdot 4H_2O$
$(C_{19}H_{24}N_2O_4)_2\cdot C_4H_4O_4\cdot 2H_2O$

［例3］ $C_{18}H_{16}N_8Na_2O_7S_3\cdot 3½H_2O$
$C_{22}H_{24}N_2O_8\cdot HCl\cdot ½C_2H_6O\cdot ½H_2O$
$C_{42}H_{66}O_{14}\cdot ½C_3H_6O$

［例4］ $C_{22}H_{43}N_5O_{12}\cdot xH_2SO_4$
$C_{20}H_{18}ClNO_4\cdot xH_2O$
$C_{14}H_{16}N_8O_4\cdot C_2H_8N_2\cdot xH_2O$
$C_{22}H_{36}O_5\cdot xC_{36}H_{60}O_{30}$
$C_{12}H_{30}Al_8O_{51}S_8\cdot xAl(OH)_3\cdot yH_2O$

3.7.3 分子量（式量）の記載

分子量（式量）は2015年国際原子量表－原子量表（2017）（日本化学会原子量専門委員会）により，各元素の原子量をそのまま集計する．ただし，2015年国際原子量表において原子量が変動範囲で示される元素の原子量は，2007年国際原子量表－原子量表（2010）（日本化学会原子量専門委員会）による．集計した値について小数第3位を四捨五入し，小数第2位まで求める．

3.7.4 分子式と分子量などの区切り

分子式（組成式）と分子量（式量）の間には「：」を入れる．
［例］ $C_9H_8O_4$：180.16

3.7.5 生物薬品の分子式と分子量の記載

分子式及び分子量が均一なペプチド医薬品及びタンパク質医薬品については，その分子式及び分子量を記載する．分子式及び分子量が不均一な糖タンパク質医薬品及び修飾タンパク質については，タンパク質部分の分子式・分子量のみを記載し，糖鎖や修飾基などを含めた分子量（概数）は基原に記載する．ペプチド医薬品，タンパク質医薬品及び糖タンパク質医薬品は，通例，次のように記載する．

［例1］ ペプチド医薬品（**3.6**［例1］の場合）
$C_{86}H_{137}N_{21}O_{31}S_3$：2057.33（注）
注 N末端，C末端，及び側鎖は非解離状態で計算する．また，Glu1はピログルタミン酸として計算する．

［例2］ ペプチド医薬品及びタンパク質医薬品（**3.6**［例2］の場合）
$C_{326}H_{499}N_{79}O_{97}S_8$：7333.44（2本鎖）（注1）
A鎖 $C_{148}H_{221}N_{35}O_{49}S_5$：3434.87（注2）
B鎖 $C_{178}H_{280}N_{44}O_{48}S_3$：3900.59
注1 N末端，C末端，及び側鎖は非解離状態で計算する．鎖内及び鎖間ジスルフィド結合は結合した状態で計算する．A鎖M1はホルミルメチオニンとして計算する．A鎖T31はグリシンアミドとして計算する．また，B鎖K35は結合しているものとして計算する．
注2 鎖内ジスルフィド結合は結合した状態で計算する．鎖間ジスルフィド結合の形式に寄与するCys残基は還元型として計算する．

［例3］ ペプチド医薬品及びタンパク質医薬品（**3.6**［例3］の場合）
$C_{4078}H_{6216}N_{1186}O_{1314}S_{100}$：96086.65（二量体）（注1）
単量体 $C_{2039}H_{3109}N_{593}O_{657}S_{50}$：48044.33（注2）
注1 N末端，C末端，及び側鎖は非解離状態で計算する．サブユニット内及びサブユニット間ジスルフィド結合は結合した状態で計算する．
注2 サブユニット内ジスルフィド結合は結合した状態で計算する．サブユニット間ジスルフィド結合の形成に寄与するCys残基は還元型として計算する．

［例4］ 糖タンパク質医薬品（**3.6**［例4］の場合）
$C_{2039}H_{3109}N_{593}O_{657}S_{50}$：48044.33（タンパク質部分）（注）
注 N末端，C末端，及び側鎖は非解離状態で計算する．鎖内ジスルフィド結合は結合した状態で計算する．N87，N362，N389，T436には糖が結合していないものとして計算する．

3.8 化学名及びケミカル・アブストラクツ・サービス（CAS）登録番号

3.8.1 化学名の記載

化学名は，IUPAC命名法に従って，英語で命名し，化学名の最初は大文字で記載する．なお，幾何異性体，立体異性体及びラセミ化合物である場合においても，当該化合物の化学名は異性体であることを反映した化学名であることを原則とする．

3.8.2 CAS登録番号の記載

CAS登録番号のあるものについては，化学名の下に［ ］を付けてイタリック体で記載する．化学名を記載しない場合にあっては，分子式（組成式）の下に記載する．なお，医薬品各条の品目に該当するCAS登録番号がない場合には，無水物などのCAS登録番号を，［〇〇-〇〇-〇，無水物］のように記載する．

3.9 基原

3.9.1 基原の記載

原薬においては，通例，化学合成で製造されたもの以外は，その基原を記載する．

製剤においては，通例，化学合成で製造されたもの以外の原薬を有効成分として製造された製剤や天然物由来の製剤などで，原薬が収載されていない場合には，その基原を記載する．

なお，高分子化合物については，合成原料などその基原を明記する．

抗生物質において，培養により製造される場合は，産生菌の学名（ラテン語）を記載する．

［例］ 抗生物質（ゲンタマイシン硫酸塩）
「本品は，*Micromonospora purpurea*又は*Micromonospora echinospora*の培養によって得られる抗細菌活性を有するアミノグリコシド系化合物の混合物の硫酸塩である．」

生物薬品においては，水溶液の場合は，水溶液であることを

明記する．分子量については，**3.7.5**に従い必要に応じて基原に記載する．規格試験法に分子量の項がある場合は，その規格値を記載する．分子量には幅があってもよい（例：○～△）．分子量の項がない場合で，不均一性が高いなどの理由により分子量を測定できない場合は，代表的な分子の各元素の原子量を集計して記載してもよい．遺伝子組換え糖タンパク質性医薬品については，細胞基材の種類を明記する．遺伝子組換え医薬品を含む生物薬品は，次のように記載する．

　ペプチド医薬品（**3.6**［例1］）の場合

　　［例］「本品は，〈健康な〉××（種）の□□（細胞，組織又は臓器等）から得られた〈（ホルモン，酵素，サイトカイン，増殖因子，ワクチン，抗体，血液凝固因子又は阻害因子等）〉であり，18個のアミノ酸残基からなるペプチドである．」

　　　　　「本品は，合成〈（ホルモン，酵素，サイトカイン，増殖因子，ワクチン，抗体，血液凝固因子又は阻害因子等）〉であり，18個のアミノ酸残基からなるペプチドである．」

　ペプチド医薬品及びタンパク質医薬品（**3.6**［例2］）の場合

　　［例］「本品の本質は，〈健康な〉××（種）の□□（細胞，組織又は臓器等）から得られた〈（ホルモン，酵素，サイトカイン，増殖因子，ワクチン，抗体，血液凝固因子又は阻害因子等）〉であり，31個のアミノ酸残基からなるA鎖1本，及35個のアミノ酸残基からなるB鎖1本から構成される◇◇（ペプチド又はタンパク質）である．本品は，水溶液である．」

　ペプチド医薬品及びタンパク質医薬品（**3.6**［例3］）の場合

　　［例］「本品は，〈健康な〉××（種）の□□（細胞，組織又は臓器等）から得られた〈（ホルモン，酵素，サイトカイン，増殖因子，ワクチン，抗体，血液凝固因子又は阻害因子等）〉であり，449個のアミノ酸残基からなるサブユニット2個から構成される◇◇（ペプチド又はタンパク質）である．」

　糖タンパク質医薬品（**3.6**［例4］）の場合

　　［例］「本品の本質は，〈健康な〉××（種）の□□（細胞，組織又は臓器等）から得られる〈（ホルモン，酵素，サイトカイン，増殖因子，ワクチン，抗体，血液凝固因子又は阻害因子等）〉であり，449個のアミノ酸残基からなる糖タンパク質（分子量約△△又は○○～△△）である．本品は，水溶液である．」

　遺伝子組換えペプチド医薬品及びタンパク質医薬品

　　［例］「本品の本質は，遺伝子組換えヒト××であり，○○個のアミノ酸残基からなる◇◇（ペプチド又はタンパク質）である．本品は，水溶液である．」

　遺伝子組換え糖タンパク質医薬品

　　［例］「本品の本質は，遺伝子組換えヒト××であり，◇◇細胞により産生される．本品は，○○個のアミノ酸残基からなる糖タンパク質（分子量約△△）である．本品は，水溶液である．」

　遺伝子組換え糖タンパク質医薬品（アミノ酸置換型）

　　［例］「本品の本質は，遺伝子組換えヒト××の類縁体であり，＄鎖の＃及び＆番目のアミノ酸残基はそれぞれ▽及び▲（アミノ酸を3文字表記）に置換されている．本品は◇◇細胞により産生される○○個のアミノ酸残基からなる糖タンパク質（分子量約△△）である．本品は，水溶液である．」

　多糖類

　　［例］「本品は，〈健康な〉××（種）の□□（細胞，組織，又は臓器等）から〈得た▲▲（例：ヘパリンナトリウム）の◇◇分解によって〉得た●●及び◇◇（単糖）からなる◎◎（例：グリコサミノグリカン，低分子量ヘパリン）（分子量約○○）である．」

3.9.2　学名の記載

生薬の植物学名は，「The International Plant Names Index (IPNI), http://www.ipni.org/」を指針に記載する．ただし，学名の命名者名の姓はフルスペルで記載し，基礎異名の命名者名は省略する．

　［例］ミツバアケビの学名はIPNIでは*Akebia trifoliata* (Thunb.) Koidz. となっているが，日局では*Akeiba trifoliata* Koidzumiと記載する．

　科名は新エングラーの分類体系に従う．

　なお，基原が複数あり，基原により他の項目の規定が異なる場合は，1），2）・・と番号を付して基原を記載する．

3.9.3　基原の書きだし

書きだしは「本品は……」とする．

製剤の特性を記載する必要がある場合，次のように記載する．

　［例］本品は水性の注射剤である．

　［例］本品は用時溶解（懸濁）して用いるシロップ用剤である．

3.10　成分の含量規定

3.10.1　原薬の記載

原薬は，通例，次のように記載する．

化学薬品

　［例］「本品は定量するとき，××（分子式）○～△％を含む．」

抗生物質

　［例］「本品は定量するとき，換算した脱水物1 mg当たり○～△μg（力価）を含む．ただし，本品の力価は，××（分子式：分子量）としての量を質量（力価）で示す．」

タンパク質医薬品（溶液）

　［例］「本品は定量するとき，1 mL当たり○～△mgのタンパク質を含み，タンパク質1 mg当たり×～□単位を含む．」

タンパク質医薬品（粉末）

　［例］「本品は定量するとき，ペプチド1 mg当たり○○○△△～□単位を含む．」

生薬

生薬関連ではない医薬品各条と同様に，「定量するとき，」と規定する．

　［例］「本品は定量するとき，○○○○（分子式）△.△％以上を含む．」

　　　　「本品は定量するとき，換算した生薬の乾燥物に対し，○○○○（分子式）として△.△％以上を含む．」

　標準品を用いて定量する場合

　［例］「本品は定量するとき，換算した生薬の乾燥物に対し，××（分子式：分子量）○％以上を含む．」

　試薬の定量用＊＊を用いて定量する場合

　［例］「本品は定量するとき，換算した生薬の乾燥物に対し，×× ○％以上を含む．」

なお，試験項目名として「成分含量測定法」は使用せず，「定量法」と記載する．

3.10.2 製剤の記載

製剤は，通例，次のように記載する．

製剤一般

［例］「本品は定量するとき，表示量の○～△％に対応する××(分子式：分子量)を含む．」

注射剤（成分・分量が規定されていない注射剤）及び注射用＊＊

［例］「本品は定量するとき，表示量の○～△％に対応する××(分子式：分子量)を含む．」

注射剤（成分・分量が規定されている注射剤）

［例］「本品は定量するとき，◇◇(分子式：分子量)○～△w/v％を含む．」

なお，確認試験，純度試験，含量均一性，溶出性，定量法のいずれの試験においても，『表示量に従い』という旨の記載は必要ない．

3.10.3 成分の含量の規定における医薬品各条名又は化学的純物質名の記載法

成分の含量を規定する際には，通例，次により具体的な医薬品各条名又は化学的純物質名の記載を行う．

医薬品各条を示す場合は，医薬品名を「　」で囲んで示す．

化学的純物質を示す場合は，医薬品名又は物質名の次に，分子式又は組成式を( )で囲んで示す．ただし，その名称に対応する分子量又は式量が当該医薬品各条に記載されていない場合には，分子式又は組成式に続けてそれぞれ分子量又は式量を記載する．

［例］
① 医薬品各条を示す場合
　　（各条日本名）　　　　　（例）
　　アミノフィリン水和物　「アミノフィリン水和物」
② 化学的純物質を示す場合で，当該各条にその分子量又は式量の記載があるもの
　　（各条日本名）　　　　　（例）
　　レセルピン　　　　　　レセルピン（$C_{33}H_{40}N_2O_9$）
　　塩化ナトリウム　　　　塩化ナトリウム（NaCl）
③ 化学的純物質を示す場合で，当該各条にその分子量又は式量の記載がないもの
　　（各条日本名）　　　　　（例）
　　レセルピン散0.1％　　　レセルピン（$C_{33}H_{40}N_2O_9$：608.68)
　　生理食塩液　　　　　　塩化ナトリウム（NaCl：58.44)

3.10.4 含量規格値の記載

3.10.4.1 ％で規定する場合

成分の含量を％で示す場合，原薬又は製剤に関わらず，通例，小数第1位まで規定する．

原薬の成分の含量規格値は，通例，幅記載とする．

製剤の成分の含量規格値は，通例，表示量に対する％で示し，幅記載とする．

なお，液体クロマトグラフィーにより定量を行っている原薬の含量規格の設定については，通例，98.0～102.0％のように規定する．

3.10.4.2 単位又は力価で規定する場合

成分の含量を一定の生物学的作用，すなわち力価で表すときは，「単位」で規定する．ただし，抗生物質医薬品にあっては，通例，「質量(力価)」で規定する．日本薬局方における単位とは日本薬局方単位を示す．

成分の含量規格値は，通例，幅記載とする．

3.10.5 乾燥などを行って定量した場合の含量の記載

乾燥減量の条件に従って乾燥したものを定量する場合は，「本品を乾燥したものは定量するとき，…」と，乾燥減量の実測値に従って換算するものは，「本品は定量するとき，換算した乾燥物に対し，…」と記載し，両者のいずれかを任意に選択する．また，水分の実測値に従って換算するものは，「本品は定量するとき，換算した脱水物に対し，…」と記載する．この場合，残留溶媒の限度規制が行われ，残留溶媒量が定量値に影響を及ぼすと考えられる場合には脱溶媒物換算を行うことができ，「本品は定量するとき，換算した脱水及び脱溶媒物に対し，…」と記載する．（例：プラバスタチンナトリウム等）また，残留溶媒が純度試験にエタノールなど具体的に規定されている場合には，「本品は定量するとき，換算した脱水及び脱エタノール物に対し，…」と記載する．（例：金チオリンゴ酸ナトリウムなど）

3.10.6 その他

有機ハロゲン化合物であって医薬品の定量法が適切に設定されている場合には，含量規定に加えて，ハロゲン含量を設定する必要はない．なお，ハロゲン含量を規定する場合は，成分の含量としてではなく，示性値として規定する．

また，製剤の含量規格の設定に際しては，原則として増し仕込みに基づく含量規格の設定は行わない．

3.11 表示規定

表示規定を定める場合は，通例，次のように記載する．以下の場合に限らず，品目の特性を考慮した上で，必要に応じて表示規定を記載することができる．

［例］
① 表示事項（数値，物性，単位等）について留意する必要がある場合
「本品の＊＊は××の量で表示する．」
「本品はその＊＊を××の単位で表示する．」
② タイプ，用途等により分類される場合
「本品はそのタイプを表示する．」
「本品のうち，＊＊に用いるものについてはその旨表示する．」
③ 品質保持等を目的として特定の物質が加えられる可能性がある場合
「＊＊剤として××を加えた場合，その旨表示する．」
「本品は○○剤使用の有無とその成分を表示する．」
④ 別名を表示することができる場合
「本品の＊＊が××以下のものは，別名として▲▲と表示することができる．」
⑤ 加工したものがある場合又は複数の加工法がある場合
「本品のうち，＊＊したものはその旨表示する．」
「本品はその加工法を表示する．」

3.12 製法

製剤総則の剤形に製法が記載されている場合は，その剤形名を用い，通例，次のように記載する．

［例］　本品は「＊＊」をとり，錠剤の製法により製する．

［例］　本品は「＊＊」をとり，シロップ用剤の製法により製する．
［例］　本品は「＊＊」をとり，顆粒剤又は散剤の製法により製する．

3.13　製造要件

最終製品の規格だけでは品質確保が極めて困難な項目など，必要に応じて，規格に加えて，製造過程において留意すべき事項を製造要件として設定する．特定の試験方法及び判定基準を設定する場合は，当該試験方法及び判定基準を満たす必要がある場合や条件等についても言及した上で，記載例を参考に記載する．なお製造要件において，具体的な試験方法を記載する場合は，「3. 医薬品各条」で述べられている記載要領に準じて記載する．

（製造要件の例）
・原料・資材，製造工程に関する要件：原料・資材や製造工程において混入又は生成するリスクがある不純物の制限など．
・中間体の管理に関する要件：最終中間体など，中間体を管理することによって最終製品の品質を担保する場合の判定基準など．
・工程内試験に関する要件：精製レベルを管理するなど，工程内試験によって，最終製品の品質を担保する場合など．
・出荷時の試験の省略に関する要件：パラメトリックリリース，リアルタイムリリース試験，スキップ試験等が適用される場合のそれらの条件など．

［例］　本品は，＊＊由来の××を原料として製造し，その製造過程におけるDNA反応性（変異原性）不純物である▲▲の混入について評価する．

［例］　□□の薬理活性を持つ××を除去又は最小とする製造方法で製造する．製造方法は，以下の試験に適合することが検証された方法とする．
　　■■試験　本品○ gをとり，・・・・■■試験を行うとき，適合する．

［例］　＊＊は光学活性を有するため，中間体管理又は工程管理において，適宜，光学純度を規定し，最終××中の光学活性不純物の規格を満たすことが検証された製造方法とする．

［例］　本品は，＊＊を××化することによって得られる．中間体である▲▲は，以下の試験に適合する．
　　■■試験　本品○ gをとり，・・・・試験を行うとき，▲▲は△％以下である．

［例］　本品の精製工程では，最終製品中の＊＊が△％以下となるように精製を行う．

生物薬品の品質は，通例，原薬あるいは製剤の規格及び試験方法の設定に加えて，製造工程の管理を適切に行うことで，確保される．管理すべき品質特性のうち，規格及び試験方法を設定しないものについては，製造要件を記載する．ただし，感染性物質混入回避への対応は，全ての生物薬品に対しての前提事項であるため，感染性物質に関する製造要件を各条に記載する必要はない．

1)　工程内試験を設定する場合
［例］宿主細胞由来タンパク質
　例1：工程内試験として宿主細胞由来タンパク質残存量を酵素免疫試験法により試験するとき，管理値以下である．
　例2：工程内試験として宿主細胞由来タンパク質残存量を酵素免疫試験法により試験するとき，○○以下である．
　例3：▲▲クロマトグラフィーの溶出液を試料として，宿主細胞由来タンパク質残存量を酵素免疫試験法により試験するとき，管理値以下である．
　例4：▲▲クロマトグラフィーの溶出液を試料として，宿主細胞由来タンパク質残存量を□□を用いた××により試験するとき，○○以下である．
［例］糖鎖非付加体
　工程内試験として，▲▲法を用いた□□により試験するとき，糖鎖非付加体は△％以下である．
［例］中間体
　××化工程の直前の製品を重要中間体とし，●●，▲▲，■■に関して，試験方法と適否の判定基準を定める．

2)　工程内試験を設定せず，パラメーター管理する場合
［例］糖鎖
　原薬を試料として糖鎖試験法〈2.64〉に準じた方法によりN結合型糖鎖を試験するとき，標準品と同様の糖鎖プロファイルを示すことが検証された方法により，生産細胞を培養する．
［例］宿主細胞由来DNA
　原薬中のDNA残存量をPCR法により試験するとき，管理値以下となることが検証された方法により精製する．
［例］類縁物質
　原薬を試料としてイオン交換クロマトグラフィーにより試験するとき，主なピーク以外のピークの面積が○％未満であり，主なピーク以外のピークの合計面積が○％未満となることが検証された方法により精製する．
［例］糖鎖非付加体
　原薬中の糖鎖非付加体が○％以下になることが検証された方法により精製する．

3.14　性状

性状は，当該医薬品の物理的，化学的性質及び形態を，参考として記載するものである．

3.14.1　性状の記載

3.14.1.1　性状の記載事項

原薬の性状は，必要に応じて，色，形状，におい，味，溶解性，液性，物理的及び化学的特性（吸湿性，光による変化など），示性値（適否の判定基準としないもの）の順に記載する．融点が分解点で，規定する必要がある場合は，原則として性状の項へ記載する．結晶多形のあることが判明している原薬の融点については，特許の有無にかかわらず適否の判定基準となる示性値とはせず，性状の項に参照スペクトルを測定した原薬の融点を物性情報として載せる．

製剤の特性は製品ごとに異なるので，通例，性状は記載しない．ただし，例えば，注射剤，点眼剤では外観を，薬局製剤では外観，におい，味（原則として内用剤に限る）の順に記載する．さらに，製剤化により原薬と異なる安定性，特性値が生じた場合は，これらを順に記載する．

なお，示性値の記載の方法は，3.17に規定した方法による．

また，何らかの理由により，原薬の収載のない製剤については，原則として製剤に使用する原薬の性状（溶解性，液性等）

を原薬の記載方法に準じて記載する．
（例：注射用アセチルコリン塩化物）

3.14.2　におい及び味の記載

におい及び味については，原則として記載する必要はないが，参考として試験者に情報提供する必要がある場合は記載する．ただし，毒劇薬，麻薬，向精神薬又は作用の激しいものなど試験者に健康上の影響を与える可能性があるもの又は飛散性のものについては，におい及び味を記載しない．

3.14.3　色

色の表現は，通例，JIS Z 8102-2001 "物体色の色名" による．

3.14.3.1　有彩色の基本名

有彩色の基本名は，赤色，黄赤色，黄色，黄緑色，緑色，青緑色，青色，青紫色，紫色，赤紫色とする．そのほか，褐色，橙色，紅色，黄白色などを用いてもよい．れんが色，さけ色，すみれ色などの色をものにより例示する表現は，原則として用いない．

3.14.3.2　無彩色の基本名

無彩色の基本名は，白色（ほとんど白色を含む），明るい灰色，灰色，暗い灰色，黒色とする．

3.14.3.3　有彩色の明度及び彩度

有彩色の明度及び彩度に関する形容詞は，ごく薄い，薄い，灰，暗い（又は暗），ごく暗い，さえた（鮮）などを用いる．濃（濃い），淡（薄い），微（僅か）を使ってもよい．濃淡の順序は濃，淡，微の順とする．

　［例］　ごく薄い赤色，暗赤色

色相に関する形容詞は，帯赤（赤みの），帯黄（黄みの），帯緑（緑みの），帯青（青みの），帯紫（紫みの）を用いる．

　［例］　帯青紫色（青みの紫色）

3.14.3.4　無色に関する記載

無色は，ほとんど無色を含む．「無色の澄明の液」は「無色澄明の液」と記載する．

3.14.4　形状

3.14.4.1　結晶，結晶性の粉末及び粉末

結晶及び粉末については，次のような表現を用いる．

　結晶…………………肉眼又はルーペを用いて結晶と認められるもの．
　粉末…………………肉眼やルーペでは結晶と認められないものは「粉末」とする．
　結晶性の粉末……粉末のうち，粉末X線回折測定法又は光学顕微鏡により結晶の存在が認められるものは，「結晶性の粉末」と記載してもよい．
　なお，「結晶性粉末」の語は用いない．

3.14.5　におい

3.14.5.1　においの記載

においは，次のような表現を用いて記載する．

　　アミン臭，刺激臭，特異なにおい，不快なにおい，芳香，
　▲▲様のにおい

3.14.5.2　においの強弱の記載

においの強弱は，次のような表現を用いて記載する．

　　強，強い，弱，弱い，僅か

3.14.6　味

3.14.6.1　味の記載

味は，次のような表現を用いて記載する．

　　甘い，えぐい，塩味，辛い，酸味，塩辛い，舌をやくよう

な，渋い，苦い，苦味，温感，冷感，金属味

3.14.6.2　味の強弱の記載

味の強弱は次のような表現を用いて記載する．

　　強，強い，弱，弱い，僅か

3.14.7　溶解性

3.14.7.1　溶解性の記載順序

溶解性に関する各溶媒の記載順序は，溶けやすい順とする．また，溶解性が同じ場合は，通例，水，ギ酸，アセトニトリル，N,N－ジメチルホルムアミド，メタノール，エタノール(99.5)（又はエタノール(95)），無水酢酸，アセトン，2－プロパノール，1－ブタノール，ピリジン，テトラヒドロフラン，酢酸(100)，酢酸エチル，ジエチルエーテル，キシレン，シクロヘキサン，ヘキサン，石油エーテルの順とする．ただし，上記以外の溶媒については，その極性を考慮して記載する．

なお，溶媒の使用に当たっては**1.2**の規定に，また溶媒の名称などについては**7.2.3**の規定に留意すること．

3.14.7.2　溶解性を規定する溶媒

溶解性を規定する溶媒は，水及びエタノール(99.5)のほか，原則として試験に使用する全ての溶媒とする．なお，試験にエタノール(95)が溶媒として使用されている場合は，エタノール(99.5)に代えてエタノール(95)に対する溶解性を規定する．また，エタノール(95)及びエタノール(99.5)の両者を試験に使用している場合は，エタノール(99.5)の溶解性を規定する．試験に使用する溶媒とは，試料を直接溶液にする操作に用いる溶媒で，混合溶媒及び混合溶媒の構成成分となっている溶媒は，原則として含まない．

試験に使用しない溶媒でも，当該医薬品の特徴を示す溶解性がある場合はこれを記載する．また，試験に複数の酸性又はアルカリ性の試液が使用されている場合，代表的な一つずつの酸・アルカリの試液について，溶媒の溶解性の次に改行して，次のように記載する．

　［例］　「本品は希塩酸又はアンモニア試液に溶ける．」

薄層クロマトグラフィーなどの展開溶媒を構成する溶媒及び塩基又は酸として抽出するときの溶媒は溶解性を規定する溶媒の対象とはしない．

水分の規定などの場合のように，簡略記載のために溶媒について具体的な記載のない場合においても，その試験などにおいて試料を直接溶解するのに用いた溶媒（例えば，水分測定の際に，試料を溶解するのに用いたメタノールなどの溶媒）については，その溶解性の記載を行う．

3.14.7.3　「溶媒に溶ける」又は「混和する」の意味

医薬品が溶媒に溶けるとは澄明に溶けることを意味し，混和するとは，任意の割合で澄明に混ざり合うことを意味する．

3.14.7.4　溶解性の試験方法及び溶解性を示す用語の定義

溶解性を示す用語は次による．

溶解性は，別に規定するもののほか，医薬品を100号(150 μm)ふるいを通過する細末とした後，溶媒中に入れ，20±5℃で，5分ごとに強く30秒間振り混ぜるとき，30分以内に溶ける度合いをいう．試験で得られた溶媒の量が二段階にまたがるときは，溶媒量の多い方の用語を用いる．

なお，溶解性は，飽和溶液の濃度から算出しても差し支えない．

　［用　　語］　　　［溶質1 g又は1 mLを溶かすに要する溶媒量］
　極めて溶けやすい　　　　　　　　　　　　　　　　1 mL未満

溶けやすい	1 mL以上	10 mL未満
やや溶けやすい	10 mL以上	30 mL未満
やや溶けにくい	30 mL以上	100 mL未満
溶けにくい	100 mL以上	1000 mL未満
極めて溶けにくい	1000 mL以上	10000 mL未満
ほとんど溶けない	10000 mL以上	

3.14.7.5 ガスの発生や塩の形成などを伴う場合の溶解性の表現

ガスの発生，塩の形成など医薬品が反応して溶解する場合，一般の溶解性を示す記載の次に別行とし，「○○は△△に溶ける」と記載する．

3.14.8 液性

液性はpHで記載する．通例，「本品＊＊gを水○ mLに溶かした液のpHは…」又は「本品の□□溶液(1→20)のpHは」のように記載する．

3.14.9 物理的及び化学的特性

その医薬品の吸湿性，潮解性，風解性，揮散性，蒸発性，固化性，凝固性，光による変化，色の変化，分解，又は不溶物の生成など，主として当該医薬品の物理的又は化学的変化に関する特性を記載する．

光による変化の記載は，光により変化する内容をより適切に表すため，分解生成物が検出されるような変化は「分解する」とし，着色が起こるような変化は「●色となる」とし，「本品は光によって徐々に変化する」とは記載しない．

［例］　本品は光によって徐々に褐色となる．
　　　　本品は吸湿性である．
　　　　本品は湿気によって潮解する．

吸湿性について，通例の記載基準（25℃，75%RH，7日間，3％超の吸湿）に該当しない場合は，性状の項に記載しないが，試験の実施に影響がある場合には必要に応じて当該試験の欄に記載する．

3.14.10 性状の項の示性値

3.14.10.1 性状における示性値の扱い

性状の項に記載する示性値は，参考に供するためのもので，適否の判定基準を示すものではない．

また，数値については，概数で示しても差し支えない．

3.14.10.2 性状における示性値の記載

記載方法は，原則として**3.17**の規定による．ただし，融点は「約○℃」の表現を用いても差し支えない．

分解点は，「約△℃（分解）．」と記載し，「○ ～ △℃（分解）．」のような幅記載は行わない．また，融解又は分解に10℃以上の幅があるものは規定しないが，それらの現象が外観上で確認できる温度に関する情報を提出する．

3.14.10.3 光学活性を有する医薬品の塩の記載

光学活性を有する医薬品の塩において，「薬理作用を有するが光学活性のない酸又は塩基部分」と「薬理作用はないが光学活性を有する酸又は塩基部分」とでイオン対を構成して旋光性を示すような医薬品の場合は，旋光性を性状における示性値として記載する．

（例：イフェンプロジル酒石酸塩）

3.14.10.4 不斉炭素を有するが旋光性を示さない（ラセミ体など）場合の扱い

ラセミ体のように不斉炭素を有するが旋光性を示さない医薬品の場合には，性状の項に「本品の水溶液(1→○○)は旋光性を示さない」（固体の場合）又は「本品は旋光性を示さない」（液体の場合）と記載する．

3.14.10.5 純度試験に鏡像異性体又はジアステレオマーの規定がある場合の旋光度の扱い

純度試験に鏡像異性体又はジアステレオマーの規定がある場合，旋光度については性状の項に記載する．

3.14.10.6 「結晶多形」に関する記載の例

結晶多形を有する場合は次のように記載する．

［例］本品は結晶多形が認められる．

3.15 生薬の性状

生薬の性状は，必要に応じて，生薬の外部形態，長さ，径，外面の色，外面の特徴的要素，部位ごとの特徴又はルーペ視，横切，折等で得られる特徴的要素，におい，味，鏡検で得られる特徴的要素，溶解性，液性等の順で記載する．

なお，試験者に健康上の影響を与える可能性があるものについては，におい及び味を規定しない．

色，におい，味，溶解性，液性は，**3.14** 性状の項を参考に記載する．なお，基原が複数あり，それぞれの基原により，生薬の性状が異なる場合は，基原に対応して片括弧で付番し，学名（命名者名含む）を記載し，それぞれに，性状を全文記載する．

3.16 確認試験

3.16.1 確認試験の設定

確認試験は，医薬品又は医薬品中に含有されている有効成分などを，その特性に基づいて確認するための試験である．

（化学薬品）原薬においては，一般的に赤外吸収スペクトル法，紫外可視吸収スペクトル法を記載し，塩の場合はその確認を行う．（化学薬品）製剤においては，配合剤や添加剤の影響に留意し，全ての製剤に一つ以上の確認試験を設定する．定量法などの液体クロマトグラフィーを準用し相対保持時間で規定する場合は，異なる条件の液体クロマトグラフィーを同時に設定するか，その他の方法も並列設定することが望ましい．

3.16.2 確認試験の合理化

確認試験以外の項目の試験によっても医薬品の確認が可能な場合には，それらを考慮に入れることができる．必要に応じてそれらの試験を確認試験として設定することも可能であるが，確認試験以外の試験によって確認を行う場合は，確認試験の項にその旨を記載する（**3.16.9** クロマトグラフィーによる確認試験の項を参照）．

3.16.3 確認試験として設定する試験法

確認試験としては，通例，スペクトル分析，化学反応，クロマトグラフィー等による理化学的方法や，生化学的方法又は生物学的方法などが考えられる．

生物薬品については，分子構造上の特徴やその他の特有の性質に基づいて，構造解析・物理的化学的方法（ペプチドマップ法，SDSポリアクリルアミドゲル電気泳動法等），免疫化学的方法（ウエスタンブロット法等），生化学的方法（酵素活性測定法等），生物学的方法（細胞応答性試験法等）を用いて設定する．ペプチドマップを設定した場合，構成アミノ酸を設定する必要はない．

3.16.3.1 スペクトル分析

スペクトル分析としては，原則として赤外吸収スペクトル及び紫外可視吸収スペクトルを設定する．ただし，重合高分子化合物などについては赤外吸収スペクトル及び紫外可視吸収スペクトルの適用の意義を慎重に検討する．必要に応じ，核磁気共

鳴スペクトルの設定を検討する．

3.16.3.2 化学反応

化学反応による方法については，化学構造の特徴を確認するのに適切なものがある場合に設定するが，ハロゲン，ニトロ等の官能基が赤外吸収スペクトルで明確に確認できる場合は設定する必要はない．

3.16.3.3 クロマトグラフィー

通例の定性反応，紫外可視吸収スペクトル，赤外吸収スペクトル又は核磁気共鳴スペクトルなどによる確認試験に加えて，薄層クロマトグラフィー，液体クロマトグラフィー等のクロマトグラフィーによるR値や保持時間の一致による確認試験を設定することができる．

クロマトグラフィーによる確認試験は標準物質との比較によって行う．ただし，生薬等においてはその限りではない．

3.16.3.4 免疫化学的方法，生化学的方法又は生物学的方法

生物薬品については，目的物質の構造や物理的化学的性質に加え，免疫学的性質，生化学的性質，あるいは，生物学的性質に基づいて，目的とする医薬品であることを確認する試験を設定することができる．

3.16.4 確認試験の記載の順序

確認試験の記載の順序は，呈色反応，沈殿反応，分解反応，誘導体，吸収スペクトル（紫外，可視，赤外），核磁気共鳴スペクトル，クロマトグラフィー，特殊反応，陽イオン，陰イオンの順とする．分解した後に次の反応を行うものは分解反応とする．

生物薬品では，目的物質の構造や物理的化学的性質（ペプチドマップ又は構成アミノ酸，HPLCの保持時間，SDSポリアクリルアミドゲル電気泳動・キャピラリー電気泳動の移動度等），免疫化学的性質（ELISAの反応性，ウエスタンブロットにおける反応性と移動度，中和活性等），生化学的性質（酵素活性，結合親和性等），生物学的性質（細胞応答性等）の順とする．

3.16.5 一般試験法の定性反応を用いる場合の記載

確認試験に一般試験法の定性反応を用いる場合は，次のように記載する．

一般試験法の塩化物の定性反応に規定されている全ての項目を満足する場合は，「本品は塩化物の定性反応〈1.09〉を呈する」と記載する．

規定されている項目のうち，特定の項目の試験のみを実施する場合には，「…の定性反応(1)〈1.09〉を呈する」のように記載する．

なお，定性反応を規定する場合，検液のイオン濃度は，通例，0.2～1%とし，明確な判定のために原則として「本品の水溶液(1→100)は…の定性反応〈1.09〉…を呈する」のように濃度を規定する．

また，対象とする塩が異なる場合には（1）ナトリウム塩，（2）リン酸塩のように分けて項立てする．

［例］
- （1）本品の水溶液(1→10)はナトリウム塩の定性反応〈1.09〉を呈する．
- （2）本品の水溶液(1→10)はリン酸塩の定性反応〈1.09〉の(1)及び(3)を呈する．

3.16.6 紫外及び可視吸収スペクトルによる確認試験

参照スペクトル又は標準品のスペクトルとの比較による方法の設定を検討する．参照スペクトルは原則として220 nm以上とするが，原案で測定する波長は，短波長での規定の必要性を判断（例えば，長波長側の極大吸収の吸光度にスケールを合わせたため230 nm付近で振り切れている場合など）するため，原則として210 nm以上とする．製剤の確認試験に本法を適用する場合，原則として参照スペクトル法は採用せず，吸収極大の波長により規定する．

参照スペクトル又は標準品のスペクトルと同じ測定条件で紫外可視吸光度測定法により試料のスペクトルを測定し，両者のスペクトルを比較するとき，同一波長のところに同様の強度の吸収を与える場合に，互いの同一性が確認される．

通例，「本品のエタノール(95)溶液(1→○○)につき，紫外可視吸光度測定法〈2.24〉により吸収スペクトルを測定し，本品のスペクトルと本品の参照スペクトル（又は＊＊標準品について同様に操作して得られたスペクトル）を比較するとき，両者のスペクトルは同一波長のところに同様の強度の吸収を認める．」と記載する．

参照スペクトルとの比較による方法の設定が困難な場合には，吸収極大の波長について規定する方法を採用する．規定する波長幅は通例，4 nmを基準とする．また，吸収スペクトルの肩が明確な場合には規定し，波長幅は10 nm程度で差し支えない．なお，原則として吸収の極小は規定しない．

3.16.7 赤外吸収スペクトルによる確認試験

赤外吸収スペクトル測定法〈2.25〉により，参照スペクトル又は標準品のスペクトルとの比較により適否を判定する．ただし，医薬品が塩である場合には，加える臭化カリウムや塩化カリウムとの間で塩交換を起こすことがあり注意が必要である．錠剤法や拡散反射法では，塩酸塩の場合には原則として塩化カリウムを使用する．その他の塩の場合にはペースト法を試みるなどの対応が必要である．なお，ATR法では参照スペクトルの設定が困難なため，原則として参照スペクトル法は用いない．

通例，「本品を乾燥し，赤外吸収スペクトル測定法〈2.25〉の●●法により試験を行い，本品のスペクトルと本品の参照スペクトル（又は乾燥した＊＊標準品のスペクトル）を比較するとき，両者のスペクトルは同一波数のところに同様の強度の吸収を認める．」と記載する．

結晶多形を有するものについては，原薬の結晶形が特定されている場合を除き，通例，上記のような判定記載の末尾に再測定の前処理法について記載する．具体的な規定が困難な場合に限って「別に規定する方法」とすることも可能だが，欧州薬局方などを参考に比較的簡単な規定ができる場合には，再処理方法を記載する必要がある．

［例］「もし，これらのスペクトルに差を認めるときは，本品（及び＊＊標準品）を（それぞれ）□□に溶かした後，□□を蒸発し，残留物を……で乾燥したものにつき，同様の試験を行う．」

製剤では，添加剤の影響により参照スペクトルとの比較が困難な場合は，有効成分に特徴的な吸収帯を選び波数で規定する．2000 cm^{-1}以上の波数は1位の数値を四捨五入して規定する．

［例］「…につき，赤外吸収スペクトル測定法〈2.25〉の液膜法により測定するとき，波数2940 cm^{-1}，2810 cm^{-1}，2770 cm^{-1}，1589 cm^{-1}，1491 cm^{-1}，1470 cm^{-1}，1434 cm^{-1}，1091 cm^{-1}及び1015 cm^{-1}付近に吸収を認める．」（クロルフェニラミンマレイン酸塩散）

なお，規定する吸収帯は，スペクトル中の主要な吸収帯及び

有効成分の構造の確認に有用な吸収帯をできるだけ広い波数域にわたるように選択する．なお構造上特徴的な官能基は原則として帰属される必要がある．

3.16.8 核磁気共鳴スペクトルによる確認試験

原則として内部基準物質に対するシグナルの化学シフト，分裂のパターン及び各シグナルの面積強度比を規定し，測定装置の磁場の大きさを参考として記載する．ただし，シグナルの多重度は，測定装置の磁場の大きさが異なるとき，機器の分析能の差及びスピン－スピン結合の大きさとスピン－スピン結合した核同士の共鳴周波数の差との相対的関係から異なって観測されることがある．したがって，みかけの多重度が磁場の大きさに依存しないように，十分に大きい磁場で測定することが望ましい．

［例］「本品の核磁気共鳴スペクトル測定用重水溶液につき，核磁気共鳴スペクトル測定用3－トリメチルシリルプロパンスルホン酸ナトリウムを内部基準物質として核磁気共鳴スペクトル測定法〈2.21〉により^{1}Hを測定するとき，δ 1.2 ppm付近に三重線のシグナルAを，δ 6.8 ppm付近に二重線のシグナルBを，δ 7.3 ppm付近に二重線のシグナルCを示し，各シグナルの面積強度比A：B：Cはほぼ3：2：2である（ただし，試料濃度は○○，周波数は△△MHzで測定したとき）．」

3.16.9 クロマトグラフィーによる確認試験

通例，薄層クロマトグラフィーの場合は，試料溶液及び標準物質を用いて調製した標準溶液から得た主スポットのR値，色又は形状などが等しいことを規定する．定量用標準物質が「医薬品各条」と同一規格で設定されている場合には，確認試験での標準物質として，定量用標準物質を使用する．ただし，定量用標準物質に含量規格を「医薬品各条」より厳しくするような上乗せ規格がある場合には，定量用標準物質は使用せず，「医薬品各条」を使用することを原則とする．

液体クロマトグラフィーの場合は試料溶液及び標準品又は標準物質を用いて調製した標準溶液から得た有効成分の保持時間が等しいこと，又は試料に標準被検成分を添加しても試料の試験成分のピークの形状が崩れないことを規定する．ただし，製剤の場合は原薬を用いて調製した標準溶液との比較でもよい．なお，被検成分の化学構造に関する知見が同時に得られる検出器が用いられる場合，保持時間の一致に加えて，化学構造に関する情報が一致することにより，より特異性の高い確認を行うことができる．

［例］「本品及びアミカシン硫酸塩標準品0.1 gずつを水4 mLに溶かし，試料溶液及び標準溶液とする．これらの液につき，薄層クロマトグラフィー〈2.03〉により試験を行う．試料溶液及び標準溶液2 μLずつを薄層クロマトグラフィー用シリカゲルを用いて調製した薄層板にスポットする．次に水／アンモニア水(28)／メタノール／テトラヒドロフラン混液(1：1：1：1)を展開溶媒として約10 cm展開した後，薄層板を風乾する．これにニンヒドリン・クエン酸・酢酸試液を均等に噴霧した後，100℃で10分間加熱するとき，試料溶液から得た主スポット及び標準溶液から得たスポットは赤紫色を呈し，それらのR値は等しい．」（アミカシン硫酸塩）

［例］試料溶液及び標準溶液20 μLにつき，定量法の条件で液体クロマトグラフィー〈2.01〉により試験を行うとき，試料溶液及び標準溶液から得た主ピークの保持時間は等しい．

［例］試料溶液及び標準溶液25 μLにつき，次の条件で液体クロマトグラフィー〈2.01〉により試験を行うとき，試料溶液及び標準溶液から得た主ピークの保持時間は等しい．また，それらのピークの吸収スペクトルは同一波長のところに同様の強度の吸収を認める．

試験条件
　カラム，カラム温度，移動相及び流量は定量法の試験条件を準用する．
　検出器：フォトダイオードアレイ検出器（測定波長：270 nm，スペクトル測定範囲：220～370 nm）

システム適合性
　システムの性能：標準溶液25 μLにつき，上記の条件（ただし，測定波長270 nm）で操作するとき，＊＊のピークの理論段数及びシンメトリー係数は，それぞれ5000段以上，1.5以下である．

3.16.10 塩の場合の対イオンの確認試験

対象となる医薬品が塩の場合は，薬理作用を持たない対イオンの確認試験も設定する．ただし，製剤には原則として設定する必要はない．

3.16.11 確認する物質の名称の記載

確認する物質の名称を末尾に（　）で示すのは，確認する物質を特定する必要がある場合（例えば，ヨード・サリチル酸・フェノール精）などに限る．

3.17 示性値

3.17.1 示性値の設定

アルコール数，吸光度，凝固点，屈折率，浸透圧比，旋光度，構成アミノ酸，粘度，pH，成分含量比，比重，沸点，融点，酸価，けん化価，エステル価，水酸基価，ヨウ素価等のうち，適否の判定基準とする必要があるものを，旋光度，融点のような項目名を用い，設定する．記載順は上記のとおりとする．ただし，確認試験に紫外可視吸光度測定法による試験を設定した場合は，吸光度を規定する必要はない．原則として注射剤用原薬にはpHを設定するが，非イオン性化合物では設定は不要である．

生物薬品では示性値に該当する項目として分子量，等電点，構成アミノ酸，単糖（中性糖及びアミノ糖，シアル酸）の組成比／含量，糖鎖プロファイル（オリゴ糖の組成比），グリコフォームプロファイル，電荷プロファイル，目的物質関連物質の組成比／含量，比活性，pH等がある．

各項目は，3.17.2～3.17.15の規定のように記載するが，試験法が一般試験法と異なる場合は，操作法を記載する．

3.17.1.1 製剤の示性値

製剤の場合には，必要に応じて，製剤の安定性及び有効性・安全性等にかかわる品質評価に直接関与する項目を設定する．

原薬の収載がない製剤については，必要に応じて，その原薬の示性値を記載する．

製造販売承認書に規格として設定されている製剤の浸透圧比及びpHを日局に規定する場合は，「別に規定する．」とする．また，軟膏剤のうち水溶性軟膏剤，クリーム剤のうち水中油(O/W)型クリーム剤及び貼付剤のうちパップ剤にはpHの規定が必要である．ただし，加水分解のおそれのない原薬を含有するこれらの製剤の場合には，pHの規定は必要ない．抗生物

質については局外規第四部で浸透圧比／pHが設定されている場合にのみ設定する．浸透圧比は，通例，以下のように記載する．用時溶解して使用する注射剤の場合には，試料溶液調製法を記載する．ただし，筋肉内投与のない場合には原則として設定の必要はない．

　　浸透圧比〈2.47〉　0.9 ～ 1.1
　　浸透圧比〈2.47〉　「＊＊」1.0 gに対応する量を注射用水10 mLに溶かした液の浸透圧比は1.0 ～ 1.2である．

3.17.2　吸光度の記載

吸光度は，通例，次のように記載するが，確認試験に紫外可視吸光度測定法による参照スペクトル法が規定されている場合には，吸光度を示性値として設定しなくてもよい．

　　吸光度〈2.24〉　$E_{1cm}^{1\%}$ (247 nm)：390 ～ 410 (乾燥後，10 mg，メタノール，1000 mL)．

これは「本品を乾燥減量の項に規定する条件で乾燥し，その約10 mgをミクロ化学はかりを用いて精密に量り，メタノールに溶かし，正確に1000 mLとした場合と同じ比率の溶液とする．この液につき，一般試験法の紫外可視吸光度測定法〈2.24〉により試験を行うとき，波長247 nmにおける$E_{1cm}^{1\%}$は390 ～ 410である」を意味する．

なお，吸光度の記号中の1％とは，1 g／100 mLを意味する．

3.17.3　凝固点の記載

凝固点は，通例，次のように記載する．

　　凝固点〈2.42〉　112℃以上．

これは「本品は，凝固点測定法〈2.42〉により試験を行うとき，凝固点は112℃以上である」を意味する．

3.17.4　屈折率の記載

屈折率は，通例，次のように記載する．

　　屈折率〈2.45〉　n_D^{20}：1.481 ～ 1.486

これは「本品は，屈折率測定法〈2.45〉により20℃で試験を行うとき，屈折率n_D^{20}は1.481 ～ 1.486である」を意味する．

3.17.5　旋光度の記載

旋光度は，通例，次のように記載する．

　　旋光度〈2.49〉　$[\alpha]_D^{20}$：＋48 ～ ＋57°(乾燥後，0.25 g，水，25 mL，100 mm)．

これは「本品を乾燥減量の項に規定する条件で乾燥し，その約0.25 gを精密に量り，水に溶かし，正確に25 mLとする．この液につき，旋光度測定法〈2.49〉により試験を行い，20℃，層長100 mmで測定するとき，比旋光度$[\alpha]_D^{20}$は＋48 ～ ＋57°である」を意味する．

3.17.6　粘度の記載

粘度は，通例，次のように記載する．

　　粘度〈2.53〉　345 ～ 445 mm²/s (第1法，25℃)．

これは「本品は，粘度測定法〈2.53〉の第1法により25℃で試験を行うとき，動粘度は345 ～ 445 mm²/sである」を意味する．

　　粘度〈2.53〉　123 ～ 456 mPa・s (第2法，20℃)．

これは「本品は，粘度測定法〈2.53〉の第2法により20℃で試験を行うとき，粘度は123 ～ 456 mPa・sである」を意味する．

3.17.7　pHの記載

pHは，通例，次のように記載する．

液体の医薬品の場合：
　　pH〈2.54〉　7.1 ～ 7.5

これは「本品は，pH測定法〈2.54〉により試験を行うとき，pHは7.1 ～ 7.5である」を意味する．

固体の医薬品の場合：
　　pH〈2.54〉　本品1.0 gを＊＊〇 mLに溶かした液のpHは△ ～ □である．

3.17.8　比重の記載

比重は，通例，次のように記載する．

　　比重〈2.56〉　d_{20}^{20}：0.718 ～ 0.721

これは「本品は，比重及び密度測定法〈2.56〉により20℃で試験を行うとき，比重d_{20}^{20}は0.718 ～ 0.721である」を意味する．

3.17.9　沸点の記載

沸点は，通例，次のように記載する．

　　沸点〈2.57〉　118 ～ 122℃

これは「本品は，沸点測定法及び蒸留試験法〈2.57〉により試験を行うとき，沸点は118 ～ 122℃である」を意味する．

3.17.10　融点の記載

融点は，通例，次のように記載する．

　　融点〈2.60〉　110 ～ 114℃

これは「本品は，融点測定法〈2.60〉の第1法により試験を行うとき，融点は110 ～ 114℃である」を意味する．

第2法又は第3法を用いるときは，その旨を融点の数値の次に記載する．

　［例］　融点〈2.60〉　56 ～ 72℃ (第2法)．

3.17.11　酸価の記載

酸価は，通例，次のように記載する．

　　酸価〈1.13〉　188 ～ 203

これは「本品は，油脂試験法〈1.13〉により試験を行うとき，酸価は188 ～ 203である」を意味する．

3.17.12　エステル価 (けん化価，水酸基価など) の記載

エステル価は，通例，次のように記載する．

　　エステル価〈1.13〉　72 ～ 94

これは「本品は，油脂試験法〈1.13〉により試験を行うとき，エステル価は72 ～ 94である」を意味する．

けん化価，水酸基価等は，エステル価に準じて記載する．

3.17.13　ヨウ素価の記載

ヨウ素価は，通例，次のように記載する．

　　ヨウ素価〈1.13〉　18 ～ 36

これは「本品は，油脂試験法〈1.13〉により試験を行うとき，ヨウ素価は18 ～ 36である」を意味する．

3.17.14　構成アミノ酸の記載方法

一般試験法のタンパク質のアミノ酸分析法を用いる場合は，加水分解の方法，アミノ酸分析の方法，規格値並びに操作法として加水分解 (複数の方法を組み合わせる等，変法を用いている例があるため，詳細な方法を規定する) 及びアミノ酸分析の方法の順に記載する．

なお，発色液等は分析装置と一体となっている場合が多いので，詳細な組成比，調製法について必ずしも規定する必要はない．

　［例］　セルモロイキン (遺伝子組換え)　構成アミノ酸

　　　タンパク質のアミノ酸分析法〈2.04〉「1.タンパク質及びペプチドの加水分解」の方法1及び方法4により加水分解し，「2.アミノ酸分析方法」の方法1により試験を行うとき，グルタミン酸 (又はグルタミン) は17又は18，トレオニンは11 ～ 13，アスパラギン酸 (又はアスパラギン) は11又は12，リシンは11，イソロイシンは7又は8，セリンは6 ～ 9，フェニルアラニンは6，アラニンは5，プロリンは5又は6，アルギニン及びメチオニンはそれぞれ4，システイン及びバリ

ンはそれぞれ3又は4，チロシン及びヒスチジンはそれぞれ3，グリシンは2及びトリプトファンは1である．

操作法

（ⅰ）加水分解　定量法（1）で得た結果に従い，総タンパク質として約50 μgに対応する量を2本の加水分解管にそれぞれとり，減圧で蒸発乾固する．一方に薄めた塩酸（59→125）／メルカプト酢酸／フェノール混液（100：10：1）100 μLを加えて振り混ぜる．この加水分解管をバイアルに入れ，バイアル内を薄めた塩酸（59→125）／メルカプト酢酸／フェノール混液（100：10：1）200 μLを加えて湿らせる．バイアル内部を不活性ガスで置換又は減圧して，約115℃で24時間加熱する．減圧乾燥した後，0.02 mol/L塩酸試液0.5 mLに溶かし，試料溶液（1）とする．もう一方の加水分解管に氷冷した過ギ酸100 μLを加え，1.5時間氷冷下で酸化した後，臭化水素酸50 μLを加えて減圧乾固する．水200 μLを加えて減圧乾固する操作を2回繰り返した後，この加水分解管をバイアルに入れ，バイアル内を薄めた塩酸（59→125）200 μLを加えて湿らせる．バイアル内部を不活性ガスで置換又は減圧して，約115℃で24時間加熱する．減圧乾燥した後，0.02 mol/L塩酸試液0.5 mLに溶かし，試料溶液（2）とする．別にL-アスパラギン酸60 mg，L-グルタミン酸100 mg，L-アラニン17 mg，L-メチオニン23 mg，L-チロシン21 mg，L-ヒスチジン塩酸塩一水和物24 mg，L-トレオニン58 mg，L-プロリン22 mg，L-シスチン14 mg，L-イソロイシン45 mg，L-フェニルアラニン37 mg，L-アルギニン塩酸塩32 mg，L-セリン32 mg，グリシン6 mg，L-バリン18 mg，L-ロイシン109 mg，L-リシン塩酸塩76 mg及びL-トリプトファン8 mgを正確に量り，0.1 mol/L塩酸試液に溶かし，正確に500 mLとする．この液40 μLをそれぞれ2本の加水分解管にとり，減圧で蒸発乾固した後，試料溶液（1）及び試料溶液（2）と同様に操作し，標準溶液（1）及び標準溶液（2）とする．

（ⅱ）アミノ酸分析　試料溶液（1），試料溶液（2），標準溶液（1）及び標準溶液（2）250 μLずつを正確にとり，次の条件で液体クロマトグラフィー〈2.01〉により試験を行い，試料溶液（1），試料溶液（2），標準溶液（1）及び標準溶液（2）から得た各アミノ酸のピーク面積から，それぞれの試料溶液1 mL中に含まれる構成アミノ酸のモル数を求め，更にセルモロイキン1 mol中に含まれるロイシンを22としたときの構成アミノ酸の個数を求める．

［例］
試験条件

検出器：可視吸光光度計［測定波長：440 nm（プロリン）及び570 nm（プロリン以外のアミノ酸）］

カラム：内径4 mm，長さ25 cmのステンレス管に5 μmのポリスチレンにスルホン酸基を結合した液体クロマトグラフィー用強酸性イオン交換樹脂（Na型）を充塡する．

カラム温度：試料注入時は57℃の一定温度．一定時間後に昇温し，62℃付近の一定温度

反応槽温度：98℃付近の一定温度

発色時間：約2分

移動相：移動相A，移動相B及び移動相Cを次の表に従って調製後，それぞれにカプリル酸0.1 mLを加える．

（表省略）

移動相の送液：移動相A，移動相B及び移動相Cの混合比を次のように変えて濃度勾配制御する．

（表省略）

移動相及びカラム温度の切り替え：標準溶液0.25 mLにつき，上記の条件で操作するとき，アスパラギン酸，トレオニン，セリン，・・・，アルギニンの順に溶出し，シスチンとバリンの分離度が2.0以上，アンモニアとヒスチジンの分離度が1.5以上になるように，移動相A，移動相B，移動相Cを順次切り替える．また，グルタミン酸とプロリンの分離度が2.0以上になるように，一定時間後に昇温する．

反応試薬：酢酸リチウム二水和物408 gを水に溶かし，酢酸（100）100 mL及び水を加えて1000 mLとする．この液にジメチルスルホキシド1200 mL及び2-メトキシエタノール800 mLを加えて（Ⅰ）液とする．別にジメチルスルホキシド600 mL及び2-メトキシエタノール400 mLを混和した後，ニンヒドリン80 g及び水素化ホウ素ナトリウム0.15 gを加えて（Ⅱ）液とする．（Ⅰ）液3000 mLに，20分間窒素を通じた後，（Ⅱ）液1000 mLを速やかに加え，10分間窒素を通じ混和する．

移動相流量：毎分約0.275 mL

反応試薬流量：毎分約0.3 mL

システム適合性

システムの性能：標準溶液0.25 mLにつき，上記の条件で操作するとき，トレオニンとセリンの分離度は1.5以上である．

3.17.15 糖鎖試験の記載方法

一般試験法の糖鎖試験法を用いる場合は，糖鎖試験の方法，規格値及び操作法の順に記載する．

［例1］　単糖組成（中性糖及びアミノ糖）

単糖組成（中性糖及びアミノ糖）　糖鎖試験法〈2.64〉の単糖分析（中性糖及びアミノ糖）により試験を行うとき，タンパク質△△当たりのガラクトサミン，グルコサミン，ガラクトース，フコース及びマンノースの含量はそれぞれ，〇〜〇，〇〜〇，〇〜〇，〇〜〇及び〇〜〇である．

本品の総タンパク質△△ μgに対応する量を正確に量り，●●の方法により脱塩を行い，水100 μLに溶かす．この液を加水分解管（約1.5 mLのガラス製又はポリプロピレン製）にとり，トリフルオロ酢酸62 μLを加え，100℃で4時間加熱した後，減圧で蒸発乾固する．残留物にメタノール200 μLを加えた後，更に減圧で蒸発乾固する．残留物に酢酸ナトリウム三水和物溶液（1→100）10 μLを正確に加えて溶かし，2-アミノ安息香酸誘導体化試液50 μLを正確に加えて混和し，80℃で30分間加温する．移動相A液△△ μLを正確に加え，試料溶液とする．別にガラクトース，グルコース及びマンノースをそれぞれ36.0 mg，ガラクトサミン及びグルコサミン44.2 mg並びにフコース32.8 mgをそれぞれ水に溶かし，正確に100 mLとする．これらの液〇 mL，〇 mL，〇 mL，〇 mL，〇 mL及び〇 mLを正確に量り，混合し，水を加えて正確に10 mLとし，単糖混合標準原液とする．この液及び水100 μLにつき，試料溶液と同様の方法で操作し，単糖混合標準溶液及び空試験液とする．試料溶液，単糖混合標準溶液及び空試験液△△ μLずつを正確にとり，次の条件で液体クロマトグラフィー

〈2.01〉により試験を行い，各単糖のピーク面積から，各単糖の含量を求める．

［例2］　単糖組成（シアル酸）

単糖組成（シアル酸）　糖鎖試験法〈2.64〉の単糖分析（シアル酸）により試験を行うとき，タンパク質△△当たりのN－アセチルノイラミン酸及びN－グリコリルノイラミン酸の含量はそれぞれ○～○及び○～○である．

　本品の総タンパク質△△μgに対応する量を●●の方法により脱塩を行い，水50 mLに溶かす．この液に0.1 mol/L塩酸試液50 μLを正確に加えて混和し，80℃で1時間加温した後，氷水中で冷却し，試料溶液とする．別にN－アセチルノイラミン酸15.5 mg及びN－グリコリルノイラミン酸16.3 mgをそれぞれ水に溶かし，正確に5 mLとする．これらの溶液○○ μL及び△△ μLを正確に量り，混合し，水を加えて正確に10 mLとし，シアル酸標準原液(1)とする．この液○○ μLを正確に量り，水を加えて正確に10 mLとし，シアル酸標準原液(2)とする．シアル酸標準原液(1)，シアル酸標準原液(2)及び水50 μLを正確にとり，それぞれに0.1 mol/L塩酸試液50 μLずつを正確に加えてシアル酸標準溶液(1)，シアル酸標準溶液(2)及び空試験液とする．試料溶液，シアル酸標準溶液(1)，シアル酸標準溶液(2)及び空試験液に1,2－ジアミノ－4,5－メチレンジオキシベンゼン誘導体化試液200 μLずつを正確に加え，混和する．遮光下，60℃で2時間加温後，氷水中で冷却し，反応を停止する．それぞれの液に水○○ μLを正確に加えて混和する．これらの液○○ μLずつを正確にとり，次の条件で液体クロマトグラフィー〈2.01〉により試験を行い，シアル酸含量を求める．

［例3］　糖鎖プロファイル

糖鎖プロファイル　糖鎖試験法〈2.64〉の糖鎖プロファイル法により試験を行うとき，試料溶液及び標準溶液から得られたクロマトグラムは同様であり，ピーク1，ピーク2，ピーク3及びピーク4の面積百分率は，それぞれ○～○％，○～○％，○～○％及び○～○％である．

　本品の総タンパク質△△μgに対応する量を●●の方法により脱塩を行い，水に溶かし，1 μLに総タンパク質約10 μgを含む液となるように調製する．この液10 μLをとり，水30 μL，pH 7.2の0.2 mol/Lリン酸緩衝液5 μL及びPNGase F試液5 μLを加え，37℃で16時間反応させる．カーボン固相抽出により，遊離糖鎖を精製し，減圧下で蒸発乾固する．残留物に2－アミノベンズアミド誘導体化試液10 μLを加えて混和し，65℃で3時間加温する．反応終了後，アセトン1 mLを加え，よく混和する．毎分15000回転で10分間遠心分離した後，上澄液を除く．この操作を2回繰り返す．水／アセトニトリル混液（1：1）50 μLに溶かし，試料溶液とする．別に＊＊（標準物質）を同様の方法で操作し，標準溶液とする．試料溶液及び標準溶液を○ μLずつをとり，次の条件で液体クロマトグラフィー〈2.01〉により試験を行う．

3.18　純度試験

3.18.1　純度試験の設定

純度試験は，医薬品各条のほかの試験項目と共に，医薬品の純度を規定するものであり，医薬品中の混在物の種類，その混在量の限度及び混在量を測定するための試験法を規定する．この試験の対象となる混在物は，その医薬品の製造工程（原料，溶媒などを含む）に混在し，又は保存の間に生じることが予想されるものである．原則として類縁物質を設定する．ただし，合理的理由がある場合は，試験の設定を省略することができる．

　生物薬品の不純物は，その由来に基づき，目的物質由来不純物（例えば，脱アミド体，多量体等）及び製造工程由来不純物（宿主細胞由来タンパク質等）に分類される．管理すべき不純物については，純度試験を設定し，限度値で適否を判定する．純度試験を設定しないものについては，製造要件を記載する．（感染性物質は除く）．

　用量が微量な医薬品の場合にあっては，試料量の少ない試験方法の設定を検討する．また，品質評価の上で支障のない場合には，設定を省略しても差し支えない．

3.18.2　純度試験の記載の順序

純度試験の記載の順序は，原則として次による．

色，におい，溶状，液性，酸，アルカリ，塩化物，硫酸塩，亜硫酸塩，硝酸塩，亜硝酸塩，炭酸塩，臭化物，ヨウ化物，可溶性ハロゲン化物，チオシアン化物，セレン，陽イオンの塩，アンモニウム，重金属，鉄，マンガン，クロム，ビスマス，スズ，アルミニウム，亜鉛，カドミウム，水銀，銅，鉛，銀，アルカリ土類金属，ヒ素，遊離リン酸，異物，類縁物質（安全性に懸念のある類縁物質，その他の類縁物質），異性体，鏡像異性体，ジアステレオマー，多量体，残留溶媒，その他の混在物，蒸発残留物，硫酸呈色物．

3.18.3　溶状

溶状は，特に純度に関する情報が得られる場合に，必要に応じて設定する．注射剤に使用する原薬であっても，純度に関する情報が得られない場合には設定する必要はない．

　溶媒は水を用いるが，難溶性で十分な試験濃度が確保できない場合，メタノールなど，有機溶媒を用いてもよい．

　溶状を規定する場合は吸光度の数値比較又は色の比較液との比較（色の比較試験法）等により規定する．溶状における澄明について，通則28によって規定する場合には，一般試験法番号は記載せず，濁度試験法〈2.61〉の判定法に従って標準液と比較する場合に限り〈2.61〉を記載する．また，無色については，通則28によって規定する場合には一般試験法番号は記載せず，色の比較試験法〈2.65〉に従って判定する場合には，〈2.65〉を記載する．

［例1］　溶状　本品0.8 gを水10 mLに溶かすとき，液は無色澄明である．

［例2］　溶状　本品0.8 gを水10 mLに溶かすとき，液は無色であり，濁度試験法〈2.61〉により試験を行うとき，澄明である．

［例3］　溶状　本品0.8 gを水10 mLに溶かした液につき，濁度試験法〈2.61〉により試験を行うとき，澄明であり，色の比較試験法〈2.65〉の第1法により試験を行うとき，その色は無色である．

　色の比較液との比較を行う場合，液の具体的な色調は記載しない．色の比較液A～Tと比較する場合には「色の比較液」，色の一連の比較液（Bシリーズ，BYシリーズ等）と比較する場合には「比較液」と記載する．

［例1］　溶状　本品1.0 gを水10 mLに溶かすとき，液は澄明で，その色は色の比較試験法〈2.65〉により試験を行うとき，色の比較液Mより濃くない．

［例2］ 溶状　本品0.8 gを水10 mLに溶かすとき，液は澄明で，その色は色の比較試験法〈2.65〉の第1法により試験を行うとき，比較液R4より濃くない．

［例3］ 溶状　本品0.8 gを水10 mLに溶かした液につき，濁度試験法〈2.61〉により試験を行うとき，液の濁度は濁りの比較液Ⅱ以下であり，色の比較試験法〈2.65〉の第1法により試験を行うとき，その色は比較液BY3より濃くない．

溶状の試験における溶液の濃度は，10 g／100 mL，すなわち(1→10)を基準とし，臨床投与での濃度がこれより高い場合は，その濃度を基準にして合理的な濃度を設定する．また，当該医薬品の溶解度から(1→10)の濃度では溶状を試験することが難しいと考えられる場合は，溶ける範囲でなるべく高い濃度とする．

3.18.4　無機塩，重金属，ヒ素など

塩化物，硫酸塩，重金属及びヒ素における％又はppmへの換算は，付表又はそれに準じた方法による．

試料の採取量などは，付表に合わせることとする．

3.18.4.1　無機塩，重金属，ヒ素などの設定

無機塩，重金属，ヒ素などは，製造工程（原料，溶媒などを含む）及び用法・用量などを考慮して設定する．

なお，生薬の場合には，基原の動植物及び鉱物中における天然含量なども考慮して設定する．

［例］ 重金属〈1.07〉　本品2.0 gをとり，第4法により操作し，試験を行う．比較液には鉛標準液2.0 mLを加える (10 ppm以下)．

［例］ ヒ素〈1.11〉　本品1.0 gをとり，第3法により検液を調製し，試験を行う (2 ppm以下)．

3.18.4.2　塩化物，硫酸塩

塩化物，硫酸塩の試験では，原則として適当な溶媒を加えて試料を溶解した後，検液を調製する．

［例］ 塩化物〈1.03〉　本品2.0 gをとり，試験を行う．比較液には0.01 mol/L塩酸0.40 mLを加える (0.007％以下)．

［例］ 硫酸塩〈1.14〉　本品2.0 gをとり，試験を行う．比較液には0.005 mol/L硫酸0.40 mLを加える (0.010％以下)．

3.18.4.3　可溶性ハロゲン化物

可溶性ハロゲン化物は，塩素以外のハロゲンを試験するときに設定する．

3.18.4.4　ヒ素の設定の原則

ヒ素については，原則として次のいずれかに該当する場合に設定する．ただし，生薬等を除き，製造販売承認書にヒ素が規格として設定されていない場合は，設定の必要はない．

① 製造工程からヒ素混入の可能性が考えられる場合
② リン酸を含む化合物（リン酸塩，リン酸エステル等）
③ 無機化合物

3.18.4.5　重金属，ヒ素の添加回収率の検討

重金属，ヒ素の設定に際して，あらかじめ添加回収率を検討する．

なお，重金属，ヒ素の添加回収率は，原則として規格値レベルの濃度で試験し，70％以上であることが必要である．

3.18.5　類縁物質

3.18.5.1　類縁物質試験の設定

安全性に懸念がある類縁物質については，それぞれの混在量を個別に測定しうる特異性の高い試験法を設定する．例え混在量が少ない場合においても，構造を特定しておくことが必要と考えられる類縁物質については，個別に測定しうる特異性の高い試験法を設定する．

医薬品各条（生薬等を除く）で個別のピークとして相対保持時間を示して設定するものについては，原則として各類縁物質の名称と構造式を医薬品各条"その他"の項に示す．類縁物質の名称は，IUPAC命名法に従い作成した化学名英名を用いるものとする．なお，個別ピークとして設定すべき類縁物質のうち，構造未知の類縁物質については，「相対保持時間約○の構造未知物質」と記載し，構造決定が不成功に終わった研究の要約を様式4に記載する．

製法の違いにより不純物プロファイルが異なることで，既存の試験法が適用できない場合に限り，試験法の別法（第二法）も設定することができる．なお，当面の間，別法（第二法）が設定できる条件として，①原薬であること，②製法が異なることで不純物プロファイルが異なり同一管理が難しいとみなされる純度試験（類縁物質）であること，③第十七改正日本薬局方原案作成要領（一部改正　その2）（平成27年10月5日）の通知発出以降に新規収載原案が提出されたものであること，④原則として類縁物質の標準品を用いた設定であることを満たす場合に限る．

製剤に対しては当面の間，別法（第二法）の設定は認めないものの，原薬と同じ類縁物質の標準品を用いる場合のみ，原薬同様，別法（第二法）の設定を可能とする．

［例1］ 標準的な記載例（類縁物質）
　　その他
　　　類縁物質A：名称
　　　　　　　　構造式
　　　類縁物質B：名称
　　　　　　　　構造式
　　　類縁物質C：名称
　　　　　　　　構造式

［例2］ 別法（第二法）を追加する場合の標準的な記載例
　　類縁物質　製法に応じて，次のいずれかの方法により試験を行う．
　　1) 第1法　本品○○ mgを・・・
　　2) 第2法　本品○○ mgを・・・

［例3］ 純度試験（類縁物質1）及び純度試験（類縁物質2）が設定されているものに，別法（第二法，第三法）を追加する場合の標準的な記載例
　　類縁物質　製法に応じて，次のいずれかの方法により試験を行う．
　　1) 第1法
　　　類縁物質1　本品○○mgを・・・
　　　類縁物質2　本品○○mgを・・・
　　2) 第2法
　　　類縁物質1　本品○○mgを・・・
　　　類縁物質2　本品○○mgを・・・
　　3) 第3法
　　　類縁物質　本品○○mgを・・・

3.18.5.2　分解生成物

製造工程や強制分解生成物に関する知見及び安定性試験の結果などを勘案し，必要に応じて，製造工程及び保存中の分解に由来する混在物について試験を規定する．

製剤の保存期間中に分解生成物が新たに出現又は有意に増加する場合は，類縁物質の設定を考慮する．

3.18.5.3 類縁物質の試験方法

類縁物質の試験方法は，定量性及び検出感度を考慮して設定する．

液体クロマトグラフィーによる場合は，標準溶液として，試料溶液を希釈した液，有効成分の標準品あるいは類縁物質の標準品を用いて調製した液などを用いることができる．ただし，類縁物質の定量性が0.1％付近まで確認できていれば，面積百分率法も用いることができる．類縁物質の標準品をシステム適合性試験用標準品として，ピーク同定及び分離確認に用いることもできる．類縁物質の標準品以外に，類縁物質の標準物質を用いる場合には，一般に入手可能で，試験の目的に適した品質の標準物質を用いる．

薄層クロマトグラフィーによる場合は，標準溶液のスポットと比較する方法によるものとし，「単一スポットである」との判定は用いない．標準溶液には試料溶液を規格限度値まで希釈した溶液，又は類縁物質の標準物質の溶液を用いる．

3.18.5.4 類縁物質の限度値設定の考え方

安全性に懸念のある類縁物質の限度値は，試料量に対する％又は標準溶液との比較による方法で設定する．

類縁物質の限度値は，個々と総量の両方を規定する．個々の類縁物質の限度値及び類縁物質の総量は，面積百分率(％)又は標準溶液との比較による方法によって設定する．

ただし，個々の類縁物質の限度値を薄層クロマトグラフィーでは0.2％，液体クロマトグラフィーなどでは0.1％以下で規定する場合には，総量規定は設定しなくてもよい場合がある．また，個々の限度値を上記のように0.1％以下で設定した場合にあっても併せて総量規定を設定する場合には，検出の確認は原則として0.05％以下で規定する．

［例1］ 標準的な記載例

本品○ mgを＊＊○ mLに溶かし，試料溶液とする．この液○ mLを正確に量り，移動相を加えて正確に○ mLとし，標準溶液とする．試料溶液及び標準溶液○ μLずつを正確にとり，次の条件で液体クロマトグラフィー〈2.01〉により試験を行う．それぞれの液の各々のピーク面積を自動積分法により測定するとき，試料溶液の＊＊に対する相対保持時間約△の類縁物質Aのピーク面積は，標準溶液の＊＊のピーク面積の▲倍より大きくなく，試料溶液の相対保持時間約△の類縁物質Bのピーク面積は，標準溶液の＊＊のピーク面積の▲倍より大きくなく，試料溶液の＊＊及び上記以外のピークの面積は，標準溶液の＊＊のピーク面積より大きくない．また，試料溶液の＊＊以外のピークの合計面積は，標準溶液の＊＊のピーク面積の▲倍より大きくない．ただし，類縁物質A及び類縁物質Bのピーク面積は自動積分法で求めた面積にそれぞれ感度係数○及び△を乗じた値とする（感度係数を記載する場合）．

［例2］ 面積百分率法による記載例

本品○ mgを＊＊○ mLに溶かし，試料溶液とする．試料溶液○ μLにつき，次の条件で液体クロマトグラフィー〈2.01〉により試験を行う．各々のピーク面積を自動積分法により測定し，面積百分率法によりそれらの量を求めるとき，＊＊に対する相対保持時間約△の類縁物質A，約△の類縁物質B，約△の類縁物質C及び約△の類縁物質Dのピークの量はそれぞれ○％以下，相対保持時間約△の類縁物質Eのピークの量は○％以下，相対保持時間約△の類縁物質Fのピークの量は○％以下であり，＊＊及び上記以外のピークの量は○％以下である．また，＊＊及び類縁物質E以外のピークの合計量は○％以下である．

［例3］ 類縁物質の標準品を用いた記載例

本品約○ mgを精密に量り，移動相に溶かして正確に○ mLとし，試料溶液とする．別に＊＊類縁物質A標準品，＊＊類縁物質B標準品及び＊＊標準品約○ mgをそれぞれ精密に量り，移動相に溶かし，正確に○ mLとする．この液＊○ mLを正確に量り，移動相を加えて正確に○ mLとする．さらにこの液○ mLを正確に量り，移動相を加えて正確に○ mLとし，標準溶液とする．試料溶液及び標準溶液○ μLずつを正確にとり，次の条件で液体クロマトグラフィー〈2.01〉により試験を行う．試料溶液の＊＊に対する相対保持時間約△の類縁物質A及び約△の類縁物質Bのピーク面積A_{T1}及びA_{T2}，またその他の類縁物質のピークの合計面積A_{T3}，更に標準溶液の類縁物質A及び類縁物質B及び＊＊のピーク面積A_{S1}，A_{S2}及びA_{S3}を自動積分法により測定し，次式により計算するとき，本品中の類縁物質A，類縁物質B及びその他の類縁物質の合計量はそれぞれ○％以下，○％以下及び○％以下である．ただし，試料溶液の＊＊に対する相対保持時間約△の類縁物質C及び相対保持時間約△の類縁物質Dのピーク面積は自動積分法で求めた面積にそれぞれ感度係数▽及び□を乗じた値とする（感度係数を記載する場合）．

類縁物質Aの量(％) ＝ $M_{S1} / M_T \times A_{T1} / A_{S1} \times$ ○

類縁物質Bの量(％) ＝ $M_{S2} / M_T \times A_{T2} / A_{S2} \times$ ○

その他の類縁物質の合計量(％)
   ＝ $M_{S3} / M_T \times A_{T3} / A_{S3} \times$ ○

M_{S1}：＊＊類縁物質A標準品の秤取量(mg)
M_{S2}：＊＊類縁物質B標準品の秤取量(mg)
M_{S3}：＊＊標準品の秤取量(mg)
M_T：本品の秤取量(mg)

［例4］ 有効成分の標準品を用いた記載例

本品約○ mg を精密に量り，移動相に溶かして正確に○ mLとし，試料溶液とする．別に＊＊標準品約○ mgを精密に量り，移動相に溶かし，正確に○ mLとする．この液○ mLを正確に量り，移動相を加えて正確に○ mLとする．さらにこの液○ mLを正確に量り，移動相を加えて正確に○ mLとし，標準溶液とする．試料溶液及び標準溶液○ μLずつを正確にとり，次の条件で液体クロマトグラフィー〈2.01〉により試験を行う．試料溶液の＊＊に対する相対保持時間約△の類縁物質A及び相対保持時間約△の類縁物質Bのピーク面積A_{T1}及びA_{T2}，またその他の類縁物質のピークの合計面積A_{T3}，更に標準溶液のピーク面積A_Sを自動積分法により測定し，次式により計算するとき，本品中の類縁物質A，類縁物質B及びその他の類縁物質の合計量はそれぞれ○％以下，○％以下及び○％以下である．ただし，類縁物質A及び類縁物質Bのピーク面積は自動積分法で求めた面積にそれぞれ感度係数▽及び□を乗じた値とする（感度係数を記載する場合）．

類縁物質Aの量(％) ＝ $M_S／M_T × A_{T1}／A_S ×$ ○
類縁物質Bの量(％) ＝ $M_S／M_T × A_{T2}／A_S ×$ ○
その他の類縁物質の合計量（％）
　　＝ $M_S／M_T × A_{T3}／A_S ×$ ○

M_S：＊＊標準品の秤取量（mg）
M_T：本品の秤取量（mg）

3.18.5.5　類縁物質での感度係数の使用

感度係数が0.7～1.3の範囲を超える場合には補正する．なお，0.7～1.3の範囲を超えない場合であっても，補正することが望ましいと判断される場合には感度係数を設定することができる．桁数については，原則小数第1位までとする．

3.18.5.6　類縁物質の表記順

類縁物質での規格表記の順序は，原則として相対保持時間の小さい順に記載する．

医薬品各条（生薬等を除く）で個別のピークとして相対保持時間を示して設定する類縁物質については，相対保持時間の小さい順にアルファベット番号（類縁物質A，類縁物質B…）を付す．なお，アルファベット番号は，例外的に外国薬局方等の表記と対応した表記とすることもできる．

別法（第二法）の設定に伴い，新たに示す構造既知の類縁物質については，相対保持時間の小さい順に，既出のアルファベット番号に続く番号を付す．

製剤各条中の類縁物質のうち，原薬各条中の類縁物質と同じものについては，同じアルファベット番号を付し，対応する旨を医薬品各条"その他"の項に示す．それ以外の製剤各条中の類縁物質については，原則として剤形を示すアルファベット（錠剤は「T」，注射剤は「I」など）と相対保持時間の小さい順を示すアルファベットを組み合わせた2文字のアルファベット番号（類縁物質TA，類縁物質TB…）を付す．

［例1］　原薬各条中での標準的なアルファベット番号の付し方
　類縁物質A，B，C，D（相対保持時間の小さい順にアルファベット番号を付す）

［例2］　別法（第二法）が設定されている場合の標準的な記載例
　1）第1法　類縁物質A，B，C，D（相対保持時間の小さい順にアルファベット番号を付す）
　2）第2法　類縁物質E，B，C，F（第1法では設定されていない新たな類縁物質EとFを示す場合．相対保持時間の小さい順にアルファベット番号を付す）

［例3］　製剤各条中での標準的な記載例
　その他
　　類縁物質A及びBは「＊＊」のその他を準用する．
　　　類縁物質TA：名称
　　　　　　　　　構造式
　　　類縁物質TB：名称
　　　　　　　　　構造式

3.18.5.7　類縁物質の構造式及び化学名について

「3.6 構造式」，「3.8.1 化学名の記載」を参考に作成する．立体化学が確定していない場合には，当該部分の構造は波線を用いて表記し，当該炭素に結合している水素は記載せず（構造を示す上で必須である場合を除く）（例：イリノテカン塩酸塩の類縁物質A）．化学名にはR体とS体，E体とZ体の別を記載しない．

［例］　イリノテカン塩酸塩の類縁物質A

(4S)-4,11-Diethyl-4,12-dihydroxy-3,14-dioxo-3,4,12,14-tetrahydro-1H-pyrano[3',4':6,7]indolizino[1,2-b]quinolin-9-yl [1,4'-bipiperidine]-1'-carboxylate

3.18.6　残留溶媒

製造工程で有機溶媒を使用している場合は，残留溶媒についての情報（試験方法，実測値など）を提供すること．なお，「2.46 残留溶媒」で規定された限度値とは別に限度値を設定する必要がある場合には，個別の混在物として医薬品各条中に規定する．

3.18.7　残留モノマー

重合高分子化合物については，原則として純度試験に残留モノマーを規定する．

3.18.8　試料の採取
3.18.8.1　試料の乾燥

純度試験においては，通例，試料を乾燥しないでそのまま用いる．

3.18.8.2　試料の採取量

純度試験の試料の採取量は，通例，次のようにする．
質量の場合は，0.10，0.20，0.30，0.40，0.5～3.0 gなどとする．
容量の場合は，1.0，2.0，3.0，4.0，5～10 mLなどとする．
なお，質量において，絶対量で最終判定を行う場合のように，精密に量る場合もあり，それぞれの場合で有効数字を考慮する．

3.18.9　純度試験において定量法を準用する場合の記載

純度試験と定量法に共通した試験条件の液体クロマトグラフィーを設定する場合は，試験条件は定量法の項に記載し，純度試験の項の試験条件は準用記載とする．

［例］　試験条件
　　検出器，カラム，カラム温度，移動相及び流量は定量法の試験条件を準用する．
　　面積測定範囲：溶媒のピークの後から＊＊の保持時間の約○倍の範囲
　システム適合性
　　システムの性能は定量法のシステム適合性を準用する．
　　検出の確認：標準溶液1 mLを正確に量り，移動相を加えて正確に10 mLとする．この液○ μLから得た＊＊のピーク面積が，標準溶液の＊＊のピーク面積の7～13％になることを確認する．
　　システムの再現性：標準溶液○ μLにつき，上記の条件で試験を6回繰り返すとき，＊＊のピーク面積の相対標準偏差は2.0％以下である．

3.18.10　製剤の純度試験

製剤の純度試験は，特に規定することが望ましいと考えられる混在物について設定する．

製剤化の過程や製剤の保存中に分解などの変化が起こる場合に，製剤の用法・用量と当該混在物の毒性や薬理作用等を考慮に入れて，安定性試験の結果などを基に安全性確保の上で規制すべき分解生成物の種類及びその混在量の限度又は混在量を規

定するための試験法を設定する．分解物が生成する場合は，規格設定の根拠を示すデータを添付すること．

3.19 意図的混入有害物質

悪意をもって意図的に混入された有害物質の報告がある場合は，必要に応じて，その管理要件を記載する．意図的混入有害物質において，具体的な試験方法を記載する場合は，「3.18 純度試験」に準じて記載する．

［例］本品には，＊＊の混入が限度内であるように管理する．
　　　出荷試験において評価する場合は，以下の試験によって行う．
　　　■■　純度試験(1)を行うとき，試料溶液の◆◆に対する相対保持時間約○分のピーク面積は，標準溶液の＊＊のピーク面積の△より大きくない．

3.20 乾燥減量，水分又は強熱減量

3.20.1 乾燥減量又は水分の設定

乾燥減量を設定する場合は，乾燥条件下で試料が分解しないことを確認する（乾燥した試料をほかの試験に用いることができる乾燥条件を設定する）．また，乾燥したものの吸湿性が著しい場合は，各試験操作の中で吸湿を避けるなどの記載を行う．乾燥条件で医薬品が分解する場合には，原則として水分を設定する．

水和物の場合は，原則として水分を設定し，規格値は幅で規定する．

用量が微量な医薬品の場合にあっては，試料量の少ない試験方法の設定を検討する．また，品質評価の上で支障のない場合には，設定を省略しても差し支えない．

3.20.2 乾燥減量

3.20.2.1 乾燥減量試験

乾燥減量試験は，乾燥することによって失われる医薬品中の水分，結晶水の全部又は一部及び揮発性物質などの量を測定するものであり，乾燥減量試験法又は熱分析法の熱重量測定法により試験を行う．ただし，生薬等については，生薬試験法の乾燥減量により試験を行う．

3.20.2.2 乾燥減量試験法による場合の記載

乾燥減量試験法により規定する場合は，次のように記載する．乾燥減量の規格値の記載は付表（乾燥減量及び強熱残分の％記載法）による．

［例］乾燥減量〈2.41〉　0.5％以下(1 g，105℃，3時間)．
　　　これは「本品約1 gを精密に量り，乾燥器に入れ，105℃で，3時間乾燥するとき，その減量は0.5％以下である」を意味する．

［例］乾燥減量〈2.41〉　4.0％以下[0.5 g，減圧，酸化リン(V)，110℃，4時間]．
　　　これは「本品約0.5 gを精密に量り，酸化リン(V)を乾燥剤とした乾燥器に入れ，2.0 kPa以下の減圧で，110℃，4時間乾燥するとき，その減量は4.0％以下である」を意味する．

3.20.2.3 熱分析法の熱重量測定法による場合の記載

熱分析法の熱重量測定法により規定する場合は，次のように記載する．

［例］乾燥減量　本品約○ mgにつき，次の操作条件で熱分析法〈2.52〉の熱重量測定法により試験を行うとき，△％以下である．

操作条件
　　加熱速度：毎分5℃
　　測定温度範囲：室温 ～ 200℃
　　雰囲気ガス：乾燥窒素
　　雰囲気ガスの流量：毎分40 mL

なお，規格値は小数第1位まで規定する．

3.20.3 水分

3.20.3.1 水分測定

水分測定は，医薬品中に含まれる水分の量を測定するものであり，水分測定法（カールフィッシャー法）により行う．容量滴定法に比較して，電量滴定法の定量限界がより小さいことから，試料の量に制約がある場合，電量滴定法の採用を検討する．

3.20.3.2 水分の記載

水分は，次のように記載し，容量滴定法（直接滴定，逆滴定）又は電量滴定法のいずれの測定法によるかを記載する．

［例］水分〈2.48〉　4.0 ～ 5.5％(0.2 g，容量滴定法，直接滴定)．
　　　これは「本品約0.2 gを精密に量り，容量滴定法の直接滴定により測定するとき，水分は4.0 ～ 5.5％である」を意味する．

なお，水分を簡略記載した場合には，試料を溶かすのに用いた溶媒に対する溶解性について，性状の項に記載する．

3.20.4 強熱減量

3.20.4.1 強熱減量試験

強熱減量試験は，強熱することによって，その構成成分の一部又は混在物を失う無機薬品において，強熱した場合の減量を測定するものであり，強熱減量試験法により行う．

3.20.4.2 強熱減量の記載

強熱減量は，次のように記載する．

［例］強熱減量〈2.43〉　12.0％以下(1 g，850 ～ 900℃，恒量)．
　　　これは「本品約1 gを精密に量り，850 ～ 900℃で恒量になるまで強熱するとき，その減量は12.0％以下である」を意味する．

3.20.5 製剤の乾燥減量，水分又は強熱減量の設定

製剤の乾燥減量，水分又は強熱減量は，特に必要のある場合，例えば，製剤の水分含量がその製剤の品質に影響を及ぼす場合に原薬に準じて設定する．

3.21 強熱残分，灰分又は酸不溶性灰分

3.21.1 強熱残分，灰分又は酸不溶性灰分の設定

強熱残分は，有機物中に不純物として含まれる無機物の量，有機物中に構成成分として含まれる無機物の量又は強熱時に揮散する無機物中に含まれる不純物の量を規定する必要がある場合に設定する．ただし，金属塩の場合は，原則として設定する必要はない．

用量が微量な医薬品の場合にあっては，試料量の少ない試験方法の設定を検討する．また，品質評価の上で支障のない場合には，設定を省略しても差し支えない．

灰分は，生薬をそのまま強熱して灰化したときの残分であり，酸不溶性灰分は，生薬を希塩酸と煮沸したときの不溶物を強熱して得た残分であり，必要に応じて，生薬に設定する．

3.21.2 強熱残分，灰分又は酸不溶性灰分の記載

強熱残分，灰分，酸不溶性灰分は，それぞれ次のように記載する．強熱残分の％記載は付表（乾燥減量及び強熱残分の％記載法）による．強熱温度を記載する場合は，「△℃」ではなく

製剤総則に規定された製剤特性（例示）

剤形名	製剤試験項目	
	一般試験法 （原則設定する項目）	「適切な○○性」とした製剤特性など 設定を検討すべき項目例
錠剤，カプセル剤	・製剤均一性 ・溶出性（有効成分を溶解させる発泡錠及び溶解錠は除く．溶出性の設定が困難な場合は崩壊性を規定する）	・崩壊性（口腔内崩壊錠）
顆粒剤，散剤	・製剤均一性（分包品に規定する） ・溶出性（溶解して投与する製剤は除く．溶出性の設定が困難な場合は崩壊性を規定する．ただし，30号ふるいに残留するものが10％以下の場合は崩壊性は規定しない）	
経口液剤	・製剤均一性（分包品に規定する） ・溶出性（懸濁剤に規定する）	
シロップ剤	・製剤均一性（分包品に規定する） ・溶出性（懸濁した製剤，シロップ用剤に規定する．用時溶解して用いることに限定されている製剤は除く．溶出性の設定が困難な場合は崩壊性を規定する．ただし，30号ふるいに残留するものが10％以下の場合は崩壊性は規定しない）	
経口ゼリー剤	・製剤均一性 ・溶出性（溶出性の設定が困難な場合は適切な崩壊性を規定する）	・崩壊性
経口フィルム剤	・製剤均一性 ・溶出性（口腔内崩壊フィルム剤は除く）	・崩壊性
口腔用錠剤	・製剤均一性	・溶出性又は崩壊性
口腔用液剤	・製剤均一性（分包品に規定する）	
口腔用スプレー剤		・噴霧量の均一性（定量噴霧式製剤）
口腔用半固形剤		・粘性
注射剤	・エンドトキシン（皮内，皮下及び筋肉内のみに用いるものは除く．エンドトキシン試験の適用が困難な場合は発熱性物質を規定する） ・無菌 ・不溶性異物（埋め込み注射剤は除く） ・不溶性微粒子（埋め込み注射剤を除く） ・採取容量（埋め込み注射剤は除く） ・製剤均一性（用時溶解又は用時懸濁して用いるもの及び埋め込み注射剤に規定する）	・放出特性（埋め込み注射剤，持続性注射剤及びリポソーム注射剤） ・粒子径（懸濁，乳濁した製剤及びリポソーム注射剤）
透析用剤	・エンドトキシン ・無菌（腹膜透析用剤に規定する） ・採取容量（腹膜透析用剤に規定する） ・不溶性異物（腹膜透析用剤に規定する） ・不溶性微粒子（腹膜透析用剤に規定する）	・製剤の均一性（用時溶解して用いるもの）
吸入剤	・送達量の均一性（吸入液剤は除く） ・空気力学的粒子径（吸入液剤は除く）	
点眼剤	・無菌 ・不溶性異物 ・不溶性微粒子	・粒子径（懸濁した製剤の最大粒子径）
眼軟膏剤	・無菌 ・金属性異物	・粒子径（製剤に分散した固体の最大粒子径） ・粘性
点耳剤	・無菌（無菌に製する場合に規定する）	
点鼻剤		・噴霧量の均一性（定量噴霧式製剤）
坐剤	・製剤均一性	・放出性 ・溶融性（融点測定法（第2法）による）
腟錠	・製剤均一性	・放出性
腟用坐剤	・製剤均一性	・放出性 ・溶融性（融点測定法（第2法）による）
外用固形剤	・製剤均一性（分包品に規定する）	
外用液剤	・製剤均一性（分包品に規定する）	
スプレー剤		・噴霧量の均一性（定量噴霧式製剤）

		・粘性
軟膏剤，クリーム剤，ゲル剤		
貼付剤	・製剤均一性（経皮吸収型製剤に規定する） ・粘着力 ・放出性	
丸剤	・崩壊性	

「○～△℃」のように温度幅で記載する．

［例］　強熱残分〈2.44〉　0.1％以下（1 g）．
　　　　これは「本品約1 gを精密に量り，強熱残分試験法〈2.44〉により試験を行うとき，強熱残分は0.1％以下である」を意味する．

［例］　灰分〈5.01〉　5.0％以下．
　　　　これは「本品は，生薬試験法〈5.01〉により試験を行うとき，灰分は5.0％以下である」を意味する．

［例］　酸不溶性灰分〈5.01〉　3.0％以下．
　　　　これは「本品は，生薬試験法〈5.01〉により試験を行うとき，酸不溶性灰分は3.0％以下である」を意味する．

3.22　製剤試験

3.22.1　製剤試験の設定

製剤総則において規定された試験及びその製剤の特性又は機能を特徴づける試験項目を設定する．以下に製剤試験設定の基本的な考え方を示す．

3.22.1.1　製剤総則に規定された試験の設定

製剤総則の各条に一般試験法に適合すると規定されている場合はその一般試験法を規定する．

製剤総則の各条に「適切な○○性を有する．」と規定されている場合は，「新医薬品の規格及び試験方法の設定について」（平成13年5月1日，医薬審査発第568号）や承認の規格・試験法などを参考に，「適切な○○性」の製剤特性に関する試験の設定を検討する．ただし，「適切な○○性」とした製剤特性においては，製造販売承認書に規定されていないものは設定する必要はない．

なお，注射剤の採取容量は，粉末注射剤及び凍結乾燥注射剤には設定しない．「適切な○○性」の製剤特性に関する試験として提示された試験法については，その内容を委員会で検討した上で，「別に規定する．」とする場合もある．また，エキス剤，流エキス剤については，原則として重金属を規定する．

3.22.1.2　エンドトキシン試験の設定

製剤総則の規定によりエンドトキシン試験法に適合することとされている製剤には，エンドトキシン試験を設定する．なお，ゲル化法，比濁法及び比色法についての反応干渉因子試験成績及び3法による実測値を添付資料に記載する．

エンドトキシン規格値は，日本薬局方参考情報「エンドトキシン規格値の設定」に基づいて設定する．ただし，生物薬品の原薬のうち，出発原料として大腸菌等を用いて製されるもの又は生体由来試料から製されるもので，エンドトキシン試験の設定が必要と思われるものについては，実測値や参考情報も考慮してエンドトキシン試験を設定する．

3.22.1.3　製剤均一性試験の設定

製剤総則の規定により製剤均一性試験法に適合することとされている製剤には，含量均一性試験又は質量偏差試験を設定する．含量均一性試験と質量偏差試験の設定については，6.02 製剤均一性試験法を参照する．

1錠，1カプセル等の1投与単位中の有効成分量が200 mg以上であり，かつ製剤中の有効成分の割合が質量比で70％以上である場合には，質量偏差試験を設定することができる．また，1錠，1カプセル等の1投与単位中の有効成分量が25 mg以上であり，かつ製剤中の有効成分の割合が質量比で25％以上である場合には，「製剤均一性〈6.02〉質量偏差試験又は次の方法による含量均一性試験のいずれかを行うとき，適合する．」とし，含量均一性試験を「次の方法」として設定する．

なお，質量偏差試験を設定する場合であっても，3ロットについて，個々の定量値，平均含量，標準偏差及び判定値を含む含量均一性試験の実測データを添付資料に記載する．

3.22.1.4　溶出試験の設定

製剤総則の規定により溶出試験法又は崩壊試験法に適合することとされている製剤には，溶出性又は崩壊性を設定する．溶出性の規格設定では，パドル法の回転数50 rpmを基本とし，試験液は，原則として提出を求める基本4液でのプロファイルなどから判断して，できるだけpH 6.8又は水を選択する．試験液量は，通例900 mLとし，製造販売承認書で設定されている場合には，他の試験液量も用いることができる．また，難溶性薬物で十分な溶出が得られない場合には，界面活性剤を用いるが，ポリソルベート80を第一選択とし，添加濃度はできるだけ低くする．必要に応じて，その他のラウリル硫酸ナトリウムなどの界面活性剤を添加することができる．また，ベッセルの底部に製剤の崩壊物が堆積する現象が認められ，パドル法で十分な溶出が得られない場合には，回転バスケット法の100 rpm等によることができる．規格値は標準製剤の平均溶出率がプラトーに達した時点で，15％下位で設定する．なお，次の時点までの溶出率の変化がおおむね5％以下になる場合をプラトーに達したと見なせる．また，治療濃度域が狭い薬物などでは，必要に応じ上限値及び下限値を2時点以上で設定する．判定値としては，製造販売承認書でQ値が規定されている場合を除き，Q値での規定は行わない．

徐放性製剤において，作用持続時間などの製剤設計が異なる製剤がある場合は，別各条として規格を設定することができる．

なお，作用が緩和で水溶性が高く，15分／85％以上と速やかな溶出を示す水溶性ビタミンのような散剤については，溶出規格の設定は要しない．また，シロップ用剤のうち使用が用時溶解して用いることに限定されている製剤については溶出規格の設定は要しない．

3.22.2　その他の製剤試験

アルコール数は，エリキシル剤，酒精剤，チンキ剤，流エキス剤で設定を検討すべき項目である．また，特定の製剤機能を試験するなど特に規定することが望ましいと考えられるその他の試験があればその試験を設定する．

3.22.3　製剤試験の記載順

記載の順は，エンドトキシン（発熱性物質），金属性異物，採取容量，重金属，製剤均一性，微生物限度，不溶性異物，不溶性微粒子，崩壊性，無菌，溶出性，及びその他の製剤試験とする．

3.22.4 製剤試験の記載方法

製剤試験の各試験項目は，次のように記載する．

エンドトキシン エンドトキシン規格値は，次のように記載する．

[例] 1) 最大投与量が容量（mL）で規定されている場合
　　　　エンドトキシン〈4.01〉　×EU/mL未満．
2) 最大投与量が質量（mg）で規定されている場合
　　　　エンドトキシン〈4.01〉　×EU/mg未満．
3) 最大投与量が当量（mEq）で規定されている場合
　　　　エンドトキシン〈4.01〉　×EU/mEq未満．
4) 最大投与量が力価で規定されている場合
　　　　エンドトキシン〈4.01〉「ピペラシリン水和物」1 mg（力価）当たり 0.07 EU未満．
5) 投与経路（例えば脊髄腔内投与）に限定して規定が必要な場合
　　　　エンドトキシン〈4.01〉　×EU/mg未満．ただし，脊髄腔内に投与する製品に適用する．

金属性異物 眼軟膏の金属性異物試験法に従い試験を行う場合，次のように記載する．

[例] 金属性異物〈6.01〉　試験を行うとき，適合する．

採取容量 注射剤の採取容量試験法に従い試験を行う場合，次のように記載する．

[例] 採取容量〈6.05〉　試験を行うとき，適合する．

製剤均一性 製剤均一性試験法に従い試験を行う場合，次のように記載する．

[例] 製剤均一性〈6.02〉　次の方法により含量均一性試験を行うとき，適合する．
　　　本品1個をとり，＊＊○○ mLを加えて錠剤が完全に崩壊するまでよく振り混ぜる．次に，＊＊○○ mLを加えて○○分間激しく振り混ぜた後，□□を加えて正確に○○ mLとし，ろ過する．初めのろ液○○ mLを除き，次のろ液 V mLを正確に量り，1 mL中に＊＊（分子式）約○○ μgを含む液となるように□□を加えて正確に V' mLとし，試料溶液とする．（以下定量操作と同様．）

[例] 製剤均一性〈6.02〉分包品は，次の方法により含量均一性試験を行うとき，適合する．
　　　本品1包をとり，内容物の全量を取り出し，＊＊○○ mLを加えて・・・試料溶液とする．（分包品の場合）

[例] 製剤均一性〈6.02〉　質量偏差試験を行うとき，適合する．

[例] 製剤均一性〈6.02〉　質量偏差試験又は次の方法による含量均一性試験のいずれかを行うとき，適合する．
　　　本品1個をとり，＊＊○○ mLを加えて錠剤が完全に崩壊するまでよく振り混ぜる．次に，＊＊○○ mLを加えて○○分間激しく振り混ぜた後，□□を加えて正確に○○ mLとし，ろ過する．初めのろ液○○ mLを除き，次のろ液 V mLを正確に量り，1 mL中に＊＊（分子式）約○○ μgを含む液となるように□□を加えて正確に V' mLとし，試料溶液とする．（以下定量操作と同様．）

ただし，T値はやむを得ない場合には設定することができるが，設定した場合には，それぞれ次のように記載する．

[例] 製剤均一性〈6.02〉　次の方法により含量均一性試験を行うとき，適合する．（T：○○）

[例] 製剤均一性〈6.02〉　質量偏差試験を行うとき，適合する．（T：○○）

微生物限度 微生物限度試験法に従い試験を行う場合，次のように記載する．

[例] 微生物限度〈4.05〉　本品1 mL当たり，総好気性微生物数の許容基準は 10^2 CFU，総真菌数の許容基準は 10^1 CFUである．また，大腸菌を認めない．

不溶性異物 注射剤について，注射剤の不溶性異物検査法に従い試験を行う場合，次のように記載する．

[例] 不溶性異物〈6.06〉　第1法により試験を行うとき，適合する．

点眼剤について，水溶液のものにつき，点眼剤の不溶性異物検査法に従い試験を行う場合，次のように記載する．

[例] 不溶性異物〈6.11〉　試験を行うとき，適合する．

懸濁製剤について不溶性異物検査法に従い試験を行う場合，次のように記載する．

[例] 不溶性異物〈6.06〉　第2法により試験を行うとき，適合する．

[例] 不溶性異物〈6.11〉　試験を行うとき，たやすく検出される異物を認めない．

不溶性微粒子 注射剤について，注射剤の不溶性微粒子試験法に従い試験を行う場合，次のように記載する．

[例] 不溶性微粒子〈6.07〉　試験を行うとき，適合する．

[例] 不溶性微粒子〈6.07〉　第2法により試験を行うとき，適合する．

点眼剤について，点眼剤の不溶性微粒子試験法に従い試験を行う場合，次のように記載する．

[例] 不溶性微粒子〈6.08〉　試験を行うとき，適合する．

崩壊性 崩壊試験法に従い試験を行う場合，次のように記載する．

[例] 崩壊性〈6.09〉　試験を行うとき，適合する．

[例] 崩壊性〈6.09〉　補助盤を使用して試験を行うとき，適合する．

無菌 無菌試験法に従い試験を行う場合，次のように記載する．

[例] 無菌〈4.06〉　メンブランフィルター法により試験を行うとき，適合する．

溶出性 溶出試験法に従い試験を行う場合，通例，試験条件及び規格値，並びに試験操作法を記載する．

試験液は，試験条件に関する規定中に，試験名又は試験液組成を具体的に規定し，試験操作法においては「試験液」と記載する．ただし，試験液が「水」である場合は，「試験液」ではなく，「水」と記載する．

溶出液採取時間は，規格値に関する規定中に具体的な時間を規定し，試験操作法においては「規定時間」と記載する．

溶出試験法に従い試験を行う場合，次のように記載する．

[例] 溶出性〈6.10〉　試験液に＊＊○ mLを用い，パドル法により，毎分△回転で試験を行うとき，本品の△分間の溶出率は△％以上である．
　　　本品1個をとり，試験を開始し，規定された時間に溶出液○ mL以上をとり，孔径△ μm以下のメンブランフィルターでろ過する．初めのろ液○ mL以上を除き，次のろ液を試料溶液とする．別に……とし，標準溶液とする．試料溶液及び標準溶液につき，……を測定する．

[例] 溶出性〈6.10〉　試験液に＊＊を用い，フロースルーセル法により，大型（又は小型）フロースルーセルを用い，

脈流のある（又は無い）送液ポンプで毎分〇〇 mLで送液してオープン法（あるいは試験液量を〇 mLとするクローズド法）で試験を行うとき，本品の△分間の溶出率は〇〇％以上である．
　含量により試験条件及び規格値が異なる場合，及び判定値としてQ値を設定する場合の規格値は，それぞれ次のように記載する．
　［例］　溶出性〈6.10〉　試験液に＊＊〇 mLを用い，■■法により，毎分△回転で試験を行うとき，〇 mg錠の△分間の溶出率は△％以上であり，〇 mg錠の△分間の溶出率は△％以上である．
　［例］　溶出性〈6.10〉　試験液に＊＊〇 mLを用い，パドル法により，毎分△回転で試験を行うとき，本品の△分間のQ値は△％である．
　なお，顆粒剤や散剤のように，試験に供する試料の量が表示量により異なる場合の試験操作法の冒頭は，次のように記載する．
　［例］　本品の＊＊（分子式）約〇 mgに対応する量を精密に量り，試験を開始し，規定された時間に…
　シンカーを使用する場合は次のように記載する．ただし，使用するシンカーが一般試験法に規定されていないものの場合にはその形状を規定する．
　［例］　溶出性〈6.10〉　試験液に溶出試験第×液〇 mLを用い，シンカーを使用して，パドル法により，毎分△回転で試験を行うとき，本品の△分間の溶出率は△％以上である．
　また，試料溶液の調製法で，更に希釈を要する場合，試料溶液の調製法部分は，次のように記載する．
　［例］　本品1個をとり，試験を開始し，規定された時間に溶出液〇 mL以上をとり，孔径△ μm以下のメンブランフィルターでろ過する．初めのろ液〇 mL以上を除き，次のろ液V mLを正確に量り，1 mL中に＊＊（分子式）約〇 μgを含む液となるように試験液を加えて正確にV' mLとし，試料溶液とする．
　また，計算式は次のように記載する．
　［例］　抗生物質
　　セフテラム（$C_{16}H_{17}N_9O_5S_2$）の表示量に対する溶出率（％）
　　　　$= M_S \times A_T/A_S \times V'/V \times 1/C \times 90$

　　M_S：セフテラムピボキシルメシチレンスルホン酸塩標準品の秤取量［mg（力価）］
　　C：1錠中のセフテラム（$C_{16}H_{17}N_9O_5S_2$）の表示量［mg（力価）］

腸溶性製剤の場合：
　［例］　溶出性〈6.10〉　試験液に溶出試験第1液及び溶出試験第2液900 mLずつを用い，パドル法により，毎分×回転で試験を行うとき，試験液に溶出試験第1液を用いた場合の△分間の溶出率は△％以下であり，試験液に溶出試験第2液を用いた場合の△分間の溶出率は△％以上である．
　　本品1個をとり，試験を開始し，規定された時間に溶出液〇 mL以上をとり，孔径△ μm以下のメンブランフィルターでろ過する．初めのろ液〇 mL以上を除き，……
徐放性製剤の場合：
　［例］　溶出性〈6.10〉　試験液に＊＊〇 mLを用い，パドル法により，毎分×回転で試験を行うとき，本品の△時間，△時間及び△時間の溶出率はそれぞれ〇 ～ 〇％，〇 ～ 〇％及び〇％以上であり，判定法1に従う．

溶融性　融点測定法〈2.60〉第2法に従い試験を行う場合，次のように記載する．
　［例］　溶融性　融点測定法〈2.60〉第2法で試験を行うとき，融解温度は〇 ～ 〇 ℃である．

3.23　その他の試験

3.23.1　その他の試験の設定
　消化力，制酸力，抗原性試験，チモール量，沈降試験，分子量，分子量分布，窒素含量，タンパク質量，異性体比，生化学的性能，生物学的性能等，品質評価や有効性及び安全性確保に直接関与する試験項目であって，ほかの項目の対象とならないものを規定するものであり，必要な場合に設定する．

3.23.2　その他の試験の記載順
　記載の順は項目名の五十音順とする．

3.24　定量又は成分の含量

3.24.1　定量法
　定量法は，成分の含量，力価などを物理的，化学的又は生物学的方法によって測定する試験法である．

3.24.2　定量法の設定
　定量法は，真度，精度及び再現性を重視し，迅速性を考慮して，試験方法を設定することが必要である．特異性の高いクロマトグラフィー又は紫外可視吸光度測定法による相対試験法の採用が考えられる．
　また，適切な純度試験により，混在物の限度が規制されている場合には，特異性の低い方法であっても，再現性のよい絶対量を測定しうる試験方法を設定することができる．
　例えば，滴定法のような絶対定量法を採用する場合には，特異性に欠ける部分について，純度試験などに特異性の高い方法を用いることにより，相互に補完しあうことが望ましい．

3.24.2.1　製剤の定量法
　製剤の定量法には，ほかの配合成分の影響を受けない，特異性の高い試験方法を設定する．
　原則として試料の量は20個以上とする．
　また，計算式の立て方は，粉末とする場合には，秤取した量中の定量成分の量を算出する式とし，粉砕せずに全量溶解させる場合には，本品1個中（1錠又は1カプセル）の定量成分の量を算出する式とする．
　生物薬品の製剤において，凍結乾燥製剤の定量法で得られた含量を算出する際，1個（バイアルなど）当たりの含量を求めることを明確にするため，試験方法並びに計算式を検討する．
　また，用法用量が物質量で設定されている場合には物質量（タンパク質含量）を，単位で設定されている場合（物理化学的方法により含量を測定し，力価との相関係数を用いて力価を表示する場合を含む）には力価（生物活性）を，製剤の定量法として設定する．

3.24.3　タンパク質医薬品の定量法
　タンパク質医薬品において含量規格をタンパク質当たりの力価で規定する場合，定量法は，通例，（1）タンパク質含量，（2）比活性として設定する．力価は単位で表示し，国際単位等とは表示しない．タンパク質定量法を設定する場合には，参考情報「タンパク質定量法」を参考にすること．

3.24.4 試験溶液の分割採取又は逆滴定の場合の記載
定量法において，試験溶液を分割して採取する場合又は逆滴定において初めに加える容量分析用標準液の場合は「正確に」という言葉を付ける．
［例］「10 mLを正確に量り，0.01 mol/L硝酸銀液10 mLを正確に加え…」

3.24.5 試験に関する記載
滴定法の空試験については，次のように記載する．
直接滴定の場合　「同様の方法で空試験を行い，補正する」
逆滴定の場合　　「同様の方法で空試験を行う」

3.24.6 滴定における対応量の記載
滴定において，対応する量を示す数値はmg数で記載し，その桁数は4桁とする．
対応する量は，3.7.3に従って規定した分子量又は式量から求める．

3.24.7 滴定の終点に関する記載
滴定の終点が一般試験法の容量分析用標準液の標定時の終点と同じ場合には，単に「…滴定する」と記載する．
滴定の終点が容量分析用標準液の標定時の終点と異なる場合には，例えば，クリスタルバイオレット試液を用いる指示薬法の場合，「ただし，滴定の終点は液の紫色が青緑色を経て黄緑色に変わるときとする．」と記載する．

3.24.8 滴定において用いる無水酢酸／酢酸(100)混液の比率
滴定において用いる無水酢酸／酢酸(100)混液は，7：3の比率を基本とする．なお，非水滴定用酢酸を使用する場合には，事前に酢酸(100)の使用が可能か否か検討すること．

3.25 貯法
通例，容器を設定する．安定性に関して特記すべき事項がある場合は，あわせて保存条件を設定する．
通則5の改正により，生薬を主たる有効成分として含む製剤を除いて製剤の貯法の項の容器は適否の判定基準を示すものではないとされたが，情報提供のため，従来通り記載する．
［例］　貯法
　　　　保存条件　遮光して保存する．
　　　　容器　密封容器．本品は着色容器を使用することができる．
　　　　　本品はプラスチック製水性注射剤容器を使用することができる．

3.26 有効期間
原則として設定しないが，有効期間が3年未満であるものについては設定することができる．
［例］　有効期間　製造後24箇月．

3.27 その他
3.27.1 記載の準用における原則
医薬品各条間における準用は，原則として原薬の記載をその原薬を直接用いる製剤に準用する場合及び同一各条内で準用する場合以外は行わない．また準用記載の準用（二段準用）は行わない．

4. クロマトグラフィーを用いる場合の表記
液体クロマトグラフィー〈2.01〉，ガスクロマトグラフィー〈2.02〉等を用いる場合，その試験条件などの記載は下記による．

4.1 記載事項
「試験条件」及び「システム適合性」の2項に分割して記載する．

「試験条件」の項には，液体クロマトグラフィー，ガスクロマトグラフィー等の設定条件などを記載する．
「システム適合性」の項には，試験に用いるシステムが満たすべき要件とその判定基準を記載する．

4.2 試験条件の記載事項及び表記例
「試験条件」の項には，以下の項目を記載する．一般試験法2.01 液体クロマトグラフィー及び2.02 ガスクロマトグラフィーに記載されているように，カラムの内径及び長さ等は，システム適合性の規定に適合する範囲内で一部変更できることから，試験実施時における参考としての数値を記載するものとし，試験方法の設定根拠の作成に用いたシステムから得た数値を記載する．
なお，カラムの名称（型番）については，様式4のカラム情報欄に記載する．記載されたカラム情報は原案の意見公募時に開示することを原則とするが，用いたカラムの名称（型番）を開示できない場合は，その理由を当該欄に記載すること．

4.2.1 液体クロマトグラフィーの表記例
1) 検出器
［例1］　検出器：紫外吸光光度計(測定波長：226 nm)
［例2］　検出器：可視吸光光度計(測定波長：440 nm及び570 nm)
［例3］　検出器：蛍光光度計(励起波長：281 nm，蛍光波長：305 nm)
［例4］　検出器：フォトダイオードアレイ検出器(測定波長：270 nm，スペクトル測定範囲：220 〜 370 nm)

2) カラム：分析に使用したカラムの内径，長さ及びクロマトグラフィー管の材質，並びに充塡剤の粒径及び種類を記載する．
［例1］　カラム：内径8 mm，長さ15 cmのステンレス管に5 μmの液体クロマトグラフィー用オクタデシルシリル化シリカゲルを充塡する．
［例2］　カラム：内径4.6 mm，長さ50 cmのステンレス管に11 μmの液体クロマトグラフィー用ゲル型強酸性イオン交換樹脂(架橋度6％)を充塡する．

3) カラム温度
［例］　カラム温度：40℃付近の一定温度

4) 反応コイル
［例］　反応コイル：内径0.5 mm，長さ20 mのポリテトラフルオロエチレンチューブ

5) 冷却コイル
［例］　冷却コイル：内径0.3 mm，長さ2 mのポリテトラフルオロエチレンチューブ

6) 移動相：混液の表記は2.7.4による．試薬・試液の項に収載されていない緩衝液・試液を使用する場合，その調製法は原則として本項に記載する．グラジェント法など複数の移動相を用いる場合はアルファベット番号（A, B, C・・・）を付す．
［例1］　移動相：薄めたリン酸（1→1000）／アセトニトリル混液（3：2）
［例2］　移動相：1－ペンタンスルホン酸ナトリウム8.70 g及び無水硫酸ナトリウム8.52 gを水980 mLに溶かし，酢酸(100)を加えてpH 4.0に調整した後，水を加えて1000 mLとする．この液230 mLにメタノール20 mLを加える．
［例3］　移動相A：リン酸二水素ナトリウム二水和物15.6 gを

水1000 mLに溶かす．
移動相B：水／アセトニトリル混液（1：1）
7) 移動相の送液：グラジエント条件を表形式で記載する．再平衡化時間は，通例，記載しない．
［例］ 移動相の送液：移動相A及び移動相Bの混合比を次のように変えて濃度勾配制御する．

注入後の時間 （分）	移動相A （vol%）	移動相B （vol%）
0 ～ 5	70	30
5 ～ 35	70 → 40	30 → 60
35 ～ 65	40	60

8) 反応温度：カラム温度と同様，実際に分析した際の反応温度を記載する．
［例］ 反応温度：100℃付近の一定温度
9) 冷却温度：カラム温度と同様，実際に分析した際の冷却温度を記載する．
［例］ 冷却温度：15℃付近の一定温度
10) 流量：試験法設定根拠となるデータを得たときの流量を分析対象物質の保持時間又は流量で記載する．保持時間と流量を併記する場合には，保持時間は参考に示されるものである．
ポストラベル誘導体化を行う場合など，反応液も使用する場合の本項の名称は「移動相流量」とする．
グラジエント法においては原則として設定流量を記載する．
［例1］ 流量：＊＊の保持時間が約○分になるように調整する．
［例2］ 流量：毎分1.0 mL
［例3］ 流量：毎分1.0 mL（＊＊の保持時間約○分）
11) 反応液流量：試験法設定根拠となるデータを得たときの流量を記載する．移動相流量と同じ場合は「移動相流量に同じ」と記載できる．
［例］ 反応液流量：毎分1.0 mL
12) 面積測定範囲：分析対象物質の保持時間の倍数で記載する．グラジエント法においては時間を記載する．
［例1］ 面積測定範囲：溶媒のピークの後から＊＊の保持時間の約○倍の範囲
［例2］ 面積測定範囲：試料溶液注入後40分間
［例3］ 面積測定範囲：溶媒のピークの後から注入後○分まで

4.2.2 ガスクロマトグラフィーの表記例
1) 検出器
［例1］ 検出器：水素炎イオン化検出器
［例2］ 検出器：熱伝導度検出器
2) カラム：分析に使用したカラムの内径，長さ及びクロマトグラフィー管の材質，充塡剤の名称及び粒径，固定相液体の名称，固定相の厚さなどを記載する．
［例1］ カラム：内径3 mm，長さ1.5 mのガラス管に150 ～ 180 μmのガスクロマトグラフィー用多孔性エチルビニルベンゼン－ジビニルベンゼン共重合体（平均孔径0.0075 μm，500 ～ 600 m²/g）を充塡する．
［例2］ カラム：内径3 mm，長さ1.5 mのガラス管にガスクロマトグラフィー用50％フェニル－メチルシリコーンポリマーを180 ～ 250 μmのガスクロマトグラフィー用ケイソウ土に1 ～ 3％の割合で被覆したものを充塡する．

［例3］ カラム：内径0.53 mm，長さ30 mのフューズドシリカ管の内面にガスクロマトグラフィー用ポリエチレングリコール20Mを厚さ0.25 μmで被覆する．なお，必要ならば，ガードカラムを使用する．
3) カラム温度
［例1］ カラム温度：210℃付近の一定温度
［例2］ カラム温度：40℃を20分間保持した後，毎分10℃で240℃まで昇温し，240℃を20分間保持する．
4) 注入口温度：温度管理が重要な場合に記載する．
［例］ 注入口温度：140℃
5) 検出器温度：温度管理が重要な場合に記載する．
［例］ 検出器温度：250℃
6) キャリヤーガス
［例］ キャリヤーガス：ヘリウム
7) 流量：原則として線速度を記載する．線速度を求めることが難しい場合，分析対象物質の保持時間を記載しても良い．
［例1］ 流量：35 cm／秒
［例2］ 流量：＊＊の保持時間が約○分になるように調整する．
8) スプリット比
スプリット比はカラムに流れるキャリヤーガスの流量割合を通例1として表示する．
［例1］ スプリットレス
［例2］ スプリット比：1：5
9) 面積測定範囲：分析対象物質の保持時間の倍数で記載する．
［例］ 面積測定範囲：空気のピークの後から＊＊の保持時間の約○倍の範囲
10) ヘッドスペース装置の操作条件
［例］ 次の条件でガスクロマトグラフィー〈2.02〉のヘッドスペース法により試験を行う．ただし，パラメーターの名称や注入条件の記載等は，装置メーカーごとに適切な記載方法とする．
保温温度：80℃
保温時間：60分
注入（又はトランスファーライン）温度：120℃
シリンジ（又はサンプルライン）温度：110℃
キャリヤーガス：ヘリウム
加圧時間：1分，試料注入量：1.0 mL（又は加圧：75 kPa，加圧時間：1分，注入時間：1分）

4.3 システム適合性
4.3.1 目的
システム適合性は，医薬品の試験に使用する分析システムが，当該医薬品の試験を行うのに適切な性能で稼動していることを一連の品質試験ごとに確かめることを目的としている．システム適合性の試験方法及び適合要件は，医薬品の品質規格に設定した試験法の中に規定されている必要がある．規定された適合要件を満たさない場合には，その分析システムを用いて行った品質試験の結果を採用してはならない．
システム適合性は一連の分析ごとに実施されるルーチン試験としての性格をもつことから，多くの時間と労力を費やすことなく確認できる方法を設定することが望ましい．4.3.2は化学薬品を例にとって記載したものであり，製品の特性や試験の目的によって，品質試験を行うのに適切な状態を維持しているかどうかを評価するために必要な項目を設定する．

4.3.2 システム適合性の記載事項

別に規定するもののほか，「システムの性能」及び「システムの再現性」を規定する．純度試験においてはこれらに加えて「検出の確認」が求められる場合がある．

4.3.2.1 検出の確認

「検出の確認」は，純度試験において，対象とする類縁物質等のピークがその規格限度値レベルの濃度で確実に検出されることを確認することにより，使用するシステムが試験の目的を達成するために必要な性能を備えていることを検証する．

類縁物質の総量を求める場合などの定量的な試験では，規格限度値レベルの溶液を注入したときのレスポンスの幅を規定し，限度値付近でレスポンスが直線性をもつことを示す．レスポンスの許容範囲は「7～13％」等，原則として理論値の±30％の幅で規定する．値が小数になる場合は，±30％の内側に丸める．あるいは，分析対象物の性質を考慮して管理すべき最低濃度レベル（化学薬品の場合は，通例，報告の必要な閾値に相当する）の溶液を注入したときのSN比を規定する．このときのSN比は10以上であることが必要である．

限度試験のように，規格限度値と同じ濃度の標準溶液を用いて，それとの比較で試験を行う場合や，限度値レベルでの精度が「システムの再現性」などで確認できる場合には「検出の確認」の項は設けなくてもよい．

4.3.2.2 システムの性能

「システムの性能」は，被検成分に対する特異性が担保されていることを確認することによって，使用するシステムが試験の目的を達成するために必要な性能を備えていることを検証する．

定量法では，原則として被検成分と分離確認用物質（隣接するピークが望ましいが，内標準法の場合は内標準物質）との分離度，及び必要な場合には溶出順（液体クロマトグラフィーの場合，ガスクロマトグラフィーの場合は流出順，以下同様）を規定する．純度試験では，原則として被検成分と分離確認用物質（基本的には，隣接するピークが望ましい）との分離度及び溶出順で規定する．また，必要な場合にはシンメトリー係数を併せて規定する．ただし，システム適合性試験用標準品又は適当な分離確認用物質がない場合には，被検成分の理論段数及びシンメトリー係数で規定しても差し支えない．なお，分離度は3未満の場合は有効数字2桁で，3以上の場合は有効数字1桁で規定する．また，ピークにリーディングが認められる場合のピークのシンメトリー係数は，幅で規定する．

「システムの性能」において，分離度に代わるピークバレー比の使用は個別に判断する．

システム適合性試験用標準品を用いない設定では，「システムの性能」の項のために新たに標準品を秤取して溶液を調製するような方法とはせず，標準溶液を用いて設定することが望ましい．原薬を分解させて分解産物との分離度を規定する場合は，分解物の生成量が十分大きいこと，また分解条件をなるべく詳細に示すことが必要である．また，既収載試薬などを添加してシステム適合性試験用溶液を調製しても差し支えないが，この場合にあっても安全性に懸念のある類縁物質の標準物質など，市販されていない特殊な試薬は原則として使用しない．

4.3.2.3 システムの再現性

「システムの再現性」は，標準溶液又はシステム適合性試験用溶液を繰り返し注入したときの被検成分のレスポンスのばらつきの程度（精度）が，試験の目的にかなうレベルにあることを確認することによって，使用するシステムが試験の目的を達成するために必要な性能を備えていることを検証する．

通例，標準溶液又はシステム適合性試験用溶液を繰り返し注入して得られる被検成分のレスポンスの相対標準偏差（RSD）で規定する．純度試験に定量法のシステム適合性を準用する場合，システムの再現性は定量法のシステムの再現性を準用せず，原則として純度試験における標準溶液又はシステム適合性試験用溶液を用いて規定する．試料溶液の注入を始める前に標準溶液の注入を繰り返す形だけでなく，標準溶液の注入を試料溶液の注入の前後に分けて行う形や試料溶液の注入の間に組み込んだ形でシステムの再現性を確認しても良い．

繰り返し注入の回数は6回を原則とするが，グラジエント法を用いる場合や試料中に溶出が遅い成分が混在する場合など，1回の分析に時間がかかる場合には，6回注入時とほぼ同等のシステムの再現性が担保されるように，達成すべきばらつきの許容限度値を厳しく規定することにより，繰り返し注入の回数を減らしてもよい．なお，面積百分率法において，マトリックスの影響が評価され，分析対象物の性質を考慮して管理すべき最低濃度レベルの溶液を用いる等，適切な検出の確認が設定されている場合，システムの再現性の規定が不要な場合がある．

ばらつきの許容限度は，当該分析法の適用を検討した際のバリデーションデータに基づき，適切なレベルに設定する．

4.3.3 システム適合性の表記例

液体クロマトグラフィーの場合の記載例を以下に示す．ガスクロマトグラフィーの場合は，「溶出」を「流出」とする．

4.3.3.1 一般的な表記例

［例1］　定量法

システムの性能：標準溶液○μLにつき，上記の条件で操作するとき，＊＊，内標準物質の順に溶出し，その分離度は○.○以上である．

システムの再現性：標準溶液○μLにつき，上記の条件で試験を6回繰り返すとき，内標準物質のピーク面積に対する＊＊のピーク面積の比の相対標準偏差は1.0％以下である．

［例2］　定量法

システムの性能：＊＊○g及び□□○gを■■○mLに溶かす．この液○μLにつき，上記の条件で操作するとき，＊＊，□□の順に溶出し，その分離度は△以上である．

システムの再現性：標準溶液○μLにつき，上記の条件で試験を6回繰り返すとき，＊＊のピーク面積の相対標準偏差は1.0％以下である．

［例3］　純度試験

検出の確認：標準溶液○mLを正確に量り，＊＊を加えて正確に○mLとする．この液○μLから得た□□のピーク面積が，標準溶液の□□のピーク面積の○～○％になることを確認する．

システムの性能：□□○g及び■■○gを▽▽○mLに溶かす．この液○μLにつき，上記の条件で操作するとき，□□，■■の順に溶出し，その分離度は△以上である．

システムの再現性：標準溶液○μLにつき，上記の条件で試験を6回繰り返すとき，□□のピーク面積の相対

標準偏差は2.0％以下である．

［例4］ 純度試験

　　　　検出の確認：試料溶液〇 mLに＊＊を加えて〇 mLとし，システム適合性試験用溶液とする．システム適合性試験用溶液〇 mLを正確に量り，■■を加えて正確に〇 mLとする．この液〇 μLから得た▽▽のピーク面積が，システム適合性試験用溶液の▽▽のピーク面積の〇 〜 〇％になることを確認する．

　　　　システムの性能：システム適合性試験用溶液〇 μLにつき，上記の条件で操作するとき，▽▽のピークの理論段数及びシンメトリー係数は，それぞれ〇段以上，〇.〇以下である．

　　　　システムの再現性：システム適合性試験用溶液〇 μLにつき，上記の条件で試験を6回繰り返すとき，▽▽のピーク面積の相対標準偏差は2.0％以下である．

［例5］ 純度試験（システム適合性試験用標準品が，原薬＊＊を含まない類縁物質の混合物の場合）

　　　　検出の確認：標準溶液〇 mLを正確に量り，□□を加えて正確に〇 mLとする．この液〇 μLから得た▽▽のピーク面積が，標準溶液の▽▽のピーク面積の〇 〜 〇％になることを確認する．

　　　　システムの性能：システム適合性試験用＊＊標準品〇 mgを移動相に溶かし，〇 mLとする．この液〇 mLに標準溶液〇 mLを加えた液〇 μLにつき，上記の条件で操作し，▽▽に対する相対保持時間約△の類縁物質A，約△の類縁物質B及び約△の類縁物質Cのピークを確認する．また，類縁物質Aと類縁物質B，類縁物質Bと□□及び■■と類縁物質Cとの分離度はそれぞれ〇以上，〇以上及び〇以上である（必要に応じて複数の分離度を設定する）．

　　　　システムの再現性：標準溶液〇 μLにつき，上記の条件で試験を6回繰り返すとき，＊＊のピーク面積の相対標準偏差は〇％以下である．

［例6］ 純度試験（システム適合性試験用標準品が，原薬＊＊を含む類縁物質の混合物の場合）

　　　　検出の確認：試料溶液〇 mLに□□を加えて〇 mLとし，システム適合性試験用溶液とする．システム適合性試験用溶液〇 mLを正確に量り，■■を加えて正確に〇 mLとする．この液〇 μLから得た▽▽のピーク面積が，システム適合性試験用溶液の▽▽のピーク面積の〇 〜 〇％になることを確認する．

　　　　システムの性能：システム適合性試験用＊＊標準品〇 mgを□□に溶かし，〇 mLとする．この液〇 μLにつき，上記の条件で操作し，▽▽に対する相対保持時間約△の類縁物質A，約△の類縁物質B，約△の類縁物質C及び約△の類縁物質Dのピークを確認する．また，類縁物質Bと□□及び■■と類縁物質Cとの分離度はそれぞれ〇以上及び〇以上である（必要に応じて複数の分離度を設定する）．

　　　　システムの再現性：システム適合性試験用溶液〇 μLにつき，上記の条件で試験を6回繰り返すとき，＊＊のピーク面積の相対標準偏差は〇％以下である．

［例7］ 純度試験（システム適合性試験用標準品が，類縁物質の単品の場合）

　　　　検出の確認：試料溶液〇 mLに□□を加えて〇 mLとし，システム適合性試験用溶液とする．システム適合性試験用溶液〇 mLを正確に量り，■■を加えて正確に〇 mLとする．この液〇 μLから得た▽▽のピーク面積が，システム適合性試験用溶液の▽▽のピーク面積の〇 〜 〇％になることを確認する．

　　　　システムの性能：＊＊標準品〇 mg，システム適合性試験用＊＊類縁物質B標準品〇 mg及びシステム適合性試験用＊＊類縁物質C標準品〇 mgを□□に溶かし，〇 mLとする．この液〇 μLにつき上記の条件で操作するとき，類縁物質B，▽▽，類縁物質Cの順に溶出し，類縁物質Bと▽▽及び▽▽と類縁物質Cとの分離度はそれぞれ〇以上である．

　　　　システムの再現性：システム適合性試験用溶液▽▽ μLにつき，上記の条件で試験を6回繰り返すとき，＊＊のピーク面積の相対標準偏差は〇％以下である．

［例8］ 純度試験（定量的な試験に類縁物質の標準品を用いている場合）

　　　　検出の確認：標準溶液▽▽ mLを正確に量り，□□を加えて正確に〇 mLとする．この液〇 μLから得た▽▽のピーク面積が，標準溶液の▽▽のピーク面積の〇 〜 〇％になることを確認する．

　　　　システムの性能：標準溶液〇 μLにつき，上記の条件で操作するとき，類縁物質A及び類縁物質Bのピークの▽▽に対する相対保持時間は約△及び△であり，類縁物質Aと類縁物質Bの分離度は〇以上，類縁物質Bと▽▽の分離度は〇以上である．

　　　　システムの再現性：標準溶液〇 mLに移動相を加えて〇 mLとする．この液〇 μLにつき，上記の条件で試験を6回繰り返すとき，類縁物質A，類縁物質B及び▽▽のピーク面積の相対標準偏差はそれぞれ〇％以下である．

［例9］ 純度試験（面積百分率法において，マトリックスの影響が評価され，分析対象物の性質を考慮して管理すべき最低濃度レベルの溶液を用いる等の適切な検出の確認が設定されている場合）

　　　　検出の確認：試料溶液〇 mLに□□を加えて〇 mLとし，システム適合性試験用溶液とする．システム適合性試験用溶液〇 mLを正確に量り，■■を加えて正確に〇 mLとする．この液〇 μLにつき，上記の条件で操作するとき，＊＊のピークのSN比は10以上である．

　　　　システムの性能：システム適合性試験用溶液〇 μLにつき，上記の条件で操作するとき，▽▽のピークの理論段数及びシンメトリー係数は，それぞれ〇段以上，〇.〇以下である．

4.3.3.2 「システムの性能」に関する他の表記例

1) 溶出順，分離度及びシンメトリー係数を規定する場合

［例］ ＊＊〇 g及び□□〇 gを■■〇 mLに溶かす．この液〇 μLにつき，上記の条件で操作するとき，＊＊，□□の順に溶出し，その分離度は〇以上であり，＊＊のピークのシンメトリー係数は〇.〇以下である．

2) 溶出順，分離度，理論段数及びシンメトリー係数を規定する場合

［例］ ＊＊〇 g及び□□〇 gを■■〇 mLに溶かす．この液〇

µLにつき，上記の条件で操作するとき，＊＊，□□の順に溶出し，その分離度は○以上であり，＊＊のピークの理論段数及びシンメトリー係数は，それぞれ○段以上，○．○以下である．

3) 適当な分離対象物質がないため理論段数及びシンメトリー係数を規定する場合

［例］　＊＊○ gを□□○ mLに溶かす．この液○ µLにつき，上記の条件で操作するとき，＊＊のピークの理論段数及びシンメトリー係数は，それぞれ○段以上，○．○以下である．

4) 試料溶液を強制劣化させ，被検成分と分解物の溶出順及び分離度を規定する場合

［例］　試料溶液を○℃の水浴中で○分間加熱後，冷却する．この液○ mLに＊＊を加えて○ mLとした液○ µLにつき，上記の条件で操作するとき，□□に対する相対保持時間約○．○のピークと□□の分離度は△以上であり，□□のシンメトリー係数は○．○以下である．

4.3.3.3 生物薬品に特有の試験におけるシステム適合性の記載例

生物薬品に特有の試験のうち，液体クロマトグラフィーや電気泳動を使用する試験のシステム適合性の記載例を示す．分析試料の特性等により，システムの性能においては，ピークの分離度やピーク数を規定するなどの他，標準品の標準クロマトグラム*と比較する場合もある．また，面積百分率による試験において，システムの再現性を設定しないこともあるが，標準溶液を繰り返し又は試験の始めと終わりに分析し，同様の分離パターンが得られることを確認することで，システムの再現性を確認することも可能である．

*標準品の標準クロマトグラム：標準品添付文書に記載のクロマトグラム

4.3.3.3.1 確認試験

4.3.3.3.1.1 ペプチドマップ

規格が，「標準溶液と試料溶液から得られたクロマトグラムを比較するとき，同一の保持時間に同様のピークを認める．」などのような場合

［例1］（標準品の標準クロマトグラムを用いる場合）
システムの性能：標準溶液×µLにつき，上記の条件で操作するとき，標準品の標準クロマトグラムと同様の保持時間に同様のピークを認める．

［例2］（標準品の標準クロマトグラムを用いない場合）
システムの性能：標準溶液×µLにつき，上記の条件で操作するとき，主要な○本のピークが認められ，ピークAとピークBの分離度は○以上である．

4.3.3.3.2 示性値

4.3.3.3.2.1 糖鎖プロファイル

規格が，「試料溶液及び標準溶液から得られたクロマトグラムは同様であり，ピーク1，ピーク2，ピーク3及びピーク4の面積百分率は，それぞれ○ ～ ○%，○ ～ ○%，○ ～ ○%及び○ ～ ○%である．」などのような場合

［例1］（標準品の標準クロマトグラムを用いる場合）
システムの性能：標準溶液×µLにつき，上記の条件で操作するとき，標準品の標準クロマトグラムと同様の保持時間に同様のピークを認める．

［例2］（標準品の標準クロマトグラムを用いない場合）
システムの性能：標準溶液×µLにつき，上記の条件で操作するとき，ピーク1，ピーク2，ピーク3及びピーク4が認められ，ピーク2とピーク3の分離度は○以上である．

4.3.3.3.2.2 電荷プロファイル（イオン交換クロマトグラフィー）

規格が，「主ピーク，酸性領域ピーク群及び塩基性領域ピーク群の面積百分率がそれぞれ○ ～ ○%，○ ～ ○%及び○ ～ ○%である．」などのような場合

［例1］（標準品の標準クロマトグラムを用いる場合）
システムの性能：標準溶液×µLにつき，上記の条件で操作するとき，標準品の標準クロマトグラムと同様の保持時間に同様のピークを認める．

［例2］（標準品の標準クロマトグラムを用いない場合）
システムの性能：標準溶液×µLにつき，上記の条件で操作するとき，主ピークとピークAの分離度は○以上である．

4.3.3.3.3. 純度試験

4.3.3.3.3.1 SDSキャピラリーゲル電気泳動

規格が，「主ピークの割合が○○%以上，○○の割合は○○%以下である．」などのような場合

［例］

検出の確認：標準溶液○ mLに○液△ mLを加える．この液を上記の条件で操作するとき，この液の主ピーク面積が，標準溶液の主ピーク面積の○ ～ ○%になることを確認する．

システムの性能：標準溶液につき，上記の条件で操作するとき，主ピークとピークAの分離度は○以上である．

4.3.3.3.3.2 切断体 SDSポリアクリルアミドゲル電気泳動

規格が，「分子量約○○○○○の位置に認められる主バンドの割合が○○%以上，それ以外のバンドの合計の割合が○○%以下，各バンドの割合は○○%以下である．」などのような場合

［例］

検出の確認：標準溶液○ mLに○液△ mLを加える．この液×µLを上記の条件で操作するとき，主バンドを認める．

システムの性能：分子量マーカーのレーンに○本のバンドを認める．

4.4 その他の記載例

4.4.1 グラジエント法

［例］

試験条件

検出器：紫外吸光光度計（測定波長：215 nm）

カラム：内径4.6 mm，長さ15 cmのステンレス管に5 µmの液体クロマトグラフィー用オクタデシルシリル化シリカゲルを充塡する．

カラム温度：×℃付近の一定温度

移動相A：水／液体クロマトグラフィー用アセトニトリル混液（4：1）

移動相B：液体クロマトグラフィー用アセトニトリル／水混液（3：2）

移動相の送液：移動相A及び移動相Bの混合比を次のように変えて濃度勾配制御する．

注入後の時間 (分)	移動相A (vol%)	移動相B (vol%)
0 〜 ×	×	×
× 〜 ×	× → ×	× → ×
× 〜 ×	×	×

流量：毎分1.0 mL
面積測定範囲：溶媒のピークの後から＊＊の保持時間の約
　　　　　　　○倍の範囲
　　　　　　：溶媒のピークの後から注入後×分まで
システム適合性
　検出の確認：標準溶液○ mLを正確に量り，□□を加えて正確に○ mLとする．この液○ μLから得た▽▽のピーク面積が，標準溶液の▽▽のピーク面積の○ 〜 ○%になることを確認する．
　システムの性能：＊＊○ g及び□□○ gを■■○ mLに溶かす．この液○ μLにつき，上記の条件で操作するとき，＊＊，□□の順に溶出し，その分離度は○以上である．
　システムの再現性：標準溶液○ μLにつき，上記の条件で試験を6回繰り返すとき，＊＊のピーク面積の相対標準偏差は2.0%以下である．

4.4.2 昇温ガスクロマトグラフィー
［例］
試験条件
　検出器：水素炎イオン化検出器
　カラム：内径0.32 mm（又は0.53 mm），長さ30 mのフューズドシリカ管の内面にガスクロマトグラフィー用ポリエチレングリコール20Mを厚さ0.25 μmで被覆する．なお，必要ならば，ガードカラムを使用する．
　カラム温度：50℃を20分間保持した後，毎分6℃で165℃まで昇温し，165℃を20分間保持する．
　注入口温度：140℃付近の一定温度
　検出器温度：250℃付近の一定温度
　キャリヤーガス：ヘリウム
　流量：35 cm／秒
　スプリット比：1：5
システム適合性
　システムの性能：標準溶液○ μLにつき，上記の条件で操作するとき，それぞれのピークの分離度は1.5以上である．（注：被検物質が複数の場合）
　システムの再現性：標準溶液○ μLにつき，上記の条件で試験を3回繰り返すとき，＊＊のピーク面積の相対標準偏差は15%以下である．

5. ICP発光分光分析法及びICP質量分析法を用いる場合の記載例
5.1 ICP発光分光分析法
［例］
1) 定量法　本品約○○ mgを精密に量り，＊＊酸○ mLを加え，加熱して溶かし，冷後，水を加えて正確に○ mLとする．この液○ mLを正確に量り，＊＊酸○ mL及び水を加えて正確に○ mLとし，試料溶液とする．＊＊酸△ mLに水を加えて正確に○ mLとし，ブランク溶液とする．元素＃標準液（△ ppm）○ mL，○ mL，○ mL及び○ mLずつを正確に量り，それぞれに水を加えて正確に○ mLとし，元素＃標準溶液(1)，元素＃標準溶液(2)，元素＃標準溶液(3)及び元素＃標準溶液(4)とする．試料溶液，ブランク溶液及び元素＃標準溶液(1)，元素＃標準溶液(2)，元素＃標準溶液(3)及び元素＃標準溶液(4)につき，次の条件で誘導結合プラズマ発光分光分析法〈2.63〉により試験を行い，ブランク溶液及び元素＃標準溶液の発光強度から得た検量線を用いて元素＃の含量を求める．
試験条件
　波長：元素＃　○○○.○○○ nm
システム適合性
　システムの再現性：元素＃標準溶液(1)につき，上記の条件で試験を6回繰り返すとき，元素＃の発光強度の相対標準偏差は○%以下である．
2) 純度試験　元素＃　本品○○ mgを精密に量り，＊＊酸○ mLを加え，マイクロ波分解装置により加熱，分解する．冷後，分解容器を水で数回洗い込み，更に水を加えて正確に○ mLとし，試料溶液とする．＊＊酸○ mLに水を加えて正確に○ mLとしブランク溶液とする．元素＃標準液（△ ppm）○ mLを正確に量り，＊＊酸○ mLを加えた後，水を加えて正確に○ mLとし，元素＃標準原液とする．元素＃標準原液○ mL，○ mL，○ mL及び○ mLずつを正確に量り，それぞれに＊＊酸○ mL及び水を加えて正確に○ mLとし，元素＃標準溶液(1)，元素＃標準溶液(2)，元素＃標準溶液(3)及び元素＃標準溶液(4)とする．試料溶液，ブランク溶液及び元素＃標準溶液(1)，元素＃標準溶液(2)，元素＃標準溶液(3)及び元素＃標準溶液(4)につき，次の条件で誘導結合プラズマ発光分光分析法〈2.63〉により試験を行い，元素＃標準溶液(1)，元素＃標準溶液(2)，元素＃標準溶液(3)及び元素＃標準溶液(4)の発光強度から得た検量線を用いて元素＃の含量を求めるとき，○.○ ppm以下である．
試験条件
　波長：元素＃　○○○.○○○ nm
システム適合性
　システムの再現性：元素＃標準溶液(1)につき，上記の条件で試験を6回繰り返すとき，元素＃の発光強度の相対標準偏差は○%以下である．

5.2 ICP質量分析法
［例］
1) 元素＃定量法　本品約○○ mgを精密に量り，＊＊酸○ mL及び＊＊酸○ mLを加え，ホットプレート上で徐々に加熱する．褐色ガスの発生がなくなり，反応液が淡黄色澄明になった後，放冷する．冷後，この液に内標準溶液○ mLを正確に加えた後，水を加えて○ mLとし，試料溶液とする．＊＊酸○ mLに，＊＊酸○ mL及び内標準溶液○ mLを正確に加えた後，水を加えて○ mLとし，ブランク溶液とする．元素＃標準液（△ ppm）○ mL，○ mL，○ mL及び○ mLずつを正確に量り，＊＊酸○ mL，＊＊酸○ mL及び内標準溶液○ mLをそれぞれ正確に加えた後，水を加えて○ mLとし，元素＃標準溶液(1)，元素＃標準溶液(2)，元素＃標準溶液(3)及び元素＃標準溶液(4)とする．試料溶液，ブランク溶液及び元素＃標準溶液(1)，元素＃標準溶液(2)，元素＃標準溶液(3)及び元素＃標準溶液(4)につき，次の条件で誘導結合プラズマ質量分析法〈2.63〉により試験を行い，内標準物質のイオンカウント数に対す

るブランク溶液及び元素#標準溶液(1)，元素#標準溶液(2)，元素#標準溶液(3)及び元素#標準溶液(4)のイオンカウント数の比から元素#の含量を求める．

内標準溶液　元素$標準液(△ppm)○mLを正確に量り，水を加えて正確に○mLとする．

試験条件

　測定 m/z：元素# m/z ●，元素$ m/z ▲

システム適合性

　システムの再現性：元素#標準溶液(1)につき，上記の条件で試験を6回繰り返すとき，内標準物質に対する元素#のイオンカウント数比の相対標準偏差は○％以下である．

2) 純度試験　元素#1，#2及び#3　本品○○mgを精密に量り，＊＊酸○mLを加え，マイクロ波分解装置により加熱，分解する．冷後，分解容器を水で数回洗い込み，内標準溶液○mLを正確に加え，水を加えて○mLとし，試料溶液とする．＊＊酸○mLに内標準溶液○mLを正確に加え，水を加えて○mLとしブランク溶液とする．各元素#1，#2及び#3の標準液(△ppm)○mLずつを正確に量り，＊＊酸○mLを加えた後，水を加えて正確に○mLとし，元素#1，#2及び#3標準原液とする．各元素#1，#2，#3標準原液○mL，○mL，○mL及び○mLをそれぞれ正確に量り，＊＊酸○mL，内標準溶液○mLを正確に加え，水を加えて○mLとし，元素#1，#2及び#3の標準溶液(1)，標準溶液(2)，標準溶液(3)及び標準溶液(4)とする．ただし，各元素標準液は，互いに干渉がない限り，混合して用いることができる．試料溶液，ブランク溶液及び各標準溶液(1)，標準溶液(2)，標準溶液(3)及び標準溶液(4)につき，次の条件で誘導結合プラズマ質量分析法〈2.63〉により試験を行い，内標準物質のイオンカウント数に対するブランク溶液及び元素#1，#2及び#3の標準溶液(1)，標準溶液(2)，標準溶液(3)及び標準溶液(4)のイオンカウント数の比から各元素#1，#2及び#3の含量を求めるとき，各々○.○ppb以下である．

内標準溶液　元素$標準液(△ppm)○μLを正確に量り，水を加えて正確に○mLとする．

試験条件

　測定 m/z：元素#1 m/z ●，元素#2 m/z ▲，及び元素#3 m/z ×，元素$ m/z □
　コリジョン・リアクションセル導入ガスを使用（必要に応じて，ガスの名前）

システム適合性

　システムの再現性：元素#1，#2及び#3各標準溶液(1)につき，上記の条件で試験を6回繰り返すとき，内標準物質に対する元素#のイオンカウント数比の相対標準偏差は○％以下である．

6. 核磁気共鳴スペクトル測定法による定量NMR (qNMR)を用いる場合の記載例

核磁気共鳴スペクトル測定法は，化合物中の測定原子核の数の比がピーク面積比に対応する特性を持つため，定量性が確保できる条件で測定することで，化合物の純度を調べることができる．核磁気共鳴スペクトル測定法〈2.21〉において，qNMR用基準物質を用いた定量NMRについての記載があり，更に生薬試験法〈5.01〉10. 核磁気共鳴（NMR）法を利用した生薬及び漢方処方エキスの定量指標成分の定量で具体的な試験法が示されている．さらに，参考情報核磁気共鳴（NMR）法を利用した定量技術の日本薬局方試薬への応用に，試験法設定の背景と試験法の解説等が記載されている．

6.1　定量 ^{1}H NMR測定法

^{1}H NMRによる定量では，測定対象の化合物とSIトレーサブルな純度既知のqNMR用基準物質をそれぞれ精密に量り，重水素化溶媒に溶解した溶液で ^{1}H NMR測定を行う．得られたスペクトル上に観測される測定対象の化合物とqNMR用基準物質に由来するピーク面積，プロトン数，調製質量及び分子量の関係から，定量値を算出する．

［例］　定量法　ウルトラミクロ化学はかりを用い，本品○mg及びqNMR用基準物質＊＊○mgをそれぞれ精密に量り，核磁気共鳴スペクトル測定用重水素化＊＊○mLに溶かし，試料溶液とする．この液を外径5 mmのNMR試料管に入れ，核磁気共鳴スペクトル測定用＊＊を化学シフト基準物質として，次の試験条件で核磁気共鳴スペクトル測定法（〈2.21〉及び〈5.01〉）により，^{1}H NMRを測定する．化学シフト基準物質のシグナルをδ 0 ppmとし，δ ○.○○ ppm及びδ △.△△ ppm付近のそれぞれのシグナルの面積強度A_1（水素数●に相当）及びA_2（水素数■に相当）を算出する．

本品（分子式）の量(%)
　$= M_S \times I \times P / (M \times N) \times [(本品の分子量)/(qNMR用基準物質＊＊の分子量)]$

M：本品の秤取量(mg)
M_S：qNMR用基準物質＊＊の秤取量(mg)
I：qNMR用基準物質＊＊のシグナルの面積強度を△△.△△△としたときの各シグナルの面積強度A_1及びA_2の和
N：A_1及びA_2に由来する各シグナルの水素数の和
P：qNMR用基準物質＊＊の純度(%)

試験条件

　装置：^{1}H共鳴周波数400 MHz以上の核磁気共鳴スペクトル測定装置
　測定対象とする核：^{1}H
　デジタル分解能：0.25 Hz以下
　観測スペクトル幅：－5 ～ 15 ppmを含む20 ppm以上
　スピニング：オフ
　パルス角：90°
　^{13}C核デカップリング：あり
　遅延時間：繰り返しパルス待ち時間60秒以上
　積算回数：8回以上
　ダミースキャン：2回以上
　測定温度：20 ～ 30℃の一定温度

システム適合性

　検出の確認：試料溶液につき，上記の条件で測定するとき，δ ○.○○ ppm付近のシグナルのSN比は100以上である．
　システムの性能：試料溶液につき，上記の条件で測定するとき，δ ○.○○ ppm及びδ △.△△ ppm付近のシグナルについて，明らかな混在物のシグナルが重なっていないことを確認する．また，試料溶液につき，上記の条件で測定するとき，各シグナル間のプロトン1個当たりの面

積強度比A_1/A_2は，それぞれ0.99〜1.01である．

システムの再現性：試料溶液につき，上記の条件で測定を6回繰り返すとき，面積強度A_1又はA_2のqNMR用基準物質の面積強度に対する比の相対標準偏差は1.0%以下である．

NMR試料管は高品質で清浄なもの（例：Wilmad No.535，富士フイルム和光純薬SHG-タイプ，シゲミPS-1等）を使用し，重水素化溶媒は，重水素化率99.9%以上のものを用いる．

qNMR用基準物質1,4-BTMSB-d_4，qNMR用基準物質DSS-d_6等のSIトレーサブルな値付けに用いる標準物質としては，独立行政法人製品評価技術基盤機構認定センター（IAJapan）の認定プログラム（ASNITE）によって認定を取得した認証標準物質（CRM）が供給されている．

6.2 定量^{1}H NMR測定法の一般試験法「9.41 試薬・試液」の項，又は標準品品質標準の「様式-標2」への記載に際しての留意点

6.2.1 qNMR試料溶液の調製方法
6.2.1.1 試料
6.2.1.1.1 測定対象物質（分析種）に関する情報
必須情報：計算に用いた分子量，吸湿性と昇華性（水分吸脱着，熱測定等の実測データ・チャート等）に関する情報，qNMR測定溶媒に対する溶解時の状況に関する情報（○mgが○mLの溶媒にゆっくり溶ける等）

6.2.1.1.2 qNMR用基準物質の情報
必須情報：名称，構造式，組成式，計算に用いた分子量，純度，吸湿性と昇華性（水分吸脱着，熱測定等）に関する情報，qNMR測定溶媒に対する溶解時の状況に関する情報（○mgが○mLの溶媒にゆっくり溶ける等）

6.2.1.1.3 化学シフト基準物質（必要な場合）の情報
名称

6.2.1.1.4 qNMR測定溶媒の情報
名称，重水素化率

6.2.1.2 試料溶液の調製方法
具体的な試料溶液の調製方法（試料及びqNMR用基準物質の採取量，qNMR測定溶媒の添加量），NMR試料管に関する情報，秤量時の実際の読取り値

6.2.1.3 使用天秤情報
最小計量値（最小計量値について，JIS K 0138: 2018又は米国薬局方，"General Chapter 41 Balances"及び"General Information 1251 Weighing on Analytical Balances", US Pharmacopeia USP39-NF34, 2016を参考にすること）

6.2.1.4 秤量情報
実際の試料秤量時の温湿度情報，調湿した場合はその方法と温湿度

6.2.2 qNMR測定
6.2.2.1 使用機器の適格性（qNMR測定に関する適格性が確認されていること）
使用機器の適格性確認の際使用されている調製溶液名等を記載する（例えば，ビンクロゾリン（CRM）及び1,4-BTMSB-d_4（CRM）をDMSO-d_6に溶解した溶液）

6.2.2.1.1 システム適合性試験要件（システムの再現性，システムの性能，検出の確認）
試料溶液を用いて実施する．日局の試薬・試液を参考に記載．

6.2.2.2 qNMR測定条件
6.2.2.2.1 測定核
原則水素核とする．
水素核以外の核種を用いた場合は，^{1}H 定量NMRの記載上の留意点を参考に調製方法，具体的な測定条件及び解析条件等，試料の定量結果を科学的に妥当な説明ができる情報を示す．

6.2.2.2.2 磁場の大きさ（実際の測定時の機器名）
^{1}H NMR：400 MHz以上を推奨する．

6.2.2.2.3 デジタル分解能（実際の測定時の情報）
0.25 Hz以下を推奨する．

6.2.2.2.4 観測範囲（実際の測定時のスペクトル中心とスペクトル幅）
試料のすべてのシグナルが観察される範囲を観測範囲として通常設定する．
スペクトル幅は-5 ppm〜15 ppmを含む20 ppm以上を推奨する．なお，スペクトル中心は定量に用いるシグナルどうしの中央に設定することが望ましい．

6.2.2.2.5 スピニング情報（実際の測定時の情報）
スピニングオフを推奨する．

6.2.2.2.6 パルス角（実際の測定時の情報）
90°を推奨する．

6.2.2.2.7 デカップリング情報（実際の測定時の情報，デカップリングパルスシークエンスとオフセット値も記載する）
デカップリングオンを推奨する．

6.2.2.2.8 遅延時間（実際の測定時の情報）
通常60秒以上を設定する．ただし，目標とする精度を考慮した遅延時間を設定しても良い．この場合，定量に用いるシグナルのT_1を具体的に示し，その5〜7倍以上の遅延時間を通常設定する．

6.2.2.2.9 積算回数とSN比（実際の測定時の情報）
定量に用いるシグナルのうち最も小さいシグナルのSN比が100以上になるように積算回数を通常設定する．

6.2.2.2.10 ダミースキャン回数（実際の測定時の情報）
2回以上を推奨する．

6.2.2.2.11 測定温度（実際の測定時の情報）
20〜30℃の一定温度を通常設定する．

6.2.2.3 qNMR解析条件
6.2.2.3.1 qNMRスペクトル
qNMR試料溶液のスペクトル（必要に応じた部分拡大を含む）を示す．
分析種の全シグナルの帰属と構造式へのナンバリングを示す．

6.2.2.3.2 定量測定対象シグナル情報
そのシグナルを選択した理由，定量に用いた各シグナルの積分範囲（ppm表示）を示す．

6.2.2.3.3 データ処理条件
データ処理に用いた窓関数，ゼロフィリング，ベースライン補正等の有無を示す．
窓関数は用いず，ゼロフィリング，ベースライン補正は行うことを推奨する．

6.2.2.3.4 計算式
分析種のシグナルとqNMR用基準物質のシグナルから求める含量の計算式を示す．なお，分析種の複数のシグナルを用いて含量計算を行う場合は，その旨記載する．
計算式中の係数の有効数字の桁数は目標とする精度を考慮し

て設定し，含量計算上の有効数字の桁数がわかる表記とする．

6.2.2.3.5　定量結果および精度情報

試料溶液の調製回数（原則秤量から3回）とqNMRの測定回数（各試料につき原則非連続に3回）を示し，得られた定量値とそのばらつきを記載して，定量精度を統計的に説明できる情報を示す．

7. その他

7.1　標準品及び標準物質

7.1.1　標準品及び標準物質の定義

標準物質とは，医薬品等の化学量，物理量又は生物活性量の定量的又は定性的計測，医薬品等の試験に用いる測定装置の校正や正確さの確認などにおいて基準として用いる物質をいう．標準品とは医薬品の品質評価における試験等に用いるために一定の品質に調製され，特定の用途に相応しい品質を有することが公的に保証され，供給される標準物質である．

7.1.2　標準品の名称

定量的試験に用いる標準品の名称は，「3.2.1　原薬の日本名」に準じた成分名に"標準品"の用語を付して「○○標準品」とする．ただし，標準品原料物質が水和物であっても原則として成分名に"水和物"の用語は付さない．

一般的名称において，スペースを入れて名称を付与した場合でも標準品の名称はスペースを入れない．

［例］　エストラジオール安息香酸エステル標準品
　　　　アスポキシシリン標準品（各条名はアスポキシシリン水和物）
　　　　セフロキシムアキセチル標準品（各条名はセフロキシム　アキセチル）

定量的試験以外の用途のみを有する標準品は必要に応じその用途を付して命名する．複数の用途を有する場合には，原則として，より高い品質を要求，又は，より重要と考えられる用途を付す．

［例］　確認試験用モンテルカストナトリウム標準品
　　　　純度試験用○○標準品
　　　　純度試験用○○類縁物質B標準品
　　　　システム適合性試験用モンテルカスト標準品

7.1.3　標準品の使用量

標準品の使用に当たっては，試験の目的を損なわない範囲でその使用量の低減を図る．なお，化学薬品の場合，定量法での使用量の目安は20 ～ 50 mgが一般的である．

7.1.4　標準品の設定に関する資料の作成

標準品を新たに設定する場合，化学薬品及び生薬成分等に関する標準品では別添1に従って様式-標1 ～ 標6の資料を作成し，生物薬品に関する標準品では別添2に従って様式-標生1 ～ 標生4の資料を作成する．

システム適合性試験用○○標準品を新たに設定する場合，別添3に従って様式-標シ1 ～ 標シ5の資料を作成する．

7.1.5　標準品の用途

日本薬局方標準品は医薬品各条及び一般試験法に規定された定量法，確認試験，純度試験，装置の校正，分析システムの適合性試験などで使用されるが，これら標準品には特定の用途のみを有するものと複数の用途に使用できるものとがある．

7.1.6　標準品以外の標準物質（定量用試薬等）

化学薬品については，製剤の定量法，溶出試験又は製剤均一性試験の含量均一性試験など，製剤の定量的試験にのみ使用する標準物質は，通常，標準品として設定する．やむを得ず定量用試薬として設定する場合，"○○，定量用"として一般試験法「9.41 試薬・試液」に規定し，医薬品各条においては"定量用○○"と記載する．また，生薬等の定量指標成分等で定量法に用いる標準物質についても定量用試薬として設定することができる．これらの場合，"○○，定量用"として一般試験法「9.41 試薬・試液」に規定し，医薬品各条においては"定量用○○"と記載する．

製剤及び生薬等のクロマトグラフィーによる確認試験で使用する標準物質は，試薬として設定することができる．これらの場合には，一般試験法「9.41 試薬・試液」に規定する．試薬の名称には必要に応じて"確認試験用"又は"薄層クロマトグラフィー用"などの語を冠することができる．

7.2　試薬・試液等

7.2.1　試薬

試薬は日本薬局方における試験に用いるものである．日本薬局方において，日本産業規格（JIS）に収載されている試薬を用いるときは，原則としてJIS名を用い，容量分析用標準試薬，特級，1級，水分測定用などと記載したもの，又は単に試薬名を記載したものは，それぞれJIS試薬の容量分析用標準物質，特級，1級，水分測定用など，又は級別のないものの規格及び試験方法に適合する．日本薬局方の試薬名がJISと相違する場合は，JIS名を併記する．

各条医薬品を定量用標準物質などの試薬に用いるときは，原則として医薬品各条名を試薬名とする．ただし，水和数の異なる物質が存在する場合は，水和数も記載する．医薬品各条と記載したものは，医薬品各条で定める規格に適合するものである．単に試験方法を記載してある試薬については，日本薬局方の試験方法を準用する．また，各条医薬品を標準品以外の一般的な試薬として用いるときは，JIS試薬などに各条医薬品に代えて試薬として使用できるものがないことを確認して用いる．

7.2.2　試液

試液は日本薬局方における試験に用いるために試薬を用いて調製した液である．

7.2.3　試薬・試液の記載

試薬・試液及び容量分析用標準液の記載方法は「第十八改正日本薬局方」及び下記による．

7.2.3.1　試薬及び試液の名称の原則

1) 各条医薬品を定量用標準物質などの試薬に用いるときは，医薬品各条名を試薬名とする．
2) JIS規格に適合する試薬を用いるときは，JIS名を試薬名とする．
3) 上記1)，2)に該当しない試薬を用いるときには，原則としてIUPACの化合物命名法に準拠した名称を試薬名とする．その際，試薬名は，日本化学会制定の化合物命名法に準拠した日本語名とする．
4) 上記1)，2)に該当しない試薬を用いるときには，上記3)の規定にかかわらず，広く一般に用いられている慣用名や旧JIS試薬名を試薬名として用いることができる．ただし，（一財）日本規格協会で閲覧及び入手することが可能なものに限る．
5) 試液の名称は，溶質名及び溶媒名から命名する．ただし，溶媒が水のときは，原則として名称に含めない．また，溶質の溶解後，その使用に影響がない「N水和物」，「無水」

などの表記を除いて命名する．

6) エタノール(99.5)のように濃度を付して表記するものを溶媒とする試液の名称は，濃度を付さないことによる混乱が予測される場合を除き，「○○・エタノール試液」のように濃度を付さない名称とする．

7.2.3.2 試薬の名称の記載例

1) 試薬・試液名は，カタカナと漢字で表示する．（JIS試薬では，日本語はひらがな表示，例えば，りん酸，くえん酸，ひ素などと表記することに定められているが，日本薬局方には取り入れない）

2) 試薬名「○○」の後にカッコを付けて「○○(100)」のように示すとき，カッコの数字は分子式で示されている物質の含量（％）を示す．

   [例] エタノール(95)，エタノール(99.5)，酢酸(31)，酢酸(100)，過酸化水素(30)，アンモニア水(28)

3) 定量用などの標準物質として医薬品各条の医薬品を用いる場合には，各条名を試薬名とする．標準物質以外の試薬として用いるときは，原則として試薬の命名による．ただし，広く一般的に用いられている慣用名はこれを用いてもよい．

4) 特殊な用途の試薬は，「○○用××」とする．これらの試薬は医薬品各条においては"○○用××"と記載し，一般試験法「9.41 試薬・試液」には並び順が明らかになるよう"××，○○用"として記載する．

   [例] 液体クロマトグラフィー用ヘキサン
   　　 ヘキサン，液体クロマトグラフィー用

5) 1，2，3級アミン類の塩酸塩は，「○○塩酸塩」とし，「塩化○○」とはしない．無機塩については陽イオンと陰イオンの数に誤解を生じない場合には数を記載しない．有機化合物においては塩の数をできるだけ記載する．

   [例] N,N-ジメチル-p-フェニレンジアンモニウム二塩酸塩

6) D，L-符号などを用いる．

   [例] L-アスコルビン酸

7) 水和物は「○○N水和物」とし，（Nは漢数字）水の数が不明なときは「○○n水和物」とする．無水の試薬は単に「○○」とする．ただし，混乱を防止するため「無水○○」も必要に応じて用いる．各条品ではない試薬の水和物については，可能な範囲で水和水の数を特定する．

   [例] リン酸水素二ナトリウム十二水和物，リンモリブデン酸n水和物

8) 無機の化合物は必要に応じてローマ数字で価数表示する．

   [例] 酸化鉛(Ⅱ)，酸化鉛(Ⅳ)

7.2.4 試薬・試液の新規設定

日本薬局方に既収載の試薬・試液をなるべく使用する．単純な溶液及びある各条でのみ用いる溶液は，可能であればその調製方法を各条中に記載する．

試薬・試液を新規に設定する場合は，目的・用途に応じ適切な品質規格とする．既収載の試薬とは品質水準が異なる場合などは「○○用」などとし，名前と内容を区別する．

試薬・試液として規定する培地については組成を規定する．ただし，一般的に広く使用され培地構成成分が公知の場合には単に培地名のみを記載する．また，培地に用いられている成分の規格は，必ずしも設定する必要はない．

7.2.5 「定量用○○」の新規設定

製剤各条の試験（確認試験，定量的試験）に各条医薬品を定量用標準物質として使用する場合には，「定量用○○（医薬品各条名）」を試薬に設定する．

規格は原則として医薬品各条を準用するか，必要に応じて含量などの規定をより厳しく設定する．

「定量用○○」を液体クロマトグラフィーによる定量的試験に用いるとき，原薬各条での純度試験が薄層クロマトグラフィーにより規定されている場合には，定量的試験と同じ試験条件の液体クロマトグラフィーによる方法に変更するなど，用途に応じた試験方法を必要に応じて設定する．

7.2.6 容量分析用標準液，標準液の新規設定

容量分析用標準液，標準液を新規に設定する場合は，一次標準へのトレーサビリティーを確立する．

7.2.7 クロマトグラフィー用担体／充塡剤の新規設定

平均孔径，架橋度等について，新たに設定する場合，細かな設定は「9.42 クロマトグラフィー用担体／充塡剤」には記載せず，各条の試験条件，カラムの項に具体的に記載する．

第二部
医薬品各条原案の提出資料とその作成方法

日本薬局方医薬品各条の原案（以下，原案という）提出にあたっては，以下の1.から7.の資料を，それぞれの作成方法に留意し，所定の様式に従って作成し提出すること．ただし，既収載各条の改正の場合は，様式2，5，6の提出は必要ない．

1. 様式1：日本薬局方医薬品各条原案総括表

各項目について正確に記載する．

公定書名とは日本薬局方外医薬品規格（局外規），米国薬局方，欧州薬局方，英国薬局方又は食品添加物公定書などをいう．これらに収載されていない場合は「収載なし」と記載する．

担当者連絡先には，本件に関する問い合わせなどへの対応を行う担当者の会社名，氏名，連絡先住所，電話番号，FAX番号，電子メールアドレスを必ず記入すること．

また，別紙1（提出資料チェックリスト【原薬】）又は別紙2（提出資料チェックリスト【製剤】）により資料の有無を記入の上，提出すること．

なお，希少疾病用医薬品（オーファンドラッグ）として承認された医薬品の場合は，備考欄に「オーファンドラッグ」と明記すること．

2. 様式2：原案と局外規等との項目ごとの比較表

原案について，局外規に収載の場合は原案と局外規における規格及び試験方法を，局外規に未収載の場合は原案と当該品目の製造（輸入）販売承認における規格及び試験方法を，項目ごとに比較した表を様式2により作成する．

作成にあたっては，各項目の概要ではなく，局外規，又は製造（輸入）販売承認書の規定どおりに全文を正確に記載すること．ただし，判読が可能な範囲で縮小したコピー等を貼付することで差し支えない．

3. 様式3：医薬品各条案

「第一部 第十九改正日本薬局方原案の作成に関する細則」に基づき，原案を様式3により作成する．既収載各条の改正の場合は，改正する項目以外も現行記載を全て様式3に示した上

4. 様式4：実測値

新医薬品の承認申請に際して添付すべき資料に関するガイドラインなどを参考に，様式4により作成する．

[記載するデータについて]

原案設定の根拠となった資料として，3ロット各3回以上のデータ及び試験方法の分析法バリデーションデータを提出すること．なお，含量違いや容器違い（注射剤におけるプラスチック製水性注射剤容器など）がある製剤については，原則としてそれぞれの実測値の提出が必要である．なお，長期保存試験の成績及び貯法に保存条件の規定が必要な場合には苛酷試験の成績も提出すること．経口固形製剤各条の貯法の容器について，気密容器を規定する場合は，温度及び湿度に対する苛酷試験結果等を示し，容器の妥当性を説明すること．注射製剤各条の貯法の容器について，意見公募・改正要望において，承認に基づき，密封容器の後にプラスチック製水性注射剤容器・着色容器の追記を希望する場合には，事務局が承認内容を確認し，必要であれば委員会にて追記の妥当性を検討することとする．純度試験の残留溶媒に関しては，項目として規定しない場合でも，製造工程で使用している溶媒名・試験方法・実測値（3ロット1回でも可）のデータを提出すること．溶出性に関しては，原則として基本4液性での溶出プロファイル及び溶解度，分析法バリデーション（品質再評価終了品目については不要）並びに6ベッセルの個々のデータを提出すること．基本4液性とは，溶出試験第1液，pH 4.0の0.05 mol/L酢酸・酢酸ナトリウム緩衝液，溶出試験第2液，水を用いた場合をいう．試験液量について900 mL以外とする場合は，必要に応じてデータを示し，液量の妥当性を説明すること．

ただし，局外規，又は製造（輸入）販売承認内容と同一の試験方法を採用する場合は，あらためて実測値をとる必要はなく，過去に測定されたデータ及び分析法バリデーションデータを提出することで差し支えない．この場合にあっては，各ロットにつき必ずしも3回繰り返し測定したデータである必要はない．

5. 様式5：原案と外国薬局方等の他の公定書との比較表

米国薬局方，欧州薬局方，英国薬局方，又は食品添加物公定書などの公定書に当該医薬品が収載されている場合は，各項目ごとに比較した表を様式5により作成する．作成にあたっては，各項目の概要ではなく，他の公定書の規格及び試験方法の全文を記載する．ただし，縮小したコピー等を貼付することで差し支えない．なお，英語については翻訳する必要はないが，英語以外の言語については日本語訳で比較表を作成すること．

様式2において，局外規と比較した場合にあっては，局外規の欄の右側に欄を追加して記載することで様式5を省略できる．この場合は，様式1の備考欄に「様式5は様式2に包括」と記入すること．局外規以外の公定書に収載されていないため様式5を省略する場合は，様式1の備考欄に「様式5を省略」と記載すること．

6. 様式6：名称及び化学名等

原薬の原案については，JAN，INN及び他の公定書等の名称などを様式6に記載する．

化学名及び構造式に関しては，それらの選択理由及び簡単な解説を，またCAS登録番号に関しては，塩基，塩，無水物など関連のものを含めて，記載する．

なお，日本薬局方に製剤のみが収載される場合は，その原薬に関する様式6を作成すること．

7. 標準品に関する資料

新たに日本薬局方標準品を設定する必要がある場合は，別添1（生物薬品標準品を除く標準品の場合），別添2（生物薬品標準品の場合）又は別添3（システム適合性試験用標準品の場合）に従って，「標準品品質標準」原案を作成する．

8. 資料の提出方法

資料は様式1（様式1の別紙1及び別紙2を含む）から様式6をその順に綴じ，標準品を設定する場合は別添1（様式－標1の別紙1を含む），別添2又は別添3の様式を同様に綴じて，正本1部及び副本1部（正本の写しで差し支えない）を書面及び電子ファイルで提出すること．

なお，電子ファイルについては，様式3，様式6，様式－標2，様式－標生2及び様式－標シ2はMS-Wordを品目毎に作成し，他の様式も含む一式を別途担当者宛メールに添付して送信するかCD/DVDの電子媒体に記録したものを添付すること．

様式（略）

別添1

「標準品品質標準」原案の提出資料とその作成方法

日本薬局方標準品品質標準の原案提出にあたっては，以下の1）から6）の資料を様式-標1～標6に従って作成して提出すること．

資料の提出にあたっては，様式-標1から様式-標6の紙媒体と電子媒体の両方の資料を医薬品各条原案と同様に提出すること．

1) 「日本薬局方標準品品質標準」原案の総括表
作成方法：「様式-標1」を用いて作成する．
作成上の留意事項
① 省略した様式がある場合は，備考欄にその理由を記載すること．
② 「適用医薬品各条名」欄には，当該標準品の使用を規定する全ての医薬品各条について網羅的に記載すること．
③ 「適用規格項目」欄には，当該標準品の使用が規定される全ての規格項目を記載すること．
④ 「試験方法」欄には，当該標準品の使用が規定される規格項目の試験方法を簡略記載すること．
⑤ 「使用量」欄には，医薬品各条の記載に従って試験を1回実施するのに必要な量を記載すること．使用量が各条に記載されていない場合は，大略の使用量を括弧書きで示すこと．乾燥後秤量の場合は，「乾燥後」と記載すること．また，別途水分を測定する場合などでは，別途測定に必要な量を付記すること．なお，別紙1（提出資料チェックリスト【標準品】）により資料の有無を記入の上，提出すること．

2) 「日本薬局方標準品品質標準」原案に関する資料
作成方法：「様式-標2」を用いて作成する．
作成上の留意事項
① 標準品原料候補の品質評価に必要なデータを得るために実施すべき品質試験項目とその試験方法を記載すること．
② 標準品の用途項目の試験方法は，用途の試験方法に一致させること．
③ 医薬品各条とは目的を異にするものであるので，試験方法等の記載は日局原案作成要領に従う必要はない．
④ 試験方法には，品質試験を支障なく実施するのに必要な事項を洩れなくできるだけ詳細に記載すること．
⑤ 試験方法の記載においては，日局の記載方法に拘束されることなく，特殊な試薬，カラム等を銘柄名で記載しても差し支えない．
⑥ 標準品原料候補を製造機関に供給する際は，様式-標2に従った試験成績を添付することが望ましい．

3) 標準品品質標準に基づいた実測値に関する資料
作成方法：「様式-標3」を用いて作成する．
作成上の留意事項
① 標準品相当品又は現在使用している自家標準物質の品質試験実測値を記載する．
② 数値結果で評価する試験については，適否の評価結果ではなく，各試験の測定値などを記載すること．
③ 代表的なスペクトルデータやクロマトグラム，液体クロマトグラフィーの試験条件やシステム適合性データなども記載すること．なお，赤外吸収スペクトル，核磁気共鳴スペクトル等のスペクトルでは帰属も記載し，液体クロマトグラフィーなどにおいては分析法バリデーションも提出すること．
④ 試験に用いた機器など（測定機器，カラム，薄層板，特殊試薬等を含む）の具体的名称（銘柄名等）も記載すること．特に，水分測定用試液（容量滴定法）又は水分測定用陽極液及び陰極液（電量滴定法）についてはその銘柄名を必ず記載すること．
⑤ 不純物の本質が特定されている場合には，不純物の化学名，構造式のほか，該当する場合にはクロマトグラフィーにおける感度係数等を記載すること．

4) 日本薬局方標準品の保存方法及び安定性に関する資料
作成方法：「様式-標4」を用いて作成する．
作成上の留意事項
① 標準品原料提供者における自家標準物質の実際の保存方法による保存条件及び保存容器を記載する．
② 安定性のデータは標準品原料提供者の実際の保存方法におけるデータを記載すること．
③ 安定性データには，試験方法（試験条件を含む）を明示し，クロマトグラムなどのデータも添付すること．
④ 密封容器を使用する場合や冷蔵又は冷凍保存である場合には，保存方法の設定理由を記載すること．なお，安定性試験に基づいて設定した場合はその根拠となったデータ（適切な時点におけるクロマトグラム等を含む）を別に添付すること．
⑤ 標準品の取扱いにおいて留意すべき性質を洩れなく記載すること．
⑥ その他の項には，「酸化を受けやすいので不活性ガス置換して保存する必要がある」などの標準品の取扱い及び保存上留意すべき性質について記載すること．

5) 日本薬局方標準品原料の精製法に関する資料
作成方法：「様式-標5」を用いて作成する．
作成上の留意事項
① 入手した原料の品質が標準品としての品質に相応しくないと判断された場合に，標準品製造機関は精製などを行うことがあるので，その参考としての精製法を記載すること．
② 当該標準品原料の精製法が極めて特殊な技術を要する場合，精製法が知的財産権の範疇にある場合，又は精製の必要がある場合に原料提供者が精製することを確約できる場合などにあっては，その旨を備考欄に記載することによって，「精製法」欄の記載を省略することができる．

6) 日本薬局方標準品原料の供給に関する資料
作成方法：「様式-標6」を用いて作成する．
作成上の留意事項
① 標準品に相応しい品質の原料を供給可能な提供者及び提供要件について記載すること．
② 供給可能量は，「○○～○○g」，「○○g以下」のような記載でも差し支えない．標準品品質標準の試験の実施と標準品製造に，通常，少なくとも100g程度は必要であることを考慮して記載すること．
③ 価格は，「○○円/g程度」などの概数でも差し支えない．無償の場合は「無償」と記載すること．
④ 納期の項には，受注から納品までに要する標準的期間を

記載すること．
⑤ その他の項には，供給予定の標準品原料に関するその他の情報（例：約〇〇 mgずつをアンプル充填して供給する）や，継続的な供給が見込めない場合にはその旨を記載すること．
⑥ 万が一供給不可となった場合，代替の提供者についての情報を提供する等，標準品供給に支障がないように協力すること．
（注）提出方法は，第二部　8．資料の提出方法を参照すること．

様式（略）

別添2

「標準品品質標準」原案の提出資料とその作成方法
（生物薬品（バイオテクノロジー応用医薬品／生物起源由来医薬品）標準品）

日本薬局方（生物薬品（バイオテクノロジー応用医薬品／生物起源由来医薬品））標準品品質標準の原案提出にあたっては，以下の1）から4）の資料を様式-標生1～様式-標生4に従って作成し提出すること．

資料の提出にあたっては，様式-標生1から様式-標生4の紙媒体と電子媒体の両方の資料を医薬品各条原案と同様に提出すること．

1）「日本薬局方標準品品質標準」原案の総括表
作成方法：「様式-標生1」を用いて作成する．
作成上の留意事項
① 省略した様式がある場合は，備考欄にその理由を記載すること．
② 「適用医薬品各条名」欄には，当該標準品の使用を規定する全ての医薬品各条について網羅的に記載すること．
③ 「適用規格項目」欄には，当該標準品の使用が規定される全ての規格項目を記載すること．
④ 「試験方法」欄には，当該標準品の使用が規定される規格項目の試験方法を簡略記載すること．
⑤ 「使用量」欄には，医薬品各条の記載に従って試験を1回実施するのに必要な量を記載すること．使用量が医薬品各条に記載されていない場合は，大略の使用量を括弧書きで示すこと．乾燥後秤量の場合は，「乾燥後」と記載すること．また，別途水分を測定する場合などでは，別途測定に必要な量を付記すること．

2）「日本薬局方標準品品質標準」原案に関する資料
作成方法：「様式-標生2」を用いて作成する．
作成上の留意事項
① 標準品確立時に標準品原料候補の品質評価に必要なデータを得るために実施すべき品質試験項目とその試験方法を記載すること．
② 標準品の単位の値付けの方法（単位の定義設定の経緯も含む）及び標準品の更新の方法について記載すること．
③ 貯法の保存条件及び保存期間に関する情報を記載すること．
④ 適切な国際標準品がある場合については，国際標準品を基準に品質標準の設定を行う．
⑤ 適切な国際標準品などがない場合については，承認書に規定されている標準物質の規格に基づき，品質標準を設定する．
⑥ 医薬品各条とは目的を異にするものであるので，試験方法などの記載は日局原案作成要領に従う必要はない．
⑦ 試験方法には，品質試験を支障なく実施するのに必要な事項を洩れなく記載すること．
⑧ 試験方法の記載においては，日局の記載方法に拘束されることなく，特殊な試薬，カラム等を銘柄名で記載しても差し支えない．
⑨ 必要に応じて，標準品の日局各条における用途試験への適合性を確認する試験項目と方法を記載すること．また，可能な場合，適否の判定基準も記載すること．

3）標準品品質標準に基づいた実測値に関する資料
作成方法：「様式-標生3」を用いて作成する．
作成上の留意事項
① 標準品相当品又は現在使用している自家標準物質の品質試験実測値を記載すること．
② 数値結果で評価する試験については，適否の評価結果ではなく，各試験の測定値などを記載すること．
③ 液体クロマトグラフィーを用いた場合，代表的なクロマトグラム，試験条件やシステム適合性データなども記載すること．
④ 試験に用いた機器など（測定機器，カラム，特殊試薬などを含む）の具体的名称（銘柄名など）も記載すること．
⑤ 不純物が特定されている場合，関係データを記載すること．
⑥ 本資料のために新たに試験を実施することなく，自家標準物質確立時のデータを提出しても差し支えない．自家標準物質確立時と異なる新規の品質標準を設定する場合には新規の品質標準に基づくデータも提出すること．

4）日本薬局方標準品原料の供給に関する資料
作成方法：「様式-標生4」を用いて作成する．
作成上の留意事項
① 標準品に相応しい品質の原料を供給可能な提供者及び提供要件について記載すること．
② 供給可能量は，「〇〇～〇〇 g」，「〇〇 g以下」のような記載でも差し支えない．
③ 価格は，「〇〇 円/g程度」などの概数でも差し支えありません．無償の場合は「無償」と記載すること．
④ 納期の項には，受注から納品までに要する標準的期間を記載すること．
⑤ その他の項には，供給予定の標準品原料に関するその他の情報（例：約〇〇 mgずつをアンプル充填して供給する）や，継続的な供給が見込めない場合にはその旨を記載すること．
（注）提出方法は，第二部　8．資料の提出方法を参照すること．

様式（略）

別添3

「標準品品質標準」原案の提出資料とその作成方法
（システム適合性試験用標準品）

日本薬局方システム適合性試験用標準品品質標準の原案提出にあたっては，以下の1)から5)の資料を様式-標シ1～標シ5に従って作成して提出すること．

資料の提出にあたっては，様式-標シ1から様式-標シ5の紙媒体と電子媒体の両方の資料を医薬品各条原案と同様に提出すること．なお，標準品は標準品原料を継続的に提供できる場合に設定する．

1) 「日本薬局方標準品品質標準」原案の総括表
   作成方法：「様式-標シ1」を用いて作成する．
   作成上の留意事項
   ① 省略した様式がある場合は，備考欄にその理由を記載すること．
   ② 「適用医薬品各条名」欄には，当該標準品の使用を規定する全ての医薬品各条について網羅的に記載すること．
   ③ 「適用規格項目」欄には，当該標準品の使用が規定される全ての規格項目を記載すること．
   ④ 「試験方法」欄には，当該標準品の使用が規定される規格項目の試験方法を簡略記載すること．
   ⑤ 「使用量」欄には，医薬品各条の記載に従って試験を1回実施するのに必要な量を記載すること．使用量が各条に記載されていない場合は，大略の使用量を括弧書きで示すこと．

2) 「日本薬局方標準品品質標準」原案に関する資料
   作成方法：「様式-標シ2」を用いて作成する．
   作成上の留意事項
   ① 標準品原料候補の品質評価に必要なデータを得るために実施すべき品質試験項目とその試験方法を記載すること．
   ② 標準品の用途項目の試験方法は，用途の試験方法に一致させること．
   ③ 医薬品各条とは目的を異にするものであるので，試験方法等の記載は日局原案作成要領に従う必要はない．
   ④ 試験方法には，品質試験を支障なく実施するのに必要な事項を洩れなくできるだけ詳細に記載すること．特に核磁気共鳴スペクトル測定法については，測定条件を，LC/MSの試験方法については，イオン化法やMS測定パラメーターを記載すること．
   ⑤ 試験方法の記載においては，日局の記載方法に拘束されることなく，特殊な試薬，カラム等を銘柄名で記載しても差し支えない．
   ⑥ 標準品原料候補を製造機関に供給する際は，様式-標シ2に従った試験成績を添付することが望ましい．

3) 標準品品質標準に基づいた実測値に関する資料
   作成方法：「様式-標シ3」を用いて作成する．
   作成上の留意事項
   ① 標準品相当品又は現在使用している自家標準物質の品質試験実測値を記載する．
   ② 数値結果で評価する試験については，適否の評価結果ではなく，各試験の測定値などを記載すること．
   ③ 代表的なスペクトルデータやクロマトグラム，液体クロマトグラフィーの試験条件やシステム適合性データなども記載すること．なお，赤外吸収スペクトル，核磁気共鳴スペクトル等のスペクトルでは帰属も記載し，液体クロマトグラフィーなどにおいては分析法バリデーションも提出すること．
   ④ 試験に用いた機器など（測定機器，カラム，薄層板，特殊試薬等を含む）の具体的名称（銘柄名等）も記載すること．特に，水分測定用試液（容量滴定法）又は水分測定用陽極液及び陰極液（電量滴定法）についてはその銘柄名を必ず記載すること．

4) 日本薬局方標準品の保存方法及び安定性に関する資料
   作成方法：「様式-標シ4」を用いて作成する．
   作成上の留意事項
   ① 標準品原料提供者における自家標準物質の実際の保存方法による保存条件及び保存容器を記載する．
   ② 安定性のデータは，標準品の内容等を勘案して，必要に応じて記載すること．
   ③ 安定性のデータは標準品原料提供者の実際の保存方法におけるデータを記載すること．
   ④ 安定性データには，試験方法（試験条件を含む）を明示し，クロマトグラムなどのデータも添付すること．
   ⑤ 密封容器を使用する場合や冷蔵又は冷凍保存である場合には，保存方法の設定理由を記載すること．なお，安定性試験に基づいて設定した場合はその根拠となったデータ（適切な時点におけるクロマトグラム等を含む）を別に添付すること．
   ⑥ 標準品の取扱いにおいて留意すべき性質を洩れなく記載すること．
   ⑦ その他の項には，「酸化を受けやすいので不活性ガス置換して保存する必要がある」などの標準品の取扱い及び保存上留意すべき性質について記載すること．

5) 日本薬局方標準品原料の供給に関する資料
   作成方法：「様式-標シ5」を用いて作成する．
   作成上の留意事項
   ① 標準品に相応しい品質の原料を供給可能な提供者及び提供要件について記載すること．
   ② 供給可能量は，「○○～○○ g」，「○○ g以下」のような記載でも差し支えない．標準品品質標準の試験の実施及び標準品製造に，通常，少なくとも10 g程度は必要であることを考慮して記載すること．
   ③ 価格は，「○○ 円/g程度」などの概数でも差し支えない．無償の場合は「無償」と記載すること．
   ④ 納期の項には，受注から納品までに要する標準的期間を記載すること．
   ⑤ その他の項には，供給予定の標準品原料に関するその他の情報（例：約○○ mgずつをアンプル充填して供給する）を記載すること．
   ⑥ 万が一供給不可となった場合，代替の提供者についての情報を提供する等，標準品供給に支障がないように協力すること．

（注）提出方法は，第二部 8．資料の提出方法を参照すること．

様式（略）

付表及び用字例付表

塩化物の％換算表

0.01 mol/L塩酸　0.25～0.30～0.45 mL（88.6～106～160 μg/50 mL Cl）（上方）
0.01 mol/L塩酸　0.70～0.85～1.0 mL（248～302～355 μg/50 mL Cl）（側方）

0.01 mol/L塩酸(mL) \ 試料(g)	0.10	0.20	0.30	0.40	0.5	0.6	0.7	0.8	0.9	1.0	1.5	2.0	2.5	3.0	3.5	4.0	4.5	5.0
0.25	089	044	030	022	018	015	013	011	010	009	006	004	004	003	002	002	002	002
0.30	106	053	035	026	021	018	015	013	012	011	007	005	004	004	003	003	002	002
0.35	124	062	041	031	025	021	018	016	014	012	008	006	005	004	004	003	003	002
0.40	142	071	047	036	028	024	020	018	016	014	009	007	006	005	004	004	003	003
0.45	160	080	053	040	032	027	023	020	018	016	011	008	006	005	004	004	004	003
0.70	248	124	083	062	050	041	035	031	028	025	016	012	010	008	007	006	006	005
0.80	284	142	095	071	057	047	040	036	032	028	019	014	011	009	008	007	006	006
0.90	320	160	107	080	064	054	046	040	036	032	021	016	013	011	009	008	007	006
1.0	335	178	119	089	071	059	051	044	039	036	024	018	014	012	010	009	008	007

％の値は小数点以下の数値を示す．

硫酸塩の％換算表

0.005 mol/L硫酸　0.35～0.40～0.50 mL（168～192～240 μg/50 mL SO₄）（上方）
0.005 mol/L硫酸　1.0～1.25～1.5 mL（480～600～720 μg/50 mL SO₄）（側方）

0.005 mol/L硫酸(mL) \ 試料(g)	0.10	0.20	0.30	0.40	0.5	0.6	0.7	0.8	0.9	1.0	1.5	2.0	2.5	3.0	3.5	4.0	4.5	5.0
0.35	168	084	056	042	034	028	024	021	019	017	011	008	007	006	005	004	004	003
0.40	192	096	064	048	038	032	027	024	021	019	013	010	008	006	005	005	004	004
0.45	216	108	072	054	043	036	031	027	024	022	014	011	009	007	006	005	005	004
0.50	240	120	080	060	048	040	034	030	027	024	016	012	010	008	007	006	005	005
1.0	480	240	160	120	096	080	068	060	053	048	032	024	019	016	014	012	011	010
1.1	528	264	176	132	106	088	075	066	059	053	035	026	021	018	015	013	012	010
1.2	576	288	192	144	115	096	082	072	064	058	038	028	023	019	016	014	013	012
1.3	624	312	208	156	125	104	089	078	069	062	042	031	025	021	018	016	014	012
1.4	672	336	224	168	134	112	096	084	075	067	045	034	026	022	019	017	015	013
1.5	720	360	240	180	144	120	103	090	080	072	048	036	029	026	020	018	016	014

％の値は小数点以下の数値を示す．

重金属のppm及び％換算表

鉛標準液　1.0～3.0 mL（10～30 μg/50 mL Pb）（上方）
鉛標準液　3.0～4.5 mL（30～45 μg/50 mL Pb）（側方）

鉛標準液(mL) \ 試料(g)	0.10	0.20	0.30	0.40	0.5	0.6	0.7	0.8	0.9	1.0	1.5	2.0	2.5	3.0	3.5	4.0	4.5	5.0
1.0	0100	0050	0033	0025	0020	0017	0014	0012	0011	0010	0007	0005	0004	0003	0003	0002	0002	0002
2.0	0200	0100	0067	0050	0040	0033	0028	0025	0022	0020	0013	0010	0008	0007	0006	0005	0004	0004
2.5	0250	0125	0083	0062	0050	0042	0036	0031	0028	0025	0017	0012	0010	0008	0007	0006	0006	0005
3.0	0300	0150	0100	0075	0060	0050	0043	0038	0033	0030	0020	0015	0012	0010	0008	0008	0007	0006
3.5	0350	0175	0117	0088	0070	0058	0050	0044	0038	0035	0023	0018	0014	0012	0010	0009	0008	0007
4.0	0400	0200	0133	0100	0080	0067	0057	0050	0044	0040	0027	0020	0016	0013	0011	0010	0009	0008
4.5	0450	0225	0150	0112	0090	0075	0064	0056	0050	0045	0030	0022	0018	0015	0013	0011	0010	0009

〔例〕　0020とは20 ppm，0.0020％を示す．

ヒ素のppm換算表

ヒ素標準液 2.0 mL (2 μg As_2O_3)

ヒ素標準液(mL) \ 試料(g)	0.10	0.15	0.20	0.25	0.30	0.35	0.40	0.45	0.5	0.55	0.6	0.65	0.7	0.75	0.8	0.85	0.9	1.0	1.2	1.5	2.0
2.0	20	13.3	10	8	6.6	5.7	5	4.4	4	3.6	3.3	3.1	2.8	2.6	2.5	2.4	2.2	2	1.6	1.3	1

乾燥減量及び強熱残分の％記載法

試料(g) \ %	0.05	0.1	0.5	1	5	10	20
0.05				(1)	(5)	(10)	(20)
0.1		(0.1)	(0.5)	(1.0)	(5.0)	10	20
0.5		(0.1)	(0.5)	(1.0)	(5.0)	10	20
1	(0.05)	(0.1)	0.5	1.0	5.0	10.0	20.0
5	(0.05)	(0.10)	0.5	1.0	5.0	10.0	20.0
10	0.05	(0.10)	0.50	1.00	5.00	10.00	20.00

( ) を付したものはセミミクロ化学はかりを用いる．

「原子量表（2017）」について

日本化学会 原子量専門委員会

元素の原子量は1961年，「質量数12の炭素（^{12}C）の質量を12（端数無し）としたときの相対質量とする」と決められた．以来，質量分析法等の物理的手法による各元素の核種の質量と同位体組成の測定データは質，量ともに格段に向上した．国際純正・応用化学連合（IUPAC）の，原子量および同位体存在度委員会（CIAAW）では，新しく測定されたデータの収集と検討をもとに，2年ごと（奇数年）に原子量表の改定を行っている．これを受けて，日本化学会原子量専門委員会では，毎年4月にその年の原子量表を発表している．以下に示す2017年版の原子量表の数値はIUPACにおいて2015年に承認された原子量の改定[*1]に基づいている．さらに詳しいことはIUPACのCIAAWの報告書[*2]および総説[*3]を参照していただきたい．

原子量表に記載されている各元素の原子量の値は，単核種元素（一つの安定核種からなる元素）以外の元素では，その元素を含む物質の起源や処理の仕方などによって変わりうる．これは原子量がそれぞれの元素を構成している安定核種の相対存在度（元素の同位体比）に依存するからである．測定技術の進歩によって，各元素の同位体存在度はかならずしも一定ではなく，地球上で起こる様々な過程のために変動し，それが原子量に反映することがわかってきた．そうした背景から，2009年IUPACは10の元素については原子量を単一の数値ではなく，変動範囲で示すことを決定した[*4]．日本化学会原子量専門委員会ではこの変更について検討し，「原子量表(2011)」以降，IUPACの方針を反映し，このような元素の原子量を変動範囲で，それ以外の元素については従来通り不確かさを伴う単一の数値で示すことにした．

変動範囲による原子量の表記について

現在，水素，リチウム，ホウ素，炭素，窒素，酸素，マグネシウム，ケイ素，硫黄，塩素，臭素，タリウムの12元素の原子量が変動範囲で示されている．これらの元素は地球上で採取された試料や試薬中の同位体組成の変動が大きいことが知られている．以前は変動範囲が概ね含まれるように原子量の値とその不確かさが定められ，その範囲に含まれない地質学的試料がある場合には"g"，人為的な同位体分別を受けた試薬が一般的に利用されている可能性がある場合には"m"の注が記された．また，このように変動範囲が大きいため測定技術が進歩しても精度のよい原子量を与えることができない元素には"r"という注が記された．例えば水素について様々な試料の同位体組成とそれに対応する原子量を下図に示す．最上段に原子量の変動範囲1.00784～1.00811，次に「原子量表(2010)」の値1.00794±0.00007が示されており，その下に様々な試料で測定された値が示されている．黒丸で示された点は代表的な同位体標準物質の値で，水素の同位体組成の測定精度は"best measurement"[*5]で±0.000 000 05であり，「原子量表(2010)」までの値に付けられていた不確かさに比べて1/1000以下である．このような状況において不確かさを伴った単一の数値で表記すると，次のような問題点があった：

・原子量の不確かさを測定精度と誤解される恐れがある．
・原子量の値の分布は元素によって様々であり，ガウス分布をするとは限らない．
・新しい測定がそれまでの原子量の範囲を超えた場合，その値を含むように不確かさだけでなく原子量の値も変更しなければならない可能性がある．
・定められた原子量の値を持つ実際の物質を見つけることはしばしば難しく，場合によっては不可能である．

この改定でこのような元素の原子量は1つの値ではなく，知られているすべての試料の原子量が含まれるように変動範囲で表され，原子量は一定ではないことを明確に示した．また，この変動範囲の中での分布は原子量表には示されておらず，元素によって様々な分布を持っている[*4]．したがって，下記の点に注意してこの変動範囲を使用する必要がある：

・変動範囲の中間点を原子量の値，変動幅の半分を不確かさとして表記しないこと．
・上限，下限の値は地球上の通常の物質の測定値に測定誤差を加味して定められているが，それ自体の値は不確かさを持っていない．
・原子量の値として可能な限りの桁数を与えているので，場合によっては最後の桁がゼロである場合も表記する．

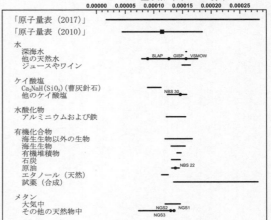

[*1]. IUPAC Inorganic Chemistry Division, CIAAW : Standard Atomic Weight of Ytterbium Revised, *Chem. Int.*, **37** (5-6), 26 (2015).

[*2]. J. Meija *et al.* : Atomic Weights of the Elements 2015 (IUPAC Technical Report), *Pure Appl. Chem.*, to be published. J. Meija *et al.* : Atomic Weights of the Elements 2013 (IUPAC Technical Report), *Pure Appl. Chem.*, **88**, 265 (2016).

[*3]. J. R. De Laeter *et al.* : Atomic Weights of the Elements : Review 2000 (IUPAC Technical Report), *Pure Appl. Chem.*, **75**, 683 (2003).

[*4]. M. E. Wieser and T. B. Coplen : Atomic Weights of the Elements 2009 (IUPAC Technical Report), *Pure Appl. Chem.*, **83**, 359 (2011).

*5. M. Berglund and M. E. Wieser : Isotopic Compositions of the Elements 2009 (IUPAC Technical Report), *Pure Appl. Chem.*, **83**, 397 (2011).

Ⓒ2017 日本化学会　原子量専門委員会

原子量表（2017）

（元素の原子量は，質量数12の炭素（^{12}C）を12とし，これに対する相対値とする．但し，この^{12}Cは核および電子が基底状態にある結合していない中性原子を示す．）

多くの元素の原子量は通常の物質中の同位体存在度の変動によって変化する．そのような12の元素については，原子量の変動範囲を$[a, b]$で示す．この場合，元素Eの原子量Ar（E）は$a \leq Ar$（E）$\leq b$の範囲にある．ある特定の物質に対してより正確な原子量が知りたい場合には，別途求める必要がある．その他の72元素については，原子量Ar（E）とその不確かさ（括弧内の数値）を示す．不確かさは有効数字の最後の桁に対応する．

元素名	元素記号	原子番号	原子量	脚注
水素	H	1	[1.00784, 1.00811]	m
ヘリウム	He	2	4.002602(2)	g r
リチウム	Li	3	[6.938, 6.997]	m
ベリリウム	Be	4	9.0121831(5)	
ホウ素	B	5	[10.806, 10.821]	m
炭素	C	6	[12.0096, 12.0116]	
窒素	N	7	[14.00643, 14.00728]	m
酸素	O	8	[15.99903, 15.99977]	m
フッ素	F	9	18.998403163(6)	
ネオン	Ne	10	20.1797(6)	g m
ナトリウム	Na	11	22.98976928(2)	
マグネシウム	Mg	12	[24.304, 24.307]	
アルミニウム	Al	13	26.9815385(7)	
ケイ素	Si	14	[28.084, 28.086]	
リン	P	15	30.973761998(5)	
硫黄	S	16	[32.059, 32.076]	
塩素	Cl	17	[35.446, 35.457]	m
アルゴン	Ar	18	39.948(1)	g r
カリウム	K	19	39.0983(1)	
カルシウム	Ca	20	40.078(4)	g
スカンジウム	Sc	21	44.955908(5)	
チタン	Ti	22	47.867(1)	
バナジウム	V	23	50.9415(1)	
クロム	Cr	24	51.9961(6)	
マンガン	Mn	25	54.938044(3)	
鉄	Fe	26	55.845(2)	
コバルト	Co	27	58.933194(4)	
ニッケル	Ni	28	58.6934(4)	r
銅	Cu	29	63.546(3)	r
亜鉛	Zn	30	65.38(2)	r
ガリウム	Ga	31	69.723(1)	
ゲルマニウム	Ge	32	72.630(8)	
ヒ素	As	33	74.921595(6)	
セレン	Se	34	78.971(8)	r
臭素	Br	35	[79.901, 79.907]	
クリプトン	Kr	36	83.798(2)	g m
ルビジウム	Rb	37	85.4678(3)	g
ストロンチウム	Sr	38	87.62(1)	g r
イットリウム	Y	39	88.90584(2)	
ジルコニウム	Zr	40	91.224(2)	g
ニオブ	Nb	41	92.90637(2)	
モリブデン	Mo	42	95.95(1)	
テクネチウム*	Tc	43		
ルテニウム	Ru	44	101.07(2)	g
ロジウム	Rh	45	102.90550(2)	
パラジウム	Pd	46	106.42(1)	g
銀	Ag	47	107.8682(2)	g
カドミウム	Cd	48	112.414(4)	g
インジウム	In	49	114.818(1)	
スズ	Sn	50	118.710(7)	g
アンチモン	Sb	51	121.760(1)	g
テルル	Te	52	127.60(3)	g
ヨウ素	I	53	126.90447(3)	
キセノン	Xe	54	131.293(6)	g m
セシウム	Cs	55	132.90545196(6)	
バリウム	Ba	56	137.327(7)	
ランタン	La	57	138.90547(7)	g
セリウム	Ce	58	140.116(1)	g
プラセオジム	Pr	59	140.90766(2)	
ネオジム	Nd	60	144.242(3)	g
プロメチウム*	Pm	61		
サマリウム	Sm	62	150.36(2)	g
ユウロピウム	Eu	63	151.964(1)	g
ガドリニウム	Gd	64	157.25(3)	g
テルビウム	Tb	65	158.92535(2)	
ジスプロシウム	Dy	66	162.500(1)	g
ホルミウム	Ho	67	164.93033(2)	
エルビウム	Er	68	167.259(3)	g
ツリウム	Tm	69	168.93422(2)	
イッテルビウム	Yb	70	173.045(10)	g
ルテチウム	Lu	71	174.9668(1)	g
ハフニウム	Hf	72	178.49(2)	
タンタル	Ta	73	180.94788(2)	
タングステン	W	74	183.84(1)	
レニウム	Re	75	186.207(1)	
オスミウム	Os	76	190.23(3)	g
イリジウム	Ir	77	192.217(3)	
白金	Pt	78	195.084(9)	
金	Au	79	196.966569(5)	
水銀	Hg	80	200.592(3)	
タリウム	Tl	81	[204.382, 204.385]	
鉛	Pb	82	207.2(1)	g r
ビスマス*	Bi	83	208.98040(1)	
ポロニウム*	Po	84		
アスタチン*	At	85		
ラドン*	Rn	86		
フランシウム*	Fr	87		
ラジウム*	Ra	88		
アクチニウム*	Ac	89		
トリウム*	Th	90	232.0377(4)	g
プロトアクチニウム*	Pa	91	231.03588(2)	
ウラン*	U	92	238.02891(3)	g m
ネプツニウム*	Np	93		
プルトニウム*	Pu	94		
アメリシウム*	Am	95		
キュリウム*	Cm	96		
バークリウム*	Bk	97		
カリホルニウム*	Cf	98		
アインスタイニウム*	Es	99		
フェルミウム*	Fm	100		
メンデレビウム*	Md	101		
ノーベリウム*	No	102		
ローレンシウム*	Lr	103		
ラザホージウム*	Rf	104		
ドブニウム*	Db	105		
シーボーギウム*	Sg	106		
ボーリウム*	Bh	107		

元素名	元素記号	原子番号	原子量	脚注
ハッシウム*	Hs	108		
マイトネリウム*	Mt	109		
ダームスタチウム*	Ds	110		
レントゲニウム*	Rg	111		
コペルニシウム*	Cn	112		
ニホニウム*	Nh	113		
フレロビウム*	Fl	114		
モスコビウム*	Mc	115		
リバモリウム*	Lv	116		
テネシン*	Ts	117		
オガネソン*	Og	118		

*：安定同位体のない元素．これらの元素については原子量が示されていないが，ビスマス，トリウム，プロトアクチニウム，ウランは例外で，これらの元素は地球上で固有の同位体組成を示すので原子量が与えられている．

g：当該元素の同位体組成が通常の物質が示す変動幅を越えるような地質学的試料が知られている．そのような試料中では当該元素の原子量とこの表の値との差が，表記の不確かさを越えることがある．

m：不詳な，あるいは不適切な同位体分別を受けたために同位体組成が変動した物質が市販品中に見いだされることがある．そのため，当該元素の原子量が表記の値とかなり異なることがある．

r：通常の地球上の物質の同位体組成に変動があるために表記の原子量より精度の良い値を与えることができない．表中の原子量および不確かさは通常の物質に適用されるものとする．

Ⓒ2017 日本化学会　原子量専門委員会

原子量表（2010）

（元素の原子量は，質量数12の炭素（^{12}C）を12とし，これに対する相対値とする．ただし，^{12}Cは核及び電子が基底状態にある中性原子である．）

多くの元素の原子量は一定ではなく，物質の起源や処理の仕方に依存する．原子量とその不確かさ#は地球上に起源をもち，天然に存在する物質中の元素に適用される．この表の脚注には，個々の元素に起こりうるもので，原子量に付随する不確かさを越える可能性のある変動の様式が示されている．原子番号112から118までの元素名は暫定的なものである．

元素名	元素記号	原子番号	原子量	脚注
アインスタイニウム*	Es	99		
亜鉛	Zn	30	65.38(2)	r
アクチニウム*	Ac	89		
アスタチン*	At	85		
アメリシウム*	Am	95		
アルゴン	Ar	18	39.948(1)	g r
アルミニウム	Al	13	26.9815386(8)	
アンチモン	Sb	51	121.760(1)	g
硫黄	S	16	32.065(5)	g r
イッテルビウム	Yb	70	173.054(5)	g
イットリウム	Y	39	88.90585(2)	
イリジウム	Ir	77	192.217(3)	
インジウム	In	49	114.818(3)	
ウラン*	U	92	238.02891(3)	g m
ウンウンオクチウム*	Uuo	118		
ウンウンクアジウム*	Uuq	114		
ウンウントリウム*	Uut	113		
ウンウンヘキシウム*	Uuh	116		
ウンウンペンチウム*	Uup	115		
エルビウム	Er	68	167.259(3)	g
塩素	Cl	17	35.453(2)	g m r
オスミウム	Os	76	190.23(3)	g
カドミウム	Cd	48	112.411(8)	g
ガドリニウム	Gd	64	157.25(3)	g
カリウム	K	19	39.0983(1)	
ガリウム	Ga	31	69.723(1)	
カリホルニウム*	Cf	98		
カルシウム	Ca	20	40.078(4)	g
キセノン	Xe	54	131.293(6)	g m
キュリウム*	Cm	96		
金	Au	79	196.966569(4)	
銀	Ag	47	107.8682(2)	g
クリプトン	Kr	36	83.798(2)	g m
クロム	Cr	24	51.9961(6)	
ケイ素	Si	14	28.0855(3)	r
ゲルマニウム	Ge	32	72.64(1)	
コバルト	Co	27	58.933195(5)	
コペルニシウム*	Cn	112		
サマリウム	Sm	62	150.36(2)	g
酸素	O	8	15.9994(3)	g r
ジスプロシウム	Dy	66	162.500(1)	g
シーボーギウム*	Sg	106		
臭素	Br	35	79.904(1)	
ジルコニウム	Zr	40	91.224(2)	g
水銀	Hg	80	200.59(2)	
水素	H	1	1.00794(7)	g m r
スカンジウム	Sc	21	44.955912(6)	
スズ	Sn	50	118.710(7)	g
ストロンチウム	Sr	38	87.62(1)	g r
セシウム	Cs	55	132.9054519(2)	
セリウム	Ce	58	140.116(1)	g
セレン	Se	34	78.96(3)	r
ダームスタチウム*	Ds	110		
タリウム	Tl	81	204.3833(2)	
タングステン	W	74	183.84(1)	
炭素	C	6	12.0107(8)	g r
タンタル	Ta	73	180.94788(2)	
チタン	Ti	22	47.867(1)	
窒素	N	7	14.0067(2)	g r
ツリウム	Tm	69	168.93421(2)	
テクネチウム*	Tc	43		
鉄	Fe	26	55.845(2)	
テルビウム	Tb	65	158.92535(2)	
テルル	Te	52	127.60(3)	g
銅	Cu	29	63.546(3)	r
ドブニウム*	Db	105		
トリウム*	Th	90	232.03806(2)	g
ナトリウム	Na	11	22.98976928(2)	
鉛	Pb	82	207.2(1)	g r
ニオブ	Nb	41	92.90638(2)	
ニッケル	Ni	28	58.6934(4)	r
ネオジム	Nd	60	144.242(3)	g
ネオン	Ne	10	20.1797(6)	g m
ネプツニウム*	Np	93		
ノーベリウム*	No	102		
バークリウム*	Bk	97		
白金	Pt	78	195.084(9)	
ハッシウム*	Hs	108		
バナジウム	V	23	50.9415(1)	
ハフニウム	Hf	72	178.49(2)	
パラジウム	Pd	46	106.42(1)	g
バリウム	Ba	56	137.327(7)	
ビスマス*	Bi	83	208.98040(1)	
ヒ素	As	33	74.92160(2)	
フェルミウム*	Fm	100		
フッ素	F	9	18.9984032(5)	
プラセオジム	Pr	59	140.90765(2)	
フランシウム*	Fr	87		
プルトニウム*	Pu	94		
プロトアクチニウム*	Pa	91	231.03588(2)	
プロメチウム*	Pm	61		
ヘリウム	He	2	4.002602(2)	g r
ベリリウム	Be	4	9.012182(3)	
ホウ素	B	5	10.811(7)	g m r
ボーリウム*	Bh	107		
ホルミウム	Ho	67	164.93032(2)	
ポロニウム*	Po	84		
マイトネリウム*	Mt	109		
マグネシウム	Mg	12	24.3050(6)	
マンガン	Mn	25	54.938045(5)	
メンデレビウム*	Md	101		
モリブデン	Mo	42	95.96(2)	g r
ユウロピウム	Eu	63	151.964(1)	g
ヨウ素	I	53	126.90447(3)	

元素名	元素記号	原子番号	原子量	脚注
ラザホージウム*	Rf	104		
ラジウム*	Ra	88		
ラドン*	Rn	86		
ランタン	La	57	138.90547(7)	g
リチウム	Li	3	[6.941(2)]†	g m r
リン	P	15	30.973762(2)	
ルテチウム	Lu	71	174.9668(1)	g
ルテニウム	Ru	44	101.07(2)	g
ルビジウム	Rb	37	85.4678(3)	g
レニウム	Re	75	186.207(1)	
レントゲニウム*	Rg	111		
ロジウム	Rh	45	102.90550(2)	
ローレンシウム*	Lr	103		

\#：不確かさは（　）内の数字で表され，有効数字の最後の桁に対応する．例えば，亜鉛の場合の65.38(2)は65.38±0.02を意味する．

*：安定同位体のない元素．これらの元素については原子量が示されていないが，プロトアクチニウム，トリウム，ウランは例外で，これらの元素は地球上で固有の同位体組成を示すので原子量が与えられている．

†：市販品中のリチウム化合物のリチウム原子量は6.939から6.996の幅をもつ（「元素の同位体組成表2010」の注bを参照）．より正確な原子量が必要な場合は，個々の物質について測定する必要がある．

g：当該元素の同位体組成が正常な物質が示す変動幅を超えるような地質学的試料が知られている．そのような試料中では当該元素の原子量とこの表の値との差が，表記の不確かさを越えることがある．

m：不詳な，あるいは不適切な同位体分別を受けたために同位体組成が変動した物質が市販品中に見いだされることがある．そのため，当該元素の原子量が表記の値とかなり異なることがある．

r：通常の地球上の物質の同位体組成に変動があるために表記の原子量より精度の良い値を与えることができない．表中の原子量は通常の物質全てに適用されるものとする．

Ⓒ2010 日本化学会　原子量委員会

用字例

(注:送りがなについて-アンダーラインは,注意して送るもの,□印は送らないもの)

	よみ	使う字	使わない字　備考
ア	あかるい	明るい	明い
	あきらかに	明らかに	明かに
	あげる	上げる	上る
	あたためる	→加温する	
	あたらしい	新しい	新らしい
	あたる	当たる	当る
	あつかう	扱う	扱かう
	あつめる	集める	集る
	あてる	当てる	当る
	あらいこみ	洗込み(名)	
		洗い込み(動)	
	あらかじめ	あらかじめ(副)	予め
	あらたに	新たに	新らたに
	あらためる	改める	
	あらゆる	あらゆる	全る
	あらわす	表(現)す	表(現)わす
			あらわす
	ある	ある	在る,有る
	あるいは	あるいは	或は
	あわ	泡	
	あわす	合わす	合す
イ	いおう	硫黄(元素として),	いおう
		イオウ(各条「イオウ」の引用として)	
	いう	いう	言う
	いくぶん	幾分	
	いずれ	いずれ(代)	何れ
	いちじるしい	著しい	著るしい
	いっそう	一層	
	いったん	一端	
	いって	いって	行って
	いる	いる	居る
	いれる	入れる	入る
	いわゆる	いわゆる	所謂
	いんてぐれーたー	インテグレーター	インテグレータ
ウ	うしなう	失う	
	うすい(物・色)	薄い	薄うい
	うすめる	薄める	うすめる
	うちに	うちに	内に,中に
	うながす	促す	促がす
	うるおす	潤す	潤おす
エ	えがく	描く	画く
	えらぶ	選ぶ	
	える	得る	
	えんすい	円錐(「きり」のように尖った形状の場合),	円すい
		円錐(紡錘や釣鐘のように尖った部分と胴体のある形状の合)	
オ	おうとつ	凹凸	
	おおう	覆う	被う

	よみ	使う字	使わない字　備考
	おおきい	大きい	大い
	おおむね	おおむね	概ね
	おこなう	行う	行なう
	おこる	起こる	起る
	おそれ	おそれ	恐れ,虞れ
	おだやかに	穏やかに	おだやかに
	おとし	落とし	落し
	おのおの	各々	
	おのずから	おのずから	自ら
	おびる	帯びる	
	おもな	主な	
	およそ	およそ	凡そ
	および	及び	
	おわる	終わる	終る
カ	かいそう	海藻	
	かえす	返す	返えす
	かえって	かえって	却て
	かかわらず	関わらず	拘らず
	かくはん	攪拌(名)	撹拌
	かくはんする	→かき混ぜる	攪拌する
	かける	欠ける	欠る
	かさねる	重ねる	
	かじょう	過剰	
	かりょう	過量	
	かつ	かつ	且つ
	かっしょく	褐色	
	かなう	かなう	適う
	かならず	必ず(副)	必らず
	かねる	兼ねる	兼る
	かび	かび	黴
	から	○から作る	○より作る
		△から再結晶	△より再結晶
	がらす	ガラス	硝子
	かわる	代わる	代る(代理・代人など)
	かわる	変わる	変る(うつりかわる,変化)
	かんてん	カンテン	寒天(別名としてのみ使用可)
	かげつ	箇月	ヶ月
	10かしょ	10箇所	10ヶ所
キ	きしゃく	希釈	
	きめる	決める	決る
	きゃりやーがす	キャリヤーガス	キャリアーガス
	きょうざつ	→混在	夾雑
	きりあげ	切上げ	切りあげ
	きりひらく	切り開く	
	きわめて	極めて	
ク	くふう	工夫	
	くみあわせ	組合せ(名)	
		組み合わせる(動)	
	くみかえ	組換え(名)	
		組み換える(動)	
	くらい	くらい	位
	くらべる	比べる	比る
	くりかえす	繰り返す	繰返えす
ケ	けいこう	蛍光	
	けいれん	けいれん	痙攣
	けた	桁	

	よみ	使う字	使わない字	備考
	けんだく	懸濁		
コ	こえる	超える	越える	
	こげる	焦げる	焦る	
	こころみる	試みる	試る	
	こたえる	答え	答（表中のみ使用可）	
	こたえる	こたえる	応える	
	こと	こと	事	
	ごと	ごと	毎	
	ことなる	異なる	異る	
	この	この	此の	
	こまかい	細かい	細い	
	（洗い）こむ	（洗い）込む		
	これら	これら	此等，これ等	
	こんせき	痕跡		
サ	ざいけい	剤形	剤型	
	さきに	先に		
	さける	避ける	避る	
	さげる	下げる	下る	
	さしこむ	差し込む	挿し込む（挿入の意）	
	さしつかえない	差し支えない	差支えない	
	さまざま	様々		
	さら	皿		
	さらに	更に（読点(,)の後や文中）		
		さらに（句点(.)の後）		
	ざんさ	→残留物	残渣	
シ	しがたい	し難い		
	しげき	刺激	刺戟	
	したがう	従う		
	したがって	したがって（接），従って（動）	従て	
	したのち	した後，		
	したのちに	した後に		
	しばしば	しばしば	屡々	
	しぶい	渋い		
	しまう	しまう	了う，終う	
	しめす	示す		
	しめる	湿る	湿める	
	しめる	絞める		
	しゃこう	遮光		
	しやすい	しやすい	し易い，仕易い	
	しゃへい	遮蔽		
	じゅうてん	充填		
	じゅうぶん	十分に，十分な	じゅうぶん，充分	
	しゅうまつてん	→終点	終末点	
	しゅうれんせい	収れん性	収斂性	
	しょうじる	生じる	生ずる	
	じょうりゅう	蒸留	蒸溜	
	じょじょに	徐々に		
	しらべる	調べる	調る	
	しんとう	→振り混ぜる	振盪	
ス	すくない	少ない	少い	
	ずつ	ずつ	宛	
	すでに	既に（副）		
	すてる	捨てる	捨る	
	すべて	全て	総て，凡て	
	すみやかに	速やかに		
セ	せん	栓	セン	
	せんじょう	洗浄	洗滌	
ソ	そう	沿う		
	そうにゅう	挿入		
	その	その	其の	
	そのほか	そのほか，その他	其の他	
	それぞれ	それぞれ	夫々	
タ	だいたい	大体		
	たいてい	大抵		
	たえず	絶えず	絶ず	
	だえん	楕円	だ円	
	たがいに	互いに		
	たくわえる	→保存する	貯える	
	たしかめる	確かめる	確める	
	だす	出す	だす	
	ただ	ただ	唯，只	
	ただし	ただし（接）	但し	
	ただちに	直ちに	直に	
	たとえば	例えば（副）		
	たの	他の		
	ために	ために	為に	
	たんぱくしつ	タンパク質	蛋白質	
チ	ちいさい	小さい	小い	
	ちかづく	近づく	近付く，近ずく	
	ちょうど	ちょうど（副）	丁度	
	ちょうふ	貼付		
ツ	について	について（範囲を限定して説明する用語）	に就いて，に付いて	
	ついで	次いで		
	つぎに	次に		
	つくる	作る		
	つける	付ける		
	づつ	ずつ	宛	
	つめる	詰める		
	つねに	常に		
テ	ていする	呈する		
	てきか	滴加（液中に添加する場合），滴下（ろ紙などの固形物上に添加する場合）		
	できる	できる	出来る	
	でしけーたー	デシケーター	デシケータ	
	でーた	データ	データー	
ト	とおり	とおり（同じ状態・方法である意で用いる場合）	通り	
	とき	とき	時	
	ときどき	時々	ときどき	
	とくに	特に（副）		
	ところ	ところ（・・のところ）	所	
	ともせん	共栓	共セン	
	ともなう	伴う	伴なう	
	ともに	共に（副）	供に	

	よみ	使う字	使わない字　備考
	とりあつかい	取扱い（名） 取り扱い（動）	
	とりだし	取出し（名） 取り出し（動）	
ナ	ないし	ないし	乃至
	なお	なお（副）	尚
	なかば	半ば	中ば
	ながら	ながら	乍ら
	なづける	名付ける	名づける
	など	など	等
	ならびに	並びに	
	なるべく	なるべく	成べく，成可く
ニ	にかわじょう	にかわ状	膠状
	にごる	濁る	
	にそう	二層	2層
	にゅうばち	乳鉢	
ヌ	ぬぐう	ぬぐう	拭う
	ぬらす	ぬらす	濡らす
ネ	ねんちゅう （ねんちょう）	粘稠	
ノ	のぞく	除く	
	のち	後	
	のちに	後に	
	のべる	述べる	述る
	のり	のり	糊
ハ	はかり	はかり	秤
	はがれる	剥がれる	剝がれる
	はじめて	初めて（副）	初て
	はじめの	初めの	
	はじめる	始める	
	はずす	外す	
	はんてん	斑点	
	ぱらめーたー	パラメーター	パラメータ
ヒ	ひとしい	等しい	
	ひとつ	一つ	
	ひとつずつ	一つずつ	
	びん	瓶	ビン
フ	ふきん	付近	附近
	ふく	拭く	
	ふくざつ	複雑	
	ふた	蓋	
	ふたたび	再び（副）	
	ふりまぜる	振り混ぜる	振混ぜる
	ふれる	触れる	触る
ホ	ほか	ほか，他	
	ほど	ほど（助）	程
	ほとんど	ほとんど（副）	殆ど
	ほぼ	ほぼ（副）	略々，略ぼ
マ	ますます	ますます（副）	益々
	まず	まず（副）	
	まぜあわせ	混合せ（名） 混ぜ合わせ（動）	

	よみ	使う字	使わない字　備考
	まぜる	混ぜる	混る
	また	また	又，亦，復
	または	又は（接）	
	まだ	まだ	未だ
	まで	まで（助）	迄
	まま	まま	儘
	まひ	麻痺	麻ひ
ミ	みがく	磨く	
	みぞ	溝	
	みたす	満たす	満す，充たす
	みとめる	認める	認る
	みなす	みなす	見なす，見做す
	みられる	見られる	
ム	むしろ	むしろ	寧ろ
	むずかしい	難しい	
	むすぶ	結ぶ	結＋ぶ
メ	めずらしい	珍しい	珍い
	めんどう	面倒	
モ	もえる	燃える	燃る
	もし	もし（副）	若し
	もしくは	若しくは	
	もちいる	用いる	用る
	もちろん	もちろん	勿論
	もつ	持つ	
	もっとも	最も（副）	
	もっぱら	専ら（副）	
	もどす	戻す	
	もとづく	基づく	基く
	もとに	下に	許に
	もる	漏る	
ヤ	やすい	やすい	易い
	やはり	やはり（副）	矢張り
	やむをえず	やむを得ず	止むを得ず
	やや	やや（副）	稍々
	やわらかい	柔らかい（力を加えると形が変わってもすぐに戻る場合で，しなやかで弾力があること），軟らかい（力を加えると形が変わって容易に元に戻らない場合で，軟弱であること）	柔い
ユ	ゆえ	ゆえ	故
	ゆく	行く	
ヨ	よい	良い	好い
	よういに	容易に	
	ようす	様子	
	ように	ように	様に
	ようやく	ようやく	漸く
	よる	よる	依る，因る
	より	より	比較するときに用いる 例：○○より△△が大きい
リ	りゅうぶん	留分	溜分

	よみ	使う字	使わない字	備考
	りんぱ	リンパ	淋巴	
ロ	ろう	ろう		蠟（正名はロウ）
	ろうと	漏斗		
	ろかする	ろ過する	濾過する，沪過する	
ワ	わかる	わかる	分る，判る，解る	
	わける	分ける	分る	
	わずかに	わずかに（「後わずかに」等の場合のみ）僅かに		
	わたって	わたって	亘って，渡って	

(注) 文中の（名）は名詞，（代）は代名詞，（連）は連体詞，（動）は動詞，（助）は助詞，（副）は副詞及び（接）は接続詞として用いる場合に使う字であることを意味する．

資料3

オリジナル索引

医薬品各条日本名索引

＊太字は医薬品各条日本名を示す。なお，下線のついていないものは「第十八改正日本薬局方」（じほう刊）における頁を，下線のついているものは本書「第十八改正日本薬局方第一追補」（じほう刊）における頁を示す。（※：医薬品各条の部において，純度試験の項中に改正のあったものを示す。）

ア

亜鉛，塩化	650, _35_※
亜鉛，酸化	872, _38_※
亜鉛華	**872**
亜鉛華デンプン	**389**
亜鉛華軟膏	**389**
亜鉛華軟膏，アクリノール・	392
亜鉛華リニメント，ジフェンヒドラミン・フェノール・	917
亜鉛華リニメント，フェノール・	1458
亜鉛水和物，硫酸	1802, _50_※
亜鉛点眼液，硫酸	1803
亜鉛デンプン，酸化	389
亜鉛軟膏，アクリノール酸化	392
亜鉛軟膏，酸化	389
アカメガシワ	**1861**
アキセチル，セフロキシム	1066, _41_※
アクチノマイシンD	**389**
アクラルビシン塩酸塩	**390**, _33_※
アクリノール・亜鉛華軟膏	392
アクリノール・チンク油	392
アクリノール・チンク油，複方	393
アクリノール酸化亜鉛軟膏	392
アクリノール水和物	**391**, _33_※
アザチオプリン	**393**, _33_※
アザチオプリン錠	**394**
亜酸化窒素	**395**
アシクロビル	**396**, _33_※
アシクロビル，シロップ用	399
アシクロビル，注射用	401
アシクロビル顆粒	**398**
アシクロビル眼軟膏	**401**
アシクロビル錠	**397**
アシクロビルシロップ	**399**
アシクロビル注射液	**400**
アシクロビル軟膏	**401**
アジスロマイシン水和物	**402**, _33_※
アジピン酸塩，ピペラジン	1410, _45_※
アジマリン	**403**
アジマリン錠	**403**
亜硝酸アミル	**404**
アスコルビン酸	**404**, _33_※
アスコルビン酸・パントテン酸カルシウム錠	**406**
アスコルビン酸散	**405**
アスコルビン酸注射液	**405**
アズトレオナム	**407**, _33_※
アズトレオナム，注射用	408
L-アスパラギン酸	**409**, _33_※
アスピリン	**410**, _33_※
アスピリンアルミニウム	**411**
アスピリン錠	**410**
（アスペルギルス），β-ガラクトシダーゼ	699, _36_※
アスポキシシリン水和物	**412**, _33_※
アセタゾラミド	**413**, _33_※
アセチルコリン塩化物，注射用	413, _33_※
アセチルサリチル酸	410
アセチルサリチル酸アルミニウム	411
アセチルサリチル酸錠	410
アセチルシステイン	**414**, _33_※
アセトアミノフェン	**415**, _33_※
アセトニド，トリアムシノロン	1223, _43_※
アセトニド，フルオシノロン	1504
アセトヘキサミド	**416**, _33_※
アセブトロール塩酸塩	**417**, _33_※
アセメタシン	**418**, _33_※
アセメタシンカプセル	**419**
アセメタシン錠	**418**
アゼラスチン塩酸塩	**420**, _33_※
アゼラスチン塩酸塩顆粒	**421**
アゼルニジピン	**422**, _33_※
アゼルニジピン錠	**423**
アセンヤク	**1861**
阿仙薬	**1861**
アセンヤク末	**1861**
阿仙薬末	**1861**
アゾセミド	**424**, _33_※
アゾセミド錠	**425**
アテノロール	**426**, _33_※
アトルバスタチンカルシウム錠	**428**
アトルバスタチンカルシウム水和物	**426**, _33_※
アドレナリン	**429**, _33_※
アドレナリン液	**430**
アドレナリン注射液	**430**
アトロピン注射液，アヘンアルカロイド・	437
アトロピン注射液，複方オキシコドン・	662

アトロピン注射液，モルヒネ・	1738	アモスラロール塩酸塩	458, _33_*
アトロピン硫酸塩水和物	431	アモスラロール塩酸塩錠	459
アトロピン硫酸塩注射液	431	アモバルビタール	460, _33_*
アナストロゾール	_51_	アラセプリル	461, _33_*
アナストロゾール錠	_52_	アラセプリル錠	462
アネスタミン	448	L-アラニン	463, _33_*
アネスタミン散，ロートエキス・	2083	アラビアゴム	1864
亜ヒ酸パスタ	432	アラビアゴム末	1864
アプリンジン塩酸塩	433, _33_*	アリメマジン酒石酸塩	464, _33_*
アプリンジン塩酸塩カプセル	433	亜硫酸水素ナトリウム	464, _33_*
アフロクアロン	434, _33_*	亜硫酸ナトリウム，乾燥	465, _33_*
アヘン・トコン散	1863	亜硫酸ナトリウム，ピロ	1424, _46_*
アヘンアルカロイド・アトロピン注射液	437	アルガトロバン水和物	465, _34_*
アヘンアルカロイド・スコポラミン注射液	438	L-アルギニン	467, _34_*
アヘンアルカロイド・スコポラミン注射液，弱	439	L-アルギニン塩酸塩	467, _34_*
アヘンアルカロイド塩酸塩	435	L-アルギニン塩酸塩注射液	468
アヘンアルカロイド塩酸塩注射液	436	アルコール	589
アヘン散	1862	アルコール，消毒用	591
アヘンチンキ	1862	アルコール，無水	590
アヘン末	1861	アルジオキサ	468, _34_*
アマチャ	1863	アルジオキサ顆粒	469
甘茶	1863	アルジオキサ錠	469
アマチャ末	1863	アルファデクス，アルプロスタジル	474
甘茶末	1863	アルファデクス，リマプロスト	1801
アマンタジン塩酸塩	440, _33_*	アルブミン，タンニン酸	1116
アミオダロン塩酸塩	441, _33_*	アルプラゾラム	470, _34_*
アミオダロン塩酸塩錠	442	アルプレノロール塩酸塩	471, _34_*
アミカシン硫酸塩	443, _33_*	アルプロスタジル	471
アミカシン硫酸塩，注射用	445	アルプロスタジル アルファデクス	474
アミカシン硫酸塩注射液	444	アルプロスタジル注射液	472, _34_*
アミド，ニコチン酸	1277, _44_*	アルベカシン硫酸塩	476, _34_*
アミドトリゾ酸	445, _33_*	アルベカシン硫酸塩注射液	477
アミドトリゾ酸ナトリウムメグルミン注射液	446	アルミニウム，アスピリン	411
アミトリプチリン塩酸塩	447, _33_*	アルミニウム，アセチルサリチル酸	411
アミトリプチリン塩酸塩錠	447	アルミニウム，合成ケイ酸	824, _38_*
アミノ安息香酸エチル	448, _33_*	アルミニウム，天然ケイ酸	824, _38_*
アミノエチルスルホン酸	1091	アルミニウム，モノステアリン酸	1735, _49_*
アミノフィリン水和物	449, _33_*	アルミニウムカリウム，乾燥硫酸	1803
アミノフィリン注射液	449	アルミニウムカリウム水和物，硫酸	1803, _50_*
アミル，亜硝酸	404	アルミニウムゲル，乾燥水酸化	960, _40_*
アムホテリシンB	450	アルミニウムゲル細粒，乾燥水酸化	961
アムホテリシンB，注射用	452, 53	アルミノプロフェン	477
アムホテリシンB錠	451, 53	アルミノプロフェン錠	478
アムホテリシンBシロップ	451	アレンドロン酸ナトリウム錠	480
アムロジピンベシル酸塩	452, _33_*	アレンドロン酸ナトリウム水和物	479, _34_*
アムロジピンベシル酸塩口腔内崩壊錠	454	アレンドロン酸ナトリウム注射液	482
アムロジピンベシル酸塩錠	453	アロエ	1865
アムロジピンベシル酸塩錠，イルベサルタン・	550	アロエ末	1866
アムロジピンベシル酸塩錠， カンデサルタン シレキセチル・	724	アロチノロール塩酸塩	482, _34_*
		アロプリノール	483, _34_*
アムロジピンベシル酸塩錠，テルミサルタン・	1176	アロプリノール錠	483
アモキサピン	455, _33_*	安息香酸	484, _34_*
アモキシシリンカプセル	457	安息香酸エステル，エストラジオール	584
アモキシシリン水和物	456, _33_*	安息香酸エステル水性懸濁注射液，エストラジオール	585

安息香酸エチル，パラオキシ……………1325，44*，65
安息香酸ナトリウム………………………485，34*
安息香酸ナトリウムカフェイン…………486，34*
安息香酸ブチル，パラオキシ……………1326，44*，66
安息香酸プロピル，パラオキシ…………1327，44*，68
安息香酸ベンジル……………………………487
安息香酸メチル，パラオキシ……………1329，44*，69
アンソッコウ………………………………………1866
安息香……………………………………………1866
アンチピリン…………………………………487，34*
アンチホルミン，歯科用………………………488
アンピシリン，無水………………………488，34*
アンピシリン水和物………………………489，34*
アンピシリンナトリウム…………………490，34*
アンピシリンナトリウム，注射用………………491
アンピシリンナトリウム・スルバクタムナトリウム，
　注射用……………………………………492，53
アンピロキシカム…………………………493，34*
アンピロキシカムカプセル……………………494
アンベノニウム塩化物……………………495，34*
アンモニア・ウイキョウ精…………………1867
アンモニア水………………………………495，34*
アンレキサノクス…………………………496，34*
アンレキサノクス錠……………………………497

イ

イオウ………………………………………498，34*
イオウ・カンフルローション…………………498
イオウ・サリチル酸・チアントール軟膏……499
イオウ5，デキストラン硫酸エステルナトリウム……1149，42*
イオウ18，デキストラン硫酸エステルナトリウム……1149，42*
イオタラム酸………………………………499，34*
イオタラム酸ナトリウム注射液………………500
イオタラム酸メグルミン注射液………………501
イオトロクス酸……………………………502，34*
イオパミドール……………………………502，34*
イオパミドール注射液…………………………503
イオヘキソール……………………………505，34*
イオヘキソール注射液…………………………506
イクタモール……………………………………507
イコサペント酸エチル……………………508，34*
イコサペント酸エチルカプセル………………509
イセパマイシン硫酸塩……………………510，34*
イセパマイシン硫酸塩注射液…………………511
イソクスプリン塩酸塩……………………511，34*
イソクスプリン塩酸塩錠………………………512
イソソルビド………………………………513，34*
イソソルビド，硝酸…………………………936，39*
イソソルビド錠，一硝酸………………………526
イソソルビド錠，硝酸…………………………936
イソソルビド乳糖末，70%一硝酸……524，34*
イソニアジド………………………………514，34*
イソニアジド錠…………………………………514

イソニアジド注射液……………………………515
イソフェンインスリン　ヒト(遺伝子組換え)
　水性懸濁注射液………………………556，55
イソフェンインスリン　ヒト(遺伝子組換え)
　水性懸濁注射液，二相性……………558，55
イソフルラン……………………………………516
l－イソプレナリン塩酸塩…………………517，34*
イソプロパノール………………………………518
イソプロピルアルコール………………………518
イソプロピルアンチピリン………………518，34*
イソマル…………………………………………519
イソマル水和物……………………………519，34*
L－イソロイシン…………………………520，34*
イソロイシン・ロイシン・バリン顆粒………521
イダルビシン塩酸塩………………………523，34*
イダルビシン塩酸塩，注射用…………………524
一硝酸イソソルビド錠…………………………526
70%一硝酸イソソルビド乳糖末…………524，34*
(遺伝子組換え)，インスリン　アスパルト……559
(遺伝子組換え)，インスリン　グラルギン……561
(遺伝子組換え)，インスリン　ヒト……554，54
(遺伝子組換え)，エポエチン　アルファ……628
(遺伝子組換え)，エポエチン　ベータ…631，56
(遺伝子組換え)，グルカゴン…………………772
(遺伝子組換え)，セルモロイキン……………1075
(遺伝子組換え)，注射用テセロイキン………1160
(遺伝子組換え)，注射用ナルトグラスチム……1272，65
(遺伝子組換え)，テセロイキン………………1155
(遺伝子組換え)，ナルトグラスチム……1270，65
(遺伝子組換え)，フィルグラスチム…………1441
(遺伝子組換え)，レノグラスチム……………1821
(遺伝子組換え)水性懸濁注射液，
　イソフェンインスリン　ヒト…………556，55
(遺伝子組換え)水性懸濁注射液，
　二相性イソフェンインスリン　ヒト…558，55
(遺伝子組換え)注射液，インスリン　グラルギン……562
(遺伝子組換え)注射液，インスリン　ヒト……555，55
(遺伝子組換え)注射液，フィルグラスチム…1443
イドクスウリジン…………………………527，34*
イドクスウリジン点眼液………………………528
イトラコナゾール…………………………529，34*
イフェンプロジル酒石酸塩………………530，34*
イフェンプロジル酒石酸塩細粒………………531
イフェンプロジル酒石酸塩錠…………………530
イブジラスト………………………………532，34*
イブプロフェン……………………………533，34*
イブプロフェンピコノール………………533，34*
イブプロフェンピコノールクリーム…………534
イブプロフェンピコノール軟膏………………534
イプラトロピウム臭化物水和物…………535，34*
イプリフラボン……………………………536，34*
イプリフラボン錠………………………………537
イミダプリル塩酸塩………………………537，34*
イミダプリル塩酸塩錠…………………………538

イミプラミン塩酸塩	*540*
イミプラミン塩酸塩錠	*540*
イミペネム・シラスタチンナトリウム，注射用	*542*, 54
イミペネム水和物	*541*, <u>34</u>※
イリノテカン塩酸塩水和物	*543*, <u>35</u>※
イリノテカン塩酸塩注射液	*544*
イルソグラジンマレイン酸塩	*546*, <u>35</u>※
イルソグラジンマレイン酸塩細粒	*548*
イルソグラジンマレイン酸塩錠	*547*
イルベサルタン	*549*, <u>35</u>※
イルベサルタン・アムロジピンベシル酸塩錠	*550*
イルベサルタン錠	*550*
イレイセン	*1867*
威霊仙	*1867*
インジウム(^{111}In)注射液，塩化	*650*
インジゴカルミン	*553*, <u>35</u>※
インジゴカルミン注射液	*553*
インスリン　アスパルト（遺伝子組換え）	*559*
インスリン　グラルギン（遺伝子組換え）	*561*
インスリン　グラルギン（遺伝子組換え）注射液	*562*
インスリン　ヒト（遺伝子組換え）	*554*, 54
インスリン　ヒト（遺伝子組換え）注射液	*555*, <u>55</u>
インダパミド	*563*, <u>35</u>※
インダパミド錠	*564*
インターフェロン　アルファ（NAMALWA）	*565*
インターフェロン　アルファ（NAMALWA）注射液	*568*
インチンコウ	*1867*, <u>83</u>
茵蔯蒿	*1867*
茵陳蒿	*1867*
インデノロール塩酸塩	*569*, <u>35</u>※
インドメタシン	*570*, <u>35</u>※
インドメタシンカプセル	*571*
インドメタシン坐剤	*572*
インフルエンザHAワクチン	*573*
インヨウカク	*1868*
淫羊藿	*1868*

ウ

ウイキョウ	*1868*
茴香	*1868*
ウイキョウ精，アンモニア・	*1867*
ウイキョウ末	*1868*
茴香末	*1868*
ウイキョウ油	*1869*
ウコン	*1869*, <u>83</u>
鬱金	*1869*
ウコン末	*1870*
鬱金末	*1870*
ウベニメクス	*573*, <u>35</u>※
ウベニメクスカプセル	*573*
ウマ抗毒素，乾燥ジフテリア	*918*
ウマ抗毒素，乾燥はぶ	*1323*
ウマ抗毒素，乾燥ボツリヌス	*1637*
ウマ抗毒素，乾燥まむし	*1662*
ウヤク	*1871*
烏薬	*1871*
ウラピジル	*575*, <u>35</u>※
ウリナスタチン	*575*, <u>35</u>※
ウルソデオキシコール酸	*577*, <u>35</u>※
ウルソデオキシコール酸顆粒	*579*
ウルソデオキシコール酸錠	*578*
ウロキナーゼ	*580*, <u>35</u>※
ウワウルシ	*1871*, <u>83</u>
ウワウルシ流エキス	*1872*
温清飲エキス	*1872*

エ

エイジツ	*1874*
営実	*1874*
エイジツ末	*1874*
営実末	*1874*
エカベトナトリウム顆粒	*582*
エカベトナトリウム水和物	*581*, <u>35</u>※
液状フェノール	*1457*
エキス，ウワウルシ流	*1872*
エキス，温清飲	*1872*
エキス，黄連解毒湯	*1884*
エキス，乙字湯	*1886*
エキス，葛根湯	*1893*
エキス，葛根湯加川芎辛夷	*1896*
エキス，加味帰脾湯	*1901*
エキス，加味逍遙散	*1904*
エキス，カンゾウ	*1909*
エキス，甘草	*1909*
エキス，カンゾウ粗	*1910*
エキス，キキョウ流	*1912*
エキス，桂枝茯苓丸	*1918*, <u>85</u>
エキス，牛車腎気丸	*1928*, <u>86</u>
エキス，呉茱萸湯	*1931*, <u>86</u>
エキス，五苓散	*1934*
エキス，コンズランゴ流	*1937*
エキス，柴胡桂枝乾姜湯	*87*
エキス，柴胡桂枝湯	*1938*
エキス，柴朴湯	*1942*
エキス，柴苓湯	*1944*
エキス，芍薬甘草湯	*1957*
エキス，十全大補湯	*1960*
エキス，小柴胡湯	*1965*
エキス，小青竜湯	*1968*
エキス，真武湯	*1972*, <u>91</u>
エキス，大黄甘草湯	*1987*
エキス，大柴胡湯	*1989*
エキス，釣藤散	*1997*
エキス，桃核承気湯	*2002*, <u>93</u>
エキス，当帰芍薬散	*2008*
エキス，麦門冬湯	*2022*

エキス，八味地黄丸	2024, 94
エキス，半夏厚朴湯	2029, 95
エキス，半夏瀉心湯	2030
エキス，白虎加人参湯	2035
エキス，ベラドンナ	2042
エキス，防已黄耆湯	2044
エキス，防風通聖散	2048
エキス，補中益気湯	2054
エキス，ホミカ	2058
エキス，麻黄湯	2061, 95
エキス，無コウイ大建中湯	1988, 92
エキス，抑肝散	2069
エキス，抑肝散加陳皮半夏	96
エキス，六君子湯	2073
エキス，苓桂朮甘湯	2078
エキス，ロート	2081
エキス・アネスタミン散，ロート	2083
エキス・カーボン散，ロート	2084
エキス・ジアスターゼ散，複方ロート	2084
エキス・タンニン坐剤，ロート	2084
エキス散，ホミカ	2058
エキス散，ロート	2082
エコチオパートヨウ化物	**583**, *35**
エスタゾラム	**584**, *35**
エストラジオール安息香酸エステル	**584**
エストラジオール安息香酸エステル水性懸濁注射液	**585**
エストリオール	**586**, *35**
エストリオール錠	**586**
エストリオール水性懸濁注射液	**587**
エタクリン酸	**588**, *35**
エタクリン酸錠	**588**
エタノール	**589**, *55*
エタノール，消毒用	**591**
エタノール，無水	**590**, *56*
エダラボン	**591**, *35**
エダラボン注射液	**592**
エタンブトール塩酸塩	**594**, *35**
エチオナミド	**594**, *35**
エチゾラム	**595**, *35**
エチゾラム細粒	**597**
エチゾラム錠	**596**
エチドロン酸二ナトリウム	**598**, *35**
エチドロン酸二ナトリウム錠	**599**
エチニルエストラジオール	**600**
エチニルエストラジオール錠	**600**
エチニルエストラジオール錠，ノルゲストレル・	1307
エチル，アミノ安息香酸	**448**, *33**
エチル，イコサペント酸	**508**, *34**
エチル，パラオキシ安息香酸	1325, *44**, *65*
エチル，ロフラゼプ酸	1853, *50**
エチルカプセル，イコサペント酸	509
エチルコハク酸エステル，エリスロマイシン	638
L－エチルシステイン塩酸塩	**601**, *35**
エチル錠，ロフラゼプ酸	1854
エチルセルロース	**602**, *35**
エチル炭酸エステル，キニーネ	742, *37**
エチルモルヒネ塩酸塩水和物	**603**
エチレフリン塩酸塩	**604**, *35**
エチレフリン塩酸塩錠	**604**
エチレンジアミン	**605**, *35**
エデト酸カルシウムナトリウム水和物	**606**, *35**
エデト酸ナトリウム水和物	**607**, *35**
エーテル	**607**
エーテル，麻酔用	**608**
エテンザミド	**608**, *35**
エトスクシミド	**609**, *35**
エトドラク	**610**, *35**
エトポシド	**610**, *35**
エドロホニウム塩化物	**611**, *35**
エドロホニウム塩化物注射液	**612**
エナラプリルマレイン酸塩	**612**, *35**
エナラプリルマレイン酸塩錠	**613**
エナント酸エステル，テストステロン	1151
エナント酸エステル，フルフェナジン	1517, *47**
エナント酸エステル，メテノロン	1708, *49**
エナント酸エステル注射液，テストステロン	1152
エナント酸エステル注射液，メテノロン	1708
エノキサシン水和物	**615**, *35**
エバスチン	**616**, *35**
エバスチン口腔内崩壊錠	**618**
エバスチン錠	**616**
エパルレスタット	**619**, *35**
エパルレスタット錠	**620**
エピネフリン	**429**
エピネフリン液	**430**
エピネフリン注射液	**430**
エピリゾール	**621**, *35**
エピルビシン塩酸塩	**621**, *35**
エフェドリン塩酸塩	**622**, *35**
エフェドリン塩酸塩散10％	**624**
エフェドリン塩酸塩錠	**623**
エフェドリン塩酸塩注射液	**625**
エプレレノン	**625**, *35**
エプレレノン錠	**626**
エペリゾン塩酸塩	**627**, *35**
エポエチン　アルファ（遺伝子組換え）	**628**
エポエチン　ベータ（遺伝子組換え）	**631**, *56*
エメダスチンフマル酸塩	**633**, *35**
エメダスチンフマル酸塩徐放カプセル	**634**
エモルファゾン	**635**, *35**
エモルファゾン錠	**636**
エリスロマイシン	**637**, *35**
エリスロマイシンエチルコハク酸エステル	**638**
エリスロマイシンステアリン酸塩	**639**
エリスロマイシン腸溶錠	**638**
エリスロマイシンラクトビオン酸塩	**639**
エリブリンメシル酸塩	**640**, *35**
エルカトニン	**644**

エルゴカルシフェロール	646	塩酸塩，インデノロール	569, **35**※
エルゴタミン酒石酸塩	647	塩酸塩，エタンブトール	594, **35**※
エルゴメトリンマレイン酸塩	648	塩酸塩，L-エチルシステイン	601, **35**※
エルゴメトリンマレイン酸塩錠	648	塩酸塩，エチレフリン	604, **35**※
エルゴメトリンマレイン酸塩注射液	649	塩酸塩，エピルビシン	621, **35**※
塩化亜鉛	650, **35**※	塩酸塩，エフェドリン	622, **35**※
塩化インジウム(^{111}In)注射液	650	塩酸塩，エペリゾン	627, **35**※
塩化カリウム	650, **35**※	塩酸塩，オキシテトラサイクリン	664, **36**※
塩化カルシウム水和物	651, **36**※	塩酸塩，オキシブプロカイン	668, **36**※
塩化カルシウム注射液	651	塩酸塩，オキシブチニン	**57**
塩化タリウム(^{201}Tl)注射液	651	塩酸塩，オクスプレノロール	670, **36**※
塩化ナトリウム	**652**, **36**※, **56**	塩酸塩，オロパタジン	681, **36**※
0.9％塩化ナトリウム注射液	**991**	塩酸塩，カルテオロール	706, **36**※
10％塩化ナトリウム注射液	653	塩酸塩，キナプリル	738, **37**※
塩化物，アンベノニウム	495, **34**※	塩酸塩，クリンダマイシン	768, **37**※
塩化物，エドロホニウム	611, **35**※	塩酸塩，クロコナゾール	782, **37**※
塩化物，注射用アセチルコリン	413, **33**※	塩酸塩，クロニジン	788, **37**※
塩化物，注射用スキサメトニウム	964	塩酸塩，クロフェダノール	794, **37**※
塩化物，ベタネコール	1578, **48**※	塩酸塩，クロペラスチン	795, **37**※
塩化物，ベンザルコニウム	1617	塩酸塩，クロミプラミン	800, **38**※
塩化物，ベンゼトニウム	1624	塩酸塩，クロルプロマジン	818, **38**※
塩化物液，ベンザルコニウム	1618	塩酸塩，クロルヘキシジン	820, **38**※
塩化物液，ベンゼトニウム	1625	塩酸塩，ケタミン	829, **38**※
塩化物液50，濃ベンザルコニウム	1618	塩酸塩，コカイン	841
塩化物塩酸塩，チアミン	1121, **42**※	塩酸塩，サルポグレラート	869, **38**※
塩化物塩酸塩散，チアミン	1122	塩酸塩，シクロペントラート	887, **39**※
塩化物塩酸塩注射液，チアミン	1123	塩酸塩，ジフェニドール	915, **39**※
塩化物水和物，スキサメトニウム	963	塩酸塩，ジフェンヒドラミン	916, **39**※
塩化物水和物，ベルベリン	1616, **48**※	塩酸塩，ジブカイン	918, **39**※
塩化物注射液，エドロホニウム	612	塩酸塩，ジルチアゼム	944, **40**※
塩化物注射液，スキサメトニウム	963	塩酸塩，セチリジン	992, **40**※
エンゴサク	**1875**, **83**	塩酸塩，セトラキサート	995, **40**※
延胡索	1875	塩酸塩，セフォゾプラン	1022, **40**※
エンゴサク末	**1875**, **84**	塩酸塩，セフォチアム	1024, **40**※
延胡索末	1875	塩酸塩，セフォチアム ヘキセチル	1026, **40**※
塩酸	653, **36**※	塩酸塩，セフメノキシム	1062, **41**※
塩酸，希	653, **36**※	塩酸塩，ダウノルビシン	1090, **41**※
塩酸塩，アクラルビシン	390, **33**※	塩酸塩，タムスロシン	1100, **41**※
塩酸塩，アセブトロール	417, **33**※	塩酸塩，タランピシリン	1103, **41**※
塩酸塩，アゼラスチン	420, **33**※	塩酸塩，チアプリド	1117, **42**※
塩酸塩，アプリンジン	433, **33**※	塩酸塩，チアミン塩化物	1121, **42**※
塩酸塩，アヘンアルカロイド	435	塩酸塩，チアラミド	1124, **42**※
塩酸塩，アマンタジン	440, **33**※	塩酸塩，チオリダジン	1128, **42**※
塩酸塩，アミオダロン	441, **33**※	塩酸塩，チクロピジン	1130, **42**※
塩酸塩，アミトリプチリン	447, **33**※	塩酸塩，チザニジン	1131, **42**※
塩酸塩，アモスラロール	458, **33**※	塩酸塩，注射用イダルビシン	524
塩酸塩，L-アルギニン	467, **34**※	塩酸塩，注射用スペクチノマイシン	974, **60**
塩酸塩，アルプレノロール	471, **34**※	塩酸塩，注射用セフェピム	1019
塩酸塩，アロチノロール	482, **34**※	塩酸塩，注射用セフォゾプラン	1023
塩酸塩，イソクスプリン	511, **34**※	塩酸塩，注射用セフォチアム	1025
塩酸塩，l-イソプレナリン	517, **34**※	塩酸塩，注射用ドキソルビシン	1194
塩酸塩，イダルビシン	523, **34**※	塩酸塩，注射用バンコマイシン	1357
塩酸塩，イミダプリル	537, **34**※	塩酸塩，注射用ヒドララジン	1385
塩酸塩，イミプラミン	540	塩酸塩，注射用ミノサイクリン	1680

塩酸塩，注射用ロキサチジン酢酸エステル……………1839	塩酸塩，プロメタジン……………………1568, *47**
塩酸塩，ツロブテロール………………………1140, *42**	塩酸塩，ベタキソロール…………………1577, *48**
塩酸塩，テトラカイン……………………………1160, *42**	塩酸塩，ペチジン……………………………………1588
塩酸塩，テトラサイクリン……………………1161, *42**	塩酸塩，ベニジピン………………………1590, *48**
塩酸塩，デメチルクロルテトラサイクリン……1167, *42**	塩酸塩，ベラパミル………………………1609, *48**
塩酸塩，テモカプリル……………………………1168, *42**	塩酸塩，ベンセラジド……………………1625, *48**
塩酸塩，テルビナフィン…………………………1170, *42**	塩酸塩，ホモクロルシクリジン…………1641, *48**
塩酸塩，ドキソルビシン…………………………………1193	塩酸塩，マニジピン………………………1660, *48**
塩酸塩，ドネペジル………………………………1204, *43**	塩酸塩，マプロチリン……………………1662, *48**
塩酸塩，ドパミン…………………………………1208, *43**	塩酸塩，ミノサイクリン…………………1677, *49**
塩酸塩，ドブタミン………………………………1209, *43**	塩酸塩，メキシレチン……………………1683, *49**
塩酸塩，トラマドール……………………………1220, *43**	塩酸塩，メクロフェノキサート…………1686, *49**
塩酸塩，トリエンチン……………………………1224, *43**	塩酸塩，メタンフェタミン………………………1693
塩酸塩，トリヘキシフェニジル…………………1232, *43**	塩酸塩，*dl*－メチルエフェドリン………1696, *49**
塩酸塩，トリメタジジン…………………………1238, *43**	塩酸塩，メトホルミン……………………1717, *49**
塩酸塩，ドルゾラミド……………………………1241, *43**	塩酸塩，メピバカイン……………………1723, *49**
塩酸塩，トルペリゾン……………………………1248, *43**	塩酸塩，メフロキン………………………1726, *49**
塩酸塩，ナファゾリン………………………………1262	塩酸塩，ラニチジン………………………1762, *50**
塩酸塩，ナロキソン………………………………………1273	塩酸塩，ラベタロール……………………1768, *50**
塩酸塩，ニカルジピン……………………………1274, *44**	塩酸塩，L－リシン………………………1778, *50**
塩酸塩，ノルトリプチリン………………………1308, *44**	塩酸塩，リゾチーム………………………1787, *50**
塩酸塩，バカンピシリン…………………………1310, *44**	塩酸塩，リトドリン………………………1789, *50**
塩酸塩，パパベリン………………………………………1322	塩酸塩，レナンピシリン…………………1819, *50**
塩酸塩，バラシクロビル…………………………1330, *44**	塩酸塩，ロキサチジン酢酸エステル……1837, *50**
塩酸塩，バンコマイシン…………………………1356, *45**	塩酸塩・グリメピリド錠，ピオグリタゾン…………1365
塩酸塩，ピオグリタゾン…………………………1363, *45**	塩酸塩・チモロールマレイン酸塩点眼液，ドルゾラミド…1244
塩酸塩，ビタミンB₁……………………………………1121	塩酸塩・メトホルミン塩酸塩錠，ピオグリタゾン………1367
塩酸塩，ヒドララジン……………………………1384, *45**	塩酸塩液，テルビナフィン…………………………1172
塩酸塩，ヒドロキシジン…………………………1387, *45**	塩酸塩液，ブテナフィン……………………………1472
塩酸塩，ピブメシリナム…………………………1400, *45**	塩酸塩カプセル，アプリンジン……………………433
塩酸塩，ビペリデン………………………………1411, *45**	塩酸塩カプセル，クリンダマイシン………………769
塩酸塩，ピリドキシン……………………………1419, *45**	塩酸塩カプセル，トリエンチン……………………1225
塩酸塩，ピロカルピン……………………………………1425	塩酸塩カプセル，ピルシカイニド…………………1421
塩酸塩，フェキソフェナジン……………………1444, *46**	塩酸塩顆粒，アゼラスチン…………………………421
塩酸塩，フェニレフリン……………………………1450	塩酸塩顆粒，ミノサイクリン………………………1679
塩酸塩，ブクモロール……………………………1465, *46**	塩酸塩クリーム，テルビナフィン…………………1173
塩酸塩，ブテナフィン……………………………1471, *46**	塩酸塩クリーム，ブテナフィン……………………1473
塩酸塩，ブナゾシン………………………………1482, *46**	塩酸塩細粒，サルポグレラート……………871, *58*
塩酸塩，ブフェトロール…………………………1483, *46**	塩酸塩細粒，セフカペン　ピボキシル……………1035
塩酸塩，ブプラノロール…………………………1484, *46**	塩酸塩細粒，ドネペジル……………………………1206
塩酸塩，ブプレノルフィン………………………1485, *46**	塩酸塩散，チアミン塩化物…………………………1122
塩酸塩，ブホルミン………………………………1485, *46**	塩酸塩散，ビタミンB₁………………………………1122
塩酸塩，プラゾシン………………………………1492, *46**	塩酸塩散，ヒドララジン……………………………1385
塩酸塩，フラボキサート…………………………1500, *46**	塩酸塩散10％，エフェドリン………………………624
塩酸塩，フルスルチアミン………………………1512, *47**	塩酸塩散10％，*dl*－メチルエフェドリン…………1697
塩酸塩，フルラゼパム……………………………1520, *47**	塩酸塩錠，アミオダロン……………………………442
塩酸塩，ブレオマイシン…………………………1522, *47**	塩酸塩錠，アミトリプチリン………………………447
塩酸塩，プロカイン………………………………1533, *47**	塩酸塩錠，アモスラロール…………………………459
塩酸塩，プロカインアミド………………………1535, *47**	塩酸塩錠，イソクスプリン…………………………512
塩酸塩，プロカルバジン…………………………1537, *47**	塩酸塩錠，イミダプリル……………………………538
塩酸塩，プロパフェノン…………………………1551, *47**	塩酸塩錠，イミプラミン……………………………540
塩酸塩，プロピベリン……………………………1553, *47**	塩酸塩錠，エチレフリン……………………………604
塩酸塩，プロプラノロール………………………1560, *47**	塩酸塩錠，エフェドリン……………………………623
塩酸塩，ブロムヘキシン………………1567, *47**, 73	塩酸塩錠，オロパタジン……………………………682

塩酸塩錠, キナプリル	739	塩酸塩水和物, ドキサプラム	1188, *42**
塩酸塩錠, クロミプラミン	800	塩酸塩水和物, ドキシサイクリン	1188, *42**
塩酸塩錠, クロルプロマジン	819	塩酸塩水和物, トドララジン	1204, *43**
塩酸塩錠, サルポグレラート	870	塩酸塩水和物, トリメトキノール	1240, *43**
塩酸塩錠, セチリジン	993	塩酸塩水和物, ノスカピン	1304
塩酸塩錠, セフカペン ピボキシル	1034	塩酸塩水和物, パロキセチン	1348, *45**
塩酸塩錠, チアプリド	1118	塩酸塩水和物, L－ヒスチジン	1375, *45**
塩酸塩錠, チアラミド	1125	塩酸塩水和物, ヒドロコタルニン	1393, *45**
塩酸塩錠, チクロピジン	1130	塩酸塩水和物, ピルシカイニド	1421, *45**
塩酸塩錠, テモカプリル	1169	塩酸塩水和物, ピレンゼピン	1423, *45**
塩酸塩錠, テルビナフィン	1171	塩酸塩水和物, ブピバカイン	1482, *46**
塩酸塩錠, ドキシサイクリン	1190	塩酸塩水和物, プロカテロール	1537, *47**
塩酸塩錠, ドネペジル	1205	塩酸塩水和物, モルヒネ	1736
塩酸塩錠, トリヘキシフェニジル	1232	塩酸塩水和物, リルマザホン	1808, *50**
塩酸塩錠, トリメタジジン	1238	塩酸塩水和物, リンコマイシン	1811, *50**
塩酸塩錠, ノルトリプチリン	1309	塩酸塩スプレー, テルビナフィン	1172
塩酸塩錠, バラシクロビル	1331	塩酸塩スプレー, ブテナフィン	1472
塩酸塩錠, パロキセチン	1350	塩酸塩注射液, アヘンアルカロイド	436
塩酸塩錠, ピオグリタゾン	1364	塩酸塩注射液, L－アルギニン	468
塩酸塩錠, ヒドララジン	1384	塩酸塩注射液, イリノテカン	544
塩酸塩錠, ピブメシリナム	1400	塩酸塩注射液, エフェドリン	625
塩酸塩錠, ピロカルピン	1425	塩酸塩注射液, クロルプロマジン	820
塩酸塩錠, フェキソフェナジン	1445	塩酸塩注射液, チアミン塩化物	1123
塩酸塩錠, ブホルミン	1486	塩酸塩注射液, ドパミン	1208
塩酸塩錠, プロカインアミド	1535	塩酸塩注射液, ニカルジピン	1274
塩酸塩錠, プロパフェノン	1551	塩酸塩注射液, パパベリン	1322
塩酸塩錠, プロピベリン	1554	塩酸塩注射液, ビタミンB₁	1123
塩酸塩錠, プロプラノロール	1561	塩酸塩注射液, ピリドキシン	1419
塩酸塩錠, ベニジピン	1591	塩酸塩注射液, プロカイン	1534
塩酸塩錠, ベラパミル	1609	塩酸塩注射液, プロカインアミド	1536
塩酸塩錠, マニジピン	1661	塩酸塩注射液, ペチジン	1589
塩酸塩錠, ミノサイクリン	1678	塩酸塩注射液, ベラパミル	1610
塩酸塩錠, メトホルミン	1717	塩酸塩注射液, メピバカイン	1723
塩酸塩錠, モルヒネ	1737	塩酸塩注射液, モルヒネ	1738
塩酸塩錠, ラベタロール	1769	塩酸塩注射液, リトドリン	1791
塩酸塩錠, リトドリン	1790	塩酸塩注射液, リンコマイシン	1812
塩酸塩錠, リルマザホン	1810	塩酸塩腸溶錠, ブホルミン	1487
塩酸塩徐放カプセル, ジルチアゼム	945	塩酸塩点眼液, ドルゾラミド	1243
塩酸塩徐放カプセル, ロキサチジン酢酸エステル	1838	塩酸シンコカイン	*918*
塩酸塩徐放錠, タムスロシン	1101	塩酸ベノキシネート	*668*
塩酸塩徐放錠, ロキサチジン酢酸エステル	1837	塩酸リモナーデ	*654*
塩酸塩水和物, イリノテカン	543, *35**	エンタカポン	*654, 36**
塩酸塩水和物, エチルモルヒネ	603	エンタカポン錠	656
塩酸塩水和物, オキシコドン	661	エンビオマイシン硫酸塩	*657, 36**, 56
塩酸塩水和物, キニーネ	742	エンフルラン	*658*
塩酸塩水和物, クロカプラミン	779, *37**		
塩酸塩水和物, L－システイン	896, *39**	**オ**	
塩酸塩水和物, シプロフロキサシン	921, *39**		
塩酸塩水和物, シプロヘプタジン	922, *39**	オウギ	*1876*
塩酸塩水和物, ジラゼプ	943, *39**	黄耆	*1876*
塩酸塩水和物, スペクチノマイシン	974	オウゴン	*1877*
塩酸塩水和物, セトチアミン	994, *40**	黄芩	*1877*
塩酸塩水和物, セフェピム	1018, *40**	オウゴン末	*1878*
塩酸塩水和物, セフカペン ピボキシル	1033, *40**	黄芩末	*1878*

黄色ワセリン	1857, *51**, 81	オンジ末	1890
オウセイ	1878	遠志末	1890
黄精	1878		
オウバク	1879	**カ**	
黄柏	1879		
オウバク・タンナルビン・ビスマス散	1881	カイニン酸・サントニン散	684
オウバク散，パップ用複方	1881	カイニン酸水和物	683, *36**
オウバク末	1880	海人草	2063
黄柏末	1880	ガイヨウ	1890, *84*
オウヒ	1881	艾葉	1890
桜皮	1881	カオリン	684
オウレン	1882	カカオ脂	1891
黄連	1882	加香ヒマシ油	2033
黄連解毒湯エキス	1884	加工ブシ	2039
オウレン末	1883	加工ブシ末	2040
黄連末	1883	カゴソウ	1891
黄蝋	2064	夏枯草	1891
オキサゾラム	659, *36**	カシュウ	1891
オキサピウムヨウ化物	660, *36**	何首烏	1891
オキサプロジン	660, *36**	ガジュツ	1892
オキシコドン・アトロピン注射液，複方	662	莪述	1892
オキシコドン塩酸塩水和物	661	莪朮	1892
オキシコドン注射液，複方	662	加水ラノリン	2072
オキシテトラサイクリン塩酸塩	664, *36**	ガチフロキサシン水和物	685, *36**
オキシトシン	665	ガチフロキサシン点眼液	686
オキシトシン注射液	667	カッコウ	1892
オキシドール	668, *36**	藿香	1892
オキシブプロカイン塩酸塩	668, *36**	カッコン	1893
オキシメトロン	669	葛根	1893
オキシセサゼイン	670, *36**	葛根湯エキス	1893
オキセタカイン	670	葛根湯加川芎辛夷エキス	1896
オキシブチニン塩酸塩	*57*	カッセキ	1900
オクスプレノロール塩酸塩	670, *36**	滑石	1900
オザグレルナトリウム	671, *36**	過テクネチウム酸ナトリウム(^{99m}Tc)注射液	688
オザグレルナトリウム，注射用	673	果糖	688, *36**
オザグレルナトリウム注射液	672	果糖注射液	688, *36**
おたふくかぜワクチン，乾燥弱毒生	673	カドララジン	689, *36**
乙字湯エキス	1886	カドララジン錠	690
オピアル	435	カナマイシン一硫酸塩	691, *36**
オピアル注射液	436	カナマイシン硫酸塩	692, *36**
オフロキサシン	673, *36**	カノコソウ	1900
オメプラゾール	674, *36**	カノコソウ末	1900
オメプラゾール腸溶錠	675	カフェイン，安息香酸ナトリウム	486, *34**
オーラノフィン	676, *36**	カフェイン，無水	692, *36**
オーラノフィン錠	677	カフェイン水和物	693, *36**
オリブ油	1889	カプセル	694
オルシプレナリン硫酸塩	678, *36**	カプトプリル	695, *36**
オルメサルタン　メドキソミル	679, *36**	ガベキサートメシル酸塩	695, *36**
オルメサルタン　メドキソミル錠	680	カベルゴリン	697, *36**
オレンジ油	1889	カーボン散，ロートエキス・	2084
オロパタジン塩酸塩	681, *36**	火麻仁	2064
オロパタジン塩酸塩錠	682	過マンガン酸カリウム	698, *36**
オンジ	1889	加味帰脾湯エキス	1901
遠志	1889	加味逍遙散エキス	1904

カモスタットメシル酸塩	698, 36*		カルシウム細粒，沈降炭酸	1110
β-ガラクトシダーゼ(アスペルギルス)	699, 36*		カルシウム錠，アスコルビン酸・パントテン酸	406
β-ガラクトシダーゼ(ペニシリウム)	700, 36*		カルシウム錠，アトルバスタチン	428
カリウム，塩化	650, 35*		カルシウム錠，沈降炭酸	1109
カリウム，過マンガン酸	698, 36*		カルシウム錠，ピタバスタチン	1380
カリウム，乾燥硫酸アルミニウム	1803		カルシウム錠，ペントバルビタール	1629
カリウム，カンレノ酸	732, 37*		カルシウム錠，ミチグリニド	1674
カリウム，グアヤコールスルホン酸	747		カルシウム錠，ロスバスタチン	1851
カリウム，クラブラン酸	755, 37*		カルシウム水和物，アトルバスタチン	426, 33*
カリウム，クロラゼプ酸二	802, 38*		カルシウム水和物，塩化	651, 36*
カリウム，臭化	934, 39*		カルシウム水和物，グルコン酸	773, 37*
カリウム，シロップ用ペミロラスト	1607		カルシウム水和物，乳酸	1294, 44*
カリウム，水酸化	961, 40*		カルシウム水和物，パス	1324
カリウム，炭酸	1108, 41*		カルシウム水和物，パラアミノサリチル酸	1324, 44*
カリウム，注射用ペニシリンG	1621		カルシウム水和物，ピタバスタチン	1378, 45*
カリウム，注射用ベンジルペニシリン	1621		カルシウム水和物，ホスホマイシン	1634, 48*
カリウム，フェネチシリン	1451, 46*		カルシウム水和物，ホリナート	1652, 48*
カリウム，ペニシリンG	1620		カルシウム水和物，ミチグリニド	1673, 49*
カリウム，ペミロラスト	1606, 48*		カルシウム水和物，ムピロシン	1681, 49*
カリウム，ベンジルペニシリン	1620, 48*		カルシウム水和物，リン酸水素	1813, 50*
カリウム，ヨウ化	1750, 49*		カルシウム水和物，リン酸二水素	1814, 50*
カリウム，硫酸	1804, 50*		カルシウム水和物，レボホリナート	1834, 50*
カリウム，ロサルタン	1844, 50*		カルシウム注射液，塩化	651
カリウム，ワルファリン	1858, 51*		カルシウムナトリウム水和物，エデト酸	606, 35*
カリウム・ヒドロクロロチアジド錠，ロサルタン	1846		カルシウム軟膏，ムピロシン	1682
カリウムカプセル，クロラゼプ酸二	803		カルシトニン サケ	703
カリウム錠，ペミロラスト	1607		カルテオロール塩酸塩	706, 36*
カリウム錠，ロサルタン	1845		カルナウバロウ	1906
カリウム錠，ワルファリン	1859		カルバゾクロムスルホン酸ナトリウム水和物	706, 36*
カリウム水和物，硫酸アルミニウム	1803, 50*		カルバマゼピン	707, 36*
ガリウム(^{67}Ga)注射液，クエン酸	753		カルバミン酸エステル，クロルフェネシン	815, 38*
カリウム点眼液，ペミロラスト	1608		カルバミン酸エステル錠，クロルフェネシン	816
カリジノゲナーゼ	701		カルビドパ水和物	708, 36*
カリ石ケン	703		カルベジロール	709, 36*
カルシウム，カルボキシメチルセルロース	716		カルベジロール錠	710
カルシウム，カルメロース	716, 36*		カルボキシメチルセルロース	715
カルシウム，酸化	873		カルボキシメチルセルロースカルシウム	716
カルシウム，シロップ用ホスホマイシン	1635		カルボキシメチルセルロースナトリウム	717
カルシウム，水酸化	961, 40*		L-カルボシステイン	711, 36*
カルシウム，ステアリン酸	968, 40*		L-カルボシステイン錠	712
カルシウム，沈降炭酸	1109, 41*		カルボプラチン	713
カルシウム，トコフェロールコハク酸エステル	1195		カルボプラチン注射液	714
カルシウム，パントテン酸	1359, 45*		カルメロース	715, 36*
カルシウム，ビタミンEコハク酸エステル	1195		カルメロースカルシウム	716, 36*
カルシウム，ヘパリン	1592, 48*		カルメロースナトリウム	717, 36*
カルシウム，ペントバルビタール	1628, 48*		カルモナムナトリウム	719, 36*
カルシウム，ポリスチレンスルホン酸	1647, 48*		カルモフール	720, 37*
カルシウム，ホリナート	1652		カロコン	1907
カルシウム，無水リン酸水素	1812, 50*		栝楼根	1907
カルシウム，ロイコボリン	1652		カンキョウ	1907, 85
カルシウム，ロスバスタチン	1849, 50*		乾姜	1907
カルシウム顆粒，パス	1324		乾生姜	1964
カルシウム顆粒，パラアミノサリチル酸	1324		乾生姜末	1965
カルシウム口腔内崩壊錠，ピタバスタチン	1381		カンゾウ	1908

甘草	1908
乾燥亜硫酸ナトリウム	465, *33*※
カンゾウエキス	1909
甘草エキス	1909
甘草末	1910
乾燥甲状腺	840
乾燥酵母	841
乾燥細胞培養痘そうワクチン	1186
乾燥ジフテリアウマ抗毒素	918
乾燥弱毒生おたふくかぜワクチン	673
乾燥弱毒生風しんワクチン	1444
乾燥弱毒生麻しんワクチン	1660
乾燥水酸化アルミニウムゲル	960, *40*※
乾燥水酸化アルミニウムゲル細粒	961
カンゾウ粗エキス	1910
乾燥組織培養不活化狂犬病ワクチン	744
乾燥炭酸ナトリウム	1111, *41*※
乾燥痘そうワクチン	1186
乾燥はぶウマ抗毒素	1323
乾燥BCGワクチン	1374
乾燥ボウショウ	2047
乾燥ボツリヌスウマ抗毒素	1637
カンゾウ末	1909
甘草末	1909
乾燥まむしウマ抗毒素	1662
乾燥硫酸アルミニウムカリウム	1803
乾燥硫酸ナトリウム	2047
カンデサルタン シレキセチル	721, *37*※
カンデサルタン シレキセチル・アムロジピンベシル酸塩錠	724
カンデサルタン シレキセチル・ヒドロクロロチアジド錠	726
カンデサルタン シレキセチル錠	722
カンテン	1911
寒天	1911
カンテン末	1911
寒天末	1911
含糖ペプシン	730
ガンビール	1861
ガンビール末	1861
d-カンフル	731
dl-カンフル	731
カンフル, 歯科用フェノール・	1459
カンフルローション, イオウ・	498
肝油	732
カンレノ酸カリウム	732, *37*※

キ

希塩酸	653, *36*※
キキョウ	1912
桔梗根	1912
桔梗根末	1912
キキョウ末	1912
キキョウ流エキス	1912
キクカ	1913
菊花	1913
キササゲ	1913
キジツ	1914
枳実	1914
キシリット	733
キシリット注射液	734
キシリトール	733, *37*※
キシリトール注射液	734
キタサマイシン	734
キタサマイシン酢酸エステル	735
キタサマイシン酒石酸塩	737, *37*※
キッカ	1913
吉草根	1900
吉草根末	1900
吉草酸エステル, ジフルコルトロン	919, *39*※
吉草酸エステル, ベタメタゾン	1583
吉草酸エステル・ゲンタマイシン硫酸塩クリーム, ベタメタゾン	1585
吉草酸エステル・ゲンタマイシン硫酸塩軟膏, ベタメタゾン	1584
キナプリル塩酸塩	738, *37*※
キナプリル塩酸塩錠	739
キニジン硫酸塩水和物	741
キニーネエチル炭酸エステル	742, *37*※
キニーネ塩酸塩水和物	742
キニーネ硫酸塩水和物	743, *37*※
牛脂	1914
吸水クリーム	765
吸水軟膏	765
キョウカツ	1914
羌活	1914
狂犬病ワクチン, 乾燥組織培養不活化	744
キョウニン	1915, *85*
杏仁	1915
キョウニン水	1915
杏仁水	1915
希ヨードチンキ	1754
銀, 硝酸	935, *39*※
銀, スルファジアジン	983
銀, プロテイン	1550
銀液, プロテイン	1550
金チオリンゴ酸ナトリウム	744, *37*※
銀点眼液, 硝酸	935

ク

グアイフェネシン	745, *37*※
グアナベンズ酢酸塩	746, *37*※
グアネチジン硫酸塩	747, *37*※
グアヤコールスルホン酸カリウム	747
クエチアピンフマル酸塩	748, *37*※
クエチアピンフマル酸塩細粒	751

クエチアピンフマル酸塩錠	750	グルタチオン	774, *37**
クエン酸，無水	752, *37**	L-グルタミン	774, *37**
クエン酸塩，クロミフェン	798, *38**	L-グルタミン酸	775, *37**
クエン酸塩，ジエチルカルバマジン	881, *39*	クレオソート	2065
クエン酸塩，タモキシフェン	1102, *41**	クレゾール	776
クエン酸塩，フェンタニル	1464, *46**	クレゾール水	777
クエン酸塩，ペントキシベリン	1626, *48**	クレゾール石ケン液	777
クエン酸塩散，モサプリド	1734	クレボプリドリンゴ酸塩	778, *37**
クエン酸塩錠，クロミフェン	799	クレマスチンフマル酸塩	778, *37**
クエン酸塩錠，ジエチルカルバマジン	882	クロカプラミン塩酸塩水和物	779, *37**
クエン酸塩錠，モサプリド	1733	クロキサシリンナトリウム水和物	780, *37**
クエン酸塩水和物，モサプリド	1732, *49**	クロキサゾラム	781, *37**
クエン酸ガリウム(⁶⁷Ga)注射液	753	クロコナゾール塩酸塩	782, *37**
クエン酸水和物	753, *37**	クロスカルメロースナトリウム	718, *36**, *58*
クエン酸ナトリウム液，診断用	754	クロスポビドン	783, *37**
クエン酸ナトリウム水和物	754, *37**	クロチアゼパム	784, *37**
クエン酸ナトリウム注射液，輸血用	754	クロチアゼパム錠	785
クコシ	1916	クロトリマゾール	785, *37**
枸杞子	1916	クロナゼパム	786, *37**
クジン	1916	クロナゼパム細粒	788
苦参	1916	クロナゼパム錠	787
クジン末	1917	クロニジン塩酸塩	788, *37**
苦参末	1917	クロピドグレル硫酸塩	789, *37**
苦味重曹水	1963	クロピドグレル硫酸塩錠	791
苦味チンキ	1917	クロフィブラート	792, *37**
クラブラン酸カリウム	755, *37**	クロフィブラートカプセル	793
クラリスロマイシン	756, *37**	クロフェダノール塩酸塩	794, *37**
クラリスロマイシン，シロップ用	758	クロベタゾールプロピオン酸エステル	794, *37**
クラリスロマイシン錠	757	クロペラスチン塩酸塩	795, *37**
グラルギン(遺伝子組換え)，インスリン	561	クロペラスチンフェンジゾ酸塩	796, *37**
グラルギン(遺伝子組換え)注射液，インスリン	562	クロペラスチンフェンジゾ酸塩錠	797
グリクラジド	759, *37**	クロミフェンクエン酸塩	798, *38**
グリコール酸ナトリウム，デンプン	1185, *42**	クロミフェンクエン酸塩錠	799
グリシン	760, *37**	クロミプラミン塩酸塩	800, *38**
グリセリン	761, *37**	クロミプラミン塩酸塩錠	800
グリセリン，歯科用ヨード	1755	クロム酸ナトリウム(⁵¹Cr)注射液	801
グリセリン，濃	762, *37**	クロモグリク酸ナトリウム	801, *38**
グリセリン，複方ヨード	1756	クロラゼプ酸二カリウム	802, *38**
グリセリン，モノステアリン酸	1736, *81*	クロラゼプ酸二カリウムカプセル	803
グリセリンカリ液	763	クロラムフェニコール	804, *38**
グリセリン錠，ニトロ	1288	クロラムフェニコール・コリスチンメタンスルホン酸ナトリウム点眼液	805
グリセロール	761		
グリセロール，濃	762	クロラムフェニコールコハク酸エステルナトリウム	805, *38**
クリノフィブラート	763, *37**	クロラムフェニコールパルミチン酸エステル	806, *38**
グリベンクラミド	764, *37**	クロルジアゼポキシド	807, *38**
グリメピリド	765, *37**	クロルジアゼポキシド散	809
グリメピリド錠	767	クロルジアゼポキシド錠	808
グリメピリド錠，ピオグリタゾン塩酸塩	1365	クロルフェニラミン液，ナファゾリン	1263
クリンダマイシン塩酸塩	768, *37**	クロルフェニラミンマレイン酸塩	810, *38**
クリンダマイシン塩酸塩カプセル	769	d-クロルフェニラミンマレイン酸塩	814, *38**
クリンダマイシンリン酸エステル	770, *37**	クロルフェニラミンマレイン酸塩散	812
クリンダマイシンリン酸エステル注射液	771	クロルフェニラミンマレイン酸塩錠	811
グルカゴン(遺伝子組換え)	772	クロルフェニラミンマレイン酸塩注射液	813
グルコン酸カルシウム水和物	773, *37**	クロルフェネシンカルバミン酸エステル	815, *38**

クロルフェネシンカルバミン酸エステル錠·················· *816*
クロルプロパミド·················· *817*, <u>38</u>*
クロルプロパミド錠·················· *817*
クロルプロマジン塩酸塩·················· *818*, <u>38</u>*
クロルプロマジン塩酸塩錠·················· *819*
クロルプロマジン塩酸塩注射液·················· *820*
クロルヘキシジン塩酸塩·················· *820*, <u>38</u>*
クロルヘキシジングルコン酸塩液·················· *821*
クロルマジノン酢酸エステル·················· *822*, <u>38</u>*
クロロブタノール·················· *823*

ケ

ケイガイ·················· *1917*
荊芥穂·················· *1917*
ケイ酸, 軽質無水·················· *823*, <u>38</u>*
ケイ酸アルミニウム, 合成·················· *824*, <u>38</u>*
ケイ酸アルミニウム, 天然·················· *824*, <u>38</u>*
ケイ酸アルミン酸マグネシウム·················· *826*, <u>38</u>*
ケイ酸マグネシウム·················· *828*
軽質無水ケイ酸·················· *823*, <u>38</u>*
軽質流動パラフィン·················· *1333*, <u>44</u>*
桂枝茯苓丸エキス·················· *1918*, <u>85</u>
ケイヒ·················· *1919*
桂皮·················· *1919*
ケイヒ末·················· *1920*
桂皮末·················· *1920*
ケイヒ油·················· *1920*
桂皮油·················· *1920*
ケタミン塩酸塩·················· *829*, <u>38</u>*
結晶セルロース·················· *1078*, <u>41</u>*
血清アルブミン(^{131}I)注射液, ヨウ化人·················· *1751*
ケツメイシ·················· *1920*
決明子·················· *1920*
ケトコナゾール·················· *829*, <u>38</u>*
ケトコナゾール液·················· *830*
ケトコナゾールクリーム·················· *831*
ケトコナゾールローション·················· *831*
ケトチフェンフマル酸塩·················· *832*, <u>38</u>*
ケトプロフェン·················· *833*, <u>38</u>*
ケノデオキシコール酸·················· *834*, <u>38</u>*
ゲファルナート·················· *834*, <u>38</u>*
ゲフィチニブ·················· *836*, <u>38</u>*
ゲル, 乾燥水酸化アルミニウム·················· *960*, <u>40</u>*
ゲル細粒, 乾燥水酸化アルミニウム·················· *961*
ケンゴシ·················· *1921*
牽牛子·················· *1921*
ゲンタマイシン硫酸塩·················· *837*, <u>38</u>*
ゲンタマイシン硫酸塩クリーム,
　　ベタメタゾン吉草酸エステル·················· *1585*
ゲンタマイシン硫酸塩注射液·················· *838*
ゲンタマイシン硫酸塩点眼液·················· *839*
ゲンタマイシン硫酸塩軟膏·················· *839*

ゲンタマイシン硫酸塩軟膏,
　　ベタメタゾン吉草酸エステル·················· *1584*
ゲンチアナ·················· *1921*
ゲンチアナ・重曹散·················· *1922*
ゲンチアナ末·················· *1921*
ゲンノショウコ·················· *1922*
ゲンノショウコ末·················· *1922*

コ

コウイ·················· *1923*
膠飴·················· *1923*
コウカ·················· *1923*
紅花·················· *1923*
広藿香·················· *1892*
硬化油·················· *840*, <u>38</u>*
紅耆·················· *1972*
甲状腺, 乾燥·················· *840*
コウジン·················· *1923*
紅参·················· *1923*
合成ケイ酸アルミニウム·················· *824*, <u>38</u>*
抗毒素, 乾燥ジフテリアウマ·················· *918*
抗毒素, 乾燥はぶウマ·················· *1323*
抗毒素, 乾燥ボツリヌスウマ·················· *1637*
抗毒素, 乾燥まむしウマ·················· *1662*
コウブシ·················· *1925*
香附子·················· *1925*
コウブシ末·················· *1925*
香附子末·················· *1925*
コウベイ·················· *1925*
粳米·················· *1925*
酵母, 乾燥·················· *841*
コウボク·················· *1926*, <u>86</u>
厚朴·················· *1926*
コウボク末·················· *1926*
厚朴末·················· *1926*
ゴオウ·················· *1927*
牛黄·················· *1927*
コカイン塩酸塩·················· *841*
ゴシツ·················· *1928*, <u>86</u>
牛膝·················· *1928*
牛車腎気丸エキス·················· *1928*, <u>86</u>
ゴシュユ·················· *1931*
呉茱萸·················· *1931*
呉茱萸湯エキス·················· *1931*, <u>86</u>
コデインリン酸塩, ジヒドロ·················· *912*
コデインリン酸塩散1%·················· *844*
コデインリン酸塩散1%, ジヒドロ·················· *912*
コデインリン酸塩散10%·················· *845*
コデインリン酸塩散10%, ジヒドロ·················· *913*
コデインリン酸塩錠·················· *843*
コデインリン酸塩水和物·················· *842*
ゴナドレリン酢酸塩·················· *845*
コハク酸エステル, エリスロマイシンエチル·················· *638*

コハク酸エステル，ヒドロコルチゾン	1394	酢酸	857, **38***
コハク酸エステル，ヒプロメロース酢酸エステル	1403, **45***	酢酸，氷	857, **38***
コハク酸エステル，プレドニゾロン	1529	酢酸エステル，キタサマイシン	735
コハク酸エステル，メチルプレドニゾロン	1706, **49***	酢酸エステル，クロルマジノン	822, **38***
コハク酸エステルカルシウム，トコフェロール	1195	酢酸エステル，コルチゾン	851
コハク酸エステルカルシウム，ビタミンE	1195	酢酸エステル，ジフロラゾン	923, **39***
コハク酸エステルナトリウム，		酢酸エステル，スピラマイシン	971, **40***
クロラムフェニコール	805, **38***	酢酸エステル，トコフェロール	1196, **43***
コハク酸エステルナトリウム，注射用プレドニゾロン	1530	酢酸エステル，ビタミンA	1818
コハク酸エステルナトリウム，ヒドロコルチゾン	1395	酢酸エステル，ビタミンE	1196
コハク酸塩，シベンゾリン	927, **39***	酢酸エステル，ヒドロコルチゾン	1396
コハク酸塩錠，シベンゾリン	928	酢酸エステル，フルドロコルチゾン	1515, **47***
ゴボウシ	**1933**, 87	酢酸エステル，プレドニゾロン	1531
牛蒡子	**1933**	酢酸エステル，ミデカマイシン	1676, **49***
コポビドン	847, **38***	酢酸エステル，メテノロン	1709, **49***
ゴマ	**1934**	酢酸エステル，メドロキシプロゲステロン	1718, **49***
胡麻	**1934**	酢酸エステル，レチノール	1818
ゴマ油	**1934**	酢酸エステル塩酸塩，注射用ロキサチジン	1839
ゴミシ	**1934**	酢酸エステル塩酸塩，ロキサチジン	1837, **50***
五味子	**1934**	酢酸エステル塩酸塩徐放カプセル，ロキサチジン	1838
コムギデンプン	1180, 65	酢酸エステル塩酸塩徐放錠，ロキサチジン	1837
コメデンプン	1182	酢酸エステルコハク酸エステル，	
コリスチンメタンスルホン酸ナトリウム	849, **38***	ヒプロメロース	1403, **45***
コリスチンメタンスルホン酸ナトリウム点眼液，		酢酸塩，グアナベンズ	746, **37***
クロラムフェニコール・	805	酢酸塩，ゴナドレリン	845
コリスチン硫酸塩	850	酢酸塩，ヒドロキソコバラミン	1391
コルチゾン酢酸エステル	851	酢酸塩，フレカイニド	1526, **47***
コルヒチン	852	酢酸塩，L－リシン	1779, **50***
五苓散エキス	**1934**	酢酸塩，リュープロレリン	1806
コレカルシフェロール	854	酢酸塩錠，フレカイニド	1527
コレスチミド	854, **38***	酢酸ナトリウム水和物	858, **38***
コレスチミド顆粒	856	酢酸フタル酸セルロース	**1068**
コレスチミド錠	855	サケ，カルシトニン	703
コレステロール	856	サッカリン	858, **38***
コロホニウム	2080	サッカリンナトリウム水和物	860, **38***
コロンボ	**1936**	サフラン	**1947**
コロンボ末	**1936**	サラシ粉	861
混合トキソイド，沈降ジフテリア破傷風	919	サラシミツロウ	2064
混合ワクチン，沈降精製百日せきジフテリア破傷風	1415	サラゾスルファピリジン	861, **38***
コンズランゴ	**1936**	サリチル・ミョウバン散	865
コンズランゴ流エキス	**1937**	サリチル酸	862, **38***
		サリチル酸，アセチル	410
サ		サリチル酸・チアントール軟膏，イオウ・	499
		サリチル酸・フェノール精，ヨード・	1757
サイクロセリン	857, **38***	サリチル酸アルミニウム，アセチル	411
サイコ	**1937**	サリチル酸液，複方チアントール・	1126
柴胡	**1937**	サリチル酸カルシウム顆粒，パラアミノ	1324
柴胡桂枝乾姜湯エキス	87	サリチル酸カルシウム水和物，パラアミノ	1324, **44***
柴胡桂枝湯エキス	**1938**	サリチル酸錠，アセチル	410
サイシン	**1941**	サリチル酸精	863
細辛	**1941**	サリチル酸精，トウガラシ・	2007
細胞培養痘そうワクチン，乾燥	1186	サリチル酸精，複方	864
柴朴湯エキス	**1942**	サリチル酸ナトリウム	865, **38***
柴苓湯エキス	**1944**	サリチル酸絆創膏	864

サリチル酸メチル	866, *38**	シアノコバラミン	*880*
サリチル酸メチル精，複方	*866*	シアノコバラミン注射液	*881*
ザルトプロフェン	866, *38**	ジエチルカルバマジンクエン酸塩	881, *39**
ザルトプロフェン錠	*867*	ジエチルカルバマジンクエン酸塩錠	*882*
サルブタモール硫酸塩	868, *38**	ジオウ	*1953*
サルポグレラート塩酸塩	869, *38**	地黄	*1953*
サルポグレラート塩酸塩細粒	871, *58*	歯科用アンチホルミン	*488*
サルポグレラート塩酸塩錠	*870*	歯科用次亜塩素酸ナトリウム液	*488*
酸化亜鉛	872, *38**	歯科用トリオジンクパスタ	*1226*
酸化亜鉛デンプン	*389*	歯科用パラホルムパスタ	*1335*
酸化亜鉛軟膏	*389*	歯科用フェノール・カンフル	*1459*
酸化カルシウム	*873*	歯科用ヨード・グリセリン	*1755*
酸化チタン	*874*	シクラシリン	883, *39**
酸化マグネシウム	874, *38**	ジクロキサシリンナトリウム水和物	*883*
サンキライ	*1947*	シクロスポリン	884, *39**
山帰来	*1947*	ジクロフェナクナトリウム	885, *39**
サンキライ末	*1948*	ジクロフェナクナトリウム坐剤	*886*
山帰来末	*1948*	シクロペントラート塩酸塩	887, *39**
サンザシ	*1948*	シクロホスファミド錠	*888*
山査子	*1948*	シクロホスファミド水和物	887, *39**
三酸化二ヒ素	*876*	シゴカ	*1953*
サンシシ	1949, *89*	刺五加	*1953*
山梔子	*1949*	ジゴキシン	*889*
サンシシ末	*1949*	ジゴキシン錠	*890*
山梔子末	*1949*	ジゴキシン注射液	*892*
サンシュユ	1950, *89*	ジコッピ	*1954*
山茱萸	*1950*	地骨皮	*1954*
サンショウ	*1951*	シコン	*1954*
山椒	*1951*	紫根	*1954*
サンショウ末	*1951*	次硝酸ビスマス	*893*
山椒末	*1951*	ジスチグミン臭化物	893, *39**
酸素	*876*	ジスチグミン臭化物錠	*894*
サンソウニン	*1951*	L－システィン	894, *39**
酸棗仁	*1951*	L－システイン	895, *39**
サントニン	*877*	L－システイン塩酸塩水和物	896, *39**
サントニン散，カイニン酸・	*684*	シスプラチン	*897*
サンヤク	*1952*	ジスルフィラム	898, *39**
山薬	*1952*	ジソピラミド	898, *39**
サンヤク末	*1952*	紫蘇葉	*1984*
山薬末	*1952*	シタグリプチンリン酸塩錠	*901*
		シタグリプチンリン酸塩水和物	899, *39**
シ		シタラビン	902, *39**
		シチコリン	903, *39**
脂，カカオ	*1891*	シツリシ	*1955*
脂，牛	*1914*	蒺藜子	*1955*
脂，豚	*2016*	ジドブジン	904, *39**
次亜塩素酸ナトリウム液，歯科用	*488*	ジドロゲステロン	905, *39**
ジアスターゼ	*877*	ジドロゲステロン錠	*906*
ジアスターゼ・重曹散	*877*	シノキサシン	907, *39**
ジアスターゼ・重曹散，複方	*878*	シノキサシンカプセル	*907*
ジアスターゼ散，複方ロートエキス・	*2084*	ジノプロスト	*908*
ジアゼパム	878, *38**	ジヒドロエルゴタミンメシル酸塩	*909*
ジアゼパム錠	*878*	ジヒドロエルゴトキシンメシル酸塩	910, *39**
シアナミド	879, *39**	ジヒドロコデインリン酸塩	*912*

ジヒドロコデインリン酸塩散1%	*912*
ジヒドロコデインリン酸塩散10%	*913*
ジピリダモール	*914*, <u>*39*</u>※
ジフェニドール塩酸塩	*915*, <u>*39*</u>※
ジフェンヒドラミン	*916*, <u>*39*</u>※
ジフェンヒドラミン，タンニン酸	*1116*, <u>*42*</u>※
ジフェンヒドラミン・バレリル尿素散	*917*
ジフェンヒドラミン・フェノール・亜鉛華リニメント	*917*
ジフェンヒドラミン塩酸塩	*916*, <u>*39*</u>※
ジフェンヒドラミン軟膏，ヒドロコルチゾン・	*1397*
ジブカイン塩酸塩	*918*, <u>*39*</u>※
ジフテリアウマ抗毒素，乾燥	*918*
ジフテリアトキソイド	*918*
ジフテリアトキソイド，成人用沈降	*918*
ジフテリア破傷風混合トキソイド，沈降	*919*
ジフルコルトロン吉草酸エステル	*919*, <u>*39*</u>※
ジプロピオン酸エステル，ベタメタゾン	*1586*, <u>*48*</u>※
シプロフロキサシン	*920*, <u>*39*</u>※
シプロフロキサシン塩酸塩水和物	*921*, <u>*39*</u>※
シプロヘプタジン塩酸塩水和物	*922*, <u>*39*</u>※
ジフロラゾン酢酸エステル	*923*, <u>*39*</u>※
ジベカシン硫酸塩	*924*, <u>*39*</u>※
ジベカシン硫酸塩点眼液	*925*
シベレスタットナトリウム，注射用	*926*
シベレスタットナトリウム水和物	*925*, <u>*39*</u>※
シベンゾリンコハク酸塩	*927*, <u>*39*</u>※
シベンゾリンコハク酸塩錠	*928*
シメチジン	*929*, <u>*39*</u>※
ジメモルファンリン酸塩	*929*, <u>*39*</u>※
ジメルカプロール	*930*, <u>*39*</u>※
ジメルカプロール注射液	*930*
ジメンヒドリナート	*931*
ジメンヒドリナート錠	*931*
次没食子酸ビスマス	*932*, <u>*39*</u>※
ジモルホラミン	*933*, <u>*39*</u>※
ジモルホラミン注射液	*933*
シャカンゾウ	*1955*, *90*
炙甘草	*1955*
弱アヘンアルカロイド・スコポラミン注射液	*439*
弱毒生おたふくかぜワクチン，乾燥	*673*
弱毒生風しんワクチン，乾燥	*1444*
弱毒生麻しんワクチン，乾燥	*1660*
シャクヤク	*1956*
芍薬	*1956*
芍薬甘草湯エキス	*1957*
シャクヤク末	*1957*
芍薬末	*1957*
ジャショウシ	*1959*, *90*
蛇床子	*1959*
シャゼンシ	*1959*
車前子	*1959*
シャゼンソウ	*1959*, *90*
車前草	*1959*
臭化カリウム	*934*, <u>*39*</u>※
臭化水素酸塩，ホマトロピン	*1640*
臭化水素酸塩水和物，スコポラミン	*965*
臭化水素酸塩水和物，デキストロメトルファン	*1150*, <u>*42*</u>※
臭化ナトリウム	*934*, <u>*39*</u>※
臭化物，ジスチグミン	*893*, <u>*39*</u>※
臭化物，パンクロニウム	*1355*
臭化物，ピリドスチグミン	*1420*, <u>*45*</u>※
臭化物，ブチルスコポラミン	*1470*, <u>*46*</u>※
臭化物，ブトロピウム	*1481*, <u>*46*</u>※, *73*
臭化物，プロパンテリン	*1552*
臭化物，メチルベナクチジウム	*1707*
臭化物，メペンゾラート	*1727*, <u>*49*</u>※
臭化物錠，ジスチグミン	*894*
臭化物水和物，イプラトロピウム	*535*, <u>*34*</u>※
臭化物水和物，チメピジウム	*1136*, <u>*42*</u>※
十全大補湯エキス	*1960*
重曹	*1111*
重曹散，ゲンチアナ・	*1922*
重曹散，ジアスターゼ・	*877*
重曹散，センブリ・	*1982*
重曹散，複方ジアスターゼ・	*878*
重曹水，苦味	*1963*
重炭酸ナトリウム	*1111*
重炭酸ナトリウム注射液	*1111*
ジュウヤク	*1963*
十薬	*1963*
シュクシャ	*1963*
縮砂	*1963*
シュクシャ末	*1964*
縮砂末	*1964*
酒石酸	*935*, <u>*39*</u>※
酒石酸塩，アリメマジン	*464*, <u>*33*</u>※
酒石酸塩，イフェンプロジル	*530*, <u>*34*</u>※
酒石酸塩，エルゴタミン	*647*
酒石酸塩，キタサマイシン	*737*, <u>*37*</u>※
酒石酸塩，ゾルピデム	*1086*, <u>*41*</u>※
酒石酸塩，メトプロロール	*1715*, <u>*49*</u>※
酒石酸塩，レボルファン	*1826*, <u>*50*</u>※
酒石酸塩細粒，イフェンプロジル	*531*
酒石酸塩錠，イフェンプロジル	*530*
酒石酸塩錠，ゾルピデム	*1087*
酒石酸塩錠，メトプロロール	*1716*
酒石酸塩水和物，プロチレリン	*1549*, <u>*47*</u>※
酒石酸塩注射液，レボルファン	*1826*
硝化物，チアミン	*1123*, <u>*42*</u>※
ショウキョウ	*1964*, *90*
生姜	*1964*
ショウキョウ末	*1965*, *90*
生姜末	*1965*
小柴胡湯エキス	*1965*
硝酸アミル，亜	*404*
硝酸イソソルビド	*936*, <u>*39*</u>※
硝酸イソソルビド錠	*936*
硝酸イソソルビド錠，―	*526*

硝酸イソソルビド乳糖末，70％―	524, *34**	シロップ用ファロペネムナトリウム	***1439***
硝酸塩，ナファゾリン	1262, *43**	シロップ用ペミロラストカリウム	***1607***
硝酸塩，ビタミンB₁	***1123***	シロップ用ホスホマイシンカルシウム	***1635***
硝酸塩，ミコナゾール	1670, *49**	シロドシン	951, *40**
硝酸銀	***935***, *39**	シロドシン口腔内崩壊錠	*954*
硝酸銀点眼液	*935*	シロドシン錠	*952*
硝酸ビスマス，次	*893*	シンイ	*1971*
常水	*959*	辛夷	*1971*
ショウズク	***1968***, ***91***	シンギ	*1972*
小豆蔲	***1968***, ***91***	晋耆	*1972*
小豆蔲	***91***	親水クリーム	*765*
小豆蔲	***91***	親水軟膏	*765*
小豆蔲	***1968***, ***91***	親水ワセリン	***1858***
小青竜湯エキス	***1968***	診断用クエン酸ナトリウム液	*754*
焼セッコウ	***1975***	シンバスタチン	956, *40**
焼石膏	***1975***	シンバスタチン錠	*957*
消毒用アルコール	*591*	真武湯エキス	***1972***, ***91***
消毒用エタノール	*591*		
消毒用フェノール	***1457***	**ス**	
消毒用フェノール水	***1458***		
樟脳	*731*	水，アンモニア	495, *34**
ショウマ	***1971***, ***91***	水，キョウニン	*1915*
升麻	*1971*	水，杏仁	*1915*
焼ミョウバン	***1803***	水，苦味重曹	*1963*
食塩	*652*	水，クレゾール	*777*
食塩液，生理	991, *40**	水，常	*959*
ジョサマイシン	***937***, *39**	水，消毒用フェノール	*1458*
ジョサマイシン錠	*938*	水，精製	*959*
ジョサマイシンプロピオン酸エステル	***939***, *39**	水，注射用	*960*
シラザプリル錠	*940*	水，ハッカ	*2028*
シラザプリル水和物	***940***, *39**	水，フェノール	*1458*
シラスタチンナトリウム	***942***, *39**	水，ホルマリン	*1654*
シラスタチンナトリウム，注射用イミペネム・	542, *54*	水，ミョウバン	*1681*
ジラゼプ塩酸塩水和物	***943***, *39**	水，滅菌精製	*959*
ジルチアゼム塩酸塩	***944***, *40**	水，硫酸マグネシウム	*1806*
ジルチアゼム塩酸塩徐放カプセル	*945*	水(容器入り)，精製	*959*
シルニジピン	***946***, *40**	水(容器入り)，注射用	*960*
シルニジピン錠	*947*	水(容器入り)，滅菌精製	*959*
シレキセチル，カンデサルタン	721, *37**	水酸化アルミニウムゲル，乾燥	960, *40**
シレキセチル・アムロジピンベシル酸塩錠，		水酸化アルミニウムゲル細粒，乾燥	*961*
カンデサルタン	*724*	水酸化カリウム	***961***, *40**
シレキセチル・ヒドロクロロチアジド錠，		水酸化カルシウム	***961***, *40**
カンデサルタン	*726*	水酸化ナトリウム	***962***, *40**
シレキセチル錠，カンデサルタン	*722*	水素カルシウム，無水リン酸	*1812*, *50**
シロスタゾール	***949***, *40**	水素カルシウム水和物，リン酸一	*1813*, *50**
シロスタゾール錠	*950*	水素カルシウム水和物，リン酸二	*1814*, *50**
シロップ用アシクロビル	*399*	水素ナトリウム，亜硫酸	464, *33**
シロップ用クラリスロマイシン	*758*	水素ナトリウム，炭酸	1111, *41**
シロップ用セファトリジンプロピレングリコール	***1005***	水素ナトリウム水和物，リン酸	*1814*, *50**
シロップ用セファドロキシル	***1008***	水素ナトリウム注射液，炭酸	*1111*
シロップ用セファレキシン	***1012***	水和物，アクリノール	391, *33**
シロップ用セフポドキシム　プロキセチル	***1059***	水和物，アジスロマイシン	402, *33**
シロップ用セフロキサジン	***1065***	水和物，アスポキシシリン	412, *33**
シロップ用トラニラスト	***1214***	水和物，アトルバスタチンカルシウム	426, *33**

水和物，アトロピン硫酸塩	431
水和物，アミノフィリン	449, *33**
水和物，アモキシシリン	456, *33**
水和物，アルガトロバン	465, *34**
水和物，アレンドロン酸ナトリウム	479, *34**
水和物，アンピシリン	489, *34**
水和物，イソマル	519, *34**
水和物，イプラトロピウム臭化物	535, *34**
水和物，イミペネム	541, *34**
水和物，イリノテカン塩酸塩	543, *35**
水和物，エカベトナトリウム	581, *35**
水和物，エチルモルヒネ塩酸塩	603
水和物，エデト酸カルシウムナトリウム	606, *35**
水和物，エデト酸ナトリウム	607, *35**
水和物，エノキサシン	615, *35**
水和物，塩化カルシウム	651, *36**
水和物，オキシコドン塩酸塩	661
水和物，カイニン酸	683, *36**
水和物，ガチフロキサシン	685, *36**
水和物，カフェイン	693, *36**
水和物，カルバゾクロムスルホン酸ナトリウム	706, *36**
水和物，カルビドパ	708, *36**
水和物，キニジン硫酸塩	741
水和物，キニーネ塩酸塩	742
水和物，キニーネ硫酸塩	743, *37**
水和物，クエン酸	753, *37**
水和物，クエン酸ナトリウム	754, *37**
水和物，グルコン酸カルシウム	773, *37**
水和物，クロカプラミン塩酸塩	779, *37**
水和物，クロキサシリンナトリウム	780, *37**
水和物，コデインリン酸塩	842
水和物，酢酸ナトリウム	858, *38**
水和物，サッカリンナトリウム	860, *38**
水和物，ジクロキサシリンナトリウム	883
水和物，シクロホスファミド	887, *39**
水和物，L-システイン塩酸塩	896, *39**
水和物，シタグリプチンリン酸塩	899, *39**
水和物，シプロフロキサシン塩酸塩	921, *39**
水和物，シプロヘプタジン塩酸塩	922, *39**
水和物，シベレスタットナトリウム	925, *39**
水和物，シラザプリル	940, *39**
水和物，ジラゼプ塩酸塩	943, *39**
水和物，スキサメトニウム塩化物	963
水和物，スクラルファート	964, *40**
水和物，スコポラミン臭化水素酸塩	965
水和物，スペクチノマイシン塩酸塩	974
水和物，スルタミシリントシル酸塩	976, *40**
水和物，スルピリン	982, *40**
水和物，スルファモノメトキシン	985, *40**
水和物，セトチアミン塩酸塩	994, *40**
水和物，セファゾリンナトリウム	1003, *40**
水和物，セフィキシム	1015
水和物，セフェピム塩酸塩	1018, *40**
水和物，セフカペン ピボキシル塩酸塩	1033, *40**
水和物，セフタジジム	1043, *41**
水和物，セフチブテン	1046, *41**
水和物，セフトリアキソンナトリウム	1051, *41**
水和物，セフミノクスナトリウム	1060, *41**
水和物，セフロキサジン	1064, *41**
水和物，タカルシトール	1092
水和物，タクロリムス	1095, *41**
水和物，タルチレリン	1105, *41**
水和物，炭酸ナトリウム	1112, *41**
水和物，ダントロレンナトリウム	1115, *42**
水和物，チオ硫酸ナトリウム	1129, *42**
水和物，チメピジウム臭化物	1136, *42**
水和物，デキストロメトルファン臭化水素酸塩	1150, *42**
水和物，ドキサプラム塩酸塩	1188, *42**
水和物，ドキシサイクリン塩酸塩	1188, *42**
水和物，トスフロキサシントシル酸塩	1198, *43**
水和物，ドセタキセル	1201, *43**
水和物，トドララジン塩酸塩	1204, *43**
水和物，ドリペネム	1234, *43**
水和物，トリメトキノール塩酸塩	1240, *43**
水和物，トレハロース	1249, *43**
水和物，乳酸カルシウム	1294, *44**
水和物，乳糖	1299, *44**
水和物，ノスカピン塩酸塩	1304
水和物，パスカルシウム	1324
水和物，パラアミノサリチル酸カルシウム	1324, *44**
水和物，パロキセチン塩酸塩	1348, *45**
水和物，ピコスルファートナトリウム	1372, *45**
水和物，L-ヒスチジン塩酸塩	1375, *45**
水和物，ピタバスタチンカルシウム	1378, *45**
水和物，ヒドロコタルニン塩酸塩	1393, *45**
水和物，ピペミド酸	1406, *45**
水和物，ピペラシリン	1406, *45**
水和物，ピペラジンリン酸塩	1410, *45**
水和物，ピリドキサールリン酸エステル	1418, *45**
水和物，ピルシカイニド塩酸塩	1421, *45**
水和物，ピレンゼピン塩酸塩	1423, *45**
水和物，ファロペネムナトリウム	1437, *46**
水和物，ブドウ糖	1477, *46**
水和物，ブピバカイン塩酸塩	1482, *46**
水和物，プラステロン硫酸エステルナトリウム	1490, *46**
水和物，プランルカスト	1501, *46**
水和物，プロカテロール塩酸塩	1537, *47**
水和物，プロチレリン酒石酸塩	1549, *47**
水和物，ブロムフェナクナトリウム	1565, *47**
水和物，ベルベリン塩化物	1616, *48**
水和物，ベンジルペニシリンベンザチン	1622, *48**
水和物，ホスホマイシンカルシウム	1634, *48**
水和物，ホリナートカルシウム	1652, *48**
水和物，ホルモテロールフマル酸塩	1654, *48**, 77
水和物，マルトース	1663, *48**
水和物，ミチグリニドカルシウム	1673, *49**
水和物，ムピロシンカルシウム	1681, *49**
水和物，メチルドパ	1704, *49**

水和物，メルカプトプリン······1727, *49**
水和物，メロペネム······1729, *49**
水和物，モサプリドクエン酸塩······1732, *49**
水和物，モルヒネ塩酸塩······1736
水和物，モルヒネ硫酸塩······1740
水和物，リシノプリル······1776, *50**
水和物，リセドロン酸ナトリウム······1784, *50**
水和物，硫酸亜鉛······1802, *50**
水和物，硫酸アルミニウムカリウム······1803, *50**
水和物，硫酸鉄······1804, *50**
水和物，硫酸マグネシウム······1805, *50**
水和物，リルマザホン塩酸塩······1808, *50**
水和物，リンコマイシン塩酸塩······1811, *50**
水和物，リン酸水素カルシウム······1813, *50**
水和物，リン酸水素ナトリウム······1814, *50**
水和物，リン酸二水素カルシウム······1814, *50**
水和物，レボチロキシンナトリウム······1827
水和物，レボフロキサシン······1829, *50**
水和物，レボホリナートカルシウム······1834, *50**
水和物，ロキソプロフェンナトリウム······1842, *50**
スキサメトニウム塩化物，注射用······964
スキサメトニウム塩化物水和物······963
スキサメトニウム塩化物注射液······963
スクラルファート水和物······964, *40**
スコポラミン臭化水素酸塩水和物······965
スコポラミン注射液，アヘンアルカロイド・······438
スコポラミン注射液，弱アヘンアルカロイド・······439
ステアリルアルコール······966
ステアリン酸······966, *40**, 59
ステアリン酸塩，エリスロマイシン······639
ステアリン酸カルシウム······968, *40**
ステアリン酸ポリオキシル40······968, *40**
ステアリン酸マグネシウム······968, *40**, 59
ストレプトマイシン硫酸塩······970, *40**
ストレプトマイシン硫酸塩，注射用······971
スピラマイシン酢酸エステル······971, *40**
スピロノラクトン······972
スピロノラクトン錠······973
スペクチノマイシン塩酸塩，注射用······974, 60
スペクチノマイシン塩酸塩水和物······974
スリンダク······975, *40**
スルタミシリントシル酸塩錠······977
スルタミシリントシル酸塩水和物······976, *40**
スルチアム······978, *40**
スルバクタムナトリウム······979, *40**
スルバクタムナトリウム， 　注射用アンピシリンナトリウム・······492, 53
スルバクタムナトリウム， 　注射用セフォペラゾンナトリウム・······1031, 61
スルピリド······980, *40**
スルピリドカプセル······981
スルピリド錠······981
スルピリン水和物······982, *40**
スルピリン注射液······982
スルファサラジン······861
スルファジアジン銀······983
スルファフラゾール······986
スルファメチゾール······984, *40**
スルファメトキサゾール······984, *40**
スルファモノメトキシン水和物······985, *40**
スルフイソキサゾール······986, *40**
スルベニシリンナトリウム······986, *40**
スルホブロモフタレインナトリウム······987, *40**
スルホブロモフタレインナトリウム注射液······988
スルホン酸，アミノエチル······1091
スルホン酸カリウム，グアヤコール······747
スルホン酸カルシウム，ポリスチレン······1647, *48**
スルホン酸ナトリウム，ポリスチレン······1649, *48**
スルホン酸ナトリウム水和物，カルバゾクロム······706, *36**
スルホンフタレイン，フェノール······1459
スルホンフタレイン注射液，フェノール······1460

セ

成人用沈降ジフテリアトキソイド······918
精製水······959
精製水，滅菌······959
精製水(容器入り)······959
精製水(容器入り)，滅菌······959
精製ゼラチン······1071, *41**
精製セラック······1073, *41**
精製デヒドロコール酸······1162, *42**
精製白糖······1312
精製ヒアルロン酸ナトリウム······1360, *45**
精製ヒアルロン酸ナトリウム注射液······1361
精製ヒアルロン酸ナトリウム点眼液······1362
精製百日せきジフテリア破傷風混合ワクチン，沈降······1415
精製百日せきワクチン，沈降······1415
精製ブドウ糖······1476, *46**
精製ラノリン······2072
性腺刺激ホルモン，胎盤性······989
性腺刺激ホルモン，注射用胎盤性······991
性腺刺激ホルモン，注射用ヒト絨毛性······991
性腺刺激ホルモン，ヒト下垂体性······988
性腺刺激ホルモン，ヒト絨毛性······989
生理食塩液······991, *40**
石油ベンジン······991
セスキオレイン酸エステル，ソルビタン······1086, *41**
セタノール······992
セチリジン塩酸塩······992, *40**
セチリジン塩酸塩錠······993
石ケン，カリ······703
石ケン，薬用······1748, *49**
石ケン液，クレゾール······777
セッコウ······1975
石膏······1975
セッコウ，焼······1975
セトチアミン塩酸塩水和物······994, *40**

セトラキサート塩酸塩	995, 40*		セフテラム　ピボキシル細粒	1050
セネガ	1975		セフテラム　ピボキシル錠	1049
セネガシロップ	1976		セフトリアキソンナトリウム水和物	1051, 41*
セネガ末	1976		セフピラミドナトリウム	1053, 41*
セファクロル	996, 40*		セフピロム硫酸塩	1054, 41*
セファクロルカプセル	997		セフブペラゾンナトリウム	1055, 41*
セファクロル細粒	1000		セフポドキシム　プロキセチル	1056, 41*
セファクロル複合顆粒	998		セフポドキシム　プロキセチル，シロップ用	1059
セファゾリンナトリウム	1001, 40*		セフポドキシム　プロキセチル錠	1058
セファゾリンナトリウム，注射用	1004		セフミノクスナトリウム水和物	1060, 41*
セファゾリンナトリウム水和物	1003, 40*		セフメタゾールナトリウム	1061, 41*
セファトリジンプロピレングリコール	1005, 40*		セフメタゾールナトリウム，注射用	1062
セファトリジンプロピレングリコール，シロップ用	1005		セフメノキシム塩酸塩	1062, 41*
セファドロキシル	1006, 40*		セフロキサジン，シロップ用	1065
セファドロキシル，シロップ用	1008		セフロキサジン水和物	1064, 41*
セファドロキシルカプセル	1007		セフロキシム　アキセチル	1066, 41*
セファレキシン	1008, 40*		セボフルラン	1067
セファレキシン，シロップ用	1012		セラセフェート	1068, 41*
セファレキシンカプセル	1009		ゼラチン	1069, 41*
セファレキシン複合顆粒	1010		ゼラチン，精製	1071, 41*
セファロチンナトリウム	1013, 40*		セラック，精製	1073, 41*
セファロチンナトリウム，注射用	1014		セラック，白色	1074, 41*
セフィキシムカプセル	1016		L-セリン	1074, 41*
セフィキシム細粒	1017		セルモロイキン（遺伝子組換え）	1075
セフィキシム水和物	1015		セルロース，エチル	602, 35*
セフェピム塩酸塩，注射用	1019		セルロース，カルボキシメチル	715
セフェピム塩酸塩水和物	1018, 40*		セルロース，結晶	1078, 41*
セフォジジムナトリウム	1020, 40*		セルロース，酢酸フタル酸	1068
セフォゾプラン塩酸塩	1022, 40*		セルロース，低置換度ヒドロキシプロピル	1390, 45*
セフォゾプラン塩酸塩，注射用	1023		セルロース，ヒドロキシエチル	1386, 45*
セフォタキシムナトリウム	1023, 40*		セルロース，ヒドロキシプロピル	1389, 45*
セフォチアム塩酸塩	1024, 40*		セルロース，粉末	1080, 41*, 61
セフォチアム塩酸塩，注射用	1025		セルロース，メチル	1701, 49*
セフォチアム　ヘキセチル塩酸塩	1026, 40*		セルロースカルシウム，カルボキシメチル	716
セフォテタン	1028, 40*		セルロースナトリウム，カルボキシメチル	717
セフォペラゾンナトリウム	1030, 40*		セレコキシブ	1081, 41*
セフォペラゾンナトリウム，注射用	1031		センキュウ	1976
セフォペラゾンナトリウム・スルバクタムナトリウム，注射用	1031, 61		川芎	1976
			センキュウ末	1977
セフカペン　ピボキシル塩酸塩細粒	1035		川芎末	1977
セフカペン　ピボキシル塩酸塩錠	1034		ゼンコ	1977
セフカペン　ピボキシル塩酸塩水和物	1033, 40*		前胡	1977
セフジトレン　ピボキシル	1036, 41*		センコツ	1978
セフジトレン　ピボキシル細粒	1038		川骨	1978
セフジトレン　ピボキシル錠	1037		センソ	1978
セフジニル	1039, 41*		蟾酥	1978
セフジニルカプセル	1040		センナ	1979, 91
セフジニル細粒	1041		センナ散，複方ダイオウ	1987
セフスロジンナトリウム	1041, 41*		センナ末	1980, 92
セフタジジム，注射用	1044		センブリ	1981
セフタジジム水和物	1043, 41*		センブリ・重曹散	1982
セフチゾキシムナトリウム	1045, 41*		センブリ末	1982
セフチブテン水和物	1046, 41*			
セフテラム　ピボキシル	1048, 41*			

ソ

ソウジュツ·· *1983*
蒼朮··· *1983*
ソウジュツ末··· *1983*
蒼朮末··· *1983*
ソウハクヒ··· *1983*
桑白皮··· *1983*
組織培養不活化狂犬病ワクチン，乾燥······························ *744*
ゾニサミド·· *1082*, *41**
ゾニサミド錠··· *1083*
ゾピクロン·· *1084*, *41**
ゾピクロン錠··· *1085*
ソボク·· *1984*
蘇木·· *1984*
ソヨウ··· *1984*
蘇葉·· *1984*
ソルビタンセスキオレイン酸エステル······················· *1086*, *41**
ゾルピデム酒石酸塩··· *1086*, *41**
ゾルピデム酒石酸塩錠·· *1087*
D－ソルビトール··· *1088*, *41**
D－ソルビトール液·· *1089*, *41**

タ

ダイオウ··· *1985*
大黄·· *1985*
ダイオウ・センナ散，複方·· *1987*
大黄甘草湯エキス·· *1987*
ダイオウ末··· *1986*
大黄末·· *1986*
大柴胡湯エキス··· *1989*
ダイズ油·· *1992*
タイソウ··· *1992*
大棗··· *1992*
胎盤性性腺刺激ホルモン·· *989*
胎盤性性腺刺激ホルモン，注射用··· *991*
ダウノルビシン塩酸塩··· *1090*, *41**
タウリン·· *1091*, *41**
タカルシトール水和物·· *1092*
タカルシトール軟膏·· *1093*
タカルシトールローション··· *1093*
タクシャ·· *1992*
沢瀉··· *1992*
タクシャ末··· *1992*
沢瀉末·· *1992*
ダクチノマイシン··· *389*
タクロリムスカプセル·· *1095*
タクロリムス水和物·· *1095*, *41**
タゾバクタム·· *1096*, *41**
タゾバクタム・ピペラシリン，注射用···································· *1097*
ダナゾール··· *1099*, *41**
タムスロシン塩酸塩·· *1100*, *41**
タムスロシン塩酸塩徐放錠·· *1101*
タモキシフェンクエン酸塩·· *1102*, *41**
タランピシリン塩酸塩·· *1103*, *41**
タリウム(^{201}Tl)注射液，塩化··· *651*
タルク·· *1104*
タルチレリン口腔内崩壊錠··· *1107*
タルチレリン錠·· *1106*
タルチレリン水和物··· *1105*, *41**
炭，薬用·· *1748*, *49**
炭酸エステル，キニーネエチル·· *742*, *37**
炭酸カリウム··· *1108*, *41**
炭酸カルシウム，沈降·· *1109*, *41**
炭酸カルシウム細粒，沈降··· *1110*
炭酸カルシウム錠，沈降··· *1109*
炭酸水素ナトリウム··· *1111*, *41**
炭酸水素ナトリウム注射液·· *1111*
炭酸ナトリウム，乾燥·· *1111*, *41**
炭酸ナトリウム水和物·· *1112*, *41**
炭酸マグネシウム·· *1112*, *41**
炭酸リチウム·· *1113*, *41**
単シロップ··· *1114*
タンジン·· *1993*
丹参··· *1993*
炭素，二酸化·· *1281*
ダントロレンナトリウム水和物······································ *1115*, *42**
タンナルビン··· *1116*
タンナルビン・ビスマス散，オウバク・································· *1881*
単軟膏··· *1993*
タンニン坐剤，ロートエキス・·· *2084*
タンニン酸·· *1115*
タンニン酸アルブミン·· *1116*
タンニン酸ジフェンヒドラミン·· *1116*, *42**
タンニン酸ベルベリン··· *1116*

チ

チアプリド塩酸塩··· *1117*, *42**
チアプリド塩酸塩錠·· *1118*
チアマゾール·· *1119*, *42**
チアマゾール錠··· *1119*
チアミラールナトリウム·· *1120*, *42**
チアミラールナトリウム，注射用·· *1121*
チアミン塩化物塩酸塩·· *1121*, *42**
チアミン塩化物塩酸塩散·· *1122*
チアミン塩化物塩酸塩注射液·· *1123*
チアミン硝化物··· *1123*, *42**
チアラミド塩酸塩··· *1124*, *42**
チアラミド塩酸塩錠·· *1125*
チアントール··· *1125*
チアントール・サリチル酸液，複方······································· *1126*
チアントール軟膏，イオウ・サリチル酸···································· *499*
チオペンタールナトリウム··· *1127*, *42**
チオペンタールナトリウム，注射用································· *1128*, *42**
チオリダジン塩酸塩··· *1128*, *42**
チオ硫酸ナトリウム水和物·· *1129*, *42**

項目	ページ
チオ硫酸ナトリウム注射液	1129
チオリンゴ酸ナトリウム，金	744, *37**
チクセツニンジン	1993
竹節人参	1993
チクセツニンジン末	1994
竹節人参末	1994
チクロピジン塩酸塩	1130, *42**
チクロピジン塩酸塩錠	1130
チザニジン塩酸塩	1131, *42**
チタン，酸化	874
窒素	1132
窒素，亜酸化	395
チニダゾール	1133, *42**
チペピジンヒベンズ酸塩	1133, *42**
チペピジンヒベンズ酸塩錠	1134
チメピジウム臭化物水和物	1136, *42**
チモ	1994
知母	1994
チモール	1136
チモロールマレイン酸塩	1137, *42**
チモロールマレイン酸塩点眼液，ドルゾラミド塩酸塩	1244
注射用アシクロビル	401
注射用アズトレオナム	408
注射用アセチルコリン塩化物	413, *33**
注射用アミカシン硫酸塩	445
注射用アムホテリシンB	452, *53*
注射用アンピシリンナトリウム	491
注射用アンピシリンナトリウム・スルバクタムナトリウム	492, *53*
注射用イダルビシン塩酸塩	524
注射用イミペネム・シラスタチンナトリウム	542, *54*
注射用オザグレルナトリウム	673
注射用シベレスタットナトリウム	926
注射用水	960
注射用水(容器入り)	960
注射用スキサメトニウム塩化物	964
注射用ストレプトマイシン硫酸塩	971
注射用スペクチノマイシン塩酸塩	974, *60*
注射用セファゾリンナトリウム	1004
注射用セファロチンナトリウム	1014
注射用セフェピム塩酸塩	1019
注射用セフォゾプラン塩酸塩	1023
注射用セフォチアム塩酸塩	1025
注射用セフォペラゾンナトリウム	1031
注射用セフォペラゾンナトリウム・スルバクタムナトリウム	1031, *61*
注射用セフタジジム	1044
注射用セフメタゾールナトリウム	1062
注射用胎盤性性腺刺激ホルモン	991
注射用タゾバクタム・ピペラシリン	1097
注射用チアミラールナトリウム	1121
注射用チオペンタールナトリウム	1128, *42**
注射用テセロイキン(遺伝子組換え)	1160
注射用テモゾロミド	*64*
注射用ドキソルビシン塩酸塩	1194
注射用ドセタキセル	1203
注射用ドリペネム	1236
注射用ナルトグラスチム(遺伝子組換え)	1272, *65*
注射用パニペネム・ベタミプロン	1320
注射用バンコマイシン塩酸塩	1357
注射用ヒト絨毛性性腺刺激ホルモン	991
注射用ヒドララジン塩酸塩	1385
注射用ピペラシリンナトリウム	1409
注射用ビンブラスチン硫酸塩	1432
注射用ファモチジン	1436
注射用フェニトインナトリウム	1448, *46**
注射用プレドニゾロンコハク酸エステルナトリウム	1530
注射用フロモキセフナトリウム	1570
注射用ペニシリンGカリウム	1621
注射用ペプロマイシン硫酸塩	1603
注射用ベンジルペニシリンカリウム	1621
注射用ホスホマイシンナトリウム	1637
注射用ボリコナゾール	1646
注射用マイトマイシンC	1656
注射用ミノサイクリン塩酸塩	1680
注射用メトトレキサート	1714
注射用メロペネム	1730
注射用ロキサチジン酢酸エステル塩酸塩	1839
丁香	1995
丁香末	1995
チョウジ	1995, *92*
丁子	1995
チョウジ末	1995
丁子末	1995
チョウジ油	1995, *92*
丁子油	1995
チョウトウコウ	1996, *92*
釣藤鈎	1996
釣藤鈎	1996
釣藤散エキス	1997
チョレイ	1999
猪苓	1999
チョレイ末	1999
猪苓末	1999
L-チロシン	1138, *42**
チンキ，希ヨード	1754
チンキ，ヨード	1754
チンク油	1138
チンク油，アクリノール・	392
チンク油，複方アクリノール・	393
沈降B型肝炎ワクチン	1370
沈降ジフテリアトキソイド，成人用	918
沈降ジフテリア破傷風混合トキソイド	919
沈降精製百日せきジフテリア破傷風混合ワクチン	1415
沈降精製百日せきワクチン	1415
沈降炭酸カルシウム	1109, *41**
沈降炭酸カルシウム細粒	1110
沈降炭酸カルシウム錠	1109

沈降破傷風トキソイド……………………………………1316
チンピ………………………………………………………2000
陳皮…………………………………………………………2000

ツ

ツバキ油……………………………………………………2000
椿油…………………………………………………………2000
ツロブテロール………………………………1139, *42**
ツロブテロール塩酸塩………………………1140, *42**
ツロブテロール経皮吸収型テープ………………………1139

テ

テイコプラニン………………………………1141, *42**
低置換度ヒドロキシプロピルセルロース……1390, *45**
テオフィリン…………………………………1144, *42**
テガフール……………………………………1145, *42**
デキサメサゾン………………………………………1145
デキサメタゾン………………………………1145, *42**
デキストラン40………………………………1146, *42**
デキストラン40注射液……………………………1147
デキストラン70………………………………1148, *42**
デキストラン硫酸エステルナトリウム イオウ5……1149, *42**
デキストラン硫酸エステルナトリウム イオウ18…1149, *42**
デキストリン…………………………………1150, *42**
デキストロメトルファン臭化水素酸塩水和物…1150, *42**
テクネチウム酸ナトリウム(^{99m}Tc)注射液，過………688
テストステロンエナント酸エステル…………………1151
テストステロンエナント酸エステル注射液…………1152
テストステロンプロピオン酸エステル………………1152
テストステロンプロピオン酸エステル注射液………1153
デスラノシド………………………………………1154
デスラノシド注射液………………………………1154
テセロイキン(遺伝子組換え)……………………1155
テセロイキン(遺伝子組換え)，注射用……………1160
鉄水和物，硫酸………………………………1804, *50**
テトラカイン塩酸塩…………………………1160, *42**
テトラサイクリン塩酸塩……………………1161, *42**
デヒドロコール酸……………………………1162, *42**
デヒドロコール酸，精製……………………1162, *42**
デヒドロコール酸注射液……………………1163, *42**
デフェロキサミンメシル酸塩………………1163, *42**
テプレノン……………………………………1164, *42**
テプレノンカプセル………………………………1166
デメチルクロルテトラサイクリン塩酸塩……1167, *42**
テモカプリル塩酸塩…………………………1168, *42**
テモカプリル塩酸塩錠……………………………1169
テモゾロミド……………………………………*61*
テモゾロミド，注射用…………………………*64*
テモゾロミドカプセル……………………………*62*
テルビナフィン塩酸塩………………………1170, *42**
テルビナフィン塩酸塩液…………………………1172
テルビナフィン塩酸塩クリーム……………………1173

テルビナフィン塩酸塩錠…………………………1171
テルビナフィン塩酸塩スプレー…………………1172
テルブタリン硫酸塩…………………………1173, *42**
テルミサルタン………………………………1174, *42**
テルミサルタン・アムロジピンベシル酸塩錠………1176
テルミサルタン・ヒドロクロロチアジド錠…………1178
テルミサルタン錠…………………………………1175
テレビン油…………………………………………2001
天台烏薬…………………………………………1871
天然ケイ酸アルミニウム……………………824, *38**
デンプン，亜鉛華…………………………………389
デンプン，コムギ……………………………1180, *65*
デンプン，コメ……………………………………1182
デンプン，酸化亜鉛………………………………389
デンプン，トウモロコシ…………………………1183
デンプン，バレイショ……………………………1184
デンプングリコール酸ナトリウム…………1185, *42**
テンマ………………………………………………2001
天麻…………………………………………………2001
テンモンドウ………………………………………2001
天門冬………………………………………………2001

ト

桃核承気湯エキス……………………………2002, *93*
トウガシ…………………………………………2004
冬瓜子……………………………………………2004
トウガラシ………………………………………2005
トウガラシ・サリチル酸精………………………2007
トウガラシチンキ…………………………………2006
トウガラシ末……………………………………2005
トウキ……………………………………………2007
当帰………………………………………………2007
当帰芍薬散エキス………………………………2008
トウキ末…………………………………………2008
当帰末……………………………………………2008
トウジン…………………………………………2010
党参………………………………………………2010
透析用ヘパリンナトリウム液……………………1600
痘そうワクチン，乾燥…………………………1186
痘そうワクチン，乾燥細胞培養…………………1186
トウニン………………………………………2011, *93*
桃仁………………………………………………2011
トウニン末……………………………………2011, *94*
桃仁末……………………………………………2011
トウヒ……………………………………………2012
橙皮………………………………………………2012
トウヒシロップ…………………………………2012
橙皮シロップ……………………………………2012
トウヒチンキ……………………………………2013
橙皮チンキ………………………………………2013
トウモロコシデンプン…………………………1183
トウモロコシ油…………………………………2013
当薬………………………………………………1981

当薬末	1982	トラニラストカプセル	1212
ドキサゾシンメシル酸塩	1186, *42**	トラニラスト細粒	1213
ドキサゾシンメシル酸塩錠	1187	トラニラスト点眼液	1215
ドキサプラム塩酸塩水和物	1188, *42**	トラネキサム酸	1216, *43**
ドキシサイクリン塩酸塩錠	1190	トラネキサム酸カプセル	1218
ドキシサイクリン塩酸塩水和物	1188, *42**	トラネキサム酸錠	1217
ドキシフルリジン	1191, *42**	トラネキサム酸注射液	1218
ドキシフルリジンカプセル	1192	トラピジル	1219, *43**
トキソイド,ジフテリア	918	トラマドール塩酸塩	1220, *43**
トキソイド,成人用沈降ジフテリア	918	トリアゾラム	1221, *43**
トキソイド,沈降ジフテリア破傷風混合	919	トリアムシノロン	1222, *43**
トキソイド,沈降破傷風	1316	トリアムシノロンアセトニド	1223, *43**
ドキソルビシン塩酸塩	1193	トリアムテレン	1224, *43**
ドキソルビシン塩酸塩,注射用	1194	トリエンチン塩酸塩	1224, *43**
ドクカツ	2013	トリエンチン塩酸塩カプセル	1225
独活	2013	トリオジンクパスタ,歯科用	1226
トコフェロール	1194, *43**	トリクロホスナトリウム	1226, *43**
トコフェロールコハク酸エステルカルシウム	1195	トリクロホスナトリウムシロップ	1227
トコフェロール酢酸エステル	1196, *43**	トリクロルメチアジド	1227, *43**
トコフェロールニコチン酸エステル	1197, *43**	トリクロルメチアジド錠	1228
トコン	2014	トリコマイシン	1230
吐根	2014	ʟ-トリプトファン	1231, *43**
トコン散,アヘン・	1863	トリヘキシフェニジル塩酸塩	1232, *43**
トコンシロップ	2015	トリヘキシフェニジル塩酸塩錠	1232
吐根シロップ	2015	ドリペネム,注射用	1236
トコン末	2014	ドリペネム水和物	1234, *43**
吐根末	2014	トリメタジオン	1237, *43**
トシル酸塩錠,スルタミシリン	977	トリメタジジン塩酸塩	1238, *43**
トシル酸塩錠,トスフロキサシン	1200	トリメタジジン塩酸塩錠	1238
トシル酸塩水和物,スルタミシリン	976, *40**	トリメトキノール塩酸塩水和物	1240, *43**
トシル酸塩水和物,トスフロキサシン	1198, *43**	トリメブチンマレイン酸塩	1241, *43**
トスフロキサシントシル酸塩錠	1200	ドルゾラミド塩酸塩	1241, *43**
トスフロキサシントシル酸塩水和物	1198, *43**	ドルゾラミド塩酸塩・チモロールマレイン酸塩点眼液	1244
ドセタキセル,注射用	1203	ドルゾラミド塩酸塩点眼液	1243
ドセタキセル水和物	1201, *43**	トルナフタート	1246, *43**
ドセタキセル注射液	1202	トルナフタート液	1246
トチュウ	2016	トルブタミド	1247, *43**
杜仲	2016	トルブタミド錠	1247
ドッカツ	2013	トルペリゾン塩酸塩	1248, *43**
トドララジン塩酸塩水和物	1204, *43**	ʟ-トレオニン	1248, *43**
ドネペジル塩酸塩	1204, *43**	トレハロース水和物	1249, *43**
ドネペジル塩酸塩細粒	1206	トレピブトン	1250, *43**
ドネペジル塩酸塩錠	1205	ドロキシドパ	1251, *43**
ドパミン塩酸塩	1208, *43**	ドロキシドパカプセル	1251
ドパミン塩酸塩注射液	1208	ドロキシドパ細粒	1252
トフィソパム	1209, *43**	トロキシピド	1253, *43**
ドブタミン塩酸塩	1209, *43**	トロキシピド細粒	1254
トブラマイシン	1210, *43**	トロキシピド錠	1254
トブラマイシン注射液	1211	トロピカミド	1255, *43**
ドーフル散	1863	ドロペリドール	1256, *43**
トラガント	2016	トロンビン	1257
トラガント末	2016	豚脂	2016
トラニラスト	1211, *43**	ドンペリドン	1257, *43**
トラニラスト,シロップ用	1214		

ナ

ナイスタチン······································ **1258**, *43**
ナタネ油·· ***2017***
菜種油·· ***2017***
ナタマイシン··· ***1413***
ナテグリニド······································ **1259**, *43**
ナテグリニド錠··· **1260**
ナトリウム　イオウ5,
　　デキストラン硫酸エステル··············· 1149, *42**
ナトリウム　イオウ18,
　　デキストラン硫酸エステル··············· 1149, *42**
ナトリウム, 亜硫酸水素·························· 464, *33**
ナトリウム, 安息香酸······························ 485, *34**
ナトリウム, アンピシリン························ 490, *34**
ナトリウム, エチドロン酸二···················· 598, *35**
ナトリウム, 塩化······························ 652, *36**, 56
ナトリウム, オザグレル··························· 671, *36**
ナトリウム, カルボキシメチルセルロース······· 717
ナトリウム, カルメロース························ 717, *36**
ナトリウム, カルモナム··························· 719, *36**
ナトリウム, 乾燥亜硫酸··························· 465, *33**
ナトリウム, 乾燥炭酸···························· 1111, *41**
ナトリウム, 乾燥硫酸······························· 2047
ナトリウム, 金チオリンゴ酸···················· 744, *37**
ナトリウム, クロスカルメロース······· 718, *36**, 58
ナトリウム, クロモグリク酸····················· 801, *38**
ナトリウム, クロラムフェニコールコハク酸
　　エステル······································ 805, *38**
ナトリウム, コリスチンメタンスルホン酸··· 849, *38**
ナトリウム, サリチル酸··························· 865, *38**
ナトリウム, ジクロフェナク····················· 885, *39**
ナトリウム, 臭化····································· 934, *39**
ナトリウム, 重炭酸··································· 1111
ナトリウム, シラスタチン························ 942, *39**
ナトリウム, シロップ用ファロペネム············ 1439
ナトリウム, 水酸化································· 962, *40**
ナトリウム, スルバクタム······················· 979, *40**
ナトリウム, スルベニシリン····················· 986, *40**
ナトリウム, スルホブロモフタレイン········ 987, *40**
ナトリウム, 精製ヒアルロン酸················ 1360, *45**
ナトリウム, セファゾリン····················· 1001, *40**
ナトリウム, セファロチン····················· 1013, *40**
ナトリウム, セフォジジム····················· 1020, *40**
ナトリウム, セフォタキシム·················· 1023, *40**
ナトリウム, セフォペラゾン·················· 1030, *40**
ナトリウム, セフスロジン····················· 1041, *41**
ナトリウム, セフチゾキシム·················· 1045, *41**
ナトリウム, セフピラミド····················· 1053, *41**
ナトリウム, セフブペラゾン·················· 1055, *41**
ナトリウム, セフメタゾール·················· 1061, *41**
ナトリウム, 炭酸水素··························· 1111, *41**
ナトリウム, チアミラール····················· 1120, *42**
ナトリウム, チオペンタール·················· 1127, *42**

ナトリウム, 注射用アンピシリン··················· 491
ナトリウム, 注射用アンピシリンナトリウム・
　　スルバクタム······························· 492, 53
ナトリウム, 注射用イミペネム・シラスタチン···· 542, 54
ナトリウム, 注射用オザグレル······················ 673
ナトリウム, 注射用シベレスタット················· 926
ナトリウム, 注射用セファゾリン·················· 1004
ナトリウム, 注射用セファロチン·················· 1014
ナトリウム, 注射用セフォペラゾン··············· 1031
ナトリウム, 注射用セフォペラゾンナトリウム・
　　スルバクタム························· 1031, 61
ナトリウム, 注射用セフメタゾール·············· 1062
ナトリウム, 注射用チアミラール················· 1121
ナトリウム, 注射用チオペンタール········ 1128, *42**
ナトリウム, 注射用ピペラシリン·················· 1409
ナトリウム, 注射用フェニトイン··········· 1448, *46**
ナトリウム, 注射用プレドニゾロンコハク酸エステル··· 1530
ナトリウム, 注射用フロモキセフ·················· 1570
ナトリウム, 注射用ホスホマイシン··············· 1637
ナトリウム, デンプングリコール酸········ 1185, *42**
ナトリウム, トリクロホス····················· 1226, *43**
ナトリウム, パルナパリン···················· 1340, *44**
ナトリウム, バルプロ酸······················· 1343, *44**
ナトリウム, ヒドロコルチゾンコハク酸エステル·· 1395
ナトリウム, ヒドロコルチゾンリン酸エステル·· 1398, *45**
ナトリウム, ピペラシリン····················· 1408, *45**
ナトリウム, ピロ亜硫酸························ 1424, *46**
ナトリウム, フシジン酸························ 1466, *46**
ナトリウム, プラバスタチン·················· 1494, *46**
ナトリウム, フラビンアデニンジヌクレオチド··· 1499, *46**
ナトリウム, フルオレセイン······················· 1505
ナトリウム, プレドニゾロンリン酸エステル··· 1532, *47**
ナトリウム, フロモキセフ···················· 1568, *47**
ナトリウム, ベタメタゾンリン酸エステル······· 1587
ナトリウム, ヘパリン·························· 1596, *48**
ナトリウム, ベラプロスト························· 1611
ナトリウム, ホスホマイシン·················· 1636, *48**
ナトリウム, ポリスチレンスルホン酸······ 1649, *48**
ナトリウム, 無水硫酸································ 2047
ナトリウム, メタ重亜硫酸·························· 1424
ナトリウム, モンテルカスト·················· 1740, *49**
ナトリウム, ヨウ化····························· 1750, *50**
ナトリウム, ラウリル硫酸·························· 1759
ナトリウム, ラタモキセフ···················· 1761, *50**
ナトリウム, ラベプラゾール·················· 1770, *50**
ナトリウム, リオチロニン························· 1774
ナトリウム, リボフラビンリン酸エステル······· 1800
ナトリウム, 硫酸······································ 2047
ナトリウム, ロベンザリット·················· 1856, *51**
ナトリウム(^{51}Cr)注射液, クロム酸················ 801
ナトリウム(^{99m}Tc)注射液, 過テクネチウム酸······ 688
ナトリウム(^{123}I)カプセル, ヨウ化················ 1751
ナトリウム(^{131}I)液, ヨウ化························ 1751
ナトリウム(^{131}I)カプセル, ヨウ化················ 1751

ナトリウム(^{131}I)注射液，ヨウ化ヒプル酸 ················ *1751*
ナトリウム液，歯科用次亜塩素酸 ·············· *488*
ナトリウム液，診断用クエン酸 ················ *754*
ナトリウム液，透析用ヘパリン ················ *1600*
ナトリウム液，L－乳酸 ················ *1295*, <u>*44*</u>*
ナトリウム液，プラバスタチン ················ *1498*
ナトリウム液，ロック用ヘパリン ················ *1600*
ナトリウムカフェイン，安息香酸 ················ *486*, <u>*34*</u>*
ナトリウム顆粒，エカベト ················ *582*
ナトリウム顆粒，モンテルカスト ················ *1746*
ナトリウム細粒，プラバスタチン ················ *1496*
ナトリウム坐剤，ジクロフェナク ················ *886*
ナトリウム十水塩，硫酸 ················ *2047*
ナトリウム錠，アレンドロン酸 ················ *480*
ナトリウム錠，エチドロン酸二 ················ *599*
ナトリウム錠，バルプロ酸 ················ *1343*
ナトリウム錠，ファロペネム ················ *1438*
ナトリウム錠，プラバスタチン ················ *1495*
ナトリウム錠，ベラプロスト ················ *1612*
ナトリウム錠，モンテルカスト ················ *1743*
ナトリウム錠，リオチロニン ················ *1775*
ナトリウム錠，リセドロン酸 ················ *1785*
ナトリウム錠，レボチロキシン ················ *1828*
ナトリウム錠，ロキソプロフェン ················ *1843*
ナトリウム徐放錠A，バルプロ酸 ················ *1344*
ナトリウム徐放錠B，バルプロ酸 ················ *1345*
ナトリウムシロップ，トリクロホス ················ *1227*
ナトリウムシロップ，バルプロ酸 ················ *1346*
ナトリウム水和物，アレンドロン酸 ················ *479*, <u>*34*</u>*
ナトリウム水和物，エカベト ················ *581*, <u>*35*</u>*
ナトリウム水和物，エデト酸 ················ *607*, <u>*35*</u>*
ナトリウム水和物，エデト酸カルシウム ················ *606*, <u>*35*</u>*
ナトリウム水和物，カルバゾクロムスルホン酸 ················ *706*, <u>*36*</u>*
ナトリウム水和物，クエン酸 ················ *754*, <u>*37*</u>*
ナトリウム水和物，クロキサシリン ················ *780*, <u>*37*</u>*
ナトリウム水和物，酢酸 ················ *858*, <u>*38*</u>*
ナトリウム水和物，サッカリン ················ *860*, <u>*38*</u>*
ナトリウム水和物，ジクロキサシリン ················ *883*
ナトリウム水和物，シベレスタット ················ *925*, <u>*39*</u>*
ナトリウム水和物，セファゾリン ················ *1003*, <u>*40*</u>*
ナトリウム水和物，セフトリアキソン ················ *1051*, <u>*41*</u>*
ナトリウム水和物，セフミノクス ················ *1060*, <u>*41*</u>*
ナトリウム水和物，炭酸 ················ *1112*, <u>*41*</u>*
ナトリウム水和物，ダントロレン ················ *1115*, <u>*42*</u>*
ナトリウム水和物，チオ硫酸 ················ *1129*, <u>*42*</u>*
ナトリウム水和物，ピコスルファート ················ *1372*, <u>*45*</u>*
ナトリウム水和物，ファロペネム ················ *1437*, <u>*46*</u>*
ナトリウム水和物，プラステロン硫酸エステル ················ *1490*, <u>*46*</u>*
ナトリウム水和物，ブロムフェナク ················ *1565*, <u>*47*</u>*
ナトリウム水和物，リセドロン酸 ················ *1784*, <u>*50*</u>*
ナトリウム水和物，リン酸水素 ················ *1814*, <u>*50*</u>*
ナトリウム水和物，レボチロキシン ················ *1827*
ナトリウム水和物，ロキソプロフェン ················ *1842*, <u>*50*</u>*
ナトリウムチュアブル錠，モンテルカスト ················ *1744*

ナトリウム(^{99m}Tc)注射液，過テクネチウム ················ *688*
ナトリウム注射液，アレンドロン酸 ················ *482*
ナトリウム注射液，イオタラム酸 ················ *500*
ナトリウム注射液，0.9%塩化 ················ *991*
ナトリウム注射液，10%塩化 ················ *653*
ナトリウム注射液，オザグレル ················ *672*
ナトリウム注射液，重炭酸 ················ *1111*
ナトリウム注射液，スルホブロモフタレイン ················ *988*
ナトリウム注射液，精製ヒアルロン酸 ················ *1361*
ナトリウム注射液，炭酸水素 ················ *1111*
ナトリウム注射液，チオ硫酸 ················ *1129*
ナトリウム注射液，ヘパリン ················ *1599*, <u>*48*</u>*
ナトリウム注射液，輸血用クエン酸 ················ *754*
ナトリウム注射液，リボフラビンリン酸エステル ················ *1801*
ナトリウム点眼液，クロラムフェニコール・コリスチンメタンスルホン酸 ················ *805*
ナトリウム点眼液，精製ヒアルロン酸 ················ *1362*
ナトリウム点眼液，ブロムフェナク ················ *1566*
ナトリウムリンゲル液，L－乳酸 ················ *1296*, <u>*44*</u>*
ナドロール ················ *1261*, <u>*43*</u>*
ナファゾリン・クロルフェニラミン液 ················ *1263*
ナファゾリン塩酸塩 ················ *1262*
ナファゾリン硝酸塩 ················ *1262*, <u>*43*</u>*
ナファモスタットメシル酸塩 ················ *1263*, <u>*43*</u>*
ナフトピジル ················ *1264*, <u>*43*</u>*
ナフトピジル口腔内崩壊錠 ················ *1266*
ナフトピジル錠 ················ *1265*
ナブメトン ················ *1267*, <u>*43*</u>*
ナブメトン錠 ················ *1268*
ナプロキセン ················ *1269*, <u>*44*</u>*
生おたふくかぜワクチン，乾燥弱毒 ················ *673*
生風しんワクチン，乾燥弱毒 ················ *1444*
生麻しんワクチン，乾燥弱毒 ················ *1660*
(NAMALWA)，インターフェロン アルファ ················ *565*
(NAMALWA)注射液，インターフェロン アルファ ················ *568*
ナリジクス酸 ················ *1269*, <u>*44*</u>*
ナルトグラスチム(遺伝子組換え) ················ *1270*, <u>*65*</u>
ナルトグラスチム(遺伝子組換え)，注射用 ················ *1272*, <u>*65*</u>
ナロキソン塩酸塩 ················ *1273*
軟滑石 ················ *1900*

ニ

ニガキ ················ *2017*, <u>*94*</u>
苦木 ················ *2017*
ニガキ末 ················ *2017*, <u>*94*</u>
苦木末 ················ *2017*
ニカルジピン塩酸塩 ················ *1274*, <u>*44*</u>*
ニカルジピン塩酸塩注射液 ················ *1274*
ニクジュヨウ ················ *2017*
ニクジュヨウ ················ *2017*
肉蓯蓉 ················ *2017*
肉蓯蓉 ················ *2017*
ニクズク ················ *2018*, <u>*94*</u>

肉豆蔲	2018,	94
肉豆蔲		94
肉豆蔲		94
肉豆蔲	2018,	94
ニコチン酸	1275,	44*
ニコチン酸アミド	1277,	44*
ニコチン酸エステル，トコフェロール	1197,	43*
ニコチン酸エステル，ビタミンE		1197
ニコチン酸注射液		1276
ニコモール	1277,	44*
ニコモール錠		1278
ニコランジル	1279,	44*
ニザチジン	1279,	44*
ニザチジンカプセル		1280
二酸化炭素		1281
ニセリトロール	1282,	44*
ニセルゴリン	1283,	44*
ニセルゴリン散		1285
ニセルゴリン錠		1284
二相性イソフェンインスリン ヒト(遺伝子組換え) 水性懸濁注射液	558,	55
ニトラゼパム	1286,	44*
ニトレンジピン	1286,	44*
ニトレンジピン錠		1287
ニトログリセリン錠		1288
二ヒ素，三酸化		876
ニフェジピン	1289,	44*
ニフェジピン細粒		1291
ニフェジピン徐放カプセル		1290
ニフェジピン腸溶細粒		1292
乳酸	1293,	44*
L－乳酸	1293,	44*
乳酸エタクリジン		391
乳酸カルシウム水和物	1294,	44*
L－乳酸ナトリウム液	1295,	44*
L－乳酸ナトリウムリンゲル液	1296,	44*
乳糖，無水	1298,	44*
乳糖水和物	1299,	44*
乳糖末，70％－硝酸イソソルビド	524,	34*
尿素	1299,	44*
ニルバジピン	1300,	44*
ニルバジピン錠		1301
ニンジン		2018
人参		2018
ニンジン末		2020
人参末		2020
ニンドウ		2021
忍冬		2021

ネ

ネオスチグミンメチル硫酸塩		1302
ネオスチグミンメチル硫酸塩注射液		1303
ネオマイシン硫酸塩		1489

ノ

濃グリセリン	762,	37*
濃グリセロール		762
濃ベンザルコニウム塩化物液50		1618
ノスカピン	1303,	44*
ノスカピン塩酸塩水和物		1304
ノルアドレナリン		1305
ノルアドレナリン注射液		1305
ノルエチステロン		1306
ノルエピネフリン		1305
ノルエピネフリン注射液		1305
ノルゲストレル	1306,	44*
ノルゲストレル・エチニルエストラジオール錠		1307
ノルトリプチリン塩酸塩	1308,	44*
ノルトリプチリン塩酸塩錠		1309
ノルフロキサシン	1310,	44*

ハ

バイモ		2021
貝母		2021
バカンピシリン塩酸塩	1310,	44*
バクガ		2022
麦芽		2022
白色セラック	1074,	41*
白色軟膏		1274
白色ワセリン	1857,	51*, 82
白糖	1312,	44*
白糖，精製		1312
バクモンドウ		2022
麦門冬		2022
麦門冬湯エキス		2022
白蝋		2064
バクロフェン	1313,	44*
バクロフェン錠		1314
バシトラシン	1315,	44*
バシトラシンA		1315
破傷風混合トキソイド，沈降ジフテリア		919
破傷風混合ワクチン，沈降精製百日せきジフテリア		1415
破傷風トキソイド，沈降		1316
パスカルシウム顆粒		1324
パスカルシウム水和物		1324
パズフロキサシンメシル酸塩	1316,	44*
パズフロキサシンメシル酸塩注射液		1317
バソプレシン注射液		1318
八味地黄丸エキス	2024,	94
ハチミツ		2027
蜂蜜		2027
ハッカ		2027
薄荷		2027
ハッカ水		2028
ハッカ油		2028
薄荷油		2028

パップ用複方オウバク散	*1881*	半夏	*2029*
パニペネム	*1319*, *44**	半夏厚朴湯エキス	*2029*, *95*
パニペネム・ベタミプロン，注射用	*1320*	半夏瀉心湯エキス	*2030*
パパベリン塩酸塩	*1322*	バンコマイシン塩酸塩	*1356*, *45**
パパベリン塩酸塩注射液	*1322*	バンコマイシン塩酸塩，注射用	*1357*
はぶウマ抗毒素，乾燥	*1323*	蕃椒	*2005*
ハマボウフウ	*2028*, *95*	蕃椒末	*2005*
浜防風	*2028*	パンテチン	*1358*, *45**
バメタン硫酸塩	*1323*, *44**	パントテン酸カルシウム	*1359*, *45**
パモ酸塩，ヒドロキシジン	*1388*, *45**	パントテン酸カルシウム錠，アスコルビン酸・	*406*
パモ酸塩，ピランテル	*1417*, *45**		
パラアミノサリチル酸カルシウム顆粒	*1324*	ヒ	
パラアミノサリチル酸カルシウム水和物	*1324*, *44**		
パラオキシ安息香酸エチル	*1325*, *44**, *65*	ヒアルロン酸ナトリウム，精製	*1360*, *45**
パラオキシ安息香酸ブチル	*1326*, *44**, *66*	ヒアルロン酸ナトリウム注射液，精製	*1361*
パラオキシ安息香酸プロピル	*1327*, *44**, *68*	ヒアルロン酸ナトリウム点眼液，精製	*1362*
パラオキシ安息香酸メチル	*1329*, *44**, *69*	ピオグリタゾン塩酸塩	*1363*, *45**
バラシクロビル塩酸塩	*1330*, *44**	ピオグリタゾン塩酸塩・グリメピリド錠	*1365*
バラシクロビル塩酸塩錠	*1331*	ピオグリタゾン塩酸塩・メトホルミン塩酸塩錠	*1367*
パラセタモール	*415*	ピオグリタゾン塩酸塩錠	*1364*
パラフィン	*1332*, *44**	ビオチン	*1370*, *45**
パラフィン，軽質流動	*1333*, *44**	B型肝炎ワクチン，沈降	*1370*
パラフィン，流動	*1333*, *44**	ビカルタミド	*1370*, *45**
パラホルムアルデヒド	*1334*	ビカルタミド錠	*70*
パラホルムパスタ，歯科用	*1335*	ピコスルファートナトリウム水和物	*1372*, *45**
バリウム，硫酸	*1805*, *50**	ビサコジル	*1373*, *45**
L-バリン	*1335*, *44**	ビサコジル坐剤	*1374*
バリン顆粒，イソロイシン・ロイシン・	*521*	BCGワクチン，乾燥	*1374*
バルサルタン	*1336*, *44**	L-ヒスチジン	*1375*, *45**
バルサルタン・ヒドロクロロチアジド錠	*1338*	L-ヒスチジン塩酸塩水和物	*1375*, *45**
バルサルタン錠	*1337*	ビスマス，次硝酸	*893*
パルナパリンナトリウム	*1340*, *44**	ビスマス，次没食子酸	*932*, *39**
バルビタール	*1342*, *44**	ビスマス散，オウバク・タンナルビン・	*1881*
バルプロ酸ナトリウム	*1343*, *44**	ビソプロロールフマル酸塩	*1376*, *45**
バルプロ酸ナトリウム錠	*1343*	ビソプロロールフマル酸塩錠	*1377*
バルプロ酸ナトリウム徐放錠A	*1344*	ピタバスタチンカルシウム口腔内崩壊錠	*1381*
バルプロ酸ナトリウム徐放錠B	*1345*	ピタバスタチンカルシウム錠	*1380*
バルプロ酸ナトリウムシロップ	*1346*	ピタバスタチンカルシウム水和物	*1378*, *45**
パルミチン酸エステル，クロラムフェニコール	*806*, *38**	ビタミンA酢酸エステル	*1818*
パルミチン酸エステル，ビタミンA	*1818*	ビタミンAパルミチン酸エステル	*1818*
パルミチン酸エステル，レチノール	*1818*	ビタミンA油	*1383*
バレイショデンプン	*1184*	ビタミンB_1塩酸塩	*1121*
バレリル尿素散，ジフェンヒドラミン・	*917*	ビタミンB_1塩酸塩散	*1122*
ハロキサゾラム	*1347*, *44**	ビタミンB_1塩酸塩注射液	*1123*
パロキセチン塩酸塩錠	*1350*	ビタミンB_1硝酸塩	*1123*
パロキセチン塩酸塩水和物	*1348*, *45**	ビタミンB_2	*1798*
ハロタン	*1351*	ビタミンB_2散	*1798*
ハロペリドール	*1352*, *45**	ビタミンB_2酪酸エステル	*1799*
ハロペリドール細粒	*1353*	ビタミンB_2リン酸エステル	*1800*
ハロペリドール錠	*1352*	ビタミンB_2リン酸エステル注射液	*1801*
ハロペリドール注射液	*1354*	ビタミンB_6	*1419*
パンクレアチン	*1355*	ビタミンB_6注射液	*1419*
パンクロニウム臭化物	*1355*	ビタミンB_{12}	*880*
ハンゲ	*2029*	ビタミンB_{12}注射液	*881*

ビタミンC	404	ピペミド酸水和物	1406, **45***
ビタミンC散	405	ピペラシリン，注射用タゾバクタム・	1097
ビタミンC注射液	405	ピペラシリン水和物	1406, **45***
ビタミンD$_2$	646	ピペラシリンナトリウム	1408, **45***
ビタミンD$_3$	854	ピペラシリンナトリウム，注射用	1409
ビタミンE	1194	ピペラジンアジピン酸塩	1410, **45***
ビタミンEコハク酸エステルカルシウム	1195	ピペラジンリン酸塩錠	1411
ビタミンE酢酸エステル	1196	ピペラジンリン酸塩水和物	1410, **45***
ビタミンEニコチン酸エステル	1197	ビペリデン塩酸塩	1411, **45***
ビタミンH	1370	ヒベンズ酸塩，チペピジン	1133, **42***
ビタミンK$_1$	1440	ヒベンズ酸塩錠，チペピジン	1134
ヒト（遺伝子組換え），インスリン	554, 54	ピボキシル，セフジトレン	1036, **41***
ヒト（遺伝子組換え）水性懸濁注射液，		ピボキシル，セフテラム	1048, **41***
イソフェンインスリン	556, 55	ピボキシル塩酸塩細粒，セフカペン	1035
ヒト（遺伝子組換え）水性懸濁注射液，		ピボキシル塩酸塩錠，セフカペン	1034
二相性イソフェンインスリン	558, 55	ピボキシル塩酸塩水和物，セフカペン	1033, **40***
ヒト（遺伝子組換え）注射液，インスリン	555, 55	ピボキシル細粒，セフジトレン	1038
ヒト下垂体性性腺刺激ホルモン	988	ピボキシル細粒，セフテラム	1050
人血清アルブミン(^{131}I)注射液，ヨウ化	1751	ピボキシル錠，セフジトレン	1037
ヒト絨毛性性腺刺激ホルモン	989	ピボキシル錠，セフテラム	1049
ヒト絨毛性性腺刺激ホルモン，注射用	991	ビホナゾール	1412, **45***
人全血液	1383	ヒマシ油	2033
人免疫グロブリン	1384	ヒマシ油，加香	2033
ヒドララジン塩酸塩	1384, **45***	ピマリシン	1413, **45***
ヒドララジン塩酸塩，注射用	1385	ヒメクロモン	1414, **45***
ヒドララジン塩酸塩散	1385	ピモジド	1414, **45***
ヒドララジン塩酸塩錠	1384	ビャクゴウ	2033
ヒドロキシエチルセルロース	1386, **45***	百合	2033
ヒドロキシジン塩酸塩	1387, **45***	ビャクシ	2034
ヒドロキシジンパモ酸塩	1388, **45***	白芷	2034
ヒドロキシプロピルセルロース	1389, **45***	ビャクジュツ	2034
ヒドロキシプロピルセルロース，低置換度	1390, **45***	白朮	2034
ヒドロキソコバラミン酢酸塩	1391	ビャクジュツ末	2035
ヒドロクロロチアジド	1392, **45***	白朮末	2035
ヒドロクロロチアジド錠，		百日せきジフテリア破傷風混合ワクチン，沈降精製	1415
カンデサルタン シレキセチル	726	百日せきワクチン，沈降精製	1415
ヒドロクロロチアジド錠，テルミサルタン	1178	白虎加人参湯エキス	2035
ヒドロクロロチアジド錠，バルサルタン	1338	氷酢酸	857, **38***
ヒドロクロロチアジド錠，ロサルタンカリウム	1846	ピラジナミド	1415, **45***
ヒドロコタルニン塩酸塩水和物	1393, **45***	ピラルビシン	1416, **45***
ヒドロコルチゾン	1393	ピランテルパモ酸塩	1417, **45***
ヒドロコルチゾン・ジフェンヒドラミン軟膏	1397	ピリドキサールリン酸エステル水和物	1418, **45***
ヒドロコルチゾンコハク酸エステル	1394	ピリドキシン塩酸塩	1419, **45***
ヒドロコルチゾンコハク酸エステルナトリウム	1395	ピリドキシン塩酸塩注射液	1419
ヒドロコルチゾン酢酸エステル	1396	ピリドスチグミン臭化物	1420, **45***
ヒドロコルチゾン酪酸エステル	1397, **45***	ピルシカイニド塩酸塩カプセル	1421
ヒドロコルチゾンリン酸エステルナトリウム	1398, **45***	ピルシカイニド塩酸塩水和物	1421, **45***
ビブメシリナム塩酸塩	1400, **45***	ピレノキシン	1423, **45***
ビブメシリナム塩酸塩錠	1400	ピレンゼピン塩酸塩水和物	1423, **45***
ヒブ酸ナトリウム(^{131}I)注射液，ヨウ化	1751	ピロ亜硫酸ナトリウム	1424, **46***
ヒプロメロース	1401, **45***	ピロカルピン塩酸塩	1425
ヒプロメロースカプセル	694	ピロカルピン塩酸塩錠	1425
ヒプロメロース酢酸エステルコハク酸エステル	1403, **45***	ピロキシカム	1427, **46***
ヒプロメロースフタル酸エステル	1405, **45***, 71	ピロキシリン	1428

ピロールニトリン	1428	フェロジピン	1462, *46**
ビワヨウ	2037	フェロジピン錠	1463
枇杷葉	2037	フェンタニルクエン酸塩	1464, *46**
ビンクリスチン硫酸塩	1429	フェンネル油	1869
ピンドロール	*1430*, *46**	フェンブフェン	1464, *46**
ビンブラスチン硫酸塩	1431	不活化狂犬病ワクチン，乾燥組織培養	744
ビンブラスチン硫酸塩，注射用	1432	複方アクリノール・チンク油	393
ビンロウジ	2038	複方オウバク散，パップ用	1881
檳榔子	2038	複方オキシコドン・アトロピン注射液	662
		複方オキシコドン注射液	662
フ		複方サリチル酸精	864
		複方サリチル酸メチル精	866
ファモチジン	*1433*, *46**	複方ジアスターゼ・重曹散	878
ファモチジン，注射用	1436	複方ダイオウ・センナ散	1987
ファモチジン散	1434	複方チアントール・サリチル酸液	1126
ファモチジン錠	1433	複方ヨード・グリセリン	1756
ファモチジン注射液	1435	複方ロートエキス・ジアスターゼ散	2084
ファロペネムナトリウム，シロップ用	1439	ブクモロール塩酸塩	1465, *46**
ファロペネムナトリウム錠	1438	ブクリョウ	2038
ファロペネムナトリウム水和物	*1437*, *46**	茯苓	2038
フィトナジオン	*1440*, *46**	ブクリョウ末	2038
フィルグラスチム（遺伝子組換え）	1441	茯苓末	2038
フィルグラスチム（遺伝子組換え）注射液	1443	ブシ	2039
風しんワクチン，乾燥弱毒生	1444	フシジン酸ナトリウム	1466, *46**
フェキソフェナジン塩酸塩	*1444*, *46**	ブシ末	2040
フェキソフェナジン塩酸塩錠	1445	ブシラミン	1468, *46**
フェナゾン	487	ブシラミン錠	1469
フェニトイン	*1446*, *46**	ブスルファン	*1470*, *46**
フェニトイン散	1448	フタル酸エステル，ヒプロメロース	1405, *45**, *71*
フェニトイン錠	1447	ブチル，パラオキシ安息香酸	1326, *44**, *66*
フェニトインナトリウム，注射用	1448, *46**	ブチルスコポラミン臭化物	*1470*, *46**
L-フェニルアラニン	*1449*, *46**	ブデソニド	*72*
フェニルブタゾン	*1449*, *46**	ブテナフィン塩酸塩	1471, *46**
フェニレフリン塩酸塩	1450	ブテナフィン塩酸塩液	1472
フェネチシリンカリウム	*1451*, *46**	ブテナフィン塩酸塩クリーム	1473
フェノバルビタール	*1452*, *46**	ブテナフィン塩酸塩スプレー	1472
フェノバルビタール散10%	1453	ブドウ酒	1474, *46**
フェノバルビタール錠	1452	ブドウ糖	1475, *46**
フェノフィブラート	*1454*, *46**	ブドウ糖，精製	1476, *46**
フェノフィブラート錠	1455	ブドウ糖水和物	1477, *46**
フェノール	1457	ブドウ糖注射液	1479
フェノール，液状	1457	フドステイン	1479, *46**
フェノール，消毒用	1457	フドステイン錠	1480
フェノール・亜鉛華リニメント	1458	ブトロピウム臭化物	*1481*, *46**, *73*
フェノール・亜鉛華リニメント，ジフェンヒドラミン	917	ブナゾシン塩酸塩	1482, *46**
フェノール・カンフル，歯科用	1459	ブピバカイン塩酸塩水和物	1482, *46**
フェノール水	1458	ブフェトロール塩酸塩	1483, *46**
フェノール水，消毒用	1458	ブプラノロール塩酸塩	1484, *46**
フェノールスルホンフタレイン	1459	ブプレノルフィン塩酸塩	1485, *46**
フェノールスルホンフタレイン注射液	1460	ブホルミン塩酸塩	1485, *46**
フェノール精，ヨード・サリチル酸	1757	ブホルミン塩酸塩錠	1486
フェルビナク	*1460*, *46**	ブホルミン塩酸塩腸溶錠	1487
フェルビナクテープ	1461	フマル酸塩，エメダスチン	633, *35**
フェルビナクパップ	1461	フマル酸塩，クエチアピン	748, *37**

フマル酸塩，クレマスチン	778, *37**	プレドニゾロン酢酸エステル	*1531*
フマル酸塩，ケトチフェン	832, *38**	プレドニゾロン錠	*1529*
フマル酸塩，ビソプロロール	1376, *45**	プレドニゾロンリン酸エステルナトリウム	*1532*, *47**
フマル酸塩細粒，クエチアピン	751	プロカインアミド塩酸塩	*1535*, *47**
フマル酸塩錠，クエチアピン	750	プロカインアミド塩酸塩錠	*1535*
フマル酸塩錠，ビソプロロール	1377	プロカインアミド塩酸塩注射液	*1536*
フマル酸塩徐放カプセル，エメダスチン	634	プロカイン塩酸塩	*1533*, *47**
フマル酸塩水和物，ホルモテロール	1654, *48**, *77*	プロカイン塩酸塩注射液	*1534*
ブメタニド	*1488*, *46**	プロカテロール塩酸塩水和物	*1537*, *47**
フラジオマイシン硫酸塩	*1489*, *46**	プロカルバジン塩酸塩	*1537*, *47**
プラステロン硫酸エステルナトリウム水和物	*1490*, *46**	プロキセチル，シロップ用セフポドキシム	*1059*
プラゼパム	*1491*, *46**	プロキセチル，セフポドキシム	*1056*, *41**
プラゼパム錠	*1491*	プロキセチル錠，セフポドキシム	*1058*
プラゾシン塩酸塩	*1492*, *46**	プログルミド	*1538*, *47**
プラノプロフェン	*1493*, *46**	プロクロルペラジンマレイン酸塩	*1539*, *47**
プラバスタチンナトリウム	*1494*, *46**	プロクロルペラジンマレイン酸塩錠	*1539*
プラバスタチンナトリウム液	*1498*	プロゲステロン	*1541*
プラバスタチンナトリウム細粒	*1496*	プロゲステロン注射液	*1541*
プラバスタチンナトリウム錠	*1495*	フロセミド	*1542*, *47**
フラビンアデニンジヌクレオチドナトリウム	*1499*, *46**	フロセミド錠	*1543*
フラボキサート塩酸塩	*1500*, *46**	フロセミド注射液	*1544*
プランルカスト水和物	*1501*, *46**	プロタミン硫酸塩	*1544*
プリミドン	*1502*, *46**	プロタミン硫酸塩注射液	*1545*
フルオシノニド	*1503*	プロチオナミド	*1545*, *47**
フルオシノロンアセトニド	*1504*	プロチゾラム	*1546*, *47**
フルオレセインナトリウム	*1505*	プロチゾラム錠	*1547*
フルオロウラシル	*1505*, *46**	プロチレリン	*1548*, *47**
フルオロメトロン	*1506*, *47**	プロチレリン酒石酸塩水和物	*1549*, *47**
フルコナゾール	*1507*, *47**	プロテイン銀	*1550*
フルコナゾールカプセル	*1508*	プロテイン銀液	*1550*
フルコナゾール注射液	*1509*	プロパフェノン塩酸塩	*1551*, *47**
フルジアゼパム	*1509*, *47**	プロパフェノン塩酸塩錠	*1551*
フルジアゼパム錠	*1510*	プロパンテリン臭化物	*1552*
フルシトシン	*1511*, *47**	プロピオン酸エステル，クロベタゾール	794, *37**
フルスルチアミン塩酸塩	*1512*, *47**	プロピオン酸エステル，ジョサマイシン	939, *39**
フルタミド	*1513*, *47**	プロピオン酸エステル，テストステロン	1152
フルトプラゼパム	*1514*, *47**	プロピオン酸エステル，ベクロメタゾン	*1574*, *47**
フルトプラゼパム錠	*1514*	プロピオン酸エステル注射液，テストステロン	1153
フルドロコルチゾン酢酸エステル	*1515*, *47**	プロピフェナゾン	518
フルニトラゼパム	*1516*, *47**	プロピベリン塩酸塩	*1553*, *47**
フルフェナジンエナント酸エステル	*1517*, *47**	プロピベリン塩酸塩錠	*1554*
フルボキサミンマレイン酸塩	*1517*, *47**	プロピル，パラオキシ安息香酸	*1327*, *44**, *68*
フルボキサミンマレイン酸塩錠	*1519*	プロピルチオウラシル	*1555*
フルラゼパム塩酸塩	*1520*, *47**	プロピルチオウラシル錠	*1556*
プルラン	*1520*, *47**	プロピレングリコール	*1557*, *47**
プルランカプセル	694	プロピレングリコール，シロップ用セファトリジン	*1005*
フルルビプロフェン	*1521*, *47**	プロピレングリコール，セファトリジン	*1005*, *40**
ブレオマイシン塩酸塩	*1522*, *47**	プロブコール	*1558*, *47**
ブレオマイシン硫酸塩	*1524*, *47**	プロブコール細粒	*1559*
フレカイニド酢酸塩	*1526*, *47**	プロブコール錠	*1559*
フレカイニド酢酸塩錠	*1527*	プロプラノロール塩酸塩	*1560*, *47**
プレドニゾロン	*1528*, *47**	プロプラノロール塩酸塩錠	*1561*
プレドニゾロンコハク酸エステル	*1529*	フロプロピオン	*1562*, *47**
プレドニゾロンコハク酸エステルナトリウム，注射用	*1530*	フロプロピオンカプセル	*1562*

プロベネシド	1563, 47*		ベニバナ	1923
プロベネシド錠	1564		ヘパリンカルシウム	1592, 48*
ブロマゼパム	1565, 47*		ヘパリンナトリウム	1596, 48*
ブロムフェナクナトリウム水和物	1565, 47*		ヘパリンナトリウム液,透析用	1600
ブロムフェナクナトリウム点眼液	1566		ヘパリンナトリウム液,ロック用	1600
ブロムヘキシン塩酸塩	1567, 47*, 73		ヘパリンナトリウム注射液	1599, 48*
ブロムワレリル尿素	1571		ペプシン,含糖	730
プロメタジン塩酸塩	1568, 47*		ペプロマイシン硫酸塩	1601, 48*
フロモキセフナトリウム	1568, 47*		ペプロマイシン硫酸塩,注射用	1603
フロモキセフナトリウム,注射用	1570		ベポタスチンベシル酸塩	1603, 48*
ブロモクリプチンメシル酸塩	1571, 47*		ベポタスチンベシル酸塩錠	1604
ブロモバレリル尿素	1571, 47*		ペミロラストカリウム	1606, 48*
L-プロリン	1572, 47*		ペミロラストカリウム,シロップ用	1607
粉末飴	1923		ペミロラストカリウム錠	1607
粉末セルロース	1080, 41*, 61		ペミロラストカリウム点眼液	1608
			ベラドンナエキス	2042
			ベラドンナコン	2041
ヘ			ベラドンナ根	2041
			ベラドンナ総アルカロイド	2043
ベカナマイシン硫酸塩	1573, 47*		ベラパミル塩酸塩	1609, 48*
ヘキセチル塩酸塩,セフォチアム	1026, 40*		ベラパミル塩酸塩錠	1609
ベクロメタゾンプロピオン酸エステル	1574, 47*		ベラパミル塩酸塩注射液	1610
ベザフィブラート	1575, 47*		ベラプロストナトリウム	1611
ベザフィブラート徐放錠	1576		ベラプロストナトリウム錠	1612
ベシル酸塩,アムロジピン	452, 33*		ペルフェナジン	1613, 48*
ベシル酸塩,ベポタスチン	1603, 48*		ペルフェナジン錠	1614
ベシル酸塩口腔内崩壊錠,アムロジピン	454		ペルフェナジンマレイン酸塩	1615, 48*
ベシル酸塩錠,アムロジピン	453		ペルフェナジンマレイン酸塩錠	1615
ベシル酸塩錠,イルベサルタン・アムロジピン	550		ベルベリン,タンニン酸	1116
ベシル酸塩錠,カンデサルタン シレキセチル・			ベルベリン塩化物水和物	1616, 48*
アムロジピン	724		ベンザチン水和物,ベンジルペニシリン	1622, 48*
ベシル酸塩錠,テルミサルタン・アムロジピン	1176		ベンザルコニウム塩化物	1617
ベシル酸塩錠,ベポタスチン	1604		ベンザルコニウム塩化物液	1618
ベタキソロール塩酸塩	1577, 48*		ベンザルコニウム塩化物液50,濃	1618
ベタネコール塩化物	1578, 48*		ベンジル,安息香酸	487
ベタヒスチンメシル酸塩	1578, 48*		ベンジルアルコール	1619, 74
ベタヒスチンメシル酸塩錠	1579		ベンジルペニシリンカリウム	1620, 48*
ベタミプロン	1580, 48*		ベンジルペニシリンカリウム,注射用	1621
ベタミプロン,注射用パニペネム・	1320		ベンジルペニシリンベンザチン水和物	1622, 48*
ベタメタゾン	1581, 48*		ベンジン,石油	991
ベタメタゾン吉草酸エステル	1583		ヘンズ	2043
ベタメタゾン吉草酸エステル・			扁豆	2043
ゲンタマイシン硫酸塩クリーム	1585		ベンズブロマロン	1623, 48*
ベタメタゾン吉草酸エステル・			ベンゼトニウム塩化物	1624
ゲンタマイシン硫酸塩軟膏	1584		ベンゼトニウム塩化物液	1625
ベタメタゾンジプロピオン酸エステル	1586, 48*		ベンセラジド塩酸塩	1625, 48*
ベタメタゾン錠	1582		ベンゾカイン	448
ベタメタゾンリン酸エステルナトリウム	1587		ペンタゾシン	1626, 48*
ペチジン塩酸塩	1588		ペントキシベリンクエン酸塩	1626, 48*
ペチジン塩酸塩注射液	1589		ベントナイト	1627
ベニジピン塩酸塩	1590, 48*		ペントバルビタールカルシウム	1628, 48*
ベニジピン塩酸塩錠	1591		ペントバルビタールカルシウム錠	1629
(ペニシリウム),β-ガラクトシダーゼ	700, 36*		ペンブトロール硫酸塩	1630, 48*
ペニシリンGカリウム	1620			
ペニシリンGカリウム,注射用	1621			

ホ

ボウイ ……………………………………… 2044, 95
防已 ………………………………………………… 2044
防已黄耆湯エキス …………………………… 2044
ボウコン …………………………………………… 2046
茅根 ………………………………………………… 2046
ホウ酸 ……………………………………… 1630, 48*
ホウ砂 ……………………………………… 1631, 48*
ボウショウ ………………………………………… 2047
芒硝 ………………………………………………… 2047
ボウショウ，乾燥 ……………………………… 2047
ボウショウ，無水 ……………………………… 2047
芒硝，無水 ……………………………………… 2047
抱水クロラール ………………………………… 1631
ボウフウ …………………………………………… 2048
防風 ………………………………………………… 2048
防風通聖散エキス ……………………………… 2048
ボクソク …………………………………………… 2052
樸樕 ………………………………………………… 2052
ボグリボース ……………………………… 1631, 48*
ボグリボース口腔内崩壊錠 ……………………… 74
ボグリボース錠 …………………………… 1632, 74
ホスホマイシンカルシウム，シロップ用 …… 1635
ホスホマイシンカルシウム水和物 …… 1634, 48*
ホスホマイシンナトリウム ……………… 1636, 48*
ホスホマイシンナトリウム，注射用 ………… 1637
ボタンピ …………………………………………… 2053
牡丹皮 ……………………………………………… 2053
ボタンピ末 ………………………………………… 2053
牡丹皮末 …………………………………………… 2053
補中益気湯エキス ……………………………… 2054
ボツリヌスウマ抗毒素，乾燥 ………………… 1637
ポビドン …………………………………… 1637, 48*
ポビドンヨード …………………………… 1640, 48*
ホマトロピン臭化水素酸塩 …………………… 1640
ホミカ ……………………………………………… 2057
ホミカエキス ……………………………………… 2058
ホミカエキス散 …………………………………… 2058
ホミカチンキ ……………………………………… 2059
ホモクロルシクリジン塩酸塩 …………… 1641, 48*
ポラプレジンク …………………………… 1642, 48*
ポラプレジンク顆粒 ……………………………… 1643
ポリエチレングリコール400 …………………… 1657
ポリエチレングリコール1500 ………………… 1657
ポリエチレングリコール4000 ………………… 1658
ポリエチレングリコール6000 ………………… 1658
ポリエチレングリコール20000 ……………… 1659
ポリエチレングリコール軟膏 ………………… 1659
ポリオキシル40，ステアリン酸 ……… 968, 40*
ボリコナゾール …………………………… 1644, 48*
ボリコナゾール，注射用 ……………………… 1646
ボリコナゾール錠 ……………………………… 1645
ポリスチレンスルホン酸カルシウム …… 1647, 48*
ポリスチレンスルホン酸ナトリウム …… 1649, 48*
ポリソルベート80 ………………………… 1650, 48*, 75
ホリナートカルシウム ………………………… 1652
ホリナートカルシウム水和物 …………… 1652, 48*
ポリミキシンB硫酸塩 …………………… 1653, 48*
ホルマリン ………………………………………… 1654
ホルマリン水 ……………………………………… 1654
ホルム，ヨード ………………………………… 1758
ホルモテロールフマル酸塩水和物 …… 1654, 48*, 77
ボレイ ……………………………………………… 2059
牡蛎 ………………………………………………… 2059
ボレイ末 …………………………………………… 2060
牡蛎末 ……………………………………………… 2060

マ

マイトマイシンC ……………………………… 1655
マイトマイシンC，注射用 …………………… 1656
マオウ ……………………………………………… 2060
麻黄 ………………………………………………… 2060
麻黄湯エキス ……………………………… 2061, 95
マグネシウム，ケイ酸 ………………………… 828
マグネシウム，ケイ酸アルミン酸 …… 826, 38*
マグネシウム，酸化 …………………… 874, 38*
マグネシウム，ステアリン酸 ……… 968, 40*, 59
マグネシウム，炭酸 …………………… 1112, 41*
マグネシウム，メタケイ酸アルミン酸 … 827, 38*
マグネシウム水，硫酸 ………………………… 1806
マグネシウム水和物，硫酸 …………… 1805, 50*
マグネシウム注射液，硫酸 …………………… 1806
マクリ ……………………………………………… 2063
マクロゴール400 ……………………………… 1657
マクロゴール1500 ……………………………… 1657
マクロゴール4000 ……………………………… 1658
マクロゴール6000 ……………………………… 1658
マクロゴール20000 …………………………… 1659
マクロゴール軟膏 ……………………………… 1659
マシニン …………………………………………… 2064
麻子仁 ……………………………………………… 2064
麻しんワクチン，乾燥弱毒生 ………………… 1660
麻酔用エーテル …………………………………… 608
マニジピン塩酸塩 ………………………… 1660, 48*
マニジピン塩酸塩錠 …………………………… 1661
マプロチリン塩酸塩 ……………………… 1662, 48*
まむしウマ抗毒素，乾燥 ……………………… 1662
マルトース水和物 ………………………… 1663, 48*
マレイン酸塩，イルソグラジン ……… 546, 35*
マレイン酸塩，エナラプリル ………… 612, 35*
マレイン酸塩，エルゴメトリン ……………… 648
マレイン酸塩，クロルフェニラミン … 810, 38*
マレイン酸塩，d-クロルフェニラミン … 814, 38*
マレイン酸塩，チモロール ……………… 1137, 42*
マレイン酸塩，トリメブチン …………… 1241, 43*
マレイン酸塩，フルボキサミン ………… 1517, 47*

マレイン酸塩，プロクロルペラジン	1539, 47*
マレイン酸塩，ペルフェナジン	1615, 48*
マレイン酸塩，メチルエルゴメトリン	1698
マレイン酸塩，レボメプロマジン	1835, 50*
マレイン酸塩細粒，イルソグラジン	548
マレイン酸塩散，クロルフェニラミン	812
マレイン酸塩錠，イルソグラジン	547
マレイン酸塩錠，エナラプリル	613
マレイン酸塩錠，エルゴメトリン	648
マレイン酸塩錠，クロルフェニラミン	811
マレイン酸塩錠，フルボキサミン	1519
マレイン酸塩錠，プロクロルペラジン	1539
マレイン酸塩錠，ペルフェナジン	1615
マレイン酸塩錠，メチルエルゴメトリン	1698
マレイン酸塩注射液，エルゴメトリン	649
マレイン酸塩注射液，クロルフェニラミン	813
マレイン酸塩点眼液，ドルゾラミド塩酸塩・チモロール	1244
D－マンニトール	1664, 48*, 79
D－マンニトール注射液	1665

ミ

ミグリトール	1666, 48*
ミグリトール錠	1667
ミグレニン	1668, 48*
ミクロノマイシン硫酸塩	1669, 48*
ミコナゾール	1670, 49*
ミコナゾール硝酸塩	1670, 49*
ミゾリビン	1671, 49*
ミゾリビン錠	1672
ミチグリニドカルシウム錠	1674
ミチグリニドカルシウム水和物	1673, 49*
ミツロウ	2064
ミツロウ，サラシ	2064
ミデカマイシン	1676, 49*
ミデカマイシン酢酸エステル	1676, 49*
ミノサイクリン塩酸塩	1677, 49*
ミノサイクリン塩酸塩，注射用	1680
ミノサイクリン塩酸塩顆粒	1679
ミノサイクリン塩酸塩錠	1678
ミョウバン	1803
ミョウバン散，サリチル・	865
ミョウバン水	1681

ム

無コウイ大建中湯エキス	1988, 92
無水アルコール	590
無水アンピシリン	488, 34*
無水エタノール	590, 56
無水カフェイン	692, 36*
無水クエン酸	752, 37*
無水ケイ酸，軽質	823, 38*
無水乳糖	1298, 44*
無水ボウショウ	2047
無水芒硝	2047
無水硫酸ナトリウム	2047
無水リン酸水素カルシウム	1812, 50*
ムピロシンカルシウム水和物	1681, 49*
ムピロシンカルシウム軟膏	1682

メ

メキシレチン塩酸塩	1683, 49*
メキタジン	1684, 49*
メキタジン錠	1685
メグルミン	1685, 49*
メグルミン注射液，アミドトリゾ酸ナトリウム	446
メグルミン注射液，イオタラム酸	501
メクロフェノキサート塩酸塩	1686, 49*
メコバラミン	1687
メコバラミン錠	1688
メサラジン	1689, 49*
メサラジン徐放錠	1691
メシル酸塩，エリブリン	640, 35*
メシル酸塩，ガベキサート	695, 36*
メシル酸塩，カモスタット	698, 36*
メシル酸塩，ジヒドロエルゴタミン	909
メシル酸塩，ジヒドロエルゴトキシン	910, 39*
メシル酸塩，デフェロキサミン	1163, 42*
メシル酸塩，ドキサゾシン	1186, 42*
メシル酸塩，ナファモスタット	1263, 43*
メシル酸塩，パズフロキサシン	1316, 44*
メシル酸塩，ブロモクリプチン	1571, 47*
メシル酸塩，ベタヒスチン	1578, 48*
メシル酸塩錠，ドキサゾシン	1187
メシル酸塩錠，ベタヒスチン	1579
メシル酸塩注射液，パズフロキサシン	1317
メストラノール	1692, 49*
メタケイ酸アルミン酸マグネシウム	827, 38*
メタ重亜硫酸ナトリウム	1424
メダゼパム	1693, 49*
メタンスルホン酸ナトリウム，コリスチン	849, 38*
メタンスルホン酸ナトリウム点眼液， クロラムフェニコール・コリスチン	805
メタンフェタミン塩酸塩	1693
L－メチオニン	1694, 49*
メチクラン	1695, 49*
メチラポン	1696, 49*
メチル，サリチル酸	866, 38*
メチル，パラオキシ安息香酸	1329, 44*, 69
dl－メチルエフェドリン塩酸塩	1696, 49*
dl－メチルエフェドリン塩酸塩散10%	1697
メチルエルゴメトリンマレイン酸塩	1698
メチルエルゴメトリンマレイン酸塩錠	1698
メチルジゴキシン	1700, 49*
メチル精，複方サリチル酸	866
メチルセルロース	1701, 49*

メチルテストステロン	*1702*
メチルテストステロン錠	*1703*
メチルドパ錠	*1705*
メチルドパ水和物	*1704*, <u>*49*</u>*
メチルプレドニゾロン	*1706*
メチルプレドニゾロンコハク酸エステル	*1706*, <u>*49*</u>*
メチルベナクチジウム臭化物	*1707*
メチル硫酸塩，ネオスチグミン	*1302*
メチル硫酸塩注射液，ネオスチグミン	*1303*
滅菌精製水	*959*
滅菌精製水(容器入り)	*959*
メテノロンエナント酸エステル	*1708*, <u>*49*</u>*
メテノロンエナント酸エステル注射液	*1708*
メテノロン酢酸エステル	*1709*, <u>*49*</u>*
メトキサレン	*1710*, <u>*49*</u>*
メトクロプラミド	*1710*, <u>*49*</u>*
メトクロプラミド錠	*1711*
メトトレキサート	*1712*
メトトレキサート，注射用	*1714*
メトトレキサートカプセル	*1713*
メトトレキサート錠	*1712*
メトプロロール酒石酸塩	*1715*, <u>*49*</u>*
メトプロロール酒石酸塩錠	*1716*
メトホルミン塩酸塩	*1717*, <u>*49*</u>*
メトホルミン塩酸塩錠	*1717*
メトホルミン塩酸塩錠，ピオグリタゾン塩酸塩・	*1367*
メドロキシプロゲステロン酢酸エステル	*1718*, <u>*49*</u>*
メトロニダゾール	*1719*, <u>*49*</u>*
メトロニダゾール錠	*1719*
メナテトレノン	*1720*, <u>*49*</u>*
メピチオスタン	*1722*, <u>*49*</u>*
メピバカイン塩酸塩	*1723*, <u>*49*</u>*
メピバカイン塩酸塩注射液	*1723*
メフェナム酸	*1724*, <u>*49*</u>*
メフルシド	*1725*, <u>*49*</u>*
メフルシド錠	*1725*
メフロキン塩酸塩	*1726*, <u>*49*</u>*
メペンゾラート臭化物	*1727*, <u>*49*</u>*
メルカプトプリン水和物	*1727*, <u>*49*</u>*
メルファラン	*1728*, <u>*49*</u>*
メロペネム，注射用	*1730*
メロペネム水和物	*1729*, <u>*49*</u>*
dl-メントール	*1731*, <u>*81*</u>
l-メントール	*1731*, <u>*81*</u>

モ

木クレオソート	*2065*
モクツウ	*2066*, <u>*96*</u>
木通	*2066*
モサプリドクエン酸塩散	*1734*
モサプリドクエン酸塩錠	*1733*
モサプリドクエン酸塩水和物	*1732*, <u>*49*</u>*
モッコウ	*2066*
木香	*2066*
モノステアリン酸アルミニウム	*1735*, <u>*49*</u>*
モノステアリン酸グリセリン	*1736*, <u>*81*</u>
モルヒネ・アトロピン注射液	*1738*
モルヒネ塩酸塩錠	*1737*
モルヒネ塩酸塩水和物	*1736*
モルヒネ塩酸塩注射液	*1738*
モルヒネ硫酸塩水和物	*1740*
モンテルカストナトリウム	*1740*, <u>*49*</u>*
モンテルカストナトリウム顆粒	*1746*
モンテルカストナトリウム錠	*1743*
モンテルカストナトリウムチュアブル錠	*1744*

ヤ

ヤクチ	*2067*, <u>*96*</u>
益智	*2067*
ヤクモソウ	*2067*, <u>*96*</u>
益母草	*2067*
薬用石ケン	*1748*, <u>*49*</u>*
薬用炭	*1748*, <u>*49*</u>*
ヤシ油	*2067*
椰子油	*2067*

ユ

油，アクリノール・チンク	*392*
油，ウイキョウ	*1869*
油，オリブ	*1889*
油，オレンジ	*1889*
油，加香ヒマシ	*2033*
油，肝	*732*
油，ケイヒ	*1920*
油，桂皮	*1920*
油，硬化	*840*, <u>*38*</u>*
油，ゴマ	*1934*
油，ダイズ	*1992*
油，チョウジ	*1995*, <u>*92*</u>
油，丁子	*1995*
油，チンク	*1138*
油，ツバキ	*2000*
油，椿	*2000*
油，テレビン	*2001*
油，トウモロコシ	*2013*
油，ナタネ	*2017*
油，菜種	*2017*
油，ハッカ	*2028*
油，薄荷	*2028*
油，ビタミンA	*1383*
油，ヒマシ	*2033*
油，フェンネル	*1869*
油，複方アクリノール・チンク	*393*
油，ヤシ	*2067*
油，椰子	*2067*

油, ユーカリ	2068	ラノコナゾール	1763, 50*
油, ラッカセイ	2071	ラノコナゾール外用液	1764
油, 落花生	2071	ラノコナゾールクリーム	1765
ユウタン	2067	ラノコナゾール軟膏	1765
熊胆	2067	ラノリン, 加水	2072
ユーカリ油	2068	ラノリン, 精製	2072
輸血用クエン酸ナトリウム注射液	754	ラフチジン	1766, 50*
ユビデカレノン	1749, 49*	ラフチジン錠	1766
		ラベタロール塩酸塩	1768, 50*
		ラベタロール塩酸塩錠	1769
		ラベプラゾールナトリウム	1770, 50*

ヨ

ヨウ化カリウム	1750, 49*	ランソプラゾール	1771, 50*
ヨウ化ナトリウム	1750, 50*	ランソプラゾール腸溶カプセル	1773
ヨウ化ナトリウム(^{123}I)カプセル	1751	ランソプラゾール腸溶性口腔内崩壊錠	1772
ヨウ化ナトリウム(^{131}I)液	1751		
ヨウ化ナトリウム(^{131}I)カプセル	1751		

リ

ヨウ化人血清アルブミン(^{131}I)注射液	1751	リオチロニンナトリウム	1774
ヨウ化ヒプル酸ナトリウム(^{131}I)注射液	1751	リオチロニンナトリウム錠	1775
ヨウ化物, エコチオパート	583, 35*	リシノプリル錠	1777
ヨウ化物, オキサピウム	660, 36*	リシノプリル水和物	1776, 50*
(容器入り), 精製水	959	L-リシン塩酸塩	1778, 50*
(容器入り), 注射用水	960	L-リシン酢酸塩	1779, 50*
(容器入り), 滅菌精製水	959	リスペリドン	1780, 50*
葉酸	1751	リスペリドン細粒	1782
葉酸錠	1752	リスペリドン錠	1780
葉酸注射液	1753	リスペリドン内服液	1783
ヨウ素	1753	リセドロン酸ナトリウム錠	1785
ヨクイニン	2068	リセドロン酸ナトリウム水和物	1784, 50*
薏苡仁	2068	リゾチーム塩酸塩	1787, 50*
ヨクイニン末	2069	六君子湯エキス	2073
薏苡仁末	2069	リドカイン	1787, 50*
抑肝散エキス	2069	リドカイン注射液	1788
抑肝散加陳皮半夏エキス	96	リトドリン塩酸塩	1789, 50*
ヨード, ポビドン	1640, 48*	リトドリン塩酸塩錠	1790
ヨード・グリセリン, 歯科用	1755	リトドリン塩酸塩注射液	1791
ヨード・グリセリン, 複方	1756	リニメント, ジフェンヒドラミン・フェノール・亜鉛華	917
ヨード・サリチル酸・フェノール精	1757	リニメント, フェノール・亜鉛華	1458
ヨードチンキ	1754	リバビリン	1792, 50*
ヨードチンキ, 希	1754	リバビリンカプセル	1793
ヨードホルム	1758	リファンピシン	1794, 50*
		リファンピシンカプセル	1795

ラ

		リボスタマイシン硫酸塩	1797, 50*
ラウリル硫酸ナトリウム	1759	リボフラビン	1798
ラウロマクロゴール	1759	リボフラビン散	1798
酪酸エステル, ビタミンB$_2$	1799	リボフラビン酪酸エステル	1799, 50*
酪酸エステル, ヒドロコルチゾン	1397, 45*	リボフラビンリン酸エステルナトリウム	1800
酪酸エステル, リボフラビン	1799, 50*	リボフラビンリン酸エステルナトリウム注射液	1801
ラクツロース	1760, 50*	リマプロスト アルファデクス	1801
ラクトビオン酸塩, エリスロマイシン	639	リモナーデ, 塩酸	654
ラタモキセフナトリウム	1761, 50*	リュウガンニク	2075
ラッカセイ油	2071	竜眼肉	2075
落花生油	2071	リュウコツ	2076
ラニチジン塩酸塩	1762, 50*	竜骨	2076

リュウコツ末	**2076**	硫酸塩注射液, イセパマイシン	*511*
竜骨末	**2076**	硫酸塩注射液, ゲンタマイシン	*838*
硫酸亜鉛水和物	**1802**, <u>*50*</u>*	硫酸塩注射液, ネオスチグミンメチル	*1303*
硫酸亜鉛点眼液	**1803**	硫酸塩注射液, プロタミン	*1545*
硫酸アルミニウムカリウム, 乾燥	*1803*	硫酸塩点眼液, ゲンタマイシン	*839*
硫酸アルミニウムカリウム水和物	**1803**, <u>*50*</u>*	硫酸塩点眼液, ジベカシン	*925*
硫酸エステルナトリウム　イオウ5,　　デキストラン	*1149*, <u>*42*</u>*	硫酸塩軟膏, ゲンタマイシン	*839*
硫酸エステルナトリウム　イオウ18,　　デキストラン	*1149*, <u>*42*</u>*	硫酸塩軟膏, ベタメタゾン吉草酸エステル・　　ゲンタマイシン	*1584*
硫酸塩, アミカシン	*443*, <u>*33*</u>*	硫酸カリウム	**1804**, <u>*50*</u>*
硫酸塩, アルベカシン	*476*, <u>*34*</u>*	硫酸鉄水和物	**1804**, <u>*50*</u>*
硫酸塩, イセパマイシン	*510*, <u>*34*</u>*	硫酸ナトリウム	*2047*
硫酸塩, エンビオマイシン	*657*, <u>*36*</u>*, 56	硫酸ナトリウム, 乾燥	*2047*
硫酸塩, オルシプレナリン	*678*, <u>*36*</u>*	硫酸ナトリウム, 無水	*2047*
硫酸塩, カナマイシン	*692*, <u>*36*</u>*	硫酸ナトリウム, ラウリル	*1759*
硫酸塩, カナマイシン一	*691*, <u>*36*</u>*	硫酸ナトリウム十水塩	*2047*
硫酸塩, グアネチジン	*747*, <u>*37*</u>*	硫酸バリウム	**1805**, <u>*50*</u>*
硫酸塩, クロピドグレル	*789*, <u>*37*</u>*	硫酸マグネシウム水	*1806*
硫酸塩, ゲンタマイシン	*837*, <u>*38*</u>*	硫酸マグネシウム水和物	**1805**, <u>*50*</u>*
硫酸塩, コリスチン	*850*	硫酸マグネシウム注射液	*1806*
硫酸塩, サルブタモール	*868*, <u>*38*</u>*	リュウタン	*2076*
硫酸塩, ジベカシン	*924*, <u>*39*</u>*	竜胆	*2076*
硫酸塩, ストレプトマイシン	*970*, <u>*40*</u>*	リュウタン末	*2077*
硫酸塩, セフピロム	*1054*, <u>*41*</u>*	竜胆末	*2077*
硫酸塩, 注射用アミカシン	*445*	流動パラフィン	**1333**, <u>*44*</u>*
硫酸塩, 注射用ストレプトマイシン	*971*	流動パラフィン, 軽質	**1333**, <u>*44*</u>*
硫酸塩, 注射用ビンブラスチン	*1432*	リュープロレリン酢酸塩	*1806*
硫酸塩, 注射用ペプロマイシン	*1603*	リョウキョウ	*2077*
硫酸塩, テルブタリン	*1173*, <u>*42*</u>*	良姜	*2077*
硫酸塩, ネオスチグミンメチル	*1302*	苓桂朮甘湯エキス	*2078*
硫酸塩, ネオマイシン	*1489*	リルマザホン塩酸塩錠	*1810*
硫酸塩, パメタン	*1323*, <u>*44*</u>*	リルマザホン塩酸塩水和物	**1808**, <u>*50*</u>*
硫酸塩, ビンクリスチン	*1429*	リンゲル液	**1811**, <u>*50*</u>*
硫酸塩, ビンブラスチン	*1431*	リンゴ酸塩, クレボプリド	*778*, <u>*37*</u>*
硫酸塩, フラジオマイシン	*1489*, <u>*46*</u>*	リンコマイシン塩酸塩水和物	**1811**, <u>*50*</u>*
硫酸塩, ブレオマイシン	*1524*, <u>*47*</u>*	リンコマイシン塩酸塩注射液	*1812*
硫酸塩, プロタミン	*1544*	リン酸エステル, クリンダマイシン	*770*, <u>*37*</u>*
硫酸塩, ベカナマイシン	*1573*, <u>*47*</u>*	リン酸エステル, ビタミンB_2	*1800*
硫酸塩, ペプロマイシン	*1601*, <u>*48*</u>*	リン酸エステル水和物, ピリドキサール	*1418*, <u>*45*</u>*
硫酸塩, ペントロール	*1630*, <u>*48*</u>*	リン酸エステル注射液, クリンダマイシン	*771*
硫酸塩, ポリミキシンB	*1653*, <u>*48*</u>*	リン酸エステル注射液, ビタミンB_2	*1801*
硫酸塩, ミクロノマイシン	*1669*, <u>*48*</u>*	リン酸エステルナトリウム, ヒドロコルチゾン	*1398*, <u>*45*</u>*
硫酸塩, リボスタマイシン	*1797*, <u>*50*</u>*	リン酸エステルナトリウム, プレドニゾロン	*1532*, <u>*47*</u>*
硫酸塩クリーム, ベタメタゾン吉草酸エステル・　　ゲンタマイシン	*1585*	リン酸エステルナトリウム, ベタメタゾン	*1587*
硫酸塩錠, クロピドグレル	*791*	リン酸エステルナトリウム, リボフラビン	*1800*
硫酸塩水和物, アトロピン	*431*	リン酸エステルナトリウム注射液, リボフラビン	*1801*
硫酸塩水和物, キニジン	*741*	リン酸塩, ジヒドロコデイン	*912*
硫酸塩水和物, キニーネ	*743*, <u>*37*</u>*	リン酸塩, ジメモルファン	*929*, <u>*39*</u>*
硫酸塩水和物, モルヒネ	*1740*	リン酸塩散1％, コデイン	*844*
硫酸塩注射液, アトロピン	*431*	リン酸塩散1％, ジヒドロコデイン	*912*
硫酸塩注射液, アミカシン	*444*	リン酸塩散10％, コデイン	*845*
硫酸塩注射液, アルベカシン	*477*	リン酸塩散10％, ジヒドロコデイン	*913*
		リン酸塩錠, コデイン	*843*
		リン酸塩錠, シタグリプチン	*901*

リン酸塩錠，ピペラジン	1411
リン酸塩水和物，コデイン	842
リン酸塩水和物，シタグリプチン	899, *39**
リン酸塩水和物，ピペラジン	1410, *45**
リン酸水素カルシウム，無水	1812, *50**
リン酸水素カルシウム水和物	1813, *50**
リン酸水素ナトリウム水和物	1814, *50**
リン酸二水素カルシウム水和物	1814, *50**

レ

レセルピン	1815
レセルピン散0.1％	1817
レセルピン錠	1816
レセルピン注射液	1817
レチノール酢酸エステル	1818
レチノールパルミチン酸エステル	1818
レナンピシリン塩酸塩	1819, *50**
レノグラスチム（遺伝子組換え）	1821
レバミピド	1823, *50**
レバミピド錠	1824
レバロルファン酒石酸塩	1826, *50**
レバロルファン酒石酸塩注射液	1826
レボチロキシンナトリウム錠	1828
レボチロキシンナトリウム水和物	1827
レボドパ	1829, *50**
レボフロキサシン細粒	1831
レボフロキサシン錠	1830
レボフロキサシン水和物	1829, *50**
レボフロキサシン注射液	1832
レボフロキサシン点眼液	1833
レボホリナートカルシウム水和物	1834, *50**
レボメプロマジンマレイン酸塩	1835, *50**
レンギョウ	2079
連翹	2079
レンニク	2080
蓮肉	2080

ロ

ロイコボリンカルシウム	1652
L-ロイシン	1836, *50**
ロイシン・バリン顆粒，イソロイシン・	521
ロカイ	1865
ロカイ末	1866
ロキサチジン酢酸エステル塩酸塩	1837, *50**

ロキサチジン酢酸エステル塩酸塩，注射用	1839
ロキサチジン酢酸エステル塩酸塩徐放カプセル	1838
ロキサチジン酢酸エステル塩酸塩徐放錠	1837
ロキシスロマイシン	1840, *50**
ロキシスロマイシン錠	1841
ロキソプロフェンナトリウム錠	1843
ロキソプロフェンナトリウム水和物	1842, *50**
ロサルタンカリウム	1844, *50**
ロサルタンカリウム・ヒドロクロロチアジド錠	1846
ロサルタンカリウム錠	1845
ロジン	2080
ロスバスタチンカルシウム	1849, *50**
ロスバスタチンカルシウム錠	1851
ロック用ヘパリンナトリウム液	1600
ロートエキス	2081
ロートエキス・アネスタミン散	2083
ロートエキス・カーボン散	2084
ロートエキス・ジアスターゼ散，複方	2084
ロートエキス・タンニン坐剤	2084
ロートエキス散	2082
ロートコン	2080
ロフラゼプ酸エチル	1853, *50**
ロフラゼプ酸エチル錠	1854
ロベンザリットナトリウム	1856, *51**
ローヤルゼリー	2084
ロラゼパム	1856, *51**

ワ

ワクチン，インフルエンザHA	573
ワクチン，乾燥細胞培養痘そう	1186
ワクチン，乾燥弱毒生おたふくかぜ	673
ワクチン，乾燥弱毒生風しん	1444
ワクチン，乾燥弱毒生麻しん	1660
ワクチン，乾燥組織培養不活化狂犬病	744
ワクチン，乾燥痘そう	1186
ワクチン，乾燥BCG	1374
ワクチン，沈降B型肝炎	1370
ワクチン，沈降精製百日せき	1415
ワクチン，沈降精製百日せきジフテリア破傷風混合	1415
ワセリン，黄色	1857, *51**, 81
ワセリン，親水	1858
ワセリン，白色	1857, *51**, 82
ワルファリンカリウム	1858, *51**
ワルファリンカリウム錠	1859

MEMO

MEMO

試薬・試液名称索引

＊矢印（→）以降は参照先の名称を示す．なお，下線のついていないものは「第十八改正日本薬局方」（じほう刊）における頁を，下線のついているものは本書「第十八改正日本薬局方第一追補」（じほう刊）における頁を示す．

ア

ICP分析用水 → 一般試験法 誘導結合プラズマ発光分光分析法及び誘導結合プラズマ質量分析法〈2.63〉… 85
アウリントリカルボン酸アンモニウム → アルミノン……… 216
亜鉛………………………………………………………… 204
亜鉛（標準試薬）…………………………………………… 204
亜鉛，ヒ素分析用………………………………………… 204
亜鉛，無ヒ素 → 亜鉛，ヒ素分析用……………………… 204
亜鉛粉末…………………………………………………… 204
亜鉛末 → 亜鉛粉末………………………………………… 204
アクテオシド，薄層クロマトグラフィー用
　　→ ベルバスコシド，薄層クロマトグラフィー用…… 349
アクリノール → アクリノール水和物…………………… 204
アクリノール水和物……………………………………… 204
アクリルアミド…………………………………………… 204
アコニチン，純度試験用………………………………… 204
アサリニン，薄層クロマトグラフィー用……………… 205
(E)-アサロン……………………………………………… 205
亜酸化窒素………………………………………………… 205
アジ化ナトリウム………………………………………… 205
アジ化ナトリウム・リン酸塩緩衝塩化ナトリウム試液… 205
亜ジチオン酸ナトリウム………………………………… 205
2,2′-アジノビス(3-エチルベンゾチアゾリン-6-
　　スルホン酸)二アンモニウム……………………… 205
2,2′-アジノビス(3-エチルベンゾチアゾリン-6-
　　スルホン酸)二アンモニウム試液………………… 205
アジピン酸………………………………………………… 205
アジマリン，定量用……………………………………… 205
亜硝酸カリウム…………………………………………… 205
亜硝酸ナトリウム………………………………………… 205
亜硝酸ナトリウム試液…………………………………… 205
アスコルビン酸 → L-アスコルビン酸………………… 205
L-アスコルビン酸………………………………………… 205
アスコルビン酸，鉄試験用 → L-アスコルビン酸…… 205
アスコルビン酸・塩酸試液，0.012 g/dL
　　→ L-アスコルビン酸・塩酸試液，0.012 g/dL…… 206
L-アスコルビン酸・塩酸試液，0.012 g/dL…………… 206
アスコルビン酸・塩酸試液，0.02 g/dL
　　→ L-アスコルビン酸・塩酸試液，0.02 g/dL……… 206
L-アスコルビン酸・塩酸試液，0.02 g/dL……………… 206
アスコルビン酸・塩酸試液，0.05 g/dL
　　→ L-アスコルビン酸・塩酸試液，0.05 g/dL……… 206
L-アスコルビン酸・塩酸試液，0.05 g/dL……………… 206

アストラガロシドⅣ，薄層クロマトグラフィー用…… 206
L-アスパラギン一水和物………………………………… 206
アスパラギン酸 → L-アスパラギン酸………………… 206
DL-アスパラギン酸……………………………………… 206
L-アスパラギン酸………………………………………… 206
アスピリン………………………………………………… 206
アセタール………………………………………………… 206
アセチルアセトン………………………………………… 206
アセチルアセトン試液…………………………………… 206
N-アセチルガラクトサミン……………………………… 206
N-アセチルノイラミン酸………………………………… 206
N-アセチルノイラミン酸，エポエチンアルファ用…… 206
N-アセチルノイラミン酸試液，0.4 mmol/L…………… 206
アセチレン → 溶解アセチレン…………………………… 366
o-アセトアニシジド……………………………………… 206
p-アセトアニシジド……………………………………… 206
アセトアニリド…………………………………………… 206
アセトアミノフェン……………………………………… 207
アセトアルデヒド………………………………………… 207
アセトアルデヒド，ガスクロマトグラフィー用……… 207
アセトアルデヒド，定量用……………………………… 207
アセトアルデヒドアンモニアトリマー三水和物……… 207
アセトニトリル…………………………………………… 207
アセトニトリル，液体クロマトグラフィー用………… 207
アセトリゾン酸…………………………………………… 207
アセトン…………………………………………………… 207
アセトン，生薬純度試験用……………………………… 207
アセトン，非水滴定用…………………………………… 207
アセナフテン……………………………………………… 207
アセメタシン……………………………………………… 207
アセメタシン，定量用…………………………………… 207
アゼラスチン塩酸塩，定量用…………………………… 208
アゼルニジピン，定量用………………………………… 208
亜セレン酸………………………………………………… 208
亜セレン酸・硫酸試液…………………………………… 208
亜セレン酸ナトリウム…………………………………… 208
アゾセミド，定量用……………………………………… 208
亜テルル酸カリウム……………………………………… 208
アトラクチレノリドⅢ，定量用………………………… 208
アトラクチレノリドⅢ，薄層クロマトグラフィー用… 208
アトラクチロジン，定量用……………………………… 209
アトラクチロジン試液，定量用………………………… 209
アトロピン硫酸塩水和物………………………………… 209
アトロピン硫酸塩水和物，定量用……………………… 209
アトロピン硫酸塩水和物，薄層クロマトグラフィー用… 209

p−アニスアルデヒド → 4−メトキシベンズアルデヒド……363	2−アミノ−5−クロロベンゾフェノン,
p−アニスアルデヒド・酢酸試液	薄層クロマトグラフィー用…………………………212
→ 4−メトキシベンズアルデヒド・酢酸試液…………363	アミノ酸自動分析用6 mol/L塩酸試液
p−アニスアルデヒド・硫酸試液	→ 塩酸試液,アミノ酸自動分析用6 mol/L……………232
→ 4−メトキシベンズアルデヒド・硫酸試液…………363	アミノ酸分析用無水ヒドラジン
14−アニソイルアコニン塩酸塩,定量用……………………209	→ 無水ヒドラジン,アミノ酸分析用…………………359
アニソール……………………………………………………210	4−アミノ−*N*,*N*−ジエチルアニリン硫酸塩一水和物………212
アニリン………………………………………………………210	4−アミノ−*N*,*N*−ジエチルアニリン硫酸塩試液……………212
アニリン硫酸塩………………………………………………210	L−2−アミノスベリン酸……………………………………212
アビジン・ビオチン試液……………………………………210	1−アミノ−2−ナフトール−4−スルホン酸…………………212
アプリンジン塩酸塩,定量用………………………………210	1−アミノ−2−ナフトール−4−スルホン酸試液……………212
アプロチニン…………………………………………………210	2−アミノ−2−ヒドロキシメチル−1,3−
アプロチニン試液……………………………………………210	プロパンジオール……………………………………212
α−アポオキシテトラサイクリン……………………………210	2−アミノ−2−ヒドロキシメチル−1,3−
β−アポオキシテトラサイクリン……………………………210	プロパンジオール塩酸塩……………………………212
アマチャジヒドロイソクマリン,	アミノピリン…………………………………………………212
薄層クロマトグラフィー用…………………………211	2−アミノフェノール…………………………………………212
アミオダロン塩酸塩,定量用………………………………211	3−アミノフェノール…………………………………………212
アミグダリン,成分含量測定用	4−アミノフェノール…………………………………………212
→ アミグダリン,定量用………………………………211	*m*−アミノフェノール → 3−アミノフェノール……………212
アミグダリン,定量用…………………………………211, *23*	4−アミノフェノール塩酸塩…………………………………212
アミグダリン,薄層クロマトグラフィー用………………211	2−アミノ−1−ブタノール……………………………………212
6−アミジノ−2−ナフトールメタンスルホン酸塩…………211	アミノプロピルシリル化シリカゲル,前処理用…………213
アミドトリゾ酸,定量用……………………………………211	*N*−アミノヘキサメチレンイミン……………………………213
アミド硫酸(標準試薬)………………………………………211	2−アミノベンズイミダゾール………………………………213
アミド硫酸アンモニウム……………………………………211	4−アミノメチル安息香酸……………………………………213
アミド硫酸アンモニウム試液………………………………211	1−アミノ−2−メチルナフタレン……………………………213
4−アミノアセトフェノン……………………………………211	2−アミノメチルピペリジン…………………………………213
p−アミノアセトフェノン → 4−アミノアセトフェノン……211	4−アミノ酪酸…………………………………………………213
4−アミノアセトフェノン試液………………………………211	*n*−アミルアルコール………………………………………213
p−アミノアセトフェノン試液	*t*−アミルアルコール………………………………………213
→ 4−アミノアセトフェノン試液……………………211	アミルアルコール,イソ → 3−メチル−1−ブタノール……362
3−アミノ安息香酸……………………………………………211	アミルアルコール,第三 → *t*−アミルアルコール………213
4−アミノ安息香酸……………………………………………211	アモキシシリン → アモキシシリン水和物………………213
p−アミノ安息香酸 → 4−アミノ安息香酸…………………211	アモキシシリン水和物………………………………………213
4−アミノ安息香酸イソプロピル……………………………211	アモスラロール塩酸塩,定量用……………………………213
p−アミノ安息香酸イソプロピル	アラキジン酸メチル,ガスクロマトグラフィー用………213
→ 4−アミノ安息香酸イソプロピル…………………211	アラセプリル…………………………………………………213
アミノ安息香酸エチル………………………………………211	アラセプリル,定量用………………………………………213
4−アミノ安息香酸メチル……………………………………211	β−アラニン……………………………………………………213
アミノ安息香酸誘導体化試液………………………………211	L−アラニン……………………………………………………213
4−アミノアンチピリン………………………………………211	L−アラビノース………………………………………………213
4−アミノアンチピリン塩酸塩………………………………212	アラントイン,薄層クロマトグラフィー用………………213
4−アミノアンチピリン塩酸塩試液…………………………212	アリザリンS → アリザリンレッドS………………………214
4−アミノアンチピリン試液…………………………………211	アリザリンS試液 → アリザリンレッドS試液……………214
2−アミノエタノール…………………………………………212	アリザリンエローGG…………………………………………214
2−アミノエタンチオール塩酸塩……………………………212	アリザリンエローGG・チモールフタレイン試液…………214
3−(2−アミノエチル)インドール……………………………212	アリザリンエローGG試液……………………………………214
ε−アミノカプロン酸	アリザリンコンプレキソン…………………………………214
→ イプシロン−アミノカプロン酸……………………221	アリザリンコンプレキソン試液……………………………214
6−アミノキノリル−*N*−ヒドロキシスクシンイミジル	アリザリンレッドS……………………………………………214
カルバメート…………………………………………212	アリザリンレッドS試液………………………………………214
4−アミノ−6−クロロベンゼン−1,3−	アリストロキア酸I,生薬純度試験用………………………214
ジスルホンアミド……………………………………212	アリソールA,薄層クロマトグラフィー用…………………214

アリソールB	214
アリソールBモノアセテート	214
亜硫酸オキシダーゼ	214
亜硫酸オキシダーゼ試液	215
亜硫酸水	215
亜硫酸水素ナトリウム	215
亜硫酸水素ナトリウム試液	215
亜硫酸ナトリウム → 亜硫酸ナトリウム七水和物	215
亜硫酸ナトリウム，無水	215
亜硫酸ナトリウム・リン酸二水素ナトリウム試液	215
亜硫酸ナトリウム試液，1 mol/L	215
亜硫酸ナトリウム七水和物	215
亜硫酸ビスマス・インジケーター	215
アルカリ性1.6％過ヨウ素酸カリウム・0.2％過マンガン酸カリウム試液 → 1.6％過ヨウ素酸カリウム・0.2％過マンガン酸カリウム試液，アルカリ性	238
アルカリ性1,3-ジニトロベンゼン試液 → 1,3-ジニトロベンゼン試液，アルカリ性	268
アルカリ性m-ジニトロベンゼン試液 → 1,3-ジニトロベンゼン試液，アルカリ性	268
アルカリ性銅試液 → 銅試液，アルカリ性	304
アルカリ性銅試液(2) → 銅試液(2)，アルカリ性	304
アルカリ性銅溶液 → 銅試液，タンパク質含量試験用アルカリ性	304
アルカリ性2,4,6-トリニトロフェノール試液 → 2,4,6-トリニトロフェノール試液，アルカリ性	307
アルカリ性ピクリン酸試液 → 2,4,6-トリニトロフェノール試液，アルカリ性	307
アルカリ性ヒドロキシルアミン試液 → ヒドロキシルアミン試液，アルカリ性	328
アルカリ性フェノールフタレイン試液 → 一般試験法 アルコール数測定法〈1.01〉	23
アルカリ性フェリシアン化カリウム試液 → ヘキサシアノ鉄(Ⅲ)酸カリウム試液，アルカリ性	345
アルカリ性ブルーテトラゾリウム試液 → ブルーテトラゾリウム試液，アルカリ性	341
アルカリ性ヘキサシアノ鉄(Ⅲ)酸カリウム試液 → ヘキサシアノ鉄(Ⅲ)酸カリウム試液，アルカリ性	345
アルカリ性ホスファターゼ → ホスファターゼ，アルカリ性	352
アルカリ性ホスファターゼ試液 → ホスファターゼ試液，アルカリ性	352
アルカリ性硫酸銅試液 → 硫酸銅(Ⅱ)試液，アルカリ性	371
アルカリ銅試液	215
L-アルギニン	215
L-アルギニン塩酸塩	215
アルキレングリコールフタル酸エステル，ガスクロマトグラフィー用	215
アルコール数測定用エタノール → 一般試験法 アルコール数測定法〈1.01〉	23
アルゴン	215
アルシアンブルー8GX	215
アルシアンブルー染色液	215
アルジオキサ，定量用	215
アルセナゾⅢ	215
アルセナゾⅢ試液	215
アルデヒドデヒドロゲナーゼ	215
アルデヒドデヒドロゲナーゼ試液	216
アルテミシア・アルギイ，純度試験用	216
RPMI-1640粉末培地	216
アルビフロリン	216
アルブチン，成分含量測定用 → アルブチン，定量用	216
アルブチン，定量用	216, 24
アルブチン，薄層クロマトグラフィー用	216
アルブミン試液	216
アルミニウム	216
アルミノプロフェン，定量用	216
アルミノン	216
アルミノン試液	216
アレコリン臭化水素酸塩，薄層クロマトグラフィー用	216
アレンドロン酸ナトリウム水和物	217
アロプリノール	217
アロプリノール，定量用	217
安息香酸	217
安息香酸イソアミル	217
安息香酸イソプロピル	217
安息香酸エチル	217
安息香酸コレステロール	217
安息香酸ナトリウム	217
安息香酸フェニル	217
安息香酸ブチル	217
安息香酸プロピル	217
安息香酸ベンジル	217
安息香酸メチル	217
安息香酸メチル，エストリオール試験用	217
アンチトロンビンⅢ	217
アンチトロンビンⅢ試液	217
アンチピリン	217
アントロン	217
アントロン試液	217
アンピロキシカム，定量用	217
アンミントリクロロ白金酸アンモニウム，液体クロマトグラフィー用	217
アンモニア・エタノール試液	218
アンモニア・塩化アンモニウム緩衝液，pH 8.0	218
アンモニア・塩化アンモニウム緩衝液，pH 10.0	218
アンモニア・塩化アンモニウム緩衝液，pH 10.7	218
アンモニア・塩化アンモニウム緩衝液，pH 11.0	218
アンモニア・酢酸アンモニウム緩衝液，pH 8.0	218
アンモニア・酢酸アンモニウム緩衝液，pH 8.5	218
アンモニアガス	218
アンモニア試液	218
アンモニア試液，1 mol/L	218
アンモニア試液，13.5 mol/L	218
アンモニア水 → アンモニア試液	218
アンモニア水(28)	218
アンモニア水，1 mol/L → アンモニア試液，1 mol/L	218

アンモニア水，13.5 mol/L
　　→ アンモニア試液，13.5 mol/L……218
アンモニア水，強 → アンモニア水(28)……218
アンモニア銅試液……218
アンモニア飽和1-ブタノール試液
　　→ 1-ブタノール試液，アンモニア飽和……336
アンモニウム試験用次亜塩素酸ナトリウム試液
　　→ 次亜塩素酸ナトリウム試液，アンモニウム試験用…262
アンモニウム試験用水……218
アンモニウム試験用精製水 → アンモニウム試験用水……218

イ

EMB平板培地……218
イオウ → 硫黄……218
硫黄……218
イオタラム酸，定量用……218
イオパミドール，定量用……218
イカリイン，薄層クロマトグラフィー用……218
イーグル最少必須培地……218
イーグル最少必須培地，ウシ血清加……218
イサチン → 2,3-インドリンジオン……222
イスコフ改変ダルベッコ液体培地，フィルグラスチム用……219
イスコフ改変ダルベッコ粉末培地……218
イソアミルアルコール → 3-メチル-1-ブタノール……362
イソオクタン → オクタン，イソ……234
イソクスプリン塩酸塩，定量用……219
(S)-イソシアン酸1-フェニルエチルエステル……219
イソニアジド……219
イソニアジド，定量用……219
イソニアジド試液……219
イソニコチン酸……219
イソニコチン酸アミド……219
(E)-イソフェルラ酸……219
(E)-イソフェルラ酸・(E)-フェルラ酸混合試液，薄層クロマトグラフィー用……219
イソブタノール → 2-メチル-1-プロパノール……362
イソプロパノール → 2-プロパノール……342
イソプロパノール，液体クロマトグラフィー用
　　→ 2-プロパノール，液体クロマトグラフィー用……342
イソプロピルアミン → プロピルアミン，イソ……342
イソプロピルアミン・エタノール試液……219
イソプロピルエーテル → プロピルエーテル，イソ……342
4-イソプロピルフェノール……219
イソプロメタジン塩酸塩，薄層クロマトグラフィー用……219
イソマルト……219
L-イソロイシン……219
L-イソロイシン，定量用……219
一次抗体試液……219
一硝酸イソソルビド，定量用……220
一酸化炭素……220
一酸化窒素……220
一酸化鉛 → 酸化鉛(Ⅱ)……261
一臭化ヨウ素 → 臭化ヨウ素(Ⅰ)……276

イフェンプロジル酒石酸塩，定量用……220
イプシロン-アミノカプロン酸……221
イブプロフェン……221
イブプロフェンピコノール……221
イブプロフェンピコノール，定量用……221
イミダゾール……221
イミダゾール，水分測定用……221
イミダゾール，薄層クロマトグラフィー用……221
イミダゾール試液……221
イミダゾール臭化水素塩酸塩……221
イミダプリル塩酸塩……221
イミダプリル塩酸塩，定量用……221
2,2′-イミノジエタノール塩酸塩……221
イミノジベンジル……221
イミプラミン塩酸塩……221
イリノテカン塩酸塩水和物，定量用……221
イルソグラジンマレイン酸塩……221
イルソグラジンマレイン酸塩，定量用……221
イルベサルタン，定量用……221
インジゴカルミン……221
インジゴカルミン試液……221
インスリングラルギン用V8プロテアーゼ
　　→ V8プロテアーゼ，インスリングラルギン用……341
インターフェロンアルファ(NAMALWA)用DNA標準原液 → DNA標準原液，インターフェロンアルファ(NAMALWA)用……294
インターフェロンアルファ確認用基質試液
　　→ 基質試液，インターフェロンアルファ確認用……241
インターフェロンアルファ用クーマシーブリリアントブルー試液 → クーマシーブリリアントブルー試液，インターフェロンアルファ用……245
インターフェロンアルファ用分子量マーカー
　　→ 分子量マーカー，インターフェロンアルファ用……344
インターロイキン-2依存性マウスナチュラルキラー細胞NKC3……222
インドメタシン……222
2,3-インドリンジオン……222

ウ

ウィイス試液……222
ウサギ抗ナルトグラスチム抗体……222, 32
ウサギ抗ナルトグラスチム抗体試液……222, 32
ウサギ脱繊維血……222
ウシ血清……222
ウシ血清アルブミン……222
ウシ血清アルブミン，ウリナスタチン試験用……222
ウシ血清アルブミン，ゲルろ過分子量マーカー用……222
ウシ血清アルブミン，定量用……222
ウシ血清アルブミン・塩化ナトリウム・リン酸塩緩衝液，0.1 w/v%……222
ウシ血清アルブミン・塩化ナトリウム・リン酸塩緩衝液，pH 7.2……222
ウシ血清アルブミン・生理食塩液……222

1 w/v％ウシ血清アルブミン・リン酸塩緩衝液・
　　塩化ナトリウム試液……………………………… 222
0.1％ウシ血清アルブミン含有酢酸緩衝液……………… 222
ウシ血清アルブミン試液,セクレチン標準品用………… 222
ウシ血清アルブミン試液,セクレチン用………………… 222
ウシ血清アルブミン試液,ナルトグラスチム試験用…… 222, 32
ウシ血清加イーグル最小必須培地
　　→ イーグル最小必須培地,ウシ血清加……… 218
ウシ胎児血清……………………………………………… 222
ウシ由来活性化血液凝固X因子………………………… 222
薄めたエタノール → エタノール,薄めた…………… 224
ウベニメクス,定量用…………………………………… 223
ウラシル…………………………………………………… 223
ウリナスタチン試験用ウシ血清アルブミン
　　→ ウシ血清アルブミン,ウリナスタチン試験用… 222
ウリナスタチン試験用トリプシン試液
　　→ トリプシン試液,ウリナスタチン試験用… 308
ウリナスタチン定量用結晶トリプシン
　　→ 結晶トリプシン,ウリナスタチン定量用… 251
ウルソデオキシコール酸………………………………… 223
ウルソデオキシコール酸,定量用……………………… 223
ウレタン → カルバミン酸エチル……………………… 239
ウンベリフェロン,薄層クロマトグラフィー用………… 223

エ

エイコセン酸メチル,ガスクロマトグラフィー用…… 223
エオシン → エオシンY………………………………… 223
エオシンY………………………………………………… 223
エオシンメチレンブルーカンテン培地………………… 223
A型赤血球浮遊液………………………………………… 223
エカベトナトリウム水和物,定量用…………………… 223
液状チオグリコール酸培地 → 一般試験法
　　無菌試験法〈4.06〉液状チオグリコール酸培地……… 131
液体クロマトグラフィー用アセトニトリル
　　→ アセトニトリル,液体クロマトグラフィー用……… 207
液体クロマトグラフィー用アンミントリクロロ白金酸アン
　　モニウム → アンミントリクロロ白金酸アンモニウム,
　　液体クロマトグラフィー用…………………… 217
液体クロマトグラフィー用イソプロパノール
　　→ 2－プロパノール,液体クロマトグラフィー用……… 342
液体クロマトグラフィー用エタノール(99.5)
　　→ エタノール(99.5),液体クロマトグラフィー用… 224
液体クロマトグラフィー用エレウテロシドB
　　→ エレウテロシドB,液体クロマトグラフィー用…… 228
液体クロマトグラフィー用オクタデシルシリル基及びオク
　　チルシリル基を結合した多孔質シリカゲル
　　→ オクタデシルシリル基及びオクチルシリル基を結
　　合した多孔質シリカゲル,液体クロマトグラフィー用… 32
液体クロマトグラフィー用3′－クロロ－3′－デオキシチミ
　　ジン → 3′－クロロ－3′－デオキシチミジン,液体ク
　　ロマトグラフィー用…………………………… 248

液体クロマトグラフィー用N,N－ジメチルホルムアミド
　　→ N,N－ジメチルホルムアミド,液体クロマトグラ
　　フィー用………………………………………… 275
液体クロマトグラフィー用セルモロイキン
　　→ セルモロイキン,液体クロマトグラフィー用……… 289
液体クロマトグラフィー用チミン
　　→ チミン,液体クロマトグラフィー用…………… 293
液体クロマトグラフィー用2′－デオキシウリジン → 2′－
　　デオキシウリジン,液体クロマトグラフィー用…… 298
液体クロマトグラフィー用テトラヒドロフラン
　　→ テトラヒドロフラン,液体クロマトグラフィー用… 301
液体クロマトグラフィー用トリプシン
　　→ トリプシン,液体クロマトグラフィー用………… 308
液体クロマトグラフィー用2－プロパノール
　　→ 2－プロパノール,液体クロマトグラフィー用… 342
液体クロマトグラフィー用ヘキサン
　　→ ヘキサン,液体クロマトグラフィー用…………… 346
液体クロマトグラフィー用n－ヘキサン
　　→ ヘキサン,液体クロマトグラフィー用…………… 346
液体クロマトグラフィー用ヘプタン
　　→ ヘプタン,液体クロマトグラフィー用…………… 347
液体クロマトグラフィー用ポリアミンシリカゲル
　　→ ポリアミンシリカゲル,液体クロマトグラフィー
　　用……………………………………………………… 32
液体クロマトグラフィー用メタノール
　　→ メタノール,液体クロマトグラフィー用………… 360
液体クロマトグラフィー用1－メチル－1H－テトラゾール
　　－5－チオール → 1－メチル－1H－テトラゾール
　　－5－チオール,液体クロマトグラフィー用……… 362
液体クロマトグラフィー用5－ヨードウラシル
　　→ 5－ヨードウラシル,液体クロマトグラフィー用…… 366
SDSポリアクリルアミドゲル電気泳動用緩衝液
　　→ 緩衝液,SDSポリアクリルアミドゲル電気泳動用… 239
エストリオール試験用安息香酸メチル
　　→ 安息香酸メチル,エストリオール試験用………… 217
エタクリン酸,定量用…………………………………… 224
エタノール → エタノール(95)………………………… 224
エタノール(95)…………………………………………… 224
エタノール(95),メタノール不含……………………… 224
エタノール(99.5)………………………………………… 224
エタノール(99.5),液体クロマトグラフィー用……… 224
エタノール,薄めた……………………………………… 224
エタノール,ガスクロマトグラフィー用……………… 224
エタノール,希…………………………………………… 224
エタノール,消毒用……………………………………… 224
エタノール,中和………………………………………… 224
エタノール,無アルデヒド……………………………… 224
エタノール,無水 → エタノール(99.5)……………… 224
エタノール,メタノール不含
　　→ エタノール(95),メタノール不含………………… 224
エタノール・生理食塩液………………………………… 224
エタノール不含クロロホルム
　　→ クロロホルム,エタノール不含…………………… 249
エダラボン,定量用……………………………………… 224

エチゾラム，定量用	224
エチドロン酸二ナトリウム，定量用	224
エチニルエストラジオール	224
エチルアミン塩酸塩	224
2－エチル－2－フェニルマロンジアミド	224
エチルベンゼン	225
N－エチルマレイミド	225
N－エチルモルホリン	225
エチレフリン塩酸塩	225
エチレフリン塩酸塩，定量用	225
エチレンオキシド	225
エチレングリコール	225
エチレングリコール，水分測定用	225
エチレンジアミン	225
エチレンジアミン試液	225
エチレンジアミン四酢酸二水素二ナトリウム試液，0.04 mol/L	225
エチレンジアミン四酢酸二水素二ナトリウム試液，0.1 mol/L	225
エチレンジアミン四酢酸二水素二ナトリウム試液，0.4 mol/L，pH 8.5	225
エチレンジアミン四酢酸二水素二ナトリウム二水和物	225
エチレンジアミン四酢酸二ナトリウム → エチレンジアミン四酢酸二水素二ナトリウム二水和物	225
エチレンジアミン四酢酸二ナトリウム亜鉛 → エチレンジアミン四酢酸二ナトリウム亜鉛四水和物	225
エチレンジアミン四酢酸二ナトリウム亜鉛四水和物	225
エチレンジアミン四酢酸二ナトリウム試液，0.1 mol/L → エチレンジアミン四酢酸二水素二ナトリウム試液，0.1 mol/L	225
エチレンジアミン四酢酸二ナトリウム銅 → エチレンジアミン四酢酸二ナトリウム銅四水和物	225
エチレンジアミン四酢酸二ナトリウム銅四水和物	225
エーテル → ジエチルエーテル	264
エーテル，生薬純度試験用 → ジエチルエーテル，生薬純度試験用	264
エーテル，麻酔用	225
エーテル，無水 → ジエチルエーテル，無水	265
エテンザミド	225
4′－エトキシアセトフェノン	225
3－エトキシ－4－ヒドロキシベンズアルデヒド	225
4－エトキシフェノール	226
p－エトキシフェノール → 4－エトキシフェノール	226
エナラプリルマレイン酸塩	226
エナント酸メテノロン → メテノロンエナント酸エステル	363
エナント酸メテノロン，定量用 → メテノロンエナント酸エステル，定量用	363
NADHペルオキシダーゼ	226
NADHペルオキシダーゼ試液	226
NN指示薬	226
NFS－60細胞	226
NK－7細胞	226
エバスチン，定量用	226

4－エピオキシテトラサイクリン	226
6－エピドキシサイクリン塩酸塩	226
エフェドリン塩酸塩	226
エフェドリン塩酸塩，生薬定量用	226
エフェドリン塩酸塩，定量用 → エフェドリン塩酸塩	226
FL細胞	226
FBS・IMDM	226
エポエチンアルファ液体クロマトグラフィー用トリプシン → トリプシン，エポエチンアルファ液体クロマトグラフィー用	308
エポエチンアルファ用N－アセチルノイラミン酸 → N－アセチルノイラミン酸，エポエチンアルファ用	206
エポエチンアルファ用基質試液 → 基質試液，エポエチンアルファ用	241
エポエチンアルファ用試料緩衝液 → 試料緩衝液，エポエチンアルファ用	282
エポエチンアルファ用トリプシン試液 → トリプシン試液，エポエチンアルファ用	308
エポエチンアルファ用ブロッキング試液 → ブロッキング試液，エポエチンアルファ用	341
エポエチンアルファ用分子量マーカー → 分子量マーカー，エポエチンアルファ用	344
エポエチンアルファ用ポリアクリルアミドゲル → ポリアクリルアミドゲル，エポエチンアルファ用	353
エポエチンアルファ用リン酸塩緩衝液 → リン酸塩緩衝液，エポエチンアルファ用	372
エポエチンベータ用トリエチルアミン → トリエチルアミン，エポエチンベータ用	305
エポエチンベータ用トリフルオロ酢酸 → トリフルオロ酢酸，エポエチンベータ用	308
エポエチンベータ用ポリソルベート20 → ポリソルベート20，エポエチンベータ用	354
エポエチンベータ用2－メルカプトエタノール → 2－メルカプトエタノール，エポエチンベータ用	364
エボジアミン，定量用	227
MTT試液	228
エメダスチンフマル酸塩，定量用	228
エメチン塩酸塩，定量用	228
エモルファゾン，定量用	228
エリオクロムブラックT	228
エリオクロムブラックT・塩化ナトリウム指示薬	228
エリオクロムブラックT試液	228
エリスロマイシンB	228
エリスロマイシンC	228
エルカトニン試験用トリプシン試液 → トリプシン試液，エルカトニン試験用	308
エレウテロシドB，液体クロマトグラフィー用	228
塩化亜鉛	228
塩化亜鉛試液	228
塩化亜鉛試液，0.04 mol/L	229
塩化アセチル	229
塩化アルミニウム → 塩化アルミニウム（Ⅲ）六水和物	229
塩化アルミニウム（Ⅲ）試液	229
塩化アルミニウム（Ⅲ）六水和物	229

塩化アルミニウム試液 → 塩化アルミニウム(Ⅲ)試液 ……… 229
塩化アンチモン(Ⅲ) ……………………………………… 229
塩化アンチモン(Ⅲ)試液 ………………………………… 229
塩化アンモニウム ………………………………………… 229
塩化アンモニウム・アンモニア試液 …………………… 229
塩化アンモニウム緩衝液, pH 10 ………………………… 229
塩化アンモニウム試液 …………………………………… 229
塩化カリウム ……………………………………………… 229
塩化カリウム, 赤外吸収スペクトル用 ………………… 229
塩化カリウム, 定量用 …………………………………… 229
塩化カリウム, 導電率測定用 …………………………… 229
塩化カリウム・塩酸緩衝液 ……………………………… 229
塩化カリウム試液, 0.2 mol/L …………………………… 229
塩化カリウム試液, 酸性 ………………………………… 229
塩化カルシウム → 塩化カルシウム二水和物 ………… 229
塩化カルシウム, 乾燥用 ………………………………… 229
塩化カルシウム, 水分測定用 …………………………… 229
塩化カルシウム試液 ……………………………………… 229
塩化カルシウム水和物, 定量用 ………………………… 229
塩化カルシウム二水和物 ………………………………… 229
塩化カルシウム二水和物, 定量用
　　→ 塩化カルシウム水和物, 定量用 ………………… 229
塩化金酸 → テトラクロロ金(Ⅲ)酸四水和物 ………… 300
塩化金酸試液 → テトラクロロ金(Ⅲ)酸試液 ………… 300
塩化コバルト → 塩化コバルト(Ⅱ)六水和物 ………… 229
塩化コバルト・エタノール試液
　　→ 塩化コバルト(Ⅱ)・エタノール試液 …………… 229
塩化コバルト(Ⅱ)・エタノール試液 …………………… 229
塩化コバルト試液 → 塩化コバルト(Ⅱ)試液 ………… 229
塩化コバルト(Ⅱ)試液 …………………………………… 229
塩化コバルト(Ⅱ)六水和物 ……………………………… 229
塩化コリン → コリン塩化物 …………………………… 254
塩化水銀(Ⅱ) ……………………………………………… 229
塩化水素・エタノール試液 ……………………………… 229
塩化スキサメトニウム, 薄層クロマトグラフィー用
　　→ スキサメトニウム塩化物水和物, 薄層クロマトグ
　　　ラフィー用 ……………………………………… 284
塩化スズ(Ⅱ)・塩酸試液 ………………………………… 229
塩化スズ(Ⅱ)・硫酸試液 ………………………………… 229
塩化スズ(Ⅱ)試液 ………………………………………… 229
塩化スズ(Ⅱ)試液, 酸性 ………………………………… 229
塩化スズ(Ⅱ)二水和物 …………………………………… 229
塩化ストロンチウム → 塩化ストロンチウム六水和物 … 229
塩化ストロンチウム六水和物 …………………………… 229
塩化セシウム ……………………………………………… 229
塩化セシウム試液 ………………………………………… 229
塩化第一スズ → 塩化スズ(Ⅱ)二水和物 ……………… 229
塩化第一スズ・硫酸試液 → 塩化スズ(Ⅱ)・硫酸試液 … 229
塩化第一スズ試液 → 塩化スズ(Ⅱ)試液 ……………… 229
塩化第一スズ試液, 酸性 → 塩化スズ(Ⅱ)試液, 酸性 … 229
塩化第二水銀 → 塩化水銀(Ⅱ) ………………………… 229
塩化第二鉄 → 塩化鉄(Ⅲ)六水和物 …………………… 230
塩化第二鉄・酢酸試液 → 塩化鉄(Ⅲ)・酢酸試液 …… 230
塩化第二鉄・ピリジン試液, 無水

　　→ 塩化鉄(Ⅲ)・ピリジン試液, 無水 ……………… 230
塩化第二鉄・メタノール試液
　　→ 塩化鉄(Ⅲ)・メタノール試液 …………………… 230
塩化第二鉄・ヨウ素試液 → 塩化鉄(Ⅲ)・ヨウ素試液 … 230
塩化第二鉄試液 → 塩化鉄(Ⅲ)試液 …………………… 230
塩化第二鉄試液, 希 → 塩化鉄(Ⅲ)試液, 希 ………… 230
塩化第二鉄試液, 酸性 → 塩化鉄(Ⅲ)試液, 酸性 …… 230
塩化第二銅 → 塩化銅(Ⅱ)二水和物 …………………… 230
塩化第二銅・アセトン試液
　　→ 塩化銅(Ⅱ)・アセトン試液 ……………………… 230
塩化チオニル ……………………………………………… 230
塩化チタン(Ⅲ)(20) ……………………………………… 230
塩化チタン(Ⅲ)・硫酸試液 ……………………………… 230
塩化チタン(Ⅲ)試液 ……………………………………… 230
塩化鉄(Ⅲ)・アミド硫酸試液 …………………………… 230
塩化鉄(Ⅲ)・酢酸試液 …………………………………… 230
塩化鉄(Ⅲ)・ピリジン試液, 無水 ……………………… 230
塩化鉄(Ⅲ)・ヘキサシアノ鉄(Ⅲ)酸カリウム試液 …… 230
塩化鉄(Ⅲ)・メタノール試液 …………………………… 230
塩化鉄(Ⅲ)・ヨウ素試液 ………………………………… 230
塩化鉄(Ⅲ)試液 …………………………………………… 230
塩化鉄(Ⅲ)試液, 希 ……………………………………… 230
塩化鉄(Ⅲ)試液, 酸性 …………………………………… 230
塩化鉄(Ⅲ)六水和物 ……………………………………… 230
塩化テトラn-ブチルアンモニウム
　　→ テトラ-n-ブチルアンモニウム塩化物 ………… 301
塩化銅(Ⅱ)・アセトン試液 ……………………………… 230
塩化銅(Ⅱ)二水和物 ……………………………………… 230
塩化トリフェニルテトラゾリウム
　　→ 塩化2, 3, 5-トリフェニル-2H-テトラゾリウム … 230
塩化2, 3, 5-トリフェニル-2H-テトラゾリウム ……… 230
塩化2, 3, 5-トリフェニル-2H-テトラゾリウム・
　　メタノール試液, 噴霧用 ………………………… 230
塩化トリフェニルテトラゾリウム試液 → 塩化2, 3, 5-
　　トリフェニル-2H-テトラゾリウム試液 ………… 230
塩化2, 3, 5-トリフェニル-2H-テトラゾリウム試液 … 230
塩化ナトリウム …………………………………………… 230
塩化ナトリウム(標準試薬) ……………………………… 230
塩化ナトリウム, 定量用 ………………………………… 230
塩化ナトリウム試液 ……………………………………… 230
塩化ナトリウム試液, 0.1 mol/L ………………………… 230
塩化ナトリウム試液, 0.2 mol/L ………………………… 230
塩化ナトリウム試液, 1 mol/L …………………………… 230
塩化p-ニトロベンゼンジアゾニウム試液
　　→ 4-ニトロベンゼンジアゾニウム塩酸塩試液 …… 313
塩化p-ニトロベンゼンジアゾニウム試液, 噴霧用 → 4-
　　ニトロベンゼンジアゾニウム塩酸塩試液, 噴霧用 … 313
塩化白金酸 → ヘキサクロロ白金(Ⅳ)酸六水和物 …… 345
塩化白金酸・ヨウ化カリウム試液
　　→ ヘキサクロロ白金(Ⅳ)酸・ヨウ化カリウム試液 … 345
塩化白金酸試液 → ヘキサクロロ白金(Ⅳ)酸試液 …… 345
塩化パラジウム → 塩化パラジウム(Ⅱ) ……………… 231
塩化パラジウム(Ⅱ) ……………………………………… 231
塩化パラジウム試液 → 塩化パラジウム(Ⅱ)試液 …… 231

塩化パラジウム（Ⅱ）試液……………………………… 231
塩化バリウム → 塩化バリウム二水和物…………………… 231
塩化バリウム試液………………………………………… 231
塩化バリウム二水和物…………………………………… 231
塩化パルマチン → パルマチン塩化物…………………… 322
塩化ヒドロキシルアンモニウム………………………… 231
塩化ヒドロキシルアンモニウム・エタノール試液……… 231
塩化ヒドロキシルアンモニウム・塩化鉄（Ⅲ）試液……… 231
塩化ヒドロキシルアンモニウム試液…………………… 231
塩化ヒドロキシルアンモニウム試液, pH 3.1…………… 231
塩化ビニル………………………………………………… 231
塩化1,10-フェナントロリニウム一水和物……………… 231
塩化フェニルヒドラジニウム…………………………… 231
塩化フェニルヒドラジニウム試液……………………… 231
塩化n-ブチル → 1-クロロブタン……………………… 248
塩化ベルベリン → ベルベリン塩化物水和物…………… 349
塩化ベルベリン, 薄層クロマトグラフィー用 → ベルベリン塩化物水和物, 薄層クロマトグラフィー用…… 349
塩化ベンザルコニウム → ベンザルコニウム塩化物…… 349
塩化ベンゼトニウム, 定量用
　→ ベンゼトニウム塩化物, 定量用………………… 349
塩化ベンゾイル…………………………………………… 231
塩化マグネシウム → 塩化マグネシウム六水和物……… 231
塩化マグネシウム六水和物……………………………… 231
塩化メチルロザニリン → クリスタルバイオレット…… 245
塩化メチルロザニリン試液
　→ クリスタルバイオレット試液…………………… 245
塩化ランタン試液………………………………………… 231
塩化リゾチーム用基質試液
　→ 基質試液, リゾチーム塩酸塩用………………… 241
塩化リチウム……………………………………………… 231
塩化ルビジウム…………………………………………… 231
塩酸………………………………………………………… 231
塩酸, 希…………………………………………………… 231
塩酸, 精製………………………………………………… 231
塩酸・エタノール試液…………………………………… 232
塩酸・塩化カリウム緩衝液, pH 2.0……………………… 232
塩酸・酢酸アンモニウム緩衝液, pH 3.5………………… 232
塩酸・2-プロパノール試液……………………………… 232
塩酸・メタノール試液, 0.01 mol/L……………………… 232
塩酸・メタノール試液, 0.05 mol/L……………………… 232
塩酸アゼラスチン, 定量用
　→ アゼラスチン塩酸塩, 定量用…………………… 208
塩酸14-アニソイルアコニン, 成分含量測定用
　→ 14-アニソイルアコニン塩酸塩, 定量用………… 209
塩酸アプリンジン, 定量用
　→ アプリンジン塩酸塩, 定量用…………………… 210
塩酸アミオダロン, 定量用
　→ アミオダロン塩酸塩, 定量用…………………… 211
塩酸4-アミノアンチピリン
　→ 4-アミノアンチピリン塩酸塩…………………… 212
塩酸4-アミノアンチピリン試液
　→ 4-アミノアンチピリン塩酸塩試液……………… 212

塩酸4-アミノフェノール
　→ 4-アミノフェノール塩酸塩……………………… 212
塩酸p-アミノフェノール
　→ 4-アミノフェノール塩酸塩……………………… 212
塩酸アモスラロール, 定量用
　→ アモスラロール塩酸塩, 定量用………………… 213
塩酸L-アルギニン → L-アルギニン塩酸塩……………… 215
塩酸イソクスプリン, 定量用
　→ イソクスプリン塩酸塩, 定量用………………… 219
塩酸イソプロメタジン, 薄層クロマトグラフィー用 → イソプロメタジン塩酸塩, 薄層クロマトグラフィー用…… 219
塩酸イミダプリル → イミダプリル塩酸塩……………… 221
塩酸イミダプリル, 定量用
　→ イミダプリル塩酸塩, 定量用…………………… 221
塩酸イミプラミン → イミプラミン塩酸塩……………… 221
塩酸エチレフリン → エチレフリン塩酸塩……………… 225
塩酸エチレフリン, 定量用
　→ エチレフリン塩酸塩, 定量用…………………… 225
塩酸6-エピドキシサイクリン
　→ 6-エピドキシサイクリン塩酸塩………………… 226
塩酸エフェドリン → エフェドリン塩酸塩……………… 226
塩酸エフェドリン, 定量用 → エフェドリン塩酸塩…… 226
塩酸エメチン, 成分含量測定用
　→ エメチン塩酸塩, 定量用………………………… 228
塩酸オキシコドン, 定量用
　→ オキシコドン塩酸塩水和物, 定量用…………… 234
塩酸クロルプロマジン, 定量用
　→ クロルプロマジン塩酸塩, 定量用……………… 248
塩酸クロルヘキシジン → クロルヘキシジン塩酸塩…… 248
塩酸(2-クロロエチル)ジエチルアミン
　→ 2-クロロエチルジエチルアミン塩酸塩………… 248
塩酸2,4-ジアミノフェノール
　→ 2,4-ジアミノフェノール二塩酸塩……………… 263
塩酸2,4-ジアミノフェノール試液
　→ 2,4-ジアミノフェノール二塩酸塩試液………… 264
塩酸試液, 0.001 mol/L…………………………………… 231
塩酸試液, 0.01 mol/L……………………………………… 231
塩酸試液, 0.02 mol/L……………………………………… 231
塩酸試液, 0.05 mol/L……………………………………… 231
塩酸試液, 0.1 mol/L……………………………………… 231
塩酸試液, 0.2 mol/L……………………………………… 231
塩酸試液, 0.5 mol/L……………………………………… 231
塩酸試液, 1 mol/L………………………………………… 231
塩酸試液, 2 mol/L………………………………………… 231
塩酸試液, 3 mol/L………………………………………… 231
塩酸試液, 5 mol/L………………………………………… 231
塩酸試液, 6 mol/L………………………………………… 231
塩酸試液, 7.5 mol/L……………………………………… 231
塩酸試液, 10 mol/L……………………………………… 232
塩酸試液, アミノ酸自動分析用6 mol/L………………… 232
塩酸ジエタノールアミン
　→ 2,2'-イミノジエタノール塩酸塩………………… 221
L-塩酸システイン → L-システイン塩酸塩一水和物…… 267
塩酸ジフェニドール → ジフェニドール塩酸塩………… 270

塩酸1,1-ジフェニル-4-ピペリジノ-1-ブテン，薄層クロマトグラフィー用 → 1,1-ジフェニル-4-ピペリジノ-1-ブテン塩酸塩，薄層クロマトグラフィー用·················· 272
塩酸ジブカイン → ジブカイン塩酸塩················ 272
塩酸N,N-ジメチル-p-フェニレンジアミン → N,N-ジメチル-p-フェニレンジアンモニウム二塩酸塩········ 275
塩酸ジルチアゼム → ジルチアゼム塩酸塩·········· 282
塩酸スレオプロカテロール
　　→ スレオプロカテロール塩酸塩················ 286
塩酸セチリジン，定量用 → セチリジン塩酸塩，定量用·· 288
塩酸セフカペンピボキシル
　　→ セフカペンピボキシル塩酸塩水和物········ 288
塩酸セミカルバジド → セミカルバジド塩酸塩······ 288
塩酸タムスロシン → タムスロシン塩酸塩·········· 290
塩酸チアプリド，定量用 → チアプリド塩酸塩，定量用·· 291
塩酸チアラミド，定量用 → チアラミド塩酸塩，定量用·· 291
塩酸テトラサイクリン → テトラサイクリン塩酸塩·· 300
塩酸ドパミン，定量用 → ドパミン塩酸塩，定量用······ 305
塩酸トリメタジジン，定量用
　　→ トリメタジジン塩酸塩，定量用················ 309
塩酸ニカルジピン，定量用
　　→ ニカルジピン塩酸塩，定量用·················· 311
塩酸パパベリン → パパベリン塩酸塩················ 319
塩酸パパベリン，定量用 → パパベリン塩酸塩，定量用·· 319
塩酸パラアミノフェノール
　　→ 4-アミノフェノール塩酸塩·················· 212
L-塩酸ヒスチジン → L-ヒスチジン塩酸塩一水和物·· 324
塩酸ヒドララジン → ヒドララジン塩酸塩············ 325
塩酸ヒドララジン，定量用
　　→ ヒドララジン塩酸塩，定量用·················· 325
塩酸ヒドロキシアンモニウム
　　→ 塩化ヒドロキシルアンモニウム·············· 231
塩酸ヒドロキシアンモニウム・エタノール試液 → 塩化ヒドロキシルアンモニウム・エタノール試液·········· 231
塩酸ヒドロキシアンモニウム・塩化鉄(Ⅲ)試液 → 塩化ヒドロキシルアンモニウム・塩化鉄(Ⅲ)試液···· 231
塩酸ヒドロキシアンモニウム試液
　　→ 塩化ヒドロキシルアンモニウム試液············ 231
塩酸ヒドロキシアンモニウム試液，pH 3.1
　　→ 塩化ヒドロキシルアンモニウム試液，pH 3.1········ 231
塩酸ヒドロキシルアミン
　　→ 塩化ヒドロキシルアンモニウム················ 231
塩酸ヒドロキシルアミン・塩化第二鉄試液
　　→ 塩化ヒドロシルアンモニウム・塩化鉄(Ⅲ)試液···· 231
塩酸ヒドロキシルアミン試液
　　→ 塩化ヒドロキシルアンモニウム試液············ 231
塩酸ヒドロキシルアミン試液，pH 3.1
　　→ 塩化ヒドロキシルアンモニウム試液，pH 3.1········ 231
塩酸ヒドロコタルニン，定量用
　　→ ヒドロコタルニン塩酸塩水和物，定量用·········· 328
塩酸ピペリジン → ピペリジン塩酸塩················ 329
塩酸1-(4-ピリジル)ピリジニウムクロリド
　　→ 1-(4-ピリジル)ピリジニウム塩化物塩酸塩········ 330
塩酸ピリドキシン → ピリドキシン塩酸塩············ 330
塩酸1,10-フェナントロリニウム一水和物
　　→ 塩化1,10-フェナントロリニウム一水和物········ 231
塩酸o-フェナントロリン
　　→ 塩化1,10-フェナントロリニウム一水和物········ 231
塩酸フェニルヒドラジニウム
　　→ 塩化フェニルヒドラジニウム·················· 231
塩酸フェニルヒドラジニウム試液
　　→ 塩化フェニルヒドラジニウム試液·············· 231
塩酸フェニルヒドラジン
　　→ 塩化フェニルヒドラジニウム·················· 231
塩酸フェニルヒドラジン試液
　　→ 塩化フェニルヒドラジニウム試液·············· 231
塩酸フェニルピペラジン
　　→ 1-フェニルピペラジン一塩酸塩················ 333
塩酸フェネチルアミン → フェネチルアミン塩酸塩···· 333
塩酸プソイドエフェドリン
　　→ プソイドエフェドリン塩酸塩·················· 336
塩酸ブホルミン，定量用 → ブホルミン塩酸塩，定量用···· 339
塩酸プロカイン → プロカイン塩酸塩················ 341
塩酸プロカイン，定量用 → プロカイン塩酸塩，定量用···· 341
塩酸プロカインアミド → プロカインアミド塩酸塩···· 341
塩酸プロカインアミド，定量用
　　→ プロカインアミド塩酸塩，定量用················ 341
塩酸プロカテロール → プロカテロール塩酸塩水和物··· 341
塩酸プロパフェノン，定量用
　　→ プロパフェノン塩酸塩，定量用·················· 342
塩酸プロプラノロール，定量用
　　→ プロプラノロール塩酸塩，定量用················ 342
塩酸ペチジン，定量用 → ペチジン塩酸塩，定量用······ 347
塩酸ベニジピン → ベニジピン塩酸塩················ 347
塩酸ベニジピン，定量用 → ベニジピン塩酸塩，定量用···· 347
塩酸ベラパミル，定量用 → ベラパミル塩酸塩，定量用···· 348
塩酸ベンゾイルヒパコニン，成分含量測定用
　　→ ベンゾイルヒパコニン塩酸塩，定量用·············· 350
塩酸ベンゾイルメサコニン，成分含量測定用
　　→ ベンゾイルメサコニン塩酸塩，定量用············ 350
塩酸ベンゾイルメサコニン，薄層クロマトグラフィー用
　　→ ベンゾイルメサコニン塩酸塩，薄層クロマトグラフィー用·· 351
塩酸ミノサイクリン → ミノサイクリン塩酸塩········ 358
塩酸メタサイクリン → メタサイクリン塩酸塩········ 360
dl-塩酸メチルエフェドリン
　　→ dl-メチルエフェドリン塩酸塩················ 361
dl-塩酸メチルエフェドリン，定量用
　　→ dl-メチルエフェドリン塩酸塩················ 361
塩酸メトホルミン，定量用
　　→ メトホルミン塩酸塩，定量用···················· 364
塩酸メピバカイン，定量用
　　→ メピバカイン塩酸塩，定量用···················· 364
塩酸メフロキン → メフロキン塩酸塩················ 364
塩酸モルヒネ → モルヒネ塩酸塩水和物·············· 365
塩酸モルヒネ，定量用····································· 233
塩酸ラベタロール → ラベタロール塩酸塩············ 368

塩酸ラベタロール，定量用
　　→ ラベタロール塩酸塩，定量用 …………………… 368
塩酸L-リジン → L-リジン塩酸塩 …………………… 369
塩酸リトドリン → リトドリン塩酸塩 ………………… 369
塩酸ロキサチジンアセタート
　　→ ロキサチジン酢酸エステル塩酸塩 ……………… 378
塩素 ………………………………………………………… 233
塩素酸カリウム …………………………………………… 233
塩素試液 …………………………………………………… 233
遠藤培地 …………………………………………………… 233
遠藤平板培地 ……………………………………………… 233
エンドトキシン試験用水 ………………………………… 233
エンドトキシン試験用トリス緩衝液
　　→ トリス緩衝液，エンドトキシン試験用 ………… 306
エンフルラン ……………………………………………… 233

オ

オイゲノール，薄層クロマトグラフィー用 …………… 233
オウゴニン，薄層クロマトグラフィー用 ……………… 234
王水 ………………………………………………………… 234
p-オキシ安息香酸 → パラオキシ安息香酸 …………… 320
p-オキシ安息香酸イソプロピル
　　→ パラオキシ安息香酸イソプロピル ……………… 320
p-オキシ安息香酸ベンジル
　　→ パラオキシ安息香酸ベンジル …………………… 321
2-オキシ-1-(2′-オキシ-4′-スルホ-1′-ナフチル
　　アゾ)-3-ナフト工酸 → 2-ヒドロキシ-1-(2-ヒ
　　ドロキシ-4-スルホ-1-ナフチルアゾ)-3-ナフト
　　工酸 …………………………………………………… 328
8-オキシキノリン → 8-キノリノール ………………… 242
オキシコドン塩酸塩水和物，定量用 …………………… 234
オキシトシン ……………………………………………… 234
n-オクタデカン …………………………………………… 234
オクタデシルシリル化シリカゲル，前処理用 ………… 234
オクタデシルシリル基及びオクチルシリル基を結合した多
　　孔質シリカゲル，液体クロマトグラフィー用 …… 32
1-オクタノール …………………………………………… 234
n-オクタン ………………………………………………… 234
オクタン，イソ …………………………………………… 234
1-オクタンスルホン酸ナトリウム ……………………… 234
オクチルアルコール → 1-オクタノール ……………… 234
n-オクチルベンゼン ……………………………………… 234
オストール，薄層クロマトグラフィー用 ……………… 234
オフロキサシン …………………………………………… 234
オフロキサシン脱メチル体 ……………………………… 234
オメプラゾール，定量用 ………………………………… 234
オリブ油 …………………………………………………… 234
オルシン …………………………………………………… 234
オルシン・塩化第二鉄試液
　　→ オルシン・塩化鉄(Ⅲ)試液 ……………………… 234
オルシン・塩化鉄(Ⅲ)試液 ……………………………… 234
オルトキシレン → o-キシレン ………………………… 241
オルトトルエンスルホンアミド
　　→ o-トルエンスルホンアミド ……………………… 309
オレイン酸 ………………………………………………… 234
オレイン酸メチル，ガスクロマトグラフィー用 ……… 235
オロパタジン塩酸塩，定量用 …………………………… 235
オンジ ……………………………………………………… 235

カ

海砂 ………………………………………………………… 235
カイニン酸 → カイニン酸水和物 ……………………… 235
カイニン酸，定量用 → カイニン酸水和物 …………… 235
カイニン酸水和物 ………………………………………… 235
カイニン酸水和物，定量用 → カイニン酸水和物 …… 235
過塩素酸 …………………………………………………… 235
過塩素酸・エタノール試液 ……………………………… 235
過塩素酸・無水エタノール試液
　　→ 過塩素酸・エタノール試液 ……………………… 235
過塩素酸第二鉄・無水エタノール試液
　　→ 過塩素酸鉄(Ⅲ)・エタノール試液 ……………… 235
過塩素酸第二鉄 → 過塩素酸鉄(Ⅲ)六水和物 ………… 235
過塩素酸鉄(Ⅲ)・エタノール試液 ……………………… 235
過塩素酸鉄(Ⅲ)六水和物 ………………………………… 235
過塩素酸ナトリウム → 過塩素酸ナトリウム一水和物 … 235
過塩素酸ナトリウム一水和物 …………………………… 235
過塩素酸バリウム ………………………………………… 235
過塩素酸ヒドロキシルアミン
　　→ ヒドロキシルアミン過塩素酸塩 ………………… 328
過塩素酸ヒドロキシルアミン・エタノール試液
　　→ ヒドロキシルアミン過塩素酸塩・エタノール試液 … 328
過塩素酸ヒドロキシルアミン・無水エタノール試液
　　→ ヒドロキシルアミン過塩素酸塩・エタノール試液 … 328
過塩素酸ヒドロキシルアミン試液
　　→ ヒドロキシルアミン過塩素酸塩試液 …………… 328
過塩素酸リチウム ………………………………………… 235
過ギ酸 ……………………………………………………… 235
核酸分解酵素不含水 → 水，核酸分解酵素不含 ……… 282
核磁気共鳴スペクトル測定用DSS-d_6
　　→ DSS-d_6，核磁気共鳴スペクトル測定用 ……… 294
核磁気共鳴スペクトル測定用重塩酸
　　→ 重塩酸，核磁気共鳴スペクトル測定用 ………… 276
核磁気共鳴スペクトル測定用重水
　　→ 重水，核磁気共鳴スペクトル測定用 …………… 277
核磁気共鳴スペクトル測定用重水素化アセトン
　　→ 重水素化アセトン，核磁気共鳴スペクトル測定用 … 277
核磁気共鳴スペクトル測定用重水素化ギ酸
　　→ 重水素化ギ酸，核磁気共鳴スペクトル測定用 … 277
核磁気共鳴スペクトル測定用重水素化クロロホルム → 重
　　水素化クロロホルム，核磁気共鳴スペクトル測定用 … 277
核磁気共鳴スペクトル測定用重水素化ジメチルスルホキシ
　　ド → 重水素化ジメチルスルホキシド，核磁気共鳴ス
　　ペクトル測定用 …………………………………… 277
核磁気共鳴スペクトル測定用重水素化ピリジン
　　→ 重水素化ピリジン，核磁気共鳴スペクトル測定用 … 277

核磁気共鳴スペクトル測定用重水素化メタノール → 重水素化メタノール，核磁気共鳴スペクトル測定用………… 277
核磁気共鳴スペクトル測定用重水素化溶媒 → 重水素化溶媒，核磁気共鳴スペクトル測定用………… 277
核磁気共鳴スペクトル測定用テトラメチルシラン → テトラメチルシラン，核磁気共鳴スペクトル測定用………… 302
核磁気共鳴スペクトル測定用トリフルオロ酢酸 → トリフルオロ酢酸，核磁気共鳴スペクトル測定用… 309
核磁気共鳴スペクトル測定用3-トリメチルシリルプロパンスルホン酸ナトリウム → 3-トリメチルシリルプロパンスルホン酸ナトリウム，核磁気共鳴スペクトル測定用………………………………………………… 309
核磁気共鳴スペクトル測定用3-トリメチルシリルプロピオン酸ナトリウム-d_4 → 3-トリメチルシリルプロピオン酸ナトリウム-d_4，核磁気共鳴スペクトル測定用………………………………………………… 309
核磁気共鳴スペクトル測定用1,4-ビス(トリメチルシリル)ベンゼン-d_4 → 1,4-BTMSB-d_4，核磁気共鳴スペクトル測定用………………………………………………… 325
核磁気共鳴スペクトル測定用1,4-BTMSB-d_4 → 1,4-BTMSB-d_4，核磁気共鳴スペクトル測定用… 325
確認試験用タクシャトリテルペン混合試液 → タクシャトリテルペン混合試液，確認試験用……… 290
過酸化水素(30)……………………………………… 236
過酸化水素・水酸化ナトリウム試液………………… 236
過酸化水素試液……………………………………… 236
過酸化水素試液，希………………………………… 236
過酸化水素水，強 → 過酸化水素(30)……………… 236
過酸化ナトリウム…………………………………… 236
過酸化ベンゾイル，25％含水………………………… 236
ガスクロマトグラフィー用アセトアルデヒド → アセトアルデヒド，ガスクロマトグラフィー用…… 207
ガスクロマトグラフィー用アラキジン酸メチル → アラキジン酸メチル，ガスクロマトグラフィー用… 213
ガスクロマトグラフィー用アルキレングリコールフタル酸エステル → アルキレングリコールフタル酸エステル，ガスクロマトグラフィー用…………………… 215
ガスクロマトグラフィー用エイコセン酸メチル → エイコセン酸メチル，ガスクロマトグラフィー用… 223
ガスクロマトグラフィー用エタノール → エタノール，ガスクロマトグラフィー用………………… 224
ガスクロマトグラフィー用オレイン酸メチル → オレイン酸メチル，ガスクロマトグラフィー用… 235
ガスクロマトグラフィー用グリセリン → グリセリン，ガスクロマトグラフィー用……………… 245
ガスクロマトグラフィー用コハク酸ジエチレングリコールポリエステル → コハク酸ジエチレングリコールポリエステル，ガスクロマトグラフィー用…………………… 254
ガスクロマトグラフィー用6％シアノプロピルフェニル-94％ジメチルシリコーンポリマー → 6％シアノプロピルフェニル-94％ジメチルシリコーンポリマー，ガスクロマトグラフィー用…………………………… 263

ガスクロマトグラフィー用6％シアノプロピル-6％フェニル-メチルシリコーンポリマー → 6％シアノプロピル-6％フェニル-メチルシリコーンポリマー，ガスクロマトグラフィー用…………………………… 263
ガスクロマトグラフィー用7％シアノプロピル-7％フェニル-メチルシリコーンポリマー → 7％シアノプロピル-7％フェニル-メチルシリコーンポリマー，ガスクロマトグラフィー用…………………………… 263
ガスクロマトグラフィー用シアノプロピルメチルフェニルシリコーン → シアノプロピルメチルフェニルシリコーン，ガスクロマトグラフィー用………………… 263
ガスクロマトグラフィー用ジエチレングリコールアジピン酸エステル → ジエチレングリコールアジピン酸エステル，ガスクロマトグラフィー用…………………… 265
ガスクロマトグラフィー用ジエチレングリコールコハク酸エステル → ジエチレングリコールコハク酸エステル，ガスクロマトグラフィー用…………………… 265
ガスクロマトグラフィー用5％ジフェニル・95％ジメチルポリシロキサン → 5％ジフェニル・95％ジメチルポリシロキサン，ガスクロマトグラフィー用…………… 271
ガスクロマトグラフィー用ジメチルポリシロキサン → ジメチルポリシロキサン，ガスクロマトグラフィー用…… 275
ガスクロマトグラフィー用ステアリン酸 → ステアリン酸，ガスクロマトグラフィー用………… 285
ガスクロマトグラフィー用ステアリン酸メチル → ステアリン酸メチル，ガスクロマトグラフィー用… 285
ガスクロマトグラフィー用石油系ヘキサメチルテトラコサン類分枝炭化水素混合物(L) → 石油系ヘキサメチルテトラコサン類分枝炭化水素混合物(L)，ガスクロマトグラフィー用…………………………………… 287
ガスクロマトグラフィー用D-ソルビトール → D-ソルビトール，ガスクロマトグラフィー用……… 289
ガスクロマトグラフィー用テトラキスヒドロキシプロピルエチレンジアミン → テトラキスヒドロキシプロピルエチレンジアミン，ガスクロマトグラフィー用………… 300
ガスクロマトグラフィー用テトラヒドロフラン → テトラヒドロフラン，ガスクロマトグラフィー用… 301
ガスクロマトグラフィー用ノニルフェノキシポリ(エチレンオキシ)エタノール → ノニルフェノキシポリ(エチレンオキシ)エタノール，ガスクロマトグラフィー用… 316
ガスクロマトグラフィー用パルミチン酸 → パルミチン酸，ガスクロマトグラフィー用………… 322
ガスクロマトグラフィー用パルミチン酸メチル → パルミチン酸メチル，ガスクロマトグラフィー用… 322
ガスクロマトグラフィー用パルミトレイン酸メチル → パルミトレイン酸メチル，ガスクロマトグラフィー用…… 322
ガスクロマトグラフィー用25％フェニル-25％シアノプロピル-メチルシリコーンポリマー → 25％フェニル-25％シアノプロピル-メチルシリコーンポリマー，ガスクロマトグラフィー用…………………………… 333
ガスクロマトグラフィー用5％フェニル-メチルシリコーンポリマー → 5％フェニル-メチルシリコーンポリマー，ガスクロマトグラフィー用…………………… 333

ガスクロマトグラフィー用35％フェニル−メチルシリコーンポリマー → 35％フェニル−メチルシリコーンポリマー，ガスクロマトグラフィー用 ……………… *333*
ガスクロマトグラフィー用50％フェニル−メチルシリコーンポリマー → 50％フェニル−メチルシリコーンポリマー，ガスクロマトグラフィー用 ……………… *333*
ガスクロマトグラフィー用65％フェニル−メチルシリコーンポリマー → 65％フェニル−メチルシリコーンポリマー，ガスクロマトグラフィー用 ……………… *333*
ガスクロマトグラフィー用50％フェニル−50％メチルポリシロキサン → 50％フェニル−50％メチルポリシロキサン，ガスクロマトグラフィー用 ……………… *333*
ガスクロマトグラフィー用プロピレングリコール → プロピレングリコール，ガスクロマトグラフィー用 ……… *342*
ガスクロマトグラフィー用ポリアクリル酸メチル → ポリアクリル酸メチル，ガスクロマトグラフィー用 ……… *353*
ガスクロマトグラフィー用ポリアルキレングリコール → ポリアルキレングリコール，ガスクロマトグラフィー用 ……………… *353*
ガスクロマトグラフィー用ポリアルキレングリコールモノエーテル → ポリアルキレングリコールモノエーテル，ガスクロマトグラフィー用 ……………… *353*
ガスクロマトグラフィー用ポリエチレングリコール20 M → ポリエチレングリコール20 M，ガスクロマトグラフィー用 ……………… *353*
ガスクロマトグラフィー用ポリエチレングリコール400 → ポリエチレングリコール400，ガスクロマトグラフィー用 ……………… *353*
ガスクロマトグラフィー用ポリエチレングリコール600 → ポリエチレングリコール600，ガスクロマトグラフィー用 ……………… *353*
ガスクロマトグラフィー用ポリエチレングリコール1500 → ポリエチレングリコール1500，ガスクロマトグラフィー用 ……………… *353*
ガスクロマトグラフィー用ポリエチレングリコール6000 → ポリエチレングリコール6000，ガスクロマトグラフィー用 ……………… *353*
ガスクロマトグラフィー用ポリエチレングリコール15000−ジエポキシド → ポリエチレングリコール15000−ジエポキシド，ガスクロマトグラフィー用 …… *353*
ガスクロマトグラフィー用ポリエチレングリコールエステル化物 → ポリエチレングリコールエステル化物，ガスクロマトグラフィー用 ……………… *353*
ガスクロマトグラフィー用ポリエチレングリコール2−ニトロテレフタレート → ポリエチレングリコール2−ニトロテレフタレート，ガスクロマトグラフィー用 …… *353*
ガスクロマトグラフィー用ポリメチルシロキサン → ポリメチルシロキサン，ガスクロマトグラフィー用 ……… *354*
ガスクロマトグラフィー用ミリスチン酸メチル → ミリスチン酸メチル，ガスクロマトグラフィー用 …… *359*
ガスクロマトグラフィー用無水トリフルオロ酢酸 → 無水トリフルオロ酢酸，ガスクロマトグラフィー用 ……… *359*
ガスクロマトグラフィー用メチルシリコーンポリマー → メチルシリコーンポリマー，ガスクロマトグラフィー用 ……………… *361*
ガスクロマトグラフィー用ラウリン酸メチル → ラウリン酸メチル，ガスクロマトグラフィー用 …… *367*
ガスクロマトグラフィー用リグノセリン酸メチル → リグノセリン酸メチル，ガスクロマトグラフィー用 ……… *368*
ガスクロマトグラフィー用リノール酸メチル → リノール酸メチル，ガスクロマトグラフィー用 …… *369*
ガスクロマトグラフィー用リノレン酸メチル → リノレン酸メチル，ガスクロマトグラフィー用 …… *369*
カゼイン（乳製） → カゼイン，乳製 ……………… *237*
カゼイン，乳製 ……………… *237*
カゼイン製ペプトン → ペプトン，カゼイン製 ……… *347*
活性アルミナ ……………… *237*
活性炭 ……………… *237*
活性部分トロンボプラスチン時間測定用試液 ……………… *237*
活性部分トロンボプラスチン時間測定用試薬 ……………… *237*
カテコール ……………… *237*
果糖 ……………… *237*
果糖，薄層クロマトグラフィー用 ……………… *237*
カドミウム・ニンヒドリン試液 ……………… *237*
カドミウム地金 ……………… *237*
カドララジン，定量用 ……………… *237*
カナマイシン硫酸塩 ……………… *237*
カフェイン → カフェイン水和物 ……………… *237*
カフェイン，無水 ……………… *237*
カフェイン水和物 ……………… *237*
カプサイシン，成分含量測定用 → （E）−カプサイシン，定量用 ……………… *237*
（E）−カプサイシン，成分含量測定用 → （E）−カプサイシン，定量用 ……………… *237*
（E）−カプサイシン，定量用 ……………… *237*
カプサイシン，薄層クロマトグラフィー用 → （E）−カプサイシン，薄層クロマトグラフィー用 …… *238*
（E）−カプサイシン，薄層クロマトグラフィー用 ……………… *238*
カプリル酸 ……………… *238*
n−カプリル酸エチル ……………… *238*
過マンガン酸カリウム ……………… *238*
過マンガン酸カリウム試液 ……………… *238*
過マンガン酸カリウム試液，酸性 ……………… *238*
過ヨウ素酸カリウム ……………… *238*
1.6％過ヨウ素酸カリウム・0.2％過マンガン酸カリウム試液，アルカリ性 ……………… *238*
過ヨウ素酸カリウム試液 ……………… *238*
過ヨウ素酸ナトリウム ……………… *238*
過ヨウ素酸ナトリウム試液 ……………… *238*
D−ガラクトサミン塩酸塩 ……………… *238*
ガラクトース → D−ガラクトース ……………… *238*
D−ガラクトース ……………… *238*
カリジノゲナーゼ測定用基質試液(1) → 基質試液(1)，カリジノゲナーゼ測定用 ……………… *241*

カリジノゲナーゼ測定用基質試液(2)
　　→ 基質試液(2), カリジノゲナーゼ測定用……………241
カリジノゲナーゼ測定用基質試液(3)
　　→ 基質試液(3), カリジノゲナーゼ測定用……………241
カリジノゲナーゼ測定用基質試液(4)
　　→ 基質試液(4), カリジノゲナーゼ測定用……………241
過硫酸アンモニウム → ペルオキソ二硫酸アンモニウム……348
過硫酸カリウム → ペルオキソ二硫酸カリウム…………348
カルバゾクロム………………………………………239
カルバゾクロムスルホン酸ナトリウム, 成分含量測定用
　　→ カルバゾクロムスルホン酸ナトリウム三水和物……239
カルバゾクロムスルホン酸ナトリウム三水和物……239
カルバゾール…………………………………………239
カルバゾール試液……………………………………239
カルバミン酸エチル…………………………………239
カルバミン酸クロルフェネシン, 定量用
　　→ クロルフェネシンカルバミン酸エステル, 定量用……248
カルベジロール, 定量用……………………………239
L－カルボシステイン, 定量用………………………239
カルボプラチン………………………………………239
還元液, 分子量試験用………………………………239
還元緩衝液, ナルトグラスチム試料用…………239, 32
還元鉄 → 鉄粉………………………………………300
緩衝液, SDSポリアクリルアミドゲル電気泳動用……239
緩衝液, 酵素消化用…………………………………239
緩衝液, セルモロイキン用…………………………239
緩衝液, ナルトグラスチム試料用………………239, 32
緩衝液, フィルグラスチム試料用…………………239
緩衝液用1 mol/Lクエン酸試液
　　→ クエン酸試液, 1 mol/L, 緩衝液用……………244
緩衝液用0.2 mol/Lフタル酸水素カリウム試液
　　→ フタル酸水素カリウム試液, 0.2 mol/L, 緩衝液用……337
緩衝液用0.2 mol/Lホウ酸・0.2 mol/L塩化カリウム試液
　　→ 0.2 mol/Lホウ酸・0.2 mol/L塩化カリウム試液,
　　　緩衝液用…………………………………………352
緩衝液用1 mol/Lリン酸一水素カリウム試液
　　→ リン酸水素二カリウム試液, 1 mol/L, 緩衝液用……374
緩衝液用1 mol/Lリン酸水素二カリウム試液
　　→ リン酸水素二カリウム試液, 1 mol/L, 緩衝液用……374
緩衝液用0.2 mol/Lリン酸二水素カリウム試液
　　→ リン酸二水素カリウム試液, 0.2 mol/L, 緩衝液用……375
25％含水過酸化ベンゾイル
　　→ 過酸化ベンゾイル, 25％含水………………236
4％含水中性アルミナ → 中性アルミナ, 4％含水……293
乾燥炭酸ナトリウム…………………………………239
乾燥用塩化カルシウム → 塩化カルシウム, 乾燥用……229
乾燥用合成ゼオライト → 合成ゼオライト, 乾燥用……253
カンデサルタンシレキセチル………………………239
カンデサルタンシレキセチル, 定量用……………239
カンテン………………………………………………240
カンテン斜面培地……………………………………240
カンテン培地, 普通 → 普通カンテン培地…………338
含糖ペプシン…………………………………………240
d－カンファスルホン酸………………………………240

カンフル………………………………………………240

キ

希エタノール → エタノール, 希……………………224
希塩化第二鉄試液 → 塩化鉄(Ⅲ)試液, 希…………230
希塩化鉄(Ⅲ)試液 → 塩化鉄(Ⅲ)試液, 希…………230
希塩酸 → 塩酸, 希…………………………………231
希過酸化水素試液 → 過酸化水素試液, 希………236
希ギムザ試液 → ギムザ試液, 希…………………242
キキョウ………………………………………………240
希五酸化バナジウム試液
　　→ 酸化バナジウム(Ⅴ)試液, 希………………261
希酢酸 → 酢酸, 希…………………………………258
ギ酸……………………………………………………240
ギ酸アンモニウム……………………………………240
ギ酸アンモニウム緩衝液, 0.05 mol/L, pH 4.0………240
ギ酸エチル……………………………………………240
希酸化バナジウム(Ⅴ)試液
　　→ 酸化バナジウム(Ⅴ)試液, 希………………261
キサンテン……………………………………………240
キサンテン－9－カルボン酸…………………………240
キサントヒドロール…………………………………240
キサントン……………………………………………240
ギ酸n－ブチル………………………………………240
希次酢酸鉛試液 → 次酢酸鉛試液, 希……………266
希次硝酸ビスマス・ヨウ化カリウム試液, 噴霧用……240
キジツ…………………………………………………240
基質緩衝液, セルモロイキン用……………………240
基質試液, インターフェロンアルファ確認用………241
基質試液, エポエチンアルファ用…………………241
基質試液, 塩化リゾチーム用
　　→ 基質試液, リゾチーム塩酸塩用……………241
基質試液, リゾチーム塩酸塩用……………………241
基質試液(1), カリジノゲナーゼ測定用……………241
基質試液(2), カリジノゲナーゼ測定用……………241
基質試液(3), カリジノゲナーゼ測定用……………241
基質試液(4), カリジノゲナーゼ測定用……………241
希2,6－ジブロモ－N－クロロ－1,4－ベンゾキノンモノイ
　　ミン試液 → 2,6－ジブロモ－N－クロロ－1,4－ベン
　　ゾキノンモノイミン試液, 希……………………272
希p－ジメチルアミノベンズアルデヒド・塩化第二鉄試液
　　→ 4－ジメチルアミノベンズアルデヒド・塩化鉄(Ⅲ)
　　試液, 希…………………………………………275
希4－ジメチルアミノベンズアルデヒド・塩化鉄(Ⅲ)試液
　　→ 4－ジメチルアミノベンズアルデヒド・塩化鉄(Ⅲ)
　　試液, 希…………………………………………275
希釈液, 粒子計数装置用……………………………241
希硝酸 → 硝酸, 希…………………………………278
キシリトール…………………………………………241
キシレノールオレンジ………………………………241
キシレノールオレンジ試液…………………………241
キシレン………………………………………………241
o－キシレン……………………………………………241

キシレンシアノールFF······241
キシロース → D-キシロース······241
D-キシロース······241
希水酸化カリウム・エタノール試液
　　→ 水酸化カリウム・エタノール試液，希······283
希水酸化ナトリウム試液 → 水酸化ナトリウム試液，希······283
希チモールブルー試液 → チモールブルー試液，希······293
n-吉草酸······241
希鉄・フェノール試液 → 鉄・フェノール試液，希······300
キナプリル塩酸塩，定量用······241
キニジン硫酸塩水和物······241
キニーネ硫酸塩水和物······241
キニノーゲン······241
キニノーゲン試液······242
8-キノリノール······242
キノリン······242
キノリン試液······242
希フェノールフタレイン試液
　　→ フェノールフタレイン試液，希······334
希フェノールレッド試液 → フェノールレッド試液，希······334
希フォリン試液 → フォリン試液，希······336
希ブロモフェノールブルー試液
　　→ ブロモフェノールブルー試液，希······343
希ペンタシアノニトロシル鉄(Ⅲ)酸ナトリウム・ヘキサシ
　　アノ鉄(Ⅲ)酸カリウム試液 → ペンタシアノニトロシ
　　ル鉄(Ⅲ)酸ナトリウム・ヘキサシアノ鉄(Ⅲ)酸カリウ
　　ム試液，希······351
希ホルムアルデヒド試液 → ホルムアルデヒド試液，希······355
ギムザ試液······242
ギムザ試液，希······242
希メチルレッド試液 → メチルレッド試液，希······362
キモトリプシノーゲン，ゲルろ過分子量マーカー用······242
α-キモトリプシン······242
吸収スペクトル用ジメチルスルホキシド
　　→ ジメチルスルホキシド，吸収スペクトル用······275
吸収スペクトル用ヘキサン
　　→ ヘキサン，吸収スペクトル用······346
吸収スペクトル用n-ヘキサン
　　→ ヘキサン，吸収スペクトル用······346
強アンモニア水 → アンモニア水(28)······218
強塩基性イオン交換樹脂······242
強過酸化水素水 → 過酸化水素(30)······236
強酢酸第二銅試液 → 酢酸銅(Ⅱ)試液，強······259
強酢酸銅(Ⅱ)試液 → 酢酸銅(Ⅱ)試液，強······259
強酸性イオン交換樹脂······242
希ヨウ素試液 → ヨウ素試液，希······366
希硫酸 → 硫酸，希······369
希硫酸アンモニウム鉄(Ⅲ)試液
　　→ 硫酸アンモニウム鉄(Ⅲ)試液，希······370
希硫酸第二鉄アンモニウム試液
　　→ 硫酸アンモニウム鉄(Ⅲ)試液，希······370
[6]-ギンゲロール，成分含量測定用
　　→ [6]-ギンゲロール，定量用······242
[6]-ギンゲロール，定量用······242，<u>25</u>

[6]-ギンゲロール，薄層クロマトグラフィー用······243
ギンセノシドRb₁，薄層クロマトグラフィー用······243
ギンセノシドRc······243
ギンセノシドRe······243
ギンセノシドRg₁，薄層クロマトグラフィー用······243
金属ナトリウム → ナトリウム······309
キンヒドロン······244

ク

グアイフェネシン······244
グアニン······244
グアヤコール······244
グアヤコール，定量用······244
グアヤコールスルホン酸カリウム······244
クエン酸 → クエン酸一水和物······244
クエン酸・酢酸試液······244
クエン酸・無水酢酸試液······244
クエン酸・リン酸塩・アセトニトリル試液······244
クエン酸アンモニウム → クエン酸水素二アンモニウム······245
クエン酸アンモニウム鉄(Ⅲ)······244
クエン酸一水和物······244
クエン酸緩衝液，0.05 mol/L，pH 6.6······244
クエン酸三カリウム一水和物······244
クエン酸三ナトリウム試液，0.1 mol/L······245
クエン酸三ナトリウム二水和物
　　→ クエン酸ナトリウム水和物······245
クエン酸試液，0.01 mol/L······244
クエン酸試液，0.1 mol/L······244
クエン酸試液，1 mol/L，緩衝液用······244
クエン酸水素二アンモニウム······245
クエン酸第二鉄アンモニウム
　　→ クエン酸アンモニウム鉄(Ⅲ)······244
クエン酸銅(Ⅱ)試液······245
クエン酸ナトリウム → クエン酸ナトリウム水和物······245
クエン酸ナトリウム試液，0.1 mol/L······245
クエン酸ナトリウム水和物······245
クエン酸モサプリド，定量用
　　→ モサプリドクエン酸塩水和物，定量用······365
クペロン······245
クペロン試液······245
クーマシー染色試液······245
クーマシーブリリアントブルーG-250······245
クーマシーブリリアントブルーR-250······245
クーマシーブリリアントブルー試液，
　　インターフェロンアルファ用······245
40％グリオキサール試液······245
グリココール酸ナトリウム，薄層クロマトグラフィー用······245
N-グリコリルノイラミン酸······245
N-グリコリルノイラミン酸試液，0.1 mmol/L······245
グリコール酸······245
グリシン······245
グリース・ロメン亜硝酸試薬······245
グリース・ロメン硝酸試薬······245

クリスタルバイオレット······245
クリスタルバイオレット試液······245
グリセリン······245
85％グリセリン······245
グリセリン，ガスクロマトグラフィー用······245
グリセリン塩基性試液······245
グリチルリチン酸，薄層クロマトグラフィー用······245
グリチルリチン酸一アンモニウム，分離確認用······246
グルカゴン用酵素試液 → 酵素試液，グルカゴン用······253
クルクミン······246
クルクミン，成分含量測定用 → クルクミン，定量用······246
クルクミン，定量用······246
クルクミン試液······246
D-グルコサミン塩酸塩······246
4′-O-グルコシル-5-O-メチルビサミノール，薄層クロマトグラフィー用······246
グルコースオキシダーゼ······246
グルコース検出用試液······246
グルコース検出用試液，ペニシリウム由来β-ガラクトシダーゼ用······246
グルコン酸カルシウム，薄層クロマトグラフィー用
    → グルコン酸カルシウム水和物，薄層クロマトグラフィー用······247
グルコン酸カルシウム水和物，薄層クロマトグラフィー用······247
グルコン酸ナトリウム······247
グルタチオン······247
L-グルタミン······247
L-グルタミン酸······247
グルタミン試液······247
7-(グルタリルグリシル-L-アルギニルアミノ)-4-メチルクマリン······247
7-(グルタリルグリシル-L-アルギニルアミノ)-4-メチルクマリン試液······247
クレゾール······247
m-クレゾール······247
p-クレゾール······247
クレゾールレッド······247
クレゾールレッド試液······247
クロキサゾラム······247
クロチアゼパム，定量用······247
クロトリマゾール······247
クロナゼパム，定量用······247
クロフィブラート······247
γ-グロブリン······247
クロペラスチンフェンジゾ酸塩，定量用······247
クロミプラミン塩酸塩，定量用······247
クロム酸・硫酸試液······247
クロム酸カリウム······247
クロム酸カリウム試液······247
クロム酸銀飽和クロム酸カリウム試液······247
クロモトロプ酸
    → クロモトロープ酸二ナトリウム二水和物······247
クロモトロプ酸試液 → クロモトロープ酸試液······247

クロモトロープ酸試液······247
クロモトロプ酸試液，濃 → クロモトロープ酸試液，濃······247
クロモトロープ酸試液，濃······247
クロモトロープ酸二ナトリウム二水和物······247
クロラゼプ酸二カリウム，定量用······247
クロラミン → トルエンスルホンクロロアミドナトリウム三水和物······309
クロラミン試液
    → トルエンスルホンクロロアミドナトリウム試液······309
クロラムフェニコール······247
p-クロルアニリン → 4-クロロアニリン······248
p-クロル安息香酸 → 4-クロロ安息香酸······248
クロルジアゼポキシド······247
クロルジアゼポキシド，定量用······247
クロルフェニラミンマレイン酸塩······247
クロルフェネシンカルバミン酸エステル，定量用······248
p-クロルフェノール → 4-クロロフェノール······248
クロルプロパミド，定量用······248
クロルプロマジン塩酸塩，定量用······248
クロルヘキシジン塩酸塩······248
p-クロルベンゼンスルホンアミド
    → 4-クロロベンゼンスルホンアミド······249
4-クロロアニリン······248
4-クロロ安息香酸······248
2-クロロエチルジエチルアミン塩酸塩······248
クロロギ酸9-フルオレニルメチル······248
クロロゲン酸，薄層クロマトグラフィー用
    → (E)-クロロゲン酸，薄層クロマトグラフィー用······248
(E)-クロロゲン酸，薄層クロマトグラフィー用······248
クロロ酢酸······248
1-クロロ-2,4-ジニトロベンゼン······248
3′-クロロ-3′-デオキシチミジン，液体クロマトグラフィー用······248
クロロトリメチルシラン······248
(2-クロロフェニル)-ジフェニルメタノール，薄層クロマトグラフィー用······248
4-クロロフェノール······248
クロロブタノール······248
1-クロロブタン······248
3-クロロ-1,2-プロパンジオール······249
4-クロロベンゼンジアゾニウム塩試液······249
4-クロロベンゼンスルホンアミド······249
4-クロロベンゾフェノン······249
クロロホルム······249
クロロホルム，エタノール不含······249
クロロホルム，水分測定用······249

ケ

蛍光基質試液······249
蛍光試液······249
ケイソウ土······249
継代培地，ナルトグラスチム試験用······249, 32
ケイタングステン酸二十六水和物······249

ケイ皮酸 249
(E)-ケイ皮酸，成分含量測定用
　　→ (E)-ケイ皮酸，定量用 249
(E)-ケイ皮酸，定量用 249
(E)-ケイ皮酸，薄層クロマトグラフィー用 250
血液カンテン培地 250
1%血液浮遊液 250
結晶トリプシン 250
結晶トリプシン，ウリナスタチン定量用 251
ケトコナゾール 251
ケトコナゾール，定量用 251
ゲニポシド，成分含量測定用 → ゲニポシド，定量用 251
ゲニポシド，定量用 251
ゲニポシド，薄層クロマトグラフィー用 252
ケノデオキシコール酸，薄層クロマトグラフィー用 252
ゲルろ過分子量マーカー用ウシ血清アルブミン
　　→ ウシ血清アルブミン，ゲルろ過分子量マーカー用 222
ゲルろ過分子量マーカー用キモトリプシノーゲン
　　→ キモトリプシノーゲン，ゲルろ過分子量マーカー用 242
ゲルろ過分子量マーカー用卵白アルブミン
　　→ 卵白アルブミン，ゲルろ過分子量マーカー用 368
ゲルろ過分子量マーカー用リボヌクレアーゼA
　　→ リボヌクレアーゼA，ゲルろ過分子量マーカー用 369
ケロシン 252
ゲンタマイシンB 252
ゲンチオピクロシド，薄層クロマトグラフィー用 252
ゲンチジン酸 253

コ

抗インターフェロンアルファ抗血清 253
抗ウリナスタチンウサギ血清 253
抗ウロキナーゼ血清 253, 26
抗A血液型判定用抗体 253
合成ゼオライト，乾燥用 253
抗生物質用リン酸塩緩衝液，0.1 mol/L, pH 8.0
　　→ リン酸塩緩衝液，0.1 mol/L, pH 8.0, 抗生物質用 373
抗生物質用リン酸塩緩衝液，pH 6.5
　　→ リン酸塩緩衝液，pH 6.5, 抗生物質用 373
酵素試液 253
酵素試液，グルカゴン用 253
酵素消化用緩衝液 → 緩衝液，酵素消化用 239
抗B血液型判定用抗体 253
抗ブラジキニン抗体 253
抗ブラジキニン抗体試液 253
酵母エキス 253
高密度ポリエチレンフィルム 253
五酸化バナジウム → 酸化バナジウム(V) 261
五酸化バナジウム試液 → 酸化バナジウム(V)試液 261
五酸化バナジウム試液，希
　　→ 酸化バナジウム(V)試液，希 261
五酸化リン → 酸化リン(V) 261
ゴシツ，薄層クロマトグラフィー用 253

ゴシュユ 254
コデインリン酸塩水和物，定量用 254
コハク酸 254
コハク酸ジエチレングリコールポリエステル，
　　ガスクロマトグラフィー用 254
コハク酸シベンゾリン，定量用
　　→ シベンゾリンコハク酸塩，定量用 273
コハク酸トコフェロール
　　→ トコフェロールコハク酸エステル 305
コハク酸トコフェロールカルシウム
　　→ トコフェロールコハク酸エステルカルシウム 305
コバルチ亜硝酸ナトリウム
　　→ ヘキサニトロコバルト(Ⅲ)酸ナトリウム 345
コバルチ亜硝酸ナトリウム試液
　　→ ヘキサニトロコバルト(Ⅲ)酸ナトリウム試液 345
コプチシン塩化物，薄層クロマトグラフィー用 254
ゴマ油 254
コリン塩化物 254
コール酸，薄層クロマトグラフィー用 254
コール酸ナトリウム水和物 254
コルチゾン酢酸エステル 255
コレステロール 255
コロジオン 255
コンゴーレッド 255
コンゴーレッド試液 255

サ

サイコサポニンa, d混合標準試液，定量用 256
サイコサポニンa, 成分含量測定用
　　→ サイコサポニンa, 定量用 255
サイコサポニンa, 定量用 255
サイコサポニンa, 薄層クロマトグラフィー用 256
サイコサポニンb_2, 成分含量測定用
　　→ サイコサポニンb_2, 定量用 256
サイコサポニンb_2, 定量用 256
サイコサポニンb_2, 薄層クロマトグラフィー用 257
サイコサポニンb_2標準試液，定量用 257
サイコサポニンd, 成分含量測定用
　　→ サイコサポニンd, 定量用 257
サイコサポニンd, 定量用 257
サイコ成分含量測定用リン酸塩緩衝液
　　→ リン酸塩緩衝液，サイコ定量用 372
サイコ定量用リン酸塩緩衝液
　　→ リン酸塩緩衝液，サイコ定量用 372
SYBR Green含有PCR 2倍反応液
　　→ PCR 2倍反応液，SYBR Green含有 324
細胞懸濁液，テセロイキン用 258
細胞毒性試験用リン酸塩緩衝液
　　→ リン酸塩緩衝液，細胞毒性試験用 372
酢酸 → 酢酸(31) 258
酢酸(31) 258
酢酸(100) 258
酢酸，希 258

試薬・試液名称引

酢酸, 非水滴定用······258
酢酸, 氷 → 酢酸(100)······258
酢酸・酢酸アンモニウム緩衝液, pH 3.0······258
酢酸・酢酸アンモニウム緩衝液, pH 4.5······258
酢酸・酢酸アンモニウム緩衝液, pH 4.8······258
酢酸・酢酸カリウム緩衝液, pH 4.3······258
酢酸・酢酸ナトリウム緩衝液, 0.05 mol/L, pH 4.0······258
酢酸・酢酸ナトリウム緩衝液, 0.05 mol/L, pH 4.6······258
酢酸・酢酸ナトリウム緩衝液, 0.1 mol/L, pH 4.0······258
酢酸・酢酸ナトリウム緩衝液, 1 mol/L, pH 5.0······258
酢酸・酢酸ナトリウム緩衝液, 1 mol/L, pH 6.0······258
酢酸・酢酸ナトリウム緩衝液, pH 4.0······258
酢酸・酢酸ナトリウム緩衝液, pH 4.5······259
酢酸・酢酸ナトリウム緩衝液, pH 4.5, 鉄試験用······259
酢酸・酢酸ナトリウム緩衝液, pH 4.7······259
酢酸・酢酸ナトリウム緩衝液, pH 5.0······259
酢酸・酢酸ナトリウム緩衝液, pH 5.5······259
酢酸・酢酸ナトリウム緩衝液, pH 5.6······259
酢酸・酢酸ナトリウム試液······259
酢酸・酢酸ナトリウム試液, 0.02 mol/L······259
酢酸・酢酸ナトリウム試液, pH 7.0······259
酢酸・硫酸試液······259
酢酸亜鉛 → 酢酸亜鉛二水和物······259
酢酸亜鉛緩衝液, 0.25 mol/L, pH 6.4······259
酢酸亜鉛二水和物······259
酢酸アンモニウム······259
酢酸アンモニウム試液······259
酢酸アンモニウム試液, 0.5 mol/L······259
酢酸イソアミル → 酢酸3-メチルブチル······260
酢酸エチル······259
酢酸塩緩衝液, 0.01 mol/L, pH 5.0······259
酢酸塩緩衝液, 0.02 mol/L, pH 6.0······259
酢酸塩緩衝液, pH 3.5······259
酢酸塩緩衝液, pH 4.0, 0.05 mol/L······259
酢酸塩緩衝液, pH 4.5······259
酢酸塩緩衝液, pH 5.4······259
酢酸塩緩衝液, pH 5.5······259
酢酸カドミウム → 酢酸カドミウム二水和物······259
酢酸カドミウム二水和物······259
酢酸カリウム······259
酢酸カリウム試液······259
酢酸カルシウム一水和物······259
酢酸コルチゾン → コルチゾン酢酸エステル······255
酢酸試液, 0.25 mol/L······258
酢酸試液, 2 mol/L······258
酢酸試液, 6 mol/L······258
酢酸水銀(Ⅱ)······259
酢酸水銀(Ⅱ)試液, 非水滴定用······259
酢酸セミカルバジド試液······259
酢酸第二水銀 → 酢酸水銀(Ⅱ)······259
酢酸第二水銀試液, 非水滴定用
　　→ 酢酸水銀(Ⅱ)試液, 非水滴定用······259
酢酸第二銅 → 酢酸銅(Ⅱ)一水和物······259
酢酸第二銅試液, 強 → 酢酸銅(Ⅱ)試液, 強······259

酢酸銅(Ⅱ)一水和物······259
酢酸銅(Ⅱ)試液, 強······259
酢酸トコフェロール → トコフェロール酢酸エステル······305
酢酸ナトリウム → 酢酸ナトリウム三水和物······260
酢酸ナトリウム, 無水······260
酢酸ナトリウム・アセトン試液······260
酢酸ナトリウム三水和物······260
酢酸ナトリウム試液······260
酢酸鉛 → 酢酸鉛(Ⅱ)三水和物······260
酢酸鉛(Ⅱ)三水和物······260
酢酸鉛試液 → 酢酸鉛(Ⅱ)試液······260
酢酸鉛(Ⅱ)試液······260
酢酸ヒドロキソコバラミン
　　→ ヒドロキソコバラミン酢酸塩······328
酢酸ヒドロコルチゾン
　　→ ヒドロコルチゾン酢酸エステル······328
酢酸ビニル······260
酢酸ブチル······260
酢酸n-ブチル → 酢酸ブチル······260
酢酸プレドニゾロン → プレドニゾロン酢酸エステル······341
酢酸メチル······260
酢酸3-メチルブチル······260
酢酸リチウム二水和物······260
サケ精子DNA······260
サーモリシン······260
サラシ粉······260
サラシ粉試液······260
サリチルアミド······260
サリチルアルダジン······260
サリチルアルデヒド······260
サリチル酸······260
サリチル酸, 定量用······260
サリチル酸イソブチル······260
サリチル酸試液······260
サリチル酸鉄試液······261
サリチル酸ナトリウム······261
サリチル酸ナトリウム・水酸化ナトリウム試液······261
サリチル酸メチル······261
サルササポゲニン, 薄層クロマトグラフィー用······261
ザルトプロフェン······261
ザルトプロフェン, 定量用······261
サルポグレラート塩酸塩······261
三塩化アンチモン → 塩化アンチモン(Ⅲ)······229
三塩化アンチモン試液 → 塩化アンチモン(Ⅲ)試液······229
三塩化チタン → 塩化チタン(Ⅲ)(20)······230
三塩化チタン・硫酸試液 → 塩化チタン(Ⅲ)・硫酸試液······230
三塩化チタン試液 → 塩化チタン(Ⅲ)試液······230
三塩化ヨウ素······261
酸化アルミニウム······261
酸化カルシウム······261
酸化クロム(Ⅵ)······261
酸化クロム(Ⅵ)試液······261
酸化チタン(Ⅳ)······261
酸化チタン(Ⅳ)試液······261

酸化鉛(Ⅱ)･･･261
酸化鉛(Ⅳ)･･･261
酸化バナジウム(Ⅴ)･････････････････････････････261
酸化バナジウム(Ⅴ)試液･････････････････････261
酸化バナジウム(Ⅴ)試液，希･･･････････････261
酸化バリウム･････････････････････････････････････261
酸化マグネシウム･･･････････････････････････････261
酸化メシチル･････････････････････････････････････261
酸化モリブデン(Ⅵ)･････････････････････････････261
酸化モリブデン(Ⅵ)・クエン酸試液･･････････261
酸化ランタン(Ⅲ)･･･････････････････････････････261
酸化リン(Ⅴ)･･･････････････････････････････････261
三酸化クロム → 酸化クロム(Ⅵ)･･･････････261
三酸化クロム試液 → 酸化クロム(Ⅵ)試液･･･261
三酸化ナトリウムビスマス･･････････････････262
三酸化二ヒ素･･･････････････････････････････････262
三酸化二ヒ素試液･････････････････････････････262
三酸化ヒ素 → 三酸化二ヒ素･･･････････････262
三酸化ヒ素試液 → 三酸化二ヒ素試液･･･262
三酸化モリブデン → 酸化モリブデン(Ⅵ)･･･261
三酸化モリブデン・クエン酸試液
　　　→ 酸化モリブデン(Ⅵ)・クエン酸試液････261
32D clone3細胞･････････････････････････････････262
サンショウ･･･262
参照抗インターロイキン－2抗血清試液･･････262
参照抗インターロイキン－2抗体，テセロイキン用･････262
酸処理ゼラチン → ゼラチン，酸処理･･････288
酸性塩化カリウム試液 → 塩化カリウム試液，酸性････229
酸性塩化スズ(Ⅱ)試液 → 塩化スズ(Ⅱ)試液，酸性･･229
酸性塩化第一スズ試液 → 塩化スズ(Ⅱ)試液，酸性･･229
酸性塩化第二鉄試液 → 塩化鉄(Ⅲ)試液，酸性･･230
酸性塩化鉄(Ⅲ)試液 → 塩化鉄(Ⅲ)試液，酸性･･230
酸性過マンガン酸カリウム試液
　　　→ 過マンガン酸カリウム試液，酸性････････238
酸性白土･･･262
酸性硫酸アンモニウム鉄(Ⅲ)試液
　　　→ 硫酸アンモニウム鉄(Ⅲ)試液，酸性････370
酸素･･262
酸素スパンガス，定量用･･･････････････････････262
酸素ゼロガス，定量用･･･････････････････････････262
酸素比較ガス，定量用･･･････････････････････････262
サントニン･･･262
サントニン，定量用･･････････････････････････････262
三ナトリウム五シアノアミン第一鉄試液
　　　→ 三ナトリウム五シアノアミン鉄(Ⅱ)試液････262
三ナトリウム五シアノアミン鉄(Ⅱ)試液･･････262
3倍濃厚乳糖ブイヨン → 乳糖ブイヨン，3倍濃厚････314
三フッ化ホウ素････････････････････････････････262
三フッ化ホウ素・メタノール試液･･･････････262
酸又はアルカリ試験用メチルレッド試液
　　　→ メチルレッド試液，酸又はアルカリ試験用････362

シ

次亜塩素酸ナトリウム・水酸化ナトリウム試液････262
次亜塩素酸ナトリウム試液･･･････････････････262
次亜塩素酸ナトリウム試液，10%････････････262
次亜塩素酸ナトリウム試液，アンモニウム試験用････262
次亜臭素酸ナトリウム試液･･･････････････････262
ジアセチル･･･262
ジアセチル試液･･･････････････････････････････････263
ジアゼパム，定量用･････････････････････････････263
ジアゾ化滴定用スルファニルアミド
　　　→ スルファニルアミド，ジアゾ化滴定用････286
ジアゾ試液･･･263
ジアゾベンゼンスルホン酸試液･･････････････263
ジアゾベンゼンスルホン酸試液，濃･････････263
1－シアノグアニジン･････････････････････････263
シアノコバラミン･････････････････････････････････263
6%シアノプロピルフェニル－94%ジメチルシリコーン
　　　ポリマー，ガスクロマトグラフィー用･･････263
6%シアノプロピル－6%フェニル－メチルシリコーン
　　　ポリマー，ガスクロマトグラフィー用･･････263
7%シアノプロピル－7%フェニル－メチルシリコーン
　　　ポリマー，ガスクロマトグラフィー用･･････263
シアノプロピルメチルフェニルシリコーン，
　　　ガスクロマトグラフィー用･･････････････････263
2,3－ジアミノナフタリン･････････････････････263
2,4－ジアミノフェノール二塩酸塩･････････263
2,4－ジアミノフェノール二塩酸塩試液･････264
1,4－ジアミノブタン･････････････････････････････32
3,3′－ジアミノベンジジン四塩酸塩････････264
次亜リン酸 → ホスフィン酸･･････････････････352
シアン化カリウム･････････････････････････････････264
シアン化カリウム試液･･･････････････････････････264
シアン酢酸･･･264
シアン酢酸エチル････････････････････････････････264
ジイソプロピルアミン･･･････････････････････････264
ジェサコニチン，純度試験用･･･････････････････264
ジエタノールアミン･･･････････････････････････････264
ジエチルアミン･･･････････････････････････････････264
ジエチルエーテル･････････････････････････････････264
ジエチルエーテル，生薬純度試験用････････264
ジエチルエーテル，無水･････････････････････265
N,N－ジエチルジチオカルバミド酸銀･･････265
N,N－ジエチルジチオカルバミド酸ナトリウム
　　　三水和物････････････････････････････････････265
ジエチルジチオカルバミン酸亜鉛･･････････265
ジエチルジチオカルバミン酸銀
　　　→ N,N－ジエチルジチオカルバミド酸銀･････265
ジエチルジチオカルバミン酸ナトリウム → N,N－ジエチ
ルジチオカルバミド酸ナトリウム三水和物･････265
N,N－ジエチルジチオカルバミン酸ナトリウム三水和物
　　　→ N,N－ジエチルジチオカルバミド酸ナトリウム三
水和物･･265

N,N-ジエチル-N'-1-ナフチルエチレンジアミンシュウ酸塩 … 265	ジゴキシン … 266
N,N-ジエチル-N'-1-ナフチルエチレンジアミンシュウ酸塩・アセトン試液 … 265	次酢酸鉛試液 … 266
	次酢酸鉛試液,希 … 266
N,N-ジエチル-N'-1-ナフチルエチレンジアミンシュウ酸塩試液 … 265	シザンドリン,薄層クロマトグラフィー用 … 266
	ジシクロヘキシル … 266
ジエチレングリコール … 265	ジシクロヘキシルウレア … 267
ジエチレングリコールアジピン酸エステル,ガスクロマトグラフィー用 … 265	N,N'-ジシクロヘキシルカルボジイミド … 267
	N,N'-ジシクロヘキシルカルボジイミド・エタノール試液 … 267
ジエチレングリコールコハク酸エステル,ガスクロマトグラフィー用 … 265	N,N'-ジシクロヘキシルカルボジイミド・無水エタノール試液 → N,N'-ジシクロヘキシルカルボジイミド・エタノール試液 … 267
ジエチレングリコールジメチルエーテル … 265	
ジエチレングリコールモノエチルエーテル … 265	次硝酸ビスマス … 267
ジエチレングリコールモノエチルエーテル,水分測定用 … 265	次硝酸ビスマス試液 … 267
ジオキサン → 1,4-ジオキサン … 265	ジスチグミン臭化物,定量用 … 267
1,4-ジオキサン … 265	L-シスチン … 267
ジギトニン … 265	L-システイン塩酸塩一水和物 … 267
シクロスポリンU … 265	L-システイン酸 … 267
ジクロフェナクナトリウム … 265	システム適合性試験用試液,フィルグラスチム用 … 267
ジクロフェナクナトリウム,定量用 … 265	シスプラチン … 267
シクロブタンカルボン酸 … 265	2,6-ジ-第三ブチル-p-クレゾール → 2,6-ジ-t-ブチルクレゾール … 272
1,1-シクロブタンジカルボン酸 … 266	
シクロヘキサン … 266	2,6-ジ-第三ブチル-p-クレゾール試液 → 2,6-ジ-t-ブチルクレゾール試液 … 272
シクロヘキシルアミン … 266	
シクロヘキシルメタノール … 266	ジチオジグリコール酸 … 267
シクロホスファミド水和物,定量用 … 266	ジチオジプロピオン酸 … 267
1,2-ジクロルエタン → 1,2-ジクロロエタン … 266	ジチオスレイトール … 267
2,6-ジクロルフェノールインドフェノールナトリウム → 2,6-ジクロロインドフェノールナトリウム二水和物 … 266	1,1'-[3,3'-ジチオビス(2-メチル-1-オキソプロピル)]-L-ジプロリン … 267
	1,3-ジチオラン-2-イリデンマロン酸ジイソプロピル … 267
2,6-ジクロルフェノールインドフェノールナトリウム試液 → 2,6-ジクロロインドフェノールナトリウム試液 … 266	ジチゾン … 267
	ジチゾン液,抽出用 … 267
2,6-ジクロルフェノールインドフェノールナトリウム試液,滴定用 → 2,6-ジクロロインドフェノールナトリウム試液,滴定用 … 266	ジチゾン試液 … 267
	シトシン … 267
	ジドロゲステロン,定量用 … 267
ジクロルフルオレセイン → ジクロロフルオレセイン … 266	2,2'-ジナフチルエーテル … 268
ジクロルフルオレセイン試液 → ジクロロフルオレセイン試液 … 266	2,4-ジニトロクロルベンゼン → 1-クロロ-2,4-ジニトロベンゼン … 248
ジクロルメタン → ジクロロメタン … 266	2,4-ジニトロフェニルヒドラジン … 268
3,4-ジクロロアニリン … 266	2,4-ジニトロフェニルヒドラジン・エタノール試液 … 268
2,6-ジクロロインドフェノールナトリウム・酢酸ナトリウム試液 … 266	2,4-ジニトロフェニルヒドラジン・ジエチレングリコールジメチルエーテル試液 … 268
2,6-ジクロロインドフェノールナトリウム試液 … 266	
2,6-ジクロロインドフェノールナトリウム試液,滴定用 → 医薬品各条 アスコルビン酸散 … 405	2,4-ジニトロフェニルヒドラジン試液 … 268
	2,4-ジニトロフェノール … 268
2,6-ジクロロインドフェノールナトリウム二水和物 … 266	2,4-ジニトロフェノール試液 … 268
1,2-ジクロロエタン … 266	2,4-ジニトロフルオルベンゼン → 1-フルオロ-2,4-ジニトロベンゼン … 340
2,6-ジクロロフェノール … 266	
ジクロロフルオレセイン … 266	1,2-ジニトロベンゼン … 268
ジクロロフルオレセイン試液 … 266	1,3-ジニトロベンゼン … 268
1,2-ジクロロベンゼン … 266	m-ジニトロベンゼン → 1,3-ジニトロベンゼン … 268
ジクロロメタン … 266	1,3-ジニトロベンゼン試液 … 268
試験菌移植培地,テセロイキン用 … 266	1,3-ジニトロベンゼン試液,アルカリ性 … 268
試験菌移植培地斜面,テセロイキン用 … 266	

m-ジニトロベンゼン試液
　　→ 1,3-ジニトロベンゼン試液············268
m-ジニトロベンゼン試液，アルカリ性
　　→ 1,3-ジニトロベンゼン試液，アルカリ性······268
シネオール，定量用··························268
シノキサシン，定量用························268
シノブファギン，成分含量測定用
　　→ シノブファギン，定量用··············268
シノブファギン，定量用······················268
シノメニン，定量用··························269
シノメニン，薄層クロマトグラフィー用········270
ジピコリン酸································270
ジヒドロエルゴクリスチンメシル酸塩，
　　薄層クロマトグラフィー用················270
2,4-ジヒドロキシ安息香酸····················270
1,3-ジヒドロキシナフタレン··················270
2,7-ジヒドロキシナフタレン··················270
2,7-ジヒドロキシナフタレン試液··············270
ジヒドロコデインリン酸塩，定量用············270
3,4-ジヒドロ-6-ヒドロキシ-2(1H)-キノリノン···270
1-[(2R,5S)-2,5-ジヒドロ-5-(ヒドロキシメチル)-
　　2-フリル]チミン，薄層クロマトグラフィー用···270
α,α′-ジピリジル → 2,2′-ビピリジル··········329
1,3-ジ-(4-ピリジル)プロパン·················270
ジフェニドール塩酸塩························270
ジフェニル··································270
5%ジフェニル・95%ジメチルポリシロキサン，
　　ガスクロマトグラフィー用················271
ジフェニルアミン····························270
ジフェニルアミン・酢酸試液··················270
ジフェニルアミン・氷酢酸試液
　　→ ジフェニルアミン・酢酸試液··········270
ジフェニルアミン試液························270
9,10-ジフェニルアントラセン·················271
ジフェニルイミダゾール······················271
ジフェニルエーテル··························271
ジフェニルカルバジド
　　→ 1,5-ジフェニルカルボノヒドラジド····271
ジフェニルカルバジド試液
　　→ 1,5-ジフェニルカルボノヒドラジド試液···271
ジフェニルカルバゾン························271
ジフェニルカルバゾン試液····················271
1,5-ジフェニルカルボノヒドラジド············271
1,5-ジフェニルカルボノヒドラジド試液········271
ジフェニルスルホン，定量用············271, 26
1,1-ジフェニル-4-ピペリジノ-1-ブテン塩酸塩，
　　薄層クロマトグラフィー用················272
1,4-ジフェニルベンゼン······················272
ジフェンヒドラミン··························272
ジブカイン塩酸塩····························272
ジブチルアミン······························272
ジ-n-ブチルエーテル·························272
2,6-ジ-t-ブチルクレゾール···················272
2,6-ジ-t-ブチルクレゾール試液···············272

ジブチルジチオカルバミン酸亜鉛··············272
4,4′-ジフルオロベンゾフェノン···············272
ジプロフィリン······························272
2,6-ジブロムキノンクロルイミド → 2,6-ジブロモ
　　-N-クロロ-1,4-ベンゾキノンモノイミン·····272
2,6-ジブロムキノンクロルイミド試液 → 2,6-ジブロモ
　　-N-クロロ-1,4-ベンゾキノンモノイミン試液·····272
2,6-ジブロモ-N-クロロ-1,4-ベンゾキノン
　　モノイミン······························272
2,6-ジブロモ-N-クロロ-p-ベンゾキノンモノイミン
　　→ 2,6-ジブロモ-N-クロロ-1,4-ベンゾキノンモ
　　ノイミン································272
2,6-ジブロモ-N-クロロ-1,4-ベンゾキノンモノイミ
　　ン試液··································272
2,6-ジブロモ-N-クロロ-p-ベンゾキノンモノイミン
　　試液 → 2,6-ジブロモ-N-クロロ-1,4-ベンゾキ
　　ノンモノイミン試液······················272
2,6-ジブロモ-N-クロロ-1,4-ベンゾキノンモノイミ
　　ン試液，希······························272
2,6-ジブロモ-N-クロロ-p-ベンゾキノンモノイミン
　　試液，希 → 2,6-ジブロモ-N-クロロ-1,4-ベン
　　ゾキノンモノイミン試液，希··············272
ジベカシン硫酸塩····························272
シベレスタットナトリウム水和物··············272
ジベンジル··································272
N,N′-ジベンジルエチレンジアミン二酢酸塩····272
ジベンズ[a,h]アントラセン···················273
シベンゾリンコハク酸塩，定量用··············273
脂肪酸メチルエステル混合試液················274
脂肪油······································274
N,N-ジメチルアセトアミド····················274
ジメチルアニリン → N,N-ジメチルアニリン····274
2,6-ジメチルアニリン························274
N,N-ジメチルアニリン························274
(ジメチルアミノ)アゾベンゼンスルホニルクロリド···274
4-ジメチルアミノアンチピリン···············274
4-ジメチルアミノシンナムアルデヒド··········274
p-ジメチルアミノシンナムアルデヒド
　　→ 4-ジメチルアミノシンナムアルデヒド····274
4-ジメチルアミノシンナムアルデヒド試液······274
p-ジメチルアミノシンナムアルデヒド試液
　　→ 4-ジメチルアミノシンナムアルデヒド試液····274
ジメチルアミノフェノール····················274
4-ジメチルアミノベンジリデンロダニン········274
p-ジメチルアミノベンジリデンロダニン
　　→ 4-ジメチルアミノベンジリデンロダニン···274
4-ジメチルアミノベンジリデンロダニン試液····274
p-ジメチルアミノベンジリデンロダニン試液
　　→ 4-ジメチルアミノベンジリデンロダニン試液···274
4-ジメチルアミノベンズアルデヒド············274
p-ジメチルアミノベンズアルデヒド
　　→ 4-ジメチルアミノベンズアルデヒド······274

p-ジメチルアミノベンズアルデヒド・塩化第二鉄試液
　→ 4-ジメチルアミノベンズアルデヒド・塩化鉄(Ⅲ)試液 ……… 275
p-ジメチルアミノベンズアルデヒド・塩化第二鉄試液, 希 → 4-ジメチルアミノベンズアルデヒド・塩化鉄(Ⅲ)試液, 希 ……… 275
4-ジメチルアミノベンズアルデヒド・塩化鉄(Ⅲ)試液 ……… 275
p-ジメチルアミノベンズアルデヒド・塩化鉄(Ⅲ)試液
　→ 4-ジメチルアミノベンズアルデヒド・塩化鉄(Ⅲ)試液 ……… 275
4-ジメチルアミノベンズアルデヒド・塩化鉄(Ⅲ)試液, 希 ……… 275
4-ジメチルアミノベンズアルデヒド・塩酸・酢酸試液 ……… 275
4-ジメチルアミノベンズアルデヒド・塩酸試液 ……… 275
p-ジメチルアミノベンズアルデヒド・塩酸試液
　→ 4-ジメチルアミノベンズアルデヒド・塩酸試液 ……… 275
4-ジメチルアミノベンズアルデヒド試液 ……… 274
p-ジメチルアミノベンズアルデヒド試液
　→ 4-ジメチルアミノベンズアルデヒド試液 ……… 274
4-ジメチルアミノベンズアルデヒド試液, 噴霧用 ……… 274
p-ジメチルアミノベンズアルデヒド試液, 噴霧用 → 4-ジメチルアミノベンズアルデヒド試液, 噴霧用 ……… 274
ジメチルアミン ……… 275
N,N-ジメチル-n-オクチルアミン ……… 275
ジメチルグリオキシム ……… 275
ジメチルグリオキシム・チオセミカルバジド試液 ……… 275
ジメチルグリオキシム試液 ……… 275
ジメチルスルホキシド ……… 275
ジメチルスルホキシド, 吸収スペクトル用 ……… 275
3-(4,5-ジメチルチアゾール-2-イル)-2,5-ジフェニル-2H-テトラゾリウム臭化物 ……… 275
3-(4,5-ジメチルチアゾール-2-イル)-2,5-ジフェニル-2H-テトラゾリウム臭化物試液 ……… 275
2,6-ジメチル-4-(2-ニトロソフェニル)-3,5-ピリジンジカルボン酸ジメチルエステル, 薄層クロマトグラフィー用 ……… 275
N,N-ジメチル-p-フェニレンジアンモニウム二塩酸塩 ……… 275
ジメチルポリシロキサン, ガスクロマトグラフィー用 ……… 275
ジメチルホルムアミド → N,N-ジメチルホルムアミド ……… 275
N,N-ジメチルホルムアミド ……… 275
N,N-ジメチルホルムアミド, 液体クロマトグラフィー用 ……… 275
ジメトキシメタン ……… 275
ジメドン ……… 275
ジメンヒドリナート, 定量用 ……… 275
ジモルホラミン, 定量用 ……… 275
シャゼンシ, 薄層クロマトグラフィー用 ……… 275, 26
重塩酸, 核磁気共鳴スペクトル測定用 ……… 276
臭化カリウム ……… 276
臭化カリウム, 赤外吸収スペクトル用 ……… 276
臭化シアン試液 ……… 276
臭化ジスチグミン, 定量用
　→ ジスチグミン臭化物, 定量用 ……… 267
臭化ジミジウム ……… 276
臭化ジミジウム-パテントブルー混合試液 ……… 276

臭化3-(4,5-ジメチルチアゾール-2-イル)-2,5-ジフェニル-2H-テトラゾリウム → 3-(4,5-ジメチルチアゾール-2-イル)-2,5-ジフェニル-2H-テトラゾリウム臭化物 ……… 275
臭化3-(4,5-ジメチルチアゾール-2-イル)-2,5-ジフェニル-2H-テトラゾリウム試液 → 3-(4,5-ジメチルチアゾール-2-イル)-2,5-ジフェニル-2H-テトラゾリウム臭化物試液 ……… 275
臭化水素酸 ……… 276
臭化水素酸アレコリン, 薄層クロマトグラフィー用 → アレコリン臭化水素酸塩, 薄層クロマトグラフィー用 ……… 216
臭化水素酸スコポラミン
　→ スコポラミン臭化水素酸塩水和物 ……… 284
臭化水素酸スコポラミン, 薄層クロマトグラフィー用
　→ スコポラミン臭化水素酸塩水和物, 薄層クロマトグラフィー用 ……… 284
臭化水素酸セファエリン → セファエリン臭化水素酸塩 ……… 288
臭化水素酸ホマトロピン → ホマトロピン臭化水素酸塩 ……… 352
臭化ダクロニウム, 薄層クロマトグラフィー用
　→ ダクロニウム臭化物, 薄層クロマトグラフィー用 ……… 290
臭化n-デシルトリメチルアンモニウム
　→ n-デシルトリメチルアンモニウム臭化物 ……… 299
臭化n-デシルトリメチルアンモニウム試液, 0.005 mol/L
　→ n-デシルトリメチルアンモニウム臭化物試液, 0.005 mol/L ……… 299
臭化テトラn-ブチルアンモニウム
　→ テトラ-n-ブチルアンモニウム臭化物 ……… 301
臭化テトラn-プロピルアンモニウム
　→ テトラ-n-プロピルアンモニウム臭化物 ……… 302
臭化テトラn-ヘプチルアンモニウム
　→ テトラ-n-ヘプチルアンモニウム臭化物 ……… 302
臭化テトラn-ペンチルアンモニウム
　→ テトラ-n-ペンチルアンモニウム臭化物 ……… 302
臭化ナトリウム ……… 276
臭化プロパンテリン → プロパンテリン臭化物 ……… 342
臭化ヨウ素(Ⅱ) ……… 276
臭化ヨウ素(Ⅱ)試液 ……… 277
臭化リチウム ……… 277
重クロム酸カリウム → 二クロム酸カリウム ……… 311
重クロム酸カリウム(標準試薬)
　→ 二クロム酸カリウム(標準試薬) ……… 311
重クロム酸カリウム・硫酸試液
　→ 二クロム酸カリウム・硫酸試液 ……… 311
重クロム酸カリウム試液 → 二クロム酸カリウム試液 ……… 311
シュウ酸 → シュウ酸二水和物 ……… 277
シュウ酸アンモニウム
　→ シュウ酸アンモニウム一水和物 ……… 277
シュウ酸アンモニウム一水和物 ……… 277
シュウ酸アンモニウム試液 ……… 277
シュウ酸塩pH標準液 → 一般試験法 pH測定法〈2.54〉シュウ酸塩pH標準液 ……… 71
シュウ酸試液 ……… 277
シュウ酸ナトリウム(標準試薬) ……… 277

シュウ酸N-(1-ナフチル)-N′-ジエチルエチレンジア
　　ミン → N,N-ジエチル-N′-1-ナフチルエチレン
　　ジアミンシュウ酸塩……………………………265
シュウ酸N-(1-ナフチル)-N′-ジエチルエチレンジア
　　ミン・アセトン試液 → N,N-ジエチル-N′-1-ナ
　　フチルエチレンジアミンシュウ酸塩・アセトン試液…265
シュウ酸N-(1-ナフチル)-N′-ジエチルエチレンジア
　　ミン試液 → N,N-ジエチル-N′-1-ナフチルエチ
　　レンジアミンシュウ酸塩試液……………………265
シュウ酸二水和物……………………………………277
重水，核磁気共鳴スペクトル測定用……………………277
重水素化アセトン，核磁気共鳴スペクトル測定用………277
重水素化ギ酸，核磁気共鳴スペクトル測定用…………277
重水素化クロロホルム，核磁気共鳴スペクトル測定用……277
重水素化ジメチルスルホキシド，核磁気共鳴スペクトル
　　測定用……………………………………………277
重水素化ピリジン，核磁気共鳴スペクトル測定用………277
重水素化メタノール，核磁気共鳴スペクトル測定用……277
重水素化溶媒，核磁気共鳴スペクトル測定用…………277
臭素………………………………………………………277
臭素・酢酸試液…………………………………………277
臭素・シクロヘキサン試液……………………………277
臭素・水酸化ナトリウム試液…………………………277
臭素・四塩化炭素試液…………………………………277
臭素酸カリウム…………………………………………277
臭素試液…………………………………………………277
酒石酸 → L-酒石酸……………………………………277
L-酒石酸…………………………………………………277
酒石酸アンモニウム → L-酒石酸アンモニウム………277
L-酒石酸アンモニウム…………………………………277
酒石酸カリウム…………………………………………277
酒石酸カリウムナトリウム
　　→ 酒石酸ナトリウムカリウム四水和物………277
酒石酸緩衝液，pH 3.0…………………………………277
酒石酸水素ナトリウム
　　→ 酒石酸水素ナトリウム一水和物……………277
酒石酸水素ナトリウム一水和物………………………277
酒石酸水素ナトリウム試液……………………………277
酒石酸第一鉄試液 → 酒石酸鉄(Ⅱ)試液………………277
酒石酸鉄(Ⅱ)試液………………………………………277
酒石酸ナトリウム → 酒石酸ナトリウム二水和物……277
酒石酸ナトリウムカリウム四水和物…………………277
酒石酸ナトリウム二水和物……………………………277
酒石酸メトプロロール，定量用
　　→ メトプロロール酒石酸塩，定量用…………364
酒石酸レバロルファン，定量用
　　→ レバロルファン酒石酸塩，定量用…………377
純度試験用アコニチン → アコニチン，純度試験用…204
純度試験用アルテミシア・アルギイ
　　→ アルテミシア・アルギイ，純度試験用……216
純度試験用ジェサコニチン
　　→ ジェサコニチン，純度試験用………………264
純度試験用ヒパコニチン
　　→ ヒパコニチン，純度試験用…………………329

純度試験用ブシジエステルアルカロイド混合標準溶液
　　→ ブシジエステルアルカロイド混合標準溶液，純度
　　試験用……………………………………………336
純度試験用ペウケダヌム・レデボウリエルロイデス
　　→ ペウケダヌム・レデボウリエルロイデス，純度試
　　験用………………………………………………344
純度試験用メサコニチン → メサコニチン，純度試験用…359
純度試験用ラボンチシン → ラボンチシン，純度試験用…368
硝酸………………………………………………………278
硝酸，希…………………………………………………278
硝酸，発煙………………………………………………278
硝酸アンモニウム………………………………………278
硝酸イソソルビド，定量用……………………………278
硝酸カリウム……………………………………………278
硝酸カルシウム → 硝酸カルシウム四水和物…………278
硝酸カルシウム四水和物………………………………278
硝酸銀……………………………………………………278
硝酸銀・アンモニア試液………………………………278
硝酸銀試液………………………………………………278
硝酸コバルト → 硝酸コバルト(Ⅱ)六水和物…………278
硝酸コバルト(Ⅱ)六水和物……………………………278
硝酸試液，2 mol/L………………………………………278
硝酸ジルコニル → 硝酸ジルコニル二水和物…………278
硝酸ジルコニル二水和物………………………………278
硝酸ストリキニーネ，定量用
　　→ ストリキニーネ硝酸塩，定量用……………285
硝酸セリウム(Ⅲ)試液…………………………………278
硝酸セリウム(Ⅲ)六水和物……………………………278
硝酸第一セリウム → 硝酸セリウム(Ⅲ)六水和物……278
硝酸第一セリウム試液 → 硝酸セリウム(Ⅲ)試液……278
硝酸第二鉄 → 硝酸鉄(Ⅲ)九水和物……………………278
硝酸第二鉄試液 → 硝酸鉄(Ⅲ)試液……………………278
硝酸チアミン → チアミン硝化物………………………291
硝酸鉄(Ⅲ)九水和物……………………………………278
硝酸鉄(Ⅲ)試液…………………………………………278
硝酸デヒドロコリダリン，成分含量測定用
　　→ デヒドロコリダリン硝化物，定量用………302
硝酸銅(Ⅱ)三水和物……………………………………278
硝酸ナトリウム…………………………………………279
硝酸ナファゾリン → ナファゾリン硝酸塩……………309
硝酸ナファゾリン，定量用
　　→ ナファゾリン硝酸塩，定量用………………309
硝酸鉛 → 硝酸鉛(Ⅱ)……………………………………279
硝酸鉛(Ⅱ)………………………………………………279
硝酸二アンモニウムセリウム(Ⅳ)……………………279
硝酸二アンモニウムセリウム(Ⅳ)試液………………279
硝酸バリウム……………………………………………279
硝酸バリウム試液………………………………………279
硝酸ビスマス → 硝酸ビスマス五水和物………………279
硝酸ビスマス・ヨウ化カリウム試液…………………279
硝酸ビスマス五水和物…………………………………279
硝酸ビスマス試液………………………………………279
硝酸マグネシウム → 硝酸マグネシウム六水和物……279
硝酸マグネシウム六水和物……………………………279

試薬・試液名称索引　163

硝酸マンガン(Ⅱ)六水和物 279
硝酸ミコナゾール → ミコナゾール硝酸塩 358
焦性ブドウ酸ナトリウム 279
消毒用エタノール → エタノール，消毒用 224
生薬純度試験用アセトン → アセトン，生薬純度試験用 207
生薬純度試験用アリストロキア酸Ⅰ
　　→ アリストロキア酸Ⅰ，生薬純度試験用 214
生薬純度試験用エーテル
　　→ ジエチルエーテル，生薬純度試験用 264
生薬純度試験用ジエチルエーテル
　　→ ジエチルエーテル，生薬純度試験用 264
生薬純度試験用ヘキサン → ヘキサン，生薬純度試験用 346
生薬定量用エフェドリン塩酸塩
　　→ エフェドリン塩酸塩，生薬定量用 226
蒸留水，注射用 279
[6]-ショーガオール，定量用 279, 27
[6]-ショーガオール，薄層クロマトグラフィー用 280
触媒用ラニーニッケル → ラニーニッケル，触媒用 368
植物油 281
ジョサマイシン 281
ジョサマイシンプロピオン酸エステル 281
シラザプリル → シラザプリル水和物 281
シラザプリル，定量用 → シラザプリル水和物，定量用 281
シラザプリル水和物 281
シラザプリル水和物，定量用 281
シラスタチンアンモニウム，定量用 281
シリカゲル 282
シリコーン樹脂 282
シリコン樹脂 → シリコーン樹脂 282
シリコーン油 282
シリコン油 → シリコーン油 282
試料緩衝液，エポエチンアルファ用 282
ジルコニル・アリザリンS試液
　　→ ジルコニル・アリザリンレッドS試液 282
ジルコニル・アリザリンレッドS試液 282
ジルチアゼム塩酸塩 282
ジルチアゼム塩酸塩，定量用 282
シロドシン 282
シンイ 282
シンコニジン 282
シンコニン 282
ジンコン 282
ジンコン試液 282
シンドビスウイルス 282, 27
シンナムアルデヒド，薄層クロマトグラフィー用 → (E)
　　-シンナムアルデヒド，薄層クロマトグラフィー用 282
(E)-シンナムアルデヒド，薄層クロマトグラフィー用 282

ス

水，核酸分解酵素不含 282
水銀 282
水酸化カリウム 282
水酸化カリウム・エタノール試液 282

水酸化カリウム・エタノール試液，0.1 mol/L 282
水酸化カリウム・エタノール試液，希 283
水酸化カリウム試液 282
水酸化カリウム試液，0.02 mol/L 282
水酸化カリウム試液，0.05 mol/L 282
水酸化カリウム試液，8 mol/L 282
水酸化カルシウム 283
水酸化カルシウム，pH測定用 283
水酸化カルシウムpH標準液
　　→ 一般試験法 pH測定法〈2.54〉 水酸化カルシウム
　　pH標準液 71
水酸化カルシウム試液 283
水酸化第二銅 → 水酸化銅(Ⅱ) 283
水酸化銅(Ⅱ) 283
水酸化ナトリウム 283
水酸化ナトリウム・ジオキサン試液 283
水酸化ナトリウム・メタノール試液 283
水酸化ナトリウム試液 283
水酸化ナトリウム試液，0.01 mol/L 283
水酸化ナトリウム試液，0.05 mol/L 283
水酸化ナトリウム試液，0.2 mol/L 283
水酸化ナトリウム試液，0.5 mol/L 283
水酸化ナトリウム試液，2 mol/L 283
水酸化ナトリウム試液，4 mol/L 283
水酸化ナトリウム試液，5 mol/L 283
水酸化ナトリウム試液，6 mol/L 283
水酸化ナトリウム試液，8 mol/L 283
水酸化ナトリウム試液，希 283
水酸化バリウム → 水酸化バリウム八水和物 283
水酸化バリウム試液 283
水酸化バリウム八水和物 283
水酸化リチウム一水和物 283
水素 283
水素化ホウ素ナトリウム 283
水分測定用イミダゾール → イミダゾール，水分測定用 221
水分測定用エチレングリコール
　　→ エチレングリコール，水分測定用 225
水分測定用塩化カルシウム
　　→ 塩化カルシウム，水分測定用 229
水分測定用クロロホルム
　　→ クロロホルム，水分測定用 249
水分測定用試液 → 一般試験法 水分測定法〈2.48〉 60
水分測定用ジエチレングリコールモノエチルエーテル
　　→ ジエチレングリコールモノエチルエーテル，水分
　　測定用 265
水分測定用炭酸プロピレン
　　→ 炭酸プロピレン，水分測定用 291
水分測定用ピリジン → ピリジン，水分測定用 330
水分測定用ホルムアミド → ホルムアミド，水分測定用 355
水分測定用メタノール → メタノール，水分測定用 360
水分測定用2-メチルアミノピリジン
　　→ 2-メチルアミノピリジン，水分測定用 361
水分測定用陽極液A → 陽極液A，水分測定用 366
スウェルチアマリン，薄層クロマトグラフィー用 283

スキサメトニウム塩化物水和物,
　　薄層クロマトグラフィー用·················· 284
スクロース·· 284
スクロース, 旋光度測定用······················· 284
スコポラミン臭化水素酸塩水和物············· 284
スコポラミン臭化水素酸塩水和物,
　　薄層クロマトグラフィー用·················· 284
スコポレチン, 薄層クロマトグラフィー用··· 284
スズ·· 284
スタキオース, 薄層クロマトグラフィー用··· 284
スダンⅢ·· 284
ズダンⅢ → スダンⅢ······························ 284
スダンⅢ試液·· 284
ズダンⅢ試液 → スダンⅢ試液················· 284
スチレン·· 284
p-スチレンスルホン酸ナトリウム············ 284
スチレン－マレイン酸交互共重合体部分ブチルエステル··· 285
ステアリルアルコール···························· 285
ステアリルナトリウムフマル酸塩············· 285
ステアリン酸, ガスクロマトグラフィー用··· 285
ステアリン酸メチル, ガスクロマトグラフィー用··· 285
ストリキニーネ硝酸塩, 定量用················ 285
ストロンチウム試液······························· 286
スルバクタムナトリウム, スルバクタムペニシラミン用··· 286
スルバクタムペニシラミン用スルバクタムナトリウム
　　→ スルバクタムナトリウム, スルバクタムペニシラ
　　　ミン用······································· 286
スルピリド, 定量用······························· 286
スルピリン → スルピリン水和物·············· 286
スルピリン, 定量用 → スルピリン水和物, 定量用··· 286
スルピリン水和物·································· 286
スルピリン水和物, 定量用······················ 286
スルファチアゾール······························· 286
スルファニルアミド······························· 286
スルファニルアミド, ジアゾ化滴定用········ 286
スルファニル酸····································· 286
スルファミン酸(標準試薬) → アミド硫酸(標準試薬)······· 211
スルファミン酸アンモニウム
　　→ アミド硫酸アンモニウム················ 211
スルファミン酸アンモニウム試液
　　→ アミド硫酸アンモニウム試液··········· 211
スルホコハク酸ジ-2-エチルヘキシルナトリウム······· 286
スルホサリチル酸 → 5-スルホサリチル酸二水和物······· 286
スルホサリチル酸試液···························· 286
5-スルホサリチル酸二水和物··················· 286
スレオプロカテロール塩酸塩··················· 286

セ

精製塩酸 → 塩酸, 精製··························· 231
精製水·· 287
精製水, アンモニウム試験用 → アンモニウム試験用水······· 218
精製水, 滅菌·· 287
精製ヒアルロン酸ナトリウム··················· 287

精製メタノール → メタノール, 精製·········· 360
精製硫酸 → 硫酸, 精製··························· 369
性腺刺激ホルモン試液, ヒト絨毛性··········· 287
成分含量測定用アミグダリン → アミグダリン, 定量用····· 211
成分含量測定用アルブチン → アルブチン, 定量用·········· 216
成分含量測定用塩酸14-アニソイルアコニン
　　→ 14-アニソイルアコニン塩酸塩, 定量用··········· 209
成分含量測定用塩酸エメチン
　　→ エメチン塩酸塩, 定量用················ 228
成分含量測定用塩酸ベンゾイルヒパコニン
　　→ ベンゾイルヒパコニン塩酸塩, 定量用··········· 350
成分含量測定用塩酸ベンゾイルメサコニン
　　→ ベンゾイルメサコニン塩酸塩, 定量用··········· 350
成分含量測定用カプサイシン
　　→ (E)-カプサイシン, 定量用············ 237
成分含量測定用(E)-カプサイシン
　　→ (E)-カプサイシン, 定量用············ 237
成分含量測定用カルバゾクロムスルホン酸ナトリウム
　　→ カルバゾクロムスルホン酸ナトリウム三水和物··· 239
成分含量測定用[6]-ギンゲロール
　　→ [6]-ギンゲロール, 定量用·············· 242
成分含量測定用クルクミン
　　→ クルクミン, 定量用······················ 246
成分含量測定用(E)-ケイ皮酸
　　→ (E)-ケイ皮酸, 定量用·················· 249
成分含量測定用ゲニポシド → ゲニポシド, 定量用·········· 251
成分含量測定用サイコサポニンa
　　→ サイコサポニンa, 薄層クロマトグラフィー用······· 256
成分含量測定用サイコサポニンb_2
　　→ サイコサポニンb_2, 定量用············ 256
成分含量測定用サイコサポニンd
　　→ サイコサポニンd, 定量用··············· 257
成分含量測定用シノブファギン
　　→ シノブファギン, 定量用················ 268
成分含量測定用硝酸デヒドロコリダリン
　　→ デヒドロコリダリン硝化物, 定量用··· 302
成分含量測定用バルバロイン → バルバロイン, 定量用····· 322
成分含量測定用10-ヒドロキシ-2-(E)-デセン酸
　　→ 10-ヒドロキシ-2-(E)-デセン酸, 定量用········ 326
成分含量測定用ブシモノエステルアルカロイド混合標準
　　試液 → ブシモノエステルアルカロイド混合標準試液,
　　　定量用······································· 336
成分含量測定用ブファリン → ブファリン, 定量用·········· 338
成分含量測定用ペオノール → ペオノール, 定量用·········· 345
成分含量測定用ヘスペリジン → ヘスペリジン, 定量用····· 346
成分含量測定用ペリルアルデヒド
　　→ ペリルアルデヒド, 定量用·············· 348
成分含量測定用マグノロール → マグノロール, 定量用····· 356
成分含量測定用リンコフィリン
　　→ リンコフィリン, 定量用················ 371
成分含量測定用レジブフォゲニン
　　→ レジブフォゲニン, 定量用·············· 376
成分含量測定用ロガニン → ロガニン, 定量用··· 377
成分含量測定用ロスマリン酸 → ロスマリン酸, 定量用····· 378

精油	287
西洋ワサビペルオキシダーゼ	287
生理食塩液	287
赤外吸収スペクトル用塩化カリウム	
→ 塩化カリウム，赤外吸収スペクトル用	229
赤外吸収スペクトル用臭化カリウム	
→ 臭化カリウム，赤外吸収スペクトル用	276
石油エーテル	287
石油系ヘキサメチルテトラコサン類分枝炭化水素混合物 (L)，ガスクロマトグラフィー用	287
石油ベンジン	287
赤リン	287
セクレチン標準品用ウシ血清アルブミン試液	
→ ウシ血清アルブミン試液，セクレチン標準品用	222
セクレチン用ウシ血清アルブミン試液	
→ ウシ血清アルブミン試液，セクレチン用	222
セサミン，薄層クロマトグラフィー用	287
セスキオレイン酸ソルビタン	
→ ソルビタンセスキオレイン酸エステル	289
セタノール	288
セチリジン塩酸塩，定量用	288
セチルピリジニウム塩化物一水和物	288
石灰乳	288
赤血球浮遊液，A型 → A型赤血球浮遊液	223
赤血球浮遊液，B型 → B型赤血球浮遊液	324
セトリミド	288
セファエリン臭化水素酸塩	288
セファトリジンプロピレングリコール	288
セファドロキシル	288
セフカペンピボキシル塩酸塩水和物	288
セフジニルラクタム環開裂ラクトン	288
セミカルバジド塩酸塩	288
ゼラチン	288
ゼラチン，酸処理	288
ゼラチン・トリス緩衝液	288
ゼラチン・トリス緩衝液，pH 8.0	288
ゼラチン・リン酸塩緩衝液	289
ゼラチン・リン酸塩緩衝液，pH 7.0	289
ゼラチン・リン酸塩緩衝液，pH 7.4	289
ゼラチン試液	288
ゼラチン製ペプトン → ペプトン，ゼラチン製	347
L-セリン	289
セルモロイキン，液体クロマトグラフィー用	289
セルモロイキン分子量測定用マーカータンパク質 → マーカータンパク質，セルモロイキン分子量測定用	355
セルモロイキン用緩衝液 → 緩衝液，セルモロイキン用	239
セルモロイキン用基質緩衝液	
→ 基質緩衝液，セルモロイキン用	240
セルモロイキン用濃縮ゲル	
→ 濃縮ゲル，セルモロイキン用	315
セルモロイキン用培養液 → 培養液，セルモロイキン用	316
セルモロイキン用分離ゲル	
→ 分離ゲル，セルモロイキン用	344
セレン	289

旋光度測定用スクロース → スクロース，旋光度測定用	284
洗浄液，ナルトグラスチム試験用	289, 32
センダイウイルス	289
センノシドA，薄層クロマトグラフィー用	289
センブリ	289

ソ

ソイビーン・カゼイン・ダイジェスト培地	
→ 一般試験法 無菌試験法〈4.06〉 ソイビーン・カゼイン・ダイジェスト培地	131
ソーダ石灰	289
ゾピクロン，定量用	289
ソルビタンセスキオレイン酸エステル	289
ゾルピデム酒石酸塩，定量用	289
D-ソルビトール	289
D-ソルビトール，ガスクロマトグラフィー用	289

タ

第三アミルアルコール → t-アミルアルコール	213
第三ブタノール → t-ブチルアルコール	338
第Xa因子	289
第Xa因子試液	290
ダイズ製ペプトン → ペプトン，ダイズ製	347
ダイズ油	290
大腸菌由来タンパク質	290
大腸菌由来タンパク質原液	290
第Ⅱa因子	290
第二ブタノール → 2-ブタノール	336
タウリン	290
タウロウルソデオキシコール酸ナトリウム，薄層クロマトグラフィー用	290
タクシャトリテルペン混合試液，確認試験用	290
ダクロニウム臭化物，薄層クロマトグラフィー用	290
脱色フクシン試液	290
タムスロシン塩酸塩	290
タムスロシン塩酸塩，定量用	290
多硫化アンモニウム試液	290
タルク	290
タルチレリン水和物，定量用	290
タングステン(Ⅵ)酸ナトリウム二水和物	290
タングステン酸ナトリウム	
→ タングステン(Ⅵ)酸ナトリウム二水和物	290
炭酸アンモニウム	291
炭酸アンモニウム試液	291
炭酸塩緩衝液，0.1 mol/L，pH 9.6	291
炭酸カリウム	291
炭酸カリウム，無水 → 炭酸カリウム	291
炭酸カリウム・炭酸ナトリウム試液	291
炭酸カルシウム	291
炭酸カルシウム，定量用	291
炭酸水素アンモニウム	291
炭酸水素アンモニウム試液，0.1 mol/L	291

項目	ページ
炭酸水素カリウム	291
炭酸水素ナトリウム	291
炭酸水素ナトリウム，pH測定用	291
炭酸水素ナトリウム試液	291
炭酸水素ナトリウム試液，10%	291
炭酸水素ナトリウム注射液，7%	291
炭酸脱水酵素	291
炭酸銅 → 炭酸銅一水和物	291
炭酸銅一水和物	291
炭酸ナトリウム → 炭酸ナトリウム十水和物	291
炭酸ナトリウム（標準試薬）	291
炭酸ナトリウム，pH測定用	291
炭酸ナトリウム，無水	291
炭酸ナトリウム試液	291
炭酸ナトリウム試液，0.55 mol/L	291
炭酸ナトリウム十水和物	291
炭酸プロピレン	291
炭酸プロピレン，水分測定用	291
胆汁酸塩 → 一般試験法 生薬の微生物限度試験法〈5.02〉	138
タンニン酸	291
タンニン酸試液	291
タンニン酸ジフェンヒドラミン	291
タンパク質含量試験用アルカリ性銅試液 → 銅試液，タンパク質含量試験用アルカリ性	304
タンパク質消化酵素試液	291

チ

項目	ページ
チアプリド塩酸塩，定量用	291
チアミン硝化物	291
チアラミド塩酸塩，定量用	291
チアントール	291
3-チエニルエチルペニシリンナトリウム	291
チオアセトアミド	291
チオアセトアミド・グリセリン塩基性試液	292
チオアセトアミド試液	292
チオグリコール酸 → メルカプト酢酸	365
チオグリコール酸ナトリウム	292
チオグリコール酸培地Ⅰ，無菌試験用 → 一般試験法 無菌試験法〈4.06〉 液状チオグリコール酸培地	131
チオグリコール酸培地Ⅱ，無菌試験用 → 一般試験法 無菌試験法〈4.06〉 変法チオグリコール酸培地	131
チオシアン酸アンモニウム	292
チオシアン酸アンモニウム・硝酸コバルト試液 → チオシアン酸アンモニウム・硝酸コバルト（Ⅱ）試液	292
チオシアン酸アンモニウム・硝酸コバルト（Ⅱ）試液	292
チオシアン酸アンモニウム試液	292
チオシアン酸カリウム	292
チオシアン酸カリウム試液	292
チオシアン酸第一鉄試液 → チオシアン酸鉄（Ⅱ）試液	292
チオシアン酸鉄（Ⅱ）試液	292
チオジグリコール	292
チオセミカルバジド	292
チオ尿素	292
チオ尿素試液	292
チオペンタール，定量用	292
チオペンタールナトリウム	292
チオ硫酸ナトリウム → チオ硫酸ナトリウム五水和物	292
チオ硫酸ナトリウム五水和物	292
チオ硫酸ナトリウム試液	292
チクセツサポニンⅣ，薄層クロマトグラフィー用	292
チクロピジン塩酸塩，定量用	292
チタンエロー	293
窒素	293
チトクロムc	293
チペピジンヒベンズ酸塩，定量用	293
チミン，液体クロマトグラフィー用	293
チモ	293
チモール	293
チモール，定量用	293
チモール，噴霧試液用	293
チモール・硫酸・メタノール試液，噴霧用	293
チモールフタレイン	293
チモールフタレイン試液	293
チモールブルー	293
チモールブルー・ジオキサン試液 → チモールブルー・1,4-ジオキサン試液	293
チモールブルー・1,4-ジオキサン試液	293
チモールブルー・ジメチルホルムアミド試液 → チモールブルー・N,N-ジメチルホルムアミド試液	293
チモールブルー・N,N-ジメチルホルムアミド試液	293
チモールブルー試液	293
チモールブルー試液，希	293
注射用蒸留水 → 蒸留水，注射用	279
注射用水	293
抽出用ジチゾン液 → ジチゾン液，抽出用	267
中性アルミナ，4%含水	293
中性洗剤	293
中和エタノール → エタノール，中和	224
L-チロシン	293
L-チロジン → L-チロシン	293

ツ

項目	ページ
ツロブテロール，定量用	294

テ

項目	ページ
DSS-d_6，核磁気共鳴スペクトル測定用	294
DNA標準原液，インターフェロンアルファ（NAMALWA）用	294
p,p'-DDD(2,2-ビス(4-クロロフェニル)-1,1-ジクロロエタン)	294
p,p'-DDE(2,2-ビス(4-クロロフェニル)-1,1-ジクロロエチレン)	294
o,p'-DDT(1,1,1-トリクロロ-2-(2-クロロフェニル)-2-(4-クロロフェニル)エタン)	294

p,p'-DDT（1,1,1-トリクロロ-2,2-ビス（4-クロロフェニル）エタン） ………………………………… 294	定量用ウシ血清アルブミン → ウシ血清アルブミン，定量用 …………… 222
低分子量ヘパリン，分子量測定用 ………………… 294	定量用ウベニメクス → ウベニメクス，定量用 … 223
定量用アジマリン → アジマリン，定量用 ……… 205	定量用ウルソデオキシコール酸 → ウルソデオキシコール酸，定量用 ……… 223
定量用アセトアルデヒド → アセトアルデヒド，定量用 … 207	定量用エカベトナトリウム水和物 → エカベトナトリウム水和物，定量用 …… 223
定量用アセメタシン → アセメタシン，定量用 … 207	定量用エタクリン酸 → エタクリン酸，定量用 … 224
定量用アゼラスチン塩酸塩 → アゼラスチン塩酸塩，定量用 …………… 208	定量用エダラボン → エダラボン，定量用 ……… 224
定量用アゼルニジピン → アゼルニジピン，定量用 … 208	定量用エチゾラム → エチゾラム，定量用 ……… 224
定量用アゾセミド → アゾセミド，定量用 ……… 208	定量用エチドロン酸二ナトリウム → エチドロン酸二ナトリウム，定量用 …… 224
定量用アトラクチレノリドⅢ → アトラクチレノリドⅢ，定量用 ………… 208	定量用エチレフリン塩酸塩 → エチレフリン塩酸塩，定量用 …………… 225
定量用アトラクチロジン → アトラクチロジン，定量用 … 209	定量用エナント酸メテノロン → メテノロンエナント酸エステル，定量用 … 363
定量用アトラクチロジン試液 → アトラクチロジン試液，定量用 ………… 209	定量用エバスチン → エバスチン，定量用 ……… 226
定量用アトロピン硫酸塩水和物 → アトロピン硫酸塩水和物，定量用 ……… 209	定量用エフェドリン塩酸塩 → エフェドリン塩酸塩 … 226
定量用14-アニソイルアコニン塩酸塩 → 14-アニソイルアコニン塩酸塩，定量用 … 209	定量用エボジアミン → エボジアミン，定量用 … 227
定量用アプリンジン塩酸塩 → アプリンジン塩酸塩，定量用 …………… 210	定量用エメダスチンフマル酸塩 → エメダスチンフマル酸塩，定量用 ……… 228
定量用アミオダロン塩酸塩 → アミオダロン塩酸塩，定量用 …………… 211	定量用エメチン塩酸塩 → エメチン塩酸塩，定量用 … 228
定量用アミグダリン → アミグダリン，定量用 … 211, 23	定量用エモルファゾン → エモルファゾン，定量用 … 228
定量用アミドトリゾ酸 → アミドトリゾ酸，定量用 … 211	定量用塩化カリウム → 塩化カリウム，定量用 … 229
定量用アモスラロール塩酸塩 → アモスラロール塩酸塩，定量用 ………… 213	定量用塩化カルシウム水和物 → 塩化カルシウム水和物，定量用 ………… 229
定量用アラセプリル → アラセプリル，定量用 … 213	定量用塩化カルシウム二水和物 → 塩化カルシウム水和物，定量用 ………… 229
定量用アルジオキサ → アルジオキサ，定量用 … 215	定量用塩化ナトリウム → 塩化ナトリウム，定量用 … 230
定量用アルブチン → アルブチン，定量用 … 216, 24	定量用塩化ベンゼトニウム → ベンゼトニウム塩化物，定量用 ………… 349
定量用アルミノプロフェン → アルミノプロフェン，定量用 …………… 216	定量用塩酸アゼラスチン → アゼラスチン塩酸塩，定量用 …………… 208
定量用アロプリノール → アロプリノール，定量用 … 217	定量用塩酸アプリンジン → アプリンジン塩酸塩，定量用 …………… 210
定量用アンピロキシカム → アンピロキシカム，定量用 … 217	定量用塩酸アミオダロン → アミオダロン塩酸塩，定量用 …………… 211
定量用イオタラム酸 → イオタラム酸，定量用 … 218	定量用塩酸アモスラロール → アモスラロール塩酸塩，定量用 ………… 213
定量用イオパミドール → イオパミドール，定量用 … 218	定量用塩酸イソクスプリン → イソクスプリン塩酸塩，定量用 ………… 219
定量用イソクスプリン塩酸塩 → イソクスプリン塩酸塩，定量用 ………… 219	定量用塩酸イミダプリル → イミダプリル塩酸塩，定量用 …………… 221
定量用イソニアジド → イソニアジド，定量用 … 219	定量用塩酸エチレフリン → エチレフリン塩酸塩，定量用 …………… 225
定量用L-イソロイシン → L-イソロイシン，定量用 … 219	定量用塩酸エフェドリン → エフェドリン塩酸塩 … 226
定量用一硝酸イソソルビド → 一硝酸イソソルビド，定量用 …………… 220	定量用塩酸オキシコドン → オキシコドン塩酸塩水和物，定量用 …… 234
定量用イフェンプロジル酒石酸塩 → イフェンプロジル酒石酸塩，定量用 …… 220	定量用塩酸クロルプロマジン → クロルプロマジン塩酸塩，定量用 ……… 248
定量用イブプロフェンピコノール → イブプロフェンピコノール，定量用 …… 221	定量用塩酸セチリジン → セチリジン塩酸塩，定量用 … 288
定量用イミダプリル塩酸塩 → イミダプリル塩酸塩，定量用 …………… 221	定量用塩酸チアプリド → チアプリド塩酸塩，定量用 … 291
定量用イリノテカン塩酸塩水和物 → イリノテカン塩酸塩水和物，定量用 …… 221	定量用塩酸チアラミド → チアラミド塩酸塩，定量用 … 291
定量用イルソグラジンマレイン酸塩 → イルソグラジンマレイン酸塩，定量用 … 221	定量用塩酸ドパミン → ドパミン塩酸塩，定量用 … 305
定量用イルベサルタン → イルベサルタン，定量用 … 221	

定量用塩酸トリメタジジン
　　→ トリメタジジン塩酸塩，定量用……………309
定量用塩酸ニカルジピン
　　→ ニカルジピン塩酸塩，定量用………………311
定量用塩酸パパベリン → パパベリン塩酸塩，定量用……… 319
定量用塩酸ヒドララジン
　　→ ヒドララジン塩酸塩，定量用………………325
定量用塩酸ヒドロコタルニン
　　→ ヒドロコタルニン塩酸塩水和物，定量用……328
定量用塩酸ブホルミン → ブホルミン塩酸塩，定量用…… 339
定量用塩酸プロカイン → プロカイン塩酸塩，定量用…… 341
定量用塩酸プロカインアミド
　　→ プロカインアミド塩酸塩，定量用…………341
定量用塩酸プロパフェノン
　　→ プロパフェノン塩酸塩，定量用……………342
定量用塩酸プロプラノロール
　　→ プロプラノロール塩酸塩，定量用…………342
定量用塩酸ペチジン → ペチジン塩酸塩，定量用………… 347
定量用塩酸ベニジピン → ベニジピン塩酸塩，定量用…… 347
定量用塩酸ベラパミル → ベラパミル塩酸塩，定量用…… 348
定量用dl-塩酸メチルエフェドリン
　　→ dl-メチルエフェドリン塩酸塩………………361
定量用塩酸メトホルミン
　　→ メトホルミン塩酸塩，定量用………………364
定量用塩酸メピバカイン
　　→ メピバカイン塩酸塩，定量用………………364
定量用塩酸モルヒネ → モルヒネ塩酸塩水和物，定量用…… 365
定量用塩酸ラベタロール
　　→ ラベタロール塩酸塩，定量用………………368
定量用オキシコドン塩酸塩水和物
　　→ オキシコドン塩酸塩水和物，定量用………234
定量用オメプラゾール → オメプラゾール，定量用……… 234
定量用オロパタジン塩酸塩
　　→ オロパタジン塩酸塩，定量用………………235
定量用カイニン酸 → カイニン酸水和物………………… 235
定量用カイニン酸水和物 → カイニン酸水和物………… 235
定量用カドララジン → カドララジン，定量用…………… 237
定量用(E)-カプサイシン
　　→ (E)-カプサイシン，定量用…………………237
定量用カルバミン酸クロルフェネシン
　　→ クロルフェネシンカルバミン酸エステル，定量用…248
定量用カルベジロール → カルベジロール，定量用……… 239
定量用L-カルボシステイン
　　→ L-カルボシステイン，定量用………………239
定量用カンデサルタンシレキセチル
　　→ カンデサルタンシレキセチル，定量用……239
定量用キナプリル塩酸塩 → キナプリル塩酸塩，定量用…… 241
定量用[6]-ギンゲロール
　　→ [6]-ギンゲロール，定量用………………242，25
定量用グアヤコール → グアヤコール，定量用…………… 244
定量用クエン酸モサプリド
　　→ モサプリドクエン酸塩水和物，定量用……365
定量用クルクミン → クルクミン，定量用………………… 246
定量用クロチアゼパム → クロチアゼパム，定量用……… 247

定量用クロナゼパム → クロナゼパム，定量用…………… 247
定量用クロペラスチンフェンジゾ酸塩
　　→ クロペラスチンフェンジゾ酸塩，定量用…247
定量用クロミプラミン塩酸塩
　　→ クロミプラミン塩酸塩，定量用……………247
定量用クロラゼプ酸二カリウム
　　→ クロラゼプ酸二カリウム，定量用…………247
定量用クロルジアゼポキシド
　　→ クロルジアゼポキシド，定量用……………247
定量用クロルフェネシンカルバミン酸エステル → クロル
　　フェネシンカルバミン酸エステル，定量用………248
定量用クロルプロパミド → クロルプロパミド，定量用…… 248
定量用クロルプロマジン塩酸塩
　　→ クロルプロマジン塩酸塩，定量用…………248
定量用(E)-ケイ皮酸 → (E)-ケイ皮酸，定量用……… 249
定量用ケトコナゾール → ケトコナゾール，定量用……… 251
定量用ゲニポシド → ゲニポシド，定量用………………… 251
定量用コデインリン酸塩水和物
　　→ コデインリン酸塩水和物，定量用…………254
定量用コハク酸シベンゾリン
　　→ シベンゾリンコハク酸塩，定量用…………273
定量用サイコサポニンa → サイコサポニンa，定量用…… 255
定量用サイコサポニンa，d混合標準試液
　　→ サイコサポニンa，d混合標準試液，定量用…256
定量用サイコサポニンb_2 → サイコサポニンb_2，定量用…… 256
定量用サイコサポニンb_2標準試液
　　→ サイコサポニンb_2標準試液，定量用………257
定量用サイコサポニンd → サイコサポニンd，定量用…… 257
定量用サリチル酸 → サリチル酸，定量用………………… 260
定量用ザルトプロフェン → ザルトプロフェン，定量用…… 261
定量用酸素スパンガス → 酸素スパンガス，定量用……… 262
定量用酸素ゼロガス → 酸素ゼロガス，定量用…………… 262
定量用酸素比較ガス → 酸素比較ガス，定量用…………… 262
定量用サントニン → サントニン，定量用………………… 262
定量用ジアゼパム → ジアゼパム，定量用………………… 263
定量用ジクロフェナクナトリウム
　　→ ジクロフェナクナトリウム，定量用………265
定量用シクロホスファミド水和物
　　→ シクロホスファミド水和物，定量用………266
定量用ジスチグミン臭化物
　　→ ジスチグミン臭化物，定量用………………267
定量用ジドロゲステロン → ジドロゲステロン，定量用…… 267
定量用シネオール → シネオール，定量用………………… 268
定量用シノキサシン → シノキサシン，定量用…………… 268
定量用シノブファギン → シノブファギン，定量用……… 268
定量用シノメニン → シノメニン，定量用………………… 269
定量用ジヒドロコデインリン酸塩
　　→ ジヒドロコデインリン酸塩，定量用………270
定量用ジフェニルスルホン
　　→ ジフェニルスルホン，定量用………………271，26
定量用シベンゾリンコハク酸塩
　　→ シベンゾリンコハク酸塩，定量用…………273
定量用ジメンヒドリナート
　　→ ジメンヒドリナート，定量用………………275

定量用ジモルホラミン → ジモルホラミン，定量用 ………… 275	定量用トラニラスト → トラニラスト，定量用 …………… 305
定量用臭化ジスチグミン	定量用トリエンチン塩酸塩
→ ジスチグミン臭化物，定量用 …………………… 267	→ トリエンチン塩酸塩，定量用 …………………… 306
定量用酒石酸メトプロロール	定量用トリメタジジン塩酸塩
→ メトプロロール酒石酸塩，定量用 …………… 364	→ トリメタジジン塩酸塩，定量用 ……………… 309
定量用酒石酸レバロルファン	定量用ドロキシドパ → ドロキシドパ，定量用 ……… 309
→ レバロルファン酒石酸塩，定量用 …………… 377	定量用ナファゾリン硝酸塩
定量用硝酸イソソルビド → 硝酸イソソルビド，定量用 …… 278	→ ナファゾリン硝酸塩，定量用 …………………… 309
定量用硝酸ストリキニーネ	定量用ナフトピジル → ナフトピジル，定量用 ……… 310
→ ストリキニーネ硝酸塩，定量用 ……………… 285	定量用ニカルジピン塩酸塩
定量用硝酸ナファゾリン	→ ニカルジピン塩酸塩，定量用 ………………… 311
→ ナファゾリン硝酸塩，定量用 ………………… 309	定量用ニコモール → ニコモール，定量用 …………… 311
定量用[6]-ショーガオール	定量用ニセルゴリン → ニセルゴリン，定量用 …… 312
→ [6]-ショーガオール，定量用 ………… 279，_27_	定量用ニトレンジピン → ニトレンジピン，定量用 …… 312
定量用シラザプリル → シラザプリル水和物，定量用 …… 281	定量用ニフェジピン → ニフェジピン，定量用 …… 313
定量用シラザプリル水和物	定量用L-乳酸ナトリウム液
→ シラザプリル水和物，定量用 ………………… 281	→ L-乳酸ナトリウム液，定量用 ……………… 314
定量用シラスタチンアンモニウム	定量用ノルトリプチリン塩酸塩
→ シラスタチンアンモニウム，定量用 ………… 281	→ ノルトリプチリン塩酸塩，定量用 …………… 316
定量用ジルチアゼム塩酸塩	定量用パパベリン塩酸塩 → パパベリン塩酸塩，定量用 …… 319
→ ジルチアゼム塩酸塩，定量用 ………………… 282	定量用パラアミノサリチル酸カルシウム水和物
定量用ストリキニーネ硝酸塩	→ パラアミノサリチル酸カルシウム水和物，定量用 … 320
→ ストリキニーネ硝酸塩，定量用 ……………… 285	定量用L-バリン → L-バリン，定量用 ……………… 322
定量用スルピリド → スルピリド，定量用 …………… 286	定量用バルバロイン → バルバロイン，定量用 …… 322
定量用スルピリン → スルピリン水和物，定量用 …… 286	定量用バルプロ酸ナトリウム
定量用スルピリン水和物 → スルピリン水和物，定量用 …… 286	→ バルプロ酸ナトリウム，定量用 ……………… 322
定量用セチリジン塩酸塩 → セチリジン塩酸塩，定量用 …… 288	定量用ハロペリドール → ハロペリドール，定量用 …… 322
定量用ゾピクロン → ゾピクロン，定量用 …………… 289	定量用ヒアルロン酸ナトリウム
定量用ゾルピデム酒石酸塩	→ ヒアルロン酸ナトリウム，定量用 …………… 323
→ ゾルピデム酒石酸塩，定量用 ………………… 289	定量用ビソプロロールフマル酸塩
定量用タムスロシン塩酸塩	→ ビソプロロールフマル酸塩，定量用 ………… 325
→ タムスロシン塩酸塩，定量用 ………………… 290	定量用ヒト血清アルブミン
定量用タルチレリン水和物	→ ヒト血清アルブミン，定量用 ………………… 325
→ タルチレリン水和物，定量用 ………………… 290	定量用ヒドララジン塩酸塩
定量用炭酸カルシウム → 炭酸カルシウム，定量用 …… 291	→ ヒドララジン塩酸塩，定量用 ………………… 325
定量用チアプリド塩酸塩 → チアプリド塩酸塩，定量用 …… 291	定量用10-ヒドロキシ-2-(E)-デセン酸
定量用チアラミド塩酸塩 → チアラミド塩酸塩，定量用 …… 291	→ 10-ヒドロキシ-2-(E)-デセン酸，定量用 …… 326
定量用チオペンタール → チオペンタール，定量用 …… 292	定量用ヒドロコタルニン塩酸塩水和物
定量用チクロピジン塩酸塩	→ ヒドロコタルニン塩酸塩水和物，定量用 …… 328
→ チクロピジン塩酸塩，定量用 ………………… 292	定量用ヒベンズ酸チペピジン
定量用チペピジンヒベンズ酸塩	→ チペピジンヒベンズ酸塩，定量用 …………… 293
→ チペピジンヒベンズ酸塩，定量用 …………… 293	定量用ビリルビン → ビリルビン，定量用 …………… 330
定量用チモール → チモール，定量用 ………………… 293	定量用ピルシカイニド塩酸塩水和物
定量用ツロブテロール → ツロブテロール，定量用 …… 294	→ ピルシカイニド塩酸塩水和物，定量用 ……… 330
定量用テオフィリン → テオフィリン，定量用 ……… 299	定量用ヒルスチン → ヒルスチン，定量用 ………… 330，_29_
定量用デヒドロコリダリン硝化物	定量用ピロカルピン塩酸塩
→ デヒドロコリダリン硝化物，定量用 ………… 302，_28_	→ ピロカルピン塩酸塩，定量用 ………………… 331
定量用テモカプリル塩酸塩	定量用ファモチジン → ファモチジン，定量用 …… 332
→ テモカプリル塩酸塩，定量用 ………………… 303	定量用フェニトイン → フェニトイン，定量用 …… 332
定量用テルビナフィン塩酸塩	定量用フェノバルビタール
→ テルビナフィン塩酸塩，定量用 ……………… 303	→ フェノバルビタール，定量用 ………………… 333
定量用テルミサルタン → テルミサルタン，定量用 …… 304	定量用フェノール → フェノール，定量用 …………… 333
定量用ドキシフルリジン → ドキシフルリジン，定量用 …… 305	定量用フェノールスルホンフタレイン
定量用ドパミン塩酸塩 → ドパミン塩酸塩，定量用 …… 305	→ フェノールスルホンフタレイン，定量用 …… 334

定量用フェルビナク → フェルビナク，定量用……………334
定量用(E)-フェルラ酸 → (E)-フェルラ酸，定量用……334
定量用フェロジピン → フェロジピン，定量用……………336
定量用ブシモノエステルアルカロイド混合標準試液 → ブ
　　シモノエステルアルカロイド混合標準試液，定量用……336
定量用ブシラミン → ブシラミン，定量用………………336
定量用ブテナフィン塩酸塩
　　→ ブテナフィン塩酸塩，定量用…………………338
定量用フドステイン → フドステイン，定量用……………338
定量用ブファリン → ブファリン，定量用………………338
定量用ブホルミン塩酸塩 → ブホルミン塩酸塩，定量用……339
定量用フマル酸ビソプロロール
　　→ ビソプロロールフマル酸塩，定量用………………325
定量用プラゼパム → プラゼパム，定量用………………339
定量用フルコナゾール → フルコナゾール，定量用………340
定量用フルジアゼパム → フルジアゼパム，定量用………340
定量用フルトプラゼパム → フルトプラゼパム，定量用……341
定量用フルラゼパム → フルラゼパム，定量用……………341
定量用フレカイニド酢酸塩
　　→ フレカイニド酢酸塩，定量用……………………341
定量用プロカインアミド塩酸塩
　　→ プロカインアミド塩酸塩，定量用…………………341
定量用プロカイン塩酸塩 → プロカイン塩酸塩，定量用……341
定量用プロチゾラム → プロチゾラム，定量用……………341
定量用プロパフェノン塩酸塩
　　→ プロパフェノン塩酸塩，定量用……………………342
定量用プロピルチオウラシル
　　→ プロピルチオウラシル，定量用……………………342
定量用プロプラノロール塩酸塩
　　→ プロプラノロール塩酸塩，定量用…………………342
定量用フロプロピオン → フロプロピオン，定量用………342
定量用ペオノール → ペオノール，定量用………………345
定量用ベザフィブラート → ベザフィブラート，定量用……346
定量用ヘスペリジン → ヘスペリジン，定量用……………346
定量用ベタヒスチンメシル酸塩
　　→ ベタヒスチンメシル酸塩，定量用…………………347
定量用ベタミプロン → ベタミプロン，定量用……………347
定量用ベチジン塩酸塩 → ベチジン塩酸塩，定量用………347
定量用ベニジピン塩酸塩 → ベニジピン塩酸塩，定量用……347
定量用ベポタスチンベシル酸塩
　　→ ベポタスチンベシル酸塩，定量用…………………347
定量用ベラパミル塩酸塩 → ベラパミル塩酸塩，定量用……348
定量用ベラプロストナトリウム
　　→ ベラプロストナトリウム，定量用…………………348
定量用ペリルアルデヒド → ペリルアルデヒド，定量用……348
定量用ペルフェナジンマレイン酸塩
　　→ ペルフェナジンマレイン酸塩，定量用………………349
定量用ベンゼトニウム塩化物
　　→ ベンゼトニウム塩化物，定量用……………………349
定量用ベンゾイルヒパコニン塩酸塩
　　→ ベンゾイルヒパコニン塩酸塩，定量用………………350
定量用ベンゾイルメサコニン塩酸塩
　　→ ベンゾイルメサコニン塩酸塩，定量用………………350
定量用ボグリボース → ボグリボース，定量用……………352

定量用マグノフロリンヨウ化物
　　→ マグノフロリンヨウ化物，定量用…………………355
定量用マグノロール → マグノロール，定量用……………356
定量用マレイン酸イルソグラジン
　　→ イルソグラジンマレイン酸塩，定量用………………221
定量用マレイン酸ペルフェナジン
　　→ ペルフェナジンマレイン酸塩，定量用………………349
定量用マレイン酸メチルエルゴメトリン
　　→ メチルエルゴメトリンマレイン酸塩，定量用…………361
定量用マンギフェリン → マンギフェリン，定量用………357
定量用メキタジン → メキタジン，定量用………………359
定量用メサラジン → メサラジン，定量用………………360
定量用メシル酸ベタヒスチン
　　→ ベタヒスチンメシル酸塩，定量用…………………347
定量用dl-メチルエフェドリン塩酸塩
　　→ dl-メチルエフェドリン塩酸塩…………………361
定量用メチルエルゴメトリンマレイン酸塩
　　→ メチルエルゴメトリンマレイン酸塩，定量用…………361
定量用メチルドパ → メチルドパ水和物，定量用…………362
定量用メチルドパ水和物 → メチルドパ水和物，定量用……362
定量用メテノロンエナント酸エステル
　　→ メテノロンエナント酸エステル，定量用……………363
定量用メトクロプラミド → メトクロプラミド，定量用……364
定量用メトプロロール酒石酸塩
　　→ メトプロロール酒石酸塩，定量用…………………364
定量用メトホルミン塩酸塩
　　→ メトホルミン塩酸塩，定量用………………………364
定量用メトロニダゾール → メトロニダゾール，定量用……364
定量用メピバカイン塩酸塩
　　→ メピバカイン塩酸塩，定量用………………………364
定量用メフルシド → メフルシド，定量用………………364
定量用l-メントール → l-メントール，定量用………365
定量用モサプリドクエン酸塩水和物
　　→ モサプリドクエン酸塩水和物，定量用………………365
定量用モルヒネ塩酸塩水和物
　　→ モルヒネ塩酸塩水和物，定量用……………………365
定量用ヨウ化イソプロピル
　　→ ヨウ化イソプロピル，定量用………………………366
定量用ヨウ化カリウム → ヨウ化カリウム，定量用………366
定量用ヨウ化メチル → ヨードメタン，定量用……………367
定量用ヨウ素 → ヨウ素，定量用…………………………366
定量用ヨードエタン → ヨードエタン，定量用……………367
定量用ヨードメタン → ヨードメタン，定量用……………367
定量用ラフチジン → ラフチジン，定量用………………368
定量用ラベタロール塩酸塩
　　→ ラベタロール塩酸塩，定量用………………………368
定量用リシノプリル → リシノプリル水和物，定量用………368
定量用リシノプリル水和物
　　→ リシノプリル水和物，定量用………………………368
定量用リスペリドン → リスペリドン，定量用……………369
定量用リドカイン → リドカイン，定量用………………369
定量用硫酸アトロピン
　　→ アトロピン硫酸塩水和物，定量用…………………209
定量用リンコフィリン → リンコフィリン，定量用……371, <u>30</u>

定量用リン酸コデイン
　→ コデインリン酸塩水和物, 定量用··················254
定量用リン酸ジヒドロコデイン
　→ ジヒドロコデインリン酸塩, 定量用··············270
定量用レイン → レイン, 定量用····························376
定量用レジブフォゲニン → レジブフォゲニン, 定量用····376
定量用レバミピド → レバミピド, 定量用················377
定量用レバロルファン酒石酸塩
　→ レバロルファン酒石酸塩, 定量用··················377
定量用レボフロキサシン水和物
　→ レボフロキサシン水和物, 定量用··················377
定量用L-ロイシン → L-ロイシン, 定量用··············377
定量用ロガニン → ロガニン, 定量用···········377, 31
定量用ロスマリン酸
　→ ロスマリン酸, 定量用·································378
定量用ワルファリンカリウム
　→ ワルファリンカリウム, 定量用·····················379
2′-デオキシウリジン, 液体クロマトグラフィー用········298
デオキシコール酸, 薄層クロマトグラフィー用···········299
テオフィリン··299
テオフィリン, 定量用····································299
1-デカンスルホン酸ナトリウム···························299
1-デカンスルホン酸ナトリウム試液, 0.0375 mol/L········299
滴定用2,6-ジクロロインドフェノールナトリウム試液
　→ 2,6-ジクロロインドフェノールナトリウム試液,
　　滴定用··266
n-デシルトリメチルアンモニウム臭化物···············299
n-デシルトリメチルアンモニウム臭化物試液,
　0.005 mol/L··299
テストステロン···300
テストステロンプロピオン酸エステル····················300
テセロイキン用細胞懸濁液
　→ 細胞懸濁液, テセロイキン用·························258
テセロイキン用参照抗インターロイキン-2抗体 → 参照
　抗インターロイキン-2抗体, テセロイキン用········262
テセロイキン用試験菌移植培地
　→ 試験菌移植培地, テセロイキン用····················266
テセロイキン用試験菌移植培地斜面
　→ 試験菌移植培地斜面, テセロイキン用··············266
テセロイキン用等電点マーカー
　→ 等電点マーカー, テセロイキン用····················305
テセロイキン用発色試液 → 発色試液, テセロイキン用···319
テセロイキン用普通カンテン培地
　→ 普通カンテン培地, テセロイキン用················338
テセロイキン用分子量マーカー
　→ 分子量マーカー, テセロイキン用····················344
テセロイキン用力価測定用培地
　→ 力価測定用培地, テセロイキン用····················368
デソキシコール酸ナトリウム·····························300
鉄··300
鉄・フェノール試液······································300
鉄・フェノール試液, 希··································300
鉄試験用アスコルビン酸 → L-アスコルビン酸·········205

鉄試験用酢酸・酢酸ナトリウム緩衝液, pH 4.5
　→ 酢酸・酢酸ナトリウム緩衝液, pH 4.5, 鉄試験用···259
鉄粉··300
テトラエチルアンモニウムヒドロキシド試液············300
テトラキスヒドロキシプロピルエチレンジアミン,
　ガスクロマトグラフィー用·······························300
テトラクロロ金(III)酸試液································300
テトラクロロ金(III)酸四水和物···························300
テトラクロロ金試液 → テトラクロロ金(III)酸試液·····300
テトラサイクリン··300
テトラサイクリン塩酸塩·································300
テトラデシルトリメチルアンモニウム臭化物··········300
テトラヒドロキシキノン·································301
テトラヒドロキシキノン指示薬··························301
テトラヒドロフラン······································301
テトラヒドロフラン, 液体クロマトグラフィー用······301
テトラヒドロフラン, ガスクロマトグラフィー用······301
テトラフェニルホウ酸ナトリウム·······················301
テトラフェニルボロンカリウム試液·····················301
テトラフェニルボロンナトリウム
　→ テトラフェニルホウ酸ナトリウム····················301
テトラ-n-ブチルアンモニウム塩化物··················301
テトラ-n-ブチルアンモニウム臭化物··················301
テトラブチルアンモニウムヒドロキシド・
　メタノール試液···301
10%テトラブチルアンモニウムヒドロキシド・
　メタノール試液···302
テトラブチルアンモニウムヒドロキシド試液···········301
テトラブチルアンモニウムヒドロキシド試液,
　0.005 mol/L··301
テトラブチルアンモニウムヒドロキシド試液, 40%······301
テトラブチルアンモニウム硫酸水素塩·················301
テトラブチルアンモニウムリン酸二水素塩············301
テトラ-n-プロピルアンモニウム臭化物···············302
テトラブロムフェノールフタレインエチルエステル
　カリウム塩 → テトラブロモフェノールフタレイン
　エチルエステルカリウム·································302
テトラブロムフェノールフタレインエチルエステル試液
　→ テトラブロモフェノールフタレインエチルエステ
　ル試液··302
テトラブロモフェノールフタレインエチルエステル
　カリウム···302
テトラブロモフェノールフタレインエチルエステル試液···302
テトラ-n-ヘプチルアンモニウム臭化物···············302
テトラ-n-ペンチルアンモニウム臭化物···············302
テトラメチルアンモニウムヒドロキシド················302
テトラメチルアンモニウムヒドロキシド・
　メタノール試液···302
テトラメチルアンモニウムヒドロキシド試液···········302
テトラメチルアンモニウムヒドロキシド試液, pH 5.5····302
$N, N, N′, N′$-テトラメチルエチレンジアミン··········302
テトラメチルシラン, 核磁気共鳴スペクトル測定用····302
3,3′,5,5′-テトラメチルベンジジン二塩酸塩二水和物······302
デバルダ合金··302

デヒドロコリダリン硝化物，定量用 302, <u>28</u>
デヒドロコリダリン硝化物，
　　薄層クロマトグラフィー用 303, <u>28</u>
N-デメチルエリスロマイシン 303
N-デメチルロキシスロマイシン 303
デメトキシクルクミン 303
テモカプリル塩酸塩，定量用 303
テモゾロミド <u>32</u>
テルビナフィン塩酸塩，定量用 303
テルフェニル 303
p-テルフェニル → テルフェニル 303
デルマタン硫酸エステル 303
テルミサルタン，定量用 304
テレビン油 304
テレフタル酸 304
テレフタル酸ジエチル 304
デンプン 304
デンプン，溶性 304
デンプン・塩化ナトリウム試液 304
デンプン試液 304
でんぷん消化力試験用バレイショデンプン試液
　　→ バレイショデンプン試液，でんぷん消化力試験用 322
でんぷん消化力試験用フェーリング試液
　　→ フェーリング試液，でんぷん消化力試験用 334

ト

銅 304
銅（標準試薬） 304
銅エチレンジアミン試液，1 mol/L 304
銅試液，アルカリ性 304
銅試液，タンパク質含量試験用アルカリ性 304
銅試液(2)，アルカリ性 304
等電点マーカー，テセロイキン用 305
導電率測定用塩化カリウム
　　→ 塩化カリウム，導電率測定用 229
トウヒ 305
Cu-PAN 305
Cu-PAN試液 305
トウモロコシ油 305
銅溶液，アルカリ性
　　→ 銅試液，タンパク質含量試験用アルカリ性 304
ドキシフルリジン 305
ドキシフルリジン，定量用 305
ドキセピン塩酸塩 305
ドキソルビシン塩酸塩 305
ドコサン酸メチル 305
トコフェロール 305
トコフェロールコハク酸エステル 305
トコフェロールコハク酸エステルカルシウム 305
トコフェロール酢酸エステル 305
ドセタキセル水和物 305
ドデシルベンゼンスルホン酸ナトリウム 305
ドパミン塩酸塩，定量用 305

トラガント末 305
ドラーゲンドルフ試液 305
ドラーゲンドルフ試液，噴霧用 305
トラニラスト，定量用 305
トリアムシノロンアセトニド 305
トリエタノールアミン
　　→ 2,2′,2″-ニトリロトリエタノール 312
トリエチルアミン 305
トリエチルアミン，エポエチンベータ用 305
1%トリエチルアミン・リン酸緩衝液，pH 3.0 305
トリエチルアミン・リン酸緩衝液，pH 5.0 305
トリエチルアミン緩衝液，pH 3.2 305
トリエンチン塩酸塩，定量用 306
トリクロル酢酸 → トリクロロ酢酸 306
トリクロロエチレン 306
トリクロロ酢酸 306
トリクロロ酢酸・ゼラチン・トリス緩衝液 306
トリクロロ酢酸試液 306
1,1,2-トリクロロ-1,2,2-トリフルオロエタン 306
トリクロロフルオロメタン 306
トリシン 306
トリス・塩化カルシウム緩衝液，pH 6.5 307
トリス・塩化ナトリウム緩衝液，pH 8.0 307
トリス・塩酸塩緩衝液，0.05 mol/L，pH 7.5 307
トリス・塩酸塩緩衝液，0.2 mol/L，pH 7.4 307
トリス・グリシン緩衝液，pH 6.8 307
トリス・酢酸緩衝液，pH 6.5 307
トリス・酢酸緩衝液，pH 8.0 307
トリス塩緩衝液，0.02 mol/L，pH 7.5 306
トリス緩衝液，0.02 mol/L，pH 7.4 306
トリス緩衝液，0.05 mol/L，pH 7.0 306
トリス緩衝液，0.05 mol/L，pH 8.6 306
トリス緩衝液，0.1 mol/L，pH 7.3 306
トリス緩衝液，0.1 mol/L，pH 8.0 306
トリス緩衝液，0.2 mol/L，pH 8.1 306
トリス緩衝液，0.5 mol/L，pH 6.8 306
トリス緩衝液，0.5 mol/L，pH 8.1 306
トリス緩衝液，1 mol/L，pH 7.5 306
トリス緩衝液，1 mol/L，pH 8.0 306
トリス緩衝液，1.5 mol/L，pH 8.8 306
トリス緩衝液，pH 6.8 306
トリス緩衝液，pH 7.0 306
トリス緩衝液，pH 8.2 307
トリス緩衝液，pH 8.3 307
トリス緩衝液，pH 8.4 307
トリス緩衝液，pH 8.8 307
トリス緩衝液，pH 9.5 307
トリス緩衝液，エンドトキシン試験用 306
トリス緩衝液・塩化ナトリウム試液，0.01 mol/L，
　　pH 7.4 307
トリスヒドロキシメチルアミノメタン → 2-アミノ-2-
　　ヒドロキシメチル-1,3-プロパンジオール 212
トリデカンスルホン酸ナトリウム 307
2,4,6-トリニトロフェノール 307

2,4,6-トリニトロフェノール・エタノール試液 ……… 307
2,4,6-トリニトロフェノール試液 ……………………… 307
2,4,6-トリニトロフェノール試液，アルカリ性 ……… 307
2,4,6-トリニトロベンゼンスルホン酸
　　→ 2,4,6-トリニトロベンゼンスルホン酸二水和物 …… 307
2,4,6-トリニトロベンゼンスルホン酸ナトリウム
　　二水和物 ……………………………………………… 307
2,4,6-トリニトロベンゼンスルホン酸二水和物 ……… 307
トリフェニルアンチモン ………………………………… 307
トリフェニルクロルメタン
　　→ トリフェニルクロロメタン ……………………… 308
トリフェニルクロロメタン ……………………………… 308
2,3,5-トリフェニル-2H-テトラゾリウム塩酸塩
　　→ 塩化2,3,5-トリフェニル-2H-テトラゾリウム …… 230
2,3,5-トリフェニル-2H-テトラゾリウム塩酸塩試液 →
　　塩化2,3,5-トリフェニル-2H-テトラゾリウム試液 …… 230
トリフェニルメタノール，薄層クロマトグラフィー用 …… 308
トリフェニルメタン ……………………………………… 308
トリプシン ………………………………………………… 308
トリプシン，液体クロマトグラフィー用 ……………… 308
トリプシン，エポエチンアルファ
　　液体クロマトグラフィー用 ………………………… 308
トリプシンインヒビター ………………………………… 308
トリプシンインヒビター試液 …………………………… 308
トリプシン試液 …………………………………………… 308
トリプシン試液，ウリナスタチン試験用 ……………… 308
トリプシン試液，エポエチンアルファ用 ……………… 308
トリプシン試液，エルカトニン試験用 ………………… 308
L-トリプトファン ………………………………………… 308
トリフルオロ酢酸 ………………………………………… 308
トリフルオロ酢酸，エポエチンベータ用 ……………… 308
トリフルオロ酢酸，核磁気共鳴スペクトル測定用 …… 309
トリフルオロ酢酸試液 …………………………………… 309
トリフルオロメタンスルホン酸アンモニウム ………… 309
トリメタジジン塩酸塩，定量用 ………………………… 309
トリメチルシリルイミダゾール ………………………… 309
3-トリメチルシリルプロパンスルホン酸ナトリウム，
　　核磁気共鳴スペクトル測定用 ……………………… 309
3-トリメチルシリルプロピオン酸ナトリウム-d_4，
　　核磁気共鳴スペクトル測定用 ……………………… 309
トルイジンブルー → トルイジンブルーO ……………… 309
トルイジンブルーO ……………………………………… 309
o-トルイル酸 …………………………………………… 309
トルエン …………………………………………………… 309
o-トルエンスルホンアミド …………………………… 309
p-トルエンスルホンアミド …………………………… 309
トルエンスルホンクロロアミドナトリウム三水和物 …… 309
トルエンスルホンクロロアミドナトリウム試液 ……… 309
p-トルエンスルホン酸
　　→ p-トルエンスルホン酸一水和物 ……………… 309
p-トルエンスルホン酸一水和物 ……………………… 309
トルブタミド ……………………………………………… 309
L-トレオニン ……………………………………………… 309
ドロキシドパ，定量用 …………………………………… 309

トロンビン ………………………………………………… 309

ナ

ナイルブルー ……………………………………………… 309
ナトリウム ………………………………………………… 309
ナトリウム，金属 → ナトリウム ……………………… 309
ナトリウムペンタシアノアンミンフェロエート → ペンタ
　　シアノアンミン鉄（Ⅱ）酸ナトリウムn水和物 …… 351
七モリブデン酸六アンモニウム・硫酸試液 …………… 309
七モリブデン酸六アンモニウム試液 …………………… 309
七モリブデン酸六アンモニウム四水和物 ……………… 309
七モリブデン酸六アンモニウム四水和物・硫酸セリウム
　　（Ⅳ）試液 …………………………………………… 309
七モリブデン酸六アンモニウム四水和物・硫酸第二セリウ
　　ム試液 → 七モリブデン酸六アンモニウム四水和物・
　　硫酸セリウム（Ⅳ）試液 …………………………… 309
ナファゾリン塩酸塩 ……………………………………… 309
ナファゾリン硝酸塩 ……………………………………… 309
ナファゾリン硝酸塩，定量用 …………………………… 309
ナフタレン ………………………………………………… 310
1,3-ナフタレンジオール ………………………………… 310
1,3-ナフタレンジオール試液 …………………………… 310
2-ナフタレンスルホン酸
　　→ 2-ナフタレンスルホン酸一水和物 ……………… 310
2-ナフタレンスルホン酸一水和物 ……………………… 310
2-ナフタレンスルホン酸ナトリウム …………………… 310
α-ナフチルアミン → 1-ナフチルアミン ………… 310
1-ナフチルアミン ………………………………………… 310
ナフチルエチレンジアミン試液 ………………………… 310
N-1-ナフチルエチレンジアミン二塩酸塩 …………… 310
ナフトキノンスルホン酸カリウム
　　→ 1,2-ナフトキノン-4-スルホン酸カリウム ……… 310
1,2-ナフトキノン-4-スルホン酸カリウム ……………… 310
ナフトキノンスルホン酸カリウム試液
　　→ 1,2-ナフトキノン-4-スルホン酸カリウム試液 … 310
1,2-ナフトキノン-4-スルホン酸カリウム試液 ………… 310
β-ナフトキノンスルホン酸ナトリウム …………… 310
ナフトキノンスルホン酸ナトリウム試液 ……………… 310
ナフトピジル，定量用 …………………………………… 310
α-ナフトール → 1-ナフトール …………………… 310
β-ナフトール → 2-ナフトール …………………… 310
1-ナフトール ……………………………………………… 310
2-ナフトール ……………………………………………… 310
1-ナフトール・硫酸試液 ………………………………… 310
α-ナフトール試液 → 1-ナフトール試液 ………… 310
β-ナフトール試液 → 2-ナフトール試液 ………… 310
1-ナフトール試液 ………………………………………… 310
2-ナフトール試液 ………………………………………… 310
α-ナフトールベンゼイン → p-ナフトールベンゼイン … 310
p-ナフトールベンゼイン ……………………………… 310
α-ナフトールベンゼイン試液
　　→ p-ナフトールベンゼイン試液 ………………… 310
p-ナフトールベンゼイン試液 ………………………… 310

ナフトレゾルシン・リン酸試液·····310
ナマルバ細胞·····310
ナリジクス酸·····310
ナリンギン，薄層クロマトグラフィー用·····310
ナルトグラスチム試験用ウシ血清アルブミン試液 → ウシ
　血清アルブミン試液，ナルトグラスチム試験用·····222, 32
ナルトグラスチム試験用継代培地
　→ 継代培地，ナルトグラスチム試験用·····249, 32
ナルトグラスチム試験用洗浄液
　→ 洗浄液，ナルトグラスチム試験用·····289, 32
ナルトグラスチム試験用ブロッキング試液
　→ ブロッキング試液，ナルトグラスチム試験用·····341, 32
ナルトグラスチム試験用分子量マーカー
　→ 分子量マーカー，ナルトグラスチム試験用·····344, 32
ナルトグラスチム試験用力価測定培地
　→ 力価測定培地，ナルトグラスチム試験用·····368, 32
ナルトグラスチム試料用還元緩衝液
　→ 還元緩衝液，ナルトグラスチム試料用·····239, 32
ナルトグラスチム試料用緩衝液
　→ 緩衝液，ナルトグラスチム試料用·····239, 32
ナルトグラスチム用ポリアクリルアミドゲル
　→ ポリアクリルアミドゲル，
　　ナルトグラスチム用·····353, 32

ニ

二亜硫酸ナトリウム·····311
二亜硫酸ナトリウム試液·····311
ニカルジピン塩酸塩，定量用·····311
肉エキス·····311
肉製ペプトン → ペプトン，肉製·····347
二クロム酸カリウム·····311
二クロム酸カリウム（標準試薬）·····311
二クロム酸カリウム・硫酸試液·····311
二クロム酸カリウム試液·····311
β-ニコチンアミドアデニンジヌクレオチド
　（β-NAD）·····311
β-ニコチンアミドアデニンジヌクレオチド還元型
　（β-NADH）·····311
β-ニコチンアミドアデニンジヌクレオチド還元型試液·····311
β-ニコチンアミドアデニンジヌクレオチド試液·····311
ニコチン酸·····311
ニコチン酸アミド·····311
ニコモール，定量用·····311
二酢酸 N, N'-ジベンジルエチレンジアミン
　→ N, N'-ジベンジルエチレンジアミン二酢酸塩·····272
二酸化イオウ → 二酸化硫黄·····311
二酸化硫黄·····311
二酸化セレン·····311
二酸化炭素·····311
二酸化チタン → 酸化チタン（Ⅳ）·····261
二酸化チタン試液 → 酸化チタン（Ⅳ）試液·····261
二酸化鉛 → 酸化鉛（Ⅳ）·····261
二酸化マンガン·····311

二次抗体試液·····311
二シュウ酸三水素カリウム二水和物，pH測定用·····311
ニセルゴリン，定量用·····312
ニトリロ三酢酸·····312
2,2′,2″-ニトリロトリエタノール·····312
2,2′,2″-ニトリロトリエタノール塩酸塩·····312
2,2′,2″-ニトリロトリエタノール塩酸塩緩衝液，
　0.6 mol/L, pH 8.0·····312
2,2′,2″-ニトリロトリエタノール緩衝液，pH 7.8·····312
ニトレンジピン，定量用·····312
3-ニトロアニリン·····312
4-ニトロアニリン·····312
p-ニトロアニリン → 4-ニトロアニリン·····312
4-ニトロアニリン・亜硝酸ナトリウム試液·····312
p-ニトロアニリン・亜硝酸ナトリウム試液
　→ 4-ニトロアニリン・亜硝酸ナトリウム試液·····312
ニトロエタン·····312
4-ニトロ塩化ベンジル·····312
p-ニトロ塩化ベンジル → 4-ニトロ塩化ベンジル·····312
4-ニトロ塩化ベンゾイル·····312
p-ニトロ塩化ベンゾイル → 4-ニトロ塩化ベンゾイル·····312
α-ニトロソ-β-ナフトール
　→ 1-ニトロソ-2-ナフトール·····312
1-ニトロソ-2-ナフトール·····312
α-ニトロソ-β-ナフトール試液
　→ 1-ニトロソ-2-ナフトール試液·····312
1-ニトロソ-2-ナフトール試液·····312
1-ニトロソ-2-ナフトール-3,6-ジスルホン酸
　二ナトリウム·····312
2-ニトロフェニル-β-D-ガラクトピラノシド·····313
o-ニトロフェニル-β-D-ガラクトピラノシド → 2-
　ニトロフェニル-β-D-ガラクトピラノシド·····313
2-ニトロフェノール·····313
3-ニトロフェノール·····313
4-ニトロフェノール·····313
ニトロプルシドナトリウム → ペンタシアノニトロシル鉄
　（Ⅲ）酸ナトリウム二水和物·····351
ニトロプルシドナトリウム試液 → ペンタシアノニトロシ
　ル鉄（Ⅲ）酸ナトリウム試液·····351
4-(4-ニトロベンジル)ピリジン·····313
2-ニトロベンズアルデヒド·····313
o-ニトロベンズアルデヒド
　→ 2-ニトロベンズアルデヒド·····313
ニトロベンゼン·····313
4-ニトロベンゼンジアゾニウム塩酸塩試液·····313
p-ニトロベンゼンジアゾニウム塩酸塩試液
　→ 4-ニトロベンゼンジアゾニウム塩酸塩試液·····313
4-ニトロベンゼンジアゾニウム塩酸塩試液，噴霧用·····313
p-ニトロベンゼンジアゾニウム塩酸塩試液，噴霧用 →
　4-ニトロベンゼンジアゾニウム塩酸塩試液，噴霧用·····313
4-ニトロベンゼンジアゾニウムフルオロボレート·····313
p-ニトロベンゼンジアゾニウムフルオロボレート → 4-
　ニトロベンゼンジアゾニウムフルオロボレート·····313
ニトロメタン·····313

2倍濃厚乳糖ブイヨン → 乳糖ブイヨン，2倍濃厚 …… 314
ニフェジピン …… 313
ニフェジピン，定量用 …… 313
乳酸 …… 314
乳酸試液 …… 314
L－乳酸ナトリウム液，定量用 …… 314
乳製カゼイン → カゼイン，乳製 …… 237
乳糖 → 乳糖一水和物 …… 314
α－乳糖・β－乳糖混合物（1：1） …… 314
乳糖一水和物 …… 314
乳糖基質試液 …… 314
乳糖基質試液，ペニシリウム由来
　β－ガラクトシダーゼ用 …… 314
乳糖ブイヨン …… 314
乳糖ブイヨン，2倍濃厚 …… 314
乳糖ブイヨン，3倍濃厚 …… 314
ニュートラルレッド …… 314
ニュートラルレッド・ウシ血清加イーグル最小必須培地 …… 314
ニュートラルレッド試液 …… 314
尿素 …… 314
尿素・EDTA試液 …… 314
二硫化炭素 …… 314
二硫酸カリウム …… 314
ニワトコレチン …… 314
ニワトコレチン試液 …… 314
ニワトリ赤血球浮遊液，0.5 vol% …… 314
ニンヒドリン …… 314
ニンヒドリン・アスコルビン酸試液
　→ ニンヒドリン・L－アスコルビン酸試液 …… 314
ニンヒドリン・L－アスコルビン酸試液 …… 314
ニンヒドリン・エタノール試液，噴霧用 …… 314
ニンヒドリン・塩化スズ（Ⅱ）試液 …… 314
ニンヒドリン・塩化第一スズ試液
　→ ニンヒドリン・塩化スズ（Ⅱ）試液 …… 314
ニンヒドリン・クエン酸・酢酸試液 …… 314
ニンヒドリン・酢酸試液 …… 314
0.2％ニンヒドリン・水飽和1－ブタノール試液 …… 314
ニンヒドリン・ブタノール試液 …… 314
ニンヒドリン・硫酸試液 …… 314
ニンヒドリン試液 …… 314

ネ

ネオカルチノスタチン …… 314
ネオカルチノスタチン・スチレン－マレイン酸交互共重合
　体部分ブチルエステル2対3縮合物 …… 315

ノ

濃クロモトロープ酸試液 → クロモトロープ酸試液，濃 …… 247
濃クロモトロブ酸試液 → クロモトロープ酸試液，濃 …… 247
濃厚乳糖ブイヨン，2倍 → 乳糖ブイヨン，2倍濃厚 …… 314
濃厚乳糖ブイヨン，3倍 → 乳糖ブイヨン，3倍濃厚 …… 314

濃ジアゾベンゼンスルホン酸試液
　→ ジアゾベンゼンスルホン酸試液，濃 …… 263
濃縮ゲル，セルモロイキン用 …… 315
濃ヨウ化カリウム試液 → ヨウ化カリウム試液，濃 …… 366
ノオトカトン，薄層クロマトグラフィー用 …… 32
ノダケニン，薄層クロマトグラフィー用 …… 316
1－ノナンスルホン酸ナトリウム …… 316
ノニル酸バニリルアミド …… 316
ノニルフェノキシポリ（エチレンオキシ）エタノール，
　ガスクロマトグラフィー用 …… 316
ノルトリプチリン塩酸塩 …… 316
ノルトリプチリン塩酸塩，定量用 …… 316
L－ノルロイシン …… 316

ハ

バイカリン，薄層クロマトグラフィー用 …… 316
バイカリン一水和物，薄層クロマトグラフィー用
　→ バイカリン，薄層クロマトグラフィー用 …… 316
バイカレイン，分離確認用 …… 316
ハイドロサルファイトナトリウム
　→ 亜ジチオン酸ナトリウム …… 205
培養液，セルモロイキン用 …… 316
薄層クロマトグラフィー用アクテオシド
　→ ベルバスコシド，薄層クロマトグラフィー用 …… 349
薄層クロマトグラフィー用アサリニン
　→ アサリニン，薄層クロマトグラフィー用 …… 205
薄層クロマトグラフィー用アストラガロシドⅣ
　→ アストラガロシドⅣ，薄層クロマトグラフィー用 …… 206
薄層クロマトグラフィー用アトラクチレノリドⅢ → アト
　ラクチレノリドⅢ，薄層クロマトグラフィー用 …… 208
薄層クロマトグラフィー用アトロピン硫酸塩水和物 → ア
　トロピン硫酸塩水和物，薄層クロマトグラフィー用 …… 209
薄層クロマトグラフィー用アマチャジヒドロイソクマリン
　→ アマチャジヒドロイソクマリン，薄層クロマトグ
　ラフィー用 …… 211
薄層クロマトグラフィー用アミグダリン
　→ アミグダリン，薄層クロマトグラフィー用 …… 211
薄層クロマトグラフィー用2－アミノ－5－クロロベンゾ
　フェノン → 2－アミノ－5－クロロベンゾフェノン，
　薄層クロマトグラフィー用 …… 212
薄層クロマトグラフィー用アラントイン
　→ アラントイン，薄層クロマトグラフィー用 …… 213
薄層クロマトグラフィー用アリソールA
　→ アリソールA，薄層クロマトグラフィー用 …… 214
薄層クロマトグラフィー用アルブチン
　→ アルブチン，薄層クロマトグラフィー用 …… 216
薄層クロマトグラフィー用アレコリン臭化水素酸塩 → ア
　レコリン臭化水素酸塩，薄層クロマトグラフィー用 …… 216
薄層クロマトグラフィー用イカリイン
　→ イカリイン，薄層クロマトグラフィー用 …… 218
薄層クロマトグラフィー用（E）－イソフェルラ酸・（E）－
　フェルラ酸混合試液 →（E）－イソフェルラ酸・（E）－
　フェルラ酸混合試液，薄層クロマトグラフィー用 …… 219

薄層クロマトグラフィー用イソプロメタジン塩酸塩 → イソプロメタジン塩酸塩, 薄層クロマトグラフィー用 …… 219
薄層クロマトグラフィー用イミダゾール
　→ イミダゾール, 薄層クロマトグラフィー用 ……… 221
薄層クロマトグラフィー用ウンベリフェロン
　→ ウンベリフェロン, 薄層クロマトグラフィー用 …… 223
薄層クロマトグラフィー用塩化スキサメトニウム
　→ スキサメトニウム塩化物水和物, 薄層クロマトグラフィー用 ……………… 284
薄層クロマトグラフィー用塩化ベルベリン → ベルベリン塩化物水和物, 薄層クロマトグラフィー用 …………… 349
薄層クロマトグラフィー用塩酸イソプロメタジン → イソプロメタジン塩酸塩, 薄層クロマトグラフィー用 ……… 219
薄層クロマトグラフィー用塩酸1,1-ジフェニル-4-ピペリジノ-1-ブテン → 1,1-ジフェニル-4-ピペリジノ-1-ブテン塩酸塩, 薄層クロマトグラフィー用 …… 272
薄層クロマトグラフィー用塩酸ベンゾイルメサコニン
　→ ベンゾイルメサコニン塩酸塩, 薄層クロマトグラフィー用 ……………………………………………… 351
薄層クロマトグラフィー用オイゲノール
　→ オイゲノール, 薄層クロマトグラフィー用 ……… 233
薄層クロマトグラフィー用オウゴニン
　→ オウゴニン, 薄層クロマトグラフィー用 ………… 234
薄層クロマトグラフィー用オストール
　→ オストール, 薄層クロマトグラフィー用 ………… 234
薄層クロマトグラフィー用果糖
　→ 果糖, 薄層クロマトグラフィー用 ……………… 237
薄層クロマトグラフィー用カプサイシン
　→ (E)-カプサイシン, 薄層クロマトグラフィー用 … 238
薄層クロマトグラフィー用(E)-カプサイシン
　→ (E)-カプサイシン, 薄層クロマトグラフィー用 … 238
薄層クロマトグラフィー用[6]-ギンゲロール
　→ [6]-ギンゲロール, 薄層クロマトグラフィー用 …… 243
薄層クロマトグラフィー用ギンセノシドRb_1
　→ ギンセノシドRb_1, 薄層クロマトグラフィー用 …… 243
薄層クロマトグラフィー用ギンセノシドRg_1
　→ ギンセノシドRg_1, 薄層クロマトグラフィー用 …… 243
薄層クロマトグラフィー用グリココール酸ナトリウム
　→ グリココール酸ナトリウム, 薄層クロマトグラフィー用 ……………………………………………… 245
薄層クロマトグラフィー用グリチルリチン酸
　→ グリチルリチン酸, 薄層クロマトグラフィー用 …… 245
薄層クロマトグラフィー用4′-O-グルコシル-5-O-メチルビサミノール → 4′-O-グルコシル-5-O-メチルビサミノール, 薄層クロマトグラフィー用 …… 246
薄層クロマトグラフィー用グルコン酸カルシウム
　→ グルコン酸カルシウム水和物, 薄層クロマトグラフィー用 ……………………………………………… 247
薄層クロマトグラフィー用グルコン酸カルシウム水和物
　→ グルコン酸カルシウム水和物, 薄層クロマトグラフィー用 ……………………………………………… 247
薄層クロマトグラフィー用クロロゲン酸
　→ (E)-クロロゲン酸, 薄層クロマトグラフィー用 … 248

薄層クロマトグラフィー用(E)-クロロゲン酸
　→ (E)-クロロゲン酸, 薄層クロマトグラフィー用 … 248
薄層クロマトグラフィー用(2-クロロフェニル)-ジフェニルメタノール → (2-クロロフェニル)-ジフェニルメタノール, 薄層クロマトグラフィー用 ……………… 248
薄層クロマトグラフィー用(E)-ケイ皮酸
　→ (E)-ケイ皮酸, 薄層クロマトグラフィー用 ……… 250
薄層クロマトグラフィー用ゲニポシド
　→ ゲニポシド, 薄層クロマトグラフィー用 ………… 252
薄層クロマトグラフィー用ケノデオキシコール酸 → ケノデオキシコール酸, 薄層クロマトグラフィー用 …… 252
薄層クロマトグラフィー用ゲンチオピクロシド
　→ ゲンチオピクロシド, 薄層クロマトグラフィー用 … 252
薄層クロマトグラフィー用ゴシツ
　→ ゴシツ, 薄層クロマトグラフィー用 …………… 253
薄層クロマトグラフィー用コプチシン塩化物
　→ コプチシン塩化物, 薄層クロマトグラフィー用 …… 254
薄層クロマトグラフィー用コール酸
　→ コール酸, 薄層クロマトグラフィー用 …………… 254
薄層クロマトグラフィー用サイコサポニンa
　→ サイコサポニンa, 薄層クロマトグラフィー用 …… 256
薄層クロマトグラフィー用サイコサポニンb_2
　→ サイコサポニンb_2, 薄層クロマトグラフィー用 …… 257
薄層クロマトグラフィー用サルササポゲニン
　→ サルササポゲニン, 薄層クロマトグラフィー用 …… 261
薄層クロマトグラフィー用シザンドリン
　→ シザンドリン, 薄層クロマトグラフィー用 ……… 266
薄層クロマトグラフィー用シノメニン
　→ シノメニン, 薄層クロマトグラフィー用 ………… 270
薄層クロマトグラフィー用ジヒドロエルゴクリスチンメシル酸塩 → ジヒドロエルゴクリスチンメシル酸塩, 薄層クロマトグラフィー用 …………………… 270
薄層クロマトグラフィー用1-[(2R, 5S)-2, 5-ジヒドロ-5-(ヒドロキシメチル)-2-フリル]チミン → 1-[(2R, 5S)-2, 5-ジヒドロ-5-(ヒドロキシメチル)-2-フリル]チミン, 薄層クロマトグラフィー用 ……… 270
薄層クロマトグラフィー用1,1-ジフェニル-4-ピペリジノ-1-ブテン塩酸塩 → 1,1-ジフェニル-4-ピペリジノ-1-ブテン塩酸塩, 薄層クロマトグラフィー用 … 272
薄層クロマトグラフィー用2,6-ジメチル-4-(2-ニトロソフェニル)-3,5-ピリジンジカルボン酸ジメチルエステル → 2,6-ジメチル-4-(2-ニトロソフェニル)-3,5-ピリジンジカルボン酸ジメチルエステル, 薄層クロマトグラフィー用 …………………………………… 275
薄層クロマトグラフィー用シャゼンシ
　→ シャゼンシ, 薄層クロマトグラフィー用 ……… 275, 26
薄層クロマトグラフィー用臭化水素酸アレコリン → アレコリン臭化水素酸塩, 薄層クロマトグラフィー用 …… 216
薄層クロマトグラフィー用臭化水素酸スコポラミン
　→ スコポラミン臭化水素酸塩水和物, 薄層クロマトグラフィー用 ……………………………………………… 284
薄層クロマトグラフィー用臭化ダクロニウム
　→ ダクロニウム臭化物, 薄層クロマトグラフィー用 … 290

薄層クロマトグラフィー用[6]-ショーガオール
　→ [6]-ショーガオール，薄層クロマトグラフィー用 …… 280
薄層クロマトグラフィー用シンナムアルデヒド → (E)-シンナムアルデヒド，薄層クロマトグラフィー用 …… 282
薄層クロマトグラフィー用(E)-シンナムアルデヒド
　→ (E)-シンナムアルデヒド，薄層クロマトグラフィー用 …… 282
薄層クロマトグラフィー用スウェルチアマリン
　→ スウェルチアマリン，薄層クロマトグラフィー用 … 283
薄層クロマトグラフィー用スキサメトニウム塩化物水和物
　→ スキサメトニウム塩化物水和物，薄層クロマトグラフィー用 …… 284
薄層クロマトグラフィー用スコポラミン臭化水素酸塩水和物 → スコポラミン臭化水素酸塩水和物，薄層クロマトグラフィー用 …… 284
薄層クロマトグラフィー用スコポレチン
　→ スコポレチン，薄層クロマトグラフィー用 …… 284
薄層クロマトグラフィー用スタキオース
　→ スタキオース，薄層クロマトグラフィー用 …… 284
薄層クロマトグラフィー用セサミン
　→ セサミン，薄層クロマトグラフィー用 …… 287
薄層クロマトグラフィー用センノシドA
　→ センノシドA，薄層クロマトグラフィー用 …… 289
薄層クロマトグラフィー用タウロウルソデオキシコール酸ナトリウム → タウロウルソデオキシコール酸ナトリウム，薄層クロマトグラフィー用 …… 290
薄層クロマトグラフィー用ダクロニウム臭化物
　→ ダクロニウム臭化物，薄層クロマトグラフィー用 … 290
薄層クロマトグラフィー用チクセツサポニンIV
　→ チクセツサポニンIV，薄層クロマトグラフィー用 … 292
薄層クロマトグラフィー用デオキシコール酸
　→ デオキシコール酸，薄層クロマトグラフィー用 …… 299
薄層クロマトグラフィー用デヒドロコリダリン硝化物
　→ デヒドロコリダリン硝化物，薄層クロマトグラフィー用 …… 303, 28
薄層クロマトグラフィー用トリフェニルメタノール → トリフェニルメタノール，薄層クロマトグラフィー用 …… 308
薄層クロマトグラフィー用ナリンギン
　→ ナリンギン，薄層クロマトグラフィー用 …… 310
薄層クロマトグラフィー用ノオトカトン
　→ ノオトカトン，薄層クロマトグラフィー用 …… 32
薄層クロマトグラフィー用ノダケニン
　→ ノダケニン，薄層クロマトグラフィー用 …… 316
薄層クロマトグラフィー用バイカリン
　→ バイカリン一水和物，薄層クロマトグラフィー用 … 316
薄層クロマトグラフィー用バイカリン一水和物
　→ バイカリン一水和物，薄層クロマトグラフィー用 … 316
薄層クロマトグラフィー用バルバロイン
　→ バルバロイン，薄層クロマトグラフィー用 …… 322
薄層クロマトグラフィー用ヒオデオキシコール酸 → ヒオデオキシコール酸，薄層クロマトグラフィー用 …… 324
薄層クロマトグラフィー用10-ヒドロキシ-2-(E)-デセン酸 → 10-ヒドロキシ-2-(E)-デセン酸，薄層クロマトグラフィー用 …… 327

薄層クロマトグラフィー用3-(3-ヒドロキシ-4-メトキシフェニル)-2-(E)-プロペン酸・(E)-フェルラ酸混合試液 → (E)-イソフェルラ酸・(E)-フェルラ酸混合試液，薄層クロマトグラフィー用 …… 219
薄層クロマトグラフィー用ヒペロシド
　→ ヒペロシド，薄層クロマトグラフィー用 …… 329
薄層クロマトグラフィー用ヒルスチン
　→ ヒルスチン，薄層クロマトグラフィー用 …… 331
薄層クロマトグラフィー用プエラリン
　→ プエラリン，薄層クロマトグラフィー用 …… 334
薄層クロマトグラフィー用フェルラ酸シクロアルテニル
　→ フェルラ酸シクロアルテニル，薄層クロマトグラフィー用 …… 335
薄層クロマトグラフィー用ブタ胆汁末
　→ ブタ胆汁末，薄層クロマトグラフィー用 …… 336
薄層クロマトグラフィー用フマル酸
　→ フマル酸，薄層クロマトグラフィー用 …… 339
薄層クロマトグラフィー用(±)-プラエルプトリンA
　→ (±)-プラエルプトリンA，薄層クロマトグラフィー用 …… 339
薄層クロマトグラフィー用プラチコジンD
　→ プラチコジンD，薄層クロマトグラフィー用 …… 339
薄層クロマトグラフィー用フルオロキノロン酸
　→ フルオロキノロン酸，薄層クロマトグラフィー用 … 340
薄層クロマトグラフィー用ペオニフロリン
　→ ペオニフロリン，薄層クロマトグラフィー用 …… 344
薄層クロマトグラフィー用ペオノール
　→ ペオノール，薄層クロマトグラフィー用 …… 345
薄層クロマトグラフィー用ヘスペリジン
　→ ヘスペリジン，薄層クロマトグラフィー用 …… 347
薄層クロマトグラフィー用ペリルアルデヒド
　→ ペリルアルデヒド，薄層クロマトグラフィー用 …… 348
薄層クロマトグラフィー用ベルゲニン
　→ ベルゲニン，薄層クロマトグラフィー用 …… 348
薄層クロマトグラフィー用ベルバスコシド
　→ ベルバスコシド，薄層クロマトグラフィー用 …… 349
薄層クロマトグラフィー用ベルベリン塩化物水和物 → ベルベリン塩化物水和物，薄層クロマトグラフィー用 …… 349
薄層クロマトグラフィー用ベンゾイルメサコニン塩酸塩
　→ ベンゾイルメサコニン塩酸塩，薄層クロマトグラフィー用 …… 351
薄層クロマトグラフィー用マグノロール
　→ マグノロール，薄層クロマトグラフィー用 …… 357
薄層クロマトグラフィー用マンニノトリオース
　→ マンニノトリオース，薄層クロマトグラフィー用 … 358
薄層クロマトグラフィー用ミリスチシン
　→ ミリスチシン，薄層クロマトグラフィー用 …… 358
薄層クロマトグラフィー用メシル酸ジヒドロエルゴクリスチン → ジヒドロエルゴクリスチンメシル酸塩，薄層クロマトグラフィー用 …… 270
薄層クロマトグラフィー用2-メチル-5-ニトロイミダゾール → 2-メチル-5-ニトロイミダゾール，薄層クロマトグラフィー用 …… 362

薄層クロマトグラフィー用3-O-メチルメチルドパ →
　3-O-メチルメチルドパ,薄層クロマトグラフィー
　用 ·· 362
薄層クロマトグラフィー用(E)-2-メトキシシンナムア
　ルデヒド → (E)-2-メトキシシンナムアルデヒド,
　薄層クロマトグラフィー用 ······························· 363
薄層クロマトグラフィー用リオチロニンナトリウム → リ
　オチロニンナトリウム,薄層クロマトグラフィー用 ···· 368
薄層クロマトグラフィー用リクイリチン
　　→ リクイリチン,薄層クロマトグラフィー用 ······ 368
薄層クロマトグラフィー用(Z)-リグスチリド
　　→ (Z)-リグスチリド,薄層クロマトグラフィー用 ···· 368
薄層クロマトグラフィー用(Z)-リグスチリド試液
　　→ (Z)-リグスチリド試液,薄層クロマトグラ
　フィー用 ·· 368
薄層クロマトグラフィー用リトコール酸
　　→ リトコール酸,薄層クロマトグラフィー用 ······ 369
薄層クロマトグラフィー用リモニン
　　→ リモニン,薄層クロマトグラフィー用 ············ 369
薄層クロマトグラフィー用硫酸アトロピン → アトロピン
　硫酸塩水和物,薄層クロマトグラフィー用 ············ 209
薄層クロマトグラフィー用リンコフィリン
　　→ リンコフィリン,薄層クロマトグラフィー用 ···· 372
薄層クロマトグラフィー用ルチン
　　→ ルチン,薄層クロマトグラフィー用 ··············· 375
薄層クロマトグラフィー用ルテオリン
　　→ ルテオリン,薄層クロマトグラフィー用 ········· 376
薄層クロマトグラフィー用レイン
　　→ レイン,薄層クロマトグラフィー用 ··············· 376
薄層クロマトグラフィー用レジブフォゲニン
　　→ レジブフォゲニン,薄層クロマトグラフィー用 ··· 377
薄層クロマトグラフィー用レボチロキシンナトリウム
　　→ レボチロキシンナトリウム水和物,薄層クロマト
　グラフィー用 ··· 377
薄層クロマトグラフィー用レボチロキシンナトリウム水和
　物 → レボチロキシンナトリウム水和物,薄層クロマ
　トグラフィー用 ··· 377
薄層クロマトグラフィー用ロガニン
　　→ ロガニン,薄層クロマトグラフィー用 ············ 378
薄層クロマトグラフィー用ロスマリン酸
　　→ ロスマリン酸,薄層クロマトグラフィー用 ······ 379
白糖 ·· 319
バクモンドウ ·· 319
馬血清 ·· 319
バソプレシン ·· 319
発煙硝酸 → 硝酸,発煙 ····································· 278
発煙硫酸 → 硫酸,発煙 ····································· 369
ハッカ ··· 319
ハッカ油 ·· 319
発色試液,テセロイキン用 ···································· 319
発色性合成基質 ··· 319
パテントブルー ··· 319
ハートインフュージョンカンテン培地 ···················· 319

バナジン酸アンモニウム
　　→ バナジン(V)酸アンモニウム ······················ 319
バナジン(V)酸アンモニウム ································ 319
バニリン ·· 319
バニリン・塩酸試液 ·· 319
バニリン・硫酸・エタノール試液 ························· 319
バニリン・硫酸・エタノール試液,噴霧用 ············· 319
バニリン・硫酸試液 ·· 319
ハヌス試液 ·· 319
パパベリン塩酸塩 ··· 319
パパベリン塩酸塩,定量用 ··································· 319
バメタン硫酸塩 ·· 320
パラアミノサリチル酸カルシウム水和物,定量用 ····· 320
パラオキシ安息香酸 ·· 320
パラオキシ安息香酸イソアミル ····························· 320
パラオキシ安息香酸イソブチル ····························· 320
パラオキシ安息香酸イソプロピル ························· 320
パラオキシ安息香酸エチル ·································· 320
パラオキシ安息香酸-2-エチルヘキシル ················· 320
パラオキシ安息香酸ブチル ·································· 320
パラオキシ安息香酸ブチル,分離確認用 ················ 320
パラオキシ安息香酸プロピル ······························· 320
パラオキシ安息香酸プロピル,分離確認用 ············· 320
パラオキシ安息香酸ヘキシル ······························· 321
パラオキシ安息香酸ヘプチル ······························· 321
パラオキシ安息香酸ベンジル ······················ 321, *29*
パラオキシ安息香酸メチル ·································· 321
パラオキシ安息香酸メチル,分離確認用 ················ 321
パラフィン ··· 321
パラフィン,流動 ··· 321
H-D-バリル-L-ロイシル-L-アルギニン-4-
　ニトロアニリド二塩酸塩 ···································· 321
L-バリン ··· 322
L-バリン,定量用 ·· 322
バルサム ·· 322
バルサルタン ·· 322
バルバロイン,成分含量測定用
　　→ バルバロイン,定量用 ································ 322
バルバロイン,定量用 ·· 322
バルバロイン,薄層クロマトグラフィー用 ··············· 322
バルビタール ·· 322
バルビタール緩衝液 ·· 322
バルビタールナトリウム ······································ 322
バルプロ酸ナトリウム,定量用 ······························ 322
バルマチン塩化物 ··· 322
パルミチン酸,ガスクロマトグラフィー用 ··············· 322
パルミチン酸メチル,ガスクロマトグラフィー用 ······ 322
パルミトレイン酸メチル,ガスクロマトグラフィー用 ·· 322
バレイショデンプン ··· 322
バレイショデンプン試液 ······································ 322
バレイショデンプン試液,でんぷん消化力試験用 ····· 322
ハロペリドール,定量用 ······································· 322
パンクレアチン用リン酸塩緩衝液
　　→ リン酸塩緩衝液,パンクレアチン用 ············· 372

試薬・試液名称索引　179

パントテン酸カルシウム……………………………………322

ヒ

ヒアルロニダーゼ……………………………………………323
ヒアルロン酸…………………………………………………323
ヒアルロン酸ナトリウム，精製
　　→ 精製ヒアルロン酸ナトリウム………………287
ヒアルロン酸ナトリウム，定量用………………………323
α-BHC（α-ヘキサクロロシクロヘキサン）…………323
β-BHC（β-ヘキサクロロシクロヘキサン）…………323
γ-BHC（γ-ヘキサクロロシクロヘキサン）…………323
δ-BHC（δ-ヘキサクロロシクロヘキサン）…………323
pH測定用水酸化カルシウム
　　→ 水酸化カルシウム，pH測定用………………283
pH測定用炭酸水素ナトリウム
　　→ 炭酸水素ナトリウム，pH測定用……………291
pH測定用炭酸ナトリウム → 炭酸ナトリウム，pH測定用… 291
pH測定用二シュウ酸三水素カリウム二水和物
　　→ 二シュウ酸三水素カリウム二水和物，pH測定用… 311
pH測定用フタル酸水素カリウム
　　→ フタル酸水素カリウム，pH測定用…………337
pH測定用ホウ酸ナトリウム
　　→ 四ホウ酸ナトリウム十水和物，pH測定用… 367
pH測定用無水リン酸一水素ナトリウム
　　→ リン酸水素二ナトリウム，pH測定用………374
pH測定用四シュウ酸カリウム
　　→ 二シュウ酸三水素カリウム二水和物，pH測定用… 311
pH測定用四ホウ酸ナトリウム十水和物
　　→ 四ホウ酸ナトリウム十水和物，pH測定用… 367
pH測定用リン酸水素二ナトリウム
　　→ リン酸水素二ナトリウム，pH測定用………374
pH測定用リン酸二水素カリウム
　　→ リン酸二水素カリウム，pH測定用…………374
ビオチン標識ニワトコレクチン……………………………324
ヒオデオキシコール酸，薄層クロマトグラフィー用………324
比較乳濁液Ⅰ…………………………………………………324
B型赤血球浮遊液……………………………………………324
ピクリン酸 → 2,4,6-トリニトロフェノール……………307
ピクリン酸・エタノール試液
　　→ 2,4,6-トリニトロフェノール・エタノール試液… 307
ピクリン酸試液 → 2,4,6-トリニトロフェノール試液… 307
ピクリン酸試液，アルカリ性
　　→ 2,4,6-トリニトロフェノール試液，アルカリ性… 307
PCR 2倍反応液，SYBR Green含有…………………………324
BGLB…………………………………………………………324
非水滴定用アセトン → アセトン，非水滴定用………207
非水滴定用酢酸 → 酢酸，非水滴定用…………………258
非水滴定用酢酸水銀（Ⅱ）試液
　　→ 酢酸水銀（Ⅱ）試液，非水滴定用……………259
非水滴定用酢酸第二水銀試液
　　→ 酢酸水銀（Ⅱ）試液，非水滴定用……………259
非水滴定用氷酢酸 → 酢酸，非水滴定用………………258
4,4'-ビス（ジエチルアミノ）ベンゾフェノン…………324

L-ヒスチジン………………………………………………324
L-ヒスチジン塩酸塩一水和物……………………………324
ビスデメトキシクルクミン…………………………………324
ビス（1,1-トリフルオロアセトキシ）ヨードベンゼン……325
ビストリメチルシリルアセトアミド………………………325
1,4-ビス（トリメチルシリル）ベンゼン-d_4，核磁気共鳴
　　スペクトル測定用 → 1,4-BTMSB-d_4，核磁気共鳴
　　スペクトル測定用……………………………………325
N,N'-ビス[2-ヒドロキシ-1-（ヒドロキシメチル）エ
　　チル]-5-ヒドロキシアセチルアミノ-2,4,6-ト
　　リヨードイソフタルアミド…………………………325
ビス-（1-フェニル-3-メチル-5-ピラゾロン）…………325
ビスマス酸ナトリウム → 三酸化ナトリウムビスマス……262
ビソプロロールフマル酸塩，定量用………………………325
ヒ素分析用亜鉛 → 亜鉛，ヒ素分析用…………………204
ビタミンA定量用2-プロパノール
　　→ 2-プロパノール，ビタミンA定量用…………342
1,4-BTMSB-d_4，核磁気共鳴スペクトル測定用…………325
ヒトインスリン………………………………………………325
ヒトインスリンデスアミド体含有試液……………………325
ヒトインスリン二量体含有試液……………………………325
ヒト血清アルブミン，定量用………………………………325
ヒト絨毛性性腺刺激ホルモン試液
　　→ 性腺刺激ホルモン試液，ヒト絨毛性…………287
ヒト正常血漿…………………………………………………325
ヒト正常血漿乾燥粉末………………………………………325
ヒト由来アンチトロンビン…………………………………325
ヒト由来アンチトロンビンⅢ………………………………325
ヒドラジン一水和物…………………………………………325
ヒドララジン塩酸塩…………………………………………325
ヒドララジン塩酸塩，定量用………………………………325
m-ヒドロキシアセトフェノン……………………………325
p-ヒドロキシアセトフェノン……………………………326
3-ヒドロキシ安息香酸………………………………………326
4-ヒドロキシイソフタル酸…………………………………326
N-（2-ヒドロキシエチル）イソニコチン酸アミド硝酸
　　エステル………………………………………………326
1-（2-ヒドロキシエチル）-1H-テトラゾール-5-
　　チオール………………………………………………326
N-2-ヒドロキシエチルピペラジン-N'-2-
　　エタンスルホン酸……………………………………326
d-3-ヒドロキシ-cis-2,3-ジヒドロ-5-[2-（ジメチ
　　ルアミノ）エチル]-2-（4-メトキシフェニル）-1,5-
　　ベンゾチアゼピン-4（5H）-オン塩酸塩……………326
d-3-ヒドロキシ-cis-2,3-ジヒドロ-5-[2-（ジメチ
　　ルアミノ）エチル]-2-（p-メトキシフェニル）-1,5-
　　ベンゾチアゼピン-4（5H）-オン塩酸塩
　　→ d-3-ヒドロキシ-cis-2,3-ジヒドロ-5-[2-
　　（ジメチルアミノ）エチル]-2-（4-メトキシフェニ
　　ル）-1,5-ベンゾチアゼピン-4（5H）-オン塩酸塩…326
10-ヒドロキシ-2-（E）-デセン酸，成分含量測定用
　　→ 10-ヒドロキシ-2-（E）-デセン酸，定量用……326
10-ヒドロキシ-2-（E）-デセン酸，定量用………………326

10-ヒドロキシ-2-(E)-デセン酸,
　薄層クロマトグラフィー用·················327
2-ヒドロキシ-1-(2-ヒドロキシ-4-スルホ-1-
　ナフチルアゾ)-3-ナフトエ酸·················328
N-(3-ヒドロキシフェニル)アセトアミド·········328
3-(p-ヒドロキシフェニル)プロピオン酸·········328
2-[4-(2-ヒドロキシメチル)-1-ピペラジニル]プロパ
　ンスルホン酸·································328
3-(3-ヒドロキシ-4-メトキシフェニル)-2-(E)-プ
　ロペン酸 → (E)-イソフェルラ酸···············219
3-(3-ヒドロキシ-4-メトキシフェニル)-2-(E)-プ
　ロペン酸・(E)-フェルラ酸混合試液, 薄層クロマト
　グラフィー用 → (E)-イソフェルラ酸・(E)-フェル
　ラ酸混合試液, 薄層クロマトグラフィー用·······219
ヒドロキシルアミン過塩素酸塩·················328
ヒドロキシルアミン過塩素酸塩・エタノール試液···328
ヒドロキシルアミン過塩素酸塩・無水エタノール試液
　→ ヒドロキシルアミン過塩素酸塩・エタノール試液···328
ヒドロキシルアミン過塩素酸塩試液···············328
ヒドロキシルアミン試液·························328
ヒドロキシルアミン試液, アルカリ性···············328
ヒドロキソコバラミン酢酸塩·····················328
ヒドロキノン···································328
ヒドロクロロチアジド···························328
ヒドロコタルニン塩酸塩水和物, 定量用···········328
ヒドロコルチゾン·······························328
ヒドロコルチゾン酢酸エステル···················328
2-ビニルピリジン·······························328
4-ビニルピリジン·······························328
1-ビニル-2-ピロリドン·························328
ヒパコニチン, 純度試験用·······················329
非必須アミノ酸試液·····························329
2, 2′-ビピリジル·································329
2-(4-ビフェニリル)プロピオン酸·················329
ピペラシリン水和物·····························329
ピペリジン塩酸塩·······························329
ヒペロシド, 薄層クロマトグラフィー用···········329
ヒベンズ酸チペピジン, 定量用
　→ チペピジンヒベンズ酸塩, 定量用············293
ヒポキサンチン·································330
ビホナゾール···································330
ヒマシ油·······································330
氷酢酸 → 酢酸(100)···························258
氷酢酸, 非水滴定用 → 酢酸, 非水滴定用········258
氷酢酸・硫酸試液 → 酢酸・硫酸試液············259
ピラゾール·····································330
1-(2-ピリジルアゾ)-2-ナフトール···············330
1-(4-ピリジル)ピリジニウム塩化物塩酸塩·······330
ピリジン·······································330
ピリジン, 水分測定用···························330
ピリジン, 無水·································330
ピリジン・ギ酸緩衝液, 0.2 mol/L, pH 3.0·······330
ピリジン・酢酸試液·····························330
ピリジン・ピラゾロン試液·······················330

ピリドキシン塩酸塩·····························330
ビリルビン, 定量用·····························330
ピルシカイニド塩酸塩水和物, 定量用············330
ヒルスチン → ヒルスチン, 薄層クロマトグラフィー用····331
ヒルスチン, 定量用···························330, 29
ヒルスチン, 薄層クロマトグラフィー用···········331
ピルビン酸ナトリウム···························331
ピルビン酸ナトリウム試液, 100 mmol/L·········331
ピロアンチモン酸カリウム
　→ ヘキサヒドロキソアンチモン(V)酸カリウム·······346
ピロアンチモン酸カリウム試液 → ヘキサヒドロキソアン
　チモン(V)酸カリウム試液·····················346
ピロカルピン塩酸塩, 定量用·····················331
ピロガロール···································331
L-ピログルタミルグリシル-L-アルギニン-p-ニトロ
　アニリン塩酸塩·······························331
L-ピログルタミルグリシル-L-アルギニン-p-ニトロ
　アニリン塩酸塩試液···························332
ピロリジンジチオカルバミン酸アンモニウム·······332
2-ピロリドン···································332
ピロ硫酸カリウム → 二硫酸カリウム············314
ピロリン酸塩緩衝液, 0.05 mol/L, pH 9.0········332
ピロリン酸塩緩衝液, pH 9.0····················332
ピロリン酸カリウム·····························332
ピロール·······································332
ビンクリスチン硫酸塩···························332
ビンブラスチン硫酸塩···························332

フ

ファモチジン, 定量用···························332
フィトナジオン·································332
フィブリノーゲン·······························332
ブイヨン, 普通 → 普通ブイヨン················338
フィルグラスチム試料用緩衝液
　→ 緩衝液, フィルグラスチム試料用············239
フィルグラスチム用イスコフ改変ダルベッコ液体培地
　→ イスコフ改変ダルベッコ液体培地, フィルグラス
　　チム用·····································219
フィルグラスチム用システム適合性試験用試液
　→ システム適合性試験用試液, フィルグラスチム用···267
フィルグラスチム用ポリアクリルアミドゲル
　→ ポリアクリルアミドゲル, フィルグラスチム用···353
フェナセチン···································332
o-フェナントロリン
　→ 1, 10-フェナントロリン一水和物············332
1, 10-フェナントロリン一水和物·················332
1, 10-フェナントロリン試液·····················332
o-フェナントロリン試液
　→ 1, 10-フェナントロリン試液················332
フェニトイン, 定量用···························332
H-D-フェニルアラニル-L-ピペコリル-L-
　アルギニル-p-ニトロアニリド二塩酸塩·········333
フェニルアラニン → L-フェニルアラニン········333

L-フェニルアラニン	333
フェニルイソチオシアネート	333
D-フェニルグリシン	333
25％フェニル－25％シアノプロピル－メチルシリコーンポリマー，ガスクロマトグラフィー用	333
フェニルヒドラジン	333
1-フェニルピペラジン一塩酸塩	333
フェニルフルオロン	333
フェニルフルオロン・エタノール試液	333
5％フェニル－メチルシリコーンポリマー，ガスクロマトグラフィー用	333
35％フェニル－メチルシリコーンポリマー，ガスクロマトグラフィー用	333
50％フェニル－メチルシリコーンポリマー，ガスクロマトグラフィー用	333
65％フェニル－メチルシリコーンポリマー，ガスクロマトグラフィー用	333
1-フェニル－3－メチル－5－ピラゾロン → 3－メチル－1－フェニル－5－ピラゾロン	362
50％フェニル－50％メチルポリシロキサン，ガスクロマトグラフィー用	333
o-フェニレンジアミン	333
1,3-フェニレンジアミン塩酸塩	333
o-フェニレンジアミン二塩酸塩	333
フェネチルアミン塩酸塩	333
フェノバルビタール，定量用	333
フェノール	333
フェノール，定量用	333
フェノール・ニトロプルシドナトリウム試液 → フェノール・ペンタシアノニトロシル鉄(Ⅲ)酸ナトリウム試液	333
フェノール・ペンタシアノニトロシル鉄(Ⅲ)酸ナトリウム試液	333
フェノール塩酸試液	333
p-フェノールスルホン酸ナトリウム → p-フェノールスルホン酸ナトリウム二水和物	333
p-フェノールスルホン酸ナトリウム二水和物	333
フェノールスルホンフタレイン，定量用	334
フェノールフタレイン	334
フェノールフタレイン・チモールブルー試液	334
フェノールフタレイン試液	334
フェノールフタレイン試液，希	334
フェノールレッド	334
フェノールレッド試液	334
フェノールレッド試液，希	334
プエラリン，薄層クロマトグラフィー用	334
フェリシアン化カリウム → ヘキサシアノ鉄(Ⅲ)酸カリウム	345
フェリシアン化カリウム試液 → ヘキサシアノ鉄(Ⅲ)酸カリウム試液	345
フェリシアン化カリウム試液，アルカリ性 → ヘキサシアノ鉄(Ⅲ)酸カリウム試液，アルカリ性	345
フェーリング試液	334
フェーリング試液，でんぷん消化力試験用	334
フェルビナク，定量用	334
(E)-フェルラ酸	334
(E)-フェルラ酸，定量用	334
フェルラ酸シクロアルテニル，薄層クロマトグラフィー用	335
フェロシアン化カリウム → ヘキサシアノ鉄(Ⅱ)酸カリウム三水和物	345
フェロシアン化カリウム試液 → ヘキサシアノ鉄(Ⅱ)酸カリウム試液	345
フェロジピン，定量用	336
フォリン試液	336
フォリン試液，希	336
フクシン	336
フクシン・エタノール試液	336
フクシン亜硫酸試液	336
フクシン試液，脱色 → 脱色フクシン試液	290
ブシジエステルアルカロイド混合標準溶液，純度試験用	336
ブシモノエステルアルカロイド混合標準試液，成分含量測定用 → ブシモノエステルアルカロイド混合標準試液，定量用	336
ブシモノエステルアルカロイド混合標準試液，定量用	336
ブシ用リン酸塩緩衝液 → リン酸塩緩衝液，ブシ用	372
ブシラミン	336
ブシラミン，定量用	336
プソイドエフェドリン塩酸塩	336
ブタ胆汁末，薄層クロマトグラフィー用	336
1-ブタノール	336
1-ブタノール，アンモニア飽和 → 1-ブタノール試液，アンモニア飽和	336
2-ブタノール	336
n-ブタノール → 1-ブタノール	336
ブタノール，イソ → 2-メチル－1－プロパノール	362
ブタノール，第二 → 2-ブタノール	336
ブタノール，第三 → t-ブチルアルコール	338
1-ブタノール試液，アンモニア飽和	336
2-ブタノン	336
o-フタルアルデヒド	337
フタルイミド	337
フタル酸	337
フタル酸緩衝液，pH 5.8	337
フタル酸ジエチル	337
フタル酸ジシクロヘキシル	337
フタル酸ジノニル	337
フタル酸ジフェニル	337
フタル酸ジ－n－ブチル	337
フタル酸ジメチル	337
フタル酸水素カリウム	337
フタル酸水素カリウム(標準試薬)	337
フタル酸水素カリウム，pH測定用	337
フタル酸水素カリウム緩衝液，0.3 mol/L，pH 4.6	337
フタル酸水素カリウム緩衝液，pH 3.5	337
フタル酸水素カリウム緩衝液，pH 4.6	337
フタル酸水素カリウム緩衝液，pH 5.6	337
フタル酸水素カリウム試液，0.2 mol/L，緩衝液用	337

フタル酸ビス(シス-3,3,5-トリメチルシクロ
　　ヘキシル) ……………………………………………… 338
フタレインパープル ……………………………………… 338
n-ブチルアミン ………………………………………… 338
t-ブチルアルコール …………………………………… 338
n-ブチルボロン酸 ……………………………………… 338
$tert$-ブチルメチルエーテル …………………………… 338
ブチロラクトン …………………………………………… 338
普通カンテン培地 ………………………………………… 338
普通カンテン培地, テセロイキン用 …………………… 338
普通ブイヨン ……………………………………………… 338
フッ化水素酸 ……………………………………………… 338
フッ化ナトリウム ………………………………………… 338
フッ化ナトリウム(標準試薬) …………………………… 338
フッ化ナトリウム・塩酸試液 …………………………… 338
フッ化ナトリウム試液 …………………………………… 338
ブテナフィン塩酸塩, 定量用 …………………………… 338
ブドウ糖 …………………………………………………… 338
ブドウ糖試液 ……………………………………………… 338
N-t-ブトキシカルボニル-L-グルタミン酸-α-
　　フェニルエステル …………………………………… 338
フドステイン, 定量用 …………………………………… 338
ブファリン, 成分含量測定用 → ブファリン, 定量用 … 338
ブファリン, 定量用 ……………………………………… 338
ブホルミン塩酸塩, 定量用 ……………………………… 339
フマル酸, 薄層クロマトグラフィー用 ………………… 339
フマル酸ビソプロロール, 定量用
　　→ ビソプロロールフマル酸塩, 定量用 …………… 325
浮遊培養用培地 …………………………………………… 339
Primer F …………………………………………………… 339
Primer F試液 ……………………………………………… 339
Primer R …………………………………………………… 339
Primer R試液 ……………………………………………… 339
(±)-プラエルプトリンA, 薄層クロマトグラフィー用 … 339
ブラジキニン ……………………………………………… 339
プラゼパム, 定量用 ……………………………………… 339
プラチコジンD, 薄層クロマトグラフィー用 ………… 339
プラバスタチンナトリウム ……………………………… 340
ブリリアントグリン ……………………………………… 340
フルオシノロンアセトニド ……………………………… 340
フルオレスカミン ………………………………………… 340
フルオレセイン …………………………………………… 340
フルオレセインナトリウム ……………………………… 340
フルオレセインナトリウム試液 ………………………… 340
9-フルオレニルメチルクロロギ酸 ……………………… 340
4-フルオロ安息香酸 ……………………………………… 340
フルオロキノロン酸, 薄層クロマトグラフィー用 …… 340
1-フルオロ-2,4-ジニトロベンゼン ……………………… 340
7-フルオロ-4-ニトロベンゾ-2-オキサ-1,3-
　　ジアゾール …………………………………………… 340
フルコナゾール, 定量用 ………………………………… 340
フルジアゼパム, 定量用 ………………………………… 340
ブルシン → ブルシンn水和物 ………………………… 341
ブルシンn水和物 ………………………………………… 341

ブルシン二水和物 → ブルシンn水和物 ……………… 341
ブルーテトラゾリウム …………………………………… 341
ブルーテトラゾリウム試液, アルカリ性 ……………… 341
フルトプラゼパム, 定量用 ……………………………… 341
フルフラール ……………………………………………… 341
フルラゼパム, 定量用 …………………………………… 341
プルラナーゼ ……………………………………………… 341
プルラナーゼ試液 ………………………………………… 341
フレカイニド酢酸塩 ……………………………………… 341
フレカイニド酢酸塩, 定量用 …………………………… 341
プレドニゾロン …………………………………………… 341
プレドニゾロン酢酸エステル …………………………… 341
プレドニゾン ……………………………………………… 341
フロイント完全アジュバント ……………………… 341, 32
プロカインアミド塩酸塩 ………………………………… 341
プロカインアミド塩酸塩, 定量用 ……………………… 341
プロカイン塩酸塩 ………………………………………… 341
プロカイン塩酸塩, 定量用 → プロカイン塩酸塩 …… 341
プロカテロール塩酸塩水和物 …………………………… 341
プロゲステロン …………………………………………… 341
プロスタグランジンA$_1$ ………………………………… 341
プロチゾラム, 定量用 …………………………………… 341
ブロッキング剤 …………………………………………… 341
ブロッキング試液, エポエチンアルファ用 …………… 341
ブロッキング試液, ナルトグラスチム試験用 …… 341, 32
ブロック緩衝液 …………………………………………… 341
ブロッティング試液 ……………………………………… 341
V8プロテアーゼ ………………………………………… 341
V8プロテアーゼ, インスリングラルギン用 ………… 341
V8プロテアーゼ酵素試液 ……………………………… 342
1-プロパノール …………………………………………… 342
2-プロパノール …………………………………………… 342
2-プロパノール, 液体クロマトグラフィー用 ………… 342
2-プロパノール, ビタミンA定量用 …………………… 342
n-プロパノール → 1-プロパノール …………………… 342
プロパノール, イソ → 2-プロパノール ……………… 342
プロパフェノン塩酸塩, 定量用 ………………………… 342
プロパンテリン臭化物 …………………………………… 342
プロピオン酸 ……………………………………………… 342
プロピオン酸エチル ……………………………………… 342
プロピオン酸ジョサマイシン
　　→ ジョサマイシンプロピオン酸エステル ………… 281
プロピオン酸テストステロン
　　→ テストステロンプロピオン酸エステル ………… 300
プロピオン酸ベクロメタゾン
　　→ ベクロメタゾンプロピオン酸エステル ………… 346
プロピルアミン, イソ …………………………………… 342
プロピルエーテル, イソ ………………………………… 342
プロピルチオウラシル, 定量用 ………………………… 342
プロピレングリコール …………………………………… 342
プロピレングリコール, ガスクロマトグラフィー用 … 342
プロプラノロール塩酸塩, 定量用 ……………………… 342
フロプロピオン …………………………………………… 342
フロプロピオン, 定量用 ………………………………… 342

プロベネシド………………………………………… 342
ブロムクレゾールグリン → ブロモクレゾールグリーン…… 343
ブロムクレゾールグリン・塩化メチルロザニリン試液
　→ ブロモクレゾールグリーン・クリスタルバイオ
　レット試液………………………………………… 343
ブロムクレゾールグリン・水酸化ナトリウム・酢酸・酢酸
　ナトリウム試液 → ブロモクレゾールグリーン・水酸
　化ナトリウム・酢酸・酢酸ナトリウム試液………… 343
ブロムクレゾールグリン・水酸化ナトリウム試液 → ブロ
　モクレゾールグリーン・水酸化ナトリウム試液…… 343
ブロムクレゾールグリン・メチルレッド試液
　→ ブロモクレゾールグリーン・メチルレッド試液…… 343
ブロムクレゾールグリン試液
　→ ブロモクレゾールグリーン試液………………… 343
ブロムクレゾールパープル → ブロモクレゾールパープル… 343
ブロムクレゾールパープル・水酸化ナトリウム試液 → ブ
　ロモクレゾールパープル・水酸化ナトリウム試液…… 343
ブロムクレゾールパープル・リン酸一水素カリウム・クエ
　ン酸試液 → ブロモクレゾールパープル・リン酸水素
　二カリウム・クエン酸試液………………………… 343
ブロムクレゾールパープル試液
　→ ブロモクレゾールパープル試液………………… 343
N-ブロムサクシンイミド → N-ブロモスクシンイミド…… 343
N-ブロムサクシンイミド試液
　→ N-ブロモスクシンイミド試液…………………… 343
ブロムチモールブルー → ブロモチモールブルー……… 343
ブロムチモールブルー・水酸化ナトリウム試液
　→ ブロモチモールブルー・水酸化ナトリウム試液…… 343
ブロムチモールブルー試液
　→ ブロモチモールブルー試液……………………… 343
ブロムフェノールブルー → ブロモフェノールブルー…… 343
ブロムフェノールブルー・フタル酸水素カリウム試液
　→ ブロモフェノールブルー・フタル酸水素カリウム
　試液………………………………………………… 343
ブロムフェノールブルー試液
　→ ブロモフェノールブルー試液…………………… 343
ブロムフェノールブルー試液，pH 7.0
　→ ブロモフェノールブルー試液，pH 7.0…………… 343
ブロムフェノールブルー試液，希
　→ ブロモフェノールブルー試液，希………………… 343
ブロムワレリル尿素 → ブロモバレリル尿素…………… 343
ブロモクレゾールグリン → ブロモクレゾールグリーン…… 343
ブロモクレゾールグリン・クリスタルバイオレット試液
　→ ブロモクレゾールグリーン・クリスタルバイオレッ
　ト試液……………………………………………… 343
ブロモクレゾールグリン・水酸化ナトリウム・エタノール
　試液 → ブロモクレゾールグリーン・水酸化ナトリウ
　ム・エタノール試液………………………………… 343
ブロモクレゾールグリン・水酸化ナトリウム・酢酸・酢酸
　ナトリウム試液 → ブロモクレゾールグリーン・水酸
　化ナトリウム・酢酸・酢酸ナトリウム試液………… 343
ブロモクレゾールグリン・水酸化ナトリウム試液 → ブロ
　モクレゾールグリーン・水酸化ナトリウム試液…… 343

ブロモクレゾールグリン・メチルレッド試液
　→ ブロモクレゾールグリーン・メチルレッド試液…… 343
ブロモクレゾールグリン試液
　→ ブロモクレゾールグリーン試液………………… 343
ブロモクレゾールグリーン……………………………… 343
ブロモクレゾールグリーン・
　クリスタルバイオレット試液……………………… 343
ブロモクレゾールグリーン・水酸化ナトリウム・
　エタノール試液…………………………………… 343
ブロモクレゾールグリーン・水酸化ナトリウム・酢酸・
　酢酸ナトリウム試液……………………………… 343
ブロモクレゾールグリーン・水酸化ナトリウム試液…… 343
ブロモクレゾールグリーン・メチルレッド試液………… 343
ブロモクレゾールグリーン試液………………………… 343
ブロモクレゾールパープル……………………………… 343
ブロモクレゾールパープル・水酸化ナトリウム試液…… 343
ブロモクレゾールパープル・リン酸水素二カリウム・
　クエン酸試液……………………………………… 343
ブロモクレゾールパープル試液………………………… 343
N-ブロモスクシンイミド………………………………… 343
N-ブロモスクシンイミド試液…………………………… 343
ブロモチモールブルー…………………………………… 343
ブロモチモールブルー・エタノール性水酸化ナトリウム
　試液………………………………………………… 343
ブロモチモールブルー・水酸化ナトリウム試液………… 343
ブロモチモールブルー試液……………………………… 343
ブロモバレリル尿素……………………………………… 343
ブロモフェノールブルー………………………………… 343
ブロモフェノールブルー・フタル酸水素カリウム試液…… 343
ブロモフェノールブルー試液…………………………… 343
ブロモフェノールブルー試液，0.05%…………………… 343
ブロモフェノールブルー試液，pH 7.0…………………… 343
ブロモフェノールブルー試液，希………………………… 343
L-プロリン……………………………………………… 343
フロログルシノール二水和物…………………………… 343
フロログルシン → フロログルシノール二水和物……… 343
フロログルシン二水和物
　→ フロログルシノール二水和物…………………… 343
分子量試験用還元液 → 還元液，分子量試験用………… 239
分子量測定用低分子量ヘパリン
　→ 低分子量ヘパリン，分子量測定用……………… 294
分子量測定用マーカータンパク質 → マーカータンパク質，
　セルモロイキン分子量測定用……………………… 355
分子量標準原液………………………………………… 344
分子量マーカー，インターフェロンアルファ用………… 344
分子量マーカー，エポエチンアルファ用………………… 344
分子量マーカー，テセロイキン用……………………… 344
分子量マーカー，ナルトグラスチム試験用………… 344, 32
噴霧試液用チモール → チモール，噴霧試液用………… 293
噴霧用塩化2,3,5-トリフェニル-2H-テトラゾリウム・
　メタノール試液 → 塩化2,3,5-トリフェニル-2H-
　テトラゾリウム・メタノール試液，噴霧用………… 230
噴霧用塩化p-ニトロベンゼンジアゾニウム試液 → 4-
　ニトロベンゼンジアゾニウム塩酸塩試液，噴霧用…… 313

噴霧用次硝酸ビスマス・ヨウ化カリウム試液
　　→ 次硝酸ビスマス・ヨウ化カリウム試液, 噴霧用… 240
噴霧用4-ジメチルアミノベンズアルデヒド試液 → 4-
　　ジメチルアミノベンズアルデヒド試液, 噴霧用………… 274
噴霧用p-ジメチルアミノベンズアルデヒド試液 → 4-
　　ジメチルアミノベンズアルデヒド試液, 噴霧用………… 274
噴霧用チモール・硫酸・メタノール試液
　　→ チモール・硫酸・メタノール試液, 噴霧用………… 293
噴霧用ドラーゲンドルフ試液
　　→ ドラーゲンドルフ試液, 噴霧用…………………… 305
噴霧用4-ニトロベンゼンジアゾニウム塩酸塩試液 → 4-
　　ニトロベンゼンジアゾニウム塩酸塩試液, 噴霧用…… 313
噴霧用p-ニトロベンゼンジアゾニウム塩酸塩試液 → 4-
　　ニトロベンゼンジアゾニウム塩酸塩試液, 噴霧用…… 313
噴霧用ニンヒドリン・エタノール試液
　　→ ニンヒドリン・エタノール試液, 噴霧用………… 314
噴霧用バニリン・硫酸・エタノール試液
　　→ バニリン・硫酸・エタノール試液, 噴霧用……… 319
噴霧用4-メトキシベンズアルデヒド・硫酸・酢酸・エタ
　　ノール試液 → 4-メトキシベンズアルデヒド・硫酸・
　　酢酸・エタノール試液, 噴霧用……………………… 363
分離確認用グリチルリチン酸一アンモニウム
　　→ グリチルリチン酸一アンモニウム, 分離確認用…… 246
分離確認用バイカレイン → バイカレイン, 分離確認用…… 316
分離確認用パラオキシ安息香酸ブチル
　　→ パラオキシ安息香酸ブチル, 分離確認用………… 320
分離確認用パラオキシ安息香酸プロピル
　　→ パラオキシ安息香酸プロピル, 分離確認用……… 320
分離確認用パラオキシ安息香酸メチル
　　→ パラオキシ安息香酸メチル, 分離確認用………… 321
分離ゲル, セルモロイキン用………………………………… 344

へ

ペウケダヌム・レデボウリエルロイデス, 純度試験用……… 344
ペオニフロリン, 薄層クロマトグラフィー用………………… 344
ペオノール, 成分含量測定用 → ペオノール, 定量用……… 345
ペオノール, 定量用…………………………………………… 345
ペオノール, 薄層クロマトグラフィー用……………………… 345
ベカナマイシン硫酸塩………………………………………… 345
ヘキサクロロ白金(Ⅳ)酸試液………………………………… 345
ヘキサクロロ白金(Ⅳ)酸六水和物…………………………… 345
ヘキサクロロ白金(Ⅳ)酸・ヨウ化カリウム試液……………… 345
ヘキサシアノ鉄(Ⅱ)酸カリウム三水和物…………………… 345
ヘキサシアノ鉄(Ⅱ)酸カリウム試液………………………… 345
ヘキサシアノ鉄(Ⅲ)酸カリウム……………………………… 345
ヘキサシアノ鉄(Ⅲ)酸カリウム試液………………………… 345
ヘキサシアノ鉄(Ⅲ)酸カリウム試液, アルカリ性…………… 345
ヘキサニトロコバルト(Ⅲ)酸ナトリウム……………………… 345
ヘキサニトロコバルト(Ⅲ)酸ナトリウム試液………………… 345
1-ヘキサノール……………………………………………… 345
ヘキサヒドロキソアンチモン(Ⅴ)酸カリウム………………… 346
ヘキサヒドロキソアンチモン(Ⅴ)酸カリウム試液…………… 346
ヘキサミン → ヘキサメチレンテトラミン…………………… 346

1,1,1,3,3,3-ヘキサメチルジシラザン……………………… 346
ヘキサメチレンテトラミン…………………………………… 346
ヘキサメチレンテトラミン試液……………………………… 346
ヘキサン……………………………………………………… 346
n-ヘキサン, 液体クロマトグラフィー用
　　→ ヘキサン, 液体クロマトグラフィー用……………… 346
n-ヘキサン, 吸収スペクトル用
　　→ ヘキサン, 吸収スペクトル用……………………… 346
ヘキサン, 液体クロマトグラフィー用………………………… 346
ヘキサン, 吸収スペクトル用………………………………… 346
ヘキサン, 生薬純度試験用…………………………………… 346
1-ヘキサンスルホン酸ナトリウム…………………………… 346
ベクロメタゾンプロピオン酸エステル……………………… 346
ベザフィブラート, 定量用…………………………………… 346
ヘスペリジン, 成分含量測定用
　　→ ヘスペリジン, 定量用……………………………… 346
ヘスペリジン, 定量用………………………………………… 346
ヘスペリジン, 薄層クロマトグラフィー用…………………… 347
ベタヒスチンメシル酸塩……………………………………… 347
ベタヒスチンメシル酸塩, 定量用…………………………… 347
ベタミプロン…………………………………………………… 347
ベタミプロン, 定量用………………………………………… 347
ベチジン塩酸塩, 定量用……………………………………… 347
ベニジピン塩酸塩……………………………………………… 347
ベニジピン塩酸塩, 定量用…………………………………… 347
ペニシリウム由来β-ガラクトシダーゼ用グルコース検出
　　用試液 → グルコース検出用試液, ペニシリウム由来
　　β-ガラクトシダーゼ用………………………………… 246
ペニシリウム由来β-ガラクトシダーゼ用乳糖基質試液
　　→ 乳糖基質試液, ペニシリウム由来β-ガラクトシ
　　ダーゼ用……………………………………………… 314
ペニシリウム由来β-ガラクトシダーゼ用リン酸水素二ナ
　　トリウム・クエン酸緩衝液, pH 4.5 → リン酸水素二
　　ナトリウム・クエン酸緩衝液, ペニシリウム由来β-
　　ガラクトシダーゼ用, pH 4.5………………………… 374
ヘパリンナトリウム…………………………………………… 347
ペプシン, 含糖 → 含糖ペプシン…………………………… 240
ヘプタフルオロ酪酸…………………………………………… 347
ヘプタン……………………………………………………… 347
ヘプタン, 液体クロマトグラフィー用………………………… 347
1-ヘプタンスルホン酸ナトリウム…………………………… 347
ペプトン……………………………………………………… 347
ペプトン, カゼイン製………………………………………… 347
ペプトン, ゼラチン製………………………………………… 347
ペプトン, ダイズ製…………………………………………… 347
ペプトン, 肉製………………………………………………… 347
ヘペス緩衝液, pH 7.5………………………………………… 347
ベヘン酸メチル………………………………………………… 347
ベポタスチンベシル酸塩, 定量用…………………………… 347
ヘマトキシリン………………………………………………… 348
ヘマトキシリン試液…………………………………………… 348
ペミロラストカリウム………………………………………… 348
ベラパミル塩酸塩, 定量用…………………………………… 348
ベラプロストナトリウム……………………………………… 348

ベラプロストナトリウム，定量用 348
ヘリウム 348
ペリルアルデヒド，成分含量測定用
　→ ペリルアルデヒド，定量用 348
ペリルアルデヒド，定量用 348
ペリルアルデヒド，薄層クロマトグラフィー用 348
ペルオキシダーゼ 348
ペルオキシダーゼ測定用基質液 348
ペルオキシダーゼ標識アビジン 348
ペルオキシダーゼ標識アビジン試液 348
ペルオキシダーゼ標識抗ウサギ抗体 348
ペルオキシダーゼ標識抗ウサギ抗体試液 348
ペルオキシダーゼ標識ブラジキニン 348
ペルオキシダーゼ標識ブラジキニン試液 348
ペルオキソ二硫酸アンモニウム 348
ペルオキソ二硫酸アンモニウム試液，10％ 348
ペルオキソ二硫酸カリウム 348
ベルゲニン，薄層クロマトグラフィー用 348
ベルバスコシド，薄層クロマトグラフィー用 349
ペルフェナジンマレイン酸塩，定量用 349
ベルベリン塩化物水和物 349
ベルベリン塩化物水和物，薄層クロマトグラフィー用 349
ベンザルコニウム塩化物 349
ベンザルフタリド 349
ベンジルアルコール 349
p－ベンジルフェノール 349
ベンジルペニシリンカリウム 349
ベンジルペニシリンベンザチン
　→ ベンジルペニシリンベンザチン水和物 349
ベンジルペニシリンベンザチン水和物 349
ベンズアルデヒド 349
ベンズ[a]アントラセン 349
ベンゼトニウム塩化物，定量用 349
ベンゼン 349
N-α-ベンゾイル-L-アルギニンエチル塩酸塩 349
N-α-ベンゾイル-L-アルギニンエチル試液 350
N-α-ベンゾイル-L-アルギニン-4-ニトロアニリド塩酸塩 350
N-α-ベンゾイル-L-アルギニン-4-ニトロアニリド試液 350
N-ベンゾイル-L-イソロイシル-L-グルタミル(γ-OR)-グリシル-L-アルギニル-p-ニトロアニリド塩酸塩 350
ベンゾイルヒパコニン塩酸塩，定量用 350
ベンゾイルメサコニン塩酸塩，定量用 350
ベンゾイルメサコニン塩酸塩，薄層クロマトグラフィー用 351
ベンゾイン 351
p－ベンゾキノン 351
p－ベンゾキノン試液 351
ベンゾ[a]ピレン 351
ベンゾフェノン 351
ペンタシアノアンミン鉄(Ⅱ)酸ナトリウムn水和物 351

ペンタシアノニトロシル鉄(Ⅲ)酸ナトリウム・ヘキサシアノ鉄(Ⅲ)酸カリウム試液 351
ペンタシアノニトロシル鉄(Ⅲ)酸ナトリウム・ヘキサシアノ鉄(Ⅲ)酸カリウム試液，希 351
ペンタシアノニトロシル鉄(Ⅲ)酸ナトリウム試液 351
ペンタシアノニトロシル鉄(Ⅲ)酸ナトリウム二水和物 351
ペンタン 351
1-ペンタンスルホン酸ナトリウム 351
変法チオグリコール酸培地 → 一般試験法
　無菌試験法〈4.06〉 変法チオグリコール酸培地 131

ホ

崩壊試験第1液 → 溶出試験第1液 366
崩壊試験第2液 352
ホウ酸 352
ホウ酸・塩化カリウム・水酸化ナトリウム緩衝液，pH 9.0 352
ホウ酸・塩化カリウム・水酸化ナトリウム緩衝液，pH 9.2 352
ホウ酸・塩化カリウム・水酸化ナトリウム緩衝液，pH 9.6 352
ホウ酸・塩化カリウム・水酸化ナトリウム緩衝液，pH 10.0 352
0.2 mol/Lホウ酸・0.2 mol/L塩化カリウム試液，緩衝液用 352
ホウ酸・塩化マグネシウム緩衝液，pH 9.0 352
ホウ酸・水酸化ナトリウム緩衝液，pH 8.4 352
ホウ酸・メタノール緩衝液 352
ホウ酸塩・塩酸緩衝液，pH 9.0 352
ホウ酸ナトリウム → 四ホウ酸ナトリウム十水和物 367
ホウ酸ナトリウム，pH測定用
　→ 四ホウ酸ナトリウム十水和物，pH測定用 367
ホウ砂 → 四ホウ酸ナトリウム十水和物 367
抱水クロラール 352
抱水クロラール試液 352
抱水ヒドラジン → ヒドラジン一水和物 325
飽和ヨウ化カリウム試液 → ヨウ化カリウム試液，飽和 366
ボグリボース，定量用 352
ホスファターゼ，アルカリ性 352
ホスファターゼ試液，アルカリ性 352
ホスフィン酸 352
ポテトエキス 352
ホノキオール 352
ホマトロピン臭化水素酸塩 352
ボラン－ピリジン錯体 352
ポリアクリルアミドゲル，エポエチンアルファ用 353
ポリアクリルアミドゲル，ナルトグラスチム用 353, 32
ポリアクリルアミドゲル，フィルグラスチム用 353
ポリアクリル酸メチル，ガスクロマトグラフィー用 353
ポリアミンシリカゲル，液体クロマトグラフィー用 32
ポリアルキレングリコール，ガスクロマトグラフィー用 353
ポリアルキレングリコールモノエーテル，ガスクロマトグラフィー用 353

ポリエチレングリコール20 M,
　　ガスクロマトグラフィー用……………………………353
ポリエチレングリコール400,
　　ガスクロマトグラフィー用……………………………353
ポリエチレングリコール600,
　　ガスクロマトグラフィー用……………………………353
ポリエチレングリコール1500,
　　ガスクロマトグラフィー用……………………………353
ポリエチレングリコール6000,
　　ガスクロマトグラフィー用……………………………353
ポリエチレングリコール15000-ジエポキシド,
　　ガスクロマトグラフィー用……………………………353
ポリエチレングリコールエステル化物,
　　ガスクロマトグラフィー用……………………………353
ポリエチレングリコール2-ニトロテレフタレート,
　　ガスクロマトグラフィー用……………………………353
ポリオキシエチレン(23)ラウリルエーテル……………………353
ポリオキシエチレン(40)オクチルフェニルエーテル…………353
ポリオキシエチレン硬化ヒマシ油60……………………………353
ポリコナゾール……………………………………………………353
ポリソルベート20…………………………………………………353
ポリソルベート20, エポエチンベータ用………………………354
ポリソルベート80…………………………………………………354
ポリビニリデンフロライド膜……………………………………354
ポリビニルアルコール……………………………………………354
ポリビニルアルコールⅠ…………………………………………354
ポリビニルアルコールⅡ…………………………………………354
ポリビニルアルコール試液………………………………………354
ポリメチルシロキサン, ガスクロマトグラフィー用…………354
ボルネオール酢酸エステル………………………………………354
ホルマジン標準乳濁液……………………………………………355
ホルマリン → ホルムアルデヒド液……………………………355
ホルマリン・硫酸試液
　　→ ホルムアルデヒド液・硫酸試液…………………355
ホルマリン試液 → ホルムアルデヒド液試液…………………355
2-ホルミル安息香酸………………………………………………355
ホルムアミド………………………………………………………355
ホルムアミド, 水分測定用………………………………………355
ホルムアルデヒド液………………………………………………355
ホルムアルデヒド液・硫酸試液…………………………………355
ホルムアルデヒド液試液…………………………………………355
ホルムアルデヒド試液, 希………………………………………355

マ

マイクロプレート…………………………………………………355
マイクロプレート洗浄用リン酸塩緩衝液
　　→ リン酸塩緩衝液, マイクロプレート洗浄用………372
マウス抗エポエチンアルファモノクローナル抗体……………355
前処理用アミノプロピルシリル化シリカゲル
　　→ アミノプロピルシリル化シリカゲル, 前処理用……213
前処理用オクタデシルシリル化シリカゲル
　　→ オクタデシルシリル化シリカゲル, 前処理用………234
マーカータンパク質, セルモロイキン分子量測定用…………355

マグネシア試液……………………………………………………355
マグネシウム………………………………………………………355
マグネシウム粉末…………………………………………………355
マグネシウム末 → マグネシウム粉末…………………………355
マグノフロリンヨウ化物, 定量用………………………………355
マグノロール, 成分含量測定用
　　→ マグノロール, 定量用………………………………356
マグノロール, 定量用……………………………………………356
マグノロール, 薄層クロマトグラフィー用……………………357
マクロゴール600…………………………………………………357
麻酔用エーテル → エーテル, 麻酔用…………………………225
マラカイトグリーン → マラカイトグリーンシュウ酸塩……357
マラカイトグリーンシュウ酸塩…………………………………357
マルチトール………………………………………………………357
マルトース → マルトース水和物………………………………357
マルトース水和物…………………………………………………357
マルトトリオース…………………………………………………357
4-(マレイミドメチル)シクロヘキシルカルボン酸-N-
　　ヒドロキシコハク酸イミドエステル…………………357
マレイン酸…………………………………………………………357
マレイン酸イルソグラジン
　　→ イルソグラジンマレイン酸塩………………………221
マレイン酸イルソグラジン, 定量用
　　→ イルソグラジンマレイン酸塩, 定量用……………221
マレイン酸エナラプリル → エナラプリルマレイン酸塩……226
マレイン酸クロルフェニラミン
　　→ クロルフェニラミンマレイン酸塩…………………247
マレイン酸ペルフェナジン, 定量用
　　→ ペルフェナジンマレイン酸塩, 定量用……………349
マレイン酸メチルエルゴメトリン, 定量用
　　→ メチルエルゴメトリンマレイン酸塩, 定量用………361
マロン酸ジメチル…………………………………………………357
マンギフェリン, 定量用…………………………………………357
D-マンニトール……………………………………………………358
マンニノトリオース, 薄層クロマトグラフィー用……………358
D-マンノサミン塩酸塩……………………………………………358
D-マンノース………………………………………………………358

ミ

ミオイノシトール…………………………………………………358
ミオグロビン………………………………………………………358
ミグリトール………………………………………………………358
ミコナゾール硝酸塩………………………………………………358
ミチグリニドカルシウム水和物…………………………………358
ミツロウ……………………………………………………………358
ミノサイクリン塩酸塩……………………………………………358
ミリスチシン, 薄層クロマトグラフィー用……………………358
ミリスチン酸イソプロピル………………………………………358
ミリスチン酸イソプロピル, 無菌試験用………………………359
ミリスチン酸メチル, ガスクロマトグラフィー用……………359

ム

無アルデヒドエタノール → エタノール，無アルデヒド …… 224
無菌試験用チオグリコール酸培地Ⅰ → 一般試験法
　　無菌試験法〈4.06〉 液状チオグリコール酸培地 ……… 131
無菌試験用チオグリコール酸培地Ⅱ → 一般試験法
　　無菌試験法〈4.06〉 変法チオグリコール酸培地 ……… 131
無菌試験用ミリスチン酸イソプロピル
　　→ ミリスチン酸イソプロピル，無菌試験用 …………… 359
無水亜硫酸ナトリウム → 亜硫酸ナトリウム，無水 …… 215
無水エタノール → エタノール(99.5) …………………… 224
無水エーテル → ジエチルエーテル，無水 ……………… 265
無水塩化第二鉄・ピリジン試液
　　→ 塩化鉄(Ⅲ)・ピリジン試液，無水 ………………… 230
無水塩化鉄(Ⅲ)・ピリジン試液
　　→ 塩化鉄(Ⅲ)・ピリジン試液，無水 ………………… 230
無水カフェイン → カフェイン，無水 …………………… 237
無水コハク酸 ……………………………………………… 359
無水酢酸 …………………………………………………… 359
無水酢酸・ピリジン試液 ………………………………… 359
無水酢酸ナトリウム → 酢酸ナトリウム，無水 ………… 260
無水ジエチルエーテル → ジエチルエーテル，無水 …… 265
無水炭酸カリウム → 炭酸カリウム ……………………… 291
無水炭酸ナトリウム → 炭酸ナトリウム，無水 ………… 291
無水トリフルオロ酢酸，ガスクロマトグラフィー用 …… 359
無水乳糖 …………………………………………………… 359
無水ヒドラジン，アミノ酸分析用 ……………………… 359
無水ピリジン → ピリジン，無水 ………………………… 330
無水フタル酸 ……………………………………………… 359
無水メタノール → メタノール，無水 …………………… 360
無水硫酸銅 → 硫酸銅(Ⅱ) ………………………………… 371
無水硫酸ナトリウム → 硫酸ナトリウム，無水 ………… 371
無水リン酸一水素ナトリウム
　　→ リン酸水素二ナトリウム，無水 …………………… 374
無水リン酸一水素ナトリウム，pH測定用
　　→ リン酸水素二ナトリウム，pH測定用 ……………… 374
無水リン酸水素二ナトリウム
　　→ リン酸水素二ナトリウム，無水 …………………… 374
無水リン酸二水素ナトリウム
　　→ リン酸二水素ナトリウム，無水 …………………… 375
無ヒ素亜鉛 → 亜鉛，ヒ素分析用 ………………………… 204
ムレキシド ………………………………………………… 359
ムレキシド・塩化ナトリウム指示薬 …………………… 359

メ

メキタジン，定量用 ……………………………………… 359
メグルミン ………………………………………………… 359
メサコニチン，純度試験用 ……………………………… 359
メサラジン，定量用 ……………………………………… 360
メシル酸ジヒドロエルゴクリスチン，薄層クロマトグラ
　　フィー用 → ジヒドロエルゴクリスチンメシル酸塩，
　　薄層クロマトグラフィー用 …………………………… 270
メシル酸ベタヒスチン → ベタヒスチンメシル酸塩 …… 347
メシル酸ベタヒスチン，定量用
　　→ ベタヒスチンメシル酸塩，定量用 ………………… 347
メタクレゾールパープル ………………………………… 360
メタクレゾールパープル試液 …………………………… 360
メタサイクリン塩酸塩 …………………………………… 360
メタ重亜硫酸ナトリウム → 二亜硫酸ナトリウム ……… 311
メタ重亜硫酸ナトリウム試液
　　→ 二亜硫酸ナトリウム試液 …………………………… 311
メタニルイエロー ………………………………………… 360
メタニルイエロー試液 …………………………………… 360
メタノール ………………………………………………… 360
メタノール，液体クロマトグラフィー用 ……………… 360
メタノール，水分測定用 ………………………………… 360
メタノール，精製 ………………………………………… 360
メタノール，無水 ………………………………………… 360
メタノール不含エタノール
　　→ エタノール(95)，メタノール不含 ………………… 224
メタノール不含エタノール(95)
　　→ エタノール(95)，メタノール不含 ………………… 224
メタリン酸 ………………………………………………… 360
メタリン酸・酢酸試液 …………………………………… 360
メタンスルホン酸 ………………………………………… 360
メタンスルホン酸カリウム ……………………………… 361
メタンスルホン酸試液 …………………………………… 361
メタンスルホン酸試液，0.1 mol/L ……………………… 361
メチオニン → L-メチオニン …………………………… 361
L-メチオニン …………………………………………… 361
2-メチルアミノピリジン ………………………………… 361
2-メチルアミノピリジン，水分測定用 ………………… 361
4-メチルアミノフェノール硫酸塩 ……………………… 361
4-メチルアミノフェノール硫酸塩試液 ………………… 361
メチルイエロー → メチルエロー ……………………… 361
メチルイエロー試液 → メチルエロー試液 …………… 361
メチルイソブチルケトン → 4-メチル-2-ペンタノン … 362
メチルエチルケトン → 2-ブタノン …………………… 336
dl-メチルエフェドリン塩酸塩 ………………………… 361
dl-メチルエフェドリン塩酸塩，定量用
　　→ dl-メチルエフェドリン塩酸塩 …………………… 361
メチルエルゴメトリンマレイン酸塩，定量用 ………… 361
メチルエロー ……………………………………………… 361
メチルエロー試液 ………………………………………… 361
メチルオレンジ …………………………………………… 361
メチルオレンジ・キシレンシアノールFF試液 ………… 361
メチルオレンジ・ホウ酸試液 …………………………… 361
メチルオレンジ試液 ……………………………………… 361
メチルシクロヘキサン …………………………………… 361
メチルシリコーンポリマー，ガスクロマトグラフィー用 … 361
メチルセロソルブ → 2-メトキシエタノール ………… 363
メチルチモールブルー …………………………………… 361
メチルチモールブルー・塩化ナトリウム指示薬 ……… 361
メチルチモールブルー・硝酸カリウム指示薬 ………… 361
メチルテストステロン …………………………………… 361

1-メチル-1H-テトラゾール-5-チオラートナトリウ
　　ム → 1-メチル-1H-テトラゾール-5-チオラート
　　ナトリウム二水和物···361
1-メチル-1H-テトラゾール-5-
　　チオラートナトリウム二水和物·······························361
1-メチル-1H-テトラゾール-5-チオール·····················361
1-メチル-1H-テトラゾール-5-チオール，
　　液体クロマトグラフィー用····································362
メチルドパ → メチルドパ水和物·······························362
メチルドパ，定量用 → メチルドパ水和物，定量用·········362
メチルドパ水和物···362
メチルドパ水和物，定量用·······································362
2-メチル-5-ニトロイミダゾール，
　　薄層クロマトグラフィー用····································362
N-メチルピロリジン···362
3-メチル-1-フェニル-5-ピラゾロン··························362
3-メチル-1-ブタノール···362
メチルプレドニゾロン···362
2-メチル-1-プロパノール··362
D-(+)-α-メチルベンジルアミン·······························362
3-メチル-2-ベンゾチアゾロンヒドラゾン塩酸塩
　　一水和物···362
4-メチルベンゾフェノン···362
4-メチル-2-ペンタノン···362
4-メチルペンタン-2-オール····································362
3-O-メチルメチルドパ，薄層クロマトグラフィー用······362
メチルレッド···362
メチルレッド・水酸化ナトリウム試液························363
メチルレッド・メチレンブルー試液···························363
メチルレッド試液···362
メチルレッド試液，希···362
メチルレッド試液，酸又はアルカリ試験用··················362
N,N'-メチレンビスアクリルアミド·····························363
メチレンブルー··363
メチレンブルー・硫酸・リン酸二水素ナトリウム試液···363
メチレンブルー試液···363
滅菌精製水 → 精製水，滅菌···································287
メテノロンエナント酸エステル································363
メテノロンエナント酸エステル，定量用·····················363
4'-メトキシアセトフェノン·····································363
2-メトキシエタノール···363
(E)-2-メトキシシンナムアルデヒド，
　　薄層クロマトグラフィー用····································363
1-メトキシ-2-プロパノール····································363
4-メトキシベンズアルデヒド···································363
4-メトキシベンズアルデヒド・酢酸試液·····················363
4-メトキシベンズアルデヒド・硫酸・酢酸・
　　エタノール試液，噴霧用·······································363
4-メトキシベンズアルデヒド・硫酸・酢酸試液············363
4-メトキシベンズアルデヒド・硫酸試液·····················363
2-メトキシ-4-メチルフェノール······························363
メトクロプラミド，定量用·······································364
メトトレキサート···364
メトプロロール酒石酸塩，定量用······························364

メトホルミン塩酸塩，定量用····································364
メトロニダゾール···364
メトロニダゾール，定量用·······································364
メピバカイン塩酸塩，定量用····································364
メフルシド，定量用···364
メフロキン塩酸塩···364
メベンダゾール··364
2-メルカプトエタノール···364
2-メルカプトエタノール，エポエチンベータ用···········364
メルカプトエタンスルホン酸····································364
メルカプト酢酸··365
メルカプトプリン → メルカプトプリン水和物············365
メルカプトプリン水和物···365
綿実油··365
メントール··365
l-メントール，定量用···365

モ

モサプリドクエン酸塩水和物，定量用························365
モッコウ···365
没食子酸 → 没食子酸一水和物·································365
没食子酸一水和物···365
モノエタノールアミン → 2-アミノエタノール············212
モリブデン(VI)酸二ナトリウム二水和物····················365
モリブデン酸アンモニウム
　　→ 七モリブデン酸六アンモニウム四水和物············309
モリブデン酸アンモニウム・硫酸試液
　　→ 七モリブデン酸六アンモニウム・硫酸試液·········309
モリブデン酸アンモニウム試液
　　→ 七モリブデン酸六アンモニウム試液··················309
モリブデン酸ナトリウム
　　→ モリブデン(VI)酸二ナトリウム二水和物············365
モリブデン硫酸試液···365
モルヒネ塩酸塩水和物···365
モルヒネ塩酸塩水和物，定量用·································365
3-(N-モルホリノ)プロパンスルホン酸·······················365
3-(N-モルホリノ)プロパンスルホン酸緩衝液，
　　0.02 mol/L, pH 7.0··365
3-(N-モルホリノ)プロパンスルホン酸緩衝液，
　　0.02 mol/L, pH 8.0··365
3-(N-モルホリノ)プロパンスルホン酸緩衝液，
　　0.1 mol/L, pH 7.0··365

ヤ

ヤギ抗大腸菌由来タンパク質抗体······························365
ヤギ抗大腸菌由来タンパク質抗体試液························365

ユ

ユビキノン-9··365

ヨ

ヨウ化亜鉛デンプン試液 …………………………………… 366
溶解アセチレン ……………………………………………… 366
ヨウ化イソプロピル，定量用 ……………………………… 366
ヨウ化エチル → ヨードエタン …………………………… 367
ヨウ化カリウム ……………………………………………… 366
ヨウ化カリウム，定量用 …………………………………… 366
ヨウ化カリウム・硫酸亜鉛試液 …………………………… 366
ヨウ化カリウム試液 ………………………………………… 366
ヨウ化カリウム試液，濃 …………………………………… 366
ヨウ化カリウム試液，飽和 ………………………………… 366
ヨウ化カリウムデンプン試液 ……………………………… 366
ヨウ化水素酸 ………………………………………………… 366
ヨウ化ビスマスカリウム試液 ……………………………… 366
ヨウ化メチル → ヨードメタン …………………………… 367
ヨウ化メチル，定量用 → ヨードメタン，定量用 ……… 367
陽極液A，水分測定用 ……………………………………… 366
葉酸 …………………………………………………………… 366
溶出試験第1液 ……………………………………………… 366
溶出試験第2液 ……………………………………………… 366
溶性デンプン → デンプン，溶性 ………………………… 304
溶性デンプン試液 …………………………………………… 366
ヨウ素 ………………………………………………………… 366
ヨウ素，定量用 ……………………………………………… 366
ヨウ素・デンプン試液 ……………………………………… 366
ヨウ素酸カリウム …………………………………………… 366
ヨウ素酸カリウム(標準試薬) ……………………………… 366
ヨウ素試液 …………………………………………………… 366
ヨウ素試液，0.0002 mol/L ………………………………… 366
ヨウ素試液，0.5 mol/L …………………………………… 366
ヨウ素試液，希 ……………………………………………… 366
容量分析用硫酸亜鉛 → 硫酸亜鉛七水和物 ……………… 370
5－ヨードウラシル，液体クロマトグラフィー用 ……… 366
ヨードエタン ………………………………………………… 367
ヨードエタン，定量用 ……………………………………… 367
ヨード酢酸 …………………………………………………… 367
ヨードメタン ………………………………………………… 367
ヨードメタン，定量用 ……………………………………… 367
四塩化炭素 …………………………………………………… 265
四酢酸鉛 ……………………………………………………… *32*
四酢酸鉛・フルオレセインナトリウム試液 ……………… *32*
四シュウ酸カリウム，pH測定用
　　→ 二シュウ酸三水素カリウム二水和物，pH測定用 …… 311
四ホウ酸ナトリウム・塩化カルシウム緩衝液，pH 8.0 …… 367
四ホウ酸ナトリウム・硫酸試液 …………………………… 367
四ホウ酸ナトリウム十水和物 ……………………………… 367
四ホウ酸ナトリウム十水和物，pH測定用 ……………… 367
四ホウ酸二カリウム四水和物 ……………………………… 367

ラ

ライセート試液 ……………………………………………… 367
ライセート試薬 ……………………………………………… 367
ライネッケ塩 → ライネッケ塩一水和物 ………………… 367
ライネッケ塩一水和物 ……………………………………… 367
ライネッケ塩試液 …………………………………………… 367
ラウリル硫酸ナトリウム …………………………………… 367
ラウリル硫酸ナトリウム試液 ……………………………… 367
ラウリル硫酸ナトリウム試液，0.2% …………………… 367
ラウリン酸メチル，ガスクロマトグラフィー用 ………… 367
ラウロマクロゴール ………………………………………… 367
α－ラクトアルブミン ……………………………………… 367
β－ラクトグロブリン ……………………………………… 367
ラクトビオン酸 ……………………………………………… 367
ラッカセイ油 ………………………………………………… 367
ラニチジンジアミン ………………………………………… 367
ラニーニッケル，触媒用 …………………………………… 368
ラノコナゾール ……………………………………………… 368
ラフチジン，定量用 ………………………………………… 368
ラベタロール塩酸塩 ………………………………………… 368
ラベタロール塩酸塩，定量用 ……………………………… 368
ラポンチシン，純度試験用 ………………………………… 368
L－ラムノース一水和物 …………………………………… 368
LAL試液 → ライセート試液 ……………………………… 367
LAL試薬 → ライセート試薬 ……………………………… 367
ランタン－アリザリンコンプレキソン試液 ……………… 368
卵白アルブミン，ゲルろ過分子量マーカー用 …………… 368

リ

リオチロニンナトリウム …………………………………… 368
リオチロニンナトリウム，薄層クロマトグラフィー用 … 368
力価測定培地，ナルトグラスチム試験用 ………… 368, *32*
力価測定用培地，テセロイキン用 ………………………… 368
リクイリチン，薄層クロマトグラフィー用 ……………… 368
(Z)－リグスチリド，薄層クロマトグラフィー用 ……… 368
(Z)－リグスチリド試液，薄層クロマトグラフィー用 … 368
リグノセリン酸メチル，ガスクロマトグラフィー用 …… 368
リシノプリル → リシノプリル水和物 …………………… 368
リシノプリル，定量用 → リシノプリル水和物，定量用 …… 368
リシノプリル水和物 ………………………………………… 368
リシノプリル水和物，定量用 ……………………………… 368
リシルエンドペプチダーゼ ………………………………… 369
リジルエンドペプチダーゼ ………………………………… 369
L－リシン塩酸塩 …………………………………………… 369
L－リジン塩酸塩 → L－リシン塩酸塩 …………………… 369
リスペリドン，定量用 ……………………………………… 369
リゾチーム塩酸塩用基質試液
　　→ 基質試液，リゾチーム塩酸塩用 ………………… 241
リドカイン，定量用 ………………………………………… 369
リトコール酸，薄層クロマトグラフィー用 ……………… 369
リトドリン塩酸塩 …………………………………………… 369
リノール酸メチル，ガスクロマトグラフィー用 ………… 369
リノレン酸メチル，ガスクロマトグラフィー用 ………… 369
リバビリン …………………………………………………… 369
リボヌクレアーゼA，ゲルろ過分子量マーカー用 ……… 369
リボフラビン ………………………………………………… 369

リボフラビンリン酸エステルナトリウム·················· 369
リモニン，薄層クロマトグラフィー用·················· 369
リモネン··············· 369
硫化アンモニウム試液·················· 369
硫化水素················· 369
硫化水素試液·············· 369
硫化鉄 → 硫化鉄（Ⅱ）·············· 369
硫化鉄（Ⅱ）·············· 369
硫化ナトリウム → 硫化ナトリウム九水和物········ 369
硫化ナトリウム九水和物·············· 369
硫化ナトリウム試液·················· 369
硫酸··················· 369
硫酸，希·················· 369
硫酸，精製················· 369
硫酸，発煙················· 369
硫酸，硫酸呈色物用················ 369
硫酸・エタノール試液················ 370
硫酸・水酸化ナトリウム試液············ 370
硫酸・ヘキサン・メタノール試液·········· 370
硫酸・メタノール試液················ 370
硫酸・メタノール試液，0.05 mol/L········· 370
硫酸・リン酸二水素ナトリウム試液·········· 370
硫酸亜鉛 → 硫酸亜鉛七水和物············· 370
硫酸亜鉛，容量分析用 → 硫酸亜鉛七水和物····· 370
硫酸亜鉛試液················ 370
硫酸亜鉛七水和物················ 370
硫酸アトロピン → アトロピン硫酸塩水和物······· 209
硫酸アトロピン，定量用
　　→ アトロピン硫酸塩水和物，定量用········· 209
硫酸アトロピン，薄層クロマトグラフィー用
　　→ アトロピン硫酸塩水和物，薄層クロマトグラ
　　　フィー用················· 209
硫酸4－アミノ－N, N－ジエチルアニリン
　　→ 4－アミノ－N, N－ジエチルアニリン硫酸塩
　　　一水和物··············· 212
硫酸4－アミノ－N, N－ジエチルアニリン試液
　　→ 4－アミノ－N, N－ジエチルアニリン硫酸塩試液····· 212
硫酸アルミニウムカリウム
　　→ 硫酸カリウムアルミニウム十二水和物········ 370
硫酸アンモニウム················ 370
硫酸アンモニウム緩衝液················ 370
硫酸アンモニウム試液················ 370
硫酸アンモニウム鉄（Ⅱ）六水和物·········· 370
硫酸アンモニウム鉄（Ⅲ）試液·········· 370
硫酸アンモニウム鉄（Ⅲ）試液，希·········· 370
硫酸アンモニウム鉄（Ⅲ）試液，酸性·········· 370
硫酸アンモニウム鉄（Ⅲ）十二水和物·········· 370
硫酸カナマイシン → カナマイシン硫酸塩······· 237
硫酸カリウム················ 370
硫酸カリウムアルミニウム十二水和物········ 370
硫酸カリウム試液················ 370
硫酸キニジン → キニジン硫酸塩水和物······· 241
硫酸キニーネ → キニーネ硫酸塩水和物······· 241
硫酸試液················ 370

硫酸試液，0.05 mol/L················ 370
硫酸試液，0.25 mol/L················ 370
硫酸試液，0.5 mol/L················ 370
硫酸試液，1 mol/L················ 370
硫酸試液，2 mol/L················ 370
硫酸試液，5 mol/L················ 370
硫酸ジベカシン → ジベカシン硫酸塩······· 272
硫酸水素カリウム················ 370
硫酸水素テトラブチルアンモニウム
　　→ テトラブチルアンモニウム硫酸水素塩········ 301
硫酸セリウム（Ⅳ）四水和物················ 370
硫酸第一鉄 → 硫酸鉄（Ⅱ）七水和物········ 370
硫酸第一鉄アンモニウム
　　→ 硫酸アンモニウム鉄（Ⅱ）六水和物········ 370
硫酸第一鉄試液 → 硫酸鉄（Ⅱ）試液········ 370
硫酸第二セリウムアンモニウム
　　→ 硫酸四アンモニウムセリウム（Ⅳ）二水和物········ 371
硫酸第二セリウムアンモニウム・リン酸試液
　　→ 硫酸四アンモニウムセリウム（Ⅳ）・リン酸試液········ 371
硫酸第二セリウムアンモニウム試液
　　→ 硫酸四アンモニウムセリウム（Ⅳ）試液········ 371
硫酸第二鉄 → 硫酸鉄（Ⅲ）n水和物········ 371
硫酸第二鉄アンモニウム
　　→ 硫酸アンモニウム鉄（Ⅲ）十二水和物········ 370
硫酸第二鉄アンモニウム試液
　　→ 硫酸アンモニウム鉄（Ⅲ）試液········ 370
硫酸第二鉄アンモニウム試液，希
　　→ 硫酸アンモニウム鉄（Ⅲ）試液，希········ 370
硫酸第二鉄試液 → 硫酸鉄（Ⅲ）試液········ 371
硫酸呈色物用硫酸 → 硫酸，硫酸呈色物用········ 369
硫酸鉄（Ⅱ）試液················ 370
硫酸鉄（Ⅱ）七水和物················ 370
硫酸鉄（Ⅲ）試液················ 371
硫酸鉄（Ⅲ）n水和物················ 371
硫酸銅 → 硫酸銅（Ⅱ）五水和物········ 371
硫酸銅（Ⅱ）················ 371
硫酸銅，無水 → 硫酸銅（Ⅱ）········ 371
硫酸銅・ピリジン試液 → 硫酸銅（Ⅱ）・ピリジン試液········ 371
硫酸銅（Ⅱ）・ピリジン試液············ 371
硫酸銅（Ⅱ）五水和物················ 371
硫酸銅試液 → 硫酸銅（Ⅱ）試液········ 371
硫酸銅試液，アルカリ性
　　→ 硫酸銅（Ⅱ）試液，アルカリ性········ 371
硫酸銅（Ⅱ）試液················ 371
硫酸銅（Ⅱ）試液，アルカリ性············ 371
硫酸ナトリウム → 硫酸ナトリウム十水和物········ 371
硫酸ナトリウム，無水················ 371
硫酸ナトリウム十水和物················ 371
硫酸ニッケルアンモニウム
　　→ 硫酸ニッケル（Ⅱ）アンモニウム六水和物········ 371
硫酸ニッケル（Ⅱ）アンモニウム六水和物········ 371
硫酸ニッケル（Ⅱ）六水和物················ 371
硫酸バメタン → バメタン硫酸塩········ 320
硫酸ヒドラジニウム················ 371

硫酸ヒドラジニウム試液	371
硫酸ヒドラジン → 硫酸ヒドラジニウム	371
硫酸ビンクリスチン → ビンクリスチン硫酸塩	332
硫酸ビンブラスチン → ビンブラスチン硫酸塩	332
硫酸ベカナマイシン → ベカナマイシン硫酸塩	345
硫酸マグネシウム → 硫酸マグネシウム七水和物	371
硫酸マグネシウム試液	371
硫酸マグネシウム七水和物	371
硫酸4-メチルアミノフェノール → 4-メチルアミノフェノール硫酸塩	361
硫酸p-メチルアミノフェノール → 4-メチルアミノフェノール硫酸塩	361
硫酸4-メチルアミノフェノール試液 → 4-メチルアミノフェノール硫酸塩試液	361
硫酸p-メチルアミノフェノール試液 → 4-メチルアミノフェノール硫酸塩試液	361
硫酸四アンモニウムセリウム(Ⅳ)・リン酸試液	371
硫酸四アンモニウムセリウム(Ⅳ)試液	371
硫酸四アンモニウムセリウム(Ⅳ)二水和物	371
硫酸リチウム → 硫酸リチウム一水和物	371
硫酸リチウム一水和物	371
粒子計数装置	371
粒子計数装置用希釈液 → 希釈液，粒子計数装置用	241
流動パラフィン → パラフィン，流動	321
両性担体液，pH 3～10用	371
両性担体液，pH 6～9用	371
両性担体液，pH 8～10.5用	371
リルマザホン塩酸塩水和物	371
リンコフィリン，成分含量測定用 → リンコフィリン，定量用	371
リンコフィリン，定量用	371, *30*
リンコフィリン，薄層クロマトグラフィー用	372
リン酸	372
リン酸・酢酸・ホウ酸緩衝液，pH 2.0	372
リン酸・硫酸ナトリウム緩衝液，pH 2.3	372
リン酸一水素カリウム → リン酸水素二カリウム	374
リン酸一水素カリウム・クエン酸緩衝液，pH 5.3 → リン酸水素二カリウム・クエン酸緩衝液，pH 5.3	374
リン酸一水素カリウム試液，1 mol/L，緩衝液用 → リン酸水素二カリウム試液，1 mol/L，緩衝液用	374
リン酸一水素ナトリウム → リン酸水素二ナトリウム十二水和物	374
リン酸一水素ナトリウム，無水 → リン酸水素二ナトリウム，無水	374
リン酸一水素ナトリウム，無水，pH測定用 → リン酸水素二ナトリウム，pH測定用	374
リン酸一水素ナトリウム・クエン酸塩緩衝液，pH 5.4 → リン酸水素二ナトリウム・クエン酸緩衝液，pH 5.4	374
リン酸一水素ナトリウム・クエン酸緩衝液，pH 4.5 → リン酸水素二ナトリウム・クエン酸緩衝液，pH 4.5	374
リン酸一水素ナトリウム・クエン酸緩衝液，pH 6.0 → リン酸水素二ナトリウム・クエン酸緩衝液，pH 6.0	374
リン酸一水素ナトリウム試液 → リン酸水素二ナトリウム試液	374
リン酸一水素ナトリウム試液，0.05 mol/L → リン酸水素二ナトリウム試液，0.05 mol/L	374
リン酸一水素ナトリウム試液，0.5 mol/L → リン酸水素二ナトリウム試液，0.5 mol/L	374
リン酸塩緩衝液，0.01 mol/L	372
リン酸塩緩衝液，0.01 mol/L，pH 6.8	372
リン酸塩緩衝液，0.02 mol/L，pH 3.0	372
リン酸塩緩衝液，0.02 mol/L，pH 3.5	372
リン酸塩緩衝液，0.02 mol/L，pH 7.5	372
リン酸塩緩衝液，0.02 mol/L，pH 8.0	372
リン酸塩緩衝液，0.03 mol/L，pH 7.5	373
リン酸塩緩衝液，0.05 mol/L，pH 3.5	373
リン酸塩緩衝液，0.05 mol/L，pH 6.0	373
リン酸塩緩衝液，0.05 mol/L，pH 7.0	373
リン酸塩緩衝液，0.1 mol/L，pH 4.5	373
リン酸塩緩衝液，0.1 mol/L，pH 5.3	373
リン酸塩緩衝液，0.1 mol/L，pH 6.8	373
リン酸塩緩衝液，0.1 mol/L，pH 7.0	373
リン酸塩緩衝液，0.1 mol/L，pH 8.0	373
リン酸塩緩衝液，0.1 mol/L，pH 8.0，抗生物質用	373
リン酸塩緩衝液，0.2 mol/L，pH 10.5	373
リン酸塩緩衝液，1/15 mol/L，pH 5.6	373
リン酸塩緩衝液，pH 3.0	373
リン酸塩緩衝液，pH 3.1	373
リン酸塩緩衝液，pH 3.2	*32*
リン酸塩緩衝液，pH 4.0	373
リン酸塩緩衝液，pH 5.9	373
リン酸塩緩衝液，pH 6.0	373
リン酸塩緩衝液，pH 6.2	373
リン酸塩緩衝液，pH 6.5	373
リン酸塩緩衝液，pH 6.5，抗生物質用	373
リン酸塩緩衝液，pH 6.8	373
リン酸塩緩衝液，pH 7.0	373
リン酸塩緩衝液，pH 7.2	373
リン酸塩緩衝液，pH 7.4	373
リン酸塩緩衝液，pH 8.0	373
リン酸塩緩衝液，pH 12	373
リン酸塩緩衝液，エポエチンアルファ用	372
リン酸塩緩衝液，サイコ成分含量測定用 → リン酸塩緩衝液，サイコ定量用	372
リン酸塩緩衝液，サイコ定量用	372
リン酸塩緩衝液，細胞毒性試験用	372
リン酸塩緩衝液，パンクレアチン用	372
リン酸塩緩衝液，ブシ用	372
リン酸塩緩衝液，マイクロプレート洗浄用	372
リン酸塩緩衝液・塩化ナトリウム試液，0.01 mol/L，pH 7.4	373
リン酸塩緩衝塩化ナトリウム試液	373
リン酸塩試液	373
リン酸カリウム三水和物	*32*
リン酸緩衝液，0.1 mol/L，pH 7	373
リン酸コデイン，定量用 → コデインリン酸塩水和物，定量用	254
リン酸三ナトリウム十二水和物	373

リン酸ジヒドロコデイン，定量用
　　→ ジヒドロコデインリン酸塩，定量用……………… 270
リン酸水素アンモニウムナトリウム
　　→ リン酸水素アンモニウムナトリウム四水和物……… 374
リン酸水素アンモニウムナトリウム四水和物……………… 374
リン酸水素二アンモニウム………………………………… 374
リン酸水素二カリウム……………………………………… 374
リン酸水素二カリウム・クエン酸緩衝液，pH 5.3………… 374
リン酸水素二カリウム試液，1 mol/L，緩衝液用………… 374
リン酸水素二ナトリウム，pH測定用……………………… 374
リン酸水素二ナトリウム，無水…………………………… 374
リン酸水素二ナトリウム・クエン酸塩緩衝液，pH 3.0 →
　　リン酸水素二ナトリウム・クエン酸緩衝液，pH 3.0…… 374
リン酸水素二ナトリウム・クエン酸塩緩衝液，pH 5.4 →
　　リン酸水素二ナトリウム・クエン酸緩衝液，pH 5.4…… 374
リン酸水素二ナトリウム・クエン酸緩衝液，0.05 mol/L，
　　pH 6.0…………………………………………………… 374
リン酸水素二ナトリウム・クエン酸緩衝液，pH 3.0……… 374
リン酸水素二ナトリウム・クエン酸緩衝液，pH 4.5……… 374
リン酸水素二ナトリウム・クエン酸緩衝液，pH 5.0……… 374
リン酸水素二ナトリウム・クエン酸緩衝液，pH 5.4……… 374
リン酸水素二ナトリウム・クエン酸緩衝液，pH 5.5……… 374
リン酸水素二ナトリウム・クエン酸緩衝液，pH 6.0……… 374
リン酸水素二ナトリウム・クエン酸緩衝液，pH 6.8……… 374
リン酸水素二ナトリウム・クエン酸緩衝液，pH 7.2……… 374
リン酸水素二ナトリウム・クエン酸緩衝液，pH 7.5……… 374
リン酸水素二ナトリウム・クエン酸緩衝液，pH 8.2……… 374
リン酸水素二ナトリウム・クエン酸緩衝液，
　　ペニシリウム由来β－ガラクトシダーゼ用，pH 4.5…… 374
リン酸水素二ナトリウム試液……………………………… 374
リン酸水素二ナトリウム試液，0.05 mol/L………………… 374
リン酸水素二ナトリウム試液，0.5 mol/L………………… 374
リン酸水素二ナトリウム十二水和物……………………… 374
リン酸テトラブチルアンモニウム
　　→ テトラブチルアンモニウムリン酸二水素塩………… 301
リン酸トリス(4-t-ブチルフェニル)……………………… 374
リン酸ナトリウム → リン酸三ナトリウム十二水和物…… 373
リン酸ナトリウム緩衝液，0.1 mol/L，pH 7.0……………… 374
リン酸ナトリウム試液……………………………………… 374
リン酸二水素アンモニウム………………………………… 374
リン酸二水素アンモニウム試液，0.02 mol/L……………… 374
リン酸二水素カリウム……………………………………… 374
リン酸二水素カリウム，pH測定用………………………… 374
リン酸二水素カリウム試液，0.01 mol/L，pH 4.0………… 374
リン酸二水素カリウム試液，0.02 mol/L…………………… 374
リン酸二水素カリウム試液，0.05 mol/L…………………… 375
リン酸二水素カリウム試液，0.05 mol/L，pH 3.0………… 375
リン酸二水素カリウム試液，0.05 mol/L，pH 4.7………… 375
リン酸二水素カリウム試液，0.1 mol/L…………………… 375
リン酸二水素カリウム試液，0.1 mol/L，pH 2.0…………… 375
リン酸二水素カリウム試液，0.2 mol/L…………………… 375
リン酸二水素カリウム試液，0.2 mol/L，緩衝液用………… 375
リン酸二水素カリウム試液，0.25 mol/L，pH 3.5………… 375
リン酸二水素カリウム試液，0.33 mol/L…………………… 375

リン酸二水素ナトリウム
　　→ リン酸二水素ナトリウム二水和物………………… 375
リン酸二水素ナトリウム，無水…………………………… 375
リン酸二水素ナトリウム・エタノール試液……………… 375
リン酸二水素ナトリウム一水和物………………………… 375
リン酸二水素ナトリウム試液，0.01 mol/L，pH 7.5……… 375
リン酸二水素ナトリウム試液，0.05 mol/L………………… 375
リン酸二水素ナトリウム試液，0.05 mol/L，pH 2.6……… 375
リン酸二水素ナトリウム試液，0.05 mol/L，pH 3.0……… 375
リン酸二水素ナトリウム試液，0.05 mol/L，pH 5.5……… 375
リン酸二水素ナトリウム試液，0.1 mol/L………………… 375
リン酸二水素ナトリウム試液，0.1 mol/L，pH 3.0………… 375
リン酸二水素ナトリウム試液，2 mol/L…………………… 375
リン酸二水素ナトリウム試液，pH 2.2…………………… 375
リン酸二水素ナトリウム試液，pH 2.5…………………… 375
リン酸二水素ナトリウム二水和物………………………… 375
リン酸リボフラビンナトリウム
　　→ リボフラビンリン酸エステルナトリウム………… 369
リンタングステン酸 → リンタングステン酸n水和物…… 375
リンタングステン酸試液…………………………………… 375
リンタングステン酸n水和物……………………………… 375
リンモリブデン酸 → リンモリブデン酸n水和物………… 375
リンモリブデン酸n水和物………………………………… 375

ル

ルチン，薄層クロマトグラフィー用……………………… 375
ルテオリン，薄層クロマトグラフィー用………………… 376

レ

レイン，定量用…………………………………………… 376
レイン，薄層クロマトグラフィー用……………………… 376
レザズリン………………………………………………… 376
レザズリン液……………………………………………… 376
レシチン…………………………………………………… 376
レジブフォゲニン，成分含量測定用
　　→ レジブフォゲニン，定量用………………………… 376
レジブフォゲニン，定量用………………………………… 376
レジブフォゲニン，薄層クロマトグラフィー用………… 377
レソルシノール…………………………………………… 377
レソルシノール・硫酸試液………………………………… 377
レソルシノール・硫酸銅(Ⅱ)試液………………………… 377
レソルシノール試液……………………………………… 377
レゾルシン → レソルシノール
レゾルシン試液 → レソルシノール試液………………… 377
レゾルシン硫酸試液 → レソルシノール・硫酸試液…… 377
レバミピド，定量用……………………………………… 377
レバロルファン酒石酸塩，定量用………………………… 377
レボチロキシンナトリウム
　　→ レボチロキシンナトリウム水和物………………… 377
レボチロキシンナトリウム，薄層クロマトグラフィー用
　　→ レボチロキシンナトリウム水和物，薄層クロマト
　　　グラフィー用………………………………………… 377

レボチロキシンナトリウム水和物 377
レボチロキシンナトリウム水和物，
　薄層クロマトグラフィー用 377
レボフロキサシン水和物，定量用 377
レンギョウ 377

ロ

L-ロイシン 377
L-ロイシン，定量用 377
ロガニン，成分含量測定用 → ロガニン，定量用 377
ロガニン，定量用 377, <u>31</u>
ロガニン，薄層クロマトグラフィー用 378
ロキサチジン酢酸エステル塩酸塩 378
ロサルタンカリウム 378
ロスバスタチンカルシウム 378
ロスバスタチンカルシウム鏡像異性体 378
ローズベンガル 378
ロスマリン酸，成分含量測定用
　→ ロスマリン酸，定量用 378
ロスマリン酸，定量用 378
ロスマリン酸，薄層クロマトグラフィー用 379
ロック・リンゲル試液 379
ロバスタチン 379

ワ

ワセリン 379
ワルファリンカリウム，定量用 379

MEMO

MEMO

MEMO

スペクトル索引

＊[UV]は参照紫外可視吸収スペクトルにおける頁を，[IR]は参照赤外吸収スペクトルにおける頁を示す．なお，下線のついていないものは「第十八改正日本薬局方」（じほう刊）における頁を，下線のついているものは本書「第十八改正日本薬局方第一追補」（じほう刊）における頁を示す．

ア

- アクチノマイシンD ····· [UV] 2089
- アクラルビシン塩酸塩 ····· [UV] 2089, [IR] 2281
- アクリノール水和物 ····· [UV] 2089, [IR] 2281
- アザチオプリン ····· [UV] 2090
- アシクロビル ····· [UV] 2090, [IR] 2282
- アジスロマイシン水和物 ····· [IR] 2282
- 亜硝酸アミル ····· [IR] 2282
- アズトレオナム ····· [UV] 2090
- L－アスパラギン酸 ····· [IR] 2283
- アスポキシシリン水和物 ····· [UV] 2091, [IR] 2283
- アセチルシステイン ····· [IR] 2284
- アセトアミノフェン ····· [IR] 2284
- アセトヘキサミド ····· [UV] 2091, [IR] 2284
- アセブトロール塩酸塩 ····· [UV] 2092, [IR] 2285
- アセメタシン ····· [UV] 2092, [IR] 2285
- アゼラスチン塩酸塩 ····· [UV] 2092, [IR] 2285
- アゼルニジピン ····· [UV] 2093, [IR] 2286
- アゾセミド ····· [UV] 2093, [IR] 2286
- アテノロール ····· [UV] 2093, [IR] 2286
- アトルバスタチンカルシウム水和物 ····· [UV] 2094, [IR] 2287
- アドレナリン ····· [UV] 2094, [IR] 2287
- アナストロゾール ····· [UV] <u>101</u>, [IR] <u>105</u>
- アプリンジン塩酸塩 ····· [UV] 2094, [IR] 2287
- アフロクアロン ····· [UV] 2095, [IR] 2288
- アマンタジン塩酸塩 ····· [IR] 2288
- アミオダロン塩酸塩 ····· [UV] 2095, [IR] 2288
- アミカシン硫酸塩 ····· [IR] 2289
- アミドトリゾ酸 ····· [IR] 2289
- アミトリプチリン塩酸塩 ····· [UV] 2095
- アムホテリシンB ····· [UV] 2096
- アムロジピンベシル酸塩 ····· [UV] 2096, [IR] 2289
- アモキサピン ····· [UV] 2096, [IR] 2290
- アモキシシリン水和物 ····· [IR] 2290
- アモスラロール塩酸塩 ····· [UV] 2097, [IR] 2290
- アラセプリル ····· [IR] 2291
- L－アラニン ····· [IR] 2291
- アリメマジン酒石酸塩 ····· [UV] 2097
- アルガトロバン水和物 ····· [UV] 2097, [IR] 2291
- L－アルギニン ····· [IR] 2292
- L－アルギニン塩酸塩 ····· [IR] 2292
- アルジオキサ ····· [IR] 2292
- アルプラゾラム ····· [UV] 2098
- アルプレノロール塩酸塩 ····· [UV] 2098, [IR] 2293
- アルプロスタジル ····· [UV] 2098, [IR] 2293
- アルプロスタジル　アルファデクス ····· [UV] 2099
- アルミノプロフェン ····· [UV] 2099, [IR] 2293
- アレンドロン酸ナトリウム水和物 ····· [IR] 2294
- アロチノロール塩酸塩 ····· [UV] 2099, [IR] 2294
- アロプリノール ····· [UV] 2100, [IR] 2294
- アンピシリン水和物 ····· [IR] 2295
- アンピシリンナトリウム ····· [IR] 2295
- アンピロキシカム ····· [UV] 2100, [IR] 2296
- アンベノニウム塩化物 ····· [UV] 2100, [IR] 2296
- アンレキサノクス ····· [UV] 2101, [IR] 2296

イ

- イオタラム酸 ····· [IR] 2297
- イオトロクス酸 ····· [IR] 2297
- イオパミドール ····· [IR] 2297
- イオヘキソール ····· [UV] 2101, [IR] 2298
- イコサペント酸エチル ····· [UV] 2101, [IR] 2298
- イソクスプリン塩酸塩 ····· [UV] 2102, [IR] 2298
- イソソルビド ····· [IR] 2299
- イソニアジド ····· [UV] 2102, [IR] 2299
- イソフルラン ····· [IR] 2299
- l－イソプレナリン塩酸塩 ····· [UV] 2102
- L－イソロイシン ····· [IR] 2300
- イダルビシン塩酸塩 ····· [UV] 2103
- 一硝酸イソソルビド ····· [IR] 2300
- イドクスウリジン ····· [UV] 2103
- イトラコナゾール ····· [UV] 2103, [IR] 2300
- イフェンプロジル酒石酸塩 ····· [UV] 2104, [IR] 2301
- イブジラスト ····· [UV] 2104, [IR] 2301
- イブプロフェン ····· [UV] 2104, [IR] 2301
- イブプロフェンピコノール ····· [UV] 2105, [IR] 2302
- イプラトロピウム臭化物水和物 ····· [UV] 2105, [IR] 2302
- イプリフラボン ····· [UV] 2105, [IR] 2302
- イミダプリル塩酸塩 ····· [IR] 2303
- イミプラミン塩酸塩 ····· [UV] 2106
- イミペネム水和物 ····· [UV] 2106, [IR] 2303
- イリノテカン塩酸塩水和物 ····· [UV] 2106, [IR] 2303
- イルソグラジンマレイン酸塩 ····· [UV] 2107, [IR] 2304
- イルベサルタン ····· [UV] 2107, [IR] 2304
- インジゴカルミン ····· [UV] 2107
- インダパミド ····· [UV] 2108, [IR] 2304
- インデノロール塩酸塩 ····· [UV] 2108, [IR] 2305

ウ

インドメタシン......................................[UV] 2109, [IR] 2305

ウ

ウベニメクス......................................[UV] 2109, [IR] 2305
ウラピジル......................................[UV] 2109, [IR] 2306
ウリナスタチン......................................[UV] 2110
ウルソデオキシコール酸......................................[IR] 2306

エ

エカベトナトリウム水和物......................................[UV] 2110, [IR] 2306
エスタゾラム......................................[UV] 2110
エストラジオール安息香酸エステル......................................[IR] 2307
エストリオール......................................[UV] 2111, [IR] 2307
エタクリン酸......................................[UV] 2111
エタノール......................................[IR] 2307
エダラボン......................................[UV] 2111, [IR] 2308
エチオナミド......................................[UV] 2112, [IR] 2308
エチゾラム......................................[UV] 2112, [IR] 2309
エチドロン酸二ナトリウム......................................[IR] 2309
L-エチルシステイン塩酸塩......................................[IR] 2309
エチルセルロース......................................[IR] 2310
エチルモルヒネ塩酸塩水和物......................................[UV] 2112, [IR] 2310
エチレフリン塩酸塩......................................[UV] 2113, [IR] 2310
エデト酸カルシウムナトリウム水和物......................................[IR] 2311
エテンザミド......................................[UV] 2113, [IR] 2311
エトスクシミド......................................[UV] 2113
エトドラク......................................[UV] 2114, [IR] 2311
エトポシド......................................[UV] 2114, [IR] 2312
エドロホニウム塩化物......................................[UV] 2114
エナラプリルマレイン酸塩......................................[IR] 2312
エノキサシン水和物......................................[UV] 2115, [IR] 2312
エバスチン......................................[UV] 2115, [IR] 2313
エパルレスタット......................................[UV] 2115, [IR] 2313
エピリゾール......................................[UV] 2116
エピルビシン塩酸塩......................................[UV] 2116
エフェドリン塩酸塩......................................[UV] 2116, [IR] 2313
エプレレノン......................................[UV] 2117, [IR] 2314
エペリゾン塩酸塩......................................[UV] 2117, [IR] 2314
エメダスチンフマル酸塩......................................[UV] 2117, [IR] 2314
エモルファゾン......................................[UV] 2118, [IR] 2315
エリスロマイシン......................................[IR] 2315
エリスロマイシンエチルコハク酸エステル......................................[IR] 2315
エリスロマイシンステアリン酸塩......................................[IR] 2316
エルカトニン......................................[UV] 2118
エルゴカルシフェロール......................................[IR] 2316
エンタカポン......................................[UV] 2118, [IR] 2316
エンビオマイシン硫酸塩......................................[UV] 2119
エンフルラン......................................[IR] 2317

オ

黄色ワセリン......................................[IR] *106*
オキサゾラム......................................[UV] 2119
オキサピウムヨウ化物......................................[IR] 2317
オキサプロジン......................................[IR] 2317
オキシコドン塩酸塩水和物......................................[UV] 2119, [IR] 2318
オキシテトラサイクリン塩酸塩......................................[UV] 2120, [IR] 2318
オキシトシン......................................[UV] 2120
オキシブチニン塩酸塩......................................[UV] *101*, [IR] *105*
オキシブプロカイン塩酸塩......................................[UV] 2120
オキシメトロン......................................[UV] 2121, [IR] 2318
オキセサゼイン......................................[UV] 2121, [IR] 2319
オクスプレノロール塩酸塩......................................[IR] 2319
オザグレルナトリウム......................................[UV] 2121, [IR] 2319
オフロキサシン......................................[UV] 2122, [IR] 2320
オメプラゾール......................................[UV] 2122, [IR] 2320
オーラノフィン......................................[IR] 2320
オルシプレナリン硫酸塩......................................[UV] 2122
オルメサルタン メドキソミル......................................[UV] 2123, [IR] 2321
オロパタジン塩酸塩......................................[UV] 2123, [IR] 2321

カ

ガチフロキサシン水和物......................................[UV] 2123, [IR] 2321
果糖......................................[IR] 2322
カドララジン......................................[UV] 2124, [IR] 2322
カプトプリル......................................[IR] 2322
ガベキサートメシル酸塩......................................[UV] 2124
カベルゴリン......................................[UV] 2124, [IR] 2323
カモスタットメシル酸塩......................................[UV] 2125
β-ガラクトシダーゼ(アスペルギルス)......................................[UV] 2125
カルシトニン サケ......................................[UV] 2125
カルテオロール塩酸塩......................................[UV] 2126, [IR] 2323
カルバゾクロムスルホン酸ナトリウム水和物
......................................[UV] 2126, [IR] 2323
カルバマゼピン......................................[UV] 2126
カルビドパ水和物......................................[UV] 2127, [IR] 2324
カルベジロール......................................[UV] 2127, [IR] 2324
L-カルボシステイン......................................[IR] 2324
カルボプラチン......................................[IR] 2325
カルメロース......................................[IR] 2325
カルモナムナトリウム......................................[UV] 2127, [IR] 2325
カルモフール......................................[UV] 2128, [IR] 2326
カンデサルタン シレキセチル......................................[UV] 2128, [IR] 2326
カンレノ酸カリウム......................................[UV] 2128, [IR] 2326

キ

キシリトール......................................[IR] 2327
キタサマイシン......................................[UV] 2129
キタサマイシン酢酸エステル......................................[UV] 2129, [IR] 2327
キタサマイシン酒石酸塩......................................[UV] 2129, [IR] 2327
キナプリル塩酸塩......................................[UV] 2130, [IR] 2328
キニーネエチル炭酸エステル......................................[UV] 2130, [IR] 2328
キニーネ硫酸塩水和物......................................[UV] 2130, [IR] 2328

ク

グアイフェネシン	[UV] 2131,	[IR] 2329
グアナベンズ酢酸塩	[UV] 2131,	[IR] 2329
グアネチジン硫酸塩		[IR] 2329
グアヤコールスルホン酸カリウム	[UV] 2131	
クエチアピンフマル酸塩	[UV] 2132,	[IR] 2330
クエン酸水和物		[IR] 2330
クラブラン酸カリウム	[UV] 2132,	[IR] 2331
グリクラジド	[UV] 2132,	[IR] 2331
グリシン		[IR] 2331
グリセリン		[IR] 2332
クリノフィブラート	[UV] 2133,	[IR] 2332
グリベンクラミド	[UV] 2133,	[IR] 2333
グリメピリド	[UV] 2133,	[IR] 2333
クリンダマイシン塩酸塩		[IR] 2333
クリンダマイシンリン酸エステル		[IR] 2334
グルタチオン		[IR] 2334
L-グルタミン		[IR] 2334
L-グルタミン酸		[IR] 2335
クレボプリドリンゴ酸塩	[UV] 2134,	[IR] 2335
クロカプラミン塩酸塩水和物	[UV] 2134,	[IR] 2335
クロキサシリンナトリウム水和物	[UV] 2134,	[IR] 2336
クロキサゾラム	[UV] 2135	
クロコナゾール塩酸塩	[UV] 2135,	[IR] 2336
クロスカルメロースナトリウム		[IR] 105
クロチアゼパム	[UV] 2135	
クロトリマゾール	[UV] 2136,	[IR] 2336
クロナゼパム	[UV] 2136,	[IR] 2337
クロニジン塩酸塩	[UV] 2136,	[IR] 2337
クロピドグレル硫酸塩	[UV] 2137,	[IR] 2337
クロフィブラート	[UV] 2137,	[IR] 2338
クロフェダノール塩酸塩	[UV] 2138,	[IR] 2338
クロベタゾールプロピオン酸エステル		[IR] 2338
クロペラスチン塩酸塩	[UV] 2138,	[IR] 2339
クロペラスチンフェンジゾ酸塩	[UV] 2139,	[IR] 2339
クロミフェンクエン酸塩	[UV] 2139	
クロミプラミン塩酸塩	[UV] 2139	
クロモグリク酸ナトリウム	[UV] 2140	
クロラゼプ酸二カリウム	[UV] 2140,	[IR] 2339
クロラムフェニコール	[UV] 2140,	[IR] 2340
クロラムフェニコールコハク酸エステルナトリウム	[UV] 2141,	[IR] 2340
クロラムフェニコールパルミチン酸エステル	[UV] 2141	
クロルジアゼポキシド	[UV] 2141,	[IR] 2340
クロルフェニラミンマレイン酸塩	[UV] 2142,	[IR] 2341
d-クロルフェニラミンマレイン酸塩	[UV] 2142,	[IR] 2341
クロルフェネシンカルバミン酸エステル	[UV] 2142,	[IR] 2341
クロルプロパミド	[UV] 2143,	[IR] 2342
クロルマジノン酢酸エステル		[IR] 2342

ケ

ケタミン塩酸塩	[UV] 2143,	[IR] 2342
ケトコナゾール	[UV] 2143,	[IR] 2343
ケトチフェンフマル酸塩	[UV] 2144,	[IR] 2343
ケトプロフェン	[UV] 2144,	[IR] 2343
ケノデオキシコール酸		[IR] 2344
ゲファルナート		[IR] 2344
ゲフィチニブ	[UV] 2144,	[IR] 2344

コ

コカイン塩酸塩	[UV] 2145,	[IR] 2345
コデインリン酸塩水和物	[UV] 2145,	[IR] 2345
ゴナドレリン酢酸塩	[UV] 2146,	[IR] 2345
コポビドン		[IR] 2346
コリスチンメタンスルホン酸ナトリウム		[IR] 2346
コルチゾン酢酸エステル	[UV] 2146,	[IR] 2346
コルヒチン	[UV] 2146,	[IR] 2347
コレカルシフェロール		[IR] 2347
コレスチミド		[IR] 2347

サ

サイクロセリン		[IR] 2348
サッカリン		[IR] 2348
サラゾスルファピリジン		[UV] 2147
サリチル酸	[UV] 2147,	[IR] 2348
サリチル酸ナトリウム		[IR] 2349
ザルトプロフェン	[UV] 2147,	[IR] 2349
サルブタモール硫酸塩	[UV] 2148,	[IR] 2349
サルポグレラート塩酸塩	[UV] 2148,	[IR] 2350
サントニン	[UV] 2148,	[IR] 2350

シ

ジアゼパム	[UV] 2149,	[IR] 2350
シアナミド		[IR] 2351
シアノコバラミン		[UV] 2149
シクラシリン		[IR] 2351
ジクロキサシリンナトリウム水和物	[UV] 2149,	[IR] 2351
シクロスポリン		[IR] 2352
ジクロフェナクナトリウム		[IR] 2352
シクロペントラート塩酸塩		[IR] 2352
ジゴキシン		[IR] 2353
ジスチグミン臭化物	[UV] 2150,	[IR] 2353
L-シスチン		[IR] 2353
L-システイン		[IR] 2354
L-システイン塩酸塩水和物		[IR] 2354
シスプラチン	[UV] 2150,	[IR] 2354
ジスルフィラム	[UV] 2150,	[IR] 2355
ジソピラミド	[UV] 2151,	[IR] 2355
シタグリプチンリン酸塩水和物	[UV] 2151,	[IR] 2355
シタラビン	[UV] 2151,	[IR] 2356

シチコリン……………………………… [UV] 2152, [IR] 2356
ジドブジン……………………………………………… [IR] 2356
ジドロゲステロン……………………… [UV] 2152, [IR] 2357
シノキサシン…………………………… [UV] 2152, [IR] 2357
ジノプロスト…………………………… [UV] 2153, [IR] 2357
ジヒドロエルゴタミンメシル酸塩……… [UV] 2153, [IR] 2358
ジヒドロエルゴトキシンメシル酸塩……………… [IR] 2358
ジヒドロコデインリン酸塩……………… [UV] 2153, [IR] 2358
ジピリダモール………………………… [UV] 2154, [IR] 2359
ジフェンヒドラミン塩酸塩……………… [UV] 2154, [IR] 2359
ジブカイン塩酸塩……………………… [UV] 2154, [IR] 2359
ジフルコルトロン吉草酸エステル……… [UV] 2155, [IR] 2360
シプロフロキサシン………………………………… [IR] 2360
シプロフロキサシン塩酸塩水和物………………… [IR] 2360
シプロヘプタジン塩酸塩水和物……………… [UV] 2155
ジフロラゾン酢酸エステル………………………… [IR] 2361
シベレスタットナトリウム水和物……… [UV] 2155, [IR] 2361
シベンゾリンコハク酸塩………………… [UV] 2156, [IR] 2361
シメチジン…………………………………………… [IR] 2362
ジメモルファンリン酸塩………………… [UV] 2156, [IR] 2362
ジメルカプロール…………………………………… [IR] 2362
ジモルホラミン………………………… [UV] 2156, [IR] 2363
ジョサマイシン……………………………… [UV] 2157
ジョサマイシンプロピオン酸エステル…………… [UV] 2157
シラザプリル水和物………………………………… [IR] 2363
シラスタチンナトリウム…………………………… [IR] 2363
ジラゼプ塩酸塩水和物………………… [UV] 2157, [IR] 2364
ジルチアゼム塩酸塩…………………………… [UV] 2158
シルニジピン…………………………… [UV] 2158, [IR] 2364
シロスタゾール………………………… [UV] 2158, [IR] 2364
シロドシン……………………………… [UV] 2159, [IR] 2365
シンバスタチン………………………… [UV] 2159, [IR] 2365

ス

スキサメトニウム塩化物水和物……………………… [IR] 2365
スピラマイシン酢酸エステル…………… [UV] 2159, [IR] 2366
スピロノラクトン………………………… [UV] 2160, [IR] 2366
スリンダク……………………………… [UV] 2160, [IR] 2366
スルタミシリントシル酸塩水和物……… [UV] 2160, [IR] 2367
スルチアム……………………………………… [UV] 2161
スルバクタムナトリウム…………………………… [IR] 2367
スルピリド……………………………… [UV] 2161, [IR] 2367
スルファジアジン銀………………………………… [IR] 2368
スルファメチゾール………………………………… [IR] 2368
スルファメトキサゾール…………………………… [IR] 2368
スルファモノメトキシン水和物…………………… [IR] 2369
スルベニシリンナトリウム………………………… [IR] 2369

セ

精製白糖……………………………………………… [IR] 2415
精製ヒアルロン酸ナトリウム……………………… [IR] 2422
セチリジン塩酸塩……………………… [UV] 2161, [IR] 2369

セトチアミン塩酸塩水和物……………… [UV] 2162, [IR] 2370
セトラキサート塩酸塩…………………… [UV] 2162, [IR] 2370
セファクロル…………………………… [UV] 2162, [IR] 2370
セファゾリンナトリウム………………… [UV] 2163, [IR] 2371
セファゾリンナトリウム水和物………… [UV] 2163, [IR] 2371
セファトリジンプロピレングリコール… [UV] 2163, [IR] 2371
セファドロキシル……………………… [UV] 2164, [IR] 2372
セファレキシン………………………… [UV] 2164, [IR] 2372
セファロチンナトリウム………………… [UV] 2164, [IR] 2372
セフィキシム水和物…………………… [UV] 2165, [IR] 2373
セフォジジムナトリウム………………… [UV] 2165, [IR] 2373
セフォタキシムナトリウム……………… [UV] 2165, [IR] 2373
セフォチアム塩酸塩…………………… [UV] 2166, [IR] 2374
セフォチアム　ヘキセチル塩酸塩………………… [UV] 2166
セフォテタン…………………………… [UV] 2166, [IR] 2374
セフォペラゾンナトリウム………………………… [UV] 2167
セフカペン　ピボキシル塩酸塩水和物…………… [UV] 2167
セフジトレン　ピボキシル………………………… [UV] 2167
セフスロジンナトリウム………………… [UV] 2168, [IR] 2374
セフタジジム水和物…………………… [UV] 2168, [IR] 2375
セフチゾキシムナトリウム……………… [UV] 2168, [IR] 2375
セフチブテン水和物…………………… [UV] 2169, [IR] 2375
セフテラム　ピボキシル………………… [UV] 2169, [IR] 2376
セフトリアキソンナトリウム水和物……………… [UV] 2169
セフピラミドナトリウム…………………………… [UV] 2170
セフブペラゾンナトリウム………………………… [UV] 2170
セフポドキシム　プロキセチル………… [UV] 2170, [IR] 2376
セフミノクスナトリウム水和物………… [UV] 2171, [IR] 2376
セフメタゾールナトリウム……………… [UV] 2171, [IR] 2377
セフメノキシム塩酸塩………………… [UV] 2171, [IR] 2377
セフロキサジン水和物………………… [UV] 2172, [IR] 2377
セフロキシム　アキセチル……………… [UV] 2172, [IR] 2378
セボフルラン………………………………………… [IR] 2378
セラセフェート……………………………………… [IR] 2378
L－セリン……………………………………………… [IR] 2379
セレコキシブ…………………………… [UV] 2172, [IR] 2379

ソ

ゾニサミド……………………………… [UV] 2173, [IR] 2379
ゾピクロン……………………………… [UV] 2173, [IR] 2380
ゾルピデム酒石酸塩…………………… [UV] 2173, [IR] 2380

タ

ダウノルビシン塩酸塩………………… [UV] 2174, [IR] 2380
タウリン……………………………………………… [IR] 2381
タカルシトール水和物………………… [UV] 2174, [IR] 2381
タクロリムス水和物………………………………… [IR] 2381
タゾバクタム………………………………………… [IR] 2382
ダナゾール……………………………… [UV] 2174, [IR] 2382
タムスロシン塩酸塩…………………… [UV] 2175, [IR] 2382
タモキシフェンクエン酸塩……………… [UV] 2175, [IR] 2383
タランピシリン塩酸塩……………………………… [IR] 2383

タルチレリン水和物	[IR] 2383
ダントロレンナトリウム水和物	[UV] 2175, [IR] 2384
タンニン酸ベルベリン	[UV] 2176, [IR] 2384

チ

チアプリド塩酸塩	[UV] 2176, [IR] 2384
チアミラールナトリウム	[UV] 2176, [IR] 2385
チアミン塩化物塩酸塩	[UV] 2177, [IR] 2385
チアラミド塩酸塩	[IR] 2385
チオリダジン塩酸塩	[IR] 2386
チクロピジン塩酸塩	[IR] 2386
チザニジン塩酸塩	[UV] 2177, [IR] 2386
チニダゾール	[UV] 2177, [IR] 2387
チペピジンヒベンズ酸塩	[UV] 2178, [IR] 2387
チメピジウム臭化物水和物	[UV] 2178, [IR] 2387
チモロールマレイン酸塩	[UV] 2178, [IR] 2388
注射用アセチルコリン塩化物	[IR] 2283
L-チロシン	[UV] 2179, [IR] 2388

ツ

ツロブテロール	[UV] 2179, [IR] 2388
ツロブテロール塩酸塩	[UV] 2179, [IR] 2389

テ

低置換度ヒドロキシプロピルセルロース	[IR] 2425
テオフィリン	[UV] 2180, [IR] 2389
テガフール	[UV] 2180, [IR] 2389
デキサメタゾン	[UV] 2180, [IR] 2390
デキストロメトルファン臭化水素酸塩水和物	[UV] 2181, [IR] 2390
テストステロンプロピオン酸エステル	[UV] 2181, [IR] 2390
テトラカイン塩酸塩	[UV] 2181
テトラサイクリン塩酸塩	[UV] 2182, [IR] 2391
デフェロキサミンメシル酸塩	[IR] 2391
テプレノン	[IR] 2391
デメチルクロルテトラサイクリン塩酸塩	[UV] 2182, [IR] 2392
テモカプリル塩酸塩	[UV] 2182, [IR] 2392
テモゾロミド	[UV] 101, [IR] 106
テルビナフィン塩酸塩	[UV] 2183, [IR] 2392
テルブタリン硫酸塩	[UV] 2183
テルミサルタン	[UV] 2183, [IR] 2393
デンプングリコール酸ナトリウム　タイプA	[IR] 2393
デンプングリコール酸ナトリウム　タイプB	[IR] 2393

ト

ドキサゾシンメシル酸塩	[UV] 2184, [IR] 2394
ドキサプラム塩酸塩水和物	[UV] 2184, [IR] 2394
ドキシサイクリン塩酸塩水和物	[UV] 2184, [IR] 2394
ドキシフルリジン	[UV] 2185, [IR] 2395
ドキソルビシン塩酸塩	[UV] 2185, [IR] 2395
トコフェロール	[IR] 2395
トコフェロールコハク酸エステルカルシウム	[IR] 2396
トコフェロール酢酸エステル	[IR] 2396
トコフェロールニコチン酸エステル	[UV] 2185, [IR] 2396
トスフロキサシントシル酸塩水和物	[UV] 2186, [IR] 2397
ドセタキセル水和物	[UV] 2186, [IR] 2397
トドララジン塩酸塩水和物	[UV] 2186, [IR] 2397
ドネペジル塩酸塩	[UV] 2187, [IR] 2398
ドパミン塩酸塩	[UV] 2187, [IR] 2398
トフィソパム	[UV] 2187, [IR] 2398
ドブタミン塩酸塩	[IR] 2399
トラニラスト	[UV] 2188, [IR] 2399
トラネキサム酸	[IR] 2399
トラピジル	[UV] 2188
トラマドール塩酸塩	[UV] 2188, [IR] 2400
トリアゾラム	[UV] 2189, [IR] 2400
トリアムシノロン	[IR] 2400
トリアムシノロンアセトニド	[UV] 2189, [IR] 2401
トリアムテレン	[UV] 2189
トリエンチン塩酸塩	[IR] 2401
トリクロホスナトリウム	[IR] 2401
トリクロルメチアジド	[UV] 2190, [IR] 2402
L-トリプトファン	[IR] 2402
ドリペネム水和物	[UV] 2190, [IR] 2402
トリメタジオン	[IR] 2403
トリメタジジン塩酸塩	[UV] 2190, [IR] 2403
トリメトキノール塩酸塩水和物	[UV] 2191, [IR] 2403
トリメブチンマレイン酸塩	[UV] 2191, [IR] 2404
ドルゾラミド塩酸塩	[UV] 2191, [IR] 2404
トルナフタート	[UV] 2192, [IR] 2404
L-トレオニン	[IR] 2405
トレハロース水和物	[IR] 2405
トレピブトン	[UV] 2192
ドロキシドパ	[UV] 2192, [IR] 2405
トロキシピド	[UV] 2193, [IR] 2406
ドロペリドール	[UV] 2193, [IR] 2406
ドンペリドン	[UV] 2193, [IR] 2406

ナ

ナイスタチン	[UV] 2194
ナテグリニド	[UV] 2194, [IR] 2407
ナドロール	[UV] 2194
ナファモスタットメシル酸塩	[UV] 2195, [IR] 2407
ナフトピジル	[UV] 2195, [IR] 2407
ナブメトン	[UV] 2195, [IR] 2408
ナプロキセン	[UV] 2196, [IR] 2408
ナリジクス酸	[UV] 2196, [IR] 2408
ナロキソン塩酸塩	[UV] 2196, [IR] 2409

ニ

ニカルジピン塩酸塩	[UV] 2197, [IR] 2409

ニコチン酸……………………………………… [UV] 2197
ニコチン酸アミド……………………………… [UV] 2197
ニコモール……………………………… [UV] 2198, [IR] 2409
ニコランジル…………………………… [UV] 2198, [IR] 2410
ニザチジン……………………………… [UV] 2198, [IR] 2410
ニセリトロール………………………… [UV] 2199, [IR] 2410
ニセルゴリン…………………………… [UV] 2199, [IR] 2411
ニトラゼパム…………………………………… [UV] 2199
ニトレンジピン………………………… [UV] 2200, [IR] 2411
ニフェジピン…………………………… [UV] 2200, [IR] 2411
乳糖水和物……………………………………… [IR] 2412
ニルバジピン…………………………… [UV] 2200, [IR] 2412

ネ

ネオスチグミンメチル硫酸塩………… [UV] 2201, [IR] 2413

ノ

濃グリセリン…………………………………… [IR] 2332
ノスカピン……………………………… [UV] 2201, [IR] 2413
ノルアドレナリン……………………… [UV] 2201, [IR] 2413
ノルエチステロン……………………………… [IR] 2414
ノルゲストレル………………………………… [IR] 2414
ノルトリプチリン塩酸塩……………… [UV] 2202, [IR] 2414
ノルフロキサシン……………………… [UV] 2202, [IR] 2415

ハ

バカンピシリン塩酸塩………………… [UV] 2202, [IR] 2415
白色ワセリン…………………………………… [IR] _107_
バクロフェン…………………………………… [UV] 2203
パズフロキサシンメシル酸塩………… [UV] 2203, [IR] 2416
パニペネム……………………………… [UV] 2203, [IR] 2416
バメタン硫酸塩………………………………… [UV] 2204
パラアミノサリチル酸カルシウム水和物………… [IR] 2416
パラオキシ安息香酸エチル……………………… [IR] 2417
パラオキシ安息香酸ブチル……………………… [IR] 2417
パラオキシ安息香酸プロピル…………………… [IR] 2417
パラオキシ安息香酸メチル……………………… [IR] 2418
バラシクロビル塩酸塩………………… [UV] 2204, [IR] 2418
L-バリン……………………………………… [IR] 2418
バルサルタン…………………………… [UV] 2204, [IR] 2419
バルプロ酸ナトリウム………………………… [IR] 2419
ハロキサゾラム………………………… [UV] 2205, [IR] 2419
パロキセチン塩酸塩水和物…………… [UV] 2205, [IR] 2420
ハロタン………………………………………… [IR] 2420
ハロペリドール………………………… [UV] 2205, [IR] 2420
パンクロニウム臭化物………………………… [IR] 2421
バンコマイシン塩酸塩………………… [UV] 2206, [IR] 2421
パントテン酸カルシウム……………………… [IR] 2421

ヒ

ピオグリタゾン塩酸塩………………… [UV] 2206, [IR] 2422
ビオチン………………………………………… [IR] 2422
ビカルタミド…………………………… [UV] 2206, [IR] 2423
ピコスルファートナトリウム水和物…… [UV] 2207, [IR] 2423
ビサコジル……………………………… [UV] 2207, [IR] 2423
L-ヒスチジン………………………………… [IR] 2424
L-ヒスチジン塩酸塩水和物………………… [IR] 2424
ビソプロロールフマル酸塩…………… [UV] 2207, [IR] 2424
ピタバスタチンカルシウム水和物……………… [UV] 2208
ヒドララジン塩酸塩…………………… [UV] 2208, [IR] 2425
ヒドロキシジン塩酸塩………………………… [UV] 2208
ヒドロキシジンパモ酸塩……………………… [UV] 2209
ヒドロキシプロピルセルロース………………… [IR] 2425
ヒドロキソコバラミン酢酸塩………………… [UV] 2209
ヒドロクロロチアジド………………………… [UV] 2209
ヒドロコタルニン塩酸塩水和物……… [UV] 2210, [IR] 2426
ヒドロコルチゾン……………………………… [IR] 2426
ヒドロコルチゾンコハク酸エステル…………… [IR] 2426
ヒドロコルチゾンコハク酸エステルナトリウム…… [IR] 2427
ヒドロコルチゾン酪酸エステル………………… [IR] 2427
ヒドロコルチゾンリン酸エステルナトリウム…… [IR] 2427
ピブメシリナム塩酸塩………………………… [IR] 2428
ヒプロメロースフタル酸エステル……………… [IR] 2428
ピペミド酸水和物……………………… [UV] 2210, [IR] 2429
ピペラシリン水和物…………………………… [IR] 2429
ピペラシリンナトリウム……………………… [IR] 2429
ピペラジンアジピン酸塩……………………… [IR] 2430
ピペラジンリン酸塩水和物…………………… [IR] 2430
ビペリデン塩酸塩……………………… [UV] 2210, [IR] 2430
ビホナゾール…………………………… [UV] 2211, [IR] 2431
ピマリシン……………………………………… [UV] 2211
ヒメクロモン…………………………… [UV] 2211, [IR] 2431
ピモジド………………………………… [UV] 2212, [IR] 2431
ピラジナミド…………………………… [UV] 2212, [IR] 2432
ピラルビシン…………………………………… [UV] 2212
ピランテルパモ酸塩…………………… [UV] 2213, [IR] 2432
ピリドキサールリン酸エステル水和物… [UV] 2213, [IR] 2432
ピリドキシン塩酸塩…………………… [UV] 2213, [IR] 2433
ピリドスチグミン臭化物……………………… [UV] 2214
ピルシカイニド塩酸塩水和物………… [UV] 2214, [IR] 2433
ピレノキシン…………………………… [UV] 2214, [IR] 2433
ピレンゼピン塩酸塩水和物…………… [UV] 2215, [IR] 2434
ピロキシカム…………………………… [UV] 2215, [IR] 2434
ピロールニトリン……………………… [UV] 2215, [IR] 2434
ビンクリスチン硫酸塩………………… [UV] 2216, [IR] 2435
ピンドロール…………………………… [UV] 2216, [IR] 2435
ビンブラスチン硫酸塩………………… [UV] 2216, [IR] 2435

フ

ファモチジン…………………………… [UV] 2217, [IR] 2436
フィトナジオン………………………… [UV] 2217, [IR] 2436

フェキソフェナジン塩酸塩	[UV] 2218, [IR] 2436
L－フェニルアラニン	[IR] 2437
フェニルブタゾン	[UV] 2218
フェネチシリンカリウム	[UV] 2218, [IR] 2437
フェノバルビタール	[UV] 2219, [IR] 2437
フェノフィブラート	[UV] 2219, [IR] 2438
フェノールスルホンフタレイン	[UV] 2219
フェルビナク	[UV] 2220, [IR] 2438
フェロジピン	[UV] 2220, [IR] 2438
フェンタニルクエン酸塩	[UV] 2220, [IR] 2439
フェンブフェン	[UV] 2221, [IR] 2439
ブクモロール塩酸塩	[UV] 2221, [IR] 2439
フシジン酸ナトリウム	[IR] 2440
ブシラミン	[IR] 2440
ブスルファン	[IR] 2440
ブチルスコポラミン臭化物	[UV] 2221, [IR] 2441
ブデソニド	[UV] 102, [IR] 106
ブテナフィン塩酸塩	[UV] 2222, [IR] 2441
フドステイン	[IR] 2441
ブトロピウム臭化物	[UV] 2222
ブナゾシン塩酸塩	[IR] 2442
ブピバカイン塩酸塩水和物	[UV] 2223, [IR] 2442
ブフェトロール塩酸塩	[UV] 2223, [IR] 2442
ブプラノロール塩酸塩	[UV] 2223, [IR] 2443
ブプレノルフィン塩酸塩	[UV] 2224, [IR] 2443
ブホルミン塩酸塩	[UV] 2224, [IR] 2443
ブメタニド	[UV] 2224, [IR] 2444
プラステロン硫酸エステルナトリウム水和物	[IR] 2444
プラゼパム	[UV] 2225, [IR] 2444
プラゾシン塩酸塩	[UV] 2225, [IR] 2445
プラノプロフェン	[UV] 2225, [IR] 2445
プラバスタチンナトリウム	[UV] 2226
フラビンアデニンジヌクレオチドナトリウム	[IR] 2445
フラボキサート塩酸塩	[UV] 2226, [IR] 2446
プランルカスト水和物	[UV] 2226, [IR] 2446
フルオシノニド	[UV] 2227
フルオシノロンアセトニド	[IR] 2446
フルオロウラシル	[UV] 2227
フルオロメトロン	[UV] 2227, [IR] 2447
フルコナゾール	[UV] 2228, [IR] 2447
フルジアゼパム	[UV] 2228, [IR] 2447
フルシトシン	[UV] 2229
フルスルチアミン塩酸塩	[IR] 2448
フルタミド	[UV] 2229, [IR] 2448
フルトプラゼパム	[UV] 2229, [IR] 2448
フルドロコルチゾン酢酸エステル	[UV] 2230, [IR] 2449
フルニトラゼパム	[UV] 2230, [IR] 2449
フルフェナジンエナント酸エステル	[UV] 2230, [IR] 2449
フルボキサミンマレイン酸塩	[UV] 2231, [IR] 2450
フルラゼパム塩酸塩	[UV] 2231, [IR] 2450
フルルビプロフェン	[UV] 2231, [IR] 2450
ブレオマイシン塩酸塩	[UV] 2232, [IR] 2451
ブレオマイシン硫酸塩	[UV] 2232, [IR] 2451
フレカイニド酢酸塩	[UV] 2232, [IR] 2451
プレドニゾロン	[IR] 2452
プレドニゾロンコハク酸エステル	[IR] 2452
プレドニゾロン酢酸エステル	[IR] 2452
プレドニゾロンリン酸エステルナトリウム	[UV] 2233, [IR] 2453
プロカインアミド塩酸塩	[IR] 2453
プロカイン塩酸塩	[UV] 2233, [IR] 2453
プロカテロール塩酸塩水和物	[UV] 2233, [IR] 2454
プロカルバジン塩酸塩	[UV] 2234, [IR] 2454
プログルミド	[IR] 2454
プロゲステロン	[UV] 2234, [IR] 2455
フロセミド	[UV] 2234, [IR] 2455
プロチゾラム	[UV] 2235, [IR] 2455
プロチレリン	[IR] 2456
プロパフェノン塩酸塩	[UV] 2235, [IR] 2456
プロピベリン塩酸塩	[UV] 2235, [IR] 2456
プロブコール	[UV] 2236, [IR] 2457
プロプラノロール塩酸塩	[UV] 2236, [IR] 2457
フロプロピオン	[UV] 2236, [IR] 2457
プロベネシド	[UV] 2237
ブロマゼパム	[UV] 2237, [IR] 2458
ブロムフェナクナトリウム水和物	[UV] 2237, [IR] 2458
ブロムヘキシン塩酸塩	[UV] 2238, [IR] 2458
プロメタジン塩酸塩	[UV] 2238, [IR] 2459
フロモキセフナトリウム	[UV] 2238, [IR] 2459
ブロモクリプチンメシル酸塩	[UV] 2239, [IR] 2459
L－プロリン	[IR] 2460

へ

ベクロメタゾンプロピオン酸エステル	[IR] 2460
ベザフィブラート	[UV] 2239, [IR] 2460
ベタキソロール塩酸塩	[UV] 2239, [IR] 2461
ベタネコール塩化物	[IR] 2461
ベタヒスチンメシル酸塩	[UV] 2240, [IR] 2461
ベタミプロン	[UV] 2240, [IR] 2462
ベタメタゾン	[UV] 2240, [IR] 2462
ベタメタゾン吉草酸エステル	[IR] 2462
ベタメタゾンジプロピオン酸エステル	[UV] 2241, [IR] 2463
ベタメタゾンリン酸エステルナトリウム	[IR] 2463
ベチジン塩酸塩	[UV] 2241, [IR] 2463
ベニジピン塩酸塩	[UV] 2241, [IR] 2464
ペプロマイシン硫酸塩	[UV] 2242, [IR] 2464
ベポタスチンベシル酸塩	[UV] 2242, [IR] 2464
ペミロラストカリウム	[UV] 2242, [IR] 2465
ベラパミル塩酸塩	[UV] 2243, [IR] 2465
ベラプロストナトリウム	[UV] 2243, [IR] 2465
ペルフェナジン	[UV] 2243, 2244
ペルフェナジンマレイン酸塩	[UV] 2244
ベルベリン塩化物水和物	[UV] 2245, [IR] 2466
ベンザルコニウム塩化物	[UV] 2245
ベンジルアルコール	[IR] 2466
ベンジルペニシリンカリウム	[UV] 2245, [IR] 2466
ベンジルペニシリンベンザチン水和物	[UV] 2246, [IR] 2467

ベンズブロマロン······························[UV] 2246, [IR] 2467
ベンゼトニウム塩化物··································[UV] 2246
ベンセラジド塩酸塩····························[UV] 2247, [IR] 2467
ペンタゾシン··[UV] 2247
ペントキシベリンクエン酸塩·····························[IR] 2468
ペントバルビタールカルシウム··························[IR] 2468
ペンブトロール硫酸塩·························[UV] 2247, [IR] 2468

ホ

ボグリボース··[IR] 2469
ホスホマイシンカルシウム水和物······················[IR] 2469
ホスホマイシンナトリウム····························[IR] 2469
ポビドン···[IR] 2470
ホモクロルシクリジン塩酸塩···········[UV] 2248, [IR] 2470
ポラプレジンク·····································[IR] 2470
ボリコナゾール······························[UV] 2248, [IR] 2471
ポリスチレン··[IR] 2281
ポリスチレンスルホン酸カルシウム····················[IR] 2471
ポリスチレンスルホン酸ナトリウム····················[IR] 2471
ホリナートカルシウム水和物··············[UV] 2248, [IR] 2472
ホルモテロールフマル酸塩水和物········[UV] 2249, [IR] 2472

マ

マイトマイシンC····························[UV] 2249, [IR] 2472
マニジピン塩酸塩····························[UV] 2249, [IR] 2473
マプロチリン塩酸塩···························[UV] 2250, [IR] 2473
D-マンニトール····································[IR] 2473

ミ

ミグリトール··[IR] 2474
ミコナゾール································[UV] 2250, [IR] 2474
ミコナゾール硝酸塩···································[UV] 2250
ミゾリビン····································[UV] 2251, [IR] 2474
ミチグリニドカルシウム水和物·········[UV] 2251, [IR] 2475
ミデカマイシン·······························[UV] 2251, [IR] 2475
ミデカマイシン酢酸エステル··············[UV] 2252, [IR] 2475
ミノサイクリン塩酸塩·······················[UV] 2252, [IR] 2476

ム

無水アンピシリン····································[IR] 2295
無水エタノール······································[IR] 2308
無水クエン酸··[IR] 2330
無水乳糖··[IR] 2412

メ

メキシレチン塩酸塩··························[UV] 2252, [IR] 2476
メキタジン····································[UV] 2253, [IR] 2476
メクロフェノキサート塩酸塩····························[UV] 2253
メコバラミン·································[UV] 2253, 2254

メサラジン····································[UV] 2254, [IR] 2477
メストラノール·································[UV] 2254, [IR] 2477
メダゼパム····································[UV] 2255, [IR] 2477
L-メチオニン·······································[UV] 2478
メチクラン····································[UV] 2255, [IR] 2478
メチラポン··[UV] 2255
dl-メチルエフェドリン塩酸塩·············[UV] 2256, [IR] 2478
メチルエルゴメトリンマレイン酸塩······················[UV] 2256
メチルジゴキシン······························[UV] 2256, [IR] 2479
メチルテストステロン··························[UV] 2257, [IR] 2479
メチルドパ水和物·······························[UV] 2257, [IR] 2479
メチルプレドニゾロン··································[UV] 2257
メチルプレドニゾロンコハク酸エステル
···[UV] 2258, [IR] 2480
メテノロン酢酸エステル································[IR] 2480
メトキサレン···[UV] 2258
メトクロプラミド·····································[UV] 2258
メトトレキサート······························[UV] 2259, [IR] 2480
メトプロロール酒石酸塩·······················[UV] 2259, [IR] 2481
メトホルミン塩酸塩····························[UV] 2259, [IR] 2481
メドロキシプロゲステロン酢酸エステル
···[UV] 2260, [IR] 2481
メトロニダゾール······························[UV] 2260, [IR] 2482
メナテトレノン·······································[IR] 2482
メピチオスタン·······································[IR] 2482
メピバカイン塩酸塩····························[UV] 2260, [IR] 2483
メフェナム酸···[UV] 2261
メフルシド····································[UV] 2261, [IR] 2483
メフロキン塩酸塩······························[UV] 2261, [IR] 2483
メペンゾラート臭化物·································[UV] 2262
メルカプトプリン水和物································[UV] 2262
メルファラン···[UV] 2262

モ

モサプリドクエン酸塩水和物···············[UV] 2263, [IR] 2484
モルヒネ塩酸塩水和物························[UV] 2263, [IR] 2484
モルヒネ硫酸塩水和物························[UV] 2264, [IR] 2484
モンテルカストナトリウム·····················[UV] 2264, [IR] 2485

ユ

ユビデカレノン··[IR] 2485

ヨ

葉酸··[UV] 2265

ラ

ラウリル硫酸ナトリウム································[IR] 2485
ラタモキセフナトリウム······················[UV] 2265, [IR] 2486
ラニチジン塩酸塩······························[UV] 2265, [IR] 2486
ラノコナゾール································[UV] 2266, [IR] 2486

ラフチジン ……………………………… [UV] 2266, [IR] 2487
ラベタロール塩酸塩 …………………… [UV] 2266, [IR] 2487
ラベプラゾールナトリウム …………… [UV] 2267, [IR] 2487
ランソプラゾール ……………………… [UV] 2267, [IR] 2488

リ

リオチロニンナトリウム ……………………………… [UV] 2267
リシノプリル水和物 …………………… [UV] 2268, [IR] 2488
L-リシン塩酸塩 ………………………………………… [IR] 2488
L-リシン酢酸塩 ………………………………………… [IR] 2489
リスペリドン …………………………… [UV] 2268, [IR] 2489
リセドロン酸ナトリウム水和物 ……… [UV] 2268, [IR] 2489
リゾチーム塩酸塩 ……………………………………… [UV] 2269
リドカイン ……………………………… [UV] 2269, [IR] 2490
リトドリン塩酸塩 ……………………… [UV] 2269, [IR] 2490
リバビリン ……………………………… [UV] 2270, [IR] 2490
リファンピシン ………………………… [UV] 2270, [IR] 2491
リボフラビン …………………………………………… [UV] 2270
リボフラビン酪酸エステル …………………………… [UV] 2271
リボフラビンリン酸エステルナトリウム …………… [UV] 2271
リマプロスト アルファデクス ……………………… [UV] 2271
リュープロレリン酢酸塩 ……………………………… [IR] 2491
リルマザホン塩酸塩水和物 …………… [UV] 2272, [IR] 2491
リンコマイシン塩酸塩水和物 ………………………… [IR] 2492

レ

レセルピン ……………………………… [UV] 2272, [IR] 2492
レナンピシリン塩酸塩 ………………………………… [IR] 2492
レバミピド ……………………………… [UV] 2272, [IR] 2493
レバロルファン酒石酸塩 ……………… [UV] 2273, [IR] 2493
レボチロキシンナトリウム水和物 …………………… [UV] 2273
レボドパ ………………………………………………… [UV] 2273
レボフロキサシン水和物 ……………… [UV] 2274, [IR] 2493
レボホリナートカルシウム水和物 …… [UV] 2274, [IR] 2494

ロ

L-ロイシン ……………………………………………… [IR] 2494
ロキサチジン酢酸エステル塩酸塩 …… [UV] 2274, [IR] 2494
ロキシスロマイシン …………………………………… [IR] 2495
ロキソプロフェンナトリウム水和物 … [UV] 2275, [IR] 2495
ロサルタンカリウム …………………… [UV] 2275, [IR] 2495
ロスバスタチンカルシウム …………… [UV] 2275, [IR] 2496
ロフラゼプ酸エチル …………………… [UV] 2276, [IR] 2496
ロベンザリットナトリウム …………… [UV] 2276, [IR] 2496
ロラゼパム ……………………………… [UV] 2276, [IR] 2497

ワ

ワルファリンカリウム ………………… [UV] 2277, [IR] 2497

MEMO

MEMO

MEMO

MEMO

MEMO

第十八改正日本薬局方 第一追補

定価　本体 8,800 円（税別）

2023 年 3 月 30 日　発　行

編　集　　一般財団法人　医薬品医療機器レギュラトリーサイエンス財団
発行人　　武田　信
発行所　　株式会社 じほう
　　　　　101-8421　東京都千代田区神田猿楽町 1-5-15（猿楽町 SS ビル）
　　　　　振替　00190-0-900481
　　　　　＜大阪支局＞
　　　　　541-0044　大阪市中央区伏見町 2-1-1（三井住友銀行高麗橋ビル）
　　　　　お問い合わせ　https://www.jiho.co.jp/contact/

©2023　　　　　　　　　　　　　　　　　　　　組版・印刷　大日本印刷(株)
Printed in Japan

本書の複写にかかる複製，上映，譲渡，公衆送信（送信可能化を含む）の各権利は株式会社じほうが管理の委託を受けています。

JCOPY ＜出版者著作権管理機構 委託出版物＞
本書の無断複製は著作権法上での例外を除き禁じられています。
複製される場合は，そのつど事前に，出版者著作権管理機構（電話 03-5244-5088，FAX 03-5244-5089，e-mail：info@jcopy.or.jp）の許諾を得てください。

万一落丁，乱丁の場合は，お取替えいたします。
ISBN 978-4-8407-5503-0